TK_Ag7uahMVjhCgen

DERECHO DE OBLIGACIONES

Teoría general de la relación obligatoria. Teoría general del contrato. Derecho de daños

JOSÉ MANUEL LETE DEL RÍO†
JAVIER LETE ACHIRICA

DERECHO DE OBLIGACIONES

Teoría general de la relación obligatoria. Teoría general del contrato. Derecho de daños

VOLUMEN I

2.ª Edición

THOMSON REUTERS
ARANZADI

Segunda edición, 2022

THOMSON REUTERS PROVIEW™ eBOOKS
Incluye versión en digital

Editorial Aranzadi, S.A.U.
Camino de Galar, 15
31190 Cizur Menor (Navarra)
ISBN: 978-84-1125-064-1
DL NA 2347-2022
Printed in Spain. Impreso en España
Fotocomposición: Editorial Aranzadi, S.A.U.
Impresión: Rodona Industria Gráfica, SL
Polígono Agustinos, Calle A, Nave D-11
31013 – Pamplona

A la memoria de mi padre.

Sumario

CAPÍTULO V
CLASES DE OBLIGACIONES POR RAZÓN DEL OBJETO (I) 113

CAPÍTULO XII
LAS GARANTÍAS DE LA OBLIGACIÓN

CAPÍTULO XIII
DEFENSA DEL DERECHO DE CRÉDITO

CAPÍTULO XXIV
LAS CONDICIONES GENERALES DE LA CONTRATACIÓN

CAPÍTULO XXXI

CUASICONTRATOS 747

CAPÍTULO XXXII

ENRIQUECIMIENTO INJUSTIFICADO 769

CAPÍTULO XL
LA RESPONSABILIDAD POR LOS DAÑOS CAUSADOS POR PRODUCTOS DEFECTUOSOS

CAPÍTULO XLI
CONFLICTOS DE LEYES Y RESPONSABILIDAD CIVIL EXTRACONTRACTUAL

Thomson Reuters ProView. Guía de uso

Prólogo

Cuando mi padre terminó la redacción de este libro entre los años 1988 y 1989 tenía claro que su intención primordial era exponer de manera completa y rigurosa el Derecho de obligaciones español con una clara finalidad docente, pero sin renunciar por ello a servir también de instrumento de trabajo a estudiosos y profesionales. Con este fin, no escatimó esfuerzos a la hora de redactarlo de la manera más completa posible, incluyendo siempre las reformas legislativas más recientes realizadas en nuestro ordenamiento, así como los últimos pronunciamientos jurisprudenciales. Siempre tuvo en mente que se trataba de un manual de la asignatura que no debía limitarse al contenido de una materia impartida de forma concreta en tal o cual Universidad, y por tanto no estaba obligado a cumplir los estrictos (y a menudo estrechos) criterios de planes de estudio y programaciones docentes. Al convertirme en coautor en 2005, quisimos ampliar esta visión del libro incorporando nuevas referencias que tuvieran relación con el entonces emergente Derecho contractual europeo, al igual que con el Derecho europeo de daños, lo que nos llevó a añadir los *Principles of European Contract Law* (PECL) y los *Principles of European Tort Law* (PETL). Cuando mi padre falleció de forma inesperada y trágica en 2007, los dos éramos conscientes de que todavía quedaba mucho por hacer en la senda que nos habíamos trazado. De hecho, él ya había comenzado a actualizar y a adaptar la última edición nada más ser publicada, asumiendo cambios en la estructura del libro, tanto de tipo formal como material.

Sin embargo, el tiempo no pasa en balde. Los largos años transcurridos desde su fallecimiento han visto sucederse de forma ininterrumpida cambios legislativos, numerosas decisiones jurisprudenciales de indudable interés y, sobre todo, nuevas, y a menudo complejas, iniciativas europeas. Además, la elaboración de la Propuesta de reforma del Derecho de obligaciones y contratos contenido en el Código Civil, y la Propuesta de un nuevo (y discutible) Código mercantil por parte de la Comisión General de Codificación han venido a añadirse al panorama expuesto para incrementar aún más, si cabe, la complejidad del actual Derecho de obligaciones en España. Obviamente, todo ello plantea más dificultades a la hora de decidir cómo poner al día un libro que quiere continuar sirviendo a sus destinatarios como instrumento útil de estudio y de trabajo, tal y como hubiera deseado su autor original. Es por todo ello que como continuador de su obra y mantenedor de su memoria me corresponde ahora a mí la exclusiva responsabilidad de tomar las decisiones oportunas para poner al día un manual bien necesitado de revisión y cuidado. No obstante, he querido ser fiel al planteamiento inicial del autor, respetando la estructura general del libro. Con esta idea, más bien he intentado en la medida de lo posible, otra cosa es haberlo logrado, mejorar y corregir, antes que añadir y cambiar. Solo he hecho esto último cuando me ha parecido absolutamente necesario.

A los textos europeos ya mencionados se unen ahora las Propuestas de reforma de nuestro Derecho de obligaciones (civil y mercantil), así como el Borrador de Marco Común de Referencia o *Draft Common Frame of Reference* (DCFR), en su versión española de 15 de mayo de 2012, realizada bajo la supervisión del Prof. Dr. HANS SCHULTE-NÖLKE y coordinada por la Prof.ª Dr.ª CARMEN JEREZ DELGADO (revisión española de la Reglas) y por el Prof. Dr. FRANCISCO OLIVA BLÁZQUEZ (revisión española de los Comentarios), en la que he tenido el honor de participar. Las citas de los *Principles of European Contract Law* se hacen de conformidad con la edición española publicada en 2003 por la Fundación Cultural del Notariado (*Principios de Derecho contractual europeo*, edición española a cargo de PILAR BARRES BENLLOCH, JOSÉ MIGUEL EMBID IRUJO y FERNANDO MARTÍNEZ SANZ). Las citas de los *Principles of European Tort Law* del grupo de Viena proceden de la traducción española realizada por el Prof. Dr. MIQUEL MARTÍN CASALS, Catedrático de Derecho civil de la Universidad de Girona. La edición de los *Principios de Unidroit sobre los contratos comerciales internacionales de 2016* (PCCI) utilizada ahora ha sido la correspondiente a la versión española que figura en la web de UNIDROIT.

Por otra parte, en lo que respecta a las sentencias que se citan corresponden siempre, como es habitual en ediciones anteriores, a la Sala 1ª del Tribunal Supremo. De manera que cuando se hace referencia a las de otras Salas, se hace mención expresa de la Sala a la que corresponde. Como es natural, la información bibliográfica que figura al final de cada capítulo tiene un carácter meramente indicativo y selectivo, sin ninguna pretensión de exhaustividad.

No puedo terminar estas líneas sin mencionar a varias personas, colegas universitarios, que han contribuido, más de lo que ellos piensan, con sus opiniones y sugerencias a pulir y mejorar la nueva edición de este libro. En primer lugar, la Profª. Drª. MARÍA PAZ GARCÍA RUBIO, Catedrática de Derecho civil en la Universidad de Santiago de Compostela, bajo cuya tutela académica (en régimen compartido con una supervisión paterna, todo hay que decirlo) comencé mi carrera universitaria hace ya más de dos décadas. Inmediatamente a continuación, el Dr. RICARDO PAZOS CASTRO, Profesor colaborador asistente de Derecho civil en la Universidad Pontificia Comillas de Madrid, que en esta ocasión ha asumido principalmente la ingrata tarea de la búsqueda y actualización de la jurisprudencia. No obstante, su labor ha sido también esencial para mejorar y corregir muchos epígrafes del libro. A ambos mi más sincero agradecimiento. En todo caso, la responsabilidad por el resultado final de esta edición es exclusivamente mía.

Santiago de Compostela, a 10 de octubre de 2022.

Abreviaturas

AAMN	*Anales de la Academia Matritense y del Notariado*
AA VV	Autores Varios
AC	*Actualidad Civil*
ADC	*Anuario de Derecho Civil*
ADF	*Anuario de Derecho Foral*
Ar.Civ.	*Aranzadi Civil*
ATJUE	Auto del Tribunal de Justicia de la Unión Europea
AUM	*Anales de la Universidad de Murcia*
art.	artículo
BGB	Código civil alemán
BMJ	Boletín del Ministerio de Justicia
BOE	Boletín Oficial del Estado
CE	Constitución Española
CC	Código civil español
CCCat	Código civil de cataluña
CCB	Código civil belga
CCom	Código de comercio
CCF	Código civil francés
CDT	*Cuadernos de Derecho Transnacional*
CDFUE	Carta de Derechos Fundamentales de la Unión Europea
CESL	Propuesta de Reglamento relativa a una normativa común de compraventa europea
Cfr	compárese, véase
CISG	Convención de Naciones Unidas sobre los Contratos de Compraventa Internacional de Mercaderías
Comp.	Compilación
CO	Código de las obligaciones suizo
CP	Código Penal
D	Digesto

DGRN	Dirección General de los Registros y del Notariado
disp.	Disposición
ET	Estatuto de los Trabajadores
íd.	el mismo
IME	Instituto Monetario Europeo
IPC	Índice de precios al consumo
LAC	Ley de Auditoría de Cuentas
LAR	Ley de Arrendamientos Rústicos
LAU	Ley de Arrendamientos Urbanos
LC	Ley de Caza
LCAT	Ley de Contratos de Aprovechamiento por Turno
LCBORP	Ley de Protección de los Consumidores en la Contratación de Bienes con Oferta de Restitución del Precio
LCC	Ley de Contratos de Crédito al Consumo
LCCI	Ley de Contratos de Crédito Inmobiliario
LCCh	Ley Cambiaria y del Cheque
LCGC	Ley de Condiciones Generales de la Contratación
LCS	Ley de Contrato de Seguro
LCSP	Ley de Contratos del Sector Público
LDE	Ley de Desindexación de la Economía Española
LDe	Ley de Dinero Electrónico
LEC	Ley de Enjuiciamiento Civil
LECrim	Ley de Enjuiciamiento Criminal
LEF	Ley de Expropiación Forzosa
LEN	Ley de Energía Nuclear
LF	Ley de Fundaciones
LGP	Ley General de Publicidad
LGS	Ley General de Subvenciones
LGT	Ley General Tributaria
LH	Ley Hipotecaria
LHM	Ley de Hipoteca Mobiliaria y Prenda sin Desplazamiento de Posesión
LJCA	Ley de la Jurisdicción Contencioso-Administrativa
LJV	Ley de la Jurisdicción Voluntaria
LMOC	Ley de Lucha contra la Morosidad en las Operaciones Comerciales
LNA	Ley de Navegación Aérea
LNM	Ley de Navegación Marítima
LOCM	Ley de Ordenación del Comercio Minorista
LOA	Ley Orgánica de Asociaciones

LOE	Ley de Ordenación de la Edificación
LOPDH	Ley Orgánica de Protección del Derecho al Honor, a la Intimidad Personal y Familiar y a la Propia Imagen
LOPJ	Ley Orgánica del Poder Judicial
LOPJM	Ley Orgánica de Protección Jurídica del Menor
LORPM	Ley Orgánica de Responsabilidad Penal de los Menores
LPAC	Ley de Procedimiento Administrativo Común de las Administraciones Públicas
LPH	Ley de Propiedad Horizontal
LRCDN	Ley sobre Responsabilidad Civil por Daños Nucleares o Producidos por Materiales Radiactivos
LRPIVT	Ley de Reconocimiento y Protección Integral a las Víctimas del Terrorismo
LRM	Ley de Responsabilidad Medioambiental
LS	Ley del Suelo
LSSI	Ley de Servicios de la Sociedad de la Información
LSC	Ley de Sociedades de Capital
LSEC	Ley de regulación de determinados aspectos de los Servicios Electrónicos de Confianza
LSMPH	Ley de Subrogación y Modificación de Préstamos Hipotecarios
LSP	Ley de Sociedades Profesionales
LTAPP	Ley de Régimen Jurídico de la Tenencia de Animales Potencialmente Peligrosos
LU	Ley sobre Nulidad de los Contratos de Préstamos Usurarios
LVPBM	Ley de Venta a Plazos de Bienes Muebles
núm.	número
OM	Orden Ministerial
p.	página
PCCI	Principios Unidroit sobre los Contratos Comerciales Internacionales
PCM	Propuesta de Código Mercantil
PECL	Principios de Derecho Contractual Europeo
PJ	_Poder Judicial_
PMDOC	Propuesta para la Modernización del Derecho de Obligaciones y Contratos
RCDI	_Revista Crítica de Derecho Inmobiliario_
RDEA	_Revista de Derecho Español y Americano_
RDGRN	Resolución de la Dirección General de los Registros y del Notariado
D-Ley	Decreto-Ley
RD	Real Decreto

RDLeg	Real Decreto Legislativo
RDM	*Revista de Derecho Mercantil*
RDN	*Revista de derecho Notarial*
RDP	*Revista de Derecho Privado*
REDI	*Revista Española de Derecho Internacional*
REFDUGR	*Revista de la Facultad de Derecho de la Universidad de Granada*
RGLJ	*Revista General de Legislación y jurisprudencia*
RH	Reglamento Hipotecario
RISD	Reglamento del Impuesto de Sucesiones y Donaciones
RJC	*Revista Jurídica de Catalunya*
RLC	Reglamento de la Ley de Caza
RN	Reglamento Notarial
RRCGC	Reglamento del Registro de Condiciones Generales de la Contratación
RSRCCVM	Reglamento del Seguro Obligatorio de Responsabilidad Civil en la Circulación de Vehículos a Motor
ss.	siguientes
STEDH	Sentencia del Tribunal Europeo de Derechos Humanos
STJCE	Sentencia del Tribunal de Justicia de las Comunidades Europeas
STJUE	Sentencia del Tribunal de Justicia de la Unión Europea
STC	Sentencia del Tribunal Constitucional
STS	Sentencia del Tribunal Supremo
t.	tomo
trad.	Traducción
TFUE	Tratado de Funcionamiento de la Unión Europea
TJCE	Tribunal de Justicia de las Comunidades Europeas
TJUE	Tribunal de Justicia de la Unión Europea
TRLC	Texto Refundido de la Ley del Mercado de Valores
TRLGDCU	Texto Refundido de la Ley General para la Defensa de los Consumidores y Usuarios
TRLPI	Texto Refundido de la Ley de Propiedad Intelectual
TRLRCSCVM	Texto Refundido de la Ley sobre Responsabilidad Civil y Seguro en la Circulación de Vehículos a Motor
UME	Unión Monetaria Europea
vol.	volumen

Capítulo I
La relación obligatoria

I. INTRODUCCIÓN

1. El Derecho de obligaciones

El Derecho de obligaciones es la rama del Derecho civil en la que se contienen los principios y normas que regulan la constitución, modificación y extinción de la relación obligatoria.

Suelen utilizarse indistintamente las expresiones «Derecho de obligaciones» y «Derechos de crédito», pero ninguna de las dos es exacta o completa. La primera denominación hace referencia al aspecto pasivo de la relación jurídica, al deber de prestación que incumbe al deudor. En cambio, la segunda resalta el aspecto activo de la relación jurídica, el poder del acreedor para exigir y recibir la prestación. Como indica HERNÁNDEZ GIL, «sería más completa la expresión que comprendiera ambos aspectos, pero esa expresión no existe o, por lo menos, no se utiliza». En el Derecho civil español normalmente se usa, salvo excepciones, la denominación «Derecho de obligaciones», de mayor raigambre en los ordenamientos de tipo latino.

> ARIAS RAMOS opina que «la importancia que en los derechos de crédito tiene la colaboración ("prestación") del deudor hace parecer natural que se les estudie enfocándoles desde el punto de vista del sujeto pasivo y que se hable preferentemente de obligaciones».

Algunos autores utilizan como sinónima la expresión «derechos personales», quizás por influjo de la vieja dicotomía romana de *actio in rem et actio in personam* (GAYO

4.2.3), y así resaltar la oposición con los derechos reales. Pero esta terminología debe desecharse por su equivocidad, pues con la misma expresión se hace referencia a otras clases de derechos, como los «intransmisibles», que se extinguen a la muerte de su titular, o a aquellos que los acreedores no pueden utilizar en nombre de su deudor (derechos de la personalidad).

La importancia social y económica del Derecho de obligaciones, así como su influencia doctrinal y técnica, es tan evidente que no se discute. La relación obligatoria es el medio a través del cual se lleva a cabo la colaboración económica entre las personas: el intercambio de toda clase de bienes y servicios. Por ello, puede afirmarse que la naturaleza patrimonial de los intereses en juego constituye la nota predominante del Derecho de obligaciones, aunque no debe olvidarse que la teoría general del Derecho de obligaciones extiende su ámbito a otras ramas del Derecho (Derecho mercantil, Derecho internacional privado, Derecho administrativo, etc.). Por consiguiente, no ha de extrañar que Ascoli se refiriese al Derecho de obligaciones como el Derecho del diario comercio de la vida; y que Hedemann afirmase que toda persona humana está comprendida en esta red económica del Derecho de obligaciones, pues, aunque se limite a mendigar, ya irrumpe en este Derecho bajo la forma de la donación. El número de relaciones obligatorias que son concertadas cada día alcanzan millones, y en un año se eleva a miles de millones, por lo que no hay estadística que pueda abarcar este fenómeno, estimulado en todas partes por el factor económico. Ahora bien, tampoco se puede desconocer que el intercambio de bienes y servicios no constituye el único sector del Derecho de obligaciones, ya que otro ámbito importante del mismo es el del ilícito civil o responsabilidad extracontractual. Este dato es el que ha permitido a Wieacker afirmar que el título «Derecho de obligaciones» no se contrae a un campo unitario, y por ello sugiere distinguir entre el ordenamiento contractual y el ordenamiento del daño.

Esta circunstancia o realidad es la que ha dado lugar a la moderna tendencia, de origen anglosajón, del «análisis económico del Derecho» (*economic analysis of law*). Este análisis, en última instancia, pretende trabajar mediante una verificación de costes y beneficios de las soluciones jurídicas, de modo que si se llevase a sus últimas consecuencias podría dar lugar a una completa subordinación del Derecho de obligaciones a la racionalidad económica. Es decir, a una funcionalización del Derecho, que lo despojaría de todo valor ético-social. En este sentido, dicha postura parece rechazable al suponer la utilización de meros criterios pragmáticos y utilitaristas, pues no ofrece duda que la eficacia no puede ni debe colocarse por encima de la justicia como único patrón de la regulación jurídica. Sin embargo, como antes se ha indicado, la relación del Derecho de obligaciones con la economía es hoy incuestionable, y por ello no puede ignorarse tanto la importancia como la conveniencia de un enlace equilibrado, en la medida de lo posible, entre la economía y la ciencia jurídica en la búsqueda de la solución que pueda ser más eficiente y justa. Se trata, en definitiva, de valorar adecuadamente los diferentes intereses en juego.

2. El Derecho de obligaciones en el sistema civilista

El Código civil francés, que sigue fundamentalmente el plan romano o de Gayo, se ocupa de los derechos de obligaciones en el Libro III como uno de los modos de adquirir la propiedad. Esta concepción, que era una consecuencia del principio general adoptado por el legislador francés de que la adquisición de la propiedad se produce por el solo efecto del contrato, había sido muy criticada, tildándola de poco rigurosa. Dicha crítica consideraba que el legislador francés había contemplado la obligación únicamente desde el punto de vista del contrato traslativo o constitutivo de derechos reales, cuando en realidad otros tipos de contratos y obligaciones con contenido diverso, que no dan lugar a la adquisición de la propiedad o a la atribución de otro derecho real, eran regulados en el citado Libro III, por ejemplo, el arrendamiento, el mandato, etc.

El Código civil español se aparta, en este punto, de su modelo francés, pues concede tratamiento independiente al Derecho de obligaciones y, bajo la rúbrica «De las obligaciones y contratos», le dedica el cuarto y último Libro de los que consta (arts. 1088-1975 CC). La razón de que el legislador español siguiera una línea sistemáticamente más perfecta no obedece a la crítica que se había hecho al Código civil francés, ni tampoco a la excesiva amplitud de su Libro III, sino a lo establecido en la base 20 de la Ley de Bases de 11 de mayo de 1888, a cuyo tenor «los contratos, como fuente de las obligaciones, serán considerados como meros títulos de adquirir en cuanto tengan por objeto la traslación de dominio o de cualquier otro derecho a él semejante (…)». Es decir, lo dispuesto en esta «base» obliga al legislador español a rechazar el sistema francés de transmisión de la propiedad, ya que en nuestro Derecho el contrato es un simple título que necesita de la tradición o modo para que pueda tener lugar el fenómeno adquisitivo (arts. 609 y 1095 CC).

> Es hoy un lugar común afirmar que el Derecho de obligaciones y contratos no fue precisamente objeto de especial atención durante la elaboración de nuestro Código civil. En palabras de la Exposición de Motivos de la Propuesta para la modernización del Derecho de obligaciones y contratos de 2009, «no es aventurado decir que los codificadores españoles de 1889 no pusieron en la materia que nos ocupa sus máximos empeños. Estuvieron preocupados (y ocupados incesantemente, por lo que tras los años hay que dirigirles merecidas palabras de agradecimiento) por otras cuestiones que entonces eran más agudas y nunca han dejado de serlo, de manera que la mayor dedicación a ellas resulta explicable porque en la actividad política cada hora tiene su afán. Fueron estas materias, señaladamente, la relación del Código civil con las entonces llamadas legislaciones forales, los problemas de la relación entre el Estado y la Iglesia católica en materia de matrimonio y, de modo muy especial, la aproximación del Derecho sucesorio del Código civil a los Derechos sucesorios de algunas regiones, sobre todo en materia de legítimas. En este sentido, está perfectamente claro el contraste de las bases 19 y 20 de la Ley de 11 de mayo de 1888 con todas las que precedían a las antes mencionadas. El legislador de 1889 debió pensar que el Derecho de contratos no era, en rigor, una materia conflictiva, y que el principio de autonomía de la voluntad podría contribuir a solucionar la mayor parte de las cuestiones».

Ahora bien, también hay que señalar que no todo el contenido del Libro IV pertenece al Derecho de obligaciones, pues nuestro Código civil, con evidente desorden, incurre en el defecto sistemático de incluir en él materias que no le son propias, como ocurre con el contrato sobre bienes con ocasión del matrimonio, en la actualidad titulado «del régimen económico matrimonial, que corresponde al Derecho de familia, ya que las relaciones jurídicas de carácter patrimonial y obligatorio son consecuencia del matrimonio y, además, pueden existir sin necesidad de contrato.

Lo mismo puede afirmarse de los censos, la prenda, la hipoteca y la anticresis, que son derechos reales, pues si bien su nacimiento suele tener lugar por medio del contrato, en algunos casos su origen puede no ser contractual (por ejemplo, usucapión o constitución unilateral). Asimismo, otros derechos reales, que no están contenidos en el mencionado Libro IV, pueden tener origen contractual, como sucede con el usufructo o las servidumbres, y con la prescripción adquisitiva, que es una institución no aplicable a las obligaciones, sino solamente a los derechos reales. En todo caso, desde el momento en que se han separado los modos de adquirir de los contratos, no hay razón alguna que justifique poner la prescripción adquisitiva en el Libro IV, por ejemplo (CÁRDENAS). Sin embargo, el Código contiene instituciones que exceden de su ámbito por su carácter general, como sucede con la prescripción extintiva y la prueba de las obligaciones, no incluyéndose, en cambio, en este Libro, sino en el Libro II, las donaciones *inter vivos*, que tienen un claro origen contractual.

> Respecto de la prueba de las obligaciones hay que advertir que los artículos 1214, 1215, 1226, y 1231-1253 del CC, correspondientes al capítulo dedicado a la «prueba de las obligaciones», fueron derogados por la disposición derogatoria única, 2.1 de la LEC. Por otra parte, en cuanto a las transmisiones a título gratuito, como pone de relieve CLEMENTE DE DIEGO, la donación es un simple título que necesita de la tradición para que el dominio quede trasladado de un modo efectivo al donatario.

Igualmente debe señalarse que en otras partes o ramas del Derecho civil surgen relaciones de obligación, como en el Derecho de familia la obligación alimenticia entre parientes (arts. 142-153 CC), o en el Derecho de sucesiones la obligación recíproca de evicción y saneamiento que el artículo 1069 del CC impone a los coherederos una vez hecha la partición, etc. Asimismo, no puede obviarse la existencia de una importante legislación especial y al margen del Código: Leyes de arrendamientos rústicos y urbanos, Ley de arbitraje, Ley de venta de bienes muebles a plazos, Ley de condiciones generales de la contratación, Texto refundido de la ley general de defensa de los consumidores y usuarios, etc. En resumen, el Código civil español confiere tratamiento independiente al Derecho de obligaciones, pero puede afirmarse que no todo el contenido del Libro IV versa sobre el Derecho de obligaciones, del mismo modo que tampoco todo el Derecho de obligaciones se encuentra contenido en dicho Libro.

Otra cuestión es si el Derecho de obligaciones debe preceder a los Derechos reales o, a la inversa, si éstos deben anteponerse a aquéllos. En realidad, desde un punto de vista legislativo, la cuestión no reviste excesiva trascendencia, pero sí la tiene desde una perspectiva lógica, en virtud de la cual se considera preferible anteponer el estudio del Derecho de obligaciones al de los derechos reales, ya que, como dice HERNÁNDEZ GIL, esta materia es la más directamente entroncada con la llamada «Parte general» del Derecho civil que, sin perjuicio de ciertas crisis, sigue siendo la más generalmente aceptada.

3. Evolución del Derecho de obligaciones

En general, los autores del siglo XIX consideraron el Derecho de obligaciones como una herencia del Derecho romano, que había pasado a través de DOMAT y POTHIER casi inalterado al Código civil francés, y de éste a los demás Códigos latinos que lo tomaron como modelo. En este sentido, afirmaba SALEILLES que la materia de obligaciones constituye una parte casi esencialmente teórica y abstracta, lo cual da a esta parte del Derecho un carácter de obra racional y científica más acentuado;

añadiendo que la materia de las obligaciones, a consecuencia de su carácter especulativo, ha constituido la obra maestra de la legislación romana. Esto explicaría que todas las legislaciones posteriores hayan extraído de aquella legislación los principales elementos del Derecho de obligaciones.

Esta declaración tiene una explicación sencilla y lógica. Así como la propiedad y la familia han sufrido grandes transformaciones como consecuencia de los cambios sociales y políticos, que han repercutido decisivamente en las legislaciones que las regulan, el Derecho de obligaciones ha sido en cierta medida resistente o impermeable a las influencias ideológicas, sociales y políticas, o por lo menos sin afectar a la esencia misma de las instituciones tal y como las había concebido el Derecho romano.

Sin embargo, una afirmación de esta naturaleza no ofrece duda que peca de exagerada y olvida la propia evolución del Derecho de obligaciones, de la que indicativamente se deben resaltar los siguientes datos:

a) Que el Derecho romano estuvo vigente a lo largo de más de trece siglos, a través de los cuales sufrió una profunda evolución. Y a pesar de que los investigadores de este Derecho consideren como más perfecto e interesante el Derecho romano clásico, a los civilistas nos interesa el Derecho romano de la primera mitad del siglo VI d. de J.C., es decir, la compilación legislativa hecha por el emperador Justiniano, pues, como advierte Arias Ramos, «tal Compilación constituía la base con cuya guía y exégesis se había ido formando el Derecho privado de los pueblos de Europa (el llamado «Derecho común»), incluso el de aquellos que, como Alemania, no estuvieron en la antigüedad dentro del Imperio romano».

A juicio de A. D'Ors, «para la historia cultural de Occidente, la Compilación de Justiniano constituye uno de los tres grandes hitos fundamentales, juntamente con la Biblia y los filósofos griegos».

b) Que el denominado «Derecho común», si bien romano de origen, sufrió el influjo del Derecho germánico en algunas de sus instituciones, y concretamente en las del Derecho de obligaciones, aunque también resulte excesiva la afinación de Mayer, de que «el Derecho de obligaciones español es una forma muy antigua del Derecho de obligaciones germánico». Sin que tampoco pueda desconocerse la influencia ejercida por la moral cristiana y el Derecho de la Iglesia, ya que, como señala Díaz Pairó, el factor que después del Derecho romano ha intervenido con mayor fuerza en nuestro actual Derecho de obligaciones ha sido la obra de los canonistas. La influencia de la moral cristiana ha sido puesta de relieve por Ripert, quien afirma que «una vez que esta moral ha triunfado en el mundo, es imposible que no haya modificado profundamente el Derecho de obligaciones que los romanos habían ya elevado a tan alto grado de perfección. Sin duda, la técnica jurídica ha utilizado el método y el lenguaje que los romanos crearon; sin duda, también, las inteligencias romanas poseían ya una idea de la justicia que habían recibido de Grecia y que, en muchos puntos, anunciaba la concepción cristiana. Pero no sería justo que, engañados por la forma, olvidásemos la diferencia fundamental que existe entre su moral (la de los romanos) y la nuestra. No conocieron ellos ni la fuerza obligatoria de la palabra dada, ni el justo equilibrio de las prestaciones prometidas, ni la protección del contratante más débil, ni la seguridad frente al que abusa de su derecho, ni la reparación del perjuicio causado a otro, ni el deber de asistencia, por no citar otros ejemplos». Estas reglas de la moral cristiana fueron aplicadas al Derecho por Domat, cuyo libro, *Les loix civiles dans leur ordre naturel*, ejerció una influencia decisiva sobre los juristas posteriores y, entre ellos, de manera primordial sobre POTHIER.

c) Tampoco se puede ignorar que el individualismo liberal, que presidió las codificaciones del siglo pasado, y entre ellas la nuestra, hace tiempo que comenzó a declinar, dejándose notar la influencia de las ideas de bien común y solidaridad; así como de ciertos factores económico-políticos que han obligado a transformar determinadas figuras jurídicas o a introducir otras fórmulas nuevas. Como datos demostrativos y relevantes pueden citarse: el reconocimiento del contrato de adhesión, la estipulación a favor de tercero, el compromiso por voluntad unilateral, la limitación del ejercicio del derecho a través del principio de la buena fe y de la prohibición del abuso, la responsabilidad objetiva, etc.

4. La reforma del Derecho de obligaciones español

Es preciso reconocer que hoy en día el Derecho de obligaciones español todavía se encuentra desfasado en muchos aspectos de su regulación legal como consecuencia de la revolución tecnológica y de la contratación en masa, poniendo en evidencia la inadecuación de ciertos principios y normas tradicionales para hacer frente a las nuevas demandas económicas y sociales. Como indica DÍEZ-PICAZO, no existe apenas un tratamiento del comercio de bienes de consumo en masa y falta casi en absoluto un tratamiento de las obligaciones de hacer; y, de otra parte, «la tecnificación y los procesos de racionalización del trabajo conducen a la automatización de la producción y de la distribución de los bienes y de los servicios». Además, «se ha producido una inversión de la relación existente entre la producción y el mercado (...), es el mercado quien tiene que adaptarse a las exigencias de la producción a través de la captación de consumidores». Todo ello pone de relieve, según advierte este autor, la necesidad de construir una nueva teoría general que suponga una ampliación de los anteriores sistemas fácticos y que, al mismo tiempo, permita dar un trato jurídico nuevo, a través de unos principios generales y de unas directrices también nuevas, a la problemática económico-social de aquellos hechos que no pueden ser resueltos con los antiguos esquemas normativos.

Eso sí, esta nueva teoría general habrá de construirse al amparo de la Constitución vigente, ya que, como ha dicho PERLINGIERI, «también el Derecho de obligaciones, a primera vista el más técnico, el más ahistórico, el más inmutable, casi un derecho *sub specie aeternitatis*, se halla en realidad en una etapa de desarrollo, de cambio, de indispensable adecuación a los nuevos valores y a las nuevas opciones fundamentales que el ordenamiento jurídico ha asumido en España con la Constitución de 1978». Tarea que hoy se encuentra indefectiblemente marcada por nuestra pertenencia a la Unión Europea y, por tanto, condicionada por las normas del Derecho europeo que en esta materia ya hemos asumido o que iremos asumiendo conforme vayan siendo promulgadas.

4.1. Las Propuestas de reforma del Derecho de obligaciones de la Comisión General de Codificación

Expuesto lo anterior, no resulta extraño la Sección de Derecho Civil de la Comisión General de Codificación haya venido trabajando en las últimas décadas en una profunda reforma del Derecho de obligaciones contenido en nuestro venerable Código civil. De hecho, las propuestas presentadas en 2005 fueron las siguientes:

1.ª La *Propuesta de Anteproyecto de Ley de modificación de los artículos 10 y 11 del Código civil de 2005*: su finalidad era ajustar la redacción de esos preceptos al Convenio sobre la ley aplicable a las obligaciones contractuales, hecho en Roma el 19 de junio de 1980.

2.ª La *Propuesta de Anteproyecto de Ley de modificación del Código civil en materia de contrato de compraventa de 2005*: se trataba de modernizar el Código civil incorporando las nuevas ideas sobre la materia, ya plasmadas en la Convención de las Naciones Unidas sobre los contratos internacionales de mercaderías, hecho en Viena el 11 de abril de 1980 (CISG) y en la Directiva 1999/44/CE, del Parlamento Europeo y del Consejo, de 25 de mayo de 1999, sobre determinados aspectos de la venta y las garantías de los bienes de consumo. También tomaba en consideración los Principios de Derecho Contractual Europeo (PECL).

3.ª La *Propuesta de Anteproyecto de Ley de modificación de los Capítulos II y III del Título XVII del Libro IV del Código civil de 2005*: intentaba dar respuesta a la previsión de la disposición final trigésima tercera de la Ley concursal, que encomendaba al Gobierno remitir a las Cortes Generales un proyecto de ley reguladora de la concurrencia y prelación de créditos en las ejecuciones singulares.

Cuatro años más tarde, la Sección de Derecho Civil presentó la *Propuesta para la modernización del Derecho de obligaciones y contratos de 2009*. El objetivo que se pretendía alcanzar era, en palabras de su Exposición de Motivos, «establecer las reglas que resulten más acordes con las necesidades apremiantemente sentidas en los tiempos que corren», siendo evidente su finalidad de «buscar la mayor aproximación posible del Derecho español a los ordenamientos europeos, tal y como éstos son concebidos hoy. No es discutible que la existencia de diferencias no muy grandes entre unos y otros ordenamientos dentro de la Unión Europea, puede facilitar lo que reiteradamente se denominan operaciones transfronterizas. Y todo ello, en espera de una unificación de las normas de Derecho europeo de contratos que, en algún momento, podrá producirse». En definitiva, se trata de situar a nuestro Derecho de obligaciones y contratos al nivel de los actuales textos jurídicos de referencia internacional (reforma alemana del Derecho de obligaciones de 2002, Convención de las Naciones Unidas sobre los contratos de compraventa internacional de mercaderías, Principios de Derecho Contractual Europeo, Principios de Unidroit sobre los contratos comerciales internacionales, Directivas europeas). Con este fin, la Propuesta ofrece una nueva redacción de los Títulos I (De las obligaciones) y II (De los contratos) del Libro IV del Código civil. Además, introduce modificaciones en numerosos artículos relativos al contrato de compraventa, y asimismo, cambios puntuales, en materia de arrendamiento, préstamo, transacción, fianza y prescripción.

Por su parte, la Sección de Derecho mercantil de la Comisión General de Codificación presentó las siguientes Propuestas en 2006:

1.ª La *Propuesta de Anteproyecto de Ley de modificación de Código de comercio en la parte general sobre contratos mercantiles y sobre prescripción y caducidad de 2006*: tiene por objeto iniciar el proceso de modernización de la legislación mercantil en materia de contratos, regulando además otras instituciones como la prescripción y la caducidad. Como sus iniciativas análogas de la Comisión General de Codificación se inspira en la Convención de las Naciones Unidas sobre los contratos sobre compraventa internacional de mercaderías, *los Principles of European Contract Law* y los Principios de Unidroit sobre los contratos comerciales internacionales.

2.ª La *Propuesta de Anteproyecto de Ley de contratos de distribución de 2006*: intenta colmar la laguna existente en nuestro ordenamiento a propósito de este tipo de contratos vinculados al fenómeno de la moderna distribución comercial.

Mediante Orden de 7 de noviembre de 2006 se encargó a la Sección de Derecho mercantil, de la Comisión General de Codificación la elaboración de un nuevo Código mercantil que sustituyera al vigente Código de comercio de 1885, «en el que se integrará y delimitará la legislación mercantil existente, y se modernizará y completará, en la medida que se estime oportuno, la regulación existente que afecta a las relaciones jurídico-privadas vinculadas a las exigencias de la unidad de mercado. Se utilizará para la sistematización del nuevo texto legal la numeración de los libros, títulos, capítulos y artículos característica de la nueva codificación francesa». El resultado final ha sido la *Propuesta de Código mercantil de 2013*. En palabras de su Exposición de Motivos, se pretende promulgar un nuevo Código más adecuado a la actual realidad política y económica de España, intentando preservar la necesaria unidad de mercado. Sin embargo, lo que llama la atención desde una óptica moderna son, fundamentalmente, dos cosas: de una parte, el mantenimiento de una anacrónica dualidad entre el Código civil y el Código mercantil en materia de obligaciones y contratos; de otra, la existencia de una expansión casi ilimitada de lo mercantil que, en la práctica supone considerar mercantil toda la materia contractual.

4.2. Valoración y crítica

Presentadas las diversas propuestas de reforma del Derecho de obligaciones y contratos en materia civil y mercantil, surge ahora la cuestión de relacionarlas entre sí y sacar las conclusiones relevantes sobre su oportunidad y conveniencia con el fin de modernizar nuestro Derecho de obligaciones y contratos.

La *Propuesta para la modernización del Derecho de obligaciones y contratos de 2009* posee una alta calidad técnica, tanto desde el punto de vista de su lenguaje y terminología (a menudo olvidadas por nuestro legislador), como de su contenido. Sólo la parte relativa a las normas de protección de los consumidores (condiciones generales de la contratación, contratos celebrados fuera de los establecimientos mercantiles, protección de los consumidores en los contratos a distancia y contratación electrónica) resulta ser manifiestamente mejorable. Quizás el largo tiempo transcurrido desde la elaboración de la Propuesta pueda explicar las dudas que suscita esa parte.

En cambio, no resulta posible adoptar una actitud benévola hacia la *Propuesta de Código mercantil de 2013*, al menos en lo que se refiere al Derecho de obligaciones y contratos. En primer lugar, porque no respeta ni la atribución de competencias en materia de bases de las obligaciones contractuales (cfr. art. 149.1.8.ª CE), ni la distribución de competencias legislativas contenidas en la Constitución, lo que plantea serias dudas sobre su constitucionalidad.

Siguiendo las alegaciones del grupo de investigación ACTUALIZA (Grupo para la Reforma y Actualización del Derecho Privado en España), compuesto por profesores de Derecho civil de las Universidades Autónoma de Barcelona, Girona, Málaga, Pablo de Olavide de Sevilla, Santiago de Compostela y Valladolid, puede señalarse lo siguiente:

1.ª Se trata de una Propuesta contraria a las modernas tendencias del Derecho contractual (Convención de Viena, PECL, PCCI, DCFR, normativa común de compraventa europea), las cuales prescinden de la tradicional diferencia civil/mercantil. La Propuesta, en cambio, acoge una noción de lo mercantil verdaderamente singular, sin parangón en el ámbito comparado.

2.ª Contradice a la mejor doctrina mercantilista española (GARRIGUES, GIRÓN TENA, MENÉNDEZ, VICENT CHULIÁ, BELTRÁN SÁNCHEZ, e incluso al presidente de la Sección de Derecho Mercantil, responsable de la Propuesta, A. BERCOVITZ) que en su día reconoció la necesidad de unificar la materia de obligaciones y contratos. De hecho, escudándose en la noción de «unidad de mercado», concepto cuya oportunidad no se discute, aporta una solución inadecuada para resolver problemas de política jurídica, en contradicción con la distribución de competencias legislativas que la Constitución establece.

3.ª No responde al concepto moderno de Código, porque no vertebra de manera coordinada las materias que regula, asemejándose más a una mera refundición asistemática de las normativas sectoriales más variopintas.

4.ª Pretende imponer un triple estatuto normativo, distinguiendo entre operadores del mercado, consumidores y particulares que, curiosamente, no actúan en el mercado. Esta aproximación es contraria a las líneas del moderno Derecho de contratos, el cual distingue las relaciones entre empresarios (B2B), entre empresarios y consumidores (B2C) y particulares entre sí. En este sentido, debe recordarse que la tendencia actual en Derecho comparado es la de incluir las normas de protección de consumidores en los textos civiles (por ejemplo, en Alemania con motivo de la reforma de su Derecho de obligaciones en 2002).

5.ª Establece una relación entre el Derecho mercantil y las normas jurídicas de protección de los consumidores absolutamente incomprensible. Mientras que por un lado las relaciones entre empresarios y consumidores se califican como mercantiles, por otro se dejan fuera del Código mercantil las normas destinadas a su protección. Al mismo tiempo, contradiciendo lo anterior, se regulan algunos contratos de consumo, de nuevo calificados como mercantiles. Tal «singularidad», carente de sentido y de similitud con cualquier ordenamiento de nuestro entorno, conduce a una situación de insoportable inseguridad jurídica.

Por todo lo expuesto, conviene recordar que, con el fin de evitar distorsiones como las que se han puesto de relieve, la reforma o actualización del Derecho de obligaciones y contratos, en definitiva, del Código civil, debería efectuarse en el futuro al mismo tiempo y de forma plenamente coordinada con la del Derecho de obligaciones del Código de comercio. A esto puede añadirse que el ideal sería lograr la unificación del Derecho de obligaciones, pues la clásica dicotomía Derecho civil-Derecho mercantil ha sido definitivamente superada en este ámbito; sin perjuicio, como es obvio, de que ciertas normas puedan ocuparse de las hipótesis y soluciones atinentes a los empresarios y su actividad económica. De hecho, no deja de ser curioso que nuestro país no haya emprendido todavía este camino, cuando parece imperar desde hace tiempo, a nivel europeo e internacional, la convicción de que la unificación del Derecho de obligaciones y contratos es una necesidad ineludible, urgente y necesaria.

4.3. _La Propuesta de la Asociación de Profesores de Derecho Civil_

La Asociación de Profesores de Derecho Civil acordó en 2014, con ocasión de las Jornadas de Estudio que periódicamente organiza, acometer como proyecto, la elaboración de una Propuesta de Código Civil. Con ese fin, la junta directiva de la Asociación estableció cuáles serían las características a las que debería responder el proyecto, programó una agenda para su realización, promovió la constitución de grupos de trabajo que asumieran la redacción de las diversas partes de esa Propuesta de Código Civil, y aprobó unas directrices sobre la estructura y forma de las ponencias atribuidas a cada uno de esos grupos de trabajo.

En lo que aquí interesa, la Asociación elaboró los Títulos Quinto («De las obligaciones y contratos») y Sexto («Prescripción y caducidad») de la Propuesta de Código Civil.

II. LA RELACIÓN OBLIGATORIA

1. Concepto de la obligación

En un sentido amplio, la obligación es un vínculo que sujeta a hacer o abstenerse de hacer una cosa. En sentido jurídico es una manifestación del deber jurídico general que imponen las normas positivas, caracterizada por las notas siguientes: *a)* es un vínculo de naturaleza transitoria; *b)* que se dirige a la satisfacción de un interés particular o individual; *c)* de tipo patrimonial o económico, y *d)* que, en caso de incumplimiento, puede hacerse efectivo a costa del patrimonio del deudor. Ahora bien, en el Derecho de obligaciones, todas las obligaciones constituyen deberes jurídicos, pero no todos los deberes jurídicos son obligaciones. Como indica HERNÁNDEZ GIL, «el Derecho de obligaciones no es la versión, desde el punto de vista del deber, de todo el Derecho civil, sino esto otro: el resultado de agrupar y al mismo tiempo independizar (dentro de la esencial unidad sistemática) ciertas categorías de deberes jurídicos».

Por consiguiente, la *obligación* constituye una relación jurídica entre dos personas, en la que una de ellas (llamada acreedor o titular del derecho subjetivo de crédito) se encuentra facultada para exigir de la otra (denominada deudor o titular del deber o deuda) un determinado comportamiento (o prestación) consistente en hacer o abstenerse de hacer una cosa, y de cuyo cumplimiento responde éste con su patrimonio. De todo ello se desprende, con bastante claridad, que la obligación presenta un doble aspecto: activo y pasivo. Si se contempla desde la perspectiva del acreedor o lado activo, se observa que dicho sujeto es titular de un derecho subjetivo de crédito que le permite exigir y recibir la prestación debida por el deudor, de manera que en caso de incumplimiento tiene la posibilidad de dirigirse contra el patrimonio de este último para obtener satisfacción de su interés. En cambio, contemplada desde el punto de vista del sujeto pasivo, se comprueba que el deudor es el titular del deber jurídico, que lo constriñe a realizar un determinado comportamiento o prestación (dar, hacer o abstenerse de hacer una cosa), respondiendo en caso de incumplimiento con todo su patrimonio. Es decir, en toda obligación concurren unidos dos elementos: deuda y responsabilidad.

Como indica SCHULZ, la palabra *obligare* aparece por primera vez en las comedias de PLAUTO y significa «atar», usándose tanto en su acepción literal como metafóricamente. En el lenguaje jurídico tiene dos acepciones: *obligare rem*, «atar una cosa, «darla en garantía, prenda o hipoteca» y *obligare personam* «imponer un deber a una persona». *Obligare* fue usado en estos dos sentidos en las épocas clásica y postclásica. En contraste con *obligare*, el sustantivo *obligatio* aparece tardíamente, pues no, sino era corriente todavía al final de la República. No aparece en las comedias de PLAUTO, sino únicamente en las voluminosas obras de CICERÓN. Por su parte, las palabras *obligare* y *obligatio* no figuran en los escritos de CÉSAR, VIRGILIO, TÁCITO y APULEYO. En definitiva, los juristas clásicos no intentaron jamás precisar la noción de *obligatio*, ya que siempre fueron reacios a definir conceptos fundamentales.

El Código civil no da una definición de la obligación, pues el artículo 1088 de dicho cuerpo legal, siempre citado al respecto, se limita a decir que «toda obligación consiste en dar, hacer o no hacer alguna cosa». Pero este precepto se fija solamente en el aspecto pasivo, ya que no se refiere al objeto directo o inmediato de la obligación (la prestación), sino al indirecto o mediato, esto es, al objeto de la prestación (dar, hacer o no hacer alguna cosa).

De manera más correcta, el artículo 1373, párrafo 2.º, del Código civil de Québec indica que «el objeto de la obligación consiste en la prestación a la que el deudor se obliga frente al acreedor y que consiste en hacer o no hacer alguna cosa».

Tampoco alude el artículo 1088 del CC al poder de agresión sobre el patrimonio del deudor para obtener satisfacción el acreedor en caso de incumplimiento, al que se refiere el artículo 1911 del CC cuando afirma que «del cumplimiento de las obligaciones responde el deudor con todos sus bienes, presentes y futuros». Dicho poder de agresión es reiterado por el artículo 484.1 del TRLC, a cuyo tenor, «en caso de conclusión del concurso por liquidación o insuficiencia de masa activa, el deudor persona natural quedará responsable del pago de los créditos insatisfechos, salvo que obtenga el beneficio de la exoneración del pasivo insatisfecho» (que regulan los artículos 486-502 del TRLC). Con base en los dos preceptos mencionados del Código civil, algunos autores han construido el concepto legal de la obligación o del crédito. Es el caso de ROCA SASTRE y PUIG BRUTAU, que la definen como «el derecho del acreedor dirigido a conseguir del deudor una prestación de dar, hacer o no hacer alguna cosa, garantizado con todo el activo patrimonial del obligado».

Según el artículo 1088, párrafo 1.º, de la PMDOC, «en virtud de una obligación, el acreedor tiene derecho a exigir una prestación que puede consistir en dar, hacer o no hacer alguna cosa». Por su parte, el principio de responsabilidad patrimonial universal aparece recogido en el artículo 1089 de la PMDOC con el mismo tenor literal que el actual artículo 1911 del CC.

Por su parte, el artículo III.-1:102(1) del DCFR señala que «una obligación es el deber de cumplimiento que asume una de las partes de una relación jurídica, el deudor, frente a la otra parte, el acreedor». Como dice el comentario oficial, «es necesario definir el término "obligación" porque en las legislaciones nacionales y la literatura jurídica se utiliza en al menos dos sentidos. A veces, como en el presente, se utiliza como el correlativo de derecho a reclamar el cumplimiento, es decir, desde la perspectiva del deudor de la relación entre el deudor y el acreedor. La expresión "derechos y obligaciones" aparece con mucha frecuencia. A veces, el término "obligación" se utiliza para hacer referencia a la totalidad de la relación jurídica entre el deudor y el acreedor. Este uso, aunque tradicional y muy respetable, parece ser menos frecuente en los instrumentos jurídicos europeos e internacionales modernos. Por ejemplo, los Principios de derecho contractual europeo utilizan el término "obligación·" predominantemente en el primer sentido. Una obligación se cumple o no se cumple; pero no se dice lo mismo de una relación». Se trata, por tanto, de dejar claro que una obligación presupone una relación jurídica y que se tiene respecto a un acreedor concreto, con el fin de distinguir la noción de obligación propiamente dicha de la de deber, el cual no posee tales características. A tenor del artículo III.-1:102(2), «el cumplimiento de una obligación se produce cuando el deudor hace lo que se ha comprometido a hacer, o no hace lo que se ha comprometido a no hacer, en virtud de dicha obligación». En este caso, se quiere evitar toda duda acerca de que el cumplimiento incluye toda clase de obligaciones, ya sean positivas o negativas.

2. Evolución del concepto de obligación

El concepto moderno de la obligación, aunque procede del Derecho romano, es el resultado de una larga evolución.

En un principio, la obligación era un vínculo mediante el cual una persona se sujetaba corporalmente al poder del acreedor en garantía del «débito». Es decir, la *obligatio* era una situación de cautividad servil a título de pena: al *obligatus* se le podía reducir a esclavitud, venderlo *trans Tiberim* e incluso darle muerte. En este momento inicial la idea de «débito» no es propiamente jurídica, pues tenía un origen independiente de la idea de *obligatio*. De ahí que el *obligatus* pudiera ser la misma persona que tenía que cumplir el débito u otra distinta, y que se pudiera deber y no estar obligado o estar obligado y no deber.

La separación entre «débito» y *obligatio* se fue poco a poco borrando, desplazándose la ejecución hacia el patrimonio del deudor. La responsabilidad personal del obligado llega a desaparecer, consolidándose el desplazamiento del poder del acreedor hacia el patrimonio del obligado como consecuencia de la lucha de clases entre patricios y plebeyos, en virtud de la *lex Poetelia Papiria* (de fines del s. IV a. C.). «Débito» y *obligatio* dejan de tener un origen distinto, y se pasa a la idea de que el débito lleva en sí mismo la responsabilidad. Este concepto es el que entra en el Derecho moderno, en el que la responsabilidad ha sido despojada completamente de su carácter personal para asumir un carácter exclusivamente patrimonial, pues, como dice CARBONNIER, «el que se obliga, obliga lo suyo». No obstante, durante la Edad Media, la responsabilidad personal, de la que provenía la prisión del deudor, y la responsabilidad patrimonial coexistieron, si bien aquella fue relegada a un segundo plano. Es más, tampoco puede desconocerse que la prisión por deudas subsistió en los Derechos modernos hasta la segunda mitad del siglo XIX.

III. DISTINCIÓN ENTRE DEUDA Y RESPONSABILIDAD

Frente a las teorías subjetiva y objetiva de la obligación, que unilateralmente centran el punto de atención, respectivamente, en el acto del deudor o en la responsabilidad patrimonial, surge la teoría de la distinción entre el débito y la responsabilidad, iniciada por BRINZ con base en la concepción originaria de las obligaciones en Derecho romano y, posteriormente, desarrollada por VON AMIRA y GIERKE con apoyo en el antiguo Derecho sueco y germánico del norte. Según esta teoría, el concepto de la obligación se encuentra integrado por dos elementos, débito y responsabilidad, que se originan con independencia y pueden existir completamente separados. Para estos autores, deuda (*debitum, Schuld*) es una relación de deber o de deber cumplir la prestación el deudor, y responsabilidad (*obligatio, Haftung*) es una relación de suje- ción o sometimiento (de una persona, de una o más cosas o de un patrimonio) al sufrimiento de un perjuicio, si no se quiere cumplir con dicho débito.

Según BRINZ, lo que caracteriza a la obligación es el sometimiento del patri- monio del deudor al poder del acreedor para la satisfacción de su crédito, y que el derecho del acreedor no recae sobre la prestación o acto del deudor sino sobre el patrimonio de éste. En todo caso, DÍEZ-PICAZO advierte que en alemán *Schuld* signi- fica no sólo deber, sino también culpa, y que *Haftung*, además de responsabilidad, significa garantía. En francés se distingue entre *devoir* y *engagement*, y en inglés entre *duty* y *liability*.

Esta corriente doctrinal tuvo un gran impacto, y sus partidarios intentaron aplicarla a los modernos Derechos alemán (BEKKER, SCHWIND) e italiano (ROCO, CARNELUTTI, PACCHIONI). Con base en la distinción entre deuda y responsabilidad se defendió la posibilidad de que exista una deuda sin responsabilidad, una responsabilidad sin deuda y una deuda con responsabilidad limitada.

La teoría de la distinción del débito y la responsabilidad olvida que el concepto plenamente desenvuelto de la obligación supone un vínculo o relación en el que ambos elementos (débito y responsabilidad) concurren siempre y no son separables más que conceptualmente, para explicar mejor el fenómeno obligatorio.

En opinión de FERRARA, «el deber jurídico lleva aparejado como contenido inmanente la coacción y, por consiguiente, la responsabilidad no es más que la consecuencia de la relación obligatoria. El débito no es simplemente deber pres- tar, sino el deber prestar bajo la coacción del ordenamiento jurídico y, por tanto, conduce no sólo a la voluntaria prestación del obligado, sino, en caso de incumpli- miento, a la coactiva ejecución de la obligación y, cuando esto no sea posible o no baste, al resarcimiento. El derecho de agresión del acreedor sobre el patrimonio del obligado no es más que un efecto normal y esencial del derecho de crédito, sin el cual éste sería un derecho ilusorio».

En nuestro Derecho, el artículo 1911 del CC establece taxativamente y con carác- ter general que «del cumplimiento de las obligaciones responde el deudor con todos sus bienes, presentes y futuros»;[1] lo que quiere decir que la deuda y la responsabilidad son dos elementos institucionales del fenómeno de la obligación, que no constituyen relaciones autónomas y distintas, pues se es responsable porque se debe algo, o se ha debido algo.[2] Por todo, ello tiene razón CASTÁN cuando afirma que «la distin- ción entre la deuda y la responsabilidad no tiene gran aplicación práctica ni debe ser sacada de sus límites racionales». DE LOS MOZOS, más radicalmente, opina que esta distinción está superada y, por tanto, sugiere su abandono. En cambio, HERNÁNDEZ GIL, considera que, si bien carece de un valor dogmático general y actual, ha de admi- tirse que contribuye a explicar algunos casos especiales. En un sentido similar, DÍEZ- PICAZO afirma que, aun no siendo un tema de actualidad, debe ser mantenida, pues se trata de un tópico que permite profundizar en el concepto y en las características de la relación obligatoria.

---

1. Cfr. artículo 1089 de la PMDOC.
2. Cfr. STS de 2 de abril de 1990 (RJ 1990, 2687).

1. Deuda sin responsabilidad

Como casos de deuda sin responsabilidad se suelen citar, principalmente, los de la obligación natural, la deuda prescrita y la obligación modal.

La llamada *obligación natural* es un supuesto en el que no existe una verdadera obligación en sentido jurídico, sino un deber moral o social al que el ordenamiento atribuye determinados efectos, como es la imposibilidad de repetir lo voluntariamente pagado. Obsérvese que en este tipo de obligaciones el acreedor no tiene derecho a exigir el cumplimiento y, por tanto, el deudor no tiene (si no quiere) que cumplir, ya que sobre él no recae ningún deber en sentido jurídico. El efecto que se le atribuye a la obligación natural, de la no devolución de lo voluntariamente pagado (o *solutio retentio*), simplemente quiere decir que el ordenamiento jurídico encuentra justificada determinada atribución patrimonial realizada con ánimo de cumplir un deber moral, social o de conciencia. En este sentido, afirma ALBALADEJO que «si se permitiese al que pagó pedir la devolución (que es lo que habría que hacer, de no considerar justificada la entrega), se protegería un acto inmoral consistente en deshacer lo que se había realizado por considerarlo moralmente necesario». Es decir, «la *solutio retentio* no puede ser considerada como un efecto de un deber no jurídico, sino exclusivamente como síntoma de la *relevancia* que en la esfera del Derecho es asignada por la ley a los deberes no jurídicos» (GIORGIANNI).

Respecto de la inclusión de las deudas de juego en el concepto de «obligación natural», la STS de 10 de abril de 2010 rechaza esa postura, pues considera que «el fundamento del art.1798 del Código Civil en la idea de la obligación natural resulta más que dudoso, como hace ya tiempo se indicó por un importante sector de la doctrina científica, y es más razonable hallarlo en el régimen de las obligaciones nacidas de un contrato con causa ilícita o con causa torpe de los arts. 1305 y 1306 del mismo Cuerpo legal, siempre sin olvidar que para éste el juego y la apuesta son contratos, regulados en el Título XII de su Libro IV como contratos aleatorios. Sin embargo, de ello no se deriva la consecuencia propuesta en el motivo, esto es, que solo sea irrepetible lo pagado durante la partida de cartas, pues el art. 1798 del Código Civil extiende la irrepetibilidad a lo pagado "voluntariamente", y por tanto no hay razón alguna para excluir de la irrepetibilidad los pagos voluntarios aunque sean posteriores a la partida, como sucedió en el caso examinado. En definitiva, despenalizados hoy el juego y la apuesta, aunque no legalizados sino bajo determinadas condiciones, el origen de la deuda en una partida de cartas no incluible entre los juegos no prohibidos del art. 1800 del Código Civil permite poner su art. 1798 en relación con su art. 1306.1.ª y, en consecuencia, negar al perdedor de la partida la repetición de lo "dado en virtud del contrato", pues participó en el hecho de igual modo que el ganador de la partida».[3]

Un amplio sector de la doctrina considera que el cumplimiento de estos deberes morales, sociales o de conciencia, llamados obligaciones naturales, encuentra protección o sanción en el artículo 1901 del CC. Según este precepto, «se presume que hubo error en el pago cuando se entregó cosa que nunca se debió o que ya estaba pagada; pero aquél a quien se pida la devolución puede probar que la entrega se hizo a título de liberalidad o por otra justa causa». En esta última expresión, «otra justa causa», se quiere encontrar el reconocimiento legal de la obligación natural; sin

---

3. RJ 2010, 2318.

embargo, aun admitiendo que así fuere, el único efecto es que la cosa no tendría que ser devuelta por aquél que la recibió.

En el Derecho civil navarro la ley 510, apartado 1.°, del FN, dentro del capítulo del «enriquecimiento sin causa», se refiere a las obligaciones naturales. Dicho precepto dice que «no será repetible el pago cuando se haya hecho en cumplimiento de un deber moral, o impuesto por el uso, aunque no sea judicialmente exigible. El reconocimiento, la novación, la compensación y la garantía de las obligaciones naturales producen efectos civiles».[4]

En el Derecho suizo se reconocen las obligaciones naturales (arts. 63 y 239, ap. 2, CO), lo que explica que ENGEL afirme que la obligación imperfecta o natural pertenece al Derecho y no a la moral, es un deber jurídico y no un deber moral. Asimismo, afirma este autor que la obligación imperfecta y el deber moral difieren en cuanto a su fundamento: la primera deriva del Derecho objetivo, de reglas jurídicas concretas, y nace, se transfiere y se extingue como una obligación ordinaria, mientras que el deber moral no depende más que de la conciencia moral. También los Códigos civiles italiano (art. 2034), portugués (arts. 402-404) y holandés reconocen expresamente la obligación natural. De hecho, el artículo 6:3(1) del BW define la obligación natural como aquélla que no puede exigirse con arreglo a Derecho; mientras que el apartado 2 del mismo artículo 6:3 del BW estipula que «una obligación natural existe: (a) cuando el ordenamiento o un acto jurídico priva a una obligación de su naturaleza coercitiva; (b) cuando una persona tiene, con relación a otra, un deber moral de tal naturaleza que su cumplimiento, aunque no sea exigible con arreglo a Derecho, debe considerarse de acuerdo con la opinión general como el cumplimiento de una obligación debida a esa otra persona». En todo caso, una obligación se transforma en una obligación exigible conforme a Derecho por el acuerdo celebrado entre las dos partes de la relación obligatoria (cfr. art. 6:5:1 BW).

La *deuda prescrita* tampoco es un caso de débito sin responsabilidad, ya que el deudor tiene la facultad de alegar (una excepción) la prescripción para no pagar. Si lo hace, queda extinguida una verdadera y propia obligación civil. Si no lo alega, está admitiendo o reconociendo dicha obligación, no una obligación natural, pues el pago es una renuncia a la prescripción ganada (art. 1935 CC). Otra cosa es que este último comportamiento sea más digno o más ético.

Tampoco la *obligación modal* constituye un caso de deuda sin responsabilidad, porque el acreedor puede exigir, como en toda obligación, su cumplimiento exacto, y, cuando eso no sea posible, la revocación del negocio modal. Además, es muy discutible que la revocación del negocio modal no suponga responsabilidad, pues mediante ella se produce una disminución del patrimonio del deudor, el cual se había enriquecido como consecuencia del ingreso del bien que se le había transmitido.

2. Responsabilidad sin deuda

Entre los posibles casos de responsabilidad sin deuda se citan la fianza, la prenda y la hipoteca, en los que una persona garantiza una deuda ajena. Se dice que el fiador y el constituyente de la garantía real no son deudores, sino únicamente responsables.

---

4.   Cfr. STS de 24 de junio de 2004 (RJ 2004, 4432).

Sin embargo, por lo que se refiere a la fianza, no ofrece duda que el fiador es también deudor, aunque subsidiario, de la obligación principal; e incluso puede serlo al mismo nivel que el deudor, si se hubiere obligado solidariamente (arts. 1822 y 1830 CC). El fiador es una persona que se ha obligado a pagar una deuda que, aunque no sea propia, asume como tal.[5] De esta manera, el fiador asume una obligación distinta a la del deudor, denominada obligación fideusoria, convirtiéndose en un deudor fideusorio. Lo mismo puede decirse de los supuestos de prenda e hipoteca, en los que un tercero garantiza una deuda ajena, si bien la obligación del constituyente (que es un fiador, y como tal obligado al pago) se encuentra limitada al valor de los bienes dados en garantía.

Otros dos supuestos que, por regla general, se suelen mencionar son el de la fianza prestada en garantía de deudas condicionales o futuras (art. 1825 CC) y el de la hipoteca constituida para garantizar una obligación futura o sujeta condición suspensiva (art. 142 LH), argumentándose que se trata de unas obligaciones todavía inexistentes, futuras, mientras que, en cambio, la responsabilidad del fiador o del hipotecante es actual y no eventual. A eso procede objetar que en ambos casos es obvio que tan futura es la deuda como la responsabilidad y, por tanto, ésta nunca podrá hacerse efectiva si no llega a nacer la primera. Cuestión distinta en el caso de la hipoteca es que, si la deuda llega efectivamente a nacer, los efectos se retrotraigan al momento de la inscripción.

> Según la STS de 20 junio de 2007, «la cuestión de si los créditos pueden ser objeto de prenda ha sido estudiada y resuelta por la jurisprudencia de esta Sala en un sentido positivo (…).[6] Asimismo, La STS de 2 de julio de 2008 ha declarado que la prenda también puede constituirse sobre créditos, y no sólo sobre cosas, «pues los créditos tienen la consideración de cosas muebles que están en el comercio y son susceptibles de posesión».[7] Esta jurisprudencia ha encontrado su respaldo en la legislación concursal, pues el artículo 270, núm. 6, del TRLC reconoce la aptitud de los créditos para ser objeto de derecho real de prenda (constituida en documento público, sobre los bienes o derechos pignorados que estén en posesión del acreedor o de un tercero), con el consiguiente privilegio especial del acreedor pignoraticio sobre ellos.

3. Deuda con responsabilidad limitada

Se dice que ésta existe en aquellos supuestos que constituyen una excepción al principio general de responsabilidad patrimonial universal del deudor, consignado en el artículo 1911 del CC, por ejemplo, cuando la responsabilidad del deudor se limite exclusivamente a ciertos bienes de su patrimonio. Esta posibilidad se contempla en el artículo 140 de la LH, a cuyo tenor, «podrá válidamente pactarse en la escritura de constitución de hipoteca voluntaria que la obligación garantizada se haga solamente efectiva sobre los bienes hipotecados». Ahora bien, es claro que en este supuesto existe una deuda y una responsabilidad inseparables, es decir, una verdadera y propia obligación provista de sanción. Lo único que ocurre es que se ha recortado el ámbito del poder de agresión del acreedor sobre el patrimonio del deudor de modo que si el bien al que se circunscribe la responsabilidad fuere insuficiente para satisfacer el interés del acreedor, todo lo más podría hablarse de una responsabilidad incompleta.

---

5. Cfr. STS de 2 de abril de 1990 (RJ 1990, 2687).
6. RJ 2007, 3455.
7. RJ 2008, 4278.

Del mismo modo se alude a los casos de renuncia liberatoria, que algunos autores califican de «responsabilidad con derecho de abandono». Así, por ejemplo, el artículo 395 del CC permite al comunero eximirse de la obligación de contribuir a los gastos de la cosa o derecho común renunciando a la parte que le pertenece en el dominio. Un caso similar lo constituye la renuncia liberatoria que contempla el artículo 575 del CC respecto al régimen de comunidad o copropiedad en la medianería, pues, según este precepto, todo propietario puede dispensarse de contribuir a los gastos de construcción y mantenimiento de la pared, seto, zanja o vallado, renunciando a la medianería. Pero, en realidad, tanto en uno como en otro supuesto, se trata de la renuncia de un derecho real y, por tanto, lo que ocurre es que al perderse la parte que se tiene en la copropiedad se queda liberado de las obligaciones que ésta lleva consigo. O, como dice HERNÁNDEZ GIL, más que una deuda con responsabilidad limitada, lo que hay es una obligación vinculada, en cuanto a su existencia y a su extinción, al derecho real.

Otra hipótesis que suele citarse es la que recoge el artículo 587 del CCom con referencia al derecho de abandono del buque, ya que, a tenor de este precepto, el naviero puede limitar su responsabilidad haciendo abandono a sus acreedores «del buque con sus pertenencias y de los fletes que hubiera devengado en el viaje».

IV. LA UNIFICACIÓN DEL DERECHO DE OBLIGACIONES

Aunque el Derecho privado de cada país se basa, primordialmente, en sus propias circunstancias históricas, económicas y políticas, no puede negarse que siempre ha existido un importante sustrato común, incluso entre ordenamientos tan aparentemente dispares como el continental codificado y el del _Common Law_. Esta realidad resulta particularmente evidente en el campo del Derecho de obligaciones y contratos. A esto hay que añadir el fenómeno creciente de la internacionalización o globalización en el intercambio de bienes o servicios entre empresas radicadas en diferentes Estados o en distintos bloques regionales, lo que ha planteado la necesidad de establecer cierta regulación uniforme que permita estimular o, al menos no entorpecer, dichos intercambios.

En este contexto se sitúa la labor que viene desarrollando desde su creación la Comisión de la Naciones Unidas para el Derecho Mercantil Internacional (UNCITRAL), pues tiene por finalidad «preparar nuevos Convenios internacionales, Leyes tipo y Leyes uniformes, fomentar la adopción de tales instrumentos, así como la codificación y una aceptación más general de los términos, usos y prácticas del comercio internacional». De hecho, en su haber se encuentra la elaboración de la Convención de Viena sobre compraventa internacional de mercaderías de 11 de abril de 1980, si bien los antecedentes de este Tratado se remontan a los trabajos iniciados por UNIDROIT en el primer tercio del siglo XX, así como a las Leyes uniformes de La Haya sobre compraventa internacional de mercaderías y sobre la formación de la compraventa internacional.

1. La elaboración de un Derecho contractual europeo

1.1. Iniciativas académicas y legislativas en el seno de la Unión Europea: el Proyecto de Marco Común de Referencia

La aparición de un Derecho contractual europeo puede identificarse a mediados de los años setenta del siglo pasado, bajo la iniciativa del Profesor danés OLE

LANDO. Después de varios años de preparativos, fue en 1982 cuando la denominada «Comisión de Derecho contractual europeo», formada por juristas (la mayoría universitarios) de todos los Estados de la Unión Europea, empezó sus trabajos. Entre 1985 y 2003 publicó los «Principios de Derecho contractual europeo» (PECL) con la manifiesta intención de servir de base para un futuro Código europeo de contratos, o al menos con el fin de proporcionar un marco previo de una futura legislación europea sobre la materia. Los PECL se basan en un estudio comparado de las diversas legislaciones de Derecho contractual de los Estados de la Unión Europea, así como de otros instrumentos legislativos de ámbito internacional como la Convención de Viena sobre los contratos de compraventa internacional de mercaderías de 1980 (CISG) y los Principios de Unidroit sobre los contratos comerciales internacionales de 1994 (PCCI).

En palabras de la Exposición de Motivos de la Propuesta para la modernización del Derecho de obligaciones y contratos, «aunque podrían citarse muchos otros precedentes, el camino fue abierto por la Convención de las Naciones Unidas sobre la Venta Internacional de Mercaderías, elaborada por la Comisión de las Naciones Unidas para la Unificación del Derechos Mercantil (UNCITRAL) y adoptada en Viena en 1980. La Convención de Viena marcó, de forma muy notoria, un importante grado de evolución del Derecho general de obligaciones y contratos con un muy notable grado de aproximación entre los Derechos de origen anglosajón y los de cuño europeo continental y, dentro de estos últimos, entre los situados en el campo del Derecho alemán y los que se podían situar en el ámbito de influencia del Derecho francés. La Convención de Viena se ha visto después proseguida por importantes tentativas de elaborar reglas comunes que representen algo así como un Derecho de Contratos de aceptación general en el tráfico comercial o por utilizar la misma denominación que ellos prefieren el usus mercatorum. Ocurre así con los llamados Principios sobre los Contratos Comerciales Internacionales elaborados por el Instituto Internacional para la Unificación del Derecho Privado (UNIDROIT), En la misma línea tenemos que destacar el hecho de que durante años grupos de trabajo formados por juristas y profesores alentados desde las instancias de la Unión Europea hayan venido trabajando en pro de una unificación europea de este tipo de normas para hacerlas comunes a toda la Unión. La publicación de la primera y la segunda parte –y más tarde de la tercera– de todos los trabajos con el nombre Principios de Derecho europeo de contratos ha producido un gran impacto, tanto en los ámbitos universitarios como en los dedicados a la práctica jurídica sobre todo en materia de arbitraje. Hay que destacar el hecho de que la Unión Europea haya producido un gran número de directivas, que, aunque directamente relacionadas con los llamados contratos de consumo o contratos con consumidores, han supuesto, según se dice, un núcleo de ese Derecho europeo de contratos que a su vez impone la necesidad de coordinarlo con el resto del ordenamiento, pues la existencia de una estrecha relación entre las diversas partes del ordenamiento resulta indiscutible».

En ese período de tiempo, la Comisión Europea no permaneció de brazos cruzados, sino que procedió a elaborar Directivas que afectaban al Derecho de obligaciones y contratos: crédito al consumo, contratos celebrados fuera de los establecimientos mercantiles, contrato de agencia, viaje combinado, contrato de aprovechamiento por turno de bien inmueble (multipropiedad) y contratos a distancia fueron algunas de las materias afectadas. Se trataba de una normativa específica, «sectorial», casi exclusivamente centrada en el ámbito de la protección de los intereses de los consumidores. Quizás por todo ello dichas Directivas no recibieron demasiada atención por parte de legisladores y especialistas, que tendían a considerarlas como mera excepción al Derecho contractual general en vigor, situación que cambió radicalmente con la promulgación de la Directiva de cláusulas abusivas en contratos celebrados con consumidores y de la Directiva sobre garantías en la venta de bienes de consumo. Estas dos últimas Directivas fueron objeto de enorme atención en todos los Estados de la Unión Europea: la de cláusulas abusivas por su relevancia transversal en el ámbito del Derecho de obligaciones y contratos, y la de garantías por implicar una modernización relevante del régimen de la compraventa de bienes de consumo.

En 1998, cuando la Comisión Lando había terminado su trabajo sobre la segunda parte de los PECL, se constituyó otro grupo académico bajo la presidencia del Profesor de la Universidad de Osnabrück, Christian von Bar. Recibió el nombre de «Study Group on a European Civil Code», y se dedicó a publicar unos «Principios de Derecho Europeo» (PEL) que abarcan la parte general del Derecho de contratos, pero también algunos contratos especiales, obligaciones extracontractuales y derechos reales de garantía. Mientras tanto, las actividades reseñadas coincidieron con un cierto ímpetu de las instituciones europeas acerca de la armonización del Derecho privado. De hecho, no puede obviarse circunstancia de que la Unión Europea no permanecía ajena a este fenómeno. Antes al contrario, al margen de las ya mencionadas Directivas que desde la óptica de la protección de los consumidores afectan al Derecho contractual, ya en 1989 el Parlamento Europeo solicitó que se comenzasen los trabajos de preparación indispensables para elaborar un Código europeo común de Derecho privado. Refrendada dicha postura en 1994, fue en el Consejo Europeo de Tampere de 1999 cuando se reclamó una mayor convergencia en materia de Derecho civil, presentando la Comisión una Comunicación sobre Derecho contractual europeo el 11 de julio de 2001. En ella se establecía como objetivo principal «iniciar un debate abierto, amplio y detallado en el que participen las instituciones de la Comunidad Europea y el público general, incluidas empresas, académicos, asociaciones de consumidores y profesionales de la justicia» y, asimismo, «recopilar información sobre la necesidad de una actuación comunitaria de mayor alcance».

En respuesta a dicha Comunicación, otro nuevo grupo se creó en mayo de 2002, el «Research Group on the Existing EC Private Law». Formado por más de cuarenta universitarios de casi todos los Estados miembros de la Unión Europea, sus actividades fueron coordinadas por el entonces Profesor de la Universidad de Bielefeld, Hans Schulte-Nölke. El objetivo principal de este grupo consistía en formular un texto sobre los Principios de Derecho privado de la Unión Europea existentes, los «Principles of the Existing EC Private Law» o «Acquis Principles» (ACP). Es por eso que el grupo empezó a ser conocido como el «Acquis Group».

En febrero de 2003, la Comisión Europea actualizó su Comunicación de 2001 transformándola en una iniciativa para crear un «Marco de Referencia», pronto denominado «Marco Común de Referencia» (CFR), a través de la investigación y con la ayuda de todas las partes interesadas.[8] Se trataba de proporcionar las mejores soluciones desde el punto de vista de una terminología y reglas comunes. En palabras de la Comisión, el CFR debía ayudar a revisar el acervo de Derecho contractual europeo

---

8. COM(2003) 68 final.

con el fin de solucionar incoherencias, aumentar la calidad de la legislación, simplificar y clarificar disposiciones en vigor, y adaptar la legislación existente a las circunstancias económicas y comerciales y cubrir. La fusión de las iniciativas académicas y legislativas que existían entonces se produjo en mayo de 2005 como consecuencia de la unión entre el «Study Group» y el «Acquis Group». Su intención era elaborar un «Proyecto de Marco Común de Referencia» (DCFR), cuya primera versión («Interim Outline Edition») apareció en diciembre de 2007. Tras un breve período de consulta y revisión, la edición definitiva («Outline Edition») fue presentada en público a principios de 2009. Produjo no poca sorpresa, porque no limitaba su contenido al Derecho contractual, sobre todo a su teoría general, sino que lo extendía a contratos especiales, obligaciones extracontractuales, adquisición y pérdida de la propiedad, derechos reales de garantía y *trust*. En definitiva, parecía pretender constituirse en un antecedente de un futuro Código europeo de Derecho patrimonial.

1.2. *La revisión del acervo comunitario*

La Comisión Europea presentó en octubre de 2008 una Propuesta de Directiva sobre derechos de los consumidores que tenía como objetivos refundir las cuatro Directivas ya existentes sobre contratos celebrados fuera de los establecimientos mercantiles, sobre contratos a distancia, sobre cláusulas abusivas en contratos celebrados con consumidores y sobre garantías en la venta de bienes de consumo. Su principal novedad radicaba en que asumía una idea de «armonización máxima» en materia de protección de los consumidores, frente a la tradicionalmente utilizada hasta entonces «armonización mínima». No obstante, tras el rechazo generalizado que suscitó dicha Propuesta en todos los Estados miembros, fue aprobada en octubre de 2011 una Directiva, «descafeinada», sobre derechos de los consumidores. Simplemente derogaba y refundía las Directivas sobre contratos celebrados fuera de los establecimientos mercantiles y sobre contratos a distancia, al mismo tiempo que hacía leves retoques a las Directivas sobre cláusulas abusivas y sobre garantías en la venta de bienes de consumo.

A principios de 2010 la Comisión estableció un «Expert Group on a Common Frame of Reference in the area of European Contract Law» para que le asistiera en la elaboración de una Propuesta de Marco Común de Referencia aplicable a todas las relaciones contractuales (entre profesionales, y entre profesionales y consumidores). Su resultado final, en mayo de 2011, ha consistido en un «Feasibility Study for a Future Instrument in European Contract Law». Su resultado final ha sido calificado de «recontractualización» del DCFR.

1.3. *La normativa común de compraventa europea*

Pocos meses más tarde de la publicación del «Feasibility Study», la Comisión Europea publicó una Propuesta de Reglamento sobre una normativa común de compraventa europea (CESL),[9] que se encuentra aún en fase de tramitación. Consta de dos partes: el Reglamento propiamente dicho, que pretende dar eficacia a dicha normativa (relación con las normas de Derecho internacional privado y el mecanismo para aplicar la normativa), y el Anexo al Reglamento, que contiene la normativa común

---

9.   COM(2011) 635 final.

de compraventa europea. Como indica su Exposición de Motivos, «la Propuesta prevé la creación de una normativa común de compraventa europea. Armoniza las legislaciones contractuales nacionales de los Estados miembros, no imponiendo modificaciones a las normativas contractuales nacionales vigentes, sino creando en los ordenamientos jurídicos de los distintos Estados miembros un segundo régimen de Derecho contractual aplicable a los contratos que entren dentro de su ámbito de aplicación; un régimen que es idéntico en toda la Unión Europea y que coexistirá con las normas del Derecho contractual nacional vigentes. La normativa común de compraventa europea se aplicaría a los contratos transfronterizos sobre una base voluntaria, previo acuerdo expreso de las partes». Si bien resulta difícil aventurar pronósticos sobre el destino de esta futura normativa, no parece descabellado pensar que es posible que sufra notables recortes y limitaciones tras su paso por el Parlamento y el Consejo europeos***.

2. El Derecho de obligaciones y su impacto internacional: los Principios de Unidroit sobre los contratos comerciales internacionales

UNIDROIT es el acrónimo de «Instituto internacional para la unificación del Derecho privado», que es una organización internacional, con sede en Roma, a la que pertenecen 63 Estados de los cinco continentes. Creado en 1926 como un órgano auxiliar de la Sociedad de Naciones, fue reconstituido en 1940 en virtud de un acuerdo multilateral: el estatuto orgánico de UNIDROIT. A tenor del artículo 1 de dicho estatuto, tiene la función de preparar «proyectos de leyes o de Convenios dirigidos a establecer un Derecho uniforme y a facilitar las relaciones internacionales en materia de Derecho privado».

En coherencia con tales objetivos, en 1971 el Consejo de dirección de UNIDROIT realizó una propuesta para unificar la teoría general del contrato, encargando las tareas preliminares del proyecto a los Profesores DAVID, SCHMITTHOFF y POPESCU en representación, respectivamente, de los sistemas jurídicos de tradición romanista, del _Common Law_ y de los antiguos países socialistas. Se trataba, en esta primera fase, de realizar la estructura general del proyecto, así como una primera versión acerca de la formación y la interpretación de los contratos. Casi una década después fue creado un grupo de trabajo que asumió la tarea de redactar mediante ponencias los diferentes capítulos de los que terminarían denominándose _Principios sobre los contratos comerciales internacionales_ (PCCI).

Los miembros del grupo de trabajo no sólo tuvieron en cuenta en su tarea codificaciones modernas como las relativa al Código civil holandés, al entonces proyecto de Código civil de Québec, al Código comercial uniforme norteamericano y al segundo _Restatement_ de Derecho contractual (también norteamericano), sino que también prestaron especial atención, entre otras, a las soluciones adoptadas por los INCOTERMS de la Cámara de comercio internacional, las Condiciones de las Comisión Económica para Europa de las Naciones Unidas o las Condiciones de los contratos FIDIC (_Fédération internationale des ingénieurs-conseils_). Este proyecto de capítulos, junto con las cuestiones más controvertidas que se plantearon durante su elaboración, fueron después enviadas por el Consejo de dirección de UNIDROIT a más de cien colaboradores correspondientes del Instituto y a todos los Gobiernos de los Estados miembros del mismo. Con el resultado de sus observaciones, UNIDROIT procedió a publicar en mayo de 1994 las versiones en lengua francesa e inglesa de los Principios sobre los contratos comerciales internacionales, viendo la luz un año más tarde la edición en español.

La buena acogida dispensada a los Principios, en su edición de 1994, indujo en 1997 al Consejo de dirección de UNIDROIT a continuar los trabajos para aumentar de contenido y revisar dicha primera edición. Convocado un nuevo grupo de trabajo en el que han participado la mayor parte de los que lo hicieron en el anterior, la nueva edición de los Principios fue aprobada por UNIDROIT en abril de 2004. En la actualidad, la tercera edición de los Principios ha sido publicada en 2010. A diferencia de la edición de 1994, que constaba de 120 artículos, y de la de 2004, que tenía 185, esta nueva edición consta de 211 artículos; pues se han introducido 26 nuevos preceptos sobre restituciones en caso de contratos fallidos, la ilicitud, las condiciones y los contratos con pluralidad de deudores y acreedores.

Los Principios carecen de valor normativo, limitándose a establecer reglas generales aplicables a los contratos mercantiles internacionales, sin que el término «mercantil» posea ninguna relevancia metodológica o doctrinal. Se trata, simplemente, de excluir del ámbito de aplicación de los Principios las «operaciones de consumo» o relaciones entre profesionales y consumidores; extendiéndose, al mismo tiempo, no sólo a las operaciones comerciales para el abastecimiento o intercambio de mercaderías o servicios, sino también a las operaciones económicas de inversión y/o otorgamiento de concesiones, los contratos de servicios profesionales, etc.

> Para determinar cuándo un contrato es internacional los Principios no se decantan por ninguno de los criterios habitualmente utilizados en Derecho uniforme (por ejemplo, el de que los establecimientos de las partes se encuentren situados en Estados diferentes). No obstante, en su Preámbulo se indica que debe hacerse la interpretación más amplia posible «para que únicamente queden excluidas aquellas relaciones contractuales que acrezcan de todo elemento de internacionalidad».

Los principios se aplicarán cuando las partes hayan acordado someter el contrato a sus disposiciones, pero asimismo cuando simplemente hubieran decidido que el contrato se rija por los principios generales del Derecho, la *lex mercatoria* u otras expresiones semejantes. Del mismo modo, pueden proporcionar una solución a un punto controvertido cuando no sea posible determinar cuál es la regla de Derecho aplicable a dicho contrato, e incluso servir de modelo para la legislación a nivel nacional o internacional.

Los *principios básicos* del texto de UNIDROIT son los siguientes:

a) El principio de libertad contractual y de libre elaboración de las cláusulas de los contratos, puesto que según su artículo 1.1 de los PCCI «las partes tienen libertad para celebrar un contrato y determinar su contenido».

> Como dice el comentario oficial, «el principio de libertad de contratación es de fundamental importancia en el comercio internacional. Así como los comerciantes gozan del derecho de decidir libremente a quien ofrecer sus mercaderías o servicios y por quien quieren ser abastecidos también tiene libertad para acordar los términos de cada una de sus operaciones. Esta libertad de contratar constituye el eje sobre el cual gira un orden económico internacional abierto, orientado hacia el libre comercio y la competitividad».

b) El principio de buena fe y lealtad negocial, plasmado en el artículo 1.7(1) de los PCCI, a cuyo tenor, «las partes deben actuar con buena fe y lealtad negocial en el comercio internacional». El apartado 2 de dicho artículo 1.7 matiza que las «partes no pueden excluir ni restringir la aplicación de ese deber», es decir, se trata de un principio de carácter imperativo.

Según el comentario oficial, «la buena fe y la lealtad negocial es considerada como muna de las ideas fundamentales en las que se basan los Principios. Al establecer en términos generales que cada parte debe conducirse de buena fe y con lealtad negocial, el párrafo (1) de este artículo deja claro que, aun en ausencia de una disposición específica en los Principios, las partes deben conducirse de acuerdo a la buena fe y observando lealtad negocial a lo largo de la vida del contrato, incluso durante el proceso de su formación (...). El deber de "conducirse de buena fe y con lealtad negocial en el comercio internacional" tiene el propósito de precisar, en primer lugar, que en el contexto de los Principios, estos dos conceptos no se aplican de acuerdo con los parámetros ordinarios adoptados por cada uno de los diferentes ordenamientos jurídicos nacionales. Dichos parámetros adoptados en virtud del derecho interno de cada país serán tomados en consideración única y exclusivamente cuando se demuestre que han sido generalmente aceptados por los diversos sistemas jurídicos. Otra consecuencia de la fórmula utilizada es que la buena fe y la lealtad negocial deben ser interpretadas a la luz de las circunstancias especiales del comercio internacional. Los modelos de prácticas comerciales, en realidad, pueden variar sustancialmente entre las diferentes ramas del comercio, e incluso dentro de una misma rama dichas prácticas pueden ser observadas con diferente regularidad e intensidad, dependiendo del contexto social y económico dentro del cual opera una determinada empresa, o bien conforme a su tamaño, desarrollo tecnológico, etc. Cabe destacar que cuando el texto y comentarios de los Principios hacen referencia a la "buena fe" o a la "lealtad negocial", estos conceptos deben siempre entenderse en el sentido de "buena fe y lealtad negocial en el comercio internacional" al que se refiere este artículo».

c) El principio denominado de «apertura a los usos del comercio», ya que según el artículo 1.9(2) de los PCCI «las partes están obligadas por cualquier uso que sea ampliamente conocido y regularmente observado en el comercio internacional por los sujetos participantes en el tráfico mercantil de que se trate, a menos que la aplicación de dicho uso sea irrazonable».

Se establecen así los criterios para identificar los usos aplicables en ausencia de un convenio específico de las partes. En palabras del comentario oficial, «el hecho de que los usos deban ser "ampliamente conocidos y regularmente observados (...) por las partes en el tráfico mercantil de que se trate" constituye una condición para la aplicación de cualquier uso, ya sea internacional o solamente a nivel nacional o local. El calificativo adicional de "tráfico internacional" tiene el propósito de evitar que aquellos usos desarrollados y limitados a los negocios domésticos o nacionales sean invocados en negocios realizados con extranjeros. Sólo excepcionalmente puede un uso de origen meramente local o nacional ser aplicado sin que las partes hayan hecho una referencia al mismo». Debe ponerse de relieve que los usos prevalecen sobre los Principios. «Tanto lo que resulta del curso de las negociaciones como los usos, una vez que su aplicabilidad en determinado supuesto haya sido determinada, prevalecen sobre disposiciones incompatibles de los Principios. La razón es que el curso de las negociaciones y los usos obligan a las partes como si fueran cláusulas implícitas del contrato en su conjunto o de una cláusula en particular o del comportamiento de una de las partes».

d) El principio del *favor contractus*, el cual puede rastrearse en el artículo 3.1.3(1) de los PCCI, sobre imposibilidad inicial de cumplimiento, señala que «no afectará la validez del contrato el mero hecho de que al momento de su celebración fuese imposible el cumplimiento de la obligación contraída».

Como afirma el comentario oficial, «contrariamente a lo establecido en numerosos sistemas jurídicos, que consideran nulo un contrato de compraventa, si han perecido los bienes objeto del contrato al momento de su celebración, el párrafo (1) de este artículo, de acuerdo con las tendencias más modernas, establece en términos generales que la validez del contrato no se ve afectada por el hecho de que en el momento de celebrarse la obligación contraída sea de cumplimiento imposible. Un contrato es válido aun cuando los bienes a los que se refiere hayan perecido al momento de contratar, con la consecuencia de que la imposibilidad originaria de cumplimiento se equipara a la imposibilidad que se presenta después de la celebración del contrato. Los derechos y obligaciones que surgen por la imposibilidad de cumplimiento de alguna o de ambas partes se determinarán de acuerdo a las normas sobre el incumplimiento. Conforme a estas disposiciones podría tenerse en cuenta, por ejemplo, al hecho de que el deudor o el acreedor conocieran la imposibilidad de cumplimiento en el momento de celebrarse el contrato».

El artículo 3.1.3(2) de los PCCI añade que «tampoco afectará la validez del contrato el mero hecho de que al momento de su celebración una de las partes no estuviere facultada para disponer de los bienes objeto del contrato».

Según el comentario oficial, «la parte contratante puede, y de hecho frecuentemente así sucede, adquirir la legitimación o el poder de disposición sobre dichos bienes con posterioridad a la celebración del contrato. Si esto no sucede, se aplicarán las disposiciones sobre incumplimiento».

Todo ello es coherente con lo dispuesto en el artículo 3.1.2 de los PCCI, que sólo exige el acuerdo de los partes para que el contrato sea válido al afirmar que «todo contrato queda perfeccionado, modificado o extinguido por el mero acuerdo de las partes, sin ningún requisito adicional».

Esta postura implica que los Principios prescinden tanto de la noción de *consideration* de los países de tradición jurídica anglosajona, como de la de causa de los países de tradición jurídica romanista.

e) El principio que sanciona los comportamientos desleales, que aparece en el artículo 2.1.15 de los PCCI, cuando señala su apartado 1 que «las partes tiene plena libertad para negociar los términos de un contrato y no son responsables por el fracaso en alcanzar un acuerdo». Ahora bien, como dice el apartado 2 de dicho artículo 2.1.15, «la parte que negocia o interrumpe las negociaciones de mala fe es responsable por los daños y perjuicios causados a la otra parte». Según el apartado 3 del artículo 2.1.15 de los PCCI, «en particular, se considera mala fe que una persona entre en o continúe negociaciones cuando al mismo tiempo tiene la intención de no llegar a un acuerdo».

La responsabilidad de una parte por las negociaciones de mala fe se limita a los daños y perjuicios causados a la otra parte, lo que implica, como señala el comentario oficial, que «la parte agraviada puede recuperar los gastos en que incurrió por las negociaciones y también podrá ser compensada por la pérdida de oportunidad de celebrar otro contrato con un tercero (la llamada "confiabilidad" (_reliance_) o interés negativo), pero no podrá, en principio, recuperar las ganancias que hubiera percibido de haberse perfeccionado el contrato (la llamada expectativa o interés positivo)».

BIBLIOGRAFÍA

ALGUER, «La obligación», en _Ensayos varios sobre temas fundamentales del Derecho civil_, RJC, 1931, p. 99; BELTRÁN DE HEREDIA, P., _La obligación (concepto, estructura y fuentes)_, Madrid, 1989; BERCOVITZ, A., «En torno a la unificación del Derecho privado», en AA VV _Estudios jurídicos en homenaje al Profesor Federico de Castro_, T. I, Madrid, 1976, p. 151; BERCOVITZ, R., «Codificación civil y codificación mercantil: la reforma del Derecho de obligaciones», _Centenario del Código civil_, T. I, Madrid, 1990, p. 287; BONET RAMÓN, «Naturaleza jurídica de la obligación», RDP, 1967, p. 835; CRISTÓBAL MONTES, «La formulación dogmática de la obligación», ADC, 1990, p. 475; DE LOS MOZOS, «Concepto de la obligación», RDP, 1980, p. 979; íd., _Derecho civil: método, sistemas y categorías jurídicas_, Madrid, 1988; DÍEZ-PICAZO, «El contenido de la relación obligatoria», ADC, 1964, p. 349; D'ORS, «Una explicación genérica del sistema romano de las obligaciones», _Libro-homenaje a Vallet de Goytisolo_, T. I, Madrid, 1988, p. 542; FAUVARQUE-COSSON, «Hacia un Derecho común europeo de la compraventa» en AA VV (dir. CÁMARA LAPUENTE), _La revisión de las normas europeas y nacionales de protección de los consumidores_, Cizur Menor, 2012, p. 41; FUENTESECA, «Origen del concepto romano de obligación (_obligatio_)», en _Libro-homenaje a Roca Sastre_, vol. I, Madrid, 1976, p. 111; GARCÍA CANTERO, «Notas para una sociología de las obligaciones y de los contratos», ADC, 1979, p.739; GARCÍA GARCÍA, «La relación jurídica desde las perspectivas práctica y teórica», RCDI, 1990, p. 399, GARRIGUES, «Qué es y qué debe ser el Derecho mercantil» en J. GARRIGUES, _Temas de Derecho vivo_, Madrid, 1978, p. 37; HERNÁNDEZ GIL, «El problema de la patrimonialidad de la prestación», RDP, 1960, p. 273; JÉREZ DELGADO y PÉREZ GARCÍA, «La Comisión General de Codificación y su labor en la modernización del Derecho de obligaciones», RJUAM, 2009, p. 155; LETE ACHIRICA, J., «Los principios de UNIDROIT sobre los contratos comerciales internacionales», Act. Civ., 1996, p. 127; MARTÍN PÉREZ, «La "despatrimonialización" del Derecho civil y la patrimonialidad de la prestación», RDP, 1986, p. 603; MAYER, _El antiguo Derecho de obligaciones español, según sus rasgos fundamentales_, Barcelona, 1926; MORALES MORENO, _La modernización del Derecho de obligaciones_, Madrid, 2006; PERLINGIERI, «Aspecto problemáticos del Derecho de obligaciones», RDP, 1983, p. 58; PLANITZ, _Principios de Derecho privado germánico_, trad. de MELÓN INFANTE, Madrid, 1957; ROCA GUILLAMÓN, «Armonización, unificación y modernización del Derecho de obligaciones y contratos», en AA VV, _Derecho de obligaciones. XVI Jornadas de la Asociación de Profesores de Derecho Civil_, Murcia, 2013, p. 193; ROJO FERNÁNDEZ, «El Derecho Mercantil y el proceso de unificación del Derecho privado», RDM, 2014, p. 127; RODRIGUEZ MARTÍNEZ, «La reforma de los códigos, civil y de comercio: la unificación del derecho de obligaciones y contratos y la sede normativa del derecho de consumo», RAdp, 2010, p. 119; Santa Cruz Teijeiro, «Una lección del Profesor Costa, la génesis de la obligación», RCDI, 1928, p. 897; Santos Briz, «Tendencias modernas en el derecho de obligaciones», RDP, 1960, p. 548; Roca Sastre/Puig Brutau, «Concepto del derecho de crédito», *Estudios de Derecho privado*, Tomo I, Madrid, 1948, p. 167; Schäfer/Ott, *Manual de análisis económico del Derecho civil*, trad. de Von Carsten-Lichterfelde, Madrid, 1991; Vattier Fuenzalida, *Sobre la estructura de la obligación*, Palma de Mallorca, 1980.

Capítulo II

Sujetos y objeto de la relación obligatoria

SUMARIO: I. LOS SUJETOS DE LA RELACIÓN OBLIGATORIA. 1. *Concepto.* 2. *Capacidad.*
3. *Unidad o pluralidad.* 4. *Determinación.* II. EL OBJETO DE LA RELACIÓN OBLI-
GATORIA. 1. *La prestación como objeto de la obligación.* 2. *Requisitos de la prestación.*
2.1. Posibilidad de la prestación. 2.2. Licitud de la prestación. 2.3. Determinación
o determinabilidad de la prestación. 3. *Especial consideración del carácter patrimonial
de la prestación.* BIBLIOGRAFÍA.

I. LOS SUJETOS DE LA RELACIÓN OBLIGATORIA

1. Concepto

Si la obligación es una relación jurídica, y ésta es siempre una relación entre personas, puede afirmarse que los sujetos o partes de la relación jurídico-obligacional
son las personas entre las que se establece el vínculo constitutivo de la relación. Toda
relación obligatoria se establece necesariamente entre dos partes o sujetos: el sujeto
activo, titular del derecho subjetivo de crédito, llamado acreedor, y el sujeto pasivo,
titular del deber jurídico, denominado deudor. El acreedor es la persona facultada
para exigir y recibir la prestación, el deudor es el obligado a realizar la prestación.

Ser acreedor o deudor, como dice HERNÁNDEZ GIL, más que ostentar una cualidad
jurídica, entraña ocupar una posición jurídica. Estas posiciones de acreedor y deudor
pueden corresponder en exclusiva a cada uno de los sujetos de la relación obligatoria, o bien pueden ser recíprocamente compartidas por ambos. Así, por ejemplo, en
un contrato de préstamo gratuito el que entrega el dinero ocupa sólo la posición de
acreedor, mientras que quien lo recibe con la obligación de restituirlo ocupa únicamente la posición de deudor. En cambio, en el contrato de compraventa las posiciones de los sujetos son recíprocamente compartidas, pues el vendedor es deudor de la
cosa y acreedor del precio, y el comprador es deudor del precio y acreedor de la cosa.

2. Capacidad

Sujetos de la relación obligatoria pueden serlo todas las personas, tanto naturales
o físicas como jurídicas. La capacidad de la persona jurídica para contraer obligaciones se encuentra expresamente reconocida en el artículo 38 del CC.

Basta para ser sujeto activo o pasivo la capacidad jurídica inherente a la persona, lo
que implica que también pueden adquirir y contraer obligaciones o realizar los actos

de ejercicio y cumplimiento las personas físicas con discapacidad que necesiten apoyo para el ejercicio de su capacidad. Respecto de los menores de edad no emancipados, debe tenerse en cuenta lo dispuesto en el artículo 1263 del CC. Cuando se trate de menores emancipados, el artículo 247 del CC determina en qué supuestos se requiere el consentimiento de sus progenitores o, si fuere el caso, el del defensor judicial. Por otra parte, el pago hecho a una persona con discapacidad o, en algunos casos, el pago hecho a concursados e inhabilitados para el ejercicio de comercio (arts. 37.1, 145.1 y 455.2.2.º TRLC, 13.2 CCom y 213.1 LSC) solo es liberatorio en la medida en que ese pago sea útil al acreedor, lo que justifica que el deudor pueda liberarse mediante la consignación.

3. Unidad o pluralidad

En puridad, en la relación obligatoria siempre existe una pluralidad de personas, ya que en toda relación deben concurrir al menos dos personas: un acreedor y deudor. Sin embargo, cuando se habla de unidad o pluralidad se hace referencia al hecho de que cada uno de los sujetos o partes de la relación obligatoria esté formado por una pluralidad de personas (físicas o jurídicas), tanto del lado activo como del pasivo o de ambos: varios acreedores frente a un solo deudor, un acreedor frente a varios deudores o varios acreedores frente a varios deudores.

Si cada una de las partes o sujetos de la relación obligatoria está integrada por una sola persona se habla de obligación unipersonal. Si hay concurrencia de varias personas recibe el nombre de obligación con pluralidad de sujetos o pluripersonal. La cotitularidad da lugar, según nuestro Código civil, a dos formas típicas de pluralidad de sujetos: mancomunidad y solidaridad.

4. Determinación

Si en la relación obligatoria son necesarios dos sujetos (activo y pasivo), lógicamente deberán estar perfectamente determinados desde el mismo momento de la constitución del vínculo, pues sólo así el acreedor podrá saber a quién debe exigir cumplimiento y el deudor, a su vez, quién puede reclamarle la prestación. Sin embargo, en el Derecho moderno se admite que los sujetos estén indeterminados, siempre que sean determinables en virtud de hechos previstos al constituirse la relación obligatoria. Es decir, es posible una indeterminación relativa, transitoria o temporal, también llamada determinación indirecta.

La indeterminación relativa o determinación indirecta es más frecuente con respecto al acreedor. Es el caso de los títulos al portador, en los que sólo se indica la persona del deudor, ya que el acreedor se determina en cada momento por la posesión del documento al que se encuentra incorporado el crédito, que se transmite por la simple tradición manual. Así como la tradición transfiere el título, la posesión del documento atribuye al poseedor la condición de acreedor. Otro supuesto es el de la promesa hecha al público, en la que el deudor (promitente) se encuentra plenamente determinado mediante la emisión de la promesa, mientras que el acreedor es determinable por la realización de un cierto acto o la obtención de un determinado resultado. Por ejemplo, cuando se promete una recompensa a quien encuentre y restituya un objeto extraviado, en cuyo caso el acreedor se individualiza por el hecho del hallazgo y la devolución.

La ley 521 del FN regula, aunque con la denominación de «oferta pública», la figura más propiamente conocida por «promesa pública de recompensa». Esta promesa se refiere a una prestación que se ofrece a quien reúna las condiciones fijadas por el promitente, de entre un grupo de personas lo suficientemente amplio como para considerar que el destinatario es un sujeto indeterminado.

Aunque menos frecuente, también con respecto al deudor puede producirse una indeterminación relativa, como sucede en las denominadas obligaciones *propter rem* o «ambulatorias», en las que la obligación se encuentra unida a la posesión de una cosa o a la titularidad de un derecho, por ejemplo, conservar la cosa común (art. 395 CC), reparar la pared medianera (art. 575 CC), hacer las obras necesarias para el uso y conservación de la servidumbre (art. 599 CC), etc. El dato de la copropiedad de la cosa, medianería de la pared o dominio del fundo sirviente, es el que determina respectivamente la persona obligada a cumplir la prestación (deudor). Sin embargo, hay autores que han puesto en duda que en estos supuestos exista una verdadera indeterminación, ya que consideran que «sólo en un sentido impropio se puede hablar de indeterminación del sujeto activo o pasivo de la relación obligatoria. Esto es, entendiendo hacer referencia con aquella expresión a la *mutabilidad* del sujeto», fenómeno que debería ser encuadrado en el más amplio de la sucesión (GIORGIANNI). En nuestra doctrina, sigue esta línea LACRUZ, que rechaza los casos de los títulos al portador y de las obligaciones *propter rem*, razonándolo del modo siguiente: «en cada momento de la vida jurídica de una obligación real o de un título al portador, los sujetos están plenamente determinados, no identificados por su nombre, que es cosa distinta, pero sí por su situación de dominio, posesión, etc. La determinación es mediata sólo en un sentido lógico, no cronológico, lo cual no supone indeterminación ni siquiera relativa».

En cualquier caso, estas obligaciones *propter rem* tienen unas características propias, cuales son: *a)* un modo de liberación especial: la renuncia o el abandono, efecto señalado en los artículos 395, 575 y 599 del CC; *b)* la transmisión de la cualidad de deudor se produce sin necesidad de contar con la voluntad del acreedor: el copropietario o el dueño del predio sirviente pueden renunciar con entera libertad a la parte que les pertenece en el dominio o a la medianería, y en virtud de dicha renuncia o abandono la obligación de contribuir a los gastos de conservación de la cosa o derecho común o la de costear la reparación y construcción de la pared medianera pasa al adquirente; no obstante, de los créditos que se hubieren originado con anterioridad a la renuncia seguirá respondiendo el renunciante, salvo pacto en contrario.

Otros ejemplos de obligaciones *propter rem* que también pueden mencionarse son las de cumplir las obligaciones urbanísticas a que se refiere el artículo 27.1 de la LS, ya que la transmisión de una finca no modifica la situación del titular respecto de los deberes del propietario anterior, o las obligaciones vinculadas a la condición de propietario en régimen de propiedad horizontal del artículo 9.1 de la LPH. En estos casos, está claro que la condición de deudor de una obligación aparece vinculada a la titularidad de un bien. Por consiguiente, la transmisión del bien supone la sustitución del propietario anterior por el nuevo en las deudas que surjan con posterioridad a la transmisión, no en cambio de las nacidas antes, de las que debe responder el propietario anterior.

II. EL OBJETO DE LA RELACIÓN OBLIGATORIA

1. La prestación como objeto de la obligación

El objeto de la obligación es la *prestación*. Lo que el acreedor está facultado para reclamar (y recibir) y el deudor debe prestar es una conducta o comportamiento, a la cual se refiere el artículo 1088 del CC al decir que «toda obligación consiste en dar, hacer o no hacer alguna cosa». Es decir, la prestación consiste en el comportamiento (acto u omisión) a que el vínculo obligatorio sujeta al deudor, y que se extiende a cosas, servicios o abstenciones (dar, hacer o no hacer alguna cosa).

Según la doctrina tradicional, el objeto de la obligación son las cosas o, en términos generales, las cosas o los servicios sobre los que recae el deber del deudor. Pero tal afirmación es inexacta, ya que el objeto inmediato o directo de la obligación lo constituye la actividad personal del deudor (comportamiento o conducta), a la que se denomina prestación, y las cosas o los servicios son el contenido u objeto de la prestación. O, si se prefiere, el objeto mediato de la relación obligatoria, como lo demuestra el que pueden desaparecer y, sin embargo, la obligación permanece. Así, por ejemplo, cuando a consecuencia de una compraventa la cosa no puede ser entregada por culpa del vendedor (deudor) no por eso se extingue la obligación, sino que el comprador (acreedor de la cosa) tiene el derecho a dirigirse contra el patrimonio del deudor y obtener la satisfacción de su crédito mediante la obtención de su equivalente económico, lo que se denomina indemnización o resarcimiento de daños y perjuicios.

> De forma más correcta que en la versión actual de nuestro Código civil, el artículo 1088, párrafo 1.º, de la PMDOC señala que «en virtud de una obligación, el acreedor tiene derecho a exigir una prestación que puede consistir en dar, hacer o no hacer alguna cosa». Así se reconoce la distinción entre objeto inmediato o directo y objeto mediato de la obligación. La primera es la prestación o comportamiento, la segunda las cosas o servicios que constituyen el contenido de dicho comportamiento.

La falta de rigor terminológico de nuestro Código civil en este punto es evidente, y ello ha dado lugar a que algunos autores se hayan cuestionado si el objeto es un elemento o requisito de la relación obligatoria. Obsérvese que nuestro Código unas veces considera las cosas o los servicios como objeto de la obligación (arts. 1271, 1272, 1273 CC), otras, alude a la prestación como objeto (arts. 1132, 1157 CC), e incluso utiliza el término prestación para referirse al objeto de las obligaciones de hacer o no hacer en contraposición a las de dar cosas (arts. 1147 y 1151 CC). No obstante, en el orden práctico, cualquiera que sea el criterio que se adopte, por regla general se llega a las mismas conclusiones, que se pueden resumir en una: el objeto es un requisito de la obligación.

2. Requisitos de la prestación

En principio, objeto de la relación obligatoria puede ser cualquier actividad personal del deudor (comportamiento o conducta). Sin embargo, esto no quiere decir que el objeto sea ilimitado, pues deben concurrir determinados requisitos o condiciones, necesarios para que la relación obligatoria llegue a existir jurídicamente. El Código civil, al tratar la materia de obligaciones, no se ocupa expresamente y de un modo general de los caracteres que debe reunir la prestación, sino que únicamente se refiere a ellos de manera incidental en su artículo 1132. Esto ha obligado a doctrina y jurisprudencia a buscar su regulación en las normas dedicadas a los contratos, aplicando aquellos que en los artículos 1272-1276 del CC se exigen para el objeto del contrato. Por consiguiente, sin perjuicio de posteriores precisiones, puede afirmarse que la prestación ha de ser: posible, lícita y determinada o determinable.

2.1. Posibilidad de la prestación

La prestación ha de ser _posible_, pues obligarse a realizar una prestación imposible no tendría sentido ni debe tener amparo jurídico. Nadie puede obligarse a una prestación imposible, de acuerdo con el aforismo _ad impossibilia nemo tenetur_ o _impossibilium nulla obligatio est_ (CELSO, D. 50.17.185). En este sentido se manifiesta el artículo 1272 del CC, al decir que «no podrán ser objeto de contrato las cosas o servicios imposibles»; mientras que en materia de compraventa el artículo 1460, párrafo 1.º, del CC señala que «si al tiempo de celebrarse la venta se hubiese perdido en su totalidad la cosa objeto de la misma, quedará sin efecto el contrato».

> La misma regla aparece contenida en el artículo 1601, párrafo 1.º, del CCF. Por el contrario, la mayor parte de los sistemas jurídicos del _Common Law_ consideran que si el deudor se compromete a dar o hacer una cosa imposible, aunque no quepa la ejecución forzosa específica, siempre podrá pagar una indemnización. Lo cual conecta con el hecho de que el remedio principal al incumplimiento contractual es la indemnización de daños y perjuicios y no el cumplimiento en forma específica o _in natura_.

No obstante, es necesario distinguir entre las distintas clases de imposibilidad y efectuar algunas precisiones:

_a_) La imposibilidad puede ser _física_ (o material) y _jurídica_. La imposibilidad física o de hecho se refiere a causas naturales, por ejemplo: obligación de entregar la luna o de dar cosa que no haya existido nunca, o que haya sido destruida. La imposibilidad jurídica se deriva de una norma de Derecho, por ejemplo, la obligación de dar cosas que estén fuera del comercio, por ser de dominio público (arts. 1272 y 407 CC). Según la STS de 15 de diciembre de 1987, es «aquélla que por derivación del ordenamiento jurídico y sea cual fuere la jerarquía normativa o la actuación de cualquier organismo estatal establezca dentro de sus facultades una imposibilidad jurídica de cumplimiento».[1] Es decir, comprende tanto la derivada de un texto legal, como de preceptos reglamentarios, mandatos de autoridad competente, u otra causa jurídica.[2]

> La STS de 21 de enero de 1958 declara que existe _imposibilidad legal_ de reintegrar a los arrendatarios en el goce o uso de un local de negocio en el portal de la finca reedificada, cuando las ordenanzas municipales prohíben el establecimiento de cualquier clase de comercio o industria en los portales de acceso a las fincas.[3] La STS de 29 de octubre de 1970 se refiere a un caso análogo, la imposibilidad de dar cumplimiento a la obligación de reservar superficie para que retorne el arrendatario de un local en el edificio antiguo, cuando por las ordenanzas municipales

---

1. RJ 1987, 9434.
2. Cfr. SSTS de 26 de julio de 2000 (RJ 2000, 9177) y 21 de abril de 2006 (RJ 2006, 1875).
3. RJ 1958, 220.

se obliga al propietario del nuevo edificio a destinar a aparcamiento de vehículos una parte de la superficie de los terrenos sobre los que se construya, concretamente la ocupada por el local en cuestión.[4] Una y otra imposibilidad produce el mismo efecto, tan nulo es el contrato mediante el cual se promete la entrega de una cosa que no existe como el que tiene por objeto la entrega de una cosa que se encuentra fuera del comercio. Sin embargo, es frecuente equiparar, con cierta inexactitud, el supuesto de imposibilidad jurídica al de la ilicitud. Por su parte, la STS de 16 de diciembre de 1970 se refiere a la imposibilidad moral,[5] mientras que la STS de 30 de abril de 1994 lo hace a la imposibilidad económica.[6]

b) La imposibilidad puede ser *absoluta* y *relativa*. La absoluta u objetiva se da cuando la prestación es imposible en sí misma, para toda clase de personas, y puede producirse por causas naturales o jurídicas. Por ejemplo, entregar la luna o entregar una cosa que no existe o que se encuentra fuera del comercio. La imposibilidad es relativa o subjetiva cuando afecta sólo al deudor, pero la prestación es realizable para otras personas, por ejemplo, el deudor se ha obligado a entregar una cosa que no tiene y sabe que no va a poder adquirir. En este caso, aunque para el deudor la prestación sea imposible, objetivamente no hay imposibilidad.

Sólo la imposibilidad absoluta u objetiva da lugar a la nulidad de la obligación (art. 1272, en relación con el art. 1261, ambos del CC). En la imposibilidad relativa se produce el nacimiento de la obligación, resultando afectado el cumplimiento de la misma, ya que al no poder adquirir la cosa se convierte en el deber de prestar el equivalente pecuniario o indemnización de daños y perjuicios.

c) La imposibilidad puede ser *total* y *parcial*, según que la prestación sea completamente irrealizable o exista posibilidad de realización parcial. La primera, si es absoluta, impide el nacimiento de la obligación. La segunda, en principio, puede dar lugar a la nulidad de la obligación, puesto que el acreedor tiene derecho exigir la realización íntegra de la prestación (arg. *ex* art. 1157 CC). No obstante, en cada caso concreto, será un problema de interpretación de la voluntad de las partes, pues deberá examinarse si contemplaron o no la prestación como un todo inescindible. También la ley, en supuestos concretos, concede al acreedor la facultad de decidir (arts. 1460 y 1471 CC).

d) La imposibilidad puede ser *originaria* y *sobrevenida*. La originaria es la que se manifiesta en el momento mismo de constituirse la obligación. La subsiguiente o sobrevenida es la que se produce cuando la prestación se hace imposible después de haber surgido la obligación. En el primer caso, la obligación no llega a nacer por falta de objeto; en el segundo, hay una obligación que ha nacido y que o bien se *transforma* en el deber de prestar al acreedor la correspondiente indemnización de daños y perjuicios, si la imposibilidad se ha producido por culpa del deudor, o bien se *extingue,* si se ha producido por un hecho fortuito (arts. 1101 y 1182 CC).

Pero no hay que confundir la imposibilidad de la prestación con la «dificultad de la prestación». Imposibilidad no quiere decir dificultad, lo que explica que la STS de 8 de junio de 1906 haya declarado que para estimar imposibles las condiciones pactadas en un contrato lo han de ser efectivamente, y no depender de la situación accidental

---

4. RJ 1970, 4473.
5. RJ 1970, 4471.
6. RJ 1994, 2949.

del deudor, que puede variar, ni de su voluntad, puesto que ha de esforzarse en cumplir su compromiso.[7] Cuestión distinta es que la separación entre una y otra no resulte fácil y, por tanto, sea preciso estar a los casos y circunstancias singulares.[8] En cualquier caso, la posibilidad de la prestación deberá apreciarse en el momento de concertarse la obligación. Esto quiere decir que la imposibilidad originaria no podrá ser convalidada por el mero transcurso del tiempo; sin embargo, sí que será válida la relación obligatoria cuya prestación se haya hecho posible _a posteriori_ dentro de un término previamente establecido por las partes.

No obstante, aunque la imposibilidad inicial ha sido tradicionalmente considerada en los ordenamientos europeos del _Civil Law_ como causa de nulidad del contrato, en la actualidad se viene extendiendo la consideración según la cual la validez del contrato no tiene que verse afectada por el hecho de que resulte imposible el cumplimiento de las obligaciones de alguna de las partes por causa anterior a su celebración. Esta postura implica que, cuando se hubieran incorporado y garantizado en el contrato estados de la realidad, y no fuere posible el cumplimiento de las obligaciones de alguna de las partes, se podrá acudir al incumplimiento con el fin de que el afectado ejercite los derechos derivados del mismo (FENOY).

> Este es el criterio establecido por el artículo 1303 de la PMDOC, a cuyo tenor, «no afecta a la validez del contrato el mero hecho de que en el momento de su celebración no sea posible el cumplimiento de la obligación de alguna de las partes o que alguno de los contratantes carezca de la facultad de disponer de los bienes objeto del mismo».[9] Asimismo, en materia de compraventa, el artículo 1460 de la PMDOC dispone que «la imposibilidad de entregar la cosa por causa anterior a la celebración del contrato no impide al comprador que hubiera confiado razonablemente en su posibilidad de ejercitar los derechos derivados del incumplimiento conforme al régimen de cada uno de ellos».

2.2. _Licitud de la prestación_

La prestación ha de ser lícita. Es ilícita la prestación contraria a la ley, a la moral (o a las buenas costumbres) o al orden público (arts. 1255, 1271 y 1275 CC). Esta idea de ilicitud, como señala LACRUZ, es más amplia que la de _imposibilidad jurídica_, ya que se ciñe a la objetivación obligacional de cosas o conductas que la ley ha excluido del comercio jurídico, esto es, aquélla supone cualquier contradicción con la letra o espíritu de la ley y aun de la moral o las buenas costumbres. Es evidente que los conceptos de moral y buenas costumbres se encuentran supeditados a las ideas y prácticas imperantes en la sociedad y por ello varían en el tiempo.

> Como dice la STS de 3 de enero de 1990, «el artículo 1.6 del Código civil atribuye al Tribunal Supremo la función de interpretar y aplicar las leyes, creando de un modo reiterado doctrina jurisprudencial que complemente al ordenamiento jurídico; y dentro de esta función, e implícitamente contenida en ella, está la de evolucionar los criterios hermenéuticos en relación con los antecedentes históricos y la realidad social del tiempo en que se han de aplicar las normas, pudiendo

---

7. JC 1906, II-76.
8. Cfr. SSTS de 10 de marzo de 1949 (RJ 1949, 269), 5 de mayo de 1986 (RJ 1986, 2339), 20 de mayo de 1997 (RJ 1997, 3890) y 21 de abril de 2006 (RJ 2006, 1875).
9. Cfr. artículo 4:102 de los PECL y artículo 3.1.3(1) de los PCCI.

cambiar de orientación, siempre que este cambio se funde en una nueva interpretación razonable y no arbitraria, e incluso, siendo saludable la revisión constante de la propia doctrina, en paridad con la evolución de la sociedad a la que ha de aplicarse».[10]

La conformidad con la ley hay que entenderla referida a las normas de naturaleza imperativa o de *ius cogens,* inderogables por la voluntad de las partes.

Cuando el objeto de la prestación lo constituyen cosas, exige el artículo 1271, párrafo 1.º, del CC, que «no estén fuera del comercio de los hombres»; es decir, que no resulten excluidas por la ley o por propia naturaleza. Ahora bien, no hay que confundir este requisito (objetivo o absoluto) con la circunstancia de que el tráfico de determinadas cosas se encuentre restringido o prohibido por una disposición legal; en cuyo caso, no cabe hablar de falta de un presupuesto objetivo, sin perjuicio de que el acto o negocio se encuentre sujeto a las correspondientes sanciones penales o administrativas.

La exigencia de que los servicios no sean contrarios a la moral (la expresión «buenas costumbres» es equivalente), a que alude el artículo 1271, párrafo 3.º, del CC, hay que considerarla referida al comportamiento en que consista la prestación, en el sentido de adecuación a las convicciones morales imperantes en ese momento en la sociedad, ya que se trata de un concepto relativo, y que como tal depende del tiempo y del lugar considerados.

Por último, la licitud se encuentra delimitada por el orden público (art. 1255 CC), lo que significa conformidad con los principios fundamentales del ordenamiento jurídico consagrados directa o indirectamente en la Constitución. Esta restricción es la que permite distinguir entre ilicitudes «textuales», en las que el legislador sanciona expresamente con la nulidad, y «virtuales», que debe inferirse de los principios que informan nuestro ordenamiento.

Como advierte Díaz Pairó, la prestación puede ser unas veces ilícita en sí misma (promesa de cometer un delito o un acto dañoso contra tercero), otras por serlo la contraprestación que le sirve de equivalente (promesa de una suma de dinero por la realización de un acto ilícito), y hasta puede ocurrir que, siendo lícitas en sí mismas la prestación y la contraprestación, resulten ilícitas consideradas en relación la una con la otra (promesa de una suma de dinero al agente policial para que investigue o evite un acto punible o al Juez para que resuelva conforme a Derecho). Pues, como dice este autor, para apreciar la licitud de una prestación no basta con atender sólo a su objeto, sino que debe considerarse el contenido total del título que origina ese deber de prestación.

También hay que señalar que, como la ilicitud puede provenir del fin, la conducta deberá ser valorada de acuerdo con el fin perseguido.

Si la prestación no es lícita se produce la nulidad de la obligación (arts. 1261 CC y 1271 CC y, en general, art. 6.3 CC), por falta de un requisito esencial.

2.3. *Determinación o determinabilidad de la prestación*

La prestación ha de ser *determinada* o, al menos, *determinable,* según criterios preestablecidos por las partes. La absoluta indeterminación es incompatible con la *necesitas*

---

10. RJ 1990, 3. Cfr. SSTS de 12 de diciembre de 1990 (RJ 1990, 9997) y 18 de abril de 1995 (RJ 1995, 3421).

que es de esencia en la obligación, pues lo contrario autorizaría al acreedor a exigir lo que quisiera, a la vez que permitiría al deudor realizar la prestación que tuviere por conveniente.

No obstante, se admite que la prestación no esté determinada en el momento de constitución de la obligación, siempre que pueda llegar a determinarse sin necesidad de un nuevo convenio entre las partes o de nuevas declaraciones de voluntad (art. 1273 CC), sino mediante unos criterios inicialmente establecidos. Estos criterios pueden ser muy variados: *a)* determinación por circunstancias objetivas, como es el caso del comprador que se obliga a pagar el precio que la cosa tuviere en determinada bolsa o mercado (art. 1448 CC); *b)* por la determinación que efectúe una tercera persona (criterio subjetivo), como es el supuesto contemplado en el artículo 1447 del CC, que permite que el señalamiento del precio en la compraventa se deje al arbitrio de persona determinada (art. 1690 CC, en el que también se admite que los socios convengan en confiar a un tercero la designación de la parte de cada uno en las ganancias y pérdidas). En cambio, nuestro Código civil no permite que la determinación de la prestación se deje al arbitrio de una de las partes (arts. 1256, 1449, 1690 CC), ni a un nuevo acuerdo entre ellas.[11]

Por otro lado, se plantea por la doctrina la cuestión de si es posible distinguir entre que la determinación de la prestación se deje al arbitrio de una de las partes o se confíe al arbitrio de equidad de cualquiera de ellas. En este sentido, se afirma por algunos autores que cabe admitir el arbitrio de equidad de una de las partes, siempre que existan bases objetivas que permitan apreciar el uso que se haya hecho de tal facultad. Es decir, siempre que hubiera posibilidad para la otra parte de impugnar la determinación efectuada contra la equidad. En nuestra opinión, este criterio se opone a una correcta interpretación de lo dispuesto en el artículo 1256 del CC, el cual establece una tajante prohibición del arbitrio de las partes como regla general, sin distinguir entre mero arbitrio y arbitrio de equidad, lo que se reitera, además, respecto de la compraventa y del contrato de sociedad, en los artículos 1449 y 1690 del CC respectivamente. Ahora bien, como dice Díez-Picazo, no se puede desconocer que la determinación por una de las partes parece admitirse en muchos casos por el uso de los negocios, como es el caso de los contratos de servicios, en los que no se conviene nada acerca de la remuneración por el servicio en el momento de celebrarse el contrato, la cual deberá ser fijada por el prestador con arreglo al *arbitrium boni viri*.

Cuando la determinación de la prestación se deje al arbitrio de un tercero, dicho arbitrio podrá ser libre o de equidad (art. 1255 CC), según hubieren convenido las partes. Si fuere *libre,* el arbitrio habrá de acomodarse a las reglas de la buena fe (cfr. art. 7.1 CC). Si fuere de *equidad,* la determinación habrá de ser equitativa, ya que en otro caso podría ser impugnada (art. 1690 CC).

Cuando la prestación consista en dar cosas, es necesario determinar el «género», pues, como dice el artículo 1273 del CC, «el objeto de todo contrato debe ser una cosa determinada en cuanto a su especie». Y, como aquí la palabra «especie» es sinónima de «género», se quiere indicar que es suficiente para que nazca la obligación que se haya fijado o establecido el criterio para la determinación genérica de la cosa, no siendo obstáculo la indeterminación de su individualidad. Esto es debido a que

---

11. Cfr. STS de 10 de octubre de 1997 (RJ 1997, 7069).

el artículo 1167 del CC dispone que «cuando la obligación consista en entregar una cosa indeterminada o genérica, cuya calidad y circunstancias no se hubiesen expresado, el acreedor no podrá exigirla de la calidad superior, ni el deudor entregarla de la inferior».

En el caso de que la prestación determinable no llegue a ser determinada la obligación será nula (arts. 1261, 1273, 1447.2.º CC). El Tribunal Supremo tiene declarado que la determinación hace las veces de condición, y si no se lleva a efecto la obligación quedará ineficaz.[12] En la STS de 30 de junio de 1972 se dice que «al no haberse determinado el objeto concreto (...) el contrato era nulo, en concepto de inexistente, por falta de uno de sus elementos esenciales, cual es el objeto que puede ser indeterminado, pero siempre que sea determinable y, desde luego, con tal de que llegue a ser determinado de una manera efectiva».[13]

Asimismo, en la STS de 10 de octubre de 1997 se declara la nulidad de un contrato, denominado por las partes de opción, en el que el precio se fijó, a elección del optante, en la entrega de una cantidad de dinero o de determinados porcentajes de obra construida; pues, aceptada por el optante esta segunda modalidad, se estima que el objeto es indeterminado al no haberse establecido en el contrato criterio alguno para determinar o fijar esos porcentajes en relación con su localización, calidad, accesos, elementos accesorios, o si esos porcentajes han de referirse a todos los locales y pisos construidos o a locales y vivienda independientes. Es decir, se considera que sería preciso un nuevo contrato para la determinación del objeto.[14]

3. Especial consideración del carácter patrimonial de la prestación

Una cuestión que ha suscitado viva polémica en la doctrina es si la prestación ha de tener valor y carácter patrimonial o si, por el contrario, puede ser objeto de una relación obligatoria una prestación que no tenga contenido patrimonial.

La teoría tradicional, defendida por SAVIGNY, exigía la patrimonialidad como requisito de la prestación, esto es que ésta fuera evaluable en dinero. Se alegaba que en el Derecho romano sólo podía ser objeto de una obligación válida la prestación que fuera susceptible de valorarse en dinero, como lo demuestran las propias fuentes, y concretamente el siguiente texto: *ea enim in obligatione consistere quae lui praestarique possunt*. Lo justificaba el propio procedimiento formulario, en el que las condenas habían de ser necesariamente pecuniarias, de manera que para poder reclamar una obligación había que convertirla, mediante una estimación, en una cantidad de dinero.

Esta teoría, también sobre la base de las fuentes romanas, fue sometida a revisión por IHERING y WINDSCHEID, quienes negaron que la patrimonialidad fuera un requisito esencial de la prestación. Consideraron que el Derecho romano no fue ajeno a la defensa de los bienes inmateriales, y que la exigencia de que la prestación fuese evaluable en dinero era una peculiaridad del procedimiento formulario que no tuvo

---

12. Cfr. SSTS de 21 de abril de 1956 (RJ 1956, 1941) y 22 de noviembre de 1966 (RJ 1966, 4991).
13. RJ 1972, 3333.
14. RJ 1997, 7069.

carácter general, pues incluso en este procedimiento la condena pecuniaria podía cumplir no sólo la función de reparación sino también la de pena. Por ello, según estos autores, el Derecho de obligaciones no se encuentra limitado a la tutela de intereses meramente económicos, sino que el objeto de la obligación comprende intereses de cualquier naturaleza, siempre que sean serios y dignos de protección. Esta dirección fue asumida por el Código civil alemán, como se desprende del hecho de que el § 241 del BGB, al definir la obligación, no exige la patrimonialidad de la prestación.

Una teoría intermedia es la postulada por SCIALOJA. Este autor denuncia el exceso en que habían incurrido los autores alemanes, al confundir la patrimonialidad de la prestación y la patrimonialidad del interés del acreedor. Y entiende que es preciso distinguir, en el sentido de que si bien el interés del acreedor en la prestación puede ser extrapatrimonial, en cambio, la prestación en sí misma considerada ha de tener carácter patrimonial y ser, por tanto, susceptible de evaluación económica. Esta tesis fue recogida en el Código civil italiano de 1942, cuyo artículo 1174 dice que «la prestación que constituya el objeto de la obligación deberá ser susceptible de valoración económica y corresponder a un interés del acreedor, aunque dicho interés no sea patrimonial».

> Según GIORGIANNI, «la valorabilidad pecuniaria de una prestación viene a indicar que, en un determinado ambiente jurídico-social, los sujetos están dispuestos a un sacrificio económico para gozar de los beneficios de aquella prestación, y que esto pueda tener lugar sin ofender los principios de la moral y de los usos sociales, además de, por supuesto, la ley».

Si trasladamos el problema a nuestro Derecho, concretamente a nuestro Código civil, habrá que reconocer que existen normas en las que apoyar la tesis de que el interés del acreedor no ha de ser necesariamente patrimonial o económico; teniendo que admitir igualmente la posibilidad de prestaciones no patrimoniales. Basta observar que los artículos 1088, 1255 y 1271 del CC no exigen de modo formal el requisito de la patrimonialidad de la prestación, así como que el artículo 1257, párrafo 2.º, del CC permite la validez de las estipulaciones a favor de tercero, que dan lugar a una relación obligatoria en la que el acreedor no tiene interés patrimonial.

Sin embargo, esto no quiere decir que la obligación no tenga siempre un carácter patrimonial, y que la prestación no deba de ser de algún modo susceptible de ser valorada económicamente, pues si la conducta del deudor fuera incoercible y no existiera posibilidad de valorarla económicamente faltaría la juridicidad, no se trataría de una obligación en sentido técnico. En este sentido, no puede ignorarse que el concepto o definición de la obligación, con arreglo a nuestra legislación civil, se obtiene sobre la base de complementar el artículo 1088 del CC con lo dispuesto por el artículo 1911 del CC. De manera que, conforme a este último precepto, en caso de incumplimiento el acreedor ha de dirigirse contra el patrimonio del deudor, ya que el mismo responde con todos sus bienes presentes y futuros; lo cual exige que la prestación sea susceptible de ser evaluada económicamente. La misma conclusión se obtiene del artículo 1101 del CC, a cuyo tenor la persona que incumple una obligación por dolo, negligencia o morosidad queda responsable de daños y perjuicios. Por otra parte, si nos fijamos en la ejecución de la obligación, puede observarse que la ejecución en forma específica de las obligaciones de hacer y no hacer está expresamente contemplada en el Código civil (arts. 1098 y 1099 CC), como también lo estaba en la Ley de enjuiciamiento civil de 1881 (arts. 923 y ss.). Por eso, cuando el comportamiento del deudor era personalísimo, el artículo 924 de la LEC de 1881 transformaba la ejecución en forma específica en un resarcimiento de daños y perjuicios.

Asimismo, la Ley de enjuiciamiento civil, cuando el comportamiento del deudor fuere personalísimo, concede al ejecutante la posibilidad de optar entre pedir que la ejecución siga adelante para entregar a aquél un equivalente pecuniario de la prestación de hacer o solicitar que se apremie al ejecutado con una multa por cada mes que transcurra sin llevarlo a cabo. En este segundo caso, si, al cabo de un año, el ejecutado continuare rehusando hacer lo que dispusiese el título, proseguirá la ejecución para entregar al ejecutante un equivalente pecuniario de la prestación o para la adopción de cualesquiera otras medidas que resulten idóneas para la satisfacción del ejecutante (art. 709 LEC). Es decir, tanto la Ley de enjuiciamiento civil de 1881, como la Ley de enjuiciamiento en vigor, procuran en todo momento el cumplimiento en forma específica de la obligación y, solo cuando ese cumplimiento no sea posible, lo transforma en el equivalente pecuniario o indemnización de daños y perjuicios.

> Aunque la Ley de enjuiciamiento civil habla de «compensación pecuniaria» o de «indemnización de daños y perjuicios», se trata de dos cosas distintas: una es el valor de la cosa que no se ha entregado o el equivalente económico de la prestación de hacer, y otra distinta los eventuales daños y perjuicios, para cuya liquidación ha de aplicarse lo establecido en los artículos 713-716 de la LEC.

En resumen, cabe afirmar que el interés del acreedor puede no ser económico, sino simplemente moral, afectivo, artístico, etc., siendo suficiente que se trate de un interés serio y digno de protección jurídica. También es admisible que la prestación no sea patrimonial, pues basta con que sea susceptible de valoración económica en caso de incumplimiento; e incluso no es necesario que la prestación en sí misma deba tener aptitud para ser económicamente valorada. De hecho, como advierten Díez-Picazo y Gullón, es suficiente que la prestación vaya acompañada de medios o instrumentos a través de los cuales se logre una satisfacción económica en caso de incumplimiento, como ocurre cuando se establece por las partes una cláusula penal a pagar por el deudor; o en los supuestos en que el incumplimiento da lugar a un daño moral para el acreedor, que con arreglo al artículo 1902 del CC y su interpretación jurisprudencial es indemnizable).

> El Código civil portugués acoge la tesis de la no patrimonialidad de la prestación, de modo que su artículo 398.2 dispone que «la prestación no necesita tener valor pecuniario; pero debe corresponder a un interés del acreedor, digno de protección legal». No obstante, Galvão Telles considera dudoso que, en concreto, puedan existir verdaderas obligaciones cuyo objeto no se resuelva en última instancia en un valor pecuniario.

> Esta también parece haber sido la postura por la que se ha decantado la Propuesta para la modernización del Derecho de obligaciones y contratos, pues el artículo 1088, párrafo 2.º, de la PMDOC dice que «la prestación, aunque no tenga contenido económico, ha de satisfacer un interés legítimo del acreedor».

Finalmente, conviene advertir que en casi todos los ejemplos que suele ofrecer la doctrina, para ilustrar de la existencia de prestaciones no patrimoniales, se trata de conductas o comportamientos integrados en relaciones patrimoniales, por ejemplo, persona que arrienda una vivienda con la obligación de no introducir animales, inquilino que se obliga a no tocar el piano a determinadas horas. En estos supuestos, como dicen Díez-Picazo y Gullón, «al estar inserta esa prestación en aquel conjunto de prestaciones de carácter patrimonial sigue el régimen del contrato, por lo que su violación será una violación de la ley del contrato».

BIBLIOGRAFÍA

Beltrán de Heredia, P., _La obligación (concepto, estructura y fuentes)_, Madrid, 1989; Bonet, «La prestación y la causa debitoria», RDP, 1968, p. 205; Cristóbal Montes, _La estructura y los sujetos de la obligación_, Madrid, 1990; Díez-Picazo, _El arbitrio de un tercero en los negocios jurídicos_, Barcelona, 1957; Espín, «Las nociones de orden público y buenas costumbres como límites de la autonomía de la voluntad en la doctrina francesa», ADC, 1963, p. 783; Fenoy Picón, «La modernización del régimen del incumplimiento del contrato: Propuestas de la Comisión General de Codificación. Parte primera: Aspectos generales. El incumplimiento», ADC, 2010, p. 47; Hernández Gil, «El problema de la patrimonialidad de la prestación», RDP, 1960, p. 273; Martín Pérez, «Sobre la determinabilidad de la prestación obligatoria», RGLJ, 1958, p. 5; íd., «La "despatrimonialización" del Derecho civil y la patrimonialidad de la prestación», RDP, 1986, p. 603; Moreno Quesada., «La imposibilidad originaria de la prestación», RFDUGR, 1983, p. 95; Roca Juan, «Determinación indirecta de la prestación en la relación obligatoria», AUM, 1951-1952, p. 435.

Nacimiento De Las Obligaciones

I. INTRODUCCIÓN

Con la frase *fuentes de las obligaciones* se hace referencia al nacimiento de las obligaciones, y, más concretamente, a las causas o supuestos que originan una relación obligatoria. Es decir, fuentes de las obligaciones son los hechos jurídicos en virtud de los cuales dos personas se encuentran en las posiciones de acreedor y deudor una respecto de la otra.

En la doctrina tradicional se decía que las obligaciones nacen de los contratos, de los cuasicontratos, de los delitos y de los cuasidelitos. El origen de esta clasificación hay que buscarlo en el Derecho romano. Inicialmente, en el Derecho romano las fuentes de las obligaciones eran el *contractus* y el *delictum*. Clasificación bipartita enunciada por GAYO en sus Instituciones (3.88): *Omnis enim obligatio vel ex contractu nascitur, vel ex delicto*. Pero, al identificarse la expresión *contractus* con «acuerdo», se puso de manifiesto la existencia de otras causas generadores de obligaciones que no tenían encaje en ninguna de estas dos figuras (contrato y delito); seguramente por eso, en una obra atribuida a GAYO, *Res cottidianae*, se añade a la originaria clasificación bipartita un tercer término: *variae causarum figurae*, y se dice que las *obligaciones aut ex contractu nascuntur, aut ex maleficio, aut proprio quodam iure ex variis causarum figuris* (D.44.7.1.pr.). Sin embargo, el jurisconsulto GAYO no especifica qué significado tenía la frase «varias figuras de causas», probablemente porque mediante esta categoría no se pretendía más que agrupar una serie de supuestos heterogéneos: se trataba de una clasificación residual.

Ahora bien, no se puede desconocer que la frase de GAYO no expresa exactamente una clasificación cuyos dos términos sean el contrato, tal y como se entiende esta palabra actualmente, y el delito. Porque con la expresión *contractus* los clásicos aludían a negocios jurídicos en los que la obligación surgía por voluntad de la parte obligada, pero que no implicaban necesariamente convenio o acuerdo (ARIAS RAMOS).

Más adelante, los compiladores observaron cómo algunos de los supuestos recogidos bajo la categoría de «varias figuras de causas», sin ser contractuales ni delictuales, comprendían obligaciones que se desarrollaban de un modo similar a como se desenvolvían las que emanaban de los contratos o de los delitos, por ello comienza a hablarse de obligaciones que nacen *quasi ex contractu* y *quasi ex delicto* (I.3.13.2). Pero, como dice ARIAS RAMOS, los juristas romanos no quisieron significar con ello que existiese una institución o concepto jurídico denominado «cuasicontrato» y una institución o concepto jurídico denominado «cuasidelito», cada uno con contornos propios y con contenido sustancial homogéneo; pues la creación de estas dos figuras, el «cuasicontrato» y el «cuasidelito», fueron obra de los comentaristas, iniciada en la *Paráfrasis* griega de las *Instituciones* justinianeas, en que las expresiones originales *quasi ex contractu* y *quasi ex delicto* son sustituidas por las de *ex quasi contractu* y *ex quasi delicto*. Por otra parte, en el Derecho justinianeo puede hablarse, además, de obligaciones «*ex lege*», que nacen por disposición expresa de ésta, y que no son susceptibles de encaje en los cuatro términos antes indicados.

Ahora bien, esta clasificación cuatripartita, comúnmente aceptada durante mucho tiempo, fue objeto de fuerte crítica por parte de los juristas de la Escuela del Derecho natural racionalista, llegando GROCIO a la conclusión de que las fuentes de las obligaciones son el contrato, el delito y la ley. Esta teoría ejerció una decisiva influencia en DOMAT y POTHIER, si bien este último retorna a la clasificación justinianea, a la que añadió una quinta categoría: la ley. La agregación de un quinto miembro pretendía agrupar todas aquellas obligaciones que no era posible integrar en el contrato ni en el acto ilícito, ni tampoco en las otras dos categorías. Y esta clasificación fue aceptada por el Código civil francés, que en su versión original indicaba que unas obligaciones nacen del contrato (arts. 1101 y ss.) y que otras, sin convención alguna, proceden bien directamente de la ley o bien a través de un hecho humano procedente del cuasicontrato, del delito o del cuasidelito (art. 1370). También el Código civil italiano de 1865 adoptó esta clasificación pentapartita, diciendo que las obligaciones nacen de la ley, del contrato, del cuasicontrato, del delito y del cuasidelito (art. 1097).

El vigente Código civil italiano rechaza las categorías del cuasicontrato y del cuasidelito por considerar que carecen de contenido determinado, y enuncia tres fuentes de las obligaciones: el contrato, el acto ilícito y cualquier otro acto o hecho idóneo para producir una obligación de conformidad con el ordenamiento jurídico (art. 1173). Tras la reforma del derecho de obligaciones, el artículo 1100, párrafo 1.º, del CCF reconoce el negocio jurídico, el hecho jurídico y la ley como fuentes de las obligaciones. Por su parte, según el artículo 5.3, párrafo 1.º, del nuevo CCB, las obligaciones nacen de un negocio jurídico, de un cuasicontrato, de la responsabilidad extracontractual o de la ley.

El legislador español de 1889 tomó igualmente este modelo, si bien rechaza la terminología tradicional de delitos y cuasidelitos, eliminando así la distinción entre actos dolosos y culposos, ya que en ambos casos se produce la misma consecuencia de reparar el daño. En cambio, dentro del acto ilícito, distingue entre el ilícito penal y el ilícito civil.

Esta clasificación de las fuentes de las obligaciones en cinco términos, quizás por influencia del Código civil alemán, ha sido duramente criticada por la doctrina moderna, reprochándola principalmente: *a*) la omisión de toda referencia al testamento y, en general, a los actos _mortis causa,_ los cuales habrían de ser encasillados entre las obligaciones _ex lege,_ cuando realmente la voluntad del hombre es la que los origina; _b)_ la impropiedad del término «cuasicontrato», que puede hacer pensar en una analogía con el contrato, cuando le falta lo más característico del contrato: el acuerdo de voluntades; _c)_ la separación de las obligaciones procedentes del delito y del cuasidelito, a la que no se encuentra fácil justificación, puesto que ambas proceden de actos ilícitos; y _d)_ la inclusión de la ley como fuente específica, distinta de las otras, pues no ofrece duda que todas las obligaciones tienen su función en el reconocimiento legal. Además, como señala HERNÁNDEZ GIL, se ha producido un incremento o expansión de las causas productoras de las obligaciones y se han abierto camino la promesa unilateral, los actos que sin ser ilícitos obligan a indemnizar (responsabilidad objetiva) y el enriquecimiento injusto. A la vez que la categoría del cuasicontrato puede estimarse sucumbido, manifestándose también la crisis del principio de la autonomía de la voluntad y del carácter unitario de la noción de contrato.

Por consiguiente, no es de extrañar que se intentaran buscar nuevas clasificaciones de las fuentes de las obligaciones. En este intento ha tenido gran éxito la tesis dualista, que considera que todas las obligaciones nacen del contrato o de la ley, clasificándolas en voluntarias o legales; si bien como variantes de ella se sustituye el contrato por el negocio jurídico o por la autonomía privada, y a la ley se la reemplaza por el ordenamiento jurídico. Este fue el criterio adoptado por el Código civil alemán, que aludía al negocio jurídico (por tanto, la voluntad de los particulares, especialmente el contrato) y la ley (incluyendo los hechos ilícitos que generan daño y cualesquiera otros hechos o actos jurídicos que alguna norma señale como fuente de obligaciones). La objeción más importante a esta teoría es que si la ley es fuente, también lo es de aquellas obligaciones que derivan del contrato, pues no puede desconocerse que éste tiene fuerza vinculante porque la ley se la otorga. Lo que da lugar a que muchos autores recurran a la solución de efectuar una enumeración de los supuestos a que atiende la ley para generar obligaciones, mientras que otros abandonan la tesis dualista y se limitan a enumeraciones de carácter analítico. No obstante, como advierte LACRUZ, suelen dotar a dichas enumeraciones de una cierta «cadencia» clasificatoria a base de ordenar los supuestos conforme al predominio o intensidad de determinados puntos de referencia, normalmente los términos de la clasificación dualista.

En definitiva, la fuerza vinculante de las obligaciones se encuentra siempre en la ley, aunque esta afirmación requiere una aclaración: las obligaciones no nacen directamente de la ley, sino de los concretos hechos o actos a los que la ley (o el ordenamiento jurídico) atribuye esa consecuencia. De hecho, como dice COSSÍO, cuando la ley establece que el comprador está obligado a pagar el precio, no afecta con esta obligación a todos los ciudadanos, sino tan sólo a aquellos que hayan celebrado un contrato de compraventa; y cuando determina que del acto ilícito surge una obligación de indemnizar daños y perjuicios, no crea una obligación de indemnizar a cargo de todo individuo, sino solamente de aquellos que hayan realizado un acto delictual o cuasidelictual. Por esta razón, al intentar dar un concepto de las fuentes de las obligaciones, se ha dicho que éstas son los hechos jurídicos en virtud de los cuales dos personas se encuentran en las posiciones de acreedor y deudor una respecto de la otra. Es decir, la ley es la fuente mediata, pero la fuente inmediata es el hecho o acto al que la ley confiere el efecto de dar nacimiento a determinadas obligaciones. Estos actos unas veces proceden del hombre, otras no, pero, en palabras de VON THUR, el

Derecho moderno no se asusta de reconocer, cuando las circunstancias lo exigen, obligaciones que no tienen fundamento en la voluntad del hombre.

Por tanto, hay que concluir afirmando, como dice ALBALADEJO, al que sigue LACRUZ, que existen dos grupos de fuentes: las que producen el nacimiento de la obligación porque lo quiere el sujeto, y las que lo producen porque la ley lo dispone.

II. LAS FUENTES DE LAS OBLIGACIONES EN EL CÓDIGO CIVIL

Nuestro ordenamiento adopta la enumeración tradicional, al indicar el artículo 1089 del CC que «las obligaciones nacen de la ley, de los contratos y cuasicontratos, y de los actos y omisiones ilícitos o en que intervenga cualquier género de culpa o negligencia». Esta enumeración tiene carácter taxativo, y así lo ha reconocido el Tribunal Supremo. Mientras que la STS de 16 de abril de 1941 señala que las únicas fuentes de las obligaciones son las comprendidas en este artículo,[1] la STS de 7 de diciembre de 1978 afirma que no hay otro origen de las obligaciones que alguno de los señalados en el artículo 1089 del CC. Por consiguiente, de acuerdo con todo lo expresado, de que la fuente mediata a todas las obligaciones es la ley, este precepto, cuando dice que las obligaciones «nacen de la ley», está indicando que son *obligaciones legales* todas aquellas que nacen de hechos distintos de los demás enumerados. En cierto modo, es una referencia residual, al igual que lo era la de «varias figuras de causas» de la clasificación de GAYO.

Complementan este precepto las normas contenidas en los artículos 1090-1093 del CC, a los que el comentarista MUCIUS SCAEVOLA tacha de incongruentes, imputándoles no contener alguna verdaderamente útil, «puesto que el primero se dedica principalmente a precisar el concepto de las obligaciones *ex lege;* el segundo a indicar algunos de los efectos que producen los contratos; y el tercero y cuarto, sin definir ni marcar consecuencias, a señalar el lugar en que las obligaciones de que respectivamente se ocupan se encuentran determinadas y sancionadas». No obstante, sin perjuicio de un estudio más pormenorizado de las distintas fuentes, parece oportuno efectuar un breve comentario de dichos preceptos.

> Según el artículo 1092, párrafo 1.º, de la PMDOC, «las obligaciones nacen de los contratos, de los daños por lo que se hayan de responder extracontractualmente, del enriquecimiento sin causa y de cualquier hecho o acto al que las leyes atribuyan tal efecto».

1. Obligaciones legales

Según el artículo 1090 del CC, «las obligaciones derivadas de la ley no se presumen. Sólo son exigibles las expresamente determinadas en este Código o en Leyes especiales, y se regirán por los preceptos de la ley que las hubiere establecido; y, en lo que ésta no hubiere previsto, por las disposiciones del presente libro». De donde se deduce que las obligaciones llamadas legales no se presumen, y para que sean exigibles es necesario que hayan sido impuestas de forma expresa y clara; es decir, no es posible derivar una obligación legal de una presunción, y tampoco cabe la interpretación

---

1.   RJ 1941, 502.

extensiva, ampliándola a casos no previstos. Como dice Díaz Pairó, mediante este precepto se extiende al campo del Derecho civil una máxima del Derecho penal, pudiendo condensarse el pensamiento del precepto mencionado del Código civil en la regla _nulla obligatio sine lege._

Por otra parte, cabe advertir que en este artículo se reconoce que el Derecho civil actúa como supletorio respecto del Derecho especial, al especificar que en lo no previsto por la ley especial que las hubiere establecido se regirán «por las disposiciones del presente libro» (es decir, el libro IV del Código civil). Con la salvedad de que la expresión «leyes especiales» hay que entenderla referida a cualesquiera otras distintas del propio Código civil. Ahora bien, como dice Lalaguna, esta supletoriedad opera también respecto de las obligaciones expresamente determinadas en otras partes del propio Código. En este sentido, la STS de 23 de marzo de 1968, en un caso de incumplimiento de la obligación legal que el artículo 576 del CC impone a los medianeros, declaró que dicha obligación «está regulada, aparte de por la propia norma, por las disposiciones contenidas en el Libro IV del mismo Código, en virtud de lo dispuesto en el artículo 1090 del CC, entre las que se encuentra la sancionada en el artículo 1101».[2]

Como antes se indicó, no sólo la ley puede determinar los hechos o actos de los que se derivan obligaciones, sino también las demás fuentes del Derecho objetivo: la costumbre y los principios generales del derecho. En este sentido, la STS de 23 de noviembre de 1927 declara que con independencia de las que el artículo 1089 del CC considera como fuentes de las obligaciones, según las disposiciones vigentes en materia de trabajo, cabe que los usos y costumbres locales sean generadores de obligaciones, cuando se refieren a la especie y categoría de los servicios de que se trata y a falta de estipulación expresa sobre el particular.[3]

2. Obligaciones contractuales

Según el artículo 1091 del CC, las obligaciones que nacen de los contratos tienen fuerza de ley entre las partes contratantes, y deben cumplirse «al tenor de los mismos».

La STS de 6 de diciembre de 1968 declara «que una de las fuentes de las obligaciones, y sin duda alguna la de mayor importancia, es la que tiene su origen en la voluntad humana de los particulares, que para satisfacer sus necesidades recíprocas establecen sus pactos y condiciones, los cuales hay que respetar llevándolos a ejecución». Y, seguidamente, pone de manifiesto el carácter de _lex privata_ que tiene el contrato, en el que impera el principio de autonomía de la voluntad, al decir «que el contrato tiene fuerza y eficacia legal desde el momento en que se otorgó con los requisitos esenciales de consentimiento, objeto y causa (...) pudiendo exigirse mutuamente los contratantes ciertos requisitos accidentales que en forma de pacto se expresen, y que no siendo contrarios a la moral, al Derecho y al orden público, forman parte integrante del contrato y hay que cumplir en la forma y manera en que fueron pactados».[4] Sin embargo, no puede desconocerse que este dogma de la autonomía de

---

2.   RJ 1968, 1837.
3.   JC 1927, VI-130.
4.   RJ 1968, 1837. Cfr. SSTS de 26 de septiembre de 1927 (JC 1927, IV-112) y 7 de mayo de 1965 (RJ 1965, 3745).

la voluntad se encuentra en la actualidad bastante atenuado, en virtud de los principios de equidad y de equivalencia de las prestaciones. A eso debe añadirse el principio de protección de los consumidores.

Aunque la mencionada STS de 6 de diciembre de 1968 pone de relieve el valor primordial del contrato como fuente de las obligaciones, «sin duda alguna la de mayor importancia»», afirma, conviene recordar que los contratos existen en la realidad, mientras que las obligaciones, en cambio, no. Los contratos son la forma más importante (cuantitativa y cualitativa) de articular la cooperación entre los individuos. Por eso, mientras que las obligaciones son meros expedientes técnicos, instrumentales, para ordenar y expresar los efectos jurídicos de la cooperación humana expresada en el contrato, el contrato es sustancial. La obligación, instrumental (GÓMEZ POMAR).

Ahora bien, conviene precisar que el artículo 1091 del CC pone de relieve el valor vinculante del contrato con el carácter de auténtica ley privada, si bien lo tiene exclusivamente para las partes contratantes que intervinieron en la creación del vínculo. Es decir, el contrato no es fuente de Derecho objetivo.[5]

Asimismo, hay que señalar que la ley también integra el contenido del contrato, ya que, a tenor del artículo 1258 del CC, el contrato obliga «no sólo al cumplimiento de lo expresamente pactado, sino también a todas las consecuencias que, según su naturaleza, sean conformes a la buena fe, al uso y a la ley».[6] Precisamente, en cuanto a la ley es necesario distinguir entre normas de carácter imperativo y aquellas otras que son meramente dispositivas, pues, mientras las primeras (por su carácter inderogable) se imponen a la voluntad de las partes, las segundas únicamente operan de manera supletoria, en defecto de dicha voluntad.

El artículo 1237 párrafo 1.º, de la PMDOC señala que «las partes podrán obligarse mediante el contrato del modo que tengan por conveniente y establecer las estipulaciones que libremente deseen, siempre que no sean contrarios a las leyes, a la moral ni al orden público».

Por otra parte, el Tribunal Supremo ha declarado que el artículo 1091 del CC «tiene un carácter general y en él se destaca la importancia del llamado "tenor de la obligación" a efectos de su cumplimiento, necesitando en casación que, su cita, se complete con la de aquellas disposiciones que acreditan que la Sala de instancia interpretó mal ese "tenor" obligacional o que se equivocó al estimar que su cumplimiento se ajustaba o no al mismo».[7]

3. Obligaciones derivadas de los cuasicontratos

A pesar de mencionar el artículo 1089 del CC a los cuasicontratos como fuente de obligaciones, el Código civil no les dedica ningún precepto de las disposiciones generales contenidas en el Capítulo I del Título I del Libro IV.

Los cuasicontratos se encuentran regulados en el título XVI del libro IV, bajo la rúbrica «De las obligaciones que se contraen sin convenio». Según el artículo 1887 del

---

5. Cfr. STS de 25 de abril de 1975 (RJ 1975, 2095).
6. Cfr. STS de 12 de diciembre de 1986.
7. Cfr. SSTS de 23 de abril de 1966 (RJ 1966, 2040) y 5 de junio de 1976 (RJ 1976, 2631).

CC, «son cuasicontratos los hechos lícitos y puramente voluntarios, de los que resulta obligado su autor para con un tercero, y a veces una obligación recíproca entre los interesados». Dentro de la rúbrica correspondiente a los mismos, se recogen en los preceptos siguientes sus modalidades: la gestión de negocios ajenos (cfr. arts. 1888 y ss. CC) y el pago o cobro de lo indebido (cfr. arts. 1895 y ss. CC).

4. Obligaciones derivadas de hechos ilícitos

El artículo 1089 del CC engloba, en la frase «actos y omisiones Ilícitos o en que intervenga cualquier género de culpa o negligencia», el ilícito penal y el ilícito civil, y en los artículos siguientes separa uno del otro.

Respecto del ilícito penal, dispone el artículo 1092 del CC que «las obligaciones civiles que nazcan de los delitos o faltas se regirán por las disposiciones del Código penal».[8] Por consiguiente, si hubiere delito o falta penal, las obligaciones civiles que de ellos se deriven se regirán en primer término por el Código penal (cfr. arts. 116-122 CP), y sólo en lo no previsto en éste por las disposiciones del libro IV del Código civil (art. 4.3 CC). Es decir, el juez civil sólo entrará a conocer de estas obligaciones cuando la jurisdicción penal termine su cometido y no se haya pronunciado sobre los efectos civiles del delito o falta. En este caso, el juez civil, salvo que el penal haya declarado que el hecho no existió, tiene total libertad para enjuiciarlo y valorarlo.[9] Ahora bien, hay que aclarar que, según nuestra jurisprudencia, «las obligaciones _ex delicto_ propiamente no nacen del delito, sino de los hechos que los constituyen y en cuanto originadores de la restitución de la cosa o de la reparación del daño y la indemnización de los perjuicios causados por el hecho punible, sin cuyos efectos patrimoniales o morales la acción u omisión en que la infracción penal consiste no acarrea otro efecto propio que la imposición de la pena, y sin que sea correcto confundir la redundancia en la esfera jurídico-privada en aquéllas consistente, y sobre la cual se reconoce a su titular el poder de disposición, con la lesión jurídica que el delito significa y que el cuerpo social asume como propia, aun cuando la personifique el agraviado u ofendido, mas sin que caiga bajo la disponibilidad de éste».[10]

En cuanto al ilícito civil, establece el artículo 1093 del CC que «las (obligaciones) que se deriven de actos u omisiones en que intervenga culpa o negligencia no penadas por la ley, quedarán sometidas a las disposiciones del capítulo 11 del título XVI de este libro». El Capítulo citado se ocupa de la denominada «responsabilidad extracontractual» (arts. 1902-1910 CC), que tiene lugar cuando el acto ilícito no está sancionado en la ley penal, y tampoco resulta como consecuencia de una previa relación obligatoria, aunque el acto ilícito civil también puede producirse en el seno de una relación obligatoria (cfr. arts. 1101-1108 CC). Por ello, cabe preguntarse por qué el artículo 1093 del CC no remite a estos preceptos. Como señala HERNÁNDEZ GIL, «la explicación del olvido parece demasiado simplista, pues como la conducta dolosa o culposa, o en general el comportamiento ilícito, se produce en el seno de una relación

---

8. Cfr. SSTS de 20 de septiembre de 1993 (RJ 1993, 6646) y 28 de marzo de 1996 (RJ 1996, 2198).
9. Cfr. SSTS de 30 de diciembre de 1981 (RJ 1981, 5357) y 7 de noviembre de 1985 (RJ 1985, 5515).
10. Cfr. STS de 17 de diciembre de 1985 (RJ 1985, 6592).

obligacional y se traduce en el incumplimiento de la misma, el Código civil considera, sin duda, que la responsabilidad consiguiente tiene su origen en el acto productor de la obligación violada, y no configura como fuente autónoma de la responsabilidad el subsiguiente acto ilícito». Por otra parte, procede recordar que el Tribunal Supremo tiene declarado que en los casos de absolución[11] o sobreseimiento[12] del proceso penal cabe reclamar en vía civil al amparo de lo dispuesto en el artículo 1093 del CC.

III. LA DECLARACIÓN UNILATERAL DE VOLUNTAD COMO FUENTE DE OBLIGACIONES

1. En el Código civil

Hace tiempo que la doctrina moderna se plantea la cuestión de si la voluntad unilateral es fuente creadora de obligaciones. A pesar de que, en general, en España se rechaza que la voluntad unilateral *inter vivos* sea fuente de obligaciones, con carácter excepcional algunos autores la admiten en determinadas figuras concretas, gozando de apoyo mayoritario los casos de la promesa pública de recompensa y el concurso con premio.

No existe precedente histórico al respecto. En el Derecho romano, la declaración unilateral de voluntad no era fuente de obligaciones, aunque como excepción admitió en dos casos la obligatoriedad jurídica de la promesa unilateral no aceptada por otra persona. Estos casos eran: *a*) cuando la promesa hubiese sido hecha a favor de una ciudad y estuviese justificada por una causa especial, por ejemplo, en función del honor conferido al promitente (acceso a una magistratura), o bien, sin justa causa, cuando el cumplimiento ya se hubiese comenzado por el promitente; *b*) cuando, de modo análogo, la promesa se hubiese realizado en favor de una divinidad.

En la doctrina moderna la cuestión surgió a fines del siglo diecinueve, en que SIEGEL reivindicó para el Derecho germánico la posibilidad de crear obligaciones por voluntad unilateral, construyendo la tesis de que la voluntad unilateral es la fuente de *todas* las obligaciones, incluso de las obligaciones contractuales, en las cuales una de las partes resulta obligada en virtud de su propia declaración de voluntad. Desde un plano doctrinal, esta tesis fue seguida en España por BONILLA SANMARTÍN. Según este autor, «aun en los casos donde con mayor evidencia se ofrece el aspecto bilateral, la conjunción de las voluntades no es nunca simultánea, sino sucesiva; la razón filosófica y esencial de quedar el sujeto obligado a una acción u omisión determinada, no tanto es el consentimiento o la imposición de otra persona como su propio convencimiento y su resolución firme, decidida y terminante de obligarse». Esta postura radical ha sido generalmente rechazada, si bien algunos autores sostienen que, por excepción, y por exigencias del tráfico jurídico, existen algunos supuestos en que el Derecho la admite. Sin embargo, discrepan a la hora de determinar el número de casos en que puede aplicarse o reconocerse el principio de la declaración unilateral de voluntad como fuente de obligaciones.

Entre los argumentos *favorables* a la admisión de la voluntad unilateral como fuente creadora de obligaciones suelen citarse por la doctrina los siguientes: *a*) que

---

11. Cfr. SSTS de 12 de diciembre de 1984 (RJ 1984, 6039) y 7 de noviembre de 1985 (RJ 1985, 5515).
12. Cfr. STS de 4 de noviembre de 1986 (RJ 1986, 6206).

el artículo 1089 del CC no contiene propiamente ninguna norma, sino una clasifica-ción, y ésta no puede vincular al intérprete; *b*) que para llegar a su reconocimiento, con carácter general, puede partirse de los preceptos particulares en que la ley admite el valor vinculante de la declaración unilateral; *c*) que la voluntad unilateral da lugar a una obligación natural, produciéndose los efectos propios de éstas; *d*) que, a pesar de no encontrarse expresamente admitida en la ley, es posible encontrar su reconoci-miento en la costumbre.

Los autores que rechazan la teoría de la declaración unilateral de voluntad como fuente de obligaciones argumentan *en contra* lo siguiente: *a*) que el Código civil no enumera en su artículo 1089 la voluntad unilateral como fuente de obligaciones; *b*) que nadie puede adquirir un derecho sin el concurso de su voluntad; *c*) que, en tanto no es aceptada, la oferta unilateral puede ser libremente revocada; *d*) que las figuras jurídicas que se citan como ejemplo de obligaciones procedentes de la voluntad unila-teral (las ofertas de contrato, las promesas de fundación o de recompensa, los títulos a la orden y al portador, las estipulaciones en favor de tercero, etc.) pueden explicarse como casos de preliminares de contrato, o de contratos con persona indeterminada, o también como obligaciones derivadas de la ley.

La jurisprudencia del Tribunal Supremo sobre esta cuestión es importante en cuanto al número de sentencias, pero la doctrina contenida en ellas (normalmente *obiter dicta*) es confusa y contradictoria. Como advierte ALBALADEJO, «la tesis nega-tiva se acoge o puede apoyarse en unas sentencias, y la afirmativa en otras; mas no solamente eso, sino que unas mismas sentencias son conceptuadas por sentencias posteriores a veces como útiles en apoyo de una tesis, a veces no, lo que resulta ver-daderamente extraño». Así, las SSTS de 10 de enero de 1946,[13] 21 de marzo de 1957[14] y 10 de junio de 1977[15] citan las de 31 de octubre de 1924[16] y de 17 de octubre de 1932[17] como favorables a la tesis afirmativa, mientras que la STS de 21 de junio de 1945[18] considera que no lo son. Además, cabe añadir, a juicio de ALBALADEJO, que las sentencias que se deciden por admitir la voluntad unilateral como fuente de obliga-ciones, aunque así lo dicen expresamente, carecen substancialmente de valor, pues: *a*) bien hacen tal afirmación para referirse a «una declaración de voluntad constituida por la promesa, posteriormente aceptada, cuyo cumplimiento es obligado para el oferente, como así ha reconocido el Tribunal Supremo al pronunciarse acerca de determinadas declaraciones unilaterales en que es exigida la determinación exacta y precisa de lo que constituye el objeto de la obligación sobre el que converge el acorde consentimiento»;[19] *b*) bien fundamentan de forma peregrina la figura que acogen en el hecho de que caben «dentro del amplísimo concepto que define el artículo 1254 del CC como declaración de voluntad recepticia y vinculativa de un derecho de cré-dito», cuando, como es notorio, dicho artículo se refiere al contrato;[20] *c*) bien cuando

---

13. RJ 1946, 8.
14. RJ 1957, 1564.
15. RJ 1977, 2876.
16. JC 1924, IV-57.
17. RJ 1932, 722.
18. RJ 1945, 863.
19. Cfr. SSTS de 5 de mayo de 1958 (RJ 1958, 1714) y 6 de marzo de 1976 (RJ 1976, 1175).
20. Cfr. SSTS de 26 de mayo de 1950 (RJ 1950, 744), 21 de marzo de 1957 (RJ 1957, 1564) y 6 de marzo de 1976 (RJ 1976, 1175).

hacen declaraciones generales favorables a la admisión (al menos excepcional) de tal fuente, las hacen para resolver casos en los que las obligaciones que se discutían o no nacían de voluntad unilateral, sino de otras fuentes, como un contrato o un hecho ilícito, o simplemente se trataba de que había un reconocimiento de quien debiendo algo desde antes, declaraba deberlo, y se comprometía a cumplirlo (cosa muy distinta de quedar obligado por el hecho de declarar obligarse).[21]

Parece claro que, como principio general, hay que rechazar la voluntad unilateral como fuente de obligaciones. Sin embargo, puede plantearse la cuestión de si debe admitirse en los casos comúnmente aceptados de la *promesa pública de recompensa* o del *concurso con premio*. Por ejemplo, cuando alguien promete recompensar a aquella persona que logre encontrar y le devuelva el animal de compañía o la alhaja que extravió, o bien premiar al ganador de un concurso. En estos supuestos, en realidad, el promitente no queda obligado en virtud de su promesa a realizar la prestación que hubiere ofrecido, sino que quien realice el acto (encuentra y devuelve el animal o la alhaja o se presenta y gana el concurso) podrá reclamar la recompensa o el premio. Es decir, el promitente resulta obligado cuando hay aceptación de la oferta, por haberse producido un acuerdo de voluntades, productor de obligaciones contractuales para el oferente. Por consiguiente, el problema se centra en saber si, en virtud de la oferta, el promitente está obligado a mantenerla o, por el contrario, puede retirarla cuando quiera y en cualquier forma.

Debe sostenerse la tesis afirmativa. Es decir, el promitente está obligado a mantener su oferta durante el tiempo necesario nuestro Código civil no recoge específicamente la promesa pública de recompensa, esta solución encuentra fundamento en los argumentos siguientes: *a*) en el principio de la buena fe y de la para que pueda ser aceptada o realizado el acto que prometió recompensar o premiar; pues, aunque fuerza vinculante de los propios actos (art. 7.1 CC); *b*) en la renuncia que el promitente hubiese hecho a retirarla (art. 6.2 CC); *c*) en la existencia de una costumbre sancionadora de su obligatoriedad, que regiría en defecto de ley aplicable.

A propósito de algunas de las figuras concretas en que puede plasmarse una promesa unilateral, la promesa pública de recompensa sí aparece recogida en los Códigos civiles alemán (§§ 657 y ss.), italiano (art. 1989) y portugués (arts. 460 y 461), que la admiten en algunos casos. Más recientemente, el artículo 6:220 del BW reconoce también esa figura con trazos muy amplios. El artículo 1124 del CCF regula la promesa unilateral como un contrato que permite al beneficiario optar por su celebración. En cambio, el artículo 5.125 del CCB define el negocio jurídico unilateral como como «la manifestación de voluntad por la cual una persona tiene la intención hacer nacer efectos jurídicos»; como, a continuación, se afirma que el autor de esa declaración puede obligarse «por su sola voluntad» en favor de otro, el Derecho belga parece seguir la dinámica del Derecho europeo de contratos, ya que el artículo 2:107 de los PECL reconoce de manera explícita que toda aquella promesa hecha por el promitente con la intención de obligarse sin necesidad de aceptación posee valor jurídico

Desde esta perspectiva, no ofrece duda que de la promesa no surge una obligación para el promitente, sino el deber jurídico de mantenerla durante un plazo

---

21. Cfr. SSTS de 10 de enero de 1946 (RJ 1946, 8), 21 de marzo de 1957 (RJ 1957, 1564), 5 de mayo de 1958 (RJ 1958, 1714), 13 de noviembre de 1962 (RJ 1962, 4288) y 17 de octubre de 1975 (RJ 1975, 3675).

prudencial, de donde se deduce que esta cuestión se encuentra comprendida dentro del tema de la oferta de contrato. Precisamente, en la actualidad es muy corriente que empresarios y comerciantes utilicen en la oferta, promoción y publicidad de sus productos, actividades o servicios la técnica del concurso con premio. De hecho, el artículo 9 de la LGDCU de 1984 establecía que «la utilización de concursos, sorteos, regalos, vales-premio o similares, como métodos vinculados a la oferta promoción o venta de determinados bienes, productos o servicios, será objeto de regulación específica, fijando los casos, forma, garantías y efectos correspondientes». Y el Tribunal Supremo ha venido a reconocer que en tales casos el cumplimiento respecto a la cosa determinada de que se trate se impone «y la exigibilidad del resultado del concurso es lo que corresponde al mismo», de manera que las prestaciones que lo integran «pueden ser exigidas por los consumidores y usuarios».[22]

Según el artículo 1092, párrafo 2.º, de la PMDOC, «la promesa unilateral de una prestación sólo obliga en los casos previstos por la ley». El artículo 1093, párrafo 1.º, de la PMDOC señala que «la promesa, mediante anuncio público, de una prestación a favor de quien realice determinada actividad, obtenga un concreto resultado o se encuentre en cierta situación, obliga al promitente frente a quien haya realizado la conducta, producido el resultado o venido a encontrarse en la situación contemplada, aunque ello haya ocurrido sin consideración a la promesa». Dicha promesa pública es revocable o modificable a voluntad del promitente, pero si ha sido sometida a un plazo de vigencia, dice el párrafo 2.º del artículo 1093 de la PMDOC, sólo será revocable o modificable si media una justa causa. Para ser eficaz, la revocación o modificación deberá hacerse pública en la misma forma que la promesa, o en otra equivalente». Obviamente, el artículo 1093, párrafo 3.º, de la PMDOC recalca que «la revocación o modificación de la promesa es ineficaz si la conducta, el resultado o la situación previstos se hubieren ya realizado». En todo caso, dice el párrafo 4.º del artículo 1093 de la PMDOC que «si la obtención del resultado previsto fuere debida a la actuación de varias personas conjunta o separadamente, se dividirá entre ellas la prestación prometida en proporción a la participación de cada uno en el resultado».

En lo que se refiere al _concurso con premio_, el artículo 1094 de la PMDOC señala que «la promesa de concesión de un premio mediante concurso sólo es válida cuando en el anuncio se fija plazo para la presentación de los aspirantes y para la decisión. La admisión de los aspirantes y la concesión del premio corresponderá a las personas designadas en la promesa o, a falta de éstas, al promitente».

Según el artículo II.-1:103(2) del DCFR, «una promesa unilateral válida es vinculante para la persona que la emite si tiene fuerza jurídica vinculante sin necesidad de aceptación». Según su comentario oficial, dicho apartado «proviene del artículo 2:107 de los Principios de derecho contractual europeo. Se opta por el término "compromiso" (undertaking) en lugar de por el de "promesa" (promise) por parecer más habitual en la actualidad en los documentos europeos y ser además la palabra empleada en el resto del Marco Común de Referencia. Pero esto no pretende suponer ningún cambio de significado. Un "compromiso" es sencillamente una asunción voluntaria de una obligación, por lo que bastará cualquier expresión que indique la intención de sumir una obligación jurídica, como "me comprometo a", "me responsabilizo de", "prometo" o "asumimos la obligación"

---

22. Cfr. STS de 12 de junio de 1997 (RJ 1997, 4771).

o "por la presente garantizamos". Determinados sistemas jurídicos no exigen el cumplimiento de un compromiso unilateral de una parte, incluso si pretende ser jurídicamente vinculante, si no existe aceptación del mismo, mientras que otros sí lo hacen, aunque únicamente si no es a título gratuito, si está expresado de forma solemne o si se considera que responde a un objetivo beneficioso para la sociedad que no se puede alcanzar por otro medio». De hecho, continúa el comentario, «numerosos compromisos unilaterales contraídos en el marco de una operación comercial son vinculantes sin que medie aceptación, y este principio es importante para las prácticas comerciales. Un crédito documentario irrevocable concedido por un banco (el banco emisor) según las instrucciones de un comprador obliga al primero. La confirmación de un crédito de este tipo por parte de un banco notificador vincula al banco tan pronto como el vendedor (comprador) lo recibe».

2. En el Fuero Nuevo de Navarra

A diferencia del Código civil, el Fuero Nuevo de Navarra regula las promesas en general y define como estipulaciones en su ley 515 «los actos por los que una persona, mediante su promesa, se hace deudora de otra sin que ésta quede contractualmente obligada a cumplir una contraprestación». Como diversos supuestos de promesa, regula, entre otros, los de la promesa de contrato y la oferta pública. La ley 521 del FN sanciona el carácter vinculante de la oferta pública, al afirmar que «toda promesa sobre cosa y bajo condición lícitas obliga al que la hace desde que es objeto de publicación suficiente, aunque nadie haya notificado su aceptación»; añadiendo a continuación que «si el promitente no hubiere fijado plazo, se entenderá mantenida la oferta durante el tiempo que parezca necesario según el arbitrio del Juez». Para el caso de aceptación, dicho precepto dispone que «si una persona determinada hubiere notificado al promitente su aceptación antes de caducar la oferta, ésta se entenderá mantenida, respecto al aceptante, durante una año y día, a no ser que en el momento de la aceptación se hubiere convenido otro plazo».

> Aunque la prestación prometida puede consistir en la entrega de una cosa (por ejemplo, dinero), que será lo más habitual, nada parece impedir que consista en una prestación de hacer, la cual deberá ser igualmente lícita (ARCOS VIEIRA).

Sin embargo, LALAGUNA considera muy dudoso que la ley 521 del FN constituya un supuesto de obligación nacida de un negocio jurídico unilateral, entendiendo que más bien se trata de un caso de formación sucesiva de contrato mediante oferta vinculante y aceptación. E invoca en su favor el testimonio de los anotadores de la Recopilación Privada, para los que «el reconocimiento por el promitente de la aceptación por persona determinada convierte la pública promesa en una promesa convencional ordinaria».

BIBLIOGRAFÍA

ALBALADEJO, «La jurisprudencia del Tribunal Supremo sobre la voluntad unilateral como fuente de las obligaciones», RDP, 1977, p. 3; BELTRÁN DE HEREDIA, P. *La obligación (concepto, estructura y fuentes)*, Madrid, 1989; BONET NAVARRO, «Fuentes de las obligaciones», RDN, 1967, p. 7; BONET RAMÓN, «Fuentes de las obligaciones», RDN, 1967, p. 9, BONILLA SANMARTÍN, *Sobre los efectos de la voluntad unilateral (propia o ajena) en materia de obligaciones mercantiles,* Madrid, 1901; CANDIL, *Naturaleza jurídica de la promesa de recompensa a persona indeterminada,* Madrid, 1914; DE CASTRO, «Comentario a la sentencia de 17 de octubre de 1975 ("la declaración unilateral de voluntad"», ADC, 1977, p. 194; íd., «Comentario a la sentencia de 6 de marzo de 1976 ("de nuevo sobre la declaración unilateral de voluntad")», ADC, 1977, p. 938; DÍEZ-PICAZO, «Las declaraciones unilaterales de voluntad como fuente de obligaciones y la jurisprudencia del Tribunal Supremo», ADC, 1974, p. 456; FERRANDIS, «Una revisión crítica de las fuentes de las obligaciones», ADC, 1958, p. 115; GETE-ALONSO, *Estructura y función del tipo contractual,* Barcelona, 1979; GÓMEZ POMAR, «El incumplimiento contractual en Derecho español», InDret, 2007; LALAGUNA, «La voluntad unilateral como fuente de obligaciones», RDP, 1975, p. 801; MARTÍNEZ DE AGUIRRE, *La promesa pública de recompensa,* Barcelona, 1985; MORENO QUESADA, B., «La oferta al público y su eficacia jurídica», RDM, 1956, p. 45; PARICIO SERRANO, *Los cuasidelitos. Observaciones sobre su fundamento histórico,* Madrid, 1987; ROCA SASTRE y PUIGBRUTAU, «La voluntad unilateral como fuente de obligaciones», *Estudios,* T. I, Madrid, 1948, p. 199; SALVADOR CODERCH, «El artículo 1090 del Código civil», RJC, 1978, p. 551; íd., «Promesas y contratos unilaterales: Sobre la necesidad de aceptación cuando media justa causa», RDP, 1978, p. 661; YZQUIERDO TOLSADA, «El perturbador artículo 1092 del Código civil», en *Centenario Código civil,* Vol. II, Madrid, 1990, p. 2109.

Capítulo IV

Clases de obligaciones por razón de los sujetos

I. MANCOMUNIDAD Y SOLIDARIDAD

1. Introducción

Cuando cada uno de los sujetos o partes de la relación obligatoria está formado por una pluralidad de personas, bien sea ésta activa, pasiva, o a la vez activa y pasiva, se habla normalmente de obligaciones con pluralidad de sujetos o, con más tecnicismo, de obligaciones *mancomunadas*; distinguiéndose dos formas: mancomunadas simples o a *prorrata* y mancomunadas solidarias. Pero, aunque para nuestra doctrina tradicional el término mancomunidad era genérico, el Código civil hace de la mancomunidad no el género sino la especie, y rectifica la terminología contraponiendo mancomunidad a solidaridad.

Según el artículo 1137 del CC, «la concurrencia de dos o más acreedores o de dos o más deudores en una sola obligación no implica que cada uno de aquellos tenga derecho a pedir ni cada uno de éstos deba prestar íntegramente las cosas objeto de la misma. Sólo habrá lugar a esto cuando la obligación expresamente lo determine, constituyéndose con el carácter de solidaria» Por consiguiente, *obligaciones solidarias* son aquéllas en que cada uno de los acreedores puede reclamar por sí la totalidad del crédito (solidaridad *activa*), o cada uno de los deudores está obligado a satisfacer la deuda entera (solidaridad *pasiva*), sin perjuicio del posterior abono o resarcimiento que el cobro o el pago determinen entre el que lo realiza y sus cointeresados. La solidaridad pasiva es la más frecuente e importante, pues mediante ella se refuerza la garantía al poder el acreedor elegir entre los varios deudores al de más solvencia y, además, la insolvencia de cualquiera de ellos es soportada por los demás deudores. También se utiliza la solidaridad activa con cierta frecuencia en la esfera bancaria, por ejemplo, las cuentas corrientes y los depósitos indistintos, en los que la disponibilidad es solidaria y, por tanto, cualquiera de los titulares puede disponer sin contar con los demás.[1]

Esta disponibilidad indistinta resulta afectada en el caso de que fallezca alguno de los titulares de la cuenta o del depósito. En esta circunstancia, si no se prueba la titularidad de ninguna de las partes del crédito frente a la entidad bancaria, por aplicación de lo dispuesto en el artículo 1138 del CC, se deberá estimar que corresponde por partes iguales a los cotitulares;[2] pero, si se demuestra que los fondos que ingresaban en dicha cuenta pertenecían a uno sólo de sus titulares, se deberá presumir que eran de su exclusiva propiedad.[3] Dice la STS de 29 de mayo de 2000 que «la titularidad indistinta lo único que atribuye a los titulares frente al Banco depositario es facultad dispositiva del saldo, pero no determina, por sí sola, la existencia de un condominio y menos por partes iguales sobre dicho saldo de los dos (o más) titulares indistintos de la cuenta, ya que esto habrá de venir determinado únicamente por las relaciones internas entre ambos titulares, y más concretamente por la originaria pertenencia de los fondos o numerario de que se nutre dicha cuenta».[4]

Sin embargo, este tipo de solidaridad presenta el peligro de que los acreedores están siempre a merced de alguno de ellos, que, al poder reclamar la totalidad de la deuda, podría perder o malgastar la cantidad que corresponde a todos. Por esta razón se suele afirmar que, para evitar este riesgo de insolvencia, es preferible acudir a la figura del mandato.

El Código civil opone a la solidaridad la mancomunidad. Según el artículo 1138 del CC, «si del texto de las obligaciones a que se refiere el artículo anterior no resulta otra cosa, el crédito o la deuda se presumirán divididos en tantas partes iguales como acreedores o deudores haya, reputándose créditos o deudas distintos unos de otros». De donde se deduce que *obligaciones mancomunadas* son aquéllas cuyo cumplimiento es exigible a dos o más deudores, o por dos o más acreedores, cada uno en su parte correspondiente, es decir, el derecho de cada acreedor y la obligación de cada deudor se desarrolla con independencia de los demás: cada acreedor únicamente puede exigir del deudor la parte que a *prorrata* le corresponda, y cada deudor sólo está obligado a prestar su parte.

Puede suceder que la prestación sea indivisible, en cuyo caso el artículo 1139 del CC dispone que «sólo perjudicarán el derecho de los acreedores los actos colectivos de éstos, y sólo podrá hacerse efectiva la deuda procediendo contra todos los deudores (…)». Ahora bien, hay que advertir que esta imposibilidad de cumplimiento separado no altera la naturaleza propia de la obligación mancomunada, ni tampoco la transforma en solidaria, sino que es mera consecuencia de la indivisibilidad de la prestación. Precisamente por esta razón, en caso de incumplimiento, al convertirse en una indemnización de daños y perjuicios, la prestación recupera su carácter divisible (art. 1150 CC).

---

1. Cfr. SSTS de 19 de octubre de 1988 (RJ 1988, 7589), 28 de mayo de 1990 (RJ 1990, 4091) y 15 de diciembre de 1993 (RJ 1993, 9987).
2. Cfr. STS de 21 de noviembre de 1994 (RJ 1994, 8541).
3. Cfr. SSTS de 15 de junio de 1993 (RJ 1993, 5805) y 19 de diciembre de 1995 (RJ 1995, 9425).
4. RJ 2000, 3922.

La pluralidad de sujetos puede ser *activa* (son varios los acreedores), *pasiva* (son varios los deudores) o *mixta* (hay varios acreedores y varios deudores). También puede ser *inicial o sobrevenir* con posterioridad a la constitución de la relación obligatoria, lo que ocurre cuando al acreedor o deudor único le sucede una pluralidad de personas, por ejemplo, en la sucesión hereditaria, como indica el artículo 661 del CC. En virtud de las modalidades que pueden acompañar a cada una de las obligaciones, la doctrina suele distinguir entre solidaridad *uniforme* frente a otra que denomina *varía*. El artículo 1140 del CC se refiere a esta última clase al admitir la posibilidad de que exista solidaridad, aunque los acreedores y deudores no estén ligados del propio modo y por unos mismos plazos y condiciones. Por ejemplo, el importe de la deuda no es el mismo para todos, uno de los deudores se ha obligado bajo condición suspensiva, el lugar fijado para el pago no es el mismo para todos los obligados, alguno de los deudores ha garantizado el cumplimiento mediante una cláusula penal o es deudor subsidiario respecto de los demás, etc.

2. Unidad o pluralidad de obligaciones

La doctrina discute si a la pluralidad de sujetos debe corresponder una pluralidad de obligaciones o si, por el contrario, es indispensable que la relación obligatoria sea única. No ofrece duda que en las obligaciones mancomunadas el vínculo obligatorio se divide en tantos derechos y deberes cuantos son los sujetos, lo que explica que el artículo 1138 del CC afirme que se reputarán «créditos o deudas distintos unos de otros». Por lo que se refiere a las obligaciones solidarias, también la doctrina científica admite la existencia de una pluralidad de derechos y deberes, aunque sea idéntica la prestación. No obstante, la conexión que entre sí tienen los distintos créditos y deudas resulta clara según los artículos 1137, 1138 y 1143 del CC, e incluso el propio artículo 1137 del CC habla de «una sola obligación».

Por consiguiente, como advierte DÍEZ-PICAZO, «si bien puede hablarse de pluralidad de obligaciones y de pluralidad de vínculos, la relación obligatoria en cuanto relación jurídica mantiene un evidente grado de unidad. Se trata de una relación obligatoria compuesta por un haz de obligaciones que gobiernan la situación de cada uno de los acreedores y de cada uno de los deudores, y en la cual al mismo tiempo existe una relación asociativa o de grupo de los coacreedores o de los codeudores entre sí».

La STS de 8 de marzo de 1965 patrocina una concepción unitaria de la obligación solidaria, y dice que «los artículos 1137, 1139, 1142, 1143, 1144, 1145, 1147 y 1148 del CC hablan concretamente y en singular de "la obligación" y de "la deuda", dando a entender con toda claridad que en los supuestos de solidaridad pasiva los diversos deudores responden de una sola y única prestación, cuya causa es también individual, en virtud de lo cual el acreedor ejercita su acción encaminada a la satisfacción total e íntegra de su derecho de crédito, con absoluta independencia de que, a los efectos internos de la relación entre los diversos deudores, la deuda deba considerarse dividida entre ellos, pues esto es cosa que no tiene repercusión al exterior; del mismo modo que aquel derecho del acreedor al cobro de la totalidad de la obligación no puede verse entorpecido por la desaparición de alguno de los deudores solidarios, pues se opone a ello la fuerza expansiva propia de esta clase de obligaciones, a consecuencia de la cual la parte del deudor desaparecido acrece a los demás, que continuarán respondiendo frente al acreedor por la misma cantidad y en el mismo concepto».[5]

II. LA REGLA DE LA «NO SOLIDARIDAD»

En nuestro Derecho la mancomunidad es la regla general, mientras que la solidaridad es la excepción. Por eso, esta última hay que probarla.

> Se trata de una regla que tiene su antecedente en el Derecho romano clásico, y que fue consagrada posteriormente en la Novela 99 de Justiniano.

Según el artículo 1137 del CC, para que la obligación con pluralidad de sujetos o partes se constituya con carácter de solidaria es decisiva la voluntad de los propios sujetos, que tendrán que haberlo determinado expresamente; de lo contrario, rige la presunción de mancomunidad y de «no solidaridad» (art. 1138 CC). Es este un criterio que se considera una aplicación del principio *favor debitoris*, que el legislador reitera en algunos supuestos concretos: en el artículo 1698 del CC establece que «los socios no quedan obligados solidariamente por las deudas de la sociedad»; en el artículo 1723 del CC preceptúa que «la responsabilidad de dos o más mandatarios, aunque hayan sido instituidos simultáneamente, no es solidaria»; y en el artículo 1837 del CC prescribe que «siendo varios los fiadores de un mismo deudor y por una misma deuda, la obligación de responder de ella se divide entre todos». Cabe advertir que estas normas no son de Derecho imperativo o necesario, por lo que las partes pueden establecer la solidaridad; concretamente los artículos 1723 y 1837 del CC así lo constatan, y, por lo que se refiere al artículo 1698 del CC, lo declara la STS de 30 de abril de 1969.[6]

Sin embargo, también la ley atribuye, en algunos casos, el carácter de solidaria a una obligación. Así, por ejemplo, el artículo 1731 del CC se refiere a la responsabilidad de dos o más mandantes que han nombrado mandatario para un negocio común, estableciendo que quedan obligados «solidariamente»; el artículo 1748 del CC dispone que «todos los comodatarios a quienes se presta conjuntamente una cosa responden solidariamente de ello»; el artículo 1890, párrafo 2.º, del CC declara que, cuando fueren dos o más, la responsabilidad de los gestores de un negocio ajeno será solidaria. Por otra parte, en el caso de muerte del deudor, el artículo 1084 del CC dice que, «hecha la partición, los acreedores podrán exigir el pago de sus deudas por entero de cualquiera de los herederos que no hubiere aceptado la herencia a beneficio de inventario, o hasta donde alcance su porción hereditaria, en el caso de haberla admitido con dicho beneficio». Además, otros casos se encuentran fuera del Código civil.

> En el ámbito del Derecho mercantil, por ejemplo, el artículo 127 del CCom establece que «todos los socios que formen la compañía colectiva, sean o no gestores de la misma, estarán obligados personal y solidariamente»; mientras que, según el artículo 57 de la LCCh, la responsabilidad solidaria de los que hubiesen librado, aceptado, endosado o avalado una letra de cambio frente al tenedor. Por su parte, el artículo 26.3 de la LAC indica que «cuando la auditoría de cuentas se realice por

---

5. RJ 1965, 1844.
6. RJ 1969, 2310.

un auditor de cuentas en nombre de una sociedad de auditoría, responderán solidariamente, dentro de los límites señalados en el apartado precedente, el auditor que haya firmado el informe de auditoría y la sociedad de auditoría».

El requisito de que la solidaridad haya de pactarse «expresamente», según declara el artículo 1137 del CC, ha sido interpretado por la jurisprudencia del Tribunal Supremo en el sentido de que no es preciso que se utilice necesariamente el término obligación solidaria, sino que es suficiente que los usados, por su significación gramatical y lógica, evidencien la voluntad de las partes de deber prestar o poder exigir íntegramente las cosas objeto de la obligación.[7] Sin embargo, el Tribunal Supremo también ha declarado que el pacto expreso de solidaridad no es exigido ni por la doctrina ni por la jurisprudencia, siendo suficiente que del contexto de la obligación se infiera su existencia o que pueda deducirse que la voluntad de las partes fue la de crear una unidad en la obligación y la responsabilidad *in solidum* de los cointeresados. E incluso habla de una interpretación correctora o semicorrectora del artículo 1137 del CC para alcanzar y estimar la concurrencia de solidaridad tácita pasiva, considerando existente la solidaridad cuando hay «una interna conexión o comunidad jurídica de objetivos entre las prestaciones de los diversos deudores», o «unidad de fin de las prestaciones, destinadas en común a la satisfacción del interés del acreedor».[8]

En palabras de la STS de 30 de julio de 2010, «la más reciente jurisprudencia ha interpretado que, aunque la solidaridad no se presume, como dice el artículo 1137 del Código Civil, (...) tampoco impide que pueda ser aplicable la solidaridad tácita, cuando entre los obligados se da una comunidad jurídica de objetivos manifestándose una interna conexión entre todos ellos a partir de las pruebas que en autos se practiquen o de la interpretación que los Tribunales puedan hacer de un determinado contrato (...). Este concepto de "solidaridad tácita" ha sido reconocido en otras sentencias de esta Sala (...) declarando que existe cuando el vínculo obligacional tiene comunidad de objetivos, con interna conexión entre ellos, sin que se exija con rigor e imperatividad el pacto expreso de solidaridad, habiéndose de esta manera dado una interpretación correctora al artículo 1137 del Código Civil para alcanzar y estimar la concurrencia de solidaridad tácita pasiva, admitiéndose su existencia cuando del contexto de las obligaciones contraídas se infiera su concurrencia, conforme a lo que declara en su inicio el artículo 1138 del Código Civil, por quedar patente la comunidad jurídica con los objetivos que los recurrentes pretendieron al celebrar el contrato (...), debiéndose admitir una solidaridad tácita cuando aparece de modo evidente una intención de los contratantes de obligarse "*in solidum*" o desprenderse dicha voluntad de la propia naturaleza de lo pactado, por entenderse, de acuerdo con las pautas de la buena fe, que los interesados habían querido y se habían comprometido a prestar un resultado conjunto, por existir entre ellos una comunidad jurídica de objetivos».[9]

---

7. Cfr. SSTS de 8 de julio de 1915 (JC, II-162), 11 de febrero de 1927 (JC, I-104), 22 de marzo de 1950 (RJ 1950, 710), 12 de mayo de 1987 (RJ 1987, 3435) y 28 de mayo de 1990 (RJ 1990, 4091).

8. Cfr. SSTS de 2 de marzo de 1981 (RJ 1981, 879), 14 de junio de 1982 (RJ 1982, 3425), 7 de abril de 1983 (RJ 1983, 2104), 13 de febrero de 1984 (RJ 1984, 650), 11 de octubre de 1989 (RJ 1989, 6906), 19 de diciembre de 1991 (RJ 1991, 9409), 26 de enero de 1994 (RJ 1994, 445), 17 de octubre de 1996 (RJ 1996, 7115), 29 de junio de 1998 (RJ 1998, 5284), 23 de junio de 2003 (RJ 2003, 4254) y 28 de octubre de 2005 (RJ 2005, 7352).

9. RJ 2010, 6947.

Esta interpretación jurisprudencial, que el propio Tribunal Supremo denomina «correctora», si bien desde una perspectiva práctica podría merecer un juicio favorable, es criticable porque, como indica CLAVERÍA, «más que desarrollar o matizar los artículos 1137 y 1138 del CC los contradice y corrige (realmente los infringe), al desconectar el fenómeno de la solidaridad de la voluntad real o hipotética de las partes del contrato o negocio jurídico que generó las obligaciones». En nuestra opinión, no cabe derivar la solidaridad de una voluntad tácita, exteriorizada mediante un determinado comportamiento, ya que el artículo 1137 del CC exige con entera claridad que se determine «expresamente» en el momento de constitución de la relación obligatoria. Sí es posible, en cambio, someter la «determinación expresa» de la solidaridad a las reglas de interpretación contenidas en los artículos 1281 y siguientes del CC. Cuestión diferente es que se considere oportuno y necesario generalizar la solidaridad respecto a la deuda, en cuyo caso será preciso reformar el Código civil y adoptar como regla general la solidaridad pasiva, siguiendo el ejemplo de Códigos posteriores al nuestro y de conformidad con las necesidades del moderno tráfico económico.

Entre las disposiciones que reclama la vida mercantil desde ya hace muchos años, GARRIGUES citaba la regla de la solidaridad de deudores como principio contrario que debería regir frente a la presunción contenida en el artículo 1137 del CC. Posteriormente, en este mismo sentido se han pronunciado otros mercantilistas. Así, por ejemplo, SÁNCHEZ CALERO afirma que se echa en falta una norma que establezca con carácter general la solidaridad cuando concurran varios deudores a responder de una obligación mercantil. En el Derecho alemán, en cuanto al crédito no se presume la solidaridad, pero respecto de la deuda se la considera solidaria en caso de duda (§ 427 BGB). Por su parte, el Derecho italiano establece una presunción de solidaridad entre los codeudores, salvo que por el título de la obligación o por la ley resulte lo contrario (art. 1294). Aunque el artículo 5.160 § 2 del CCB declara que la solidaridad pasiva nace de la ley o de un contrato, y que no se presume, a continuación, indica que existirá solidaridad de pleno derecho entre aquellas empresas (conforme al art. I.1, párr. 1.º, núm. 1, del Código de derecho económico) que estén vinculadas por una misma obligación contractual.

Asimismo, es doctrina jurisprudencial continuamente reiterada «que, en los supuestos de culpa extracontractual, en el caso de haberse producido el evento dañoso indemnizable por la acción u omisión de diversas personas, y no siendo posible la individualización o la cuantificación de las referidas actuaciones, surge entre los intervinientes la figura de la solidaridad»; y «en tales casos de solidaridad impropia o por necesidad de salvaguardar el interés social (…) es permisible dirigirse contra cualquiera de los obligados sin necesidad de demandar a todos».[10]

Finalmente, cabe constatar que el Tribunal Supremo, en la STS de 19 de mayo de 1993, declara la solidaridad por entender que así lo exige la tutela judicial efectiva que proclama el artículo 24 de la CE. Se trataba de un caso en que los suministradores de materiales de construcción a una cooperativa de viviendas no cobraron y, además, no podían demandar a la cooperativa, pues esta se había disuelto con la adjudicación de los pisos a los cooperativistas. Ante esta circunstancia se demandó a estos últimos, que fueron condenados solidariamente, lo que dio lugar a la interposición del recurso de casación. Al resolverlo, en la citada sentencia, se razona que cuando

---

10. Cfr. STS de 26 de noviembre de 1993 (RJ 1993, 9142) y las que ésta cita.

la tutela judicial lo precisa, «y lo requiere ante la simple contemplación de la numerosísima cifra de codemandados», cabe imponer la condena solidaria, «pues de otro modo el derecho de los actores frente a los antiguos cooperativistas demandados, que estuvieron unidos por un vínculo con comunidad jurídica de objetivos, se haría inalcanzable e ilusorio».[11]

Hay que destacar que la Propuesta para la modernización del Derecho de obligaciones y contratos se decanta, obviamente, por reconocer como regla general la solidaridad de deudores. Según el artículo 1122, párrafo 1.º, de la PMDOC, «cuando en virtud de un mismo contrato dos o más personas sean deudoras de una misma prestación que cualquiera de ellas pueda realizar íntegramente, quedarán obligadas solidariamente, salvo que otra cosa resulte de la ley o del contenido del contrato». Pero, continúa el mismo precepto, «esta regla no es aplicable si los deudores lo son en virtud de un contrato celebrado con un profesional y en el que han actuado como consumidores y usuarios». Asimismo, el artículo 1122, párrafo 2.º, de la PMDOC señala que «será solidaria la obligación de indemnizar un daño extracontractual cuando sea objetivamente imputable a varias personas y no pueda determinarse el respectivo grado de participación en cada una de ellas». No obstante, a tenor del artículo 1122, párrafo 3.º, de la PMDOC, «tanto en el supuesto regulado en el inciso final del primer párrafo como en los demás en que no sea aplicable el régimen de la solidaridad, la obligación será mancomunada si otra cosa no resulta de la ley o del contrato». Por el contrario, la solidaridad de acreedores sólo podrá existir «cuando así lo determinen el título de la obligación o la ley», tal y como indica el párrafo 4.º de la PMDOC. La solidaridad podrá existir, aunque los acreedores y deudores no estén ligados del propio modo y por unos mismos plazos y condiciones (cfr. art. 1122, párr. 5.º, PMDOC).

El Proyecto de Marco Común de Referencia no se pronuncia por ninguna solución en concreto, si bien reconoce que las obligaciones solidarias son las obligaciones plurales que con más frecuencia se encuentran en la práctica. Aunque según el artículo III.-4:103(1) del DCFR, «que una obligación sea solidaria, parciaria o mancomunada depende de los términos que regulen la obligación», apartado (2) del mismo artículo señala que «si los términos no establecen otra cosa, la responsabilidad de dos o más deudores para cumplir la misma obligación es solidaria. En particular, la responsabilidad es solidaria cuando dos o más personas son responsables del mismo daño».[12] A tenor del artículo III.-4:103(3) del DCFR, «el hecho de que los deudores no respondan por los mismos términos o fundamentos no impide la solidaridad».

III. RÉGIMEN DE LAS OBLIGACIONES MANCOMUNADAS

En las obligaciones mancomunadas el crédito o la deuda se entienden divididos por partes entre los varios acreedores o los varios deudores, reputándose créditos o deudas *distintos* unos de otros (art. 1138 CC), de manera que cada deudor sólo está obligado a cumplir y cada acreedor únicamente podrá exigir una parte de la prestación (art. 1137 CC). Esta parte de la prestación que cada acreedor puede exigir o que cada deudor debe prestar, si del texto de la obligación no resulta otra cosa, *se*

---

11. RJ 1993, 3803.
12. Cfr. artículo 10:101(1) de los PECL.

presume igual para cada uno (art. 1138 CC). Por consiguiente, los interesados pueden haber establecido «otra cosa», esto es, que las partes sean desiguales. Sin embargo, nada impide que todos los acreedores conjuntamente puedan reclamar la prestación íntegra.

Como puede ocurrir que la prestación fuere indivisible, para determinar los efectos de las obligaciones mancomunadas hay que distinguir según que la prestación sea o no susceptible de ser satisfecha por partes. Hay autores, como DÍEZ-PICAZO, que en el primer caso las denominan obligaciones «parciarias», reservando para las de prestación indivisible el nombre de obligaciones «mancomunadas».

1.   Efectos en caso de prestación divisible

Cuando la prestación es divisible, cada acreedor o cada deudor pueden, por sí y con independencia de los demás, ejercitar su derecho o cumplir su obligación; pues, como dice el artículo 1138 del CC, se reputan créditos o deudas distintos unos de otros. Si un deudor deviene insolvente, los demás deudores no responden de la parte que a aquél le corresponde; si se reclama su parte a uno de los deudores, no por ello se interrumpe la prescripción respecto de los restantes (art. 1974 CC); si uno de los deudores incurre en mora, no por ello sufren los demás las consecuencias. Lo mismo ocurre con todos los medios modificativos o extintivos de la obligación, como son la compensación, la novación, el perdón, etc., que sólo operan sobre la parte de cada acreedor o deudor.

> Como ejemplo de obligación parciaria puede ponerse un préstamo de 10.000 euros que realiza A en favor de B y C. Si el contrato estipula que B debe devolver 8.000 euros y C 2.000 euros, A sólo podrá reclamar a cada uno de ellos la parte que así se hubiere fijado.

En este supuesto, de prestación divisible, se produce una excepción al principio general establecido en el artículo 1169 del CC, según el cual «no podrá compelerse al acreedor a recibir parcialmente las prestaciones en que consista la obligación». Por consiguiente, en las obligaciones mancomunadas con prestación divisible el acreedor viene obligado a aceptar el pago parcial.

> El artículo III.-4:102(2) del DCFR define la obligación parciaria como aquélla en la que «cada deudor está obligado a cumplir tan solo una parte de la obligación y el acreedor puede exigir de cada deudor sólo el cumplimiento de la parte que le corresponde».[13] En palabras del comentario oficial, «los efectos del incumplimiento por parte de uno de los deudores sobre el ejercicio por parte del acreedor de su derecho a suspender el cumplimiento de las obligaciones recíprocas o a resolver el contrato por incumplimiento esencial son muy diferentes en este caso. El incumplimiento por parte de uno de los deudores conduce, en principio, sólo a una resolución parcial. Si un contrato da lugar a obligaciones parciarias, la situación entraría en el ámbito de las normas sobre resolución por incumplimiento esencial respecto a obligaciones que tienen que cumplirse por partes o que son divisibles de otro modo. Asimismo, el acreedor no puede, por regla general, suspender el cumplimiento excepto parcialmente. Sin embargo, cuando el cumplimiento que debe efectuar el acreedor es indivisible, y los deudores sólo tienen un

---

13.   Cfr. artículo 10:101(2) de los PECL.

derecho mancomunado, la suspensión necesariamente será total». Según el artículo III.-4:104 del DCFR, «los deudores vinculados por una obligación parciaria son responsables por partes iguales».

2. Efectos en caso de prestación indivisible

Cuando la prestación es *indivisible*, cada acreedor sólo tiene derecho a exigir su parte y cada deudor no debe más que la suya, por lo que se encuentran forzados a proceder conjuntamente tanto en la exigencia como en el cumplimiento. Esto es lo que preceptúa artículo 1139 del CC, según el cual, «si la división fuere imposible, sólo perjudicarán al derecho de los acreedores los actos colectivos de éstos, y sólo podrá hacerse efectiva la deuda procediendo contra todos los deudores. Si alguno de éstos resultare insolvente, no estarán los demás obligados a suplir su falta». Por consiguiente, para lograr el éxito de su pretensión, el actor debe traer al proceso a todos los interesados en la relación jurídica litigiosa.[14] No obstante, por aplicación analógica de los preceptos relativos a la comunidad de bienes, cualquiera de los acreedores puede demandar al deudor para que haga la prestación conjuntamente a todos ellos, porque entonces ese acto del acreedor no puede perjudicar, sino favorecer a todos los coacreedores (PÉREZ GONZÁLEZ y ALGUER).

En el supuesto de incumplimiento de uno de los deudores mancomunados la obligación se resuelve en indemnizar daños y perjuicios, tal y como se infiere del artículo 1150 del CC; y, como dicha obligación sí es divisible, cada acreedor podrá reclamar su parte y cada deudor prestar la suya con independencia de los demás. Pero, según dispone el artículo 1150, párrafo 2.º, del CC, «los deudores que hubiesen estado dispuestos a cumplir (...) no contribuirán a la indemnización con más cantidad que la porción correspondiente del precio de la cosa o del servicio en que consistiere la obligación». Como dice VALVERDE, para estos la obligación no se aumenta, solo se transforma. Ahora bien, lo dispuesto en el artículo 1150 del CC ha de entenderse en el sentido de que si se tratase de una obligación recíproca sería posible utilizar la facultad reconocida en el artículo 1124 del CC, y, por consiguiente, «el perjudicado podrá escoger entre exigir el cumplimiento o la resolución de la obligación, con el resarcimiento de daños y abono de intereses en ambos casos».

Según el artículo 1124 de la PMDOC, «en la obligación mancomunada el crédito y la deuda deberán quedar divididos en tantas partes como acreedores y deudores haya, si la prestación fuese divisible, no se opusiese a la división el título constitutivo o la finalidad perseguida por la obligación, y cualquiera de los acreedores o de los deudores hubiere manifestado a la otra parte su voluntad de que la división se produzca. La división se hará por partes iguales, salvo que resulte otra cosa de la relación existente entre los deudores o entre los acreedores. Los créditos y las deudas, una vez divididos, se reputan distintos y pueden ejercitarse o cumplirse independientemente unos de otros, pero para ejercitar la acción resolutoria será necesario el concurso de todos los acreedores».[15] De lo expuesto se desprende que la Propuesta para la modernización del derecho de obligaciones y contratos establece la presunción de mancomunidad activa. Por otra parte, el artículo 1123 de la PMDOC señala que «si la obligación fuese mancomunada se observarán las reglas siguientes: 1..ª Siendo varios los acreedores, el deudor solo

---

14. Cfr. SSTS de 14 de abril y 27 de junio de 1986 (RJ 1986, 1851 y 3828).
15. Cfr. artículo 10:103 de los PECL.

se libera pagando a todos conjuntamente y cualquier acreedor puede reclamar el pago para todos. Sólo perjudican al derecho de los acreedores los actos colectivos de éstos. 2.ª Siendo varios los deudores, el acreedor deberá ejercitar su derecho dirigiéndose contra todos, y si alguno resultare insolvente, no estarán los demás obligados a suplir su falta».

El artículo III.-4:102(3) del DCFR señala que «una obligación es mancomunada cuando los deudores están obligados a cumplir conjuntamente la obligación y el acreedor sólo puede exigir el cumplimiento a todos ellos en conjunto».[16] No obstante, el artículo III.-4:105 del DCFR matiza que «sin perjuicio de lo dispuesto en el artículo III.-4:102 (Obligaciones solidarias, parciarias y mancomunadas) cuando se reclama una cantidad de dinero por el incumplimiento de una obligación mancomunada, los deudores son responsables solidarios del pago al acreedor».

IV. RÉGIMEN DE LAS OBLIGACIONES SOLIDARIAS

En las obligaciones solidarias, cada acreedor está facultado para exigir o cada deudor está obligado a cumplir íntegramente la prestación debida, sin necesidad del concurso de los demás acreedores o deudores. Pero esta característica sólo contempla las llamadas *relaciones externas* derivadas de la solidaridad, relaciones entre los acreedores solidarios y el deudor, o entre los deudores solidarios y el acreedor. Por ello, en orden al examen de los efectos de esta clase de obligaciones, es necesario tener en cuenta también que «internamente» el crédito o la deuda se hallan divididos en partes (iguales o desiguales), por lo que el cobro o pago da lugar al posterior abono o resarcimiento entre el que lo realiza y sus cointeresados (*relaciones internas*).[17]

1. Solidaridad de acreedores

1.1. Efectos en la relación de los acreedores con el deudor

1.º Cada acreedor puede reclamar del deudor o deudores el cumplimiento íntegro de la prestación debida. Ahora bien, según el artículo 1142 del CC, «el deudor puede pagar la deuda a cualquiera de los acreedores solidarios; pero, si hubiere sido judicialmente demandado por alguno, a éste deberá hacer el pago». Es decir, el deudor tiene derecho a elegir el acreedor a quien hará el pago; pero dicha facultad de elección queda limitada por la demanda judicial que interponga uno de los acreedores, en cuyo caso «a éste deberá hacer el pago».

Según el artículo 1137 de la PMDOC, «cada uno de los acreedores solidarios tiene derecho a exigir la totalidad de la prestación. El deudor puede pagar la deuda a cualquiera de los acreedores solidarios mientras no haya sido demandado judicialmente por alguno. La misma facultad tendrá para consignar, compensar si procediere y cumplir el acuerdo de dación en pago si lo hubiere. Demandado judicialmente el pago a un deudor, éste sólo se libera por el pago hecho al acreedor demandante; pero podrá oponer en compensación el crédito que tenga contra otro de los acreedores. El acreedor que haya cobrado la deuda responderá frente a los demás de la parte que les corresponda en la obligación».

---

16. Cfr. artículo 10:101(3) de los PECL.
17. Cfr. STS de 10 de julio de 1990 (RJ 1990, 5791).

Por consiguiente, el acreedor deberá admitir el pago, y si lo rehúsa sin justa causa se producirá la mora *accipiendi,* pudiendo el deudor requerirlo formalmente y consignar con efecto liberatorio (art. 1176, párr. 1.º, CC).

> De igual modo, el artículo 1170, párrafo 1.º, de la PMDOC dice que «si el acreedor se negare sin razón a admitir el pago ofrecido por el deudor o por un tercero interesado en el cumplimiento de la obligación, el deudor quedará libre de responsabilidad mediante la consignación de la cosa debida».

2.º Cada acreedor puede realizar los actos conservativos en defensa del crédito, por ejemplo: constituir en mora al deudor, interrumpir la prescripción, etc.

> Según el artículo 1138 de la PMDOC, «cualquier acreedor podrá poner en mora al deudor con efectos para todos los acreedores. Los efectos de la mora en recibir de un acreedor solidario se extienden a los demás».

3.º Cada acreedor puede extinguir el crédito por entero mediante novación, compensación, confusión o remisión (art. 1143, párr. 1.º, CC).

> Sin embargo, el artículo 1139 de la PMDOC determina que «la confusión extingue la obligación en la parte que correspondiera al acreedor en quien haya recaído». Asimismo, según el artículo 1140 de la PMDOC, «la remisión hecha por un acreedor sólo libera al deudor frente a los restantes acreedores en la parte de deuda que corresponda al primero».

> Sobre los efectos de la renuncia a la solidaridad por parte del acreedor frente a uno solo de los deudores, la STS de 10 de julio de 1990 declara que «externamente convierte al deudor beneficiado en mancomunado, por la parte de la deuda que le corresponda en la división interna, pero mantiene la solidaridad respecto a los demás deudores a los que no se refiere la renuncia, y ello sin perjuicio de mantenerse también en el orden interno el vínculo solidario del excluido, derivado de la insolvencia de sus compañeros, incluso de la culpa de alguno de ellos, dado que los codeudores no han prestado su consentimiento a la renuncia y pueden verse perjudicados con ella».[18]

También podrá transmitir o ceder el crédito a un tercero, pues, como dice Díez-Picazo, el artículo 1143 del CC no se refiere a esta hipótesis, pero la contemplación del supuesto de la novación, y la referencia que hace el artículo 1203.1.º del CC, permite sin dificultad su inclusión dentro del supuesto de hecho.

> Según el artículo 1142 de la PMDOC, «la cesión a favor de un tercero realizada por uno de los acreedores solidarios no afectará a los demás, salvo que lo consintieren». El artículo 1143 de la PMDOC indica que «la sentencia dictada en proceso seguido entre uno de los acreedores solidarios y el deudor no produce, en relación con los demás acreedores, efecto de cosa juzgada; pero éstos podrán hacerla valer frente al deudor en la medida en que les sea provechosa».

1.2. *Efectos en la relación de los acreedores entre sí*

1.º El acreedor que extinga la deuda, mediante el cobro o por cualquier otro medio, responderá frente a los demás de la parte que les corresponda en la obligación

---

18. RJ 1990, 5791.

(art. 1143, párr. 2.º, CC). Es decir, cada uno de los demás acreedores tiene una acción de regreso contra el que cobró o modificó la deuda por la parte que le corresponda en el crédito.

A tenor del artículo 1145 de la PMDOC, «en las relaciones internas el crédito se presume por partes iguales».

2.º El acreedor que realice actos perjudiciales para los demás coacreedores está obligado a indemnizarlos. Así se deduce del artículo 1141 del CC, según el cual «cada uno de los acreedores solidarios puede hacer lo que sea útil a los demás, pero no lo que les sea perjudicial». Como señala CASTÁN, entenderlo de otro modo estaría en abierta contradicción con lo dispuesto en el artículo 1143 del CC. Otra cosa es que la determinación de qué actos sean perjudiciales es una cuestión de hecho que se encuentra sometida al arbitrio judicial.

El artículo 1141 de la PMDOC dice que «en las obligaciones sinalagmáticas, la facultad resolutoria deberá ejercitarse con el consentimiento de todos los acreedores». Por su parte, el artículo 1144 de la PMDOC señala que «en lo no previsto en los artículos anteriores, cada uno de los acreedores solidarios puede hacer lo que sea útil a los demás, pero no lo que les sea perjudicial».

2. Solidaridad de deudores

La solidaridad pasiva funciona, de acuerdo con el Código civil, bajo un doble principio: en las relaciones externas (entre acreedor y deudor) cada deudor solidario es deudor por entero; en las relaciones internas (entre los codeudores) la deuda se divide entre los deudores solidarios en la proporción que se hubiere establecido al constituirse la relación obligatoria, y, en su defecto, se presume una división por partes iguales, por lo que suele afirmarse que cada deudor frente a los demás es deudor por su parte[19].

2.1. *Efectos en la relación de los deudores con el acreedor*

1.º Cada deudor está obligado al cumplimiento íntegro de la obligación (art. 1137 CC), y dicho pago extingue la obligación (art. 1145, párr. 1.º, CC). Por ello, «el acreedor puede dirigirse contra cualquiera de los deudores solidarios o contra todos ellos simultáneamente»; además, «las reclamaciones entabladas contra uno no serán obstáculo para las que posteriormente se dirijan contra los demás, mientras no resulte cobrada la deuda por completo» (art. 1144 CC).

El artículo 1125 de la PMDOC señala que «en la deuda solidaria, cualquiera de los deudores está obligado a ejecutar la totalidad de la prestación, en tanto el derecho del acreedor no quede íntegramente satisfecho. El acreedor puede exigir el pago a cualquiera de los deudores solidarios, a varios de ellos o a todos simultáneamente. Las reclamaciones judiciales entabladas contra uno o varios de los deudores solidarios no serán obstáculo para las que posteriormente se dirijan contra los demás, mientras no resulte cobrada la deuda por completo».

---

19. Cfr. SSTS de 8 de marzo de 1965 (RJ 1965, 1844), 17 de diciembre de 1992 (RJ 1992, 10697) y 22 de julio de 1994 (RJ 1994, 5525).

Por su parte, según el artículo III.-4:102(1) del DCFR, «una obligación es solidaria cuando cada deudor está obligado a cumplir la obligación en su totalidad y el acreedor puede exigir a cualquiera de los deudores el cumplimiento hasta que haya recibido el cumplimiento en su totalidad».[20] Como dice el comentario oficial, «al tener la opción de reclamar la totalidad del cumplimiento a cualquiera de los deudores, el acreedor puede, si dicho deudor no cumple, recurrir inmediatamente a los diversos remedios por incumplimiento previstos en estas normas. Por tanto, el acreedor puede resolver la relación contractual en su totalidad o en parte si el incumplimiento de una obligación contractual por parte del deudor elegido es esencial. Asimismo, el acreedor puede suspender el cumplimiento de sus obligaciones recíprocas mientras el deudor elegido no haya cumplido ni ofrecido el cumplimiento. Como en este caso los otros deudores tienen un interés legítimo en el cumplimiento, el acreedor no puede rechazarlo».

Según la doctrina mayoritaria, pendiente la reclamación contra un deudor solidario es posible una nueva reclamación contra otro codeudor o contra todos los restantes.[21] No obstante, para evitar los gastos de los sucesivos litigios y las eventuales condenas en costas a los demás codeudores, PUIG FERRIOL recuerda la necesidad de ejercitar los derechos de buena fe y la prohibición del abuso del derecho (art. 7 CC). Sin embargo, como observa DÍEZ-PICAZO, «es difícil de puntualizar de qué modo el principio de la buena fe y la prohibición del abuso del derecho pueden determinar el límite. No lo es por sí sola la idea de la buena fe, en la medida en que no puede haberse creado ninguna especial confianza en los deudores que les induzca a creer que no serán demandados. Y tampoco, por el solo hecho de producir las nuevas reclamaciones, cabe considerar que el ejercicio del derecho de crédito se produzca con extralimitaciones y más allá de su verdadera función social».

Pero si el acreedor reclamase a los deudores solidarios, en lugar de la totalidad de la deuda, la parte que a cada uno le corresponde satisfacer habrá que entender que está renunciando a la solidaridad.[22]

2.º El deudor solidario podrá utilizar, contra las reclamaciones del acreedor, todas las excepciones que se derivan de la naturaleza de la obligación (art. 1148 CC). Estas excepciones son también denominadas objetivas, y pueden ser la nulidad de la obligación, la extinción por pago o por otra razón (resolución, rescisión, desistimiento), la prescripción y la inexigibilidad de la deuda (por no haber llegado aún el término inicial).

Asimismo, el deudor solidario podrá utilizar las excepciones que le sean personales. De las que personalmente correspondan a los demás, solo podrá servirse en la parte de la deuda de que éstos fueren responsables (arts. 1148 y 1824, párr. 2.º, CC). Por tanto, de las excepciones personales, también llamadas subjetivas, que correspondan a un deudor, éste podrá oponerlas plenamente frente al acreedor. En cambio, los demás deudores solidarios solo podrán oponerla para excluir frente al acreedor la parte que le corresponde al deudor favorecido por la excepción. Pueden mencionarse como ejemplos de excepciones personales de un deudor la condonación por el acreedor de la parte de deuda que le corresponde pagar a él, la confusión entre el acreedor y un deudor, la prescripción limitada a ese deudor, la transacción acordada con ese deudor, etc.

---

20. Cfr. artículo 10:102(1) de los PECL.
21. Cfr. STS de 19 de diciembre de 1927 (JC, VII-84).
22. Cfr. STS de 29 de abril de 1931 (RJ 1931, 2037).

Las excepciones puramente personales solo podrá oponerlas el codeudor afectado, y no los demás, que resultarán obligados a pagar toda la deuda al acreedor si fueren requeridos para ello. Son las excepciones derivadas del hecho de que el deudor es una persona con discapacidad que no cuenta con medidas de apoyo, un menor de edad, padecer un vicio del consentimiento o tener a su favor una condición suspensiva o un término inicial que solo le afecta a él.

Esto planteamiento respecto de las excepciones personales supone en definitiva una desviación del principio que caracteriza a la obligación solidaria de que todos los deudores están obligados por la totalidad de la deuda. Sin embargo, la razón que explica esta solución, dice DÍAZ PAIRÓ, «es que el principio de que frente al acreedor cada deudor responde por el todo no puede llevarse hasta el límite de proteger la actuación ilícita del acreedor (que contrató con un incapaz u obtuvo el consentimiento por dolo o reclama antes del tiempo, etc.), haciendo sufrir sus consecuencias al deudor inocente, pues pagaría él todo, sin poder luego reclamar, definitiva o temporalmente, el reintegro al codeudor».

Según el artículo 1132 de la PMDOC, «el deudor solidario podrá utilizar contra las reclamaciones del acreedor todas las excepciones que deriven objetivamente de la obligación y las que le sean personales. Podrá también servirse de las que fueren personales de los demás en la parte que a éstos corresponda». Además, el artículo 1134 de la PMDOC recalca que «los deudores solidarios deben comportarse entre sí de buena fe, informándose recíprocamente sobre la procedencia de las excepciones que se puedan oponer. Asimismo, cada deudor solidario, cuando se vea requerido o demandado para el pago, podrá recabar de cada uno de los otros la prestación de las garantáis oportunas».

3.º El pago hecho por uno de los deudores solidarios extingue la obligación para todos los demás codeudores (art. 1145, párr. 1.º, CC). También extingue la obligación la novación, compensación, confusión o remisión de la deuda que se haga «con cualquiera de los deudores» (art. 1143, párr. 1.º, CC).

El artículo 1127 de la PMDOC señala que «el cumplimiento por parte de uno de los deudores solidarios libera también a los demás deudores. Lo mismo sucede con la dación en pago, la consignación, la compensación y los demás actos que sean extintivos de la obligación».

4.º «Si la cosa hubiere perecido o la prestación se hubiese hecho imposible sin culpa de los deudores solidarios, la obligación quedará extinguida. Si hubiese mediado culpa de parte de cualquiera de ellos, todos serán responsables, para con el acreedor, del precio y de la indemnización de daños y abono de intereses» (art. 1147 CC). En este caso, se produce lo que la doctrina denomina «comunicación de la culpa». Como dice la STS de 8 de marzo de 1965, «el derecho del acreedor al cobro de la totalidad de la obligación no puede verse entorpecido por la desaparición de alguno de los deudores solidarios, pues se opone a ello la fuerza expansiva propia de esta clase de obligaciones, a consecuencia de la cual la parte del deudor desaparecido acrece a los demás, que continuarán respondiendo frente al acreedor por la misma cantidad y en el mismo concepto, dejando a salvo el interés crediticio».[23]

---

23. RJ 1965, 1844.

A tenor del artículo 1131 de la PMDOC, «cada deudor solidario responde solidariamente frente al acreedor de los daños causados a éste por el incumplimiento de cualquiera, salvo que pruebe que para él existió un caso fortuito».

5.º Según el artículo 1141, párrafo 2.º, del CC, «las acciones ejercitadas contra cualquiera de los deudores solidarios perjudicarán a todos éstos»;[24] mientras que el artículo 1252, párrafo 3.º, del CC, a propósito de la extensión del efecto de cosa juzgada, señala que «se entiende que hay identidad de personas siempre que los litigantes del segundo pleito estén unidos a los que contendieron en el pleito anterior por vínculos de solidaridad». Esto quiere decir: _a_) Que la reclamación contra un deudor solidario hace incurrir en mora a todos los demás codeudores. _b_) Que la reclamación del acreedor interrumpe la prescripción, aunque haya sido dirigida contra uno solo de los deudores solidarios (cfr. art. 1974 del CC)[25] y _c_) Que la sentencia obtenida en pleito seguido contra un deudor solidario tiene fuerza de cosa juzgada respecto de todos los restantes. Ahora bien, como dice CAFFARENA, «el Código parte del vínculo de solidaridad para extender la cosa juzgada. La cualidad del deudor solidario es el supuesto de hecho de la norma contenida en el tercer párrafo del artículo 1252. La extensión de la cosa juzgada es la consecuencia jurídica. Decidir quiénes se encuentran vinculados en la relación obligatoria solidaria como deudores es algo que sólo puede hacerse estando presentes en el juicio los calificados como tales, si bien no es necesario que se haga en un único proceso». Este criterio se recoge en la Ley de enjuiciamiento civil, que ha derogado el artículo 1252 del CC, especificando su artículo 542.1 que las sentencias, laudos y otros títulos ejecutivos judiciales obtenidos solo frente a uno o varios deudores solidarios no servirán de título ejecutivo frente a los deudores solidarios que no hubiesen sido parte en el proceso.[26]

De modo semejante, respecto de los títulos ejecutivos extrajudiciales, el art. 542.2 de la LEC declara que «solo podrá despacharse ejecución frente al deudor solidario que figure en ellos o en otro documento que acredite la solidaridad de la deuda y lleve aparejada ejecución conforme a lo dispuesto en la ley».[27] Por último, en el artículo 542.3 de la LEC señala que «cuando en el título ejecutivo aparezcan varios deudores solidarios, podrá pedirse que se despache ejecución, por el importe total de la deuda, más intereses y costas, frente a uno o alguno de esos deudores o frente a todo ellos» (art. 542.3 LEC). Por consiguiente, en esta norma se confirma el _ius electionis_ y subsiguiente _ius variandi_ del acreedor consignado en el artículo 1144 del CC, pero, como indica PÉREZ ESCOLAR, la posibilidad de ejercitar el _ius variandi_ en fase de ejecución deriva directamente del artículo 542.3 de la LEC, y no del artículo 1144 del CC, cuya aplicación debe considerarse restringida a la fase de la reclamación de la deuda.

2.2. _Efectos en la relación de los deudores entre sí_

1.º El deudor o deudores que hubieren pagado pueden reclamar de sus codeudores la parte que a cada uno corresponda, con los intereses del anticipo (acción de regreso, art. 1145, párr. 2.º, CC). Este derecho de reembolso lo tiene el deudor (o deudores) que pagó la totalidad de la deuda también contra aquél de los codeudores

---

24.   Cfr. STS de 28 de abril de 1988 (RJ 1988, 3297).
25.   Cfr. STS de 2 de febrero de 1984 (RJ 1984, 570).
26.   Sobre el concepto de cosa juzgada material, cfr. artículo 222 de la LEC.
27.   El artículo 517 de la LEC determina los títulos que llevan aparejada ejecución.

a quien el acreedor hubiere hecho quita o remisión de su parte (art. 1146 CC), sin perjuicio de que el deudor pueda reclamar contra el acreedor que le condonó su parte para que la remisión de la deuda no resulte irreal.

> Según el artículo 1135, párrafo 1.º, de la PMDOC, «el deudor que haya cumplido la obligación o de otra forma liberado a los demás deudores podrá reclamar de éstos, en la parte que a cada uno corresponda, el reembolso de las cantidades aplicadas a aquel fin, los gastos razonablemente causados y los intereses de unas y otros».

Los intereses del anticipo serán los legales, y no cabe confundirlos con aquellos que hubiese podido devengar la obligación que se hubiere pagado.

2.º El deudor solidario que pagó la deuda puede solicitar la subrogación (art. 1210, núm. 3, CC), pasando a ocupar la posición del acreedor originario. Por consiguiente, el deudor solidario tendrá, además de la acción de regreso, la acción derivada de la subrogación legal operada por el propio pago.[28] No obstante, las diferencias entre la acción de regreso y la subrogación son significativas, porque si el deudor se subroga la fecha de su crédito será la de la obligación que ha pagado. En cambio, si procede en vía de regreso, la fecha del crédito es aquella en que realizó el pago. Además, en caso de subrogación se le transfieren los derechos anexos y las garantías, mientras que en el regreso las garantías se extinguen. Ahora bien, en uno y otro caso, los codeudores solidarios frente al nuevo acreedor son deudores mancomunados.[29]

> El artículo 1135, párrafo 3.º, de la PMDOC dice que «también podrá el deudor que haya cumplido íntegramente subrogarse en los derechos del acreedor para exigir a cada uno de los codeudores la parte que corresponda».

3.º Cada deudor debe suplir, a prorrata, la insolvencia de los demás (art. 1145, párr. 3.º, CC). No es preciso que dicha insolvencia haya sido declarada judicialmente.

> A tenor del artículo 1135, párrafo 2.º, de la PMDOC, «si no pudiere obtenerse el reembolso de alguno de los codeudores, la parte de éste será suplida por todos los demás a prorrata».

4.º Los deudores que hubieren respondido del precio e indemnización de daños y abono de intereses por perecimiento de la cosa o imposibilidad de cumplimiento de la prestación, debido a culpa de uno de ellos, dispondrán de «acción contra el culpable o negligente» (art. 1147, párr. 2.º, CC).

V.   SOLIDARIDAD IMPROPIA

El Código civil parte de la idea de que la pluralidad de sujetos, activos o pasivos, de la relación obligatoria emane de un mismo título de constitución. Por ello, como indica OSSORIO MORALES, «conviene advertir que no obsta, para que una obligación sea solidaria, que dos o más personas estén obligadas a una misma prestación respecto del mismo acreedor, sino que es indispensable para que la solidaridad exista una identidad de causa obligatoria, que unifique las diversas relaciones de deuda».

---

28.   Cfr. STS de 20 de julio de 2007 (RJ 2007, 5301).
29.   Cfr. STS de 11 de junio de 1955 (RJ 1955, 2304).

Es evidente que existen casos en que alguien puede reclamar a varias personas idéntica prestación, sin que se trate de deudores solidarios. Por ejemplo, el que sufre un daño puede intentar su la reparación, bien de la persona que lo ocasionó, o bien de su compañía aseguradora; pero, si reclama y obtiene reparación del primero, ya no puede pretenderlo de la segunda. Obsérvese que, en este supuesto, efectivamente se producen características similares a las que concurren en la obligación solidaria: *a)* pluralidad de sujetos, *b)* ambos obligados a realizar la misma prestación, y *c)* si uno de ellos realiza la prestación el otro resulta liberado. Sin embargo, no existe solidaridad en sentido propio, pues, aunque hay unidad de objeto, cual es la indemnización a la víctima, no existe identidad de causa obligatoria, porque no se trata de deudas integradas en una misma y única relación obligatoria. Por ello, aunque son responsables tanto la persona que causó el daño como la compañía aseguradora de la víctima, uno lo es directo y la otra por subrogación. Esto es lo que la doctrina y la jurisprudencia, a veces, denominan «impropiamente» solidaridad.[30]

Como dice LARENZ, la solidaridad impropia o aparente es aquella en la que existe una pluralidad de relaciones obligatorias independientes entre sí, aunque dirigidas al mismo interés en la prestación.

El ejemplo más relevante en la práctica es el que se refiere a la obligación del asegurador de indemnizar por los hechos producidos por el asegurado de acuerdo con el contrato de seguro de responsabilidad civil. En este contexto, la STS de 17 marzo 2006 dice que «la solidaridad impropia se produce cuando acciones plurales concurren a un resultado dañoso, con contribución causal eficiente, sin que sea posible discernir el concreto grado de incidencia de cada una de ellas. Tal situación de responsabilidad «in solidum» puede originarse de distintos modos, pero no cabe aplicar la interrupción de la prescripción extintiva «ex» artículo 1974, entendida con alguno de los agentes, a los otros, cuando no ha habido una actuación conjunta o común, o no hay una comunidad de intereses entre ellos, sino que operaban con absoluta independencia y sin ninguna relación entre sí».[31]

VI. LOS CRÉDITOS SINDICADOS O CRÉDITOS CONSORCIALES

Se trata de una modalidad de pluralidad activa de sujetos en la que no hay solidaridad ni tampoco una estricta mancomunidad.

El crédito sindicado es una figura moderna que surge para atender una solicitud de préstamo por una cuantía muy elevada, en la que el financiador (una entidad bancaria) no puede o no desea correr él solo un riesgo de tal magnitud y, por tanto, asocia en la posición de prestamista a otras entidades de crédito (sindicadas). La operación subyacente puede ser cualquier modalidad de contrato de crédito (apertura de crédito, préstamo, e incluso una emisión de pagarés), que se concede con el fin de financiar operaciones o actividades de tipo industrial. Lo propiamente característico de esta clase de créditos es que una de las entidades bancarias asume la posición de «banco agente» o *lead manager*, es decir, desarrolla una función de liderazgo y gestión

---

30. Cfr. SSTS de 14 de octubre de 1969 (RJ 1969, 4706) y 26 de marzo de 1977 (RJ 1977, 1354), en las que se habla de solidaridad; en cambio, la STS de 25 de noviembre de 1969 (RJ 1969, 5508) niega la solidaridad.
31. RJ 2006, 5637.

unitaria de la operación, por la que percibe una remuneración que es satisfecha por el deudor. El «banco agente» es un auténtico comisionista nombrado por cada uno de los bancos sindicados, aunque actúa al mismo tiempo en interés y por cuenta propia (BROSETA). En este sentido, es también una entidad acreditante, puesto que hay una confluencia de intereses entre los bancos comitentes y el banco comisionista en alcanzar el buen fin del contrato de ejecución de la comisión, que no es otro que el contrato de crédito sindicado.

El «banco agente» es un comisionista «especial», afirman SÁNCHEZ CALERO y SÁNCHEZ-CALERO GUILARTE, porque el mandato mercantil que le ha sido conferido no tiene como objeto la gestión global de todos los negocios de los bancos sindicados, sino que sólo se encarga de la gestión del crédito sindicado. Y lo hace abriendo una cuenta donde recibe las cantidades que proporcionan los bancos sindicados, y otra cuenta a favor del cliente, a la que transfiere dichas cantidades. Se trata, en definitiva, de un único contrato, en el que cada uno de los prestamistas ostenta un crédito independiente del resto de los participantes en la operación. Ahora bien, ninguno de ellos puede ejercitar su crédito de forma unilateral, ya que en las relaciones con el prestatario actúa el denominado «banco agente», amparado en un mandato irrevocable. En las relaciones internas rige el principio de la mayoría.

Cada uno de los bancos partícipes en las operaciones de financiación puede ceder su posición, por lo que su naturaleza es controvertida, discutiéndose si es una cesión de crédito o bien una cesión de la posición contractual.

VII. LA SOLIDARIDAD DE OBLIGACIONES EN EL FUERO NUEVO DE NAVARRA

El Fuero Nuevo de Navarra, bajo el epígrafe «presunción de divisibilidad», dedica la ley 491 a la pluralidad de sujetos en la relación obligatoria. En ella se dice que «salvo que la ley o el pacto declaren que varios acreedores o deudores que intervienen en la obligación lo son solidariamente, o así resulte de la naturaleza o circunstancias de la misma, se considerará que lo son por partes divididas, tanto activa como pasivamente». Son dos las notas que pueden destacarse en este precepto. En primer lugar, que sustituye el término mancomunidad por el de divisibilidad. En segundo término, a diferencia del artículo 1137 del CC, establece como fuente de la solidaridad no sólo el pacto, sino también la ley, declarando, además, que la solidaridad puede resultar de la naturaleza o circunstancias de la obligación. En definitiva, adopta el criterio jurisprudencial de que la solidaridad puede deducirse de la propia voluntad negocial.

También puede apreciarse que la ley 491 del FN, a diferencia de lo que hace el artículo 1138 del CC, que establece una presunción de división por partes iguales, no contiene, en cambio, ninguna referencia a propósito de la cuantía en que debe concretarse la división. Sin embargo, el criterio de la división por partes iguales es defendido también en el Derecho civil de Navarra para el supuesto de que los coacreedores o codeudores no hubieran manifestado de forma expresa nada en el momento de constituirse la obligación, así como en la hipótesis de que no fuera posible justificar un reparto desigual que se derivase de la relación existente entre ellos (EGUSQUIZA).

BIBLIOGRAFÍA

ALBALADEJO, «Sobre la solidaridad o mancomunidad de los obligados a responder por acto ilícito», ADC, 1963, p. 345; BALLARÍN, «Titularidad solidaria», AAMN, T. XII, Madrid, 1962; CAFFARENA, _La solidaridad de los deudores_, Madrid, 1980; CANO MATA, «El principio jurídico de la solidaridad», en _Libro-homenaje a Lacruz Berdejo_, T. I, Barcelona, 1992, p. 219; CRISTÓBAL MONTES, _Mancomunidad o solidaridad de la responsabilidad plural por acto ilícito civil_, Barcelona, 1985; íd., «La interpretación armónica de los artículos 1141 y 1143 del Código civil», RCDI, 1990, p. 27; íd., «Excepciones oponibles por el deudor solidario», RDP, 1990, p. 863; íd., «El derecho de regreso en la solidaridad de deudores», ADC, 1991, p. 1433; HERNÁNDEZ GIL, «Comentario a la sentencia de 20 de marzo de 1943», RGLJ, 1944, p. 341; íd., «La solidaridad de las obligaciones», RDP, 1946, p. 397; íd., «El principio de la no presunción de la solidaridad», RDP, 1947, p. 81; JORDANO BAREA, «Las obligaciones solidarias», ADC, 1992, p. 847; LACRUZ, «Apuntes sobre las obligaciones solidarias», ADF, T. I, 1975, p., 381; LEÓN ALONSO, _La categoría de la obligación «in solidum»_, Sevilla, 1978; PÉREZ ÁLVAREZ, _Solidaridad en la fianza_, Pamplona, 1986; PÉREZ ESCOLAR, _Responsabilidad solidaria. Delimitación de su alcance a la luz de la nueva legislación procesal civil_, Madrid, 2004; PUIG FERRIOL, «Régimen jurídico de la solidaridad de deudores», _Libro-homenaje a Roca Sastre_, T. II, Madrid, 1976, p. 433; SANCHO REBULLIDA, «La mancomunidad como regla general en las obligaciones con pluralidad de sujetos», _Estudios en honor de Castán Tobeñas_, T. III, Pamplona, 1969, p. 563; SOTO NIETO, «Caracteres fundamentales de la solidaridad pasiva», RDP, 1980, p. 782.

Capítulo V

Clases de obligaciones por razón del objeto (I)

I. OBLIGACIONES POSITIVAS Y NEGATIVAS

Se ha dicho que el objeto de la relación obligatoria es la prestación, y que ésta consiste en el comportamiento (acción u omisión) de dar, hacer o no hacer alguna cosa (art. 1088 CC). De acuerdo con esta idea *obligaciones positivas* son aquellas que consisten en la realización de una determinada actividad: dar o hacer algo, y *obligaciones negativas* son las que consisten en una omisión, es decir, aquellas en que el deudor debe abstenerse de una actividad, que sin la existencia del vínculo obligatorio le sería permitida. El no hacer del deudor puede consistir, bien en no realizar una determinada actividad o bien en permitir que el acreedor realice una actividad que en otro caso tendría derecho a impedir. Esta última es la más corriente en la práctica.

Ahora bien, como a veces un mismo acontecimiento se puede explicar tanto positiva como negativamente, DÍEZ-PICAZO considera que «acaso sea más exacto diferenciar las prestaciones positivas frente a las negativas según que la prestación consista en una alteración o en un cambio en el estado de cosas existente en el momento de la celebración del negocio constitutivo de la relación obligatoria, o en el mantenimiento inalterable de tal situación o estado de cosas».

Esta distinción de obligaciones de dar, hacer y no hacer tiene interés práctico por existir reglas especiales respecto de cada una de ellas, por ejemplo, el cumplimiento forzoso y la mora del deudor no se desenvuelven de la misma manera.

> Según el artículo 1088, párrafo 1.º, de la PMDOC, «en virtud de una obligación, el acreedor tiene derecho a exigir una prestación que puede consistir en dar, hacer o no hacer alguna cosa».

1. Obligaciones de dar

Las *obligaciones de dar* son aquellas que tienen por objeto la actividad dirigida a la entrega de una cosa.

La entrega de una cosa puede estar dirigida a transmitir la propiedad o un derecho real sobre ella (arts. 609, 1445 y 1462 CC), a su restitución o devolución (arts. 1561, 1740, 1766, etc. del CC) o simplemente a ceder el uso o tenencia de esa cosa (arts. 1543, 1740, 1758, etc. del CC). Conviene advertir que las posiciones de acreedor y deudor a veces aparecen intercambiadas, así, por ejemplo: el prestamista es deudor en la entrega y acreedor en la restitución.

El Código civil dedica a estas obligaciones una serie de reglas que no sólo fijan su alcance, sino que, en ocasiones, amplían su contenido:

1.ª El obligado a dar alguna cosa lo está también a conservarla con la diligencia propia de un buen padre de familia (art. 1094 CC).[1] Esta obligación de conservar incumbe tanto a la persona que se encuentra obligada a entregar como a aquella otra que debe restituir. LARENZ incluye esta obligación entre los que denomina «deberes de conducta» o actuaciones del deudor distintas de la obligación principal pero que, por exigencias de la buena fe, se deben considerar incluidas en ella.

2.ª El obligado a entregar alguna cosa lo está también a entregar todos sus accesorios, aunque no hayan sido mencionados (art. 1097 CC en relación con los arts. 346 y 347 CC). DÍEZ-PICAZO indica que la obligación de entregar los accesorios comprende las partes integrantes, pertenencias, cosas auxiliares, con que la cosa principal objeto de entrega contara ya con anterioridad, y en general todo aquello que la buena fe y los usos del tráfico impongan como accesorio para que la cosa pueda ser útil al acreedor de acuerdo con su destino económico. Igualmente, la STS de 17 de abril de 1964 declara que «la obligación de entrega de la cosa vendida comprende la de las auxiliares o complementarias sin las cuales quedaría frustrada la finalidad de los contratos traslativos y sus efectos registrales»; añadiéndose que «en las ventas de vehículos es necesario para que se produzca la transferencia de su posesión jurídica que la documentación de los mismos esté totalmente en regla».[2]

> El artículo 1095, párrafo 2.º, de la PMDOC señala que «la obligación de dar cosa determinada comprende el deber de entregar todos sus accesorios».

3.ª El acreedor tiene derecho a los frutos de la cosa desde que nace la obligación de entrega (art. 1095 CC). Este derecho a los frutos se limita al caso de que la obligación sea de dar cosa determinada. El derecho a los frutos es un derecho de crédito,[3] ya que el derecho real sobre ellos y la cosa que los produce se adquirirá cuando hayan sido entregados (arts. 609 y 1095 CC, en los que se pone de manifiesto que en nuestro Derecho se ha adoptado el sistema del título y modo).

> Según el artículo 1095, párrafo 1.º, de la PMDOC, «el acreedor tiene derecho a los frutos de la cosa desde que la obligación de entregarla es exigible».

---

1. Cfr. STS de 29 de diciembre de 1928 (JC, VII-176).
2. RJ 1964, 1950, 1950.
3. Cfr. STS de 4 de junio de 1968 (RJ 1968, 3065).

4.ª El deudor que se constituye en mora, o se haya comprometido a entregar una misma cosa a dos o más personas distintas, responde de los casos fortuitos hasta que se realice la entrega (art. 1096, párr. 3.º, CC). A la inversa, si la pérdida de la cosa, sobrevenida por caso fortuito, tiene lugar antes de que incurra en mora el deudor, soportará el riesgo el acreedor.

5.ª Cuando lo que deba entregarse sea una cosa determinada, el acreedor puede compeler al deudor a que realice la entrega (art. 1096, párr. 1.º, CC). También podrá pedir, simultáneamente, el resarcimiento de los daños que se hubiesen ocasionado por el retraso.[4]

Si la cosa fuere indeterminada o genérica, el acreedor podrá pedir que la obligación se cumpla a expensas del deudor (cfr. art. 1096, párr. 2.º, CC), es decir, que se adquiera la cosa y se entregue, siempre que ello sea posible.

Como puede observarse, el estudio del Código civil pone de relieve que en las obligaciones de dar, si es posible, el cumplimiento forzoso puede ser exigido en forma específica. Criterio que ratifica la Ley de enjuiciamiento civil al tratar de la ejecución de los deberes de entregar cosas (cfr. arts. 701-704 LEC).

2. Obligaciones de hacer

Las _obligaciones de hacer_ son aquellas que tienen por objeto una prestación consistente en desarrollar una actividad distinta de la de dar. La actividad puede ser o no personalísima, según que se haya tomado en consideración o no a la persona del deudor (_intuitu personae_). Si se tratase de un hacer personalísimo, en que la calidad y circunstancias de la persona del deudor se hubiesen tenido en cuenta al establecer la obligación, el acreedor no podrá ser compelido a recibir la prestación o el servicio de un tercero (art. 1161 CC).

Efectos de la obligación positiva de hacer son los siguientes:

1.º El deudor debe realizar la prestación sin contravenir el tenor de la obligación (arts. 1091 y 1098, párr. 2.º, CC).

2.º En caso de incumplimiento, el acreedor puede exigir:

_a)_ Que lo no hecho por el deudor se ejecute a su costa (cfr. art. 1098, párr. 1.º, CC), es decir, que la prestación se ejecute por otra persona o por el mismo juez supliendo la actividad del deudor. No obstante, a pesar del incumplimiento, el ordenamiento jurídico sigue intentando que sea el propio deudor quien realice la prestación, y por ello el artículo 925 de la LEC de 1881 ordenaba que, antes de proceder a ejecutar la prestación por medio de otra persona, el tribunal estableciera un plazo para que el mismo deudor, en fase de ejecución de la sentencia, realizase la prestación. En sentido similar se pronuncia la vigente Ley de enjuiciamiento civil (cfr. arts. 705, 706 y 708 LEC).

> Como resulta desproporcionado obligar al deudor a cumplir el contrato en sus propios términos cuando su prestación es de hacer, el ordenamiento establece una serie de remedios supletorios que le permitan obtener, «en caso de que no haya

---

4. Cfr. STS de 25 de marzo de 1964 (RJ 1964, 1717).

cumplimiento de lo debido, en forma específica o in natura, un equivalente pecuniario o una completa reparación del daño producido».[5]

b) Que lo mal hecho se deshaga, también a costa del deudor (art. 1098, párr. 2.º, CC). Según advierte HERNÁNDEZ GIL, «el Código civil contempla aquí la hipótesis de que la transgresión por el deudor proceda, no de la mera omisión de lo que debió hacer, sino de haber hecho algo distinto de lo que debió. Pero este hacer algo distinto no es por sí sólo transgresión, sino en la medida en que se oponga a lo que debió hacerse. En tal caso es cuando podrá decretarse que se deshaga lo mal hecho».

c) Si la obligación es personalísima, que se indemnicen los daños y perjuicios causados (arts. 1101 y 1161 CC).

> Según la STS de 11 de mayo de 1991, «es requisito ineludible que el incumplimiento sea atribuible a un acto voluntario (doloso o culposo) del propio obligado».[6]

También en este caso, a pesar del incumplimiento y consiguiente reclamación judicial, el artículo 924 de la LEC de 1881 mandaba que al deudor se le señalara un plazo para que realizase la prestación, de manera que transcurrido dicho plazo si que se hubiera llevado a cabo la prestación se entendía que optaba por el resarcimiento de daños y perjuicios. La vigente Ley de enjuiciamiento civil concede al ejecutante la posibilidad de optar entre pedir que la ejecución siga adelante por el equivalente pecuniario de la prestación de hacer o solicitar que se apremie al ejecutado con una multa por cada mes que transcurra sin llevar a cabo la prestación desde la finalización del plazo concedido al efecto. Si al cabo de un año el ejecutado continuare rehusando hacer lo que dispusiese el título ejecutivo, proseguirá la ejecución para entregar al ejecutante un equivalente pecuniario de la prestación o para la adopción de cualesquiera otras medidas que resulten idóneas para la satisfacción del ejecutante (cfr. arts. 699 y 709 LEC).

Obligaciones de actividad y de resultado. En las obligaciones de hacer se suele distinguir según que el deudor se haya obligado a la actividad en sí misma considerada, aunque ésta se dirija a la consecución del resultado, o, por el contrario, el resultado que se obtenga sea el objeto de la prestación. En el primer caso se habla de *obligaciones de medios* o *de actividad,* en las que el deudor cumple desarrollando la actividad o comportamiento preciso, aunque no se logre el resultado, por ejemplo: la obligación del médico (contractual o extracontractual) y, en general, del personal sanitario no es la de obtener en todo caso la recuperación o sanidad del enfermo, o, lo que es lo mismo, no es la suya una obligación de resultado, sino una obligación de medios o actividad. Es decir, el médico no se obliga a sanar inexcusablemente al paciente, sino a suministrarle todos los cuidados que requiera para su curación según el estado actual de la ciencia médica (*lex artis ad hoc*), sin que se pueda exigir al facultativo el vencer dificultades que puedan ser equiparadas a la imposibilidad, por exigir sacrificios desproporcionados o por otros motivos.[7] Por ello su responsabilidad ha de basarse en una culpa incontestable: será el acreedor el que tendrá que demostrar la falta de diligencia en

---

5. Cfr. STS de 27 de febrero de 2006 (RJ 2006, 926).
6. RJ 1991, 3658.
7. Cfr. SSTS de 26 de mayo de 1986 (RJ 1986, 2824), 11 de marzo de 1991 (RJ 1991, 2209) y 15 de octubre de 1996 (RJ 1996, 7112).

el deudor y, por consiguiente, la indemnización de daños y perjuicios deberá ponderarse según las consecuencias a que haya dado lugar la acreditada negligencia.

Como señala el Tribunal Supremo, «en la conducta de los profesionales sanitarios queda descartada toda clase de responsabilidad más o menos objetiva, sin que opere la inversión de la carga de la prueba, admitida por esta Sala para los daños de otro origen, estando, por tanto, a cargo del paciente la prueba de la culpa y de la relación o nexo de causalidad, ya que a la relación causal material o física ha de sumarse el reproche culpabilístico, por lo que no hay responsabilidad sanitaria cuando no es posible establecer la relación de causalidad culposa, por no depender de la misma el resultado dañoso».[8] No obstante, en algunos casos el Tribunal Supremo llega a establecer la inversión de la carga de la prueba, no con base en una presunción de culpabilidad, sino porque el profesional sanitario maneja dispositivos objetivamente peligrosos (fármacos) para los demás.[9] Por otra parte, el Tribunal Supremo también admite la prueba de presunciones con la finalidad de proteger al enfermo, concretamente funda la responsabilidad médica en la producción de un resultado dañoso desproporcionado, que normalmente no se produce más que cuando media una conducta negligente.[10]

En cambio, en el segundo supuesto, se trata de *obligaciones de resultado* o *determinadas*, pues en ellas el resultado se incorpora al comportamiento y, por tanto, sólo hay cumplimiento si aquél se logra, con independencia del trabajo o tiempo que haya sido necesario para conseguirlo. Por ejemplo, la obligación del contratista, que se obliga a construir un chalé, ya que, en este caso, si el resultado no se produce, habrá incumplimiento, a no ser que el deudor demuestre la existencia de un caso fortuito.

Para determinar si se trata de una obligación de medios o de resultado, por regla general será precisa una indagación de la voluntad de las partes de acuerdo con los criterios de los usos del tráfico. Según señala la doctrina francesa, en defecto de otras circunstancias que permitan descubrir esta voluntad, se deberá indagar si la realización del fin perseguido mediante el contrato presenta o no un *alea*. Cuando su realización es aleatoria, se debe suponer que la obligación asumida es solamente de prudencia y diligencia. En cambio, cuando no es aleatoria, se puede entender que el deudor se ha comprometido a su realización. Obsérvese que las obligaciones de algunos profesionales pueden ser, según se configure la prestación, bien de medios o bien de resultado, por ejemplo: la elaboración de un dictamen por parte de un abogado es una obligación de resultado, mientras que la evacuación de una consulta por este mismo profesional constituirá una obligación de medios.

No cabe confundir las obligaciones de resultado con las de dar. Se diferencian en que en las obligaciones de dar la cosa preexiste a la prestación, mientras que en aquéllas el resultado es algo nuevo, conseguido mediante la actividad (hacer) del deudor. En caso de duda, el criterio para determinar si una obligación es de medios o de resultado es el de ponderar si el resultado está o no al alcance de quien desarrolla la actividad. En el ejemplo de la obligación del médico, la aleatoriedad del resultado

---

8.   Cfr. SSTS de 15 de noviembre de 1993 (RJ 1993, 9096) y 15 de octubre de 1996 (RJ 1996, 7112).
9.   Cfr. SSTS de 1 de diciembre de 1987 (RJ 1987, 9170) y 17 de junio de 1989 (RJ 1989, 4696).
10. Cfr. STS de 26 de junio de 2006 (RJ 2006, 5554) y las que cita.

permite considerar que el objeto de la prestación lo constituye solamente la actividad, que es medio para la consecución del resultado.

3. Obligaciones de no hacer

Las *obligaciones de no hacer* (o negativas) son aquéllas en que el comportamiento del deudor consiste en una omisión o en una abstención. Como dice ENGEL, estas obligaciones no tienen por objeto una prestación, pero restringen la esfera de los actos del deudor.

Se suele distinguir según que la conducta omisiva consista en la pura y simple inactividad o en dejar hacer o tolerar. Esta segunda modalidad también es una abstención, pero caracterizada por el hecho de que mediante ella el deudor se ha obligado a permitir o tolerar una actividad del acreedor a la que en otro caso podría oponerse. Dado que en las obligaciones de «no hacer» el deudor no puede incurrir en mora, el incumplimiento consiste en realizar aquello que estaba prohibido; en cuyo caso, en virtud de la remisión que el artículo 1099 del CC hace al artículo 1098 del CC, el acreedor tiene derecho a solicitar que se deshaga lo mal hecho y, si esto no fuere posible, la indemnización de los daños y perjuicios que se le hubiesen causado.

Por su parte, el artículo 925 de la LEC de 1881 prescribía que «si el condenado a no hacer alguna cosa quebrantare la sentencia, se entenderá que opta por el resarcimiento de perjuicios, los que se indemnizarán al que hubiere obtenido la ejecutoria en la forma expresada en el artículo que antecede». Esta disposición no podía interpretarse en el sentido de que el deudor pudiera elegir entre «no hacer» y la indemnización, ya que es de aplicación preferente lo establecido en el artículo 1099 del CC. Por consiguiente, la indemnización de daños y perjuicios sólo procederá en el caso de que después de dictada sentencia el deudor deje de observar el deber de omisión y no sea posible que lo mal hecho se deshaga a su costa. De manera análoga se pronuncia la vigente Ley de enjuiciamiento civil, cuyo artículo 710 dice que «si el condenado a no hacer alguna cosa quebrantare la sentencia, se le requerirá, a instancia del ejecutante, para que deshaga lo mal hecho si fuere posible, indemnice los daños y perjuicios causados y, en su caso, se abstenga de reiterar el quebrantamiento, con apercibimiento de incurrir en el delito de desobediencia a la autoridad judicial». A ello se añade que «si, atendida la naturaleza de la condena de no hacer, su incumplimiento no fuera susceptible de reiteración y tampoco fuera posible deshacer lo mal hecho, la ejecución procederá para resarcir al ejecutante por los daños y perjuicios que se le hayan causado».

Un caso de obligación de no hacer o negativa lo constituye el *pacto de exclusiva* (o de no concurrencia). Es frecuente incorporar a determinados contratos (compraventa, suministro, mandato, de obra, de servicios, de edición, etc.) la llamada «cláusula o pacto de exclusiva». Supone (la exclusiva) una obligación de no hacer respecto del tipo de prestación objeto del contrato, que puede ser unilateral: obligación de no realizar en favor de otros una prestación semejante (lo que se refleja en un mayor valor de la prestación para el acreedor, aparentemente en una cualidad de la prestación) o bien obligación de no recibir de otros una prestación semejante, que se refleja a favor del deudor en un mayor valor de su actividad (acaparamiento del mercado) o bien bilateral.[11] El pacto únicamente extiende su eficacia entre las partes y no puede ser opuesto a terceros, respecto de los cuales es, en principio, válido el negocio concluido por el deudor infringiendo la obligación. No obstante, en este caso, corresponderá al acreedor una acción de indemnización de daños y perjuicios tanto contra el deudor como contra el tercero que coopera a la violación del pacto: la primera de naturaleza contractual y la segunda basada en la culpa extracontractual.[12]

Otros ejemplos de este tipo de obligaciones se encuentran recogidos en el Código civil. Así, por ejemplo, el arrendador no puede variar la forma de la cosa arrendada (art. 1557 CC), y el depositario no puede servirse de la cosa depositada sin permiso expreso del depositante (art. 1767 CC).

4. La tutela jurisdiccional de los intereses supraindividuales (colectivos y difusos)

La vigente Ley de enjuiciamiento civil regula, por primera vez en nuestro ordenamiento, la protección de los denominados «intereses colectivos y difusos», cuando éstos existan en el ámbito de las reclamaciones de consumo. No obstante, hay que poner de relieve que la necesidad de proteger tales intereses no se limita en puridad a las relaciones entre profesionales y consumidores, sino que también podrían existir entre profesionales de un determinado sector, personas de un mismo sexo, habitantes de una zona que sufre una ilícita actuación contaminante (P. Gutiérrez de Cabiedes).

En este contexto, repitiendo casi literalmente lo que establecía el artículo 20.1 de la LGDCU de 1984, el artículo 11.1 de la LEC señala que «sin perjuicio de la legitimación individual de los perjudicados, las asociaciones de consumidores y usuarios legalmente constituidas estarán legitimadas para defender en juicio los derechos e intereses de sus asociados y los de la asociación, así como los intereses generales de los consumidores y usuarios». De hecho, según el artículo 24.1 del TRLGDCU, «las asociaciones de consumidores y usuarios constituidas conforme a lo previsto en este título y en la normativa autonómica que les resulte de aplicación, son las únicas legitimadas para actuar en nombre y representación de los intere4ses generales de los consumidores y usuarios. Las asociaciones o cooperativas que no reúnan los requisitos exigidos en este título o en la normativa autonómica que les resulte de aplicación, sólo podrán representar los intereses de sus asociados o de la asociación, pero no los intereses generales, colectivos o difusos, de los consumidores».

> Esto implica que se realiza una distinción y división entre las asociaciones que cumplen los requisitos específicos establecidos en el Título II del TRLGDCU sobre régimen jurídico de las asociaciones de consumidores y usuarios (o en la normativa autonómica que les resulte de aplicación), que tendrán legitimación plena para el ejercicio de acciones en defensa de los intereses de la asociación, de sus asociados y de los llamados intereses generales de los consumidores; y las asociaciones que, no cumpliendo los requisitos específicos de la normativa de consumidores y usuarios, estén, en cambio, constituidas de acuerdo con la legislación general de asociaciones, las cuales sólo podrán ejercer acciones en defensa de la asociación y de sus asociados, pero no de los intereses generales, colectivos o difusos de los consumidores.

---

11. Cfr. STS de 29 de octubre de 1955 (RJ 1955, 3090).
12. Cfr. STS de 23 de marzo de 1921 (JC 1921, I-90).

Las sentencias que se dicten en estos procesos deberán atenerse a los criterios establecidos en el artículo 221 de la LEC, el cual distingue:

1.º Que no se hubieren personado consumidores o usuarios determinados y se ha solicitado una condena dineraria de hacer, no hacer o dar cosa específica o genérica. En cuyo caso, si la sentencia es condenatoria, si es posible, se determinarán individualmente los consumidores y usuarios beneficiados por la condena. Cuando la determinación individual no sea posible, la sentencia establecerá los datos, características y requisitos necesarios para poder exigir el pago y, en su caso, instar la ejecución o intervenir en ella, si la instara la asociación demandante.

2.º Si, como presupuesto de la condena o como pronunciamiento principal o único, se declarara ilícita o no conforme a la ley una determinada actividad o conducta, la sentencia determinará si, conforme a la legislación de protección a los consumidores y usuarios, la declaración ha de surtir efectos procesales no limitados a quienes hayan sido parte en el proceso correspondiente

> Como dice Tapia, se hace referencia a los efectos *ultra partes* que la sentencia de declaración de ilicitud de una determinada actividad o conducta habrá de producir, de tal modo que deberá fijar el ámbito de los sujetos que se verán afectados por dicha declaración, hayan sido o no pare en el proceso, de acuerdo con la regulación sustantiva en esta materia. Esto implica que la declaración judicial se proyectará necesariamente sobre todos esos sujetos, transcendiendo más allá de los estrictos límites subjetivos de quienes hayan efectivamente participado en ese proceso. A pesar de ello, no se trata de propiamente de una extensión subjetiva *ultra partes* de la cosa juzgada, sino que lo que se produce en este caso es una eficacia jurídico-material propia de las sentencias anulatorias, esto es, una modificación jurídica inherente al efecto constitutivo de ese tipo de sentencias, con efectos *erga omnes* (Cordón, Gutiérrez de Cabiedes).

3.º Si se hubieran personado consumidores y usuarios determinados, la sentencia habrá de pronunciarse expresamente sobre sus pretensiones.

Con el fin de averiguar quiénes son los sujetos legitimados para reclamar, hay que atender al criterio de determinación de los perjudicados por un hecho dañoso, que se contiene en los dos siguientes apartados del mencionado artículo 11 de la LEC. Según el apartado 2 de dicho precepto, «cuando los perjudicados por un hecho dañoso sean un grupo de consumidores o usuarios cuyos componentes estén perfectamente determinados o sean fácilmente determinables, la legitimación para pretender la tutela de esos intereses colectivos corresponde a las asociaciones de consumidores y usuarios, a las entidades legalmente constituidas que tengan por objeto la defensa o protección de éstos, así como a los propios grupos de afectados». Por el contrario, cuando los perjudicados por el hecho dañoso sean una pluralidad de consumidores o usuarios indeterminada o de difícil determinación, dice el artículo 11.3 de la LEC que «la legitimación para demandar en juicio la defensa de estos intereses difusos corresponderá exclusivamente a las asociaciones de consumidores y usuarios que, conforme a la Ley, sean representativas».

> Dice el artículo 24.2 del TRLGDCU que «a efectos de lo previsto en el artículo 11.3 de la Ley de Enjuiciamiento Civil, tendrán la consideración legal de asociaciones de consumidores y usuarios representativas las que formen parte del Consejo de Consumidores y Usuarios, salvo que el ámbito territorial del conflicto afecte

fundamentalmente a una Comunidad Autónoma, en cuyo caso se estará a su legislación específica».

Además, el artículo 11.4 de la LEC señala que «las entidades habilitadas a las que se refiere 6.1.8.° estarán legitimadas para el ejercicio de la acción de cesación para la defensa de los intereses colectivos y de los intereses difusos de los consumidores y usuarios. Los Jueces y Tribunales aceptarán dicha lista como prueba de la capacidad de la entidad habilitada para ser parte, sin perjuicio de examinar si la finalidad de la misma y los intereses afectados legitiman el ejercicio de la acción».

El artículo 6.1 de la LEC determina que podrán ser parte en los procesos ante los tribunales civiles, «8.° Las entidades habilitadas conforme a la normativa comunitaria europea para el ejercicio de la acción de cesación en defensa de los intereses colectivos y de los intereses difusos de los consumidores y usuarios».[13]

El apartado 5 del artículo 11 de la LEC añade que «el Ministerio Fiscal estará legitimado para ejercitar cualquier acción en defensa de los intereses de los consumidores y usuario».[14]

Según GUTIÉRREZ DE CABIEDES, el fundamento del otorgamiento de esta legitimación se encontraría en el ejercicio de la función representativa y asistencial, promotora de la actividad jurisdiccional en defensa del _interés social_ que ha caracterizado históricamente a esta institución, y a la que se refiere el artículo 124 de la CE. Aunque los intereses supraindividuales (colectivos y difusos) son algo distinto del interés general, del interés abstracto y objetivo en la pura legalidad, y del interés público que es su misión tradicional proteger, la Constitución otorga también al Ministerio Público la función de «procurar la satisfacción del interés social», ámbito jurídico en que se desenvuelven los intereses supraindividuales. Por tanto, en cuanto a dichos intereses supraindividuales, su legitimación procesal estaría basada en esa función institucional, dada la relevancia social y, en ocasiones, pública que el conflicto puede tener, e incluso de la lesión de derechos fundamentales que el litigio pueda plantear.

II. OBLIGACIONES DE TRACTO ÚNICO Y DE TRACTO SUCESIVO

Según el desarrollo de las obligaciones en el tiempo es posible distinguir entre las de tracto único y las de tracto sucesivo. Estas últimas, a su vez, suelen subdividirse en continuas y periódicas.

1. Obligaciones de tracto único

Las _obligaciones de tracto único_ (transitorias o instantáneas) son aquellas en que la prestación debe cumplirse íntegramente en un acto único (aislado), por ejemplo, la entrega de la cosa y el precio en el contrato de compraventa. Algunos autores consideran también como prestación instantánea aquella que comprende varios actos aislados (ENNECERUS). Esta clase de obligaciones se encuentra sometida a la regla general contenida en el artículo 1169 del CC, a cuyo tenor, «a menos que el contrato expresamente lo autorice, no podrá compelerse al acreedor a recibir parcialmente las prestaciones en que consista la obligación».

---

13. Cfr. artículo 54.1 del TRLGDCU.
14. Cfr. artículo 54.1 a) del TRLGDCU.

2. Obligaciones de tracto sucesivo

Las *obligaciones de tracto sucesivo*, también llamadas duraderas, son aquellas cuyo cumplimiento se desarrolla en el tiempo mediante una serie de actos del deudor. Como se ha indicado, se pueden distinguir dos variantes: las obligaciones continuas y las periódicas.

a) Obligaciones continuas son las que imponen al deudor un comportamiento continuado durante cierto tiempo, normalmente el de duración de la obligación, por ejemplo, la obligación del arrendador de mantener al arrendatario en el goce pacífico del arrendamiento durante todo el tiempo del contrato (art. 1554, núm. 3, CC); o la obligación que asume el depositario de custodiar la cosa durante toda la vida del contrato (art. 1758 CC). A esta categoría pertenecen casi todas las obligaciones negativas (de no hacer).

b) Obligaciones periódicas son aquellas que, siendo susceptibles conforme a su naturaleza de cumplirse en un solo acto, están constituidas por una serie de actos que el deudor debe repetir durante ciertos períodos de tiempo, como sucede en el pago del precio en la venta a plazos, o en el contrato de suministro. Como señala ESPÍN, «la prestación periódica puede obedecer a dos causas completamente distintas, pues puede tratarse de actos periódicos que forman una sola unidad, como en la venta a plazos, o bien tener una cierta autonomía los actos periódicos, como puede suceder en el contrato de suministro, siendo muy diferentes las consecuencias que pueden derivarse en un caso y en otro».

La distinción entre obligaciones de tracto único y de tracto sucesivo tiene trascendencia en orden al tema del cumplimiento, y también respecto de la aplicación de la cláusula *rebus sic stantibus*. En orden al cumplimiento de las obligaciones periódicas, hay dos normas de especial aplicación:

1.ª El recibo del último plazo de un débito, si el acreedor no hiciere reservas, extingue la obligación en cuanto a los plazos anteriores (art. 1110 CC).

2.ª Si el pago debe hacerse por años o en plazos más breves, la acción para exigir el cumplimiento prescribirá a los cincos años (art. 1966.3.ª CC). Es decir, cada prestación prescribe independientemente de las demás.

III. OBLIGACIONES ESPECÍFICAS Y GENÉRICAS

1. Introducción

Se denominan *obligaciones específicas* aquellas en que la cosa objeto de la prestación se encuentra individualmente determinada, por ejemplo, la obligación de entregar el automóvil marca Seat, matrícula C-0000; en ellas, el deudor solo cumple entregando esa misma cosa. En cambio, se dice que son *obligaciones genéricas* aquellas en que la cosa objeto de la prestación es designada únicamente por el género o clase a que pertenece, por ejemplo, son genéricas las obligaciones consistentes en entregar un caballo, un automóvil, cien quintales de trigo, etc. En éstas, el deudor cumple entregando uno cualquiera de los objetos o una determinada cantidad de esos objetos, con tal que pertenezcan al género establecido. Por consiguiente, en la obligación genérica, a diferencia de la específica, existe al señalarse el objeto de la prestación una cierta indeterminación, y por ello se necesita de un acto posterior de individualización o especificación, separando la cosa (o cosas) objeto de la prestación del género al cual pertenece.

Como puede observarse, en el lenguaje jurídico, los términos «género» y «especie» se utilizan en un sentido diferente a aquel que les atribuye la lógica formal. La palabra especie significa «individuo», y por género se entiende un conjunto más o menos amplio de objetos que tienen una o varias características comunes. La referencia al género puede ser más o menos delimitada, según sean más o menos numerosas las cualidades o características designadas para su determinación.

En las obligaciones genéricas con prestación de dar, por regla general, las cosas que constituyen el objeto de la prestación suelen ser fungibles (sustituibles), es decir, aquellas que normalmente se determinan por su peso, número o medida; por el contrario, en las obligaciones específicas ordinariamente la prestación tiene por objeto cosas no fungibles (insustituibles), que se señalan según sus cualidades individuales. Sin embargo, estas ideas de género y fungibilidad no siempre se identifican, ya que la obligación genérica puede tener por objeto una cosa no fungible (por ejemplo, una persona se obliga a entregar un cuadro de determinado pintor); así como también existen obligaciones específicas en que la prestación tiene por objeto cosas fungibles (por ejemplo, la obligación de entregar la cosecha de un determinado viñedo). Es decir, como advierte Díez-Picazo, «puede existir una discrepancia entre la consideración normal de los bienes en el comercio y su tratamiento y consideración concreta por las partes, pero el criterio decisivo debe ser este último».

> Como indica D'Ors, si bien en el Derecho romano se hacía coincidir la noción de cosa fungible con la de genérica y la de no fungible con la noción de cosa específica, también se admitió que la voluntad de las partes podía considerar como específica una cosa ordinariamente fungible (por ejemplo, el dinero contenido en una bolsa o un cordero marcado dentro de un rebaño), o como genérica la que ordinariamente se identificaba como individual (por ejemplo, tanto peso de ganado vacuno para el matadero o un cierto número de esclavos).

En principio, esta clasificación se aplica a las obligaciones de dar, pero nada se opone a que las obligaciones genéricas tengan por objeto prestaciones consistentes en hacer, como ocurre cuando la prestación debida no depende exclusivamente de las condiciones personales del deudor. En cualquier caso, en una sociedad de consumo como la actual las obligaciones genéricas son las más frecuentes, pues, como señala Lacruz, «hoy la fabricación en serie pone a disposición del público muchos objetos idénticos, o grandes cantidades de materia de calidad homologada y conocida, o cosas sustituibles sin daño del interés de los adquirentes. Objetos que desean las partes sólo por referencia a su cantidad o calidad».

2. Regulación legal

Aunque no las regula sistemáticamente, el Código civil dedica algunos preceptos a esta clase de obligaciones. Concretamente, el artículo 1096 del CC se refiere a la diferencia que existe entre la obligación de entregar cosa determinada y la que consiste en entregar una cosa indeterminada o genérica, mientras que el artículo 1167 del CC se ocupa de los derechos del deudor en orden al cumplimiento de las obligaciones genéricas. En ambas normas se identifican las cosas indeterminadas con las genéricas, con lo que parece darse a entender que la prestación genérica es absolutamente indeterminada, cuando en realidad es perfectamente determinable con base a determinadas cualidades específicas que, previamente, han sido designadas. Una regulación más completa es la que el Código civil establece para los legados de cosas genéricas (arts. 875-877 CC), que, como dice HERNÁNDEZ GIL, en definitiva, son obligaciones genéricas con cargo a los herederos, procedentes del testamento.

A tenor del artículo 1096 de la PMDOC, «si la obligación consistiere en la entrega de una cosa determinada por su género, deberá ser cumplida con cosa sin defecto, perteneciente al género señalado».

3. Concentración o individualización

La obligación genérica, para ser cumplida, necesita concentrarse o especificarse; es decir, exige un acto de individualización mediante el cual se procede a separar del género aquella cosa (o cosas) que el deudor se ha obligado a entregar al acreedor. Cuando este acto tiene lugar la obligación deja de ser genérica y se convierte en específica.

Es a lo que se refiere el artículo 1098 de la PMDOC cuando dice que «la obligación genérica se convierte en específica cuando el deudor haya hecho todo lo que le incumbe para la entrega».

Dicho acto plantea tres importantes cuestiones: *a*) quién puede elegir o separar; *b*) dentro de qué límites, y *c*) en qué momento.

a) Ante la falta de una disposición legal expresa sobre a quién corresponde el derecho de elección o separación, en primer lugar, por extensión analógica de lo ordenado en el artículo 1132 del CC respecto de las obligaciones alternativas, se aplica la regla *favor debitoris*; por lo que, salvo pacto en contrario, corresponde hacer la individualización al deudor. Es el mismo criterio que se establece en el artículo 875 del CC para el legado de cosa genérica, pues este precepto concede la facultad de elección al heredero, el cual ocupa la posición de deudor respecto del legatario. También es posible encomendar esta facultad al acreedor o a un tercero, criterio que encuentra apoyo en los artículos 1255, 1132, 1447 y 1690 del CC. Por supuesto, cabe la especificación por acuerdo de acreedor y deudor en el que convienen cuál ha de ser la cosa que pase a ser objeto de la prestación.

El artículo 1096 de la PMDOC señala que «la elección, salvo que esté atribuida a otra persona, corresponderá al deudor».

b) En defecto de pacto, el deudor o, en su caso, el acreedor no tiene libertad absoluta para ejercitar su derecho de elección, pues el artículo 1167 del CC establece que «cuando la obligación consista en entregar un cosa indeterminada o genérica, cuya calidad y circunstancias no se hubiesen expresado, el acreedor no podrá exigirla de la calidad superior, ni el deudor entregarla de la inferior»;[15] es decir, que dentro del género convenido habrán de elegirse cosas de una calidad media.

DÍAZ PAIRÓ entiende que el deudor no podrá liberarse entregando una cosa de la calidad inferior, pero sí la que inmediatamente sigue a ésta, sin que tenga que ser una cosa de calidad media.

---

15. Cfr. art. 875, párrafo 3.º, del CC.

Ahora bien, como dice Caffarena, la determinación de la calidad y circunstancias de la cosa también puede deducirse de la interpretación del contrato (cfr. arts. 1281 y ss. CC) y de la integración del mismo con base en la buena fe y los usos (cfr. art. 1258 CC), pues, según argumenta este autor, ¿por qué el vendedor no debe poder prestar cosas de calidad inferior a la media, si el precio es inferior al precio medio? Por consiguiente, si se acepta este criterio, deberá afirmarse que el artículo 1167 del CC es una norma de carácter final o de cierre, que únicamente se aplicará cuando ninguno de los otros criterios pueda ser aplicable.

> Según el artículo 1097 de la PMDOC, «cuando la calidad de la cosa no resulte del contenido del contrato, el acreedor no podrá elegirla de las superiores ni el deudor entregarla de las inferiores».

c) Normalmente la individualización se llevará a cabo de forma simultánea al cumplimiento: al entregar el deudor la cosa (o cosas) por él elegida y aceptarla el acreedor. Pero nada se opone a que la concentración tenga lugar antes del cumplimiento, mediante el apartamiento o separación de las cosas que se van a entregar (marcando los sacos, cajas o envases en que se contienen, o expresándolo así a otras personas), si bien en este caso no es suficiente el acto unilateral del deudor, sino que necesita de la intervención del acreedor, aceptando expresa o tácitamente la concentración efectuada por el deudor o bien llevarla a cabo mediante acuerdo bilateral de ambas partes. De hecho, según advierte Díaz Pairó, no puede modificarse por voluntad unilateral la situación jurídica creada, alterando la distribución del riesgo, y dejando al acreedor entregado a la buena fe del deudor, dada la posibilidad de que éste alegue que las cosas que perecieron por hecho fortuito fueron las que previamente había apartado, concretando en ellas la obligación.

> La STS de 13 de junio de 1944 acoge la tesis de la cooperación del acreedor a la elección que se realice antes del cumplimiento, al declarar que «si bien es cierto que la obligación genérica puede ser matizada por circunstancias que la transformen a ciertos efectos en obligación específica mediante la individualización o la delimitación del género en alguna de sus múltiples formas, es preciso reconocer que no hay en autos elemento alguno de juicio acreditativo de tal transformación por acto bilateral de separación o apartamiento del aceite vendido de la masa mayor que el deudor tenía en Jaén, ni hay indicación de que la venta se hiciera refiriéndola a determinada procedencia o cosecha, ni a género que estuviera localizado en cierto sitio, ni a mercancía que haya sido entregada por tradición *ficta* al comprador poniéndola a su disposición sobre vagón Jaén, ni que haya mediado ofrecimiento que el comprador rehusase incurriendo en mora creditoria»; añadiendo que «no cabe atribuir el significado de delimitación del género al hecho, que ni siquiera se comunicó a la compradora, de que el deudor tuviera disponible en sus almacenes de aquella ciudad una cantidad de aceite mayor que la vendida, porque este hecho carece de virtualidad jurídica para individualizar la cosa inicialmente genérica».[16]

La concentración también se produce cuando se pierden o destruyen todas las cosas del género menos una de ellas, sobre la cuál recaerá la obligación de entrega. La probabilidad de esta hipótesis depende del alcance de la relativa indeterminación. Es decir, será muy difícil en el caso de que el género se haya determinado de un

---

16. RJ 1944, 893 bis. Moreu Ballonga se pronuncia a favor de la especificación unilateral con base en la aplicación analógica de los artículos 877, 1133 y 1452, párrafo 3.º, del CC.

modo amplio, exigiendo pocos caracteres, cualidades o circunstancias de las cosas que lo integran; en cambio, la verosimilitud aumenta cuanto más se haya delimitado el género.

La más importante consecuencia jurídica a que da lugar la transformación de la obligación genérica en específica es la de que ya no entra en juego la regla *genus nunquam perit.*

4. Imposibilidad de la prestación

La distinción de obligaciones genéricas y específicas tiene especial relevancia en el caso de extinción por pérdida de la cosa debida, pues, a tenor de lo dispuesto en el artículo 1182 del CC, «quedará extinguida la obligación que consista en entregar una cosa determinada cuando ésta se perdiere o destruyere sin culpa del deudor y antes de haberse éste constituido en mora». Es decir, cuando se trata de obligaciones específicas, al estar perfectamente individualizado el objeto de la prestación, la pérdida sobrevenida de la cosa produce la extinción de la obligación por imposibilidad de cumplimiento, quedando el deudor liberado. Por consiguiente, del anterior precepto se deduce, *a contrario sensu,* que cuando la obligación es genérica no se produce dicho efecto liberatorio y extintivo porque se destruyan o perezcan las cosas (o parte de ellas) con que el deudor pensaba cumplir. Y esto es así porque la obligación no se circunscribía a las cosas concretas que perecieron o se destruyeron, sino a todas las del género, por lo que podrá realizar la prestación entregando otras cosas de ese mismo género pactado. El deudor sólo puede quedar liberado si desaparecen o se destruyen todas las cosas o se hacen imposibles todos los servicios comprendidos dentro del género, porque en nuestro Derecho rige, como ya se ha indicado, el principio *genus nunquam perit.*[17]

La STS de 23 de noviembre de 1962 declaró que en «la deuda o prestación de cosas genéricas, como el género a que pertenecen no perece, el deudor responde frente al acreedor de la pérdida, por lo menos hasta que se delimiten e individualicen en número y calidad».[18]

Ahora bien, conviene aclarar que, como dice VON THUR, «no es éste el sentido en que se habla de riesgos en los contratos bilaterales, y principalmente en el de compraventa, en que no se trata de saber si el deudor (el vendedor) queda o no exento por la destrucción fortuita de la cosa, sino que el problema que se plantea es un problema diferente, propio y peculiar de los contratos bilaterales, a saber, si el deudor, descargado de la obligación, conserva o no el derecho a reclamar la prestación contraria. Son, como se ve, dos acepciones harto diferentes que no cabe reducir a un concepto común».

5. Obligaciones genéricas delimitadas

Se llaman obligaciones genéricas *delimitadas* aquellas en que las partes no sólo han designado el género a que pertenece la cosa, sino que además lo han circunscrito

---

17. Cfr. STS de 27 de abril de 1943 (RJ 1943, 559).
18. RJ 1962, 4612.

o reducido a una parte más o menos amplia del mismo, en virtud de determinadas circunstancias de lugar, tiempo, pertenencia, procedencia, etc. Por ejemplo, la obligación de entregar cien litros de vino de Rioja, marca tal, cosecha de 1980.

> Como ha señalado VON THUR, en la obligación de género delimitado la cantidad de objetos adeudados no se determina dentro de un género, sino dentro de un determinado fondo o existencia de cosas genéricas.

Como antes se ha indicado, el deudor sólo quedará liberado si desaparecen todas las cosas comprendidas dentro del género, en este caso del género delimitado, lo cual es mucho más fácil en este tipo de obligaciones que en las estrictamente genéricas. Sin embargo, en el caso de pérdida parcial, si la cantidad restante es igual o inferior a aquella que debe ser entregada, la concentración o individualización se habrá producido de una manera automática. Precisamente, en virtud de estos efectos, se ha planteado la cuestión de si se trata de verdaderas obligaciones genéricas o, por el contrario, de obligaciones específicas. La opinión más generalizada es la que considera que estas obligaciones continúan siendo genéricas, aunque en virtud de sus particulares características se encuentren sujetas a reglas especiales. ESPÍN considera que la obligación genérica delimitada viene a ocupar un puesto intermedio entre la obligación genérica (no delimitada) y la obligación específica.

No ofrece duda de que en algún caso se planteará la duda de si se pactó una obligación genérica ordinaria o una obligación genérica delimitada. La razón es que, según advierte DÍEZ-PICAZO, siguiendo a LARENZ, «la idea de la obligación genérica delimitada adquiere un sentido diverso cuando la delimitación del género se produce a través del origen o de la fuente de producción de las cosas. La cuestión radica en dilucidar, si a falta de una expresa declaración de las partes, esta delimitación debe entenderse implícitamente establecida. Por ejemplo: si un fabricante de cemento se obliga a suministrar una tonelada, ¿está o no implícito en el pacto que el cemento objeto de contratación es el producido por tal fabricante? La cuestión es un problema de interpretación de la voluntad de las partes y de los usos del tráfico».

IV. OBLIGACIONES ÚNICAS Y MÚLTIPLES

La obligación puede referirse a un sólo objeto, bien sea éste concreto o bien deba tomarse de un género, o a varios. En el primer caso se habla de obligaciones _únicas_ o simples y en el segundo de obligaciones _múltiples_ o compuestas. A su vez, éstas últimas se subdividen en _conjuntivas_, en las que se pueden reclamar todos los objetos, y _alternativas_, en las que sólo se puede reclamar un objeto de entre varios.

V. OBLIGACIONES CONJUNTIVAS

En el género de las obligaciones con pluralidad de objetos, las obligaciones conjuntivas o cumulativas representan la norma. Se trata de aquella hipótesis en la que el deudor debe cumulativamente al mismo acreedor y en virtud de una única relación obligatoria varias prestaciones, por ejemplo, el deudor debe entregar un ordenador, pero también se ha obligado a instalar determinados programas y a enseñar el manejo de los mismos.

Las obligaciones conjuntivas no presentan ninguna especialidad, puesto que bastan las disposiciones generales relativas al cumplimiento e incumplimiento de las obligaciones. La obligación se extingue y el deudor se libera si todas las prestaciones se realizan, lo que no excluye la posibilidad de ejecuciones parciales y sucesivas, si bien la regla general contenida en el artículo 1169 del CC es contraria a la recepción parcial. El problema de determinar si es posible el cumplimiento separado de cada una de las prestaciones deberá resolverse atendiendo a la voluntad de las partes y, en su defecto, al interés del acreedor interpretado de acuerdo con los usos del tráfico. Es decir, deberá admitirse el cumplimiento separado de las distintas prestaciones si el interés del acreedor resulta satisfecho y habrá de negarse en caso contrario. En este sentido, cabe citar el artículo 1491 del CC, que contempla la hipótesis de compra de dos o más animales para formar un tiro, yunta, pareja o juego, y presume que en caso de vicio redhibitorio el interés del comprador (acreedor) no se satisface con uno sólo de ellos, aunque se hubiese señalado un precio separado a cada uno de los animales que lo componen.

VI. OBLIGACIONES ALTERNATIVAS

1. Introducción

Según el artículo 1131 del CC, «el obligado alternativamente a diversas prestaciones debe cumplir por completo una de éstas». Por consiguiente, a tenor de lo dispuesto en este precepto, *obligación alternativa* es aquella que, entre varias prestaciones (o diversas posibilidades de la prestación), puede cumplirse con una sola y completa, bien por elección del acreedor o del deudor. Son ejemplos de obligación alternativa los siguientes: me comprometo a entregar una silla o una mesa, el billete de transporte que permite elegir entre varios trayectos, el legado en que el gravado (o el favorecido) puede elegir entre varios objetos, etc.[19]

> El artículo 1106, párrafo 3.º, de la PMDOC, matiza que «se entiende que hay diversidad de prestaciones no solo cuando recaigan sobre objetos distintos, sino también cuando existan diferencias referentes a sus circunstancias, como el tiempo o el lugar de su cumplimiento».

De manera descriptiva suele decirse que en este tipo de obligaciones existen varias prestaciones en la obligación y una sola en el cumplimiento. Sin embargo, esto no es del todo exacto, pues más que diversas prestaciones existen distintas posibilidades de cumplimiento de la obligación; ya que entre las varias prestaciones originariamente sólo se debe una, si bien se desconoce hasta que se efectúe la elección cuál de ellas es la que se debe realizar. En este sentido, el Tribunal Supremo ha declarado que estas obligaciones se caracterizan por su contenido disyuntivo, con varias posibilidades de prestación en concurrencia no acumulativa y con indeterminación relativa en tanto no se produzca la concentración o concreción antes del cumplimiento o mediante *solutio*.[20]

---

19. El artículo 874 del CC determina que «en los legados alternativos se observará lo dispuesto para las obligaciones de la misma especie, salvas las modificaciones que se deriven de la voluntad expresa del testador».

20. Cfr. SSTS de 3 de octubre de 1980 (RJ 1980, 3613), 14 de noviembre de 1983 (RJ 1983, 6112), 22 de junio de 1984 (RJ 1984, 3257) y 13 de marzo de 1990 (RJ 1990, 1691).

La STS de 11 de mayo de 1959 resolvió el caso en el que se planteaba si constituía una obligación alternativa el convenio en virtud del cual el propietario de un local de negocio se obligaba a respetar en la posesión al arrendatario en la hipótesis de venta o derribo de la finca, y a pagarle cien mil pesetas en caso de incumplimiento. Esta sentencia declaró que los términos de dicha cláusula «excluyen la calificación de alternativa a la obligación contraída, al no tratarse del cumplimiento de uno de la dualidad de objetos que en ella se contienen; ya que de su texto resulta, por el contrario, que existe una obligación principal (la entrega del local) y otra efectiva, secundaria, que es la indemnización a satisfacer, la que viene a compensar, en parte, los daños y perjuicios causados por el incumplimiento».[21]

Las obligaciones alternativas se identifican con las genéricas en la indeterminación inicial de la prestación. Pero se diferencian porque en estas últimas las cosas objeto de la prestación pertenecen al mismo género, mientras que en aquéllas cada una de las varias prestaciones es específica y determinada.

Según Von Thur, «cada una de las prestaciones alternativas puede hallarse determinada en la obligación de modo específico o genérico. La obligación puede, por ejemplo, formularse de este modo: una cosa o una suma de dinero. Un caso de obligación alternativa, con varias prestaciones genéricas, a elección, es la llamada compra con especificación, en que el comprador se reserva la ulterior determinación de la mercancía en cuanto a la forma, dimensión y demás cualidades. Una vez determinada la mercancía la obligación se concentra sobre el género elegido, dentro del cual corresponde al deudor la elección del objeto que ha de entregar. Es uno de los casos de obligación alternativa más frecuentes en la práctica».

Su utilidad práctica es evidente, y se manifiesta desde una doble perspectiva: de una parte, facilitan la contratación en todos aquellos casos en que el interés del acreedor o del deudor necesita de una cierta flexibilidad en la posibilidad de elección de la cosa objeto de la prestación, concediéndole tiempo para decidirse; de otra, aumenta la garantía, pues para la extinción de la obligación alternativa es preciso que perezcan o se destruyan todas las cosas objeto de la prestación sobre las que era posible elegir.

La indeterminación (relativa) inicial, acerca de cuál de las diversas prestaciones posibles será la que deba cumplirse, se resuelve en virtud de la concentración, que puede producirse por la elección o bien mediante el pago. Pero, como dice Hernández Gil, «la concentración no elimina prestaciones, sino posibilidades de prestación que tienen como soporte prestaciones concretas alternativas; elimina la duda, de forma que la prestación única deja de estar representada por aquellas posibilidades de prestación alternativamente concurrentes para ser realmente la prestación en sí por sí».

Según el artículo 1106, párrafo 1.ª, de la PMDOC, «el obligado alternativamente a diversas prestaciones debe cumplir por completo una de éstas».

2. La elección de la prestación

En principio, la elección es trámite necesario para la ejecución de esta clase de obligaciones. A partir de la elección desaparece la indeterminación relativa de la

---

21. RJ 1959, 1992.

prestación, propia de las obligaciones alternativas, y la obligación queda reducida al tipo de las normales.

En palabras del artículo 1107, párrafo 3.°, de la PMDOC, «la obligación alternativa se convierte en simple tras la elección».

Según el artículo 1132, párrafo 1.°, del CC, «la elección corresponde al deudor, a menos que expresamente se hubiese concedido al acreedor» (art. 1136, párr. 1.°, CC). Pero, aunque el Código civil no lo diga expresamente, también es posible otorgar a un tercero la facultad de elección de la prestación, tanto por aplicación de la libertad de pacto contenida en el artículo 1255 del CC, como por evidente razón de analogía con lo dispuesto en los artículos 1115 del CC (que admite que el cumplimiento de la condición dependa de la voluntad de un tercero) y 1447 del CC (en el que se autoriza a que la fijación del precio en la compraventa se deje el arbitrio de persona determinada).

El artículo 1107, párrafo 1.°, de la PMDOC reconoce explícitamente la posibilidad de que sea un tercero el que disponga de la facultad de elegir la prestación, ya que, tras indicar que la elección corresponde al deudor, añade que «a menos que se haya atribuido al acreedor o a un tercero».

Incluso es posible que la elección sea obra del azar, siempre que los hechos que produzcan la concentración fueren objetivos y pueda conocerse en el momento del cumplimiento cuál de las diversas prestaciones es la que debe realizarse.

Para que la elección produzca efecto tiene necesariamente que ser notificada a la otra parte (arts. 1133 y 1136, párr. 1.°, CC), y desde ese día deja la obligación de ser alternativa (art. 1136, párr. 1.°, CC). Por tanto, puede afirmarse que la elección es una declaración unilateral de voluntad recepticia que tiene carácter irrevocable.[22]

LARENZ considera que, una vez efectuado el derecho de elección por aquella parte a la que correspondía y notificado el mismo a la otra, «una alteración posterior únicamente es posible con la aprobación de la otra parte mediante un contrato de modificación».

No obstante, la elección podrá ser rectificada o revocada por el declarante mediante una segunda notificación más rápida, que llegue a conocimiento de la otra parte antes que la primera.

En este sentido, según el artículo 1107, párrafo 2.°, de la PMDOC, «la elección tiene lugar mediante declaración de voluntad dirigida a la otra parte, o a ambas, y es irrevocable desde que llega a su destinatario o destinatarios».

Como no se requiere ningún requisito especial de forma para la notificación, podrá realizarse de cualquier modo, tanto judicial como extrajudicialmente, con tal de que pueda probarse el hecho de la elección. Pero, como la elección da lugar a que la obligación se limite a una sola prestación debida y deje de ser alternativa, con todas las consecuencias que de ello se derivan en orden a los riesgos, es conveniente hacerla por mandamiento judicial o requerimiento notarial. Al no exigirse que la elección sea aceptada por la otra parte,[23] también es posible efectuarla coetáneamente con

---

22. Cfr. STS de 27 de junio de 1916 (JC, III-56).
23. Cfr. STS de 2 de marzo de 1956 (RJ 1956, 1138).

el pago o mediante el pago, en cuyo caso se trataría de una elección tácita y de una notificación expresa.[24]

Si la elección corresponde al deudor, éste no tendrá derecho a elegir las prestaciones imposibles, ilícitas o que no hubieran podido ser objeto de la obligación (art. 1132, párr. 2.º, CC), ni podrá cumplir parte de una y parte de otra, sino que deberá realizar por completo una de las diversas prestaciones (art. 1131 CC). Por razón de analogía, estas limitaciones son de aplicación al acreedor cuando es él quien ostenta la facultad de elección. El deudor o, en su caso, el acreedor que no ejercita la facultad de elección incurre en mora.

> A tenor del artículo 1106, párrafo 2.º, de la PMDOC, «el acreedor no puede ser compelido a recibir parte de una y parte de otra».

Cuando se trata de una relación obligatoria con pluralidad de sujetos (varios deudores, si la elección es del deudor, o varios acreedores, si la elección es del acreedor), ALBALADEJO entiende que la elección habrá de hacerse por mayoría de participaciones (arg. art. 398 CC), salvo si la obligación es solidaria, en cuyo caso bastará que opte por sí solo cualquier deudor o cualquier acreedor (arg. arts. 1141 y ss. CC).

> El artículo 1108, párrafo 1.º, de la PMDOC señala que «cuando la parte a quien corresponda la facultad de elección no la ejercite en el plazo previsto en el título de la obligación, la facultad de elegir pasará a la otra. Lo mismo procederá cuando el título no hubiere fijado el plazo para la elección, si ésta no se realiza en el tiempo debido, atendidas la naturaleza y circunstancias de la obligación». Según el párrafo 2.º del mismo artículo 1108, «si la elección ha sido atribuida a un tercero y éste no la lleva a cabo en el plazo previsto, corresponderá hacerla el Juez».

3. La imposibilidad sobrevenida en la obligación alternativa

Interesa distinguir los casos de imposibilidad sobrevenida de todas las prestaciones por culpa del deudor, o sólo de algunas, bien por culpa del deudor o por caso fortuito. El régimen aplicable a esos supuestos se encuentra establecido en los artículos 1134-1136 del CC, que distinguen dos hipótesis según la elección corresponda al deudor o al acreedor.

3.1. *Elección del deudor*

a) En el caso de que perezcan o se hagan imposibles todas las prestaciones menos una *sin culpa* del deudor, éste perderá el derecho de elección (art. 1134 CC). Es decir, se produce una concentración automática, y el deudor estará obligado a realizar la única prestación posible. Si en lugar de sólo una prestación subsistieran varias, el derecho de elección del deudor quedaría limitado a las que resten.

b) En el caso de que *por culpa* del deudor hubiesen desaparecido todas las cosas que alternativamente fueron objeto de la obligación, o se hubiera hecho imposible el cumplimiento de ésta, el acreedor tendrá derecho a la indemnización de daños y perjuicios (art. 1135, párr. 1.º, CC). Según el párrafo 2.º del artículo 1135 del CC, «la indemnización se fijará tomando por base el valor de la última cosa que hubiese desaparecido, o el del servicio que últimamente se hubiera hecho imposible». Aunque

---

24. Cfr. STS de 22 de junio de 1984 (RJ 1984, 3257).

el precepto legal habla de «indemnización de daños y perjuicios» no se trata más que del valor de la última prestación imposible, ya que se concentró la obligación en ésta y con ella tenía que cumplir el deudor.

Igual que en el supuesto anterior, si devienen imposibles todas las prestaciones menos una, ésta será la que habrá de realizar el deudor. Y si restaren varias como posibles, a ellas se concreta el derecho de elección del deudor.

3.2. *Elección del acreedor*

a) Si alguna de las cosas se hubiese perdido *por caso fortuito*, el deudor cumplirá entregando la que el acreedor elija entre las restantes, o la que haya quedado, si una sola subsistiera (art. 1136, regla 1.ª, CC).

b) Si la pérdida de alguna de las cosas hubiese sobrevenido *por culpa del deudor*, el acreedor podrá reclamar cualquiera de las que subsistan, o el precio de la que, por culpa de aquél, hubiera desaparecido (art. 1136, regla 2.ª, CC).

c) Si todas las cosas se hubiesen perdido por *culpa del deudor*, la elección del acreedor recaerá sobre su precio (art. 1136, regla 3.ª, CC).

Las mismas reglas se aplicarán a las obligaciones de hacer o de no hacer, en el caso de que alguna o todas las prestaciones resultaron imposibles (cfr. art. 1136, último párr., CC).

Como dice ALBALADEJO, combinando las reglas expuestas se obtiene la solución para el supuesto de que unas prestaciones se hagan imposibles por culpa del deudor y otras sin ella.

El artículo 1109 de la PMDOC determina que «la imposibilidad de una o varias prestaciones no limita la facultad de elegir de las partes. Si se eligiera una prestación imposible, se aplicarán, en consideración a ella y a las circunstancias determinantes de la imposibilidad, las normas de responsabilidad contractual así como las de resolución por incumplimiento. El deudor no podrá elegir una prestación imposible, a no ser que la imposibilidad resulte de causa imputable al acreedor».

Según el artículo III.-2:105 del DCFR, «(1) cuando un deudor está obligado a cumplir una de dos o más obligaciones, o a cumplir una obligación en una de dos o más formas, corresponderá al deudor elegir qué obligación cumplir o de qué manera hacerlo, salvo que los términos que regulan las obligaciones u obligación dispongan lo contrario. (2) Si la parte que debía elegir no lo hace en el momento de vencimiento de la obligación, entonces: (a) si la demora supone un incumplimiento esencial, el derecho a elegir corresponderá a la otra parte; (b) si la demora no supone un incumplimiento esencial, la otra parte podrá notificar que fija un plazo adicional con una duración razonable en el que la parte a la que correspondía elegir deberá hacerlo. Si en dicho plazo no lo hiciere, el derecho a elegir corresponderá a la otra parte».

VII. OBLIGACIONES FACULTATIVAS

Las *obligaciones facultativas*, o con facultad alternativa o de sustitución, son aquellas en que el deudor está obligado a una determinada prestación, que constituye el objeto de la relación obligatoria, pero tiene la facultad de cumplir realizando otra prestación previamente establecida, distinta de la debida, mientras que el acreedor únicamente puede exigir el objeto debido (por ejemplo, Pedro se compromete a entregar a Juan la _Historia de Roma_ de MOMMSEN, a no ser que le interese más darle 300 euros). Se trata de obligaciones con una prestación única, por lo que, si el objeto de la prestación perece o se hace imposible la prestación después de nacer la obligación, ésta se extingue, y el deudor no podrá ser compelido por el acreedor a realizar la que estaba _in facultate_ (en sustitución). Según la fórmula tradicional, _una res est in obligatione, altera in facultate solutionis_. DÍEZ-PICAZO considera que la facultad solutoria no es propiamente una facultad de elección, sino que opera como facultad de modificar en el momento del pago la configuración primitiva de la relación obligatoria.

En este sentido, la STS de 23 de enero de 1957 dice que estas obligaciones tienen «como contenido un solo objeto, aunque con la facultad concedida al deudor de cumplir la obligación entregando otro distinto».[25] Y la STS de 28 de febrero de 1961, después de reiterar lo anterior, declara que «la doctrina científica distingue cuidadosamente de la obligación alternativa la obligación con facultad alternativa, facultad de solución, facultad de sustitución, derecho de apartar, no debiéndose en este género de obligaciones una u otra prestación, sino sencillamente sólo una, pero teniendo el deudor derecho a liberarse mediante otra prestación, o sea, el derecho a hacer una prestación a título de cumplimiento, sin necesidad de asentimiento del acreedor (...)».[26] Es decir, la facultad de sustitución o, como dice MARTÍNEZ PEREDA, _ius variandi_ debe ejercitarse por el deudor en el momento del cumplimiento, sin necesidad de asentimiento del acreedor.

Por consiguiente, las _diferencias_ entre estas obligaciones y las alternativas son las siguientes:

_a)_ En las alternativas hay una indeterminación inicial de la prestación: se debe una de entre varias; en cambio, en la obligación facultativa la prestación está perfectamente individualizada desde el principio, si bien el deudor dispone de facultad de sustitución, y, por tanto, puede cumplir mediante la realización de la prestación que se debe (la única que se debe) o con otra.

_b)_ En la obligación facultativa la ilicitud o la imposibilidad originaria de la prestación debida (la única) da lugar a que no nazca la relación obligatoria, aunque sea lícita y posible la prestación _in facultate_ (en sustitución), ya que ésta no es objeto de la obligación. En cambio, para que no llegue a nacer la obligación alternativa, es preciso que la ilicitud o imposibilidad afecte a todas las prestaciones.

_c)_ En la obligación facultativa la destrucción o imposibilidad sobrevenida de la prestación, sin culpa del deudor, da lugar a la extinción del vínculo obligatorio. Si el perecimiento o imposibilidad de la prestación fue debido a culpa del deudor, el acreedor podrá pedir la indemnización de daños y perjuicios, pero el deudor podrá liberarse cumpliendo la prestación que estaba _in solutione_.

La facultad de cumplir mediante la prestación _in solutione_ es renunciable. Renuncia que puede ser expresa o tácita.[27] Como dice LARENZ, la declaración del deudor de

---

25. RJ 1957, 1527.
26. RJ 1961, 915. Cfr. STS de 13 de marzo de 1990 (RJ 1990, 1691) y las que cita.
27. Cfr. STS de 2 de junio de 1910 (JC 1910, II-44).

querer cumplir la prestación «en sustitución» no modifica en nada la situación jurídica, e implica únicamente una simple notificación de lo que intenta y, por ello, jurídicamente no le vincula. En cambio, cuando el deudor declara querer cumplir la prestación debida, puede hablarse de una renuncia a su facultad de sustitución.

El Código civil no regula esta modalidad de obligaciones, pero su admisión se deduce con claridad de lo dispuesto en los artículos 1091, 1255 y 1166, párrafo 2.°, del CC. No obstante, aunque su origen sea normalmente voluntario (por contrato o testamento), el Código recoge una serie de supuestos de obligación facultativa. Concretamente, el artículo 1153 del CC, en su inciso primero, dice que «el deudor no podrá eximirse de cumplir la obligación pagando la pena, sino en el caso de que expresamente le hubiese sido reservado este derecho». Otro caso es el del artículo 839 del CC, según el cual, «los herederos podrán satisfacer al cónyuge su parte del usufructo, asignándole una renta vitalicia, los productos de determinados bienes, o un capital en efectivo, procediendo de mutuo acuerdo y, en su defecto, por virtud de mandato judicial» (art. 840 CC). También se contempla esta figura en el artículo 1077 del CC, que se refiere a la rescisión de la partición por lesión, y dispone que, si uno de los herederos pretende la rescisión por esta causa, «el heredero demandado podrá optar entre indemnizar el daño o consentir que se proceda a nueva partición».

VATTIER considera que el abandono liberatorio de las obligaciones *propter rem*, así como las opciones a que se refieren los artículos 378, párrafo 2.°, y 453, párrafo 2.°, del CC, son supuestos de obligaciones facultativas.

En la práctica, puede plantear cierta dificultad diferenciar la obligación facultativa de la alternativa con elección a favor del deudor. Para resolverlo, en primer lugar, habrá que atender a la intención de las partes, y en el caso de que no se logre averiguar cual fue esta, se deberá aplicar la regla del *favor debitoris* y, por tanto, decantarse por la existencia de una obligación facultativa.

BIBLIOGRAFÍA

CAFFARENA, «*Genus nunquam perit*», ADC, 1982, p. 291; íd., «El requisito de la identidad del pago en las obligaciones genéricas», ADC, 1985, p. 909; CABANILLAS SÁNCHEZ, *Las obligaciones de actividad y de resultado*, Barcelona, 1993; COSSÍO, «La transmisión de la propiedad y de los riesgos en las obligaciones genéricas», ADC, 1953, p. 597; DE ÁNGEL YAGÜEZ, «Servidumbre negativa y obligación de no hacer», RCDI, 1976, p. 621; DE LA CUESTA, «Las obligaciones alternativas», RDP, 1984, p. 3; D'ORS, A., «En torno a la llamada obligación alternativa», RDP, 1944, p. 1; EGUSQUIZA, *La configuración jurídica de las obligaciones negativas*, Barcelona, 1990; GUTIÉRREZ DE CABIEDES, *La tutela jurisdiccional de los intereses supraindividuales: colectivos y difusos*, Pamplona, 1999; JORDANO FRAGA, «Obligaciones de medios y de resultado (A propósito de alguna jurisprudencia reciente)», ADC, 1991, p. 5; GARCÍA VALDECASAS, A., «Obligaciones genéricas y cosa fungible», ADC, 1948, p. 1560; HERNÁNDEZ GIL, «Naturaleza de la obligación alternativa», RDP, 1942, p. 549; LEDESMA MARTÍNEZ, *Las obligaciones de hacer*, Granada, 1999; LOBATO GÓMEZ, «Contribución al estudio de la distinción entre las obligaciones de medios y las obligaciones de resultado», ADC, 1992, p.651; MARTÍNEZ PEREDA, «Las obligaciones facultativas en el Derecho español», ADC, 1972, p. 475; MORENO QUESADA, B., «Problemática de las obligaciones de hacer», RDP, 1976, p. 467; MOREU BALLONGA, «En defensa del criterio de especificación unilateral notificada», ADC, 1985, p. 3; PUENTE MUÑOZ, «El pacto de exclusiva en la compraventa y en el suministro», RDM, 1967, p. 75; íd., «El pacto de exclusiva en la jurisprudencia del Tribunal Supremo», RDM, 1971, p. 443; RAMS ALBESA, _Las obligaciones alternativas_, Madrid, 1982; RUIZ-RICO RUIZ-MORÓN, «Las causas de extinción del artículo 1156 del Código civil y su aplicación a las obligaciones con prestación facultativa», RDP, 1988, p. 114; SÁNCHEZ CALERO, «Las obligaciones genéricas», RDP, 1980, p. 644; VATTIER FUENZALIDA, «Contribución al estudio de las obligaciones facultativas», RDP, 1982, p. 643.

Clases de obligaciones por razón del objeto (II)

I. OBLIGACIONES DIVISIBLES E INDIVISIBLES

1. Introducción

Se considera *divisible* una obligación cuando su objeto es susceptible de fraccionarse y el cumplimiento puede realizarse mediante acumulación de prestaciones parciales homogéneas, las cuales se diferencian de la prestación total cuantitativamente, pero no cualitativamente; como sucede, por ejemplo, en la obligación de entregar una suma de dinero. En caso contrario, se tratará de una obligación indivisible, por ejemplo: la de entregar un caballo o la de pintar un cuadro. En este sentido, la STS de 19 de junio de 1941 señala como característica de la distinción entre divisibilidad e indivisibilidad el hecho de ser o no susceptible la prestación «de descomposición en partes homogéneas, que aisladamente puedan tener cumplimiento»;[1] y la STS de 22 de noviembre de 1985 declara que la naturaleza de la prestación es indivisible cuando no puede ser realizada por partes «sin alterar la esencia del específico objeto del contrato».[2]

Ahora bien, cabe advertir que esta clasificación depende no sólo de la naturaleza del objeto de la prestación, sino también de la intención expresa o tácita de las partes. Pues, puede ocurrir que la voluntad de las partes otorgue a una obligación el carácter de indivisible, a pesar de que según la naturaleza del objeto de la prestación fuere divisible; en cambio, la voluntad de las partes no puede mudar el carácter de una obligación cuya prestación fuese por propia naturaleza indivisible. Por consiguiente, es posible afirmar que existen dos fuentes o causas de indivisibilidad, una objetiva y otra subjetiva, si bien el Código civil no se ocupa de esta segunda causa.

Cuestión distinta es que el derecho que recaiga sobre una cosa materialmente indivisible sea susceptible de ser dividido intelectualmente en cuotas o partes ideales, y la

---

1. RJ 1941, 754.
2. RJ 1985, 5625.

finalidad de la prestación de dar consista, no en la entrega de la posesión, sino en la transmisión de la propiedad u otro derecho real por cuotas intelectuales; pues, en este caso, la divisibilidad derivada de la propia divisibilidad del derecho sólo es posible cuando exista una pluralidad de sujetos obligados a la transmisión de las respectivas cuotas.

Si bien la trascendencia práctica de esta distinción entre obligaciones divisibles e indivisibles es limitada cuando en la relación obligatoria hay un solo acreedor y un solo deudor aumenta, lógicamente, cuando existe pluralidad de acreedores o de deudores. En el primer caso son de aplicación las normas generales, mientras que en el segundo se origina una mancomunidad (arts. 1149 y 1150 CC).

2. Criterios legales sobre la indivisibilidad

El Código civil se ocupa únicamente de determinar la indivisibilidad derivada de la naturaleza de la prestación o en función del cumplimiento. Y, a este efecto, con base en la clasificación de las obligaciones según sean de dar, de hacer y de no hacer, establece unas reglas en el artículo 1151 del CC.

A tenor de este precepto, son *indivisibles:*

1.º Las obligaciones de dar «cuerpos ciertos». Esta expresión debe entenderse en el sentido de que la obligación de dar puede comprender tanto cosas específicas como genéricas, siempre que estas últimas fueren individuales y no fungibles;[3] pues, con la frase «cuerpos ciertos» el legislador ha querido referirse a aquellas cosas que siendo materialmente divisibles (la entrega de un terreno) o indivisibles (la entrega de un animal) vengan consideradas como una unidad delimitada dentro de la especie o del género. Pero, como advierte Ossorio Morales, este principio debe considerarse como meramente presuntivo, ya que si, por ejemplo, se trata de entregar una finca rústica, que es un cuerpo cierto, nada impide que la voluntad de los contratantes convenga en que pueda ser entregada por partes por el deudor.

2.º Todas aquellas obligaciones «que no sean susceptibles de cumplimiento parcial», como ocurre con las de hacer que tengan por objeto una obra completa. La STS de 19 de junio de 1941 declaró «que la obligación de constituir una sociedad mediante el otorgamiento de la correspondiente escritura pública ofrece como contenido una obligación simple, de naturaleza indivisible»,[4] mientras que la STS de 20 de abril de 1972 consideró indivisible la obligación de construir un chalé.[5]

3.º En general, las obligaciones de no hacer. Pues, aunque el artículo 1151, párrafo 3.º, del CC indique que «la divisibilidad se decidirá por el carácter de la prestación en cada caso particular», se considera casi unánimemente por la doctrina que las obligaciones de no hacer son indivisibles, porque la omisión se quebranta incluso cuando se realiza parcialmente el acto prohibido. La STS de 10 de mayo de 1912 considera como indivisible la obligación de no dedicarse durante un plazo de diez años a determinados negocios,[6] mientras que la STS de 21 de marzo de 1950 dice que es indivisible la obligación de no hacer en el caso de que se trata de no competir un comerciante

---

3. Cfr. SSTS de 7 de octubre de 1972 (RJ 1972, 3938) y 26 de mayo de 1980 (RJ 1980, 1966).
4. RJ 1941, 754.
5. RJ 1972, 1857.
6. JC 1912, II-47.

durante un determinado período de tiempo.[7] Sin embargo, R. Bercovitz precisa que las obligaciones de no hacer son divisibles cuando se puedan descomponer en inactividades cualitativamente proporcionales siempre que conserven su valor económico, y, para demostrarlo, pone el siguiente ejemplo: «si los copropietarios de una finca se comprometen a dejarme pasar por ella, basta que uno de ellos me lo impida para que se produzca un incumplimiento total; en cambio, si tres comerciantes se comprometen a no competir conmigo en determinada zona, no es indiferente para mí que incumpla uno solo o que incumplan dos o los tres». No obstante, a esto cabe objetar que, si la obligación ha sido infringida, ya no es una obligación de no hacer, sino que se ha convertido en una obligación de reparar el daño causado.

Por el contrario, son _divisibles_:

Las obligaciones de hacer cuando tengan por objeto la prestación de un número de días de trabajo, la ejecución de obras por unidades métricas, u otras cosas análogas que por su naturaleza sean susceptibles de cumplimiento parcial. Y, como dice Castán, «por exclusión de lo que el Código dispone acerca de la indivisibilidad de las obligaciones de dar cuerpos ciertos, hay que considerar también como divisibles las de entregar sumas de dinero o cualquier otra cosa de las que se cuentan, pesan o miden».

Por último, hay que indicar que el hecho de que una obligación sea divisible no significa que el deudor pueda cumplirla por partes, pues la ley ha establecido una presunción de indivisibilidad al establecer que «a menos que el contrato expresamente lo autorice, no podrá compelerse al acreedor a recibir parcialmente las prestaciones en que consista la obligación» (art. 1169, párr. 1.º, CC). Precisamente, en este sentido, el artículo 1149 del CC declara que «la divisibilidad o indivisibilidad de las cosas objeto de las obligaciones en que hay un solo deudor y un solo acreedor no altera ni modifica los preceptos del capítulo segundo de este título». Por eso Hernández Gil afirma que «no se identifica plenamente la indivisibilidad de las obligaciones con la indivisibilidad del cumplimiento».

Ahora bien, como señala Mucius Scaevola, «hay un solo criterio para distinguir las obligaciones divisibles de las indivisibles, que es la posibilidad o imposibilidad, respectivamente, de su cumplimiento parcial; que esta posibilidad se determina más bien que por la naturaleza de las cosas, por la intención de los contratantes y el propósito a que respondía la prestación estipulada; que por esto mismo las reglas del artículo 1151 del CC son meras presunciones contra las que cabe invocar la voluntad manifestada en el contrato, y que, por último, y como consecuencia, no hay un solo caso en la práctica que no constituya una simple cuestión de hecho sometida necesariamente a la apreciación de los Tribunales».

Como antes se ha indicado, esta clasificación de las obligaciones en divisibles e indivisibles tiene importancia cuando se trata de obligaciones con pluralidad de sujetos, a las que hacemos expresa remisión.

II. OBLIGACIONES LÍQUIDAS E ILÍQUIDAS

Las obligaciones de cantidad pueden ser líquidas o ilíquidas. Son _obligaciones líquidas_ aquellas cuya cuantía está fijada numéricamente (por ejemplo, Juan debe

---

7.   RJ 1950, 567.

entregar a Luis seiscientos euros), o basta una simple operación aritmética para obtener su cuantía exacta. Son *obligaciones ilíquidas* son aquellas cuya cuantía no se conoce, aunque existan las bases o criterios para su determinación, por ejemplo: la indemnización de daños y perjuicios.

Es doctrina jurisprudencial reiterada que, en el aspecto jurídico, por liquidez ha de entenderse lo que no precise determinación en su cuantía dentro del proceso o en fase de ejecución de sentencia.[8] Por lo tanto, no tienen esta cualidad las cantidades que han de determinarse por lo que resulte del pleito, ni aquellas cuyo *quantum* completo se fija como consecuencia de la prueba practicada en el proceso civil, o aquellas a cuya liquidez se llega en la sentencia recaída.[9] El artículo 571 de la LEC dice que las disposiciones contenidas en el título IV del libro III, dedicado a la ejecución dineraria, «se aplicarán cuando la ejecución forzosa proceda en virtud de un título ejecutivo del que, directa o indirectamente, resulte el deber de entregar una cantidad de dinero líquida». A continuación, el artículo 572 de la LEC dispone que, «para el despacho de la ejecución, se considerará líquida toda cantidad de dinero determinada, que se exprese en el título con letras, cifras o guarismos comprensibles»; aclarando que, «en caso de disconformidad entre distintas expresiones de cantidad, prevalecerá la que conste con letras».

De la distinción de las obligaciones en líquidas e ilíquidas se derivan importantes consecuencias en cuanto al cumplimiento y a la reclamación judicial.

a) En la *obligación líquida:*

1.º Aunque el Código civil establece como principio la presunción de indivisibilidad de las obligaciones (art. 1169, párr. 1.º, CC), en el artículo 1169, párrafo 2.º, dice que «cuando la deuda tuviere una parte líquida y otra ilíquida, podrá exigir el acreedor y hacer el deudor el pago de la primera sin esperar a que se liquide la segunda».[10] La STS de 4 de diciembre de 1975 considera que una deuda es líquida, aunque la liquidación de cuentas efectuada entre las partes contenga la declaración de «salvo error u omisión».[11]

2.º Si lo debido es una cantidad de dinero, «y el deudor incurriera en mora, la indemnización de daños y perjuicios, no habiendo pacto en contrario, consistirá en el pago de los intereses convenidos, y, a falta de convenio en el interés legal» (art. 1108 CC, y Ley sobre modificación del tipo de interés legal del dinero de 29 de junio de 1984).

Es reiterada doctrina jurisprudencial que «los intereses de demora, procedentes por aplicación de lo dispuesto en los artículos 1101 y ss. del CC, nunca pueden apreciarse de oficio, sino que será preciso que se postulen al respecto por la parte interesada»,[12] y, por consiguiente, incurre en vicio de incongruencia la sentencia que condena al abono de los intereses moratorios no pedidos.[13] Sin embargo, esta doctrina no es

---

8. Cfr. STS de 29 de enero de 1985 (RJ 1985, 807).
9. Cfr. STS de 3 de julio de 1984 (RJ 1984, 3793) y las que cita.
10. Cfr. STS de 7 de octubre de 1896 (JC, II-65).
11. RJ 1975, 4323.
12. Cfr. SSTS de 21 de julio de 1998 (RJ 1998, 6129), 5 de abril y 20 de junio de 1994 (RJ 1994, 2937 y 6026), y 31 de diciembre de 2002 (RJ 2002, 1285).
13. Cfr. STS 22 de diciembre de 1976 (RJ 1976, 5577).

aplicable al caso de los intereses de mora procesal, que pueden imponerse de oficio sin necesidad de petición de parte (art. 576 LEC).

3.º Si la deuda es líquida y se ha procedido a su reclamación judicial, en la fase de ejecución de sentencia «se requerirá de pago al ejecutado por la cantidad reclamada en concepto de principal e intereses devengados, en su caso, hasta la fecha de la demanda, y si no pagase en el acto, el tribunal procederá al embargo de sus bienes en la medida suficiente para responder de la cantidad por la que se hubiere despachado la ejecución y las costas de ésta»; agregando que «no se practicará el requerimiento cuando a la demanda ejecutiva se haya acompañado acta notarial que acredite haberse requerido de pago al ejecutado con al menos diez días de antelación» (art. 581 LEC).

b) En la *obligación ilíquida:*

1.º El acreedor no tiene derecho a los intereses. Esta era la opinión del Tribunal Supremo. Según la STS de 28 de febrero de 1975, no existe mora cuando la cantidad solicitada resulta ilíquida, o sea, cuando para conocer la cuantía de la deuda se precisa seguir el juicio, en cuyo caso el abono de intereses solo procedería desde el instante de la firmeza de la sentencia; sin perjuicio de la posibilidad que asista al deudor de reclamar una indemnización por otro concepto.[14] Sin embargo, este criterio ha sido rectificado y la STS de 30 de julio de 1999 declara que «es una doctrina jurisprudencial moderna y que ya se puede estimar como pacífica y consolidada, la que determina que el principio *in iliquidis non fit mora* está absolutamente superado, por razones de equilibrio económico y de justicia distributiva, puesto que llevado a un extremo literal podría constituir un empobrecimiento injusto, y así se especifica por todas en las sentencias de 21 de marzo de 1994 y 13 de octubre de 1997», en las que se declara que la completa satisfacción de los derechos del acreedor exige que se le abonen los intereses «desde el momento en que se procedió a la exigencia judicial».[15]

2.º Si la deuda es ilíquida y se ha procedido a la reclamación judicial de la misma, según el artículo 923 de la LEC de 1881, «si la sentencia contuviere condena de (...) entregar alguna cosa o cantidad ilíquida se procederá a darle cumplimiento, empleando los medios necesarios al efecto (...)». Entre tales medios figura, si no puede tener inmediato cumplimiento la ejecutoria, cualquiera que sea la causa que lo impida, el que «podrá decretarse el embargo de bienes a instancia del acreedor en cantidad suficiente, a juicio del Juez, para asegurar el principal y las costas de la ejecución». Como puede observarse, este embargo, a diferencia del anterior, precisa de la concurrencia de dos requisitos: *a)* que la ejecutoria no pueda tender inmediato cumplimiento, y *b)* que se encuentre sometido a que el juez lo estime procedente. Ahora bien, con la vigente Ley de enjuiciamiento civil entendemos que será de aplicación lo dispuesto en el artículo 700 de la LEC y, por consiguiente, el tribunal, a instancia del ejecutante, podrá acordar las medidas de garantía que resulten adecuadas para asegurar la efectividad de la condena. En todo caso, si el ejecutante lo solicita, se acordará el embargo de bienes del ejecutado en cantidad suficiente para asegurar el pago de las eventuales indemnizaciones sustitutorias y las costas de la ejecución.

---

14. RJ 1975, 822. Cfr. SSTS de 18 de noviembre de 1960 (RJ 1960, 3467), 17 de mayo de 1962 (RJ 1962, 2246), 24 de abril de 1972 (RJ 1972, 3583), 27 de abril de 1978 (RJ 1978, 1458) y 4 de abril de 1986 (RJ 1986, 1793), entre otras muchas.
15. RJ 1999, 6218. Cfr. STS de 8 de marzo de 2002 (RJ 2002, 2425).

III. OBLIGACIONES PECUNIARIAS

1. Introducción

Las *obligaciones pecuniarias* o *dinerarias*, las más frecuentes en la vida diaria, son aquellas en que la prestación consiste en la entrega de una suma de dinero.

La pregunta de qué es el dinero suele contestarse de un modo apriorístico, pues normalmente no se le define en virtud de lo que realmente es, sino en relación con las funciones que cumple. Estas funciones son tres: el dinero es un instrumento de cambio, una medida de valor y un medio de pago. En su primera función el dinero sirve para el intercambio de bienes y servicios, y necesita concretarse en una realidad material o cosa (moneda metálica, papel moneda, dinero bancario como el cheque, etc.), si bien el requisito esencial para que una cosa sea medio de cambio es el de ser aceptada por todos. Otra función del dinero es la de servir de módulo del valor de los demás bienes: es decir, se trata de una unidad de cuenta que permite referir el valor de los restantes bienes en términos de múltiplos o submúltiplos de dicha unidad homogénea, sin necesidad de concretarse en realidades materiales o cosas. La tercera función que cumple el dinero es la de ser medio de pago o cumplimiento de las obligaciones, en la que también es necesaria su concreción en realidades materiales o cosas. Por último, cabe advertir que el dinero sirve como depósito de valor, que puede utilizar la persona para conservar su riqueza, en cuanto facilita el ahorro y la acumulación de capital.

> El ordenamiento jurídico es el que nos dice qué cosa material es dinero, a la que otorga la función de ser medio de pago o cumplimiento de las obligaciones. Pero, como el dinero se da y se recibe como un equivalente, múltiplo o submúltiplo de una unidad ideal, también es la ley la que fija esta referencia en el dinero. Según esta característica, define NUSSBAUM el dinero como aquellas cosas que en el comercio se entregan y reciben no como lo que físicamente representen, sino sólo como fracción, equivalente o múltiplo de una unidad.

El curso del dinero puede ser fiduciario, legal o forzoso. Es *fiduciario* cuando el instrumento de cambio (el papel moneda o billetes de banco) puede ser convertido posteriormente en otro (monedas de oro o plata) y, por consiguiente, las personas pueden aceptarlo o rechazarlo como medio de pago. Es *legal* cuando las monedas o billetes son convertibles, pero estatalmente están reconocidos como medio obligatorio de pago; en este caso, en principio, el acreedor soporta el riesgo de una depreciación monetaria y la convertibilidad es sólo un derecho del particular frente al banco emisor. Es *forzoso* cuando no es posible la conversión del instrumento de cambio y, además, necesariamente ha de ser aceptado como medio de pago o cumplimiento con pleno poder liberatorio.

En España, antes de la promulgación del Código civil, las monedas de oro y plata eran de curso legal o forzoso; en cambio, los billetes de banco carecían de curso forzoso.[16] De ahí que el Código de comercio dispusiera que la admisión de los billetes en las transacciones no era forzosa (art. 179 CCom), y que los bancos tuvieran obligación de cambiar a metálico sus billetes en el acto mismo de su presentación por el portador (art. 181 CCom). Con base en este sistema bimetalista, el Código civil

---

16. Cfr. STS de 19 de diciembre de 1876.

ordena, en su artículo 1170, que «el pago de las deudas de dinero deberá hacerse (...) en la moneda de plata u oro que tenga curso legal en España». Pero, con posterioridad al Código civil, el sistema monetario español ha sido profundamente modificado. Concretamente, por Ley de 20 de enero de 1939 se privó de curso legal a las monedas de plata (las de oro habían desaparecido de la circulación mucho tiempo antes), ordenando su canje por billetes del Banco de España, mientras que la Ley de 9 de noviembre de 1939 dispuso que los citados billetes eran, preceptivamente, medio legal de pago y tenían pleno poder liberatorio.[17] A su vez, el artículo 15.1 de la LABE indicaba que «corresponderá al Banco de España la facultad exclusiva de emisión de billetes en pesetas, que, sin perjuicio del régimen legal aplicable a la moneda metálica, serán los únicos medios de pago de curso legal dentro del territorio español con poder liberatorio pleno e ilimitado».[18] Por lo tanto, actualmente el artículo 1170 del CC debe entenderse modificado, en el sentido de que no hay moneda metálica de oro y plata, y las monedas de curso forzoso son, actualmente, los billetes de euros, que no son convertibles.

La unidad monetaria de España ha sido durante ciento treinta años la peseta, que equivalía a cien céntimos (art. 1 de la Ley de 12 de marzo de 1975). Similar declaración se contenía en el Decreto de 19 de octubre de 1868 y en la Ley de 18 de diciembre de 1946.

> La peseta había sustituido al escudo, y anteriormente el escudo al real (que había sido implantado por Real Decreto de 15 de abril de 1848). El 19 de octubre de 1868, por Decreto del Gobierno provisional formado tras el derrocamiento de Isabel II, nació la peseta como unidad monetaria de España. Por otro lado, siguiendo los dictados de la Unión Monetaria Latina, a la que nuestro país finalmente no se adhirió, se impuso de forma definitiva el sistema métrico decimal como base para la actividad económica.

Si bien el artículo 149.1.11.ª de la CE establece que el Estado tiene competencia exclusiva sobre el sistema monetario: «divisas, cambio y convertibilidad; bases de la ordenación del crédito, banca y seguros», no se puede ignorar que el sistema monetario español ha resultado profundamente afectado por la pertenencia de nuestro país a la Unión Europea, pues al cumplir los denominados criterios de convergencia nos hemos integrado en la Unión Económica y Monetaria Europea, lo que ha supuesto la adopción del euro como moneda única de la Unión.[19]

Para este proceso se habían previsto tres fases. La *primera*, o etapa previa, abarcaba el período comprendido entre el 1 de enero de 1993 y el 31 de diciembre del mismo año, durante el cual los Estados miembros debían iniciar los trabajos de convergencia económica (mediante programas plurianuales) y liberalizar completamente sus movimientos de capitales con el exterior. La *segunda* comenzó el 1 de enero de 1994 mediante la creación del Instituto Monetario Europeo (IME), institución encargada de preparar la *tercera* fase, que comenzó el 1 de enero de 1999. En esta fase se creó el Banco Central Europeo, que ha sustituido al Instituto Monetario Europeo, y se

---

17. La moneda metálica goza de la misma eficacia, pero con un límite en los pagos (cfr. Ley de 12 de marzo de 1975).
18. Cfr. artículo 3 del Reglamento interno del Banco de España, aprobado por Resolución de 14 de noviembre de 1996.
19. Cfr. art. B, párr. 1.º del Tratado de la Unión, firmado en Maastricht el 7 de febrero de 1992.

adoptaron los tipos de conversión a los que quedaron irrevocablemente fijadas las monedas de los Estados miembros. Posteriormente, el Consejo de la Unión Europea, en su reunión celebrada en Madrid los días 15 y 16 de diciembre de 1995, además de confirmar que la tercera fase de la Unión Económica y Monetaria se iniciaría el 1 de enero de 1999, acordó: *a)* que la denominación de la moneda europea sería la de *euro*, en lugar del término genérico *ecu*, el cual se divide en cien unidades fraccionarias denominadas *cent*; *b)* que el 1 de enero de 2002 comenzarían a circular los billetes y monedas denominados *euro*, junto con los billetes y monedas nacionales; y *c)* que en el plazo máximo de seis meses después las monedas nacionales habrían sido reemplazadas por completo por el *euro* en los Estados miembros, sin perjuicio de que aquellas pudieran seguirse canjeando indefinidamente en los Bancos centrales nacionales.

El Consejo había adoptado el ecu (*european currency unit*) como unidad de cuenta utilizada por el Fondo europeo de cooperación monetaria, permitiendo que el Fondo y las autoridades monetarias de los Estados miembros utilizasen dicha unidad como medios de pago y para las operaciones entre dichas autoridades y el Fondo (cfr. Reglamento CEE 3180/1978). Aunque no pudiera afirmarse que se tratase de dinero a los efectos de lo dispuesto por el artículo 1170 del CC, su uso se generalizó, ya que el Banco de España lo incluyó entre las divisas con cotización oficial, con la consecuencia de que las deudas en ecus debían recibir el mismo trato que las de cualquier otra divisa convertible admitida a cotización oficial.

Esta tercera fase se ha dividido, a su vez, en *dos etapas*: durante la *primera*, en el período comprendido entre el 1 de enero de 1999 y el 31 de diciembre de 2001, han coexistido el *euro* y las monedas nacionales de los Estados participantes en la Unión Económica y Monetaria, lo que ha provocado en nuestro país que los billetes emitidos por el Banco de España continuasen siendo, transitoriamente, medio legal de pago con pleno poder liberatorio. De manera que, durante este tiempo, se podían tener cuentas bancarias, hacer pagos o cualquier otro tipo de operación financiera en *euros*, haciendo constar notarios y registradores en los documentos en que se expresen pesetas la cantidad equivalente en *euros*. En la *segunda*, a partir del 1 de enero de 2002, se pusieron en circulación los billetes y monedas denominados euros.

Siete billetes de 5, 10, 20, 50, 100, 200 y 500 euros y ocho monedas de 1, 2, 5, 10, 20 y 50 cents y 1 y 2 euros. Mientras que los billetes son idénticos en todos los países que han adoptado el euro, las monedas tienen una cara común y otra nacional.

El régimen jurídico de introducción del euro como moneda única en España se realizó con diversas normas legales y reglamentarias, entre las que destaca la Ley sobre introducción del euro de 17 de diciembre de 1998. De acuerdo el artículo 3.2 de la LIE, «el euro sucede sin solución de continuidad a la peseta como moneda del sistema monetario nacional». No obstante, los principios que gobiernan la modificación del sistema monetario son los siguientes:

a) Principio de neutralidad. La sustitución de la peseta por el euro no produce alteración del valor de los créditos o deudas, cualquiera que sea su naturaleza, permaneciendo su valor idéntico al que tuvieran en el momento de la sustitución, sin solución de continuidad (art. 6 LIE).

b) Principio de fungibilidad. Las referencias contenidas en cualquier instrumento jurídico a importes monetario tendrán la misma validez y eficacia, ya se expresen en pesetas o en euros, siempre que se hayan obtenido tales importes con arreglo al tipo de conversión y reglas de redondeo previstas en la Ley (art. 7 LIE).

c) *Principio de equivalencia nominal.* El importe monetario expresado en euros resultante de la aplicación del tipo de conversión y del redondeo en su caso, es equivalente al importe monetario expresado en pesetas que fue objeto de la conversión (art. 8 LIE).

d) *Principio de gratuidad.* La sustitución de la peseta por el euro, así como la realización de las operaciones previstas en la Ley o de cualesquiera otras necesarias para dicha sustitución, será gratuita para los consumidores, sin que pueda suponer el cobro de gastos, suplidos, comisiones, precios o conceptos análogos, sin perjuicio de lo establecido con relación al redondeo.

En este sentido, se considerará nulo de pleno Derecho cualquier cláusula, pacto o convenio que contravenga lo dispuesto en este artículo, que será considerado, respecto de las entidades de crédito, normativa de ordenación y disciplina (art. 9 LIE).

De conformidad con el *efecto de continuidad,* la sustitución de la peseta por el euro no podrá ser, en ningún caso, considerada como un hecho jurídico con efectos modificativos, extintitos, revocatorios, rescisorios o resolutorios en el cumplimiento de las obligaciones. De hecho, la sustitución de la peseta por el euro no eximía ni excusaba del cumplimiento de las obligaciones que existieran al tiempo de la sustitución, ni autorizaba la alteración unilateral de su contenido, salvo que las partes hubieren pactado expresamente lo contrario. En particular, en el supuesto de contratos con consumidores y usuario, debían respetarse los derechos reconocidos en la legislación en defensa de éstos. Por consiguiente, la Ley no concede acción para reclamar ante los Tribunales de Justicia la modificación, extinción, revocación, rescisión o resolución del contenido de una obligación alegando la modificación de cualquier elemento del negocio jurídico o la alteración del valor de las prestaciones debidas, como consecuencia de la sustitución de la peseta por el euro.

En la actualidad, el euro es la moneda oficial de 19 Estados de la Unión Europea: Alemania, Austria, Bélgica, España, Finlandia, Francia, Grecia, Irlanda, Italia, Luxemburgo, Países Bajos y Portugal lo adoptaron con efectos de 1 de enero de 2002. Eslovenia se incorporó a la zona euro el 1 de enero de 2007. Malta y Chipre lo hicieron el 1 de enero de 2008 y Eslovaquia el 1 de enero de 2009. Estonia se convirtió en el decimoséptimo Estado miembro de la Unión Europea en incorporarse a la zona euro el 1 de enero de 2011, siendo el primer país que formó parte de la antigua URSS que es miembro de la eurozona. Letonia ha sido el decimoctavo Estado miembro en adoptar la moneda común el 1 de enero de 2014, y Lituania se ha incorporado a la zona euro el 1 de enero de 2015. Además, también adoptaron el euro en 2002 los microestados europeos de Ciudad del Vaticano, Mónaco, San Marino y Andorra, y de manera unilateral Montenegro y Kosovo.

2. Las deudas de dinero: modalidades y características

La modalidad fundamental de las deudas de dinero es la denominada *deuda de suma* o de cantidad, aquella en que el deudor está obligado a entregar al acreedor la suma o cantidad de dinero que se hubiere establecido en el título constitutivo de la relación obligatoria. En ellas no se determina el tipo de monedas, ni la materia de que estén hechas, ni tampoco que exista proporcionalidad entre las mismas, pues únicamente interesa la cantidad. Como dice GARRIGUES, la deuda de suma o cantidad se caracteriza por el dato de que el dinero se da y se recibe, no por sus notas individuales ni por sus notas genéricas, sino por su relación con la unidad monetaria legal. Se trata de una deuda que está sometida al principio nominalista, lo cual significa que el acreedor ha de aceptar el pago en dinero, pero no por el valor real de éste, sino por su valor nominal (euro=euro). Esta ficción de la igualdad de la moneda, añade este autor, permite al deudor liberarse de su deuda pagando una suma numéricamente igual a la que recibió, aunque económicamente su valor sea inferior.

Otra modalidad de las deudas de dinero es la llamada *deuda de moneda específica*. Es una deuda de suma o cantidad de dinero, pero en la que además se ha pactado que el pago se realice en una determinada especie monetaria; y esto es posible siempre que la referida especie tenga curso legal: que se abone la deuda en billetes de cien euros, por ejemplo, y no en otros. El artículo 1170 del CC alude a este tipo de deuda cuando dice que «el pago deberá hacerse en la especie pactada». Y por lo que se refiere al pacto de pago en moneda extranjera dentro de España o moneda española en el extranjero, tampoco se encuentra prohibido, si bien había que tener en cuenta las normas que imponían restricciones a su disponibilidad.[20] Sin embargo, a partir de los años ochenta se propició una política de progresiva liberalización, que se vio favorecida por la adhesión de España a la Unión Europea, y que culminó con la promulgación del RD sobre transacciones económicas con el exterior de 20 de diciembre de 1991, en virtud del cual se extendió la liberalización no sólo a las transacciones con otros Estados miembros de la Unión Europea, sino también a las realizadas con terceros países.

El artículo 1100 de la PMDOC determina que «el cumplimiento de las obligaciones pecuniarias deberá realizarse en la moneda que en ellas se indique. Sin embargo, salvo que otra cosa resulte del contrato, el deudor podrá pagar en la moneda de curso legal en el momento y lugar del pago. El deudor carecerá de la facultad de elección cuando el contrato la hubiere excluido. Si resultare imposible cumplir la obligación en la moneda exigible, se utilizará la de curso legal en el momento y lugar del pago. Cuando la imposibilidad provenga de la sustitución de la moneda, se utilizará la que legalmente la haya sustituido». El artículo 1101 de la PMDOC añade que «si por alguna de las causas previstas en el artículo anterior, el pago se realiza en moneda diferente de aquélla con la que se determinó la deuda, la equivalencia se establecerá conforme al valor de mercado en el tiempo y lugar en que se realice el pago. En estos mismos casos, siempre que el retraso en el pago de la deuda fuera debido a una causa imputable al deudor, el acreedor podrá exigir que se establezca la equivalencia aplicando el cambio del día del vencimiento de la obligación». Según el artículo 1102 de la PMDOC, «si el acreedor tuviera abierta en el lugar del pago una cuenta en una entidad de crédito destinada a operaciones relacionadas con el origen de la deuda, el deudor puede cumplir la obligación haciendo acreditar en dicha cuenta la suma debida, a no ser que el acreedor lo haya excluido. La suma se considerará entregada en el momento en que se produzca el abono en la cuenta».

---

20. Cfr. la legislación sobre régimen jurídico del control de cambios, concretamente la Ley sobre régimen jurídico del control de cambios de 10 de diciembre de 1979.

El artículo III.–2:109(1) del DCFR señala que «el deudor y el acreedor pueden pactar que el pago se efectúe en una determinada moneda».[21] Como dice el comentario oficial, en los contratos internacionales pueden aparecer tres divisas diferentes. La _unidad de cuenta_, que indica en qué divisa se calculará la obligación principal de pago (normalmente, el precio), y será fijada por acuerdo de las partes o por las circunstancias. La _divisa de pago acordada_ por las partes, que puede diferir y a menudo difiere, según convenga, de la unidad de cuenta. Si no existiera acuerdo entre las partes, la unidad de cuenta será, normalmente, la divisa de pago. Es a esta divisa de pago acordada a la que se refiere el apartado 1 del artículo III.-2:109 del DCFR. Por último, la _divisa del lugar donde deba realizarse el pago_, que puede diferir de la divisa de pago acordada y ser de aplicación en determinadas circunstancias. Según el artículo III.–2:109(2) del DCFR, de no haber pacto al respecto, es decir, no se ha pactado que el pago se realice únicamente en una determinada moneda, «toda cantidad de dinero expresada en una moneda distinta a la de curso legal en el lugar donde deba realizarse el pago, podrá pagarse en la moneda de dicho lugar de acuerdo con el tipo de cambio allí vigente en el momento del vencimiento».[22] El apartado 3 del artículo III.–2:109 añade que «si en un caso como el previsto en el apartado anterior el deudor no hubiera pagado llegado el momento del vencimiento, el acreedor podrá pedir que se le pague en la moneda del lugar donde deba realizarse el pago, aplicando bien el tipo de cambio allí vigente en el momento del vencimiento o bien el vigente en el momento del pago real».[23] En todo caso, cuando el contrato no exprese una moneda concreta, el artículo III.–2:109(4) indica que «el pago deberá realizarse en la moneda del lugar en el que haya de hacerse el pago».

En los contratos _internacionales_, el artículo 6.1.9(1) de los PCCI señala que «si una obligación dineraria es expresada en una moneda diferente a la del lugar del pago, éste puede efectuarse en la moneda de dicho lugar, a menos que: (a) dicha moneda no sea convertible libremente; o (b) las partes hayan convenido que el pago debería efectuarse sólo en la moneda en la cual la obligación dineraria ha sido expresada».

Si es imposible para el deudor efectuar el pago en la moneda en la cual la obligación dineraria ha sido expresada, el acreedor puede reclamar el pago en la moneda del lugar del pago, aun en el caso al que se refiere el párrafo (1)(b) (art. 6.1.9(2) PCCI). El pago en la moneda del lugar de pago debe efectuarse conforme al tipo de cambio aplicable que predomina en ese lugar al momento en que debe efectuarse el pago (art. 6.1.9(3) PCCI). Sin embargo, si el deudor no ha pagado cuando debió hacerlo, el acreedor puede reclamar el pago conforme al tipo de cambio aplicable y predominante, bien al vencimiento de la obligación o en el momento del pago efectivo (art. 6.1.9(4) PCCI).

Según el artículo 6.1.10 de los PCCI, «si el contrato no expresa una moneda en particular, el pago debe efectuarse en la moneda del lugar donde ha de efectuarse el pago». Es una hipótesis poco frecuente, pero el comentario oficial lo explica del modo siguiente. «Un contrato, por ejemplo, puede estipular que se pagará el "precio vigente" o a determinarse por una tercera persona, o bien puede estipularse que algunos costos serán reembolsados por una parte a la otra, sin especificarse la moneda en

---

21. Cfr. artículo 7:108(1) de los PECL.
22. Cfr. artículo 7:108(2) de los PECL.
23. Cfr. artículo 7:108(3) de los PECL.

que debe efectuarse el pago». En estos casos, el pago deberá realizarse en la moneda de curso legal en el lugar del pago. Como el artículo 6.1.10 de los PCCI no se refiere a la unidad monetaria en que deberá pagarse el resarcimiento, habrá que estar a lo dispuesto por el artículo 7.4.12 de los PCCI en materia de incumplimiento, a cuyo tenor, «el resarcimiento ha de fijarse, según sea más apropiado, bien en la moneda en la cual la obligación dineraria fue expresada o en aquella en la cual el perjuicio fue sufrido».

También suele distinguir la doctrina entre *deudas de dinero* y *deudas de valor*, según que el dinero intervenga en la obligación como medio de intercambio de bienes y servicios (por ejemplo, el precio en la compraventa), o como medida de valor de aquellos (por ejemplo, arts. 360, 564, 1106, 1478 CC). En este segundo caso, no se debe el valor del dinero sino el valor de la cosa o servicio. Por eso, los autores advierten que lo realmente excluido no es el dinero, sino su valor nominal. En este tipo de deudas se plantea el problema de saber cuál es el momento en que debe efectuarse la determinación de la cuantía de la obligación, que por regla general debe ser posterior al momento del nacimiento o constitución de la relación obligatoria, concretamente en un momento próximo al tiempo del cumplimiento. El Tribunal Supremo, respecto de la indemnización de daños y perjuicios, ha declarado que la fijación de su cuantía «no ha de situarse ni en la fecha indicada al tiempo de ejercicio de la acción, ni en la de causación de aquellos, sino en el día en que recaiga la condena definitiva a la reparación o, en su caso, a la posterior en que se liquide su importe en el período de ejecución de sentencia».[24]

Las *deudas de dinero* tienen unas *características* especiales, y éstas son principalmente las siguientes:

1.ª No pueden extinguirse por la pérdida de la cosa. El dinero nunca perece, sólo se consume para quien lo gasta. Y la imposibilidad subjetiva (insolvencia del deudor) no es causa de liberación de la obligación para el deudor. Precisamente por esta razón, algunos autores identifican estas obligaciones con las genéricas y, en este sentido, la STS de 2 de marzo de 1943 dice que «hay que catalogar la obligación (pecuniaria) en el grupo de las puramente genéricas (no delimitadas) como deuda que es de suma o de cantidad de dinero».[25] Sin embargo, como advierte HERNÁNDEZ GIL, en las deudas de suma de dinero no cabe aplicar la regla de entregar calidad media (art. 1167 CC), pues desde el principio existe una rigurosa determinación por el juego de la cantidad y del sistema monetario; y lo que falta en la deuda de suma de dinero, hasta el momento del cumplimiento, no es la determinación, sino la detracción o separación.

2.ª Son susceptibles de compensación, si bien este carácter puede extenderse también a cosas fungibles (art. 1196, núm. 2, CC).

3.ª En caso de mora, producen automáticamente, como indemnización, el devengo de los intereses pactados o, a falta de convenio, del interés legal (art. 1108 CC).

4.ª Pueden hacerse efectivas mediante la entrega de pagarés a la orden, de letras de cambio, cheques u otros documentos mercantiles (art. 1170, párrafos 2.º y 3.º, CC). Ahora bien, dichos documentos sirven para facilitar el pago, pero no se puede

---

24. Cfr. SSTS de 21 de enero de 1978 (JC 1978, I-20) y 29 de junio de 1978 (RJ 1978, 2455), y 5 de julio de 1983 (RJ 1983, 4068).
25. RJ 1943, 301.

imponer al acreedor su aceptación (art. 1166 CC) y, aunque éste los acepte, la deuda no se extingue mientras no se hagan efectivos, a menos que por culpa del acreedor se hayan perjudicado. Es decir, estos documentos se aceptan y se reciben «salvo buen fin». Y de ellos se derivaban acciones especiales de carácter ejecutivo que el acreedor podrá utilizar, sin perjuicio de las emanadas de la obligación originaria, que quedarán en suspenso.

Como tales documentos mercantiles sólo representan una promesa de pago, con el consiguiente retraso en el cobro de la deuda. El Tribunal Supremo considera que su admisión supone la concesión de una prórroga y liberación del fiador que no ha mostrado su conformidad.[26] Por otra parte, la STS de 6 de julio de 1966 dice que la expresión «o cuando por culpa del acreedor se hubiesen perjudicado», que emplea el artículo 1170, párrafo 2.º, _in fine_, del CC no puede entenderse en el sentido vulgar de simple causa, sino en el de acción culposa, ya que en caso contrario lo lógico hubiera sido emplear los términos de «por omisión», «por negligencia» u otro análogo.[27]

De igual modo, el artículo 1103 de la PMDOC señala que «la entrega de pagarés, cheques, letras de cambio u otros títulos análogos sólo producirá los efectos del pago cuando hubiesen sido realizados, o cuando por causa imputable al acreedor se hubiesen perjudicado. Entretanto, la acción derivada de la obligación primitiva quedará en suspenso».

Tras afirmar el artículo III.-2:108(1) del DCFR que «una deuda dineraria puede pagarse por cualquiera de los medios habituales en el comercio»,[28] el apartado 2 del artículo III.-2:108 añade que «cuando un acreedor acepta un cheque u otra orden o promesa de pago, se presume que lo acepta únicamente a condición de que se haga efectivo. El acreedor no podrá reclamar el cumplimiento de la obligación inicial de pago salvo que la orden o promesa no hayan sido atendidas».[29]

De igual modo, en los _contratos internacionales_, el artículo 6.1.7(2) de los PCCI señala que «un acreedor que acepta un cheque o cualquier otra orden de pago o promesa de pago, ya sea en virtud del párrafo anterior (que alude a que el pago puede efectuarse en cualquier forma utilizada en el curso ordinario de los negocios en el lugar del pago) o voluntariamente, se presume que lo acepta solamente bajo la condición de que sea cumplido».

Sin embargo, el comentario oficial recalca que «los usos pueden ocasionalmente contradecir esta presunción. Por ejemplo, en algunos países la entrega de un instrumento de pago, tales como un cheque certificado, un documento negociable emitido por un banco a la orden de otro y cheques que el banco certifica que serán pagados se considera equivalente al pago realizado por el deudor, transmitiéndose de esta forma al acreedor el riesgo de la insolvencia del banco. En estos países, la regla del Art. 6.1.7(2) sólo se aplica a los llamados cheques personales».

5.ª Bajo la vigencia de la Ley de enjuiciamiento civil de 1881, para el juicio ejecutivo, como procedimiento de ejecución singular, se exigía que el objeto de la deuda estuviese constituido por cantidad líquida que excediera de 50.000 pesetas, o en su

---

26. Cfr. SSTS de 18 de junio de 1914 (JC 1914, II-114) y 1 de marzo de 1983 (RJ 1983, 1412).
27. RJ 1966, 3673.
28. Cfr. artículo 7:107(1) de los PECL.
29. Cfr. artículo 7:107(2) de los PECL.

caso que se tratase de moneda extranjera convertible admitida a cotización oficial siempre que la obligación de pago en la misma estuviera autorizada o permitida legalmente, o bien que el objeto de la deuda (cosa o especie) fuese computable a metálico (art. 1435 LECiv de 1881). Por consiguiente, este especial medio de ejecución sólo podía utilizarse cuando la deuda, directamente o por conversión, fuera de dinero. Sin embargo, con la vigente Ley de Enjuiciamiento civil desaparece el juicio ejecutivo y se impone el sistema de unidad en la ejecución, con la consecuencia de que todos los títulos que se consideran ejecutivos dan lugar a una única ejecución, que es común a los títulos judiciales y extrajudiciales. En este sistema no se admite que la letra de cambio, el cheque y el pagaré sean títulos ejecutivos, debido a la falta de garantías sobre su autenticidad. Por ello se ha regulado un «juicio cambiario», que no es ejecutivo y, además, es contradictorio (arts. 819 y ss. LECiv).

3. El principio nominalista: medidas correctoras

Las deudas de dinero (obligaciones pecuniarias) se rigen por el principio nominalista, según el cual el dinero ha de ser aceptado como medio de pago por su valor legal, por el valor que el Estado le atribuye, independientemente de que el valor adquisitivo de dicho dinero al momento del pago o cumplimiento sea mayor o menor que en el instante de nacimiento de la obligación; es decir, cuando el Estado asigna a un billete un valor de cincuenta euros, sólo quiere decir que con él se pueden realizar pagos por dicho importe. La adopción de este principio, que hace abstracción del poder adquisitivo, se funda en razones de seguridad y estabilidad jurídica, pues, como señala GARRIGUES, el tráfico normal sería imposible si toda oscilación en el valor del dinero hiciera necesario un nuevo cálculo de las deudas pecuniarias para reducirlas o elevarlas, según que hubiese aumentado o descendido el poder de compra del dinero.

Este principio nominalista, adoptado por casi todas las legislaciones, se encuentra recogido en el artículo 312 del CCom, según el cual «consistiendo el préstamo en dinero pagará el deudor devolviendo una cantidad igual a la recibida, con arreglo al valor legal que tuviere la moneda al tiempo de la devolución». Y también, aunque sea más imprecisa su formulación, en el artículo 1170 del CC, a cuyo tenor «el pago de las deudas de dinero deberá hacerse en la especie pactada, y no siendo posible entregar la especie, en la moneda de plata u oro que tenga curso legal en España».

El artículo 1099, párrafo 1.º, de la PMDOC reconoce de manera expresa el principio nominalista al afirmar que «las obligaciones cuyo objeto sea una suma de dinero son exigibles por su importe nominal, a no ser que otra cosa resulte de la ley, o del título constitutivo de la obligación».

Es cierto que el principio nominalista se impone por razón de seguridad del tráfico, pero no lo es menos la injusticia que se produce cuando se trata del cumplimiento de obligaciones de tracto sucesivo o ejecución diferida y resultan afectadas por la alteración sustancial del valor real o adquisitivo del dinero. Y de todos es sabido que el alza de los precios y la depreciación de la moneda no son en nuestros días un hecho circunstancial, sino una constante de suma gravedad. Lo mismo puede afirmarse de una caída de precios generalizada en toda la economía y sostenida en el tiempo. Mientras que la inflación tiene un efecto beneficioso para el deudor, ya que minora con el paso del tiempo el esfuerzo que debe realizar para abonar lo debido, la deflación produce el efecto inverso. Beneficia al acreedor y perjudica al que debe el dinero precisamente por las razones opuestas, pues el valor nominal de la deuda se mantiene, pero el real se multiplica.

Por todo ello, tanto el legislador como los particulares intentan buscar remedio a estas graves fluctuaciones del valor de la moneda, a través de muy diversos procedimientos. En términos generales tales *remedios* pueden ser de las siguientes clases:

1.ª De tipo *legislativo*. Son las medidas que el Estado suele adoptar en los momentos de graves crisis sociales, como así lo hizo el legislador español con ocasión de la guerra civil de 1936-1939, mediante el sistema llamado de «revalorización de deudas». Por consecuencia de la depreciación de la peseta en la zona republicana, se promulgó la Ley de 7 de diciembre de 1939, reguladora del desbloqueo, en la que se establecía una escala y se fijaba mediante porcentajes el valor liberatorio de los pagos que se hubiesen realizado, de tal manera que la deuda se consideraba renacida en distinta proporción según la fecha en que se hubiera realizado el pago; también se decretaba una devaluación de los créditos pendientes de pago. En el mismo sentido, para contratos a largo plazo (como los arrendamientos urbanos y los de ejecución de obras públicas), se dictaron disposiciones legales que permitían revisar y revalorizar las rentas y los precios.

Tras las reformas de 13 de mayo y 7 de julio de 1981, también en el Código civil existen medidas correctoras del nominalismo: los artículos 97, párrafo último, 100 y 103.3.° prevén el establecimiento de bases para la actualización de la pensión y de contribución a las cargas del matrimonio en los casos de nulidad, separación y divorcio; los artículos 1397 y 1398 se refieren a «importes actualizados» en la liquidación de la sociedad de gananciales; el artículo 1045 dice que no han de traerse a colación y partición las mismas cosas donadas, sino «su valor al tiempo en que se evalúen los bienes hereditarios»; y el artículo 847 ordena que para fijar la suma que haya de abonarse a los hijos o descendientes se atenderá «al valor que tuvieren los bienes al tiempo de liquidarles la porción hereditaria correspondiente», teniendo en cuenta los frutos o rentas hasta entonces producidas.

En materia de arrendamientos urbanos, las disposiciones transitorias 2.ª y 3.ª de la LAU establecieron un sistema de actualización rentas de los contratos de arrendamiento de vivienda y de los contratos de arrendamiento de local de negocio celebrados con anterioridad al 9 de mayo de 1985 (fecha de la entrada en vigor del RD-Ley sobre medidas de política económica de 30 de abril de 1985). Ello se debía al hecho de que la nueva legislación arrendaticia mantenía la vigencia de la legislación derogada mediante un complejo y casuístico sistema de Derecho transitorio destinado a regular los contratos de arrendamiento que estuvieran vigentes antes de la entrada en vigor de la Ley de arrendamientos urbanos. Esta coexistencia entre legislación nueva y legislación derogada se estableció para un lapso de tiempo bastante largo: en los arrendamientos de vivienda, mientras viva el arrendatario o alguna de las personas de su familia cuya subrogación *mortis causa* se autoriza en la Ley; en los arrendamientos de local de negocio, durante un plazo máximo de veinte años, el cual puede superarse hasta la jubilación o el fallecimiento del arrendatario o del cónyuge que se subrogue en el contrato.

2.ª De tipo *judicial*. La cláusula *rebus sic stantibus* permite instar la resolución del vínculo contractual o su resolución por vía judicial en el caso de que se hubiere producido una alteración de las circunstancias que fueron tenidas en cuenta por las partes en el momento de realizarse el contrato. Debe tratarse de una alteración que, siendo completamente imprevisible, haya alterado la relación de equivalencia entre las prestaciones, cuando ninguna de las partes estaba obligada a soportar el riesgo.[30]

3.ª De tipo *contractual*. Son también los propios particulares quienes han tratado de paliar o prevenir las consecuencias de la depreciación monetaria mediante la inserción en los contratos de las llamadas *cláusulas de estabilización*. Con ellas se pretende prevenir la alteración del valor del dinero en relación con las deudas pecuniarias, garantizando al acreedor que la suma de dinero que habrá de recibir, en su momento, del deudor tendrá un determinado poder adquisitivo. En realidad, estas cláusulas suponen la quiebra del sistema nominalista, pues la suma de dinero se convierte en deuda de suma de valor, y por ello se ha discutido acerca de su validez. No obstante, la generalidad de la doctrina defiende y admite la validez de estas cláusulas con base en el principio de la autonomía de la voluntad, por no ser contrarias a las leyes, a la moral, ni al orden público (arts. 1170 y 1255 CC). También han sido aceptadas plenamente por el Tribunal Supremo, a partir de la STS de 4 de julio de 1944,[31] reiterada en numerosas sentencias posteriores, como las SSTS de 12 de marzo y 23 de noviembre de 1946.[32] En esta línea, reviste especial claridad la STS de 29 de abril de 1946, que fundamenta dicha aceptación «en la justicia conmutativa, que demanda la equivalencia de las prestaciones en los contratos onerosos», destacando que «es más justo el sistema de señalar en los pagos de tracto sucesivo un precio variable que se determina en proporción a ciertos índices».[33] A su vez, la STS de 1 de diciembre de 1980 declara que la depreciación monetaria obliga a seguir «la llamada teoría valorista, que atiende perfectamente al valor patrimonial actual para evitar resultados inequitativos y eludir así supuestos de enriquecimiento injusto de unas personas a costa de otras».[34] Por otra parte, el Tribunal Supremo estimaba que no eran válidas las cláusulas de estabilización en las que las partes únicamente preveían la posible depreciación del valor del dinero; sin embargo, en la actualidad, las admite, pues entiende que dichas cláusulas deberán interpretarse en el sentido de que comprenden ambas posibilidades, tanto la depreciación como la apreciación del valor del dinero.[35]

Los *módulos* a que referir el cambio operado en el dinero respecto a su valor real o poder adquisitivo son muy variados:

a) Cláusula «*valor oro*» o «*valor plata*». Es aquella en la que se pacta que el deudor tendrá que pagar, llegado el vencimiento de la obligación, la suma de dinero necesaria para adquirir la misma cantidad de oro o plata que hubiera podido adquirirse al tiempo del nacimiento del contrato con la suma que en éste se fijaba. Es decir, el oro o la plata sirven de módulo para estimar la depreciación que ha experimentado la moneda con que se paga.[36]

---

30. Cfr. STS de 6 de octubre de 1987 (RJ 1987, 6720).
31. RJ 1944, 949 y 949 bis.
32. RJ 1946, 267 y RJ 1947, 127.
33. RJ 1946, 691. Cfr. STS de 23 de febrero de 1963 (RJ 1963, 1184).
34. RJ 1980, 4732.
35. La STS de 6 de junio de 1959 pone de relieve las diferencias y analogías entre la cláusula *rebus sic stantibus* y las denominadas cláusulas de estabilización (RJ 1959, 3026).
36. Cfr. SSTS de 4 de julio de 1944 (RJ 1944, 949 y 949 bis) y 4 de enero de 1951 (RJ 1951, 73).

En cambio, la cláusula «*oro*» o «*plata*», que obliga a efectuar el pago en monedas de oro o plata, es nula por estar en pugna con las normas que privan de circulación a tales monedas. Pero, cuando se inserta esta cláusula en un contrato, el Tribunal Supremo considera que si la intención de las partes era prevenir la depreciación monetaria tiene validez no como tal, sino como cláusula «*valor oro*» o «*valor plata*».[37] Por consiguiente, la jurisprudencia, de manera indirecta, está reconociendo la validez de la cláusula «*valor oro*» o «*valor plata*».

b) Cláusula «*valor de determinados productos*» (por ejemplo, trigo, carbón, etc.). El procedimiento estabilizador es el mismo que en el caso anterior, con la variante del módulo corrector. Es decir, el deudor en el momento de realizar el pago habrá de entregar una suma de dinero con la que se pueda adquirir la misma cantidad de trigo que hubiera podido adquirirse al tiempo del nacimiento del contrato con la suma que en éste se hubiese establecido. La legislación de arrendamientos rústicos introdujo en nuestro ordenamiento la cláusula valor trigo (Ley de 23 de julio de 1932 y Decreto-Ley de 15 de julio de 1949).

c) Cláusula «*valor moneda extranjera*». También en ésta se aplica el mismo procedimiento estabilizador que en las cláusulas anteriores. El deudor habrá de pagar la suma de dinero con la que pueda adquiriese la misma cantidad de moneda extranjera (por ej.: dólares) que hubiera podido adquiriese al tiempo del nacimiento del contrato con la suma que en éste se fijaba.

d) Cláusula «*índice del coste de vida*». Se toma como módulo de valor los llamados números índices, que son el resultado de un estudio sobre la variación en el coste de los productos durante determinados periodos de tiempo. La suma de dinero que habrá de pagar el deudor será mayor o menor, según la proporción en que haya aumentado o disminuido el índice del coste de vida. Estos índices los elaboran las instituciones públicas, en España lo hace el Instituto Nacional de Estadística.[38]

También nuestra legislación ha venido admitiendo cláusulas de estabilización. Así, por ejemplo, la Ley de arrendamientos rústicos de 1980 permitía la actualización de la renta para cada anualidad por referencia al último índice anual de precios percibidos por el agricultor, establecido por el Ministerio de Agricultura para los productos agrícolas en general o para alguno o algunos de los productos principales de que fuera susceptible la finca, atendidas sus características y la costumbre de la tierra. Una previsión similar se establecía para aquellas fincas cuyo principal aprovechamiento fuese ganadero (arts. 31 y 38 LAR de 1980), e incluso se facultaba a cualquiera de las partes para que, en defecto de acuerdo, solicitasen del Juez que añadiera al contrato la cláusula de actualización (art. 39 LAR de 1980).

Por su parte, la Ley de arrendamientos urbanos de 1994, tras indicar que durante la vigencia del contrato la renta sólo podrá ser actualizada por el arrendador o el arrendatario en la fecha en que se cumpla cada año de vigencia del contrato, en los términos pactados por las partes, añade que «en defecto de pacto expreso, el contrato se actualizará aplicando a la renta correspondiente a la anualidad anterior la variación porcentual experimentada por el índice general nacional del sistema de índices de precios de

---

37. Cfr., entre otras, SSTS de 29 de abril de 1946 (RJ 1946, 691), 9 de enero de 1950 (RJ 1950, 19) y 28 de noviembre de 1957 (RJ 1957, 3427).
38. Hoy el índice más usado es quizás el del IPC.

consumo en un período de doce meses inmediatamente anteriores a la fecha de cada actualización, tomando como mes de referencia para la primera actualización el que corresponda al último índice que estuviera publicado en la fecha de celebración del contrato, y en las sucesivas, el que corresponda al último aplicado» (art. 18.1 LAU).

Según el apartado 2 del artículo 18 de la LAU, «la renta actualizada será exigible al arrendatario a partir del mes siguiente a aquel en que la parte interesada lo notifique a la otra parte por escrito, expresando el porcentaje de alteración aplicado y acompañando, si el arrendatario lo exigiera, la oportuna certificación del Instituto Nacional de Estadística. Será válida la notificación efectuada por nota en el recibo de la mensualidad del pago precedente».

También se admite la cláusula de escala móvil en los préstamos hipotecarios, pues según el artículo 219 del RH puede fijarse como módulo el valor señalado al trigo a efectos del pago de renta, el índice del coste de vida señalado por el Instituto Nacional de Estadística, o el precio del oro en las liquidaciones arancelarias que señale el Ministerio de Hacienda.

En los *convenios sobre pensión en los casos de separación y divorcio* se permite fijar las bases para su actualización (arts. 97 y 100 CC).

A tenor del artículo 1099, párrafo 2.º, de la PMDOC, «las obligaciones cuya finalidad fuere indemnizar en dinero un daño o restituir un valor patrimonial han de ser cumplidas con una suma equivalente al valor del daño sufrido o al valor patrimonial objeto de restitución».

No obstante, hay que poner de relieve que existe la Ley 2/2015, de 30 de marzo, de Desindexación de la Economía Española, que tiene como objetivo principal «establecer una nueva disciplina no indexadora en el ámbito de la contratación pública, que supone aproximadamente el 20 por ciento del Producto Interior Bruto, en los precios regulados y, en general, en todas las partidas de ingresos y de gastos de los presupuestos públicos». Se pretende así eliminar la regulación indexadora que, en buena medida, data de épocas con una inflación notablemente mayor que hoy en día. En los casos excepcionales en los que la revisión de valores monetarios sea indispensable, el objetivo de la ley es ligar la actualización de precios y rentas a la evolución de los costes pertinentes en cada situación, facilitando con ello una mayor flexibilidad y una mejor reacción de la economía española ante perturbaciones.

IV. OBLIGACIONES DE INTERESES

1. Introducción

En un sentido amplio, por *interés* se entiende aquella cantidad de cosas fungibles que pueden exigirse como rendimiento de una obligación de capital, en proporción al importe o al valor del capital y al tiempo por el cual se está privado de la utilización del mismo (ENNECERUS). Sin embargo, en la práctica, sólo las deudas de dinero dan lugar a la prestación de intereses, y se pueden definir como la cantidad de dinero a la que tiene derecho el acreedor como rendimiento de un capital (suma de dinero) que se le adeuda, cuya cuantía se suele fijar por el sistema de porcentaje en relación al tiempo de duración de la deuda (por ejemplo, el 9 por 100 anual), si bien puede establecerse una cantidad alzada.

Según el Código civil, los intereses tienen la categoría de frutos civiles (arts. 354 y 355 CC), que se consideran producidos por días (art. 451 CC), si bien cuando se trata de intereses convencionales pueden establecerse términos de vencimiento distintos.

La obligación de pago de intereses es accesoria de la que se debe como principal (de capital); y, por tanto, sigue la misma suerte y vicisitudes (en cuanto a su nacimiento, transmisión y extinción) de la obligación principal, encontrándose amparada por la misma garantía real que tenga esta última (art. 1871 CC). No obstante, las partes pueden pactar que la garantía real no alcance a los intereses, así como el acreedor puede ceder el derecho a exigir los intereses sin transmitir la prestación principal.

De lo expuesto se deduce que ciertos créditos, aunque económicamente tengan analogías, no pueden considerarse como intereses, como ocurre, por ejemplo, con las *rentas*, porque no presuponen una obligación de capital, sino que se entregan a cambio del disfrute de una cosa específica. De hecho, las rentas cumplen una función autónoma, siendo esta característica la que permite diferenciar con mayor nitidez la prestación de renta de la prestación de intereses, tal y como indica DÍEZ-PICAZO. Lo mismo puede decirse de los *dividendos*, que representan la participación en las ganancias en virtud de la condición de miembro de una sociedad, y de las *amortizaciones*, que son un pago parcial del capital.

2. Clases de intereses

La obligación de pagar intereses tiene su origen bien en la ley o bien en el negocio jurídico, especialmente en el contrato; por ello, suelen clasificarse en intereses *legales* y *convencionales*.

a) Los *intereses legales* son aquellos cuya obligación de pago se encuentra establecida en la ley. Así sucede, por ejemplo: en los casos de mora, en defecto de los intereses convenidos (art. 1108 CC); en la compraventa, el comprador está obligado a pagar intereses por el tiempo que medie entre la entrega de la cosa y el pago del precio en los casos previstos en el artículo 1501 del CC; en el mandato, el artículo 1728 del CC impone al mandante la obligación de pagar intereses al mandatario que hubiere anticipado las cantidades necesarias para la ejecución del contrato, a contar desde el día en que se hizo la anticipación; en la sociedad, el socio que se haya obligado a aportar una suma a la sociedad y no la hubiera aportado, es de derecho deudor de los intereses desde el día en que debió aportarla (art. 1682 CC).

En los intereses legales se distinguen los moratorios, que representan un resarcimiento o compensación al acreedor por el retraso culpable del deudor en el cumplimiento de la obligación, y los retributivos, que tienen su fundamento en la idea de evitar que se produzca un enriquecimiento injusto por la utilización de un capital ajeno, en dinero o en bienes (así, por ejemplo, en el art. 1501 del CC).

> En el ámbito tributario, el interés de demora es una prestación accesoria que se exigirá a los obligados tributarios y a los sujetos infractores como consecuencia de la realización de un pago fuera de plazo o de la presentación de una autoliquidación o declaración de la que resulte una cantidad a ingresar una vez finalizado el plazo establecido al efecto en la normativa tributaria, del cobro de una devolución improcedente o en el resto de casos previstos en la normativa tributaria (art. 26.1 LGT).

La cuantía de los intereses legales se encuentra establecida en la misma ley. El Código civil fijó el tipo del 6 por 100 anual, que fue reducido sucesivamente al 5 por 100 (Ley de 2 de agosto de 1899), y al 4 por 100 (Ley de 7 de octubre de 1939). La Ley sobre modificación del tipo de interés legal del dinero de 29 de junio de 1984, derogó el párrafo 2.º del artículo 1108 del CC, disponiendo en su artículo 1 que «el interés legal se determinará aplicando el tipo básico del Banco de España vigente al día en que comience el devengo de aquél, salvo que la Ley de Presupuestos Generales del Estado establezca uno diferente».

La disposición adicional cuadragésima sexta de la Ley de Presupuestos Generales del Estado de 28 de diciembre de 2021 estableció el interés legal del dinero para el ejercicio 2022 en el 3,00 por 100, el interés más bajo en los últimos treinta años según la serie histórica del Banco de España (desde abril de 2009 hasta diciembre de 2014 había sido el 4,00 por 100, y durante el año 2015 el 3,50 por ciento); mientras que el interés de demora de las deudas tributarias a que se refiere el artículo 26.6 de la LGT[39] ha sido establecido en el 3,75 por 100, también el más bajo desde 1985. También es del 3,75 por 100 el interés de demora a que alude el artículo 38.2 de la LGS.[40]

Sin embargo, debe advertirse que no siempre que la ley impone la obligación de pagar intereses se aplica el porcentaje legal, pues, en el caso de mora o retraso en el cumplimiento de la obligación, el deudor viene obligado a pagar los intereses convenidos y, sólo en defecto de pacto, deberá abonar el interés legal. Como ya se indicó con anterioridad a propósito del cumplimiento y la reclamación judicial de las obligaciones líquidas, los intereses moratorios están sujetos al principio dispositivo, lo que implica que el juez no los concederá de oficio.[41] Este tipo de intereses podrán ser objeto de control con arreglo a la legislación sobre cláusulas abusivas cuando se pacten en las relaciones entre empresarios y consumidores.

Como resulta obvio, el pago de intereses por retraso en el cumplimiento de las deudas de dinero puede (y suele ser siempre así) tener un origen convencional. Cuando la cláusula de intereses moratorios, predispuesta e impuesta, se incluya en un contrato de crédito celebrado entre un empresario y un consumidor, y su cuantía sea desproporcionadamente alta, será abusiva al amparo de lo dispuesto por el artículo 85.6 del TRLGDCU. En consecuencia, la cláusula en cuestión será nula de pleno derecho y se tendrá por no puesta (art. 83 TRLGDCU), si bien deberá compensarse al prestamista por el retraso en el cumplimiento de la obligación de pago en que incurrió el prestatario. En materia de intereses de demora de préstamos o créditos para la adquisición de vivienda habitual, garantizados con hipotecas

---

39. Según dicho artículo 26.6 de la LGT, «el interés de demora será el interés legal del dinero vigente a lo largo del período en el que aquél resulte exigible, incrementado en un 25 por 100, salvo que la Ley de Presupuestos Generales del Estado establezca otro diferente. No obstante, en los supuestos de aplazamiento, fraccionamiento o suspensión de deudas garantizadas en su totalidad mediante aval solidario de entidad de crédito o sociedad de garantía recíproca o mediante certificado de seguro de caución, el interés de demora exigible será el interés legal».

40. El mencionado artículo 28.2 de la LGS determina que «el interés de demora aplicable en materia de subvenciones será el interés legal del dinero incrementado en un 25 por ciento, salvo que la Ley de Presupuestos Generales del Estado establezca otro diferente».

41. Cfr. SSTS de 5 de abril y 20 de junio de 1994 (RJ 1994, 2937 y 6026) y 31 de diciembre de 2002 (RJ 2002, 1285).

constituidas sobre la misma vivienda, si la cláusula de intereses no constituye una cláusula predispuesta e impuesta (por ejemplo, porque ha sido negociada), o aunque sea una cláusula predispuesta e impuesta la cuantía de los intereses no es desproporcionadamente alta, dichos intereses «no podrán ser superiores a tres veces el interés legal del dinero y sólo podrán devengarse sobre el principal pendiente de pago» (art. 114, párr. 3.°, LH). En estos supuestos, el interés debe reducirse al tope máximo permitido por la ley, que es el de tres veces el interés legal del dinero, esto es, para el año 2022, el 9,0 por ciento (M.J. Marín López).

Ahora bien, no hay que confundir los intereses moratorios propiamente dichos, que contempla el artículo 1108 del CC, con los intereses procesales a que se refería el artículo 921 de la LEC de 1881 (redactado por la Ley de 6 de agosto de 1984), considerados como punitivos o sancionadores,[42] y que nacen *ope legis* sin necesidad de petición. Intereses estos últimos que se devengan a partir de la fecha de la sentencia de primera instancia hasta que fue totalmente ejecutada, y respecto a la cierta cantidad líquida de la condena.[43] Como dice la STC de 22 de junio de 1993, en los intereses por mora procesal se produce «la coexistencia de un tipo porcentual con finalidad indemnizatoria el "interés legal del dinero" y otra disuasoria, el recargo». Con ellos, dice la misma sentencia, «se trataría de desalentar el abuso del derecho a la tutela judicial», disuadiendo al deudor de la interposición de recursos sin fundamento y de maniobras que sólo persiguen retrasar la ejecución.[44]

En la actualidad, el artículo 576.1 de la LEC dispone que, «desde que fuere dictada en primera instancia, toda sentencia o resolución que condene al pago de una cantidad de dinero líquida determinará, en favor del acreedor, el devengo de un interés anual igual al del interés legal del dinero incrementado en dos puntos o el que corresponda por pacto de las partes o por disposición especial de la Ley». Según el apartado 3 del mismo artículo 576 de la LEC, lo expuesto «será de aplicación a todo tipo de resoluciones judiciales de cualquier orden jurisdiccional que contengan condenas al pago de cantidad líquida, salvo las especialidades legalmente previstas para las Haciendas Públicas».[45]

Según el artículo III.-3:708(1) del DCFR, «cuando se produzca una demora en el pago de una cantidad de dinero, esté o no justificado el incumplimiento, el acreedor tiene derecho a los intereses de esa cantidad desde el momento en que el pago es debido hasta el momento efectivo del pago. Dichos intereses se calcularán conforme al tipo medio del interés preferencial aplicado por los bancos comerciales a las grandes cuentas en operaciones a corto plazo, para la moneda y el lugar en que deba procederse al pago». Como dice su comentario oficial, «el tipo de interés se calculará conforme al tipo de interés medio aplicado por los bancos comerciales en operaciones a corto plazo. Este tipo de interés se aplicará también en el caso de demoras prolongadas de pagos ya que, en la fecha de vencimiento de los mismos, el acreedor no puede saber cuánto se retrasará el deudor en realizar el pago. Como

---

42. Cfr. STS de 8 de febrero de 2006 (RJ 2006, 633).
43. Cfr. SSTS de 10 de abril y 19 de junio de 1990 (RJ 1990, 2715 y 4795) y 8 de marzo de 1991 (RJ 1991, 2205).
44. RTC 1993, 206.
45. El precepto equivalente en la LECiv de 1881 era el artículo 921, de contenido similar al actual, que fue objeto de cuestión de inconstitucionalidad, desestimada no obstante por STC de 22 de junio de 1993 (RTC 1993, 206).

los tipos de interés difieren, se ha elegido el tipo de interés en préstamos para la divisa de pago (Artículo 2:109 (Divisa de pago) del Libro III) en el lugar donde debe realizarse el pago (Artículo 2:101 (Lugar de cumplimiento) del Libro III) porque es el mejor criterio para evaluar las pérdidas del acreedor. Salvo acuerdo en contrario entre las partes, los intereses se pagarán en la misma divisa y en el mismo lugar que la cantidad principal. Las partes son libres de excluir o modificar el apartado (1), por ejemplo, fijando en su contrato el tipo de interés por demora en el pago o su divisa».

El apartado 2 del artículo III.-3:708 del DCFR añade que «además, el acreedor puede reclamar una indemnización por otros daños que haya podido sufrir». Esto supone que el remedio al que puede recurrir el acreedor por impago o demora en el pago no se limita al cobro de intereses, sino que se hace extensivo a otras pérdidas susceptibles de reclamación dentro de los límites que establecen las disposiciones generales sobre indemnizaciones por daños. Esto podría incluir, por ejemplo, la pérdida de beneficios en una transacción que el acreedor hubiera celebrado con un tercero de haberse pagado el dinero a su vencimiento; una disminución en el valor interno del dinero por inflación entre la fecha de vencimiento del pago y la fecha efectiva del pago, en la medida en que esta disminución no quede compensada mediante el cobro de intereses en virtud del apartado 1; y, cuando la divisa de pago no sea la unidad monetaria de la cuenta, las pérdidas por el tipo de cambio.

En cuanto a los intereses en los contratos comerciales, el artículo III.-3:710 del DCFR dice lo siguiente: «(1) Si un empresario se demora en el pago del precio debido en virtud de un contrato de suministro de bienes, activos o servicios, sin que esta demora esté justificada en virtud del artículo 3:104 del Libro III (Exoneración por imposibilidad del cumplimiento), se devengarán intereses al tipo que se especifica en el apartado (4) salvo que sea aplicable un tipo de interés más alto. (2) Los intereses, al tipo que se especifica en el apartado (4), empezarán a devengarse el día siguiente a la fecha o a la finalización del período previsto en el contrato para el pago. Si no existe tal fecha o período pago, los intereses empezarán a devengarse a ese tipo: (a) 30 días después de la fecha en que el deudor reciba la factura o una solicitud de pago equivalente; o (b) 30 días después de la fecha de recepción de los bienes o servicios, si la fecha que se indica en el apartado (a) es anterior o incierta, o si no está claro si el deudor ha recibido una factura o solicitud de pago equivalente. (3) Si la conformidad de los bienes o servicios objeto del contrato tiene que determinarse mediante aceptación o verificación, el plazo de 30 días que se indica en el apartado (2)(b) empezará a computar en la fecha de aceptación o verificación. (4) El tipo de interés por demora en el pago es el tipo de interés que haya aplicado el Banco Central Europeo en su operación principal de refinanciación más reciente antes del primer día del semestre en cuestión ("el tipo de referencia"), más siete puntos porcentuales. En el caso de que la moneda sea la de un Estado Miembro que no participa en la tercera fase de la unión económica y dineraria el tipo de referencia es el tipo equivalente establecido por su banco central nacional. (5) Además, el acreedor puede reclamar indemnización de otros daños que haya podido sufrir».

A propósito de las cláusulas abusivas relativas al pago de intereses, el artículo III.-3:711 del DCFR estipula lo siguiente: «(1) La cláusula que establezca que una empresa ha de pagar intereses a partir de una fecha posterior a la especificada en los apartados (2) (a) y (b) y en el apartado (3) del Artículo anterior, o a un tipo inferior al que se indica en el apartado (4) no es vinculante en la medida en que sea abusiva. (2) La cláusula que establezca que un deudor puede pagar el precio de los bienes, activos o servicios en una fecha posterior a aquella en la que empiezan a devengarse intereses en virtud de los apartados (2) (a) y (b) y apartado (3) del Artículo anterior no priva al acreedor del derecho a cobrar intereses en la medida en que sea abusiva. (3) A efectos del presente Artículo, se considera que algo es abusivo si se desvía manifiestamente de las prácticas comerciales habituales, en contra de la buena fe contractual».

_b_) Los intereses _convencionales_, también llamados remuneratorios o compensatorios, son aquellos que se establecen por voluntad de las partes en virtud del negocio jurídico o del contrato. Son los que se deben por la utilización y goce de una suma de dinero.

La cuantía de los intereses convencionales se fija libremente por las partes, sin otros límites que los establecidos en la Ley sobre Nulidad de los Contratos de Préstamos Usurarios de 23 de julio de 1908, también denominada Ley Azcárate. En virtud de dicha Ley, se declara nulo todo contrato de préstamo en que se estipule un interés notablemente superior al normal del dinero y manifiestamente desproporcionado con las circunstancias del caso o en condiciones tales que resulte aquél leonino, habiendo motivos para estimar que ha sido aceptado por el prestatario a causa de su situación angustiosa, de su inexperiencia o de lo limitado de sus facultades mentales (art. 1 LU). Como puede observarse, no se señala un interés determinado, sino que para ponderar la licitud del préstamo la Ley de usura establece un doble criterio: que no sea notablemente superior al interés normal del dinero (criterio objetivo), y que no contenga condiciones que pudieran permitir calificarlo de leonino (criterio subjetivo).

Por consiguiente, son tres los supuestos de _préstamos usurarios:_

1.º Los que contengan una estipulación que establezca un interés superior al normal del dinero y manifiestamente desproporcionado con las circunstancias del caso, que hacen presumir al legislador la falta de libertad del prestatario para aceptarlos.

> La STS de 7 de marzo de 1998 señala que, para determinar si el interés pactado es notoriamente superior al normal del dinero, no se deben tener en cuenta los gastos y comisiones diferentes del propio interés (comisiones de apertura, estudio, etc.), aunque tales gastos se computen a efectos del cálculo de la TAE (tasa anual equivalente). Por otra parte, el Tribunal Supremo ha declarado que, sin desconocer que un tipo de interés que en una época es muy alto en otra se entienda que es normal, el interés del 5 por 100 mensual (60 por 100 anual) está y ha estado siempre superando muy notablemente lo que puede estimarse normal;[46] así como que el interés pactado en un préstamo con garantía hipotecaria del 29 por 100 excede con mucho de cualquier límite razonable.[47]

2.º Aquellos en que se contengan condiciones tales que resulten lesivas o en que todas las ventajas establecidas lo sean a favor del acreedor (préstamo leonino), habiendo motivos para estimar que han sido aceptados por el prestatario a causa de su situación angustiosa, de su inexperiencia o de lo limitado de sus facultades mentales.

> Es una situación angustiosa el hecho de encontrarse el prestatario en suspensión de pagos.[48] No lo es, en cambio, el hecho de que vayan mal los negocios del

---

46. Cfr. STS de 12 de julio de 2001 (RJ 2001, 5164).
47. Cfr. STS de 7 de mayo de 2002 (RJ 2002, 4045).
48. Cfr. de 5 de julio de 1982 (RJ 1982, 4215).

mutuario,[49] o que éste tenga dificultades económicas o apuro circunstancial dentro de una sólida posición económica.[50] Tampoco se está en este supuesto cuando, además de estar asistido de letrado, se alega la situación derivada de la construcción de un chalé de elevado coste.[51]

3.º Los contratos en que se suponga recibida una cantidad mayor que la efectivamente entregada, cualesquiera que sean su entidad y circunstancias.

El Tribunal Supremo ha declarado que se trata de una norma de carácter objetivo, que entraña una presunción *iuris et de iure* de usura, de modo que el hecho de que figure en el contrato mayor cantidad que la verdaderamente entregada es una operación fraudulenta que acredita por sí sola el dolo.[52] Por su parte, la STS de 17 de diciembre de 1984 dice que no puede considerarse como usurario un préstamo por ser inferior la suma verdaderamente entregada a la que figura en la escritura de préstamo, cuando en esta última se incluyen los gastos e impuestos de la misma escritura, los cuales son de cuenta y cargo exclusivo del deudor, no revelando esa suma complementaria, igual al importe de dichos gastos e impuestos, un exceso reprobable, máxime cuando se halla pendiente de una liquidación que el prestatario puede reclamar y que entra dentro de la normalidad de estas operaciones mercantiles.[53]

Con base en estas circunstancias, los tribunales gozan de un gran arbitrio para apreciar el carácter usurario del contrato, pues el artículo 2 de la LU declara que aquéllos «resolverán en cada caso formando libremente su convicción en vista de las alegaciones de las partes». Como ha reconocido el Tribunal Supremo, la Ley de usura resulta aplicable tanto a los contratos de préstamo civil como a los de naturaleza mercantil (que son los relevantes en el mercado de crédito, al margen de su denominación); aunque la jurisprudencia suele admitir un mayor margen de tolerancia en los contratos mercantiles por tratarse de operaciones presididas por el ánimo de lucro.[54] En cualquier caso, resulta obligado reconocer que nuestra jurisprudencia no ha seguido una línea uniforme a la hora de aplicar los criterios contenidos en el artículo 1 de la LU. Aunque el Tribunal Supremo parece decantarse de manera reiterada por la existencia del criterio objetivo (interés notablemente superior al normal del dinero y de carácter manifiestamente desproporcionado con las circunstancias del caso) para afirmar la existencia de usura,[55] no faltan ocasiones en que exige que concurran simultáneamente los dos criterios, objetivo y subjetivo (condiciones lesivas para el prestatario).[56] Incluso también ha considerado que existía la presunción de

---

49. Cfr. STS de 20 de marzo de 1931 (RJ 1931, 1980).
50. Cfr. STS de 29 de mayo de 1952 (RJ 1952, 1238).
51. Cfr. STS de 25 de febrero de 1988 (RJ 1988, 1305).
52. Cfr. STS de 24 de abril de 1991 (RJ 1991, 3025) y las que cita.
53. RJ 1984, 6119.
54. Cfr. SSTS de 13 de febrero de 1941 (RJ 1941, 147), 1 de marzo de 1949 (RJ 262), 3 de julio de 1959 (RJ 2955), 13 de noviembre de 1975 (RJ 1975, 4039), 20 de junio de 1986 (RJ 1986, 3782) y 8 de noviembre de 1994 (RJ 1994, 8477).
55. Cfr. SSTS de 24 de marzo de 1942 (RJ 1942, 332), 12 de julio de 1943 (RJ 1943, 857) 18 de junio y 17 de diciembre de 1945 (RJ 1945, 950 y 1421), 19 de octubre de 1948 (RJ 1948, 1257), 29 de mayo de 1952 (RJ 1952, 1238), 6 de octubre de 1956 (RJ 1956, 3178), 12 de marzo y 23 de septiembre de 1958 (RJ 1958, 1428 y 2832), 4 de abril de 1990 (2.ª) (RJ 1990, 3160) y 15 de abril 1991 (2.ª) (RJ 1991, 2786).
56. Cfr. SSTS de 15 de marzo de 1956 (RJ 1956, 1913), 19 de diciembre de 1974 (RJ 1974, 4799), 8 de octubre de 1981 (RJ 1981, 3589), 2 de noviembre de 1982 (RJ 1982, 6518), 29

que los intereses desproporcionados sólo podían haber sido aceptados por encontrarse el prestatario en condiciones angustiosas, o por haberse encubierto tales intereses con negocios leoninos.[57]

La delimitación de los dos criterios, objetivo y subjetivo, para delimitar la noción de un préstamo usurario aparece con nitidez en la STS de 18 de junio de 2012, que afirma que «en este sentido, y aunque la noción de usura se refiera etimológicamente al plano de los intereses, el control se proyecta sobre la relación negocial considerada en su unidad contractual, de forma que, sobre la noción de lesión o perjuicio de una de las partes, el control se proyecta de un modo objetivo u objetivable a través de las notas del "interés notablemente superior al normal del dinero" y de su carácter de "manifiestamente desproporcionado con las circunstancias del caso", para extenderse, a continuación, al plano subjetivo de la valoración de la validez del consentimiento prestado concretado alternativamente a la situación angustiosa del prestatario, a su inexperiencia o a la limitación de sus facultades mentales. Por su parte, cuando se recibe una cantidad de dinero prestado inferior a la nominalmente contratada, el control se objetiviza plenamente en orden a la nulidad del contrato, con independencia de otras posibles consideraciones: cualesquiera que sean su entidad y circunstancias"».[58]

Con la finalidad de evitar la *simulación del préstamo* mediante otro contrato, el artículo 9 de la LU establece que «lo dispuesto por esta ley se aplicará a toda operación sustancialmente equivalente a un préstamo de dinero, cualesquiera que sean la forma que revistan el contrato y la garantía que para su cumplimiento se haya ofrecido». De hecho, el Tribunal Supremo ha aplicado la Ley de usura a las compraventas con pacto de retro,[59] a una cláusula penal,[60] a una opción de compra,[61] etc.

Procede destacar la nula o restrictiva aplicación de la Ley de usura por parte de los Tribunales. En opinión de Sabater Bayle, ello es debido al efecto de la inflación en las obligaciones a largo plazo, pues un interés convencional puede parecer leonino y, sin embargo, no lo es si se pondera el poder adquisitivo de la moneda en los dos momentos, nacimiento y vencimiento de la obligación. En este sentido, procede traer a colación la STS de 25 de enero de 1984, en la que se declara que el supuesto planteado no puede subsumirse en ninguna de las hipótesis que contempla el artículo 1 de la LU, por no ser el interés convenido en el préstamo hipotecario notablemente superior al normal del dinero, ya que «en algunos años no llegó a cubrir ni siquiera la depreciación monetaria producida por la inflación».[62] En el mismo sentido, la STS de 18 de junio de 2012 indica que «la mera alegación de un interés elevado, o su concurrencia con una garantía hipotecaria, no determinan por ellas solas el carácter usuario del préstamo, pues la ley exige, en este plano, que además resulte "manifiestamente

---

de diciembre de 1984 (RJ 1984, 5690), 9 de enero de 1990 (RJ 1990, 8), 23 de noviembre de 2009 (RJ 2009, 140), 22 de febrero de 2013 (RJ 2013, 1609) y 1 de marzo de 2013 (RJ 2013, 2280).

57. Cfr. SSTS de 17 de mayo de 1967 (2.ª) (RJ 1967, 2395) y 15 de diciembre de 1967 (RJ 1967, 5048).

58. RJ 2012, 8857.

59. Cfr. SSTS de 4 de julio de 1955 y 1 de febrero de 1982.

60. Cfr. STS 5 de noviembre de 1955 (RJ 1955, 3101).

61. Cfr. STS de 9 de abril de 1941 (RJ 1941, 498).

62. RJ 1984, 382.

desproporcionado con las circunstancias del caso", esto es, que debe contrastarse y ponderarse con las demás circunstancias económicas y patrimoniales que dieron lugar al préstamo convenido».[63] Todas esas circunstancias deberán ser las que existan en el momento de la perfección del contrato por ser ésa «la realidad social que ha de contemplarse y no la vigente cuando se pretende que el contrato tenga efectividad, aunque se hayan variado las circunstancias iniciales», como dice la STS de 29 de septiembre de 1992.[64]

> Según la STS de 7 de mayo de 2002, «cierto es que la calificación de los intereses a efectos de la usura en sentido legal no puede hacerse por el tanto por ciento de devengo sobre el principal, sino que depende de las circunstancias en que se desenvuelva el mercado monetario. De ahí que un tipo de interés que en una época es muy alto, en otra se entienda que es normal. Pero la sentencia recurrida ha prestado atención a ello; no sólo ha tenido presente el tipo acordado, sino el básico del Banco de España y el de obtención de créditos en el mercado hipotecario. Siendo éstos del 10 por ciento y entre el 14 y 16 por ciento anual, respectivamente, es de una claridad meridiana que el interés pactado en un préstamo con garantía hipotecaria del 29 por ciento anual excede con mucho de cualquier límite razonable. El criterio de interés normal del dinero lo marca el mercado, en una situación de libertad contractual (…). Declarado por la sentencia recurrida que el interés pactado era "notablemente" superior al normal del dinero, es lógica su deducción de que era manifiestamente desproporcionado también con las circunstancias del caso».[65]

En cualquier caso, debe afirmarse con rotundidad que, a diferencia de los intereses moratorios, no cabe invocar el carácter abusivo del tipo de interés remuneratorio pactado, pues se trata de un elemento esencial del contrato de préstamo excluido del control de abusividad de acuerdo con el planteamiento que al respecto establece el Derecho europeo en la Directiva de cláusulas abusivas. Por el contrario, los intereses remuneratorios desproporcionadamente altos se combaten con las normas sobre la usura, a que se acaba de aludir. En palabras de la mencionada STS de 18 de junio de 2012, «no hay, por así decirlo, desde la perspectiva de las condiciones generales, un interés "conceptualmente abusivo", sino que hay que remitirse al control de la usura para poder alegar un propio "interés usurario" que afecte a la validez del contrato celebrado».[66]

> Respecto de la primera cuestión, el argumento utilizado se basa en lo dispuesto por el artículo 4.2 de la Directiva de cláusulas abusivas, a cuyo tenor «la apreciación del carácter abusivo de las cláusulas no se referirá a la definición del objeto principal del contrato ni a la adecuación entre precio y retribución, por una parte, ni a los servicios o bienes que hayan de proporcionarse como contrapartida, por otra, siempre que dichas cláusulas se redacten de manera clara y comprensible».

Por último, hay que poner de relieve que el artículo 20.4 de la LCC establece que en ningún caso podrá aplicarse a los créditos (o intereses remuneratorios) que se concedan en forma de descubiertos en cuentas a la vista «un tipo de interés que dé lugar a

---

63. RJ 2012, 8857.
64. RJ 1992, 7330. Cfr. STS de 8 de junio de 2006 (RJ 2006, 8178).
65. RJ 2002, 4045.
66. RJ 2012, 8857.

una tasa anual equivalente superior a 2,5 veces el interés legal del dinero». Si se introdujese en un contrato, dicha cláusula tendrá el carácter de abusiva al amparo de lo dispuesto por el artículo 89.7 del TRLGDCU. Este precepto se refiere, evidentemente, a la misma cláusula, si bien en el momento de la promulgación del Texto refundido aparecía entonces recogida en el artículo 19.4 de la Ley de Crédito al Consumo de 23 de marzo de 1995. Como dice el artículo 83.1 del TRLGDCU, «las cláusulas abusivas serán nulas de pleno derecho y se tendrán por no puestas».

_c_) El interés puede ser _fijo_ o _variable,_ según que venga establecido en un tipo determinado, o se haya pactado que pueda modificarse a lo largo de la duración del contrato. El interés variable es muy frecuente en los préstamos a largo plazo con el fin de mantener el equilibrio inicial durante toda la vida del contrato. A tal efecto, suele fijarse añadiendo un margen o diferencial (0,5 por 100, 1 por 100, etc.) a algún índice, oficial o no, del precio del dinero para impedir que su variación quede al arbitrio de uno de los contratantes. Hasta la implantación del euro, el más utilizado era el MIBOR o interés del dinero en el mercado interbancario de Madrid, que fue sustituido por el EURIBOR o tipo de interés para operaciones de depósito en euros a plazo de un año.

El EURIBOR a un año es el utilizado en el cálculo de los tipos de interés de los préstamos hipotecarios. La circular del Banco de España de 29 de junio de 1999 lo define como «la media aritmética simple de los valores diarios de los días con mercado de cada mes, del tipo de contado publicado por la Federación Bancaria Europea para las operaciones de depósito en euros a plazo de un año calculado a partir del ofertado por una muestra de bancos para operaciones entre entidades de similar calificación». En definitiva, el EURIBOR lo calcula la Federación Bancaria Europea con los datos de los principales bancos de la zona euro y muestra el precio del dinero a un año en el mercado interbancario europeo.

Según el artículo 1104 de la PMDOC, «en la obligación pecuniaria el deudor deberá intereses cuando así resulte de la ley o del título constitutivo de la obligación. La cuantía de los mismos será la que determine la fuente que los establezca o, a falta de dicha determinación, la correspondiente al interés legal del dinero».

En materia de _compraventa internacional,_ según el artículo 78 de la CISG, «si una parte no paga el precio o cualquier otra suma adeudada, la otra parte tendrá derecho a percibir los intereses correspondientes, sin perjuicio de toda acción de indemnización de los daños y perjuicios exigibles conforme al artículo 74». Dicha indemnización comprenderá el valor de la pérdida sufrida y de la ganancia dejada de obtener como consecuencia del incumplimiento. Se trata de una norma de compromiso que pretende diferenciar entre la obligación de pago de intereses y la indemnización de daños y perjuicios, lo cual explica que no diga nada acerca del tipo de interés aplicable.

Asimismo, según el artículo 7.4.9(1) de los PCCI, «si una parte no paga una suma de dinero cuando es debido, la parte perjudicada tiene derecho a los intereses sobre dicha suma desde el vencimiento de la obligación hasta el momento del pago, sea o no excusable la falta de pago». En este caso, sí que se determina el tipo de interés, «que será el promedio del tipo de préstamos bancarios a corto plazo a favor de clientes calificados y predominante para la moneda de pago en el lugar donde éste ha de ser efectuado. Cuando no exista tal tipo en ese lugar, entonces de aplicará el mismo tipo en el Estado de la moneda de pago. En ausencia de dicho tipo en esos lugares, el tipo de interés será el apropiado conforme al Derecho del Estado de la moneda de pago» (cfr. art. 7.4.9(2) PCCI).[67]

Según el comentario oficial, «si no existe dicho tipo para la moneda de pago en el lugar de pago, se aplicará, en primer lugar, el tipo promedio de interés vigente en el Estado de la moneda de pago. Por ejemplo, si se otorga un préstamo libras esterlinas pagadero en el país "X", y no existe un tipo de interés para los préstamos en libras en el mercado financiero del país "X", se pagará el tipo de interés vigente en el Reino Unido. En ausencia de dicho tipo en cualquiera de ambos lugares, el tipo de interés será el que se considere "apropiado" conforme a la ley del Estado de la moneda de pago. En la mayoría de los casos será el tipo de interés más apropiado para las operaciones internacionales. Si no existe un tipo de interés legal, se aplicará el tipo de interés bancario más apropiado».

El apartado 3 del artículo 7.4.9 de los PCCI añade que «la parte perjudicada tiene derecho a una indemnización adicional si la falta de pago causa mayores daños».

3. Pago, suspensión y prescripción de los intereses

El pago de los intereses, por regla general, habrá de efectuarse en el momento de devengo (mensual, trimestral, anual, etc.), según se hubiese establecido. Normalmente, devengo y exigibilidad coincidirán, pero puede no ser así. Por ejemplo, si se pactó un interés del 8 por 100 anual durante tres años, conviniéndose que los intereses se abonarían al extinguirse la deuda principal, es decir, al fin del tercer año.

En el caso de que se hubiese establecido el porcentaje (por ejemplo, el 8 por 100), pero no el período de su devengo, habrá que acudir a la ley o a la costumbre para su determinación, y, como indica ALBALADEJO, en última instancia a los principios generales del Derecho, según los cuales parece que habrán de pagarse por años, si se acordó un interés anual, por meses, si fue mensual, etc. (*arg. ex* art. 1581 CC).

Según el artículo 1110 del CC, «el recibo del capital por el acreedor, sin reserva alguna respecto de los intereses, extingue la obligación del deudor en cuanto a éstos». Este precepto debe interpretarse en el sentido de que en el recibo se ha de especificar que se ha recibido el capital, o que se ha recibido el saldo de la deuda, o bien que se entrega como finiquito de la misma; pues, si en el recibo simplemente se indica una cantidad de dinero como recibida, sería de aplicación el artículo 1173 del CC, a cuyo tenor la cantidad entregada habría de imputarse a los intereses antes que al capital. No obstante, el artículo 1110 del CC contiene una presunción *iuris tantum* de extinción de la obligación de pago de intereses.[68]

A la obligación de pagar intereses es aplicable lo dispuesto en el artículo 1966, número 3, del CC, según el cual las acciones para exigir el cumplimiento de las obligaciones que impongan el pago «por años o en plazos más breves» prescriben por el transcurso de cinco años. Sin embargo, como advierte DÍEZ-PICAZO, esta norma tiene como presupuesto la existencia de obligaciones que obliguen a realizar prestaciones

---

67. En el mismo sentido, cfr. art. 9:508(1) de los PECL.
68. Cfr. artículo 318 del CCom.

periódicas; por tanto, no sería aplicable a la prestación de restituir un capital prestado por un año, si los intereses se devengan anualmente.[69]

4. Anatocismo

Se llama _anatocismo_ al pacto de pagar interés de los intereses. Es decir, consiste en que los intereses vencidos y no pagados se acumulen al capital y, a su vez, produzcan intereses.[70] En otros términos, se trata de aplicar la fórmula del interés compuesto.

En nuestra legislación civil no existe norma prohibitiva de este pacto, el cual no encuentra otro límite que el derivado de la Ley de usura, que faculta a los tribunales para calificar el préstamo de usurario. Es más, el propio Código civil admite el anatocismo, pues en el artículo 1109, párrafo 1.º, del CC contempla el supuesto de inexistencia de pacto, y declara que «los intereses vencidos devengan el interés legal desde que son judicialmente reclamados», es decir, desde la fecha de la sentencia de primera instancia.[71] Ahora bien, este precepto, de carácter general, deja a salvo lo que se establezca en cualquiera otra disposición especial, a cuyo efecto añade que «en los negocios comerciales se estará a lo que dispone el Código de Comercio», y que «los Montes de Piedad y Cajas de Ahorros se regirán por sus reglamentos» (art. 1109, párrs. 2.º y 3.º, CC). Por tanto, no ofrece duda que en el ámbito civil es posible y lícito el anatocismo, incluso aunque fuera pactado con carácter previo.

En cambio, el § 248(1) del BGB y el artículo 1283 del Código civil italiano no admiten este pacto con carácter previo, sino mediante pacto posterior al vencimiento de los intereses y respecto a un período de seis meses al menos. En el mismo sentido se pronuncia el artículo 560 del Código civil portugués, si bien referido a un período mínimo de un año. En cambio, el artículo 1154 del Código civil francés indica que «los intereses vencidos sobre el principal podrán devengar intereses a su vez si así se solicita ante un órgano jurisdiccional o si se hubiera pactado expresamente, si bien tanto la solicitud como el pacto deberán referirse a intereses adeudados durante, al menos, un año completo».

Sin embargo, aunque parezca extraño, el Código de comercio prohíbe el anatocismo. El artículo 317 del CCom dice que, en el préstamo mercantil, «los intereses vencidos y no pagados no devengarán intereses», mientras que el artículo 319 del mismo Código declara que «interpuesta una demanda no podrá hacerse acumulación de interés al capital para exigir mayores réditos». No obstante, el citado artículo 317 del CCom establece, en su inciso segundo, que «los contratantes podrán capitalizar los intereses líquidos y no satisfechos, que, como aumento del capital, devengarán nuevos réditos». Por consiguiente, hay que distinguir entre la prohibición legal de que los intereses vencidos y no pagados devenguen desde el principio intereses y la posibilidad, admitida, de pactar la capitalización de los intereses líquidos y no satisfechos.

Como dice PUIG BRUTAU, «la diferencia consiste en que en este último caso existe novación del primitivo contrato por nuevo acuerdo entre los contratantes, en el sentido de acumular los intereses devengados al capital. Es decir, lo que no está

---

69. Cfr. STS de 3 de febrero de 1994 (RJ 1994, 972).
70. Cfr. STS de 30 de octubre de 1999 (RJ 1999, 8169).
71. Cfr. STS de 3 de julio de 1984 (RJ 1984, 3793).

permitido es pactar la capitalización de intereses en el momento de constituirse la obligación; pero, en cambio, es posible dejarlo convenido en el momento posterior, cuando los intereses que se acumulan al primitivo capital ya están devengados».

No obstante, con mayor flexibilidad, la STS de 8 de noviembre de 1994 declara que el anatocismo «puede ser pactado en el mismo contrato originario de préstamo mercantil con interés, sin necesidad de ninguna convención posterior para ello, (...) toda vez que la liquidez de los intereses vencidos y no satisfechos se produce automáticamente por la simple aplicación del tipo de interés pactado al capital prestado y al tiempo transcurrido hasta el vencimiento de dichos intereses».[72] Es más, es uso mercantil consolidado que en los préstamos bancarios las partes estipulen que los intereses vencidos y no satisfechos se capitalicen para, en unión del capital, seguir produciendo intereses al mismo tipo pactado.

Según el artículo 1105 de la PMDOC, «los intereses vencidos sólo devengan a su vez intereses cuando exista pacto expreso o cuando el acreedor los reclame judicial o extrajudicialmente».

Por su parte, el artículo III.-3:709(1) del DCFR dice que «los intereses pagaderos de acuerdo con los dispuesto en el artículo anterior (intereses de demora) se sumarán al capital pendiente cada doce meses».[73] Como indica el comentario oficial, «este artículo confiere al acreedor de una deuda monetaria que devenga intereses, tras el impago por parte del deudor de los intereses vencidos, el derecho a la capitalización de los mismos. Esto se justifica por el hecho de que los intereses que percibe el acreedor de una obligación monetaria son activos. La demora en el pago de estos priva al acreedor de un beneficio debido tanto como la demora en el pago del propio capital. Además, la demora en el pago a menudo perjudica mucho a los acreedores, especialmente a pequeñas empresas que pueden quebrar. Por tanto, tanto en Europa en general como en los distintos Estados miembros, hay una clara tendencia a establecer una sanción por demora en el pago. La capitalización de los intereses es una sanción efectiva por el efecto de incremento gradual que produce». Por el contrario, dicha regla general sobre capitalización de intereses no será de aplicación cuando las partes hubieran llegado a un acuerdo, explícito o implícito, sobre el pago de intereses de demora, tal y como indica el apartado 2 del artículo III.-3:709 del DCFR.[74] No parece necesario hacer más comentarios acerca de cuál es la tendencia predominante en el moderno Derecho contractual a propósito del devengo de intereses de intereses.

Ahora bien, tras la entrada en vigor de la Ley de medidas para reforzar la protección a los deudores hipotecarios, reestructuración de deuda y alquiler social de 14 de mayo de 2013, el artículo 114, párrafo 3.º, de la LH determina que «en el caso de préstamo o crédito concluido por una persona física que esté garantizado mediante hipoteca sobre bienes inmuebles para uso residencial, el interés de demora será el interés remuneratorio más tres puntos porcentuales a lo largo del período en el que aquel resulte exigible. El interés de demora sólo podrá devengarse sobre el principal vencido y pendiente de pago y no podrá ser capitalizado en ningún caso, salvo en el supuesto previsto en el artículo 579.2.a) de la Ley de Enjuiciamiento Civil. Las

---

72. RJ 1994, 8477.
73. Cfr. artículo 17:101(1) de los PECL.
74. Cfr. artículo 17:101(2) de los PECL.

reglas relativas al interés de demora contenidas en este párrafo no admitirán pacto en contrario».

BIBLIOGRAFÍA

ALBALADEJO, «Sentido de la jurisprudencia sobre prescripción quincenal de intereses», RCDI, 1966, p. 129; ÁLVAREZ MORALES, «Consideraciones jurídico-financieras sobre la modificación del interés legal del dinero», La Ley, 1985, p. 1180; AMUNÁTEGUI RODRIGUEZ, *La cláusula rebus sic stantibus*, Valencia, 2003; BERCOVITZ, R., «Las obligaciones divisibles e indivisibles», ADC, 1973, p. 507; BONET CORREA, «Las cuestiones interpretativas del artículo 1170 del Código civil sobre el pago de las deudas de dinero», ADC, 1971, p. 1085; íd., «Las cláusulas de estabilización en las obligaciones pecuniarias», RDN, 1963, p. 90; íd., «Metalismo, nominalismo y valorismo en las deudas de dinero». RDN, 1976, p. 11; id., *Las deudas de dinero*, Madrid, 1981; COSSÍO, «Cláusulas de escala móvil», RDP, 1955, p. 963; CRISTÓBAL MONTES, *Las obligaciones indivisibles*, Madrid, 1991; DORAL, «Nuevas orientaciones sobre la obligación de pago de intereses», ADC, 1980, p. 523; DUALDE, «Cláusula pago en oro», RDP, 1947, p. 1; ESPIAU, *Las obligaciones indivisibles en el Código civil*, Madrid, 1992; GARRIGUES, *Contratos bancarios*, 2.ª ed., Madrid, 1975; LASARTE ÁLVAREZ, «La deuda de intereses», AAMN, 1996, p. 115; JIMÉNEZ MUÑOZ, *La usura: evolución histórica y patología de los intereses*, Madrid, 2010; MEDINA ALCOZ, «Anatocismo, Derecho español y Draft Common Frame of Reference», InDret, 2011; MERINO GUTIÉRREZ, *Alteraciones monetarias y obligaciones pecuniarias en el Derecho privado actual*, Oviedo, 1985; MÚRTULA LAFUENTE, *La prestación de intereses*, Madrid, 1999; NUSSBAUM, *Teoría jurídica del dinero*, trad. de SANCHO SERAL, Madrid, 1929; ORDÁS ALONSO, *El interés de demora*, Navarra, 2004; ROCA SASTRE, «Las cláusulas de estabilización», *Estudios*, T. I, p. 251; RUIZ-RICO RUIZ, «Cien años (y algo más) de jurisprudencia sobre intereses moratorios», *Centenario del Código civil*, Vol. II, Madrid, 1990, p. 1893; SABATER BAYLE, *Préstamo con interés, usura y cláusulas de estabilización*, Pamplona, 1986; SANCHO SERAL, *El problema de las deudas de dinero en el Derecho actual*, Zaragoza, 1926; TORRALBA, «Estudio crítico del artículo 1110 del Código civil», RCDI, 1966, p. 1509; íd., «Las recompensas entre las masas patrimoniales y la depreciación monetaria», RCDI, 1971, p. 553; VATTIER, «Problemas de las obligaciones pecuniarias en el Derecho español», RCDI, 1980, p. 41.

Clases de obligaciones por razón del vínculo

I. OBLIGACIONES PRINCIPALES Y ACCESORIAS

1. Introducción

Esta clasificación refleja la idea de que la relación obligatoria puede tener o no entidad autónoma.

Son obligaciones *principales* aquellas que gozan de existencia propia o independiente, por ejemplo, la obligación de entregar el vendedor la cosa al comprador (art. 1461 CC); y *accesorias* las que dependen de otra principal, a la cual se encuentran subordinadas y complementan o garantizan, por ejemplo, la obligación del fiador de pagar o cumplir en el caso de que no lo haga el deudor (art. 1824, párrafo 1.º, CC).

El régimen jurídico de las obligaciones principales no ofrece especialidad alguna, porque constituyen el supuesto normal dentro del Derecho de obligaciones.

Las obligaciones accesorias siguen el mismo régimen de vida de la obligación de la que dependen, se transmiten (por regla general) y se extinguen con la obligación principal (art. 1528 CC).

Como advierte DÍEZ-PICAZO, la prestación accesoria es distinta de los deberes de conducta, que lo que hacen es ampliar la principal. Por ejemplo, el deber de instruir al comprador sobre el manejo de una máquina que se le ha vendido. Estos deberes no son exigibles sin el de la prestación principal. En cuanto a la exigibilidad de estos deberes, habrá que estar a los términos del negocio y a los usos del tráfico.

2. Clases de obligaciones accesorias

Por su origen, las obligaciones accesorias pueden ser *legales y voluntarias*, según sean impuestas por la ley (arts. 158 y ss. LH) o se agreguen a la obligación principal por voluntad de las partes.

Por su finalidad, se dividen en *complementarias* (por ejemplo, en las obligaciones de dar, la de conservar la cosa con la diligencia de un buen padre de familia, cfr. art. 1094 CC) y de *garantía*.

Las obligaciones accesorias de garantía tienen especial importancia, y pueden tener un carácter real o personal, pues, como dice el Tribunal Supremo, «los derechos de obligación pueden ser garantizados por diferentes medios, tales como la constitución de un derecho especial sobre una cosa, que asegure al acreedor que obtendrá sobre su valor la satisfacción de su crédito (hipoteca, anticresis, prenda, derecho de retención), la intervención de un tercero que se comprometa al cumplimiento de la obligación en determinadas circunstancias (fianza), y la prestación, generalmente de carácter pecuniario, que el deudor promete como pena al acreedor, para el caso de que no cumpla su obligación, o no la cumpla del modo pertinente (pena convencional)».[1]

II. OBLIGACIONES UNILATERALES Y BILATERALES

1. Introducción

Por razón de la naturaleza del vínculo, las obligaciones pueden ser unilaterales o bilaterales.

El Código civil alude en diversos preceptos a las obligaciones recíprocas: en el artículo 1100, párrafo 3.º, a propósito de la mora; en el artículo 1120, distingue la obligación unilateral frente a la obligación bilateral, y dice que ésta impone «recíprocas prestaciones a los interesados»; y en el artículo 1124, al referirse a la facultad de resolución, declara que ésta se entiende implícita en las recíprocas, para el caso de que uno de los obligados no cumpliere lo que le incumbe. De estas normas se deduce que la nota esencial que integra el concepto de la obligación bilateral es la de «reciprocidad de deudas y de créditos». Por consiguiente, como dice la STS de 5 de enero de 1905, para que pueda hablarse de obligaciones bilaterales o recíprocas hace falta no sólo que en un mismo contrato se establezcan prestaciones a cargo de ambas partes, sino que la obligación de cada una de ellas hubiese sido querida como equivalente de la otra y, por tanto, exista entre ellas una mutua condicionalidad.[2]

La bilateralidad implica que en una misma relación obligatoria cada uno de los sujetos ocupa a la vez la posición de acreedor y deudor. En resumen, en las obligaciones *unilaterales* sólo surgen obligaciones para una de las partes: un sujeto es el obligado a realizar la prestación y el otro es quien puede reclamarla, por ejemplo, el préstamo, en que sólo el prestatario tiene obligaciones, como es la de devolver al

---

1. Cfr. STS de 3 de marzo de 1956 (RJ 1956, 1141).
2. Cfr. SSTS de 4 y 15 de febrero de 1905 (JC 1905, I-44 y I-60), 3 de diciembre de 1955 (RJ 1955, 3604), 28 de septiembre de 1965 (RJ 1965, 4056), 15 de noviembre de 1993 (RJ 1993, 8914) y 24 de septiembre de 1997 (RJ 1997, 6859).

acreedor (prestamista) otro tanto de la misma especie y calidad (art. 1753 CC) En cambio, en las obligaciones _bilaterales_ o sinalagmáticas surgen obligaciones recíprocas para ambas partes, por ejemplo, la compraventa, en que el vendedor se obliga a entregar una cosa al comprador, y ésta a pagar por ella un precio (art. 1445 CC).

Las obligaciones bilaterales, dicen los romanistas, unas son bilaterales _perfectas_, porque de ellas necesariamente surgen obligaciones para ambas partes (por ejemplo, la compraventa); y otras bilaterales _imperfectas_, porque nacen como unilaterales, pero pueden, eventualmente, surgir obligaciones para la parte que sólo tenía derechos. Así, por ejemplo, en el depósito surgen obligaciones sólo para el depositario, pero si la conservación de la cosa exigió desembolsos, el depositante deberá resarcirlos. En la doctrina civilista se considera inadecuada esta distinción, debido a que la obligación nueva tiene un origen distinto, por ser consecuencia de ese hecho posterior (_ex post facto_) que nada tiene que ver con la causa que dio lugar a la relación jurídica originaria. En otros términos, falta esa relación de recíproca dependencia que es característica de las obligaciones bilaterales.

> Según la STS de 18 de noviembre de 1994, «las obligaciones bilaterales y recíprocas tienen por contenido un sinalagma doble, el genético en cuanto una atribución obligacional debe su origen a la otra, y el funcional significativo de la interdependencia que las dos relaciones obligacionales tienen entre sí en cuanto a su cumplimiento; de tal forma que cada deber de prestación constituye para la otra parte la causa por la cual se obliga, resultando tan íntimamente enlazados ambos deberes, que tienen que cumplirse simultáneamente».[3]

No debe confundirse la bilateralidad de las obligaciones con la de los contratos. El contrato es siempre bilateral, con independencia de las obligaciones que produzca, porque siempre necesita de dos personas o sujetos, sin las cuales la prestación del consentimiento sería imposible. Sin embargo, se habla de contratos unilaterales y bilaterales en función de que generen un vínculo unilateral o bilateral.

2. Efectos de las obligaciones recíprocas

En las obligaciones recíprocas, cada una de las partes tiene frente a la otra un derecho de crédito y un deber de prestación correlativo o recíproco. Es decir, los derechos y las obligaciones se encuentran mutuamente condicionados. Y, en virtud de esta interdependencia, tienen unas peculiaridades propias, que son las siguientes: excepción de contrato no cumplido, compensación de la mora, resolución por incumplimiento y reparto de los riesgos.

2.1. _Excepción de contrato no cumplido_

En los contratos bilaterales o con obligaciones recíprocas, salvo que la ley o la voluntad de las partes establezcan otra cosa, las prestaciones que corresponden a cada uno de los sujetos deben realizarse simultáneamente.

> En palabras de la STS de 9 de diciembre de 2004, «las obligaciones recíprocas tienen unos efectos específicos debidos a su interconexión o interdependencia.

---

3. RJ 1994, 9322. Cfr. también SSTS de 5 de julio de 2007 (RJ 2007, 5125) y 9 de enero de 2013 (RJ 2013, 1633).

El primero es la necesidad de cumplimiento simultáneo, en el sentido de que el acreedor de una obligación recíproca no puede exigir a su deudor que cumpla, si a su vez no ha cumplido o cumple al tiempo u ofrece cumplir la otra obligación recíproca de la que es deudor».[4]

De tal manera que, si una de las partes pretende exigir de la otra el cumplimiento de su prestación, sin ofrecer la realización de la suya, el demandado podrá oponer la llamada «excepción de contrato no cumplido» *(exceptio non adimpleti contractus)*. Como advierte ESPÍN, no se niega el cumplimiento, sino tan sólo el cumplimiento previo, por lo que, si la parte que reclama ha cumplido su obligación, cesa todo fundamento para alegar la excepción.

Esta regla no se encuentra expresamente consagrada en nuestro Código civil, pero cabe inducirla de sus artículos 1124 y 1100, párrafo 3.°, así como también se encuentran aplicaciones concretas de la misma, entre otros, en los artículos 1466, 1500, 1502, todos ellos del CC.[5] La jurisprudencia del Tribunal Supremo la ha reconocido y declara: *a)* que está justificado el incumplimiento de una de las partes si fue motivado por el incumplimiento previo de la otra;[6] *b)* para que pueda ser acogida la excepción es preciso que el actor no haya cumplido su prestación ni ofrecido realizarla; *c)* no puede alegarse cuando el incumplimiento del actor es imputable al demandado.[7]

En cambio, regulan de modo general la excepción de incumplimiento el § 320.2 del BGB, el artículo 82 del CO, el artículo 1460 del Código civil italiano y los artículos 428-431 del Código civil portugués.

Para que proceda el ejercicio de la excepción de contrato no cumplido han de concurrir los requisitos siguientes:

1.° Una relación obligatoria sinalagmática exigible.

2.° La falta de cumplimiento de la otra parte. Esta necesidad de simultaneidad en el cumplimiento se deduce del párrafo 3.° del artículo 1100 del CC. No podrá alegarse la excepción cuando por disposición legal o por voluntad de las partes se hubiera establecido un plazo para el cumplimiento.

3.° Que la alegación de la excepción no sea contraria a la buena fe (art. 1258 CC). Y lo es si el que la invoca dio lugar al incumplimiento de la otra parte, o si el incumplimiento es muy leve y no justifica la negativa de la prestación que se reclama, ya que para acoger la excepción no bastan meras sospechas, ni meros incumplimientos accesorios, sino que es necesaria la constancia de una manifiesta intención de incumplimiento.[8]

En palabras de la STS de 18 de mayo de 2012, la excepción de contrato no cumplido «en el marco del carácter sinalagmático de la relación obligatoria y del principio de reciprocidad de las obligaciones, se ha consolidado, de manera general, como un derecho o facultad dispuesto para poder rechazar el cumplimiento de una obligación que no se ajuste a un exacta ejecución de la prestación debida con

---

4. RJ 2004, 7916.
5. Cfr. STS de 3 de diciembre de 1955 (RJ 1955, 3604).
6. Cfr. SSTS de 5 de julio de 1946 (RJ 1946, 849) y 22 de marzo de 1950 (RJ 1950, 710).
7. Cfr. STS de 3 de marzo de 1973 (RJ 1973, 897).
8. Cfr. STS de 3 de diciembre de 1992 (RJ 1992, 9997).

la consiguiente insatisfacción del acreedor, proyectándose sus efectos a paralizar o enervar la pretensión dirigida a obtener el cumplimiento de la prestación. Se trata, pues, de un medio de defensa que supone una negativa provisional al pago que suspende, o paraliza a su vez, la ejecución de la prestación a su cargo mientras la otra parte no cumpla con exactitud».[9] Como recalca esta sentencia, la aplicación de la excepción de contrato no cumplido «requiere que se trate del incumplimiento de una obligación básica, no bastando el cumplimiento defectuoso de la prestación, ni el mero incumplimiento de prestaciones accesorias o complementarias».[10]

También se admite por la doctrina y la jurisprudencia la «excepción de cumplimiento defectuoso o inadecuado» _(exceptio non rite adimpleti contractus)_, que puede oponerse al demandante que cumplió parcial o defectuosamente, siempre que lo mal realizado u omitido tenga la suficiente entidad con relación a lo demás bien ejecutado que el interés del acreedor no quede satisfecho.[11] En caso contrario, el deudor sólo podrá retener una parte de su prestación para la seguridad de las prestaciones atrasadas del acreedor, o para la reparación de lo imperfectamente cumplido.[12]

2.2. _Compensación de la mora_

La regla general es que cuando el obligado a realizar una prestación retrasa su cumplimiento, incurre en mora; sin embargo, como excepción a esta regla, en virtud de la exigencia de simultaneidad en las obligaciones recíprocas, el artículo 1100 del CC establece que «ninguno de los obligados incurre en mora si el otro no cumple o no se allana a cumplir debidamente lo que le incumbe». Y, también como regla especial, para este tipo de obligaciones, el mismo precepto declara que «desde que uno de los obligados cumple su obligación, empieza la mora para el otro» (_mora automática_).

2.3. _Resolución por incumplimiento_

El Derecho romano desconocía la resolución por incumplimiento de los contratos bilaterales, si bien en la compraventa con precio aplazado era frecuente una cláusula adicional, llamada _lex commisoria_, en virtud de la cual si el precio no era abonado dentro del plazo fijado se resolvía la compraventa y volvía la cosa al vendedor. En la Edad Media, los canonistas se referían a una condición tácita, aunque no se hubiere pactado, por entender que todo contrato se celebra _si fides servetur_. Sin embargo, fue el Derecho consuetudinario francés el que consagró esta posibilidad de resolución.

Nuestro Código civil admite la posibilidad de resolución por incumplimiento en el artículo 1124, a cuyo tenor, «la facultad de resolver las obligaciones se entiende implícita en las recíprocas, para el caso de que uno de los obligados no cumpliere lo que le incumbe. El perjudicado podrá escoger entre exigir el cumplimiento o la resolución de la obligación, con el resarcimiento de daños y abono de intereses en

---

9. RJ 2012, 6358. Cfr. SSTS de 12 de julio de 1991 (RJ 1991, 1547), 21 de marzo de 2001 (RJ 2001, 4748), 17 de febrero de 2003 (RJ 2003, 1165) y 4 de marzo de 2013 (RJ 2013, 2413).
10. RJ 2012, 6358. Cfr. SSTS de 3 de diciembre de 1992 (RJ 1992, 9997), 22 de octubre de 1997 (RJ 1997, 7410), 28 de abril de 1999 (RJ 1999, 3422), 20 y 26 de junio de 2002 (RJ 2002, 5256 y 5501).
11. Cfr. STS de 15 de marzo de 1979 (RJ 1979, 871).
12. Cfr. SSTS de 17 de abril de 1976 (RJ 1976, 1811), 15 de marzo de 1979 (RJ 1979, 871) y 10 de noviembre de 1981 (RJ 1981, 4470).

ambos casos. También podrá pedir la resolución, aun despés de haber optado por el cumplimiento, cuando éste resultare imposible. El Tribunal decretará la resolución que se reclame, a no haber causas justificadas que la autoricen para señalar plazo. Esto se entiende sin perjuicio de los derechos de terceros adquirentes, con arreglo a los artículos 1295 y 1298 y a las disposiciones de la Ley hipotecaria».

A pesar de que este precepto se encuentre colocado en la sección correspondiente a las obligaciones condicionales, es evidente que no se contiene en él una verdadera y propia condición, pues no se trata de un acontecimiento futuro e incierto que se establezca por la voluntad de las partes para hacer depender del mismo la subsistencia del contrato. Tampoco actúa *ipso iure,* sino que debe ser alegado, y, además, sólo faculta para solicitar la resolución, pudiendo el juez o tribunal conceder un plazo si existen causas que justifiquen el incumplimiento.

El artículo 1199, párrafo 1.º, de la PMDOC dice que «cualquiera de las partes de un contrato podrá resolverlo cuando la otra haya incurrido en un incumplimiento que, atendida su finalidad, haya de considerarse como esencial». Como pone de relieve el artículo 1188, párrafo 1.º, de la PMDOC, «hay incumplimiento cuando el deudor no realiza exactamente la prestación principal o cualquier otro de los deberes que de la relación obligatoria resulten».

El artículo III.-3:502(1) del DCFR señala que «un acreedor puede resolver si el deudor incurre en un incumplimiento esencial de una obligación contractual. Como indica el comentario oficial, «en caso de incumplimiento de una obligación contractual, el derecho del acreedor a resolver la relación contractual en su totalidad o en parte se determinará sopesando distintas consideraciones encontradas. Por un lado, el acreedor puede desear amplios derechos de resolución. El acreedor tendrá motivos razonables para proceder a la resolución si el cumplimiento es tan diferente del debido que no sirve a los fines del acreedor, o si se retrasa tanto que el acreedor pierde su interés en él. En ciertas situaciones, la resolución será el único remedio que protegerá adecuadamente los intereses del acreedor, por ejemplo, cuando el deudor se declare insolvente y no pueda cumplir la obligación ni pagar una indemnización por daños. El acreedor también puede querer poder resolver la relación contractual en casos menos graves. Un acreedor que tema un incumplimiento por parte del deudor puede querer recurrir a la amenaza de una posible resolución para asegurarse de que el deudor efectúa el cumplimiento de total conformidad con las condiciones que regulan la obligación. Además, el acreedor también puede querer resolver la relación contractual por motivos menos razonables. Por ejemplo, el acreedor puede esperar eludir un contrato que ha dejado de ser rentable debido a un cambio en el precio del mercado desde que se celebró el contrato en cuestión. Para el deudor, por otro lado, la resolución supone normalmente un grave perjuicio. En su intento de efectuar el cumplimiento, el deudor puede haber asumido gastos que hayan resultado inútiles, y puede perder la totalidad o la mayor parte del valor de la prestación si no hay mercado para esta en otro lugar. Cuando haya otros remedios disponibles, como la indemnización por daños o la reducción del precio, por lo general, estos protegerán suficientemente los intereses del acreedor, de modo que debería evitarse la resolución. Por estas razones, solamente un incumplimiento esencial justificará la resolución en virtud del presente artículo. Las disposiciones sobre subsanación también protegen los intereses del deudor; con sujeción a importantes excepciones, el acreedor no puede proceder a la resolución sin dar a un deudor honrado y dispuesto otra oportunidad para efectuar el cumplimiento». Según el apartado 2 del artículo III.-3:502 del DCFR añade que «un incumplimiento de una obligación contractual es esencial si: (a) priva sustancialmente al acreedor de lo que tenía derecho a esperar en virtud del contrato, referido a la totalidad o una parte significativa del cumplimiento, salvo que en el momento de la celebración del contrato el deudor no previera ni se puede esperar razonablemente que hubiera previsto este resultado; o (b) es deliberado o imprudente y da al acreedor motivos para creer que no se puede confiar en el futuro cumplimiento del deudor».

Según el artículo 1200 de la PMDOC, «en caso de retraso o de falta de conformidad en el cumplimiento, al creedor también podrá resolver si el deudor, en el plazo razonable que aquél le hubiera fijado para ello, no cumpliere o subsanare la falta de conformidad. También podrá el acreedor resolver el contrato cuando exista un riesgo patente de incumplimiento esencial del deudor y éste no cumpla ni preste garantía adecuada de cumplimiento en el plazo razonable que el acreedor le haya fijado al efecto. La fijación de plazo no será necesaria en ninguno de los casos a que se refieren los párrafos anteriores si el deudor ha declarado que no cumplirá sus obligaciones». El artículo 1201 de la PMDOC añade que «si el deudor ofreciere tardíamente el cumplimiento o lo hubiere efectuado de un modo no conforme con el contrato, perderá el acreedor la facultad de resolver a menos que la ejercite en un plazo razonable desde que tuvo o debió tener conocimiento de la oferta tardía de cumplimiento o de la no conformidad del cumplimiento».

La _resolución tras la notificación en la que se fija un plazo adicional de cumplimiento_ aparece regulada en el artículo IIII.-3:503 del DCFR, a cuyo tenor, «(1) un acreedor puede resolver en caso de retraso en el cumplimiento de una obligación contractual no esencial en sí misma si dicho acreedor notifica al deudor que le concede un plazo adicional de duración razonable para que proceda al cumplimiento y el deudor no cumple su obligación en dicho plazo. (2) Si el plazo concedido es excesivamente corto, el acreedor sólo puede resolver el contrato transcurrido un tiempo razonable desde el momento de la notificación». Cuando se trate de un _incumplimiento previsible_, el artículo III.-3:504 del DCFR indica que el acreedor «puede resolver el contrato antes de que venza el cumplimiento de una obligación contractual si el deudor ha declarado su intención de no cumplirla, o queda claro de otro modo que dicho incumplimiento se producirá, y si éste es esencial». Cuando _el acreedor razonablemente piense que el deudor incumplirá de forma esencial_ una obligación contractual, el artículo III.-3:505 del DCFR estipula que «puede resolver si solicita que se garantice de manera adecuada el cumplimiento debido y dicha garantía no se proporciona en un plazo de tiempo razonable».

El artículo 1124 del CC es una de las normas de más frecuente aplicación práctica, lo que justifica la oportunidad de exponer, aunque sea en una síntesis, la _interpretación jurisprudencial_ referente al mismo:

1.º Ha de tratarse de obligaciones propiamente recíprocas, pues el artículo 1124 del CC no entra en juego cuando se trata de obligaciones que tienen carácter accesorio o complementario con relación a aquellas prestaciones, o contraprestaciones en su caso, que constituyen el objeto principal del contrato.[13] De ello se desprende que, si del contrato solo nace obligación para una de las partes, no hay posibilidad

---

13.   Cfr. SSTS de 5 de mayo de 1953 (RJ 1953, 1630), 23 de febrero de 1964 y 27 de diciembre de 1971 (RJ 1971, 5444).

de resolver conforme al artículo 1124, si bien en este caso el ordenamiento establece las condiciones en que se puede poner fin a la relación establecida (arts. 1733 y 1736 para el mandato, arts. 1775 y 1776 para el depósito y arts. 1749 y 1750 para el comodato).[14] Han de ser obligaciones exigibles, sin que importe que una de ellas venza antes, porque desde que una de las partes falta a lo convenido puede la otra solicitar la resolución.[15]

2.º Es necesario que la parte que reclama la resolución haya cumplido o esté dispuesta a cumplir su obligación;[16] pero no puede pedirla quien ha incumplido, que ha de aceptar las consecuencias jurídicas de su inobservancia,[17] a no ser que su incumplimiento fuera consecuencia del anterior incumplimiento de la otra parte,[18] pues la conducta de ésta es la que motiva el derecho de resolución de su adversario y lo libera de su compromiso.[19] Es decir, para ejercitar la facultad resolutoria, el reclamante tiene que aparecer como fiel cumplidor, independiente de la conducta atribuible a la parte contraria, ya que en otro caso nos encontraríamos ante dos incumplidores recíprocos.[20]

3.º La facultad de resolución puede ejercitarse extrajudicialmente por el perjudicado, siempre y cuando la otra parte reconozca su incumplimiento y acepte la resolución. Pero, si no media tal conformidad y se suscita contienda, sólo por vía judicial podrá decretarse la resolución de la obligación y determinarse las respectivas responsabilidades de los contratantes.[21] Según PINTÓ RUIZ, «la pretensión no consistirá en que se declare la resolución, sino en que se declare que la resolución practicada mediante la manifestación de voluntad está bien hecha, y, por tanto, que podía hacerse. En todo caso, los efectos serán siempre derivados (…) de la manifestación de voluntad. La sentencia será propiamente declarativa, pero no constitutiva, siquiera el órgano judicial tomará como presupuestos procesales de su decisión los mismo que sirvieron al instante de antecedentes a su manifestación de voluntad, y todos cuantos antecedentes a la misma afecten a la calidad o acierto de ésta».

El artículo 1199, párrafo 2.º, de la PMDOC señala que «la facultad de resolver el contrato ha de ejercitarse mediante notificación a la otra parte».

Según el artículo III.-3:507(1) del DCFR, «el derecho a la resolución en virtud de lo dispuesto en esta Sección se ejercerá por medio de notificación al deudor». El apartado 2 de dicho artículo III.-3:507 del DCFR añade que «cando una notificación realizada en virtud del Artículo 3:503 del Libro III (Resolución tras la

---

14. Cfr. STS de 11 de julio de 2018 (RJ 2018, 2793).
15. Cfr. SSTS de 8 de octubre de 1927 (JC 1927, V-37), 7 de junio de 1963 (RJ 1963, 3002) y 1 de febrero de 1966 (RJ 1966, 304).
16. Cfr. STS de 21 de marzo de 1986 (RJ 1986, 1275).
17. Cfr. SSTS de 10 de abril de 1929 (JC 1929, II-189) y 19 de mayo de 1961 (RJ 1961, 2325).
18. Cfr. SSTS de 9 de julio de 1904 (JC 1904, II-141) y 10 de febrero y 1 de abril de 1925 (JC 1925, I-86 y II-3).
19. Cfr. STS de 20 de diciembre de 1977 (RJ 1977, 4837).
20. Cfr. STS de 13 de marzo de 1990 (RJ 1990, 1693).
21. Cfr. SSTS de 23 de junio de 1969 (RJ 1969, 3574), 5 de julio de 1971 (RJ 1971, 3379), 22 de diciembre de 1977 (RJ 1977, 4839), 8 de julio de 1983 (RJ 1983, 4203), 19 de noviembre de 1984 (RJ 1984, 5565), 1 de junio de 1987 (RJ 1987, 4021), 14 de junio de 1988 (RJ 1988, 4875), 28 de febrero de 1989 (RJ 1989, 1409), 27 de marzo de 2007 (RJ 2007, 1982) y 18 de julio de 2012 (RJ 2012, 9332).

notificación en la que se fija un plazo adicional de cumplimiento) disponga la resolución automática si el deudor no cumple en el plazo fijado en la misma, la resolución surtirá efecto, transcurrido dicho plazo o un periodo de tiempo razonable desde que se hizo la notificación (el plazo que sea más largo) sin que sea necesario realizar una nueva notificación».

El comentario oficial indica que «el principio de buena fe contractual requiere que, como mínimo, el acreedor que desee resolver un contrato por incumplimiento de una obligación envíe una notificación informando de ello al deudor incumplidor. El deudor debe poder hacer todos los trámites necesarios respecto a mercancías, servicios y cantidades de dinero. La incertidumbre sobre si el acreedor aceptará o no el cumplimiento puede a menudo causar al deudor pérdidas desproporcionadas con respecto a los inconvenientes que el efectuar una notificación supondrá al acreedor. Cuando se haya efectuado el cumplimiento, la pasividad por parte del acreedor puede hacer creer al deudor que el primero ha aceptado el cumplimiento incluso aunque haya sido tardío o defectuoso. Por tanto, si el acreedor desea resolver el contrato, debe notificárselo al deudor en un plazo razonable. Las legislaciones de algunos Estados miembros son más exigentes, ya que al menos en principio requieren una resolución judicial para resolver una relación contractual. Este enfoque tradicional ha resultado ser poco conveniente y cada vez está sujeto a más excepciones. Por tanto, estas normas adoptan la norma actualmente más habitual de que puede efectuarse la resolución previa notificación a la otra parte». La notificación puede hacerse de cualquier forma, de manera que «no hay que utilizar palabras o expresiones concretas. Sólo se tiene que indicar de uno u otro modo que el acreedor considera resuelto el contrato o la relación contractual. Esto puede indicarse, por ejemplo, con palabras que den a entender que el contrato ha finalizado o se ha rescindido; o que la relación contractual (distribución, franquicia, agencia o de otro tipo) ha terminado; o que el acreedor ya no se considera vinculado por el contrato o, en caso de una resolución parcial, por la parte correspondiente del contrato; o que el deudor ya no tiene que molestarse en cumplirlo. Que el rechazo del cumplimiento pueda considerarse como una notificación de resolución dependerá de las circunstancias y de otras cosas que se digan o hagan. Puede ser sólo un anuncio de una suspensión del pago hasta que el deudor cumpla debidamente su obligación».

4.° Ha de existir verdadero y propio incumplimiento por parte de uno de los contratantes de la obligación que le incumbiere, debiéndose dicho incumplimiento a causas sólo a él imputables.[22] Por consiguiente, es improcedente la resolución del vínculo contractual en aquellos supuestos en que no se patentice de manera indubitada bien una voluntad deliberadamente rebelde al cumplimiento de lo convenido, bien un hecho obstativo que de modo absoluto, definitivo e irreformable lo impida;[23] no obstante, esa voluntad («deliberadamente rebelde») puede manifestarse por la prolongada inactividad o pasividad del deudor, frente a la voluntad de cumplimiento de la otra parte.[24] Ahora bien, no puede exigirse una aplicación literal de la expresión «una voluntad deliberadamente rebelde», que sería tanto como exigir dolo, sino apreciar que hubo incumplimiento cuando se frustre, por la conducta de la parte, el

---

22. Cfr. SSTS de 13 de marzo de 1930 (RJ 1930, 763) y 14 de marzo de 1973 (RJ 1973, 981).
23. Cfr. SSTS de 5 y 9 de julio de 1941 (RJ 1941, 899 y 905), 12 de abril de 1945 (RJ 1945, 458) y 28 de febrero de 1980 (RJ 1980, 536).
24. Cfr. STS de 10 de marzo de 1983 (RJ 1983, 1467).

fin contractual, o cuando se obligue al acreedor a acudir a la vía judicial para obtener el cumplimiento.[25]

En definitiva, el incumplimiento ha de revestir cierta entidad,[26] exigiendo nuestra jurisprudencia un incumplimiento grave de «una obligación principal dentro de la economía del contrato».[27] En palabras de la STS de 12 de abril de 2011, con cita de numerosas anteriores, debe tratarse de un incumplimiento caracterizado como «verdadero y propio»,[28] «grave»,[29] «esencial»,[30] «que tenga importancia y trascendencia para la economía de los interesados o entidad suficiente para impedir la satisfacción económica de las partes, o bien genere la frustración del fin del contrato»,[31] que produzca «la frustración de las legítimas expectativas o aspiraciones o la quiebra de la finalidad económica o frustración del fin práctico».[32]

> Según la STS de 8 de marzo de 2011, se reputará esencial «el incumplimiento de una exigencia cualitativa, cuantitativa o circunstancial que hubiera recibido la calificación de esencial por voluntad, expresa o implícita, de las partes contratantes, a las que corresponde crear la "lex privata" por la que quieren regular su relación jurídica. De acuerdo con ello habrá incumplimiento con entidad resolutoria cuando, tras la interpretación del contrato, se llegue a la conclusión de que las partes atribuyeron, de modo expreso o implícito, carácter esencial a la prestación, a la cantidad, a la cualidad o a la circunstancia que, al faltar, impide la plena adecuación de lo realizado con lo prometido. Tal sucede, entre otros casos, cuando el tiempo de cumplimiento de hubiera convertido en contenido de la misma prestación o, con otras palabras, cuando el tiempo de cumplimiento sea esencial, por determinar el único momento en que el interés del acreedor puede resultar satisfecho y, por lo tanto, permitir al mismo que una prestación ejecutada fuera de él sea rechazada y, al fin, tratada, como un verdadero incumplimiento resolutorio y no como un cumplimiento irregular o meramente retrasado, causante de las consecuencias secundarias vinculadas a la mora».[33]

> En materia de compraventa de inmuebles, la STS de 10 de septiembre de 2012 señala que «entre las lógicas expectativas del comprador se encuentra la de recibir la cosa en el tiempo, lugar y forma que se hubiera estipulado, en el estado que se hallaba al estipularse el contrato y en condiciones para ser usada conforme a su naturaleza, pues, no en vano, la de entrega constituye la obligación esencial y más característica de la compraventa para el vendedor».[34]

---

25. Cfr. STS de 18 de noviembre de 1983 (RJ 1983, 6488).
26. Cfr. STS de 18 de julio de 2012 (RJ 2012, 9332).
27. Cfr. STS de 14 de marzo de 2008 (RJ 2008, 1707).
28. Cfr. SSTS de 15 de noviembre de 1994 (RJ 1994, 8836), 7 de marzo y 19 de junio de 1995 (RJ 1995, 2149 y 5324), entre otras muchas.
29. Cfr. STS de 23 de enero de 1996 (RJ 1996, 639).
30. Cfr. SSTS de 26 de septiembre de 1994 (RJ 1994, 7024) y 11 de abril de 2003 (RJ 2003, 3017).
31. Cfr. SST de 23 de febrero de 1995 (RJ 1995, 1106) y 15 de octubre de 2002 (RJ 2002, 10127).
32. Cfr. SSTS de 19 de noviembre de 1990 (RJ 1990, 8984), 21 de febrero de 1991 (RJ 1991, 1518), 15 de junio y 2 de octubre de 1995 (RJ 1995, 4859 y 6978).
33. RJ 2011, 2759.
34. RJ 2013, 2266.

5.º El mero retraso en el pago no es, en algunos casos, equivalente al incumplimiento, porque no siempre implica que se haya frustrado el fin práctico perseguido en el negocio,[35] ni permite atribuir a la parte adversa un interés jurídicamente protegible en que se decrete la resolución.[36] De ahí que la jurisprudencia haya venido exigiendo a quien promueve la resolución, además de haber cumplido las obligaciones que le correspondieran, que exista un «interés jurídicamente atendible», tópico mediante el cual se expresa la posibilidad de apreciar el carácter abusivo o contrario a la buena fe, o incluso doloso, del ejercicio de la resolución. Lo cual podría tener lugar cuando la resolución se basa en un incumplimiento más aparente que real, al no afectar en términos sustanciales al interés del acreedor, o incluso encubrir la posibilidad de conseguir un nuevo negocio que determinaría un nuevo beneficio.[37]

Como dice la STS de 4 de junio de 2007, «en nuestro Derecho no hay norma que imponga, ni hasta ahora una doctrina jurisprudencial que establezca, la necesidad de constituir en mora al deudor para resolver, a diferencia de lo que ocurre en el Derecho francés, de acuerdo con el artículo 1146 Code civil, y en consecuencia no puede objetarse el ejercicio de la acción de resolución por esta razón. Pero no es menos cierto que el mero retraso no es suficiente para la resolución, salvo en supuestos de especial relevancia del tiempo o del cumplimiento tempestivo de la prestación (término esencial, supuestos del art. 1100, II 2.º), como ya observaba la jurisprudencia de mitad del siglo pasado, cuando señalaba (Sentencias de 5 de enero de 1935, 28 de enero de 1944, 12 de abril de 1945, etc.), como ha puesto de relieve la doctrina, que el mero retraso "no siempre implica que se haya frustrado el fin práctico perseguido por el negocio, ni permite atribuir a la parte adversa un interés, jurídicamente protegible, en que se decrete la resolución"». Por tanto, continúa esta sentencia, la situación de retraso en el cumplimiento puede dar lugar a la constitución en mora cuando se cumplan los requisitos que establece el artículo 1100 del CC, pero no necesariamente a la resolución, que tiene un carácter «de remedio excepcional, frente al principio de conservación del negocio».[38]

6.º También la prestación parcial o defectuosa puede dar lugar a la resolución.[39]

Tras indicar el artículo III.-3:506(1) del DCFR que «cuando las obligaciones del deudor establecidas en el contrato no son divisibles, el acreedor únicamente puede resolver la relación contractual en su totalidad», el apartado 2 de dicho artículo III.-3:506 del DCFR añade que «cuando las obligaciones del deudor establecidas en el contrato han de cumplirse por partes o son divisibles de otro modo, entonces: (a) si, conforme a lo dispuesto en esta Sección, existe causa de resolución de una parte a la que pueda asignársele una contraprestación, el acreedor puede resolver la relación contractual en lo relativo a dicha parte; (b) el acreedor puede resolver la relación contractual en su totalidad únicamente si no cabe esperar razonablemente de él que acepte el cumplimiento de las otras partes o si hay una causa de resolución relativa a la relación contractual en su totalidad.

---

35. Cfr. STS de 10 de septiembre de 2012 (RJ 2013, 2266).
36. Cfr. SSTS de 28 de enero de 1944 (RJ 1944, 223), 14 de marzo de 1974 y 7 de febrero de 1978 (RJ 1978, 950).
37. Cfr. SSTS de 4 de junio de 2007 (RJ 2007, 5554) y 12 de abril de 2011 (RJ 2011, 3454).
38. RJ 2007, 5554. Cfr. SSTS de 8 de julio de 1954 (RJ 1954, 2027), 25 de noviembre de 1983 (RJ 1983, 6502), 22 de marzo de 1993 (RJ 1993, 2530) y 18 de noviembre de 1994 (RJ 1994, 8843).
39. Cfr. STS de 24 de abril de 1951 (RJ 1954, 467).

7.º La opción de exigir el cumplimiento o la resolución son contradictorias e incompatibles,[40] lo que impide su ejercicio simultáneo; pero nada se opone a que se ejerciten de forma alternativa o subsidiaria.[41]

Ahora bien, como dice ÁLVAREZ VIGARAY, «si se ejercita la acción de cumplimiento el Tribunal no podrá conceder la resolución, sin incurrir en incongruencia; en cambio, si lo que se ejercita es la acción de resolución, el Tribunal, en virtud de las facultades discrecionales que le otorga el artículo 1124, puede no declarar la resolución y condenar al cumplimiento, o conceder un plazo al deudor para que cumpla y declarar condicionalmente la resolución para el caso de que el deudor deje transcurrir ese plazo sin efectuar el pago». Se podrá pedir la resolución después de haber optado por el cumplimiento cuando se pruebe que éste ha resultado imposible.

8.º Si se solicita el resarcimiento de daños es necesario probar que éstos se han causado efectivamente.[42]

9.º La acción para pedir la resolución prescribe a los cinco años, por ser de aplicación el artículo 1964 del CC.[43]

10.º La resolución tiene efectos retroactivos, debiendo reintegrarse cada contratante las cosas o prestaciones que hubiesen sido entregadas o ejecutadas, ya que la consecuencia principal de la resolución es destruir los efectos ya producidos, tal como se ha establecido para los casos de rescisión en el artículo 1295 del CC, al que expresamente se remite el artículo 1124 del mismo cuerpo legal, efectos que sustancialmente coinciden con los previstos para el caso de nulidad en el artículo 1303 del CC, y para los supuestos de condición resolutoria expresa en el artículo 1123 del CC.[44]

11.º Que el artículo 1124 del CC no es aplicable a los contratos de compraventa, que se rigen, en el particular a que el mismo se contrae, por disposiciones que expresamente lo regulan, como es el artículo 1504 del CC.[45] Este último precepto es inicialmente más benévolo para el deudor, pues autoriza a pagar después de vencido el término hasta el requerimiento en forma, aunque concurra el pacto comisorio; sin duda, por la seguridad en el cobro del precio ante la permanencia del inmueble. No obstante, una vez realizado el mencionado requerimiento, el artículo 1504 del CC resulta ser de mayor severidad al determinar la resolución sin admitir la apreciación de causas justificadas, y prohibiendo en forma expresa y absoluta la concesión por el juez de nuevo término para cumplir la obligación.[46] El requerimiento, en definitiva, se hace con el fin de que el comprador se allane a resolver la obligación y a no poner obstáculo a este modo de extinguirla.[47] Ahora bien, ambos preceptos no se eluden

---

40. Cfr. SSTS de 23 de septiembre de 1889 y 8 de abril de 1903 (JC 1903, I-108).
41. Cfr. SSTS de 24 de noviembre de 1908 (JC 1908, III-92), 2 de febrero de 1973 (RJ 1973, 401) y 29 de noviembre de 1989 (RJ 1989, 7922).
42. Cfr. SSTS de 12 de junio de 1944 (RJ 1944, 815) y 25 de octubre de 1962 (RJ 1962, 3674).
43. Cfr. SSTS de 14 de noviembre de 1927 (JC 1927, VI-66) y 12 de marzo de 1965 (RJ 1965, 1452).
44. Cfr. SSTS de 10 de marzo de 1950 (RJ 1950, 724) y 23 de febrero de 1964.
45. Cfr. STS de 6 de marzo de 1954.
46. Cfr. STS de 3 de marzo de 1967 (RJ 1967, 1242).
47. Cfr. SSTS de 3 de julio de 1917 (JC 1917, III-4), 30 de octubre de 1956 (RJ 1956, 3425), 10 de marzo de 1966 (RJ 1966, 1185), 5 de noviembre de 1970 (RJ 1970, 4619), 11 de mayo

entre sí, sino que se complementan en el sentido de que la regla general del artículo 1124 del CC es aplicada de modo específico y concreto a los inmuebles por el artículo 1504 del CC.[48]

El artículo 1202 de la PMDOC dice que «la resolución libera a ambas partes de las obligaciones contraídas en virtud del contrato, pero no afecta a las estipulaciones relativas a la decisión de controversias, ni a cualquiera otra que regule los derechos y obligaciones de las partes tras la resolución. Resuelto el contrato, quien haya ejercitado la acción resolutoria tiene derecho al resarcimiento de los daños y perjuicios que le haya causado el incumplimiento, conforme a lo dispuesto en los artículos 1205 y siguientes. Se presume que el daño causado es como mínimo igual a los gastos realizados y al detrimento que sufra por las obligaciones contraídas en consideración al contrato resuelto». El artículo 1203 de la PMDOC añade que «resuelto el contrato, deberán restituirse las prestaciones ya realizadas y los rendimientos obtenidos de ellas. Si ambas partes están obligadas a la restitución, deberán realzarse simultáneamente. Cuando no sea posible la restitución específica del objeto de la prestación o de los rendimientos obtenidos, deberá restituirse su valor en el momento en que la restitución se hizo imposible. Sin embargo, la parte que resuelva el contrato no estará obligada a restituir el valor si prueba que la pérdida o destrucción del objeto se produjo no obstante haber observado la diligencia debida. El que restituye tiene derecho al abono de los gastos necesarios realizados en la cosa objeto de restitución. Los demás gastos serán abonados en cuanto determinen un enriquecimiento de aquel a quien se restituye». No obstante, según el artículo 1204 de la PMDOC, «en la resolución de los contratos de ejecución continuada o sucesiva, la obligación de restituir no alcanza a alas prestaciones realizadas cuando entre prestaciones y contraprestaciones exista la correspondiente reciprocidad de intereses conforme al contrato en su conjunto».

El artículo III.-3:509 del DCFR estipula lo siguiente: «(1) Tras la resolución en virtud de lo dispuesto en esta Sección, se extinguen las obligaciones contractuales de las partes pendientes de cumplimiento o la parte que corresponda de ellas. (2) Sin embargo, la resolución no afecta en absoluto a las estipulaciones previstas en el contrato para la resolución de conflictos, ni a cualquier otra estipulación que tenga efecto incluso tras la resolución. (3) El acreedor que resuelve el contrato conforme a esta Sección conserva los derechos, ya nacidos, a pedir indemnización de daños u obtener la pena pactada y, además, tiene el mismo derecho que hubiera tenido, para exigir indemnización de daños o la pena pactada, si se hubiera producido incumplimiento de la obligación del deudor ya extinguida. Con respecto a dichas obligaciones extintas, no se considerará que el acreedor ha causado o contribuido a la causación del daño por el mero hecho de ejercitar su derecho a resolver».

A efectos de poner de relieve la interrelación que existe entre la excepción de contrato no cumplido y la acción resolutoria, la STS de 20 de diciembre de 2006 ha declarado que la excepción «enerva la reclamación temporalmente, y tiene sentido en tanto la prestación no realizada siga siendo útil. Si en ese estado de cosas se genera una situación irreversible, por darse uno de los llamados incumplimientos esenciales,

---

de 1979 (RJ 1979, 1826), 10 de diciembre de 2001 (RJ 2001, 1029), 2 de octubre de 2002 (RJ 2002, 9786) y 3 de diciembre de 2004 (RJ 2004, 7910).

48. Cfr. STS de 31 de octubre de 1968 (RJ 1968, 4925).

de diversa tipología, que comprenden la imposibilidad sobrevenida fortuita, el transcurso del término llamado esencial, el *aliud pro alio*, la imposibilidad de alcanzar los rendimientos o utilidades previstos, o la frustración del fin del contrato estaremos ante un incumplimiento resolutorio y el remedio habrá de buscarse por la vía del artículo 1124 del CC a través de las acciones pertinentes, de cumplimiento o de resolución y de indemnización».[49]

2.4. Atribución de los riesgos

A pesar de que el Código civil no contiene un precepto sobre atribución del riesgo en las obligaciones bilaterales, la doctrina considera que cuando una de las partes, por caso fortuito, se encuentra en la imposibilidad de cumplir su prestación, la otra parte se libera de cumplir la suya. La jurisprudencia parece aludir a esta regla cuando habla de «un hecho obstativo que de modo absoluto e irreformable» impida el cumplimiento. No obstante, en esta circunstancia sólo puede predicarse la resolución en tanto no exista una norma especial que regule el riesgo de modo diferente, como ocurre en el contrato de compraventa.

2.5. Reducción del precio

Según el artículo 1197 de la PMDOC, «la parte que hubiere recibido una prestación no conforme con el contrato, podrá aceptarla y reducir el precio en proporción a la diferencia entre el valor que la prestación tenía en el momento en que se realizó y el que habría tenido en ese mismo momento si hubiere sido conforme con el contrato. La parte que tenga derecho a reducir el precio y que haya pagado una suma mayor, tendrá derecho a reclamar el reembolso del exceso. El ejercicio de las facultades previstas en este artículo caducará a los seis meses a partir del momento en que hubiera recibido la prestación». No obstante, como indica el artículo 1198 de la PMDOC, «la parte que ejercite el derecho a la reducción del precio, no puede demandar daños y perjuicios por disminución del valor de la prestación, pero conserva su derecho a ser indemnizada de cualquier otro perjuicio que haya podido sufrir».

Por su parte, el artículo III.-3:601 del DCFR estipula lo siguiente: «(1) El acreedor que acepta un cumplimiento no conforme con los términos que regulan la obligación puede reducir el precio. Esta reducción será proporcional a la disminución del valor de la cosa recibida en el momento del cumplimiento respecto al valor que habría tenido la cosa recibida en caso de haber sido el cumplimiento conforme. (2) El acreedor que esté legitimado para reducir el precio conforme al párrafo anterior que ya haya pagado una suma que excede al precio reducido, puede recuperar del deudor el exceso. (3) El acreedor que reduce el precio no puede obtener indemnización por los daños indemnizados de ese modo, pero conserva el derecho a percibir una indemnización por otros daños que pueda sufrir. (4) El presente Artículo se aplicará, con las modificaciones oportunas, a otra obligación recíproca del acreedor distinta de la obligación de pagar un precio».

---

49. RJ 2006, 384.

III. OBLIGACIONES, PURAS, CONDICIONALES Y A TÉRMINO

La relación obligatoria puede estar sometida o no a modalidades. De ahí la clasificación de las obligaciones en puras, condicionales y a término, que aparecen reguladas en los artículos 1113-1130 del CC.

1. Obligaciones puras

Son obligaciones *puras* aquéllas cuya eficacia no se encuentra sometida a ninguna modalidad: ni a condición, ni a término, pudiendo exigirse su cumplimiento de modo inmediato. En este sentido, el artículo 1113 del CC dice que «será exigible desde luego toda obligación cuyo cumplimiento no dependa de un suceso futuro o incierto, o de un suceso pasado, que los interesados ignoren». En esta fórmula están contenidos el concepto y los efectos de la obligación pura. Pero, como advierte CASTÁN, el concepto es incompleto, porque sólo excluye la condición, no el plazo; y, en cuanto a los efectos, es preciso relacionar este precepto con el artículo 1128 del CC, según el cual «si la obligación no señalare plazo, pero de su naturaleza y circunstancias se dedujere que ha querido concederse al deudor, los Tribunales fijarán la duración de aquél».

> Según el artículo 1117, párrafo 1.º, de la PMDOC, «será inmediatamente exigible la obligación que no tenga plazo de cumplimiento, ni quepa deducirlo de los usos».

Ahora bien, la exigencia de cumplimiento instantáneo, contenida en el artículo 1113 del CC para las obligaciones puras, ha sido suavizada por la jurisprudencia. Así, la STS de 20 de octubre de 1892 dice que «no se infringe este artículo señalando un plazo prudencial (breve) para que el demandado pague la suma a la que se declare obligado, porque con ello no desconoce la sentencia que la obligación de que se trata es exigible *desde luego*, ni altera su carácter de pura».[50] Doctrina que, según MANRESA, distingue la exigibilidad inmediata por el acreedor y el cumplimiento por el deudor, concediendo para que tal cumplimiento pueda tener lugar el tiempo necesario. Criterio que, para las obligaciones mercantiles, se encuentra recogido en el Código de comercio, cuyo artículo 62 establece que, a falta de término prefijado por las partes o por las disposiciones del Código, serán exigibles las obligaciones a los diez días si sólo produjeron acción ordinaria, y al día inmediato si llevaran aparejada ejecución.

2. Obligaciones condicionales

Diversas acepciones tiene la palabra «condición» en la técnica de nuestro Código civil, registrándose en alguno de sus preceptos (por ejemplo, en el artículo 647 del CC) el uso de aquél vocablo bajo la significación de una carga impuesta por el donante al donatario, que es concepto en el que la carga no actúa precisamente como condición propiamente dicha, es decir, como hecho a cuya realización se subordina el nacimiento o la extinción de una relación jurídica, concepto en el que la palabra condición es empleada en los artículos 1113 y ss. del CC (en materia de contratos) y en los artículos 790 y ss. del CC (en materia de testamentos).

---

50. JC 1892, II-69.

La condición, en sentido técnico, consiste en someter a la contingencia de un hecho la existencia o la desaparición de los efectos de un negocio, de tal suerte que la relación jurídica condicional es una relación de eficacia cierta, pues sus efectos pueden no llegar a producirse si la condición que suspende no se cumple o por el contrario su cumplimiento destruye los efectos producidos cuando la condición se resuelve (art. 1114 CC). La condición puede afectar a la relación jurídica en su totalidad (por ejemplo, el contrato de arrendamiento de una vivienda se supedita al hecho de que al arrendador lo trasladen, por razón de su trabajo, a otra ciudad) o bien a una obligación solamente (por ejemplo, el arrendador aumentará el precio del alquiler, pasado un año, si el índice de precios al consumo sube dos puntos).

Las obligaciones *condicionales* son aquellas cuya eficacia se hace depender de un suceso futuro e incierto y, por tanto, deben ser excluidos: *a)* el hecho pretérito aunque las partes ignoren su acaecimiento, pues en tal caso la incertidumbre del suceso es puramente subjetiva; *b)* el hecho futuro que ha de acaecer necesariamente, aunque se ignore cuando, pues en tal caso no hay incertidumbre alguna en cuanto al sí, siendo la única incertidumbre en cuanto al cuando, por lo cual se trata más que de una condición de un plazo incierto; y *c)* los hechos imposibles física y jurídicamente, los primeros porque, al contrario de la incertidumbre objetiva que reclama el carácter de condición, existe la certeza de que el hecho no acaecerá, y en cuanto a los segundos porque la ley no puede reconocer eficacia jurídica a ningún hecho del que ella misma decreta su imposibilidad.

Según el artículo 1113 del CC, son obligaciones condicionales aquellas cuyo cumplimiento «dependa de un suceso futuro o incierto o de un suceso pasado que los interesados ignoren». Este concepto legal es criticable, pues parece suficiente para que el acontecimiento pueda reputarse como condición que sea «futuro» o «incierto», cuando en realidad no es bastante uno solo de estos dos hechos, sino que se requiere la concurrencia de ambos, que el acontecimiento sea futuro e incierto. Pero, no contento con esto, el propio legislador lo remacha diciendo «o un suceso pasado que los interesados ignoren» (ignorancia subjetiva). A lo que debe añadirse que un suceso pasado nunca puede constituir una condición, pues no puede perderse de vista la facilidad del fraude de una de las partes, que conociendo el hecho manifiesta sin embargo que lo ignora. No obstante, como dice DE BUEN, sí podrá servir de base para una condición el conocimiento eventual (ignorancia subjetiva) que de un suceso pasado se puede llegar a tener, pero en ese caso ya no se trata de un suceso pasado, sino de un suceso futuro: el conocimiento futuro de un hecho pasado.

> A juicio de VALVERDE, «lo que hay es, y esta es la confusión del legislador, que un suceso pasado puede ser en la intención de las partes materia de condición la prueba del mismo, o poner como condición el verificarse un hecho que disipe la incertidumbre respecto de un evento verificado, pero que se ignoraba, a estos casos es a los que alude nuestro Código».

También hay que señalar que la condición en los negocios jurídicos, como elemento accidental de la declaración de voluntad (en realidad, requisito de eficacia del negocio), no se presume, sino que debe ser claramente establecida. En este sentido, el Tribunal Supremo tiene declarado que «es legal y doctrinalmente incuestionable que la existencia de la condición en las obligaciones no se presume, ya que la obligación condicional es la excepción y solamente puede deducirse cuando claramente el ánimo de los contratantes fue hacer depender los efectos del contrato de un aconte-cimiento futuro e incierto, para cuya determinación los tribunales han de entrar en la interpretación del contrato al margen de lo que dijesen las partes».[51]

Según el artículo 1110 de la PMDOC, «en las relaciones obligatorias sometidas a condición suspensiva o resolutoria el comienzo o cese de todos o algunos de sus efectos depende del hecho futuro e incierto establecido como condición. Del mismo modo, los efectos de una relación obligatoria podrán hacerse depender del conocimiento de un hecho pasado que los interesados ignoren. La suerte o la voluntad de un tercero pueden constituir condición».

Como dice la STS de 27 de abril de 1983, no se puede confundir la «condición» como suceso futuro e incierto del cual depende la naturaleza de los efectos de una obligación, significado que informa los artículos 1113-1123 del CC, con las «condicio-nes» que los contratantes pueden establecer en sus contratos a tenor del artículo 1255 del CC. Acepción esta última que tiene sentido de pactos o condiciones o estipulacio-nes, y que se utiliza para designar, por ejemplo, las condiciones generales y particula-res de los contratos, sean o no de adhesión en el moderno tráfico jurídico. Tampoco debe confundirse la condición resolutoria dependiente de un hecho incierto con el retracto convencional.[52]

Tampoco cabe confundir la condición propiamente dicha, que se debe a la volun-tad de las partes, con la llamada *conditio iuris*. Con esta última expresión se hace refe-rencia a determinados presupuestos necesarios por la propia naturaleza del acto o negocio de que se trate o por exigencia del ordenamiento jurídico. Es el caso de la institución de heredero, que se encuentra sometida a la condición de que la persona instituida como tal sobreviva al testador, o el de las capitulaciones matrimoniales y las donaciones por razón de matrimonio, que están subordinadas al hecho de que el matrimonio llegue a celebrarse en el plazo de un año (arts. 1334 y 1342 CC).

Por la misma razón, un elemento esencial del contrato no puede establecerse como condición: una venta concluida bajo la condición de que el comprador otorgue su consentimiento o que las partes lleguen a un acuerdo sobre el precio no es una venta condicional. En este caso ni hay venta, ni hay obligación. En cambio, es condi-cional la venta subordinada a la condición de que el comprador obtenga un crédito.

2.1. Clases de condiciones

Suelen hacerse diversas *clasificaciones* de las condiciones:

a) Condiciones suspensivas y resolutorias. Son condiciones suspensivas aquellas de las que se hace depender el nacimiento de la obligación; y son resolutorias aquellas de las que se hace depender la extinción de una obligación.[53] Esta clasificación es la más importante, y a ella se refiere el Código civil al decir, en el artículo 1114, que «en las obligaciones condicionales la adquisición de los derechos, así como la resolu-ción o pérdida de los ya adquiridos, dependerá del acontecimiento que constituya la condición».

---

51. Cfr. SSTS de 5 de diciembre de 1953 (RJ 1954, 673), 7 de noviembre de 1973 (RJ 1973, 4110) y 21 de abril de 1987 (RJ 1987, 2720).
52. RJ 1983, 2129. Cfr. STS de 28 de diciembre de 1984 (RJ 1984, 6298).
53. Cfr. artículo 16:101 de los PECL.

b) Condiciones potestativas, casuales y mixtas. Son condiciones potestativas aquellas en que el acontecimiento depende de la voluntad o puro arbitrio de una de las partes, bien sea exclusivamente (por ejemplo, te daré mil euros, si quiero) o bien unida a un hecho objetivo ajeno (por ejemplo, te daré mil euros, si me trasladan a Madrid); en el primer supuesto se las denomina puramente potestativas, en el segundo simplemente potestativas. El artículo 1115 del CC, que contiene una aplicación concreta de lo dispuesto en el artículo 1256 del CC, establece que «cuando el cumplimiento de la condición dependa de la exclusiva voluntad del deudor, la obligación condicional será nula»; por lo que, a *contrario sensu*, debe admitirse la validez de la obligación puramente potestativa que depende de la voluntad del acreedor. También debe aceptarse la eficacia de la condición puramente potestativa que tenga carácter resolutorio.

El artículo 1111 de la PMDOC tiene el mismo tenor literal que el actual artículo 1115 del CC.

La jurisprudencia ha proclamado como condición «no invalidante» aquella en que la voluntad del deudor depende de un conjunto de motivaciones e intereses que, actuando sobre ella, influyen en su determinación, incluso cuando estén confiadas a la sola valoración del interesado.[54]

La STS de 16 de mayo de 2012 señala que hay que distinguir «entre las condiciones puras o rigurosamente potestativas –condición *si volam, si voluero*– dependientes exclusivamente de la voluntad del deudor o del mero arbitrio del obligado, de las condiciones simplemente potestativas en las que la condición depende en parte de otros hechos o motivos que representen intereses apreciables y razonables, quedando excluida la arbitrariedad (…), ya que tal condición, como precisa la STS de 28 de junio de 2007,[55] "sólo se da si depende del "mero arbitrio" del obligado"».[56]

Son condiciones casuales aquellas que dependen del azar (por ejemplo, si llueve y graniza mañana). Su validez se encuentra reconocida en el artículo 1115, párrafo 2.º, del CC, en el que se dispone que «si dependiere de la suerte o de la voluntad de un tercero, la obligación surtirá todos sus efectos con arreglo a las disposiciones de este Código».

Son condiciones mixtas aquellas que participan de la naturaleza de las dos anteriores, dependiendo en parte de la voluntad de los interesados y en parte de un hecho ajeno.

c) Condiciones positivas y negativas. Son positivas aquellas en que la «incertidumbre» depende «de que ocurra algún suceso en un tiempo determinado», señalando el artículo 1117 del CC que se extinguirá la obligación «desde que pasare el tiempo o fuere ya indudable que el acontecimiento no tendrá lugar».

Son condiciones negativas las que, con independencia de su formulación gramatical afirmativa o negativa (por ejemplo, si no te casas, o si permaneces soltero), prevén «que no acontezca algún suceso en tiempo determinado», y a tal efecto señala el artículo 1118, párrafo 1.º, del CC que «hacen eficaz la obligación desde que pasó el

---

54. Cfr. SSTS de 15 de noviembre y 3 de diciembre de 1993 (RJ 1993, 9097 y 9830) y 13 de febrero de 1999 (RJ 1999, 1007).
55. RJ 2007, 3786.
56. RJ 2012, 6351.

tiempo señalado o sea ya evidente que el acontecimiento no puede ocurrir». Añade el párrafo 2.º de dicho artículo 1118 del CC que «si no hubiere tiempo fijado, la condición deberá reputarse cumplida en el que verosímilmente se hubiese querido señalar, atendida la naturaleza de la obligación».

La STS de 28 de diciembre de 1984 declara que el párrafo 2.º del artículo 1118 del CC sólo es aplicable a las obligaciones negativas.[57] Sin embargo, la STS de 5 de octubre de 1996 estima que constituye una verdadera laguna legal el supuesto de que para la condición positiva no se haya fijado plazo de cumplimiento, y que dicha laguna debe llenarse acudiendo al párrafo 2.º del artículo 1118 del CC, el cual debe considerarse aplicable a todo tipo de condiciones.[58]

Como dice Díez-Picazo, la frase «tiempo en que verosímilmente se hubiese querido señalar» indica una referencia a la voluntad y, en definitiva, a la intención de los contratantes, que deberá ser indagada mediante una interpretación integradora del negocio. La expresión «naturaleza de la obligación» impone tomar en consideración el criterio objetivo derivado de la función económico-social del negocio; es decir, la finalidad objetiva perseguida por el negocio. Este artículo 1118 del CC, igual que el anterior, se refiere a la condición suspensiva («hace eficaz»), si bien nada impide que la condición negativa pueda ser resolutoria, en cuyo caso su cumplimiento dará lugar a la resolución de la relación obligatoria.

d) Condiciones imposibles, inmorales e ilícitas. A ellas se refiere el artículo 1116 del CC indicando que «las condiciones imposibles, las contrarias a las buenas costumbres y las prohibidas por la ley anularán la obligación que de ellas dependa»; también declara este precepto que «la condición de no hacer una cosa imposible se tiene por no puesta». La razón estriba en que no existe incertidumbre.

Según el artículo 1112 de la PMDOC, «son nulas las obligaciones que dependan de condiciones prohibidas por la ley o contrarias a las buenas costumbres».

La imposibilidad puede ser material (por ejemplo, te daré mil euros, si tocas el cielo con las manos) o jurídica (por ejemplo, te daré mil euros, si compras la plaza mayor de Madrid).

El hecho puede ser ilícito o contrario a las buenas costumbres en sí mismo. Pero, como dice Álvarez Vigaray, una condición ilícita puede recaer sobre un hecho lícito, cuando incide en la libertad del acreedor para realizarlo o no; así ocurre cuando el evento lo inclina a renunciar a ciertos derechos de orden público o a privarse de una libertad fundamental. El permanecer soltero o el contraer matrimonio no son hechos ilícitos y, sin embargo, debe considerarse ilícita la condición de permanecer soltero o de casarse con determinada persona, ya que estos supuestos afectan a un derecho fundamental de la persona.

Ahora bien, respecto de la institución de heredero y del legado condicional, el artículo 792 del CCom dice que «las condiciones imposibles y las contrarias a las leyes o a las buenas costumbres se tendrán por no puestas y en nada perjudicarán al heredero o legatario, aun cuando el testador disponga otra cosa». Esta diferencia de criterio suele explicarse por el hecho de que la nulidad de un negocio *inter vivos* no obsta

---

57. RJ 1984, 6298.
58. RJ 1996, 7041.

a que los interesados lo reproduzcan y supriman la condición, mientras que esta posibilidad no existe cuando se trata de un negocio *mortis causa* (como el testamento), el cual deviene eficaz a la muerte del testador.[59] Explicación que no resulta convincente, pues, como dice ALBALADEJO, para aceptarla hay que presuponer dos cosas: 1.ª Que el testador ignoraba la imposibilidad de la condición; y 2.ª Que de haberla conocido, habría realizado el negocio puramente. Lo cual son sólo conjeturas; en definitiva, es mucho más lógico el criterio del Derecho de obligaciones.

Para los efectos de nulidad sólo pueden estimarse como imposibles las condiciones que en absoluto lo sean, pero no las que penden de la situación accidental del deudor, que puede variar por el cambio de las circunstancias o por un esfuerzo de la voluntad del mismo para cumplir sus compromisos.[60]

2.2. *La obligación bajo condición suspensiva*

Cuando la obligación se encuentra sometida a *condición suspensiva* su eficacia permanece en suspenso o se aplaza; por consiguiente, mientras la condición no se realiza no nace el derecho del acreedor.[61] En otros términos, la relación obligatoria nace y vincula a las partes, pero éstas no pueden demandar el cumplimiento hasta que no se produzca el acontecimiento que constituye la condición. En tanto existe la incertidumbre, el acreedor no tiene todavía ningún derecho (art. 1114 CC), sino simplemente una expectativa (algunos autores hablan de un «derecho eventual *sub conditione*»), la cual es objeto de protección.[62] A dicha protección se refiere el artículo 1121 del CC, cuando dice que «el acreedor puede, antes del cumplimiento de las condiciones, ejercitar las acciones procedentes para la conservación de su derecho». Pero cabe advertir que la expresión utilizada no es correcta, pues no se trata de acciones para la conservación de «su derecho», que según el artículo 1114 del CC no tiene, sino de acciones precautorias encaminadas a la protección de «su expectativa», y que ésta no resulte ilusoria. El Código civil no especifica cuál es el contenido de estas acciones, por lo que debe entenderse que su alcance queda sujeto a la apreciación judicial.

> Los artículos 721 y ss. de la LEC se refieren a las medidas cautelares que se consideren necesarias para asegurar la efectividad de la tutela judicial que pudiera otorgarse en la sentencia estimatoria que se dicte, pero no prevén el pleito en el que únicamente se soliciten dichas medidas. Por tanto, no cabe otra posibilidad que interponer un juicio declarativo en que se pida una condena de futuro (la declaración del derecho condicional y la condena a su pago cuando se cumpla la condición) y, a la vez, la adopción de la medida cautelar.

Además, como el acreedor no puede exigir el cumplimiento, mientras la condición está pendiente, si el deudor paga, puede repetir lo pagado (art. 1121, párr. 2.º, CC). Se da por supuesto que el pago no fue realizado por error, pues en ese caso operaría el régimen establecido para el cobro de lo indebido (art. 1895 CC). Por eso habrá que valorar dicho pago de acuerdo con la intención de las partes, siendo posibles, como dice DÍEZ-PICAZO, dos hipótesis: una, entender que se ha realizado un

---

59. Cfr. STS de 17 de noviembre de 1950 (RJ 1950, 1547).
60. Cfr. STS de 14 de marzo de 1986 (RJ 1986, 1252) y las que cita.
61. Cfr. artículo 16:103(1) de los PECL.
62. Cfr. STS de 30 de junio de 1986 (RJ 1986, 3831).

pago anticipado en previsión de que la condición se cumpla; otra, considerar que se ha producido una modificación de la relación obligatoria, convirtiéndose de condicional en pura. En cualquiera de las dos hipótesis la cuestión se centra en una interpretación de la voluntad de las partes; y, en la duda, como indica este autor, parece lógico inclinarse por la primera, por aplicación del principio *favor debitoris*.

A tenor del artículo 1115 de la PMDOC, «durante el período de pendencia de la condición: 1. Cada una de las partes podrá realizar los actos y ejercitar las acciones que resulten procedentes para la conservación de sus derechos. 2. El deudor deberá actuar con la diligencia debida para salvaguardar la integridad del derecho del acreedor y, de no hacerlo, será responsable de los perjuicios que por aquella razón le fueren imputables si se cumpliere la condición. 3. El deudor podrá repetir lo que por error hubiese pagado. 4. No quedará impedida la transmisibilidad de los derechos sujetos a condición».

El deudor viene obligado, en la fase de pendencia de la obligación, a no impedir el cumplimiento de la condición, pues si lo hiciere el artículo 1119 del CC prescribe la presunción de su realización.

Según el artículo 1114 de la PMDOC, «se tendrá por cumplida o incumplida la obligación si una de las partes, en contra de la buena fe, impide o provoca su cumplimiento».

Una vez cumplida la condición, la obligación se convierte en pura. A falta de pacto en contrario, el artículo 1120 del CC establece la retroacción de efectos, distinguiendo según se trate de obligaciones de dar o de hacer y no hacer, pues señala que «los efectos de la obligación condicional de dar (...) se retrotraen al día de la constitución de aquélla (...). En las obligaciones de hacer y de no hacer, los Tribunales determinarán, en cada caso, el efecto retroactivo de la condición cumplida».

El artículo 1113 de la PMDOC dice que «la fase de pendencia de una condición concluye en el momento de su cumplimiento o cuando sea indudable que éste no tendrá lugar; cuando transcurra el período de tiempo dentro del cual, conforme al título y atendida la función de la condición, debiera haberse producido aquél; y en su defecto, en el tiempo que verosímilmente se hubiera querido señalar, atendida la naturaleza de la obligación». Por su parte, el artículo 1116 de la PMDOC señala que «el cumplimiento de las condiciones no produce efectos retroactivos salvo que otra cosa resulte del título constitutivo de la obligación».

Esta regla general sobre retroacción de efectos aparece matizada por diferentes normas:

a) Frutos e intereses. Según el artículo 1120, párrafo 1.º, del CC, «cuando la obligación imponga recíprocas prestaciones a los interesados, se entenderán compensados uno con otros los frutos e intereses del tiempo que hubiese estado pendiente la condición. Si la obligación fuere unilateral, el deudor hará suyos los frutos e intereses percibidos, a menos que, por la naturaleza y circunstancias de aquélla, deba inferirse que fue otra la voluntad del que la constituyó». Por consiguiente, en este punto, se aplica restrictivamente la retroactividad, o, mejor dicho, no hay retroactividad, salvo que se hubiere pactado de modo expreso o, en el caso de la obligación unilateral, deba inferirse de la naturaleza y circunstancias de la obligación. En este sentido, la STS de 23 de diciembre de 1996 declara que, «precisamente, porque el legislador reconoce la imposibilidad física y ontológica de que la entrega material o física de la cosa debida se retrotraiga al tiempo de constitución de la obligación, es por lo que el propio artículo 1120 del CC (en los incisos segundo y tercero de su párrafo primero) excluye de los efectos de la retroacción los frutos e intereses percibidos por el deudor de la cosa debida durante el tiempo de pendencia de la condición».[63]

b) Mejoras y deterioros. En principio, la mejora o el deterioro son de cuenta del acreedor. Sin embargo, si el deterioro es debido a culpa del deudor el acreedor podrá optar entre la resolución de la obligación o exigir su cumplimiento, con la indemnización de daños y perjuicios en ambos casos. Si la mejora se introdujo por el deudor y a sus expensas, éste no tendrá otro derecho que el concedido al usufructuario (art. 1122, núms. 3.º-6.º, CC). Es decir, no tiene derecho a que se le indemnicen las mejoras útiles o de recreo, si bien puede retirarlas, cuando fuere posible hacerlo sin detrimento de los bienes, así como puede compensar con ellas los desperfectos que hubiera causado en la cosa (arts. 487-488 CC.[64]

c) Pérdida de la cosa. En caso de pérdida de la cosa, el deudor queda liberado y la obligación se extingue. Pero si se hubiere producido por culpa del deudor, éste deberá indemnizar daños y perjuicios. Se entiende que la cosa se pierde cuando perece, queda fuera del comercio o desaparece de modo que se ignora su existencia, o no se puede recobrar (art. 1122, núms. 1.º y 2.º, CC).

Conviene advertir que estas normas o reglas son aplicables no sólo a las obligaciones sometidas a condición suspensiva, sino también a las que están bajo condición resolutoria.

Incumplida la condición, al no haberse realizado el evento previsto del plazo prefijado, el negocio jurídico del que era elemento accesorio (o requisito de eficacia) deviene ineficaz. En consecuencia, puesto que *deficiente condicione* el negocio se desvanece, no llegan a nacer los derechos contemplados por las partes, cuyas expectativas desaparecen definitivamente.[65]

2.3. *La obligación bajo condición resolutoria*

Cuando la obligación está sometida a *condición resolutoria*, y ésta se encuentra pendiente, produce todos sus efectos como si se tratase de una obligación pura, pues el derecho del acreedor ha nacido y la obligación es por tanto exigible. Pero, cuando se produce el hecho resolutorio, la obligación se extingue de forma automática.

Según el artículo 1123 del CC, «cuando las condiciones tengan por objeto resolver la obligación de dar, los interesados, cumplidas aquéllas, deberán restituirse lo que hubiesen percibido. En el caso de pérdida, deterioro o mejora de la cosa, se aplicarán al que deba hacer la restitución las disposiciones que respecto al deudor contiene el artículo precedente». Por último, añade que «en cuanto a las obligaciones de hacer y no hacer, se observará, respecto a los efectos de resolución, lo dispuesto en el párrafo segundo del artículo 1120». Por consiguiente, el cumplimiento de la condición resolutoria produce sus efectos no desde el momento de la extinción de la relación obligatoria, sino retroactivamente desde su celebración; es decir, no con efectos *ex nunc*,

---

63. RJ 1996, 9374.
64. Cfr. STS de 6 de febrero de 1984 (RJ 1984, 576).
65. Cfr. STS de 30 de junio de 1986 (RJ 1986, 3831).

sino *ex tunc*, lo que supone volver al estado jurídico preexistente como si el negocio no se hubiera concluido, con la secuela de que las partes deberán entregarse las cosas o las prestaciones que hubieren recibido, ya que la consecuencia principal de la resolución es destruir los efectos ya producidos.[66]

En los *contratos internacionales*, el artículo 5.3.1 de los PCCI contiene la distinción entre condiciones suspensivas y condiciones resolutorias cuando afirma que «un contrato o una obligación contractual pueden ser condicionales si dependen de un evento futuro e incierto, de modo que el contrato o la obligación contractual sólo surte efectos (condición suspensiva) o deja de tenerlos (condición resolutoria) si acaece el evento».[67]

> Según el comentario oficial, «las partes involucradas en operaciones comerciales complejas y de gran valor, que implican negociaciones prolongadas, a menudo prevén un procedimiento denominado "closing", es decir el reconocimiento formal de cierre en una fecha determinada ("closing date"), que en dicha fecha o antes, todas las condiciones pactadas (las condiciones previas o "conditions precedent") han sido cumplidas. Normalmente, pero no siempre, en la fecha del cierre ("closing date") las partes firman un documento que confirma que ninguna condición previa continúa en suspenso o, si algunas condiciones no han sido cumplidas, que han sido objeto de renuncia. A pesar de la terminología usada por las partes, no todos los eventos descritos como "condiciones previas" son "condiciones", tal como se definen en este artículo. En la práctica, existen cláusulas mixtas. Así, por ejemplo, eventos como la obtención de todas las autorizaciones necesarias en materia de competencia, la admisión a la bolsa, el otorgamiento de una licencia de exportación y la obtención de un préstamo bancario, pueden ser verdaderas condiciones suspensivas porque se trata de eventos sobre cuya ocurrencia no existe certeza. Otras cláusulas, tales como las que se refieren a la exactitud de las declaraciones o de las garantías otorgadas por una parte, el compromiso de realizar o no ciertos actos concretos, o la entrega de un certificado que pruebe que la parte ha cumplido con todas sus obligaciones fiscales, son en realidad obligaciones que las partes han acordado cumplir antes de que a operación haya sido celebrada (y perfeccionada) formalmente. Estos no son eventos cuya ocurrencia sea incierta y, por ende, estas cláusulas no son condiciones de conformidad con los Principios».

A tenor del artículo 5.3.2 de los PCCI, «a menos que las partes convengan otra cosa: a) El contrato o la obligación contractual surtirá efectos al cumplirse la condición suspensiva; b) El contrato o la obligación contractual cesará de tener efectos al cumplirse la condición resolutoria».[68] Aunque no se diga de forma expresa, a diferencia de lo que hace la Propuesta para la modernización del Derecho de obligaciones y contratos en su artículo 1116, es evidente que el cumplimiento de las condiciones no produce efectos retroactivos, salvo pacto en contrario.

El artículo 5.3.3(1) de los PCCI señala que «si el cumplimiento de una condición es impedido por una parte en violación del deber de buena fe y lealtad negocial o de cooperación, dicha parte no podrá invocar la falta de cumplimiento de la

---

66. Cfr. SSTS de 5 de julio de 1980 (RJ 1980, 3085), 17 de junio de 1986 (RJ 1986, 3554) y 27 de octubre de 2005 (RJ 2005, 7356).
67. Cfr. artículo 16:101 de los PECL.
68. Cfr. artículo 16:103 de los PECL.

condición».[69] El apartado 2 del artículo 5.3.3(1) de los PCCI añade que «si el cumplimiento de una condición es provocado por una parte en violación del deber de buena fe y lealtad negocial o de cooperación, dicha parte no podrá invocar el cumplimiento de la condición».[70]

Tal y como indica el comentario oficial, «este artículo no obliga a emplear todos los esfuerzos razonables para que se cumpla la condición. Se limita a afirmar que una parte que impide el cumplimiento de la condición en violación de los deberes de buena fe y lealtad negocial y cooperación, no puede invocar la falta de cumplimiento de la misma. Por otro lado, si una parte provoca el cumplimiento de la condición violando los deberes de buena fe y lealtad negocial y cooperación, dicha parte no puede invocar el cumplimiento de la condición. El problema sobre si una parte tiene la obligación de emplear todos los esfuerzos razonables para el cumplimiento de una condición es una cuestión de interpretación. En la práctica comercial, las partes mismas pueden prever expresamente que la observancia del principio de buena fe involucre todos los eventos de los cuales depende que la operación se realice, o bien pueden ir más allá de este criterio mínimo e imponer la obligación de desplegar "sus mejores esfuerzos para el cumplimiento de las condiciones en la medida de los posible". Estas cláusulas también pueden ser impuestas a una sola parte (véase el Artículo 5.1.4). Los remedios correspondientes (derecho al cumplimiento o al resarcimiento del daño) deberán ser determinados de acuerdo con las disposiciones contractuales y las reglas generales sobre los remedios, así como las circunstancias del caso concreto».

Según el artículo 5.3.4 de los PCCI «antes del cumplimiento de la condición, una parte no puede en violación del deber de actuar de buena fe y lealtad negocial, comportarse de manera tal que perjudique los derechos de la otra parte en caso de que se cumpla la condición». A diferencia del precepto anterior, que se centra en los actos que constituyen una intromisión en el cumplimiento de la condición, este artículo 5.3.4 se refiere solamente a los actos ejecutados durante el período que precede el cumplimiento de la condición. En palabras del comentario oficial, «la situación que precede al cumplimiento de la condición es particular y requiere una regulación especial en aplicación del principio general de la buena fe y lealtad negocial (véase el Artículo 1.7). En efecto, una persona que tiene interés en el cumplimiento de la condición tiene un derecho condicional que merece protección (especialmente en el caso de la condición suspensiva). Durante el período anterior al cumplimiento de la condición, las acciones de una parte pueden menoscabar la situación de la otra parte. Este artículo tiene su fundamento en la idea que, por lo general, es mejor prevenir tales acciones que remediar sus efectos».

Por lo que se refiere a los efectos del cumplimiento de una condición resolutoria, el artículo 5.3.5(1) de los PCCI dice que «en el caso de cumplirse una condición resolutoria, se aplicarán las reglas sobre la restitución de los Artículos 7.3.6 y 7.3.7, con las adaptaciones necesarias». El apartado 2 del artículo 5.3.5 de los PCCI añade que «si las partes han convenido que una condición resolutoria tendrá un efecto retroactivo, se aplicarán las reglas sobre la restitución del Artículo 3.2.15, con las adaptaciones necesarias». En principio, de acuerdo con lo dispuesto con los Principios, el cumplimiento de una condición resolutoria normalmente produce efectos hacia el futuro,

---

69. Cfr. artículo 16:102(1) de los PECL.
70. Cfr. artículo 16:102(2) de los PECL.

lo que obliga a tener en cuenta en los artículos 7.3.6 y 7.3.7 de los PCCI en materia de restitución en caso de resolución del contrato. La especificidad de estas normas sobre la restitución, indica el comentario oficial, «radica en que, para los contratos cuyo cumplimiento se extiende en el tiempo, la restitución no puede ser exigida para el período anterior a la resolución del contrato». En cambio, como las partes tienen la libertad de acordar que la condición resolutoria tenga efecto retroactivo, se aplicarán entonces las normas del artículo 3.2.15 de los PCCI (restitución en caso de anulación),«dado que la anulación también tiene un efecto retroactivo».

3. Obligaciones a término

El «término» o plazo es una modalidad dirigida a retardar la ejecución de los efectos del negocio señalando el día cierto de su realización.

Obligaciones *a término*, también llamadas a plazo o aplazadas, son aquellas en las que se señala una fecha o momento a partir del cual comienzan o cesan los efectos de la obligación.

A diferencia de las obligaciones condicionales, en éstas existe la seguridad absoluta de que el día o acontecimiento prefijado ha de llegar. El término o plazo puede ser incierto en el cuándo, pero necesariamente ha de ser cierto en el sí, es decir, para que pueda hablarse de obligación a término, tiene que existir la seguridad de que el acontecimiento ha de producirse, si bien puede existir duda acerca del momento en que tendrá lugar (por ejemplo, la muerte de una persona). En ese sentido, el artículo 1125 del CC establece lo siguiente que «las obligaciones para cuyo cumplimiento se haya señalado un día cierto, sólo serán exigibles cuando el día llegue. Entiéndese por día cierto aquel que necesariamente ha de venir, aunque se ignore cuándo. Si la incertidumbre consiste en si ha de llegar o no el día, la obligación es condicional, y se regirá por las reglas de la sección precedentes». Por consiguiente, el acreedor no podrá reclamar su crédito antes de que llegue el día prefijado; y, en caso contrario, el deudor podrá oponerle la excepción de falta de vencimiento del plazo.

3.1. *Clases de término*

a) Cierto e *incierto*. Aunque el término, a diferencia de la condición, siempre es cierto, se habla de término cierto e incierto según sea conocido o no el momento en que el acontecimiento ha de producirse. Es cierto si se fija con relación a una fecha o por referencia a unidades de tiempo, por ejemplo, el día 12 de diciembre, o dentro de seis meses. En cambio, se dice que el término es incierto si se establece con relación a un acontecimiento que necesariamente ha de llegar, pero no se sabe cuándo, como, por ejemplo, el fallecimiento de una determinada persona.

b) Suspensivo y *resolutorio*. El primero es el que establece el momento en que han de comenzar los efectos de la obligación a que afecta (*dies a quo*). El segundo, o *dies ad quem,* es el que fija el día en que se han de extinguir los efectos de la relación obligatoria. Este último sólo tiene sentido en las obligaciones de ejecución continuada.

El Código civil se refiere al plazo suspensivo en el artículo 1125, párrafo 1.º, al decir que «las obligaciones para cuyo cumplimiento se haya señalado un día cierto, sólo serán exigibles cuando el día llegue». En cambio, no alude al plazo resolutorio;

pero, como advierte CASTÁN, el efecto de este plazo será extinguir la obligación, aunque (a diferencia de lo que sucede con la condición) sin efecto retroactivo. También se les denomina término inicial y final respectivamente.

En consecuencia, los efectos del término, como los de la condición, varían según su naturaleza suspensiva o extintiva, afectando respectivamente a la exigibilidad del derecho o a su subsistencia. Pero, en todo caso, el término y la condición suspensivas difieren notablemente, en cuanto el titular del derecho a término es titular actual, aunque hasta el vencimiento no puede hacerlo efectivo, mientras que en el supuesto de condición el titular lo es solamente de una expectativa jurídica. La oposición concreta de ambas figuras se revela claramente en sus consecuencias, como por ejemplo la relativa al pago que realice el deudor antes de cumplirse la condición (art. 1121 CC) o antes de vencido el plazo (art. 1126 CC). En cambio, el término extintivo y la condición resolutoria se asemejan en su efecto cancelatorio, si bien se diferencian por razón de la retroactividad, inaplicable al plazo.

c) Expreso y tácito. Normalmente, los sujetos habrán fijado el término de modo expreso, estableciendo que la obligación deberá cumplirse tal día del calendario o cuando se produzca determinado acontecimiento que indefectiblemente ha de ocurrir. Cuando nada hayan dicho sobre el particular, el Código civil, en su artículo 1128, párrafo 1.º, admite la posibilidad del plazo tácito, al disponer que «si la obligación no señalare plazo, pero de su naturaleza y circunstancias se dedujere que ha querido concederse al deudor, los Tribunales fijarán la duración de aquél». Como dice la STS de 14 de octubre de 1966, es el caso del contrato de préstamo, puesto que el deudor ha de disponer indefectiblemente de un término, más o menos largo, para la devolución.[71] No obstante, en algunos casos es la propia ley la que establece la duración del plazo omitido; así, por ejemplo, los artículos 1577 y 1581 del CC lo fijan para los arrendamientos rústicos y urbanos.

En el caso del plazo tácito, si no existiere acuerdo entre acreedor y deudor, no será necesario seguir un juicio previo para el señalamiento del término o plazo, sino que éste podrá pedirse en la misma demanda en la que se exija el pago o cumplimiento. Ahora bien, aunque la fijación del plazo pueda ser tácita, siempre habrá de pactarse la modalidad de la obligación a término de un modo expreso.[72]

d) Convencional, legal y judicial. Término convencional o voluntario es el fijado por las partes en el negocio jurídico o contrato de que se trate. Término legal es el establecido por la ley (arts. 1577 y 1581 del CC). Término judicial es el señalado por los tribunales en virtud de una autorización expresa del legislador (arts. 1124 y 1128 CC).

El Código civil español no admite el término o plazo de gracia, y no puede buscarse apoyo en su favor en el artículo 1124, párrafo 3.º del CC, ya que en este precepto se otorga esa facultad al tribunal con carácter estricto o limitado, y únicamente si el acreedor perjudicado escoge exigir la resolución.

Respecto de las obligaciones mercantiles, el artículo 61 del CCom prohíbe a los tribunales que reconozcan términos de gracia, cortesía u otros que difieran el cumplimiento, a no ser que las partes lo hubieren prefijado en el contrato, o se apoyaren en

---

71. RJ 1966, 4438.
72. Cfr. STS de 15 de octubre de 2004 (RJ 2004, 6834).

una disposición terminante de Derecho; esto es, que existiere un plazo convencional o legal. Sin embargo, en el caso de las obligaciones que no tuvieren término prefijado convencional o legalmente, el artículo 62 del CCom dispone que dichas obligaciones «serán exigibles a los diez días después de contraídas, si sólo produjeren acción ordinaria, y el día inmediato si llevaren aparejada ejecución».

Estas tres clases de término tienen algunos caracteres comunes, especialmente en cuanto a los efectos y al modo de extinción, pero también ofrecen marcadas diferencias, especialmente desde el punto de vista de las condiciones o requisitos para su establecimiento.

e) *Ordinario* y *esencial.* Término o plazo ordinario es aquél que, si bien señala el momento en que el crédito es exigible y el deudor se constituye en mora, no excluye la posibilidad de que la prestación pueda realizarse después de que haya transcurrido el mismo. En cambio, el término esencial es aquél que elimina la posibilidad de que la prestación pueda ejecutarse después de transcurrido ese momento; es decir, no permite una prestación tardía por parte del deudor, disponiendo el acreedor del derecho de resolución del vínculo obligatorio.

Cuando el factor tiempo actúa como un requisito esencial (la prestación ha de realizarse exclusivamente en el momento prefijado) se habla, siguiendo a la doctrina alemana, de contratos o «negocios a fecha fija». Se trata de supuestos en los que, como dicen PÉREZ GONZÁLEZ y ALGUER, la intención de las partes al señalar el plazo fue la de considerar imposible el pago o cumplimiento posterior, ya que carecería de todo interés por su propia naturaleza, por ejemplo, encargar un taxi a determinada hora para ir al aeropuerto y tomar un concreto vuelo, el artista que ha sido contratado para actuar en determinado día y hora, etc.[73]

DÍAZ PAIRÓ plantea una tercera hipótesis, con base en lo dispuesto en el artículo 1100, párrafo 2.°, inciso segundo, del CC, consistiendo en «aquélla en que, si bien se le ha concedido al término mayor importancia que en el llamado término ordinario, todavía cabe cumplir después de él, aunque colocado ya el deudor en situación jurídica de mora, sin necesidad de la interpelación o requerimiento de pago que usualmente se exige para el nacimiento de dicha mora». Con mayor precisión se hace distinción entre término esencial absoluto (o propio) y el relativo (o impropio), ya que en este último el acreedor puede tener todavía interés y, por tanto, podría reclamar el cumplimiento tardío. Ahora bien, como señala DÍEZ-PICAZO, «tanto en el caso del término absoluto como en el del término relativo, el deudor no puede pretender una prestación tardía y el acreedor dispone de un derecho de resolución del vínculo, que parece que en el caso del término esencial propio es automático y en el caso del término esencial impropio exige una comunicación dirigida por el acreedor al deudor en tal sentido».

El carácter esencial del plazo no planteará problemas cuando exista una declaración expresa de las partes en tal sentido, por ejemplo, se consignó de modo claro y terminante que la obligación debería ser cumplida necesaria y únicamente determinado día y no otro posterior;[74] mientras que, si no existe una declaración de este tipo, habrá que indagar si esta era la voluntad tácita de las partes atendiendo a la naturaleza

---

73. Cfr. SSTS de 22 de abril de 1972 y 29 de enero de 1991 (RJ 1991, 347).
74. Cfr. STS de 13 de marzo de 1987 (RJ 1987, 1478).

y circunstancias de la obligación (arg. *ex* art. 1100, párrafo 2.°, CC). Por otra parte, como lo normal es el plazo ordinario y el esencial tiene carácter excepcional, será el acreedor quien en el caso concreto deberá acreditar que el término tiene o se le ha atribuido un valor esencial.

3.2. El pago anticipado

¿Puede el deudor pagar antes de que el término se cumpla? La respuesta a esta pregunta depende de que se considere establecido el plazo en beneficio del acreedor o del deudor. En el Derecho romano, y más tarde en el Derecho común, por aplicación del principio *favor debitoris*, se consideraba que el plazo había sido establecido en beneficio del deudor; por consiguiente, éste se encontraba facultado para renunciar al plazo y pagar anticipadamente. Sin embargo, el Código civil modifica este criterio indicando en su artículo 1127 que, «siempre que en las obligaciones se designa un término, se presume establecido en beneficio de acreedor y deudor, a no ser que del tenor de aquellas o de otras circunstancias resultara haberse puesto en favor del uno o del otro». Así, por ejemplo, en el préstamo con interés habrá que interpretar que es beneficioso para el acreedor mantener el préstamo durante el tiempo convenido por ser una fuente de ingresos para él, y que también lo es para el deudor, puesto que disfruta de mayor tiempo para su devolución. Según esta presunción, el acreedor no puede reclamar antes del vencimiento, ni el deudor puede obligarlo a recibir el pago anticipado. Por el contrario, si el plazo estuviese establecido en beneficio exclusivo del acreedor, éste podría renunciar al mismo y exigir el cumplimiento de la prestación al deudor (art. 1766 CC), y a la inversa, si fuese en beneficio del deudor, éste podría pagar anticipadamente.[75]

> Según el artículo 1117, párrafo 2.°, de la PMDOC, «si se hubiese señalado término, se presumirá éste establecido en beneficio de ambas partes, a no ser que del título de la obligación resulte otra cosa».

Pero también es posible que cualquiera de las partes, si la otra lo acepta, renuncie al plazo. Por ello, el artículo 1126, párrafo 1.°, del CC dispone que «lo que anticipadamente se hubiese pagado en las obligaciones a plazo no se puede repetir»; y ni siquiera el pago efectuado por error puede ser repetido, pues el párrafo 2.° de dicho artículo declara que «si el que pagó ignoraba cuando lo hizo la existencia del plazo, tendrá derecho a reclamar del acreedor los intereses o los frutos que éste hubiese percibido de la cosa». Como puede observarse, únicamente se tiene en cuenta el error del deudor, que equivocadamente cree que la deuda está vencida y por eso paga, y con el derecho que se le concede a reclamar «intereses o frutos percibidos» se pretende evitar que el pago anticipado dé lugar a un enriquecimiento injustificado del acreedor. Sin embargo, DíEZ-PICAZO opina que pueden admitirse otras hipótesis de error del *solvens* igualmente atendibles: *a)* cuando éste conoce la existencia del plazo, pero se equivoca acerca de su duración (paga anticipadamente por creer que era menor); *b)* cuando el *solvens* se equivoca en el cómputo del plazo o respecto de la consideración del momento actual (conocía que el plazo era de treinta días, pero erróneamente considera que ha llegado el día del vencimiento).

---

75. Cfr. SSTS de 14 de octubre de 1966 (RJ 1966, 4438) y 15 de octubre de 2004 (RJ 2004, 6834).

El artículo 1118, párrafo 1.º, de la PMDOC señala que «lo anticipadamente se hubiese pagado en las obligaciones a plazo, no constituye pago indebido». No obstante, el párrafo 2.º de dicho artículo 1118 indica que «si el pago se hubiese anticipado por un error excusable y cognoscible para la otra parte, el que pagó tendrá derecho a reclamar del acreedor el descuento correspondiente al interés legal del dinero, o los frutos que éste hubiese percibido de la cosa, entre el momento del pago y el del vencimiento del plazo».

En materia de Derecho cambiario, el artículo 46 de la LCCh dispone que «el portador de una letra de cambio no podrá ser obligado a recibir el pago antes de su vencimiento», añadiendo que «el librado que pagare antes del vencimiento, lo hará por su cuenta y riesgo».

3.3. El descuento o «interusurium» por pago anticipado

Cuando un crédito que no devenga intereses es pagado antes de su vencimiento, se interpreta que su valor es menor que el de su importe nominal, ya que el acreedor tiene la posibilidad de colocarlo a interés. Esta diferencia entre el valor nominal y el valor actual, que es el resultado de haber rebajado los intereses del anticipo durante el tiempo que faltaba para el vencimiento, recibe el nombre de descuento o *interusurium*.

El Código civil no define ni regula con carácter general esta pretensión de descuento por pago anticipado, pero sí contempla dos supuestos concretos en los que el descuento se puede exigir:

1.º Si el deudor ignoraba la existencia del plazo (art. 1126, párrafo 2.º, CC).

2.º En caso de declaración de concurso (art. 1915, párr. 2.º, CC). El mismo criterio aplica el Código de comercio para el supuesto de declaración de quiebra (art. 883 CCom), si bien dichos preceptos fueron derogados por la Ley concursal. No obstante, el artículo 436 del TRLC establece que «si el pago de un crédito se realizare antes del vencimiento que tuviere a la fecha de apertura de la liquidación, ser hará con el descuento correspondiente, calculado al tipo de interés legal».

El tipo de interés aplicable, en defecto de pacto, será el legal.

3.4. Pérdida del beneficio del plazo

En principio, el acreedor no puede reclamar antes del vencimiento del plazo (art. 1125 CC). Sin embargo, para asegurar la efectividad de la deuda, el artículo 1129 del CC establece unos supuestos en que el deudor pierde el derecho a utilizar el plazo, y éstos son los siguientes:

1.º Cuando después de contraída la obligación resulte insolvente, salvo que garantice la deuda.

Que el deudor «resulte insolvente» no quiere decir que haya sido declarado en concurso (o quiebra), sino que con dicha expresión se hace referencia a una situación concreta (de hecho) y sobrevenida de insuficiencia de bienes y de impago o imposibilidad de cumplimiento de obligaciones, y que no cabe confundir con la falta de liquidez.

2.° Cuando no otorgue al acreedor las garantías a que estuviese comprometido. Se trata de un supuesto en el que el deudor ha incumplido los términos del contrato, en función de los cuales se había acordado el aplazamiento.

3.° Cuando por actos propios hubiese disminuido aquellas garantías después de establecidas, y cuando por caso fortuito despareciean, a menos que sean inmediatamente sustituidas por otras nuevas e igualmente seguras.

> Según declara la STS de 9 de marzo de 1982,[76] de los términos claros, expresos y concluyentes del artículo 1129 del CC se advierte, de modo indudable, la amplitud del concepto en que el término *garantía* aparece acogido en él, que no es otro que el de admitir cualquier medio que tienda a asegurar el cumplimiento de la obligación a satisfacción del acreedor; es decir, deben entenderse comprendidas tanto las garantías típicas como las atípicas. En el concreto caso debatido en esta sentencia el deudor entregó al acreedor y «dejó en garantía» la escritura de compraventa de un inmueble, título de propiedad que acreditaba el dominio del deudor.

Por la declaración de concurso de acreedores y de quiebra también se producía en nuestro Derecho un vencimiento anticipado de todas las deudas a plazo del concursado, de manera que si llegaron a pagarse antes del tiempo prefijado en la obligación sufrían el descuento correspondiente al interés legal del dinero (arts. 1915 CC y 883 CCom). En la actualidad, el artículo 111.1 del TRLC determina que «la declaración de concurso no interrumpirá la continuación de la actividad profesional o empresarial que viniera ejerciendo el deudor». No obstante, a propósito de la vigencia de los contratos con obligaciones recíprocas en que estuviera implicado el deudor, cuando al momento de la declaración de concurso se hubiera realizado el cumplimiento íntegro de las prestaciones por uno de los contratantes y la otra tuviese pendiente el cumplimiento total o parcial de las recíprocas a su cargo, si dicho cumplimiento ha sido por parte del no concursado el crédito se incluirá en la masa pasiva. En cambio, si el cumplimiento íntegro hubiera tenido lugar por parte del concursado, el crédito se incluirá en la masa activa del concurso y se podrá reclamar, como tal crédito, por parte de la administración concursal (art. 157 TRLC).

> A tenor del artículo 1120 de la PMDOC, «perderá el deudor todo derecho a utilizar el plazo: 1. Cuando, después de contraída la obligación resulte insolvente, salvo que se garantice la deuda. 2. Cuando no se otorguen al acreedor aquellas garantías en cuya contemplación fue establecido el plazo. 3. Cuando por causa imputable al deudor hubiesen disminuido dichas garantías. 4. Cuando por caso fortuito desapareciesen, a menos que sean sustituidas por otras igualmente seguras».

3.5. *Vencimiento del término*

Las obligaciones para cuyo cumplimiento se haya señalado un día cierto sólo serán exigibles cuando el día llegue (art. 1125, párr. 1.°, CC). Pero, si bien esto es cierto, aunque en el momento de la presentación de la demanda sólo haya vencido el primer plazo, nada impide al actor solicitar de futuro una condena judicial, únicamente ejecutable cuando el plazo pactado hubiere vencido.[77] En este sentido, el artículo 578.1 de la LEC dispone que «si, despachada ejecución por deuda de una cantidad líquida,

---

76. RJ 1982, 1293.
77. Cfr. STS de 24 de septiembre de 1984 (RJ 1984, 4335).

venciera algún plazo de la misma obligación en cuya virtud se procede, o la obligación en su totalidad, se entenderá ampliada la ejecución por el importe correspondiente a los nuevos vencimientos de principal e intereses, si lo pidiere así el actor y sin necesidad de retrotraer el procedimiento».

El artículo 1121, párrafo 1.º, de la PMDOC dice que «la obligación sujeta a un término final se extinguirá cuando llegue el día señalado o cuando el término final se deduzca de los usos». Pero, según el párrafo 2.º del mismo artículo, «si las relaciones obligatorias fueren de duración indefinida, y del título o de la ley no resultare otra cosa, se extinguirán por su denuncia por cualquiera de las partes hecha de buena fe».

Cuando la obligación no señalare plazo, pero de su naturaleza y circunstancias se dedujere que ha querido concederse al deudor los tribunales fijarán la duración de aquél. También fijarán los tribunales la duración del plazo cuando éste haya quedado a voluntad del deudor (art. 1128 CC).

La STS de 15 de octubre de 1965 declaró que el artículo 1128 del CC se orienta a regular el cumplimiento, en orden al tiempo, de las prestaciones que se hubiesen concertado en el contrato, pero no a fijar la duración del contrato.[78]

La STS de 22 de marzo de 1989 se ha planteado la interpretación de la oración gramatical siguiente: «la Sra. Rosario se compromete a devolver las cantidades que pueda, siempre que el negocio proporcione beneficios que lo permitan», y declara que «la solución más correcta es considerar que en dicho documento se establece un plazo no esencial o de cumplimiento e incierto en el _quando_», por considerar que, «aunque no siempre es sencillo distinguir si se trata de un término o de una condición, deviene claro que la efectividad de la devolución dineraria no se hace depender de la mera voluntad del deudor (_cum volueris_), sino de cuando pueda (_cum potueris_) hacerlo, de tal manera que el Sr. Ricardo ni renuncia a reintegrarse del capital, ni la apremia con un plazo concreto, pero obra en la conciencia de que su hija habrá de ir haciéndole reintegros parciales hasta completar la suma correspondiente». Por consiguiente, concluye la citada sentencia afirmando que «es lógico que habiendo pasado un gran número de años sin que la obligada haya entregado cantidad alguna pueda el interesado en el cobro invocar el artículo 1128 del Código civil».[79] En nuestra opinión, la cláusula _cum potueris_ encierra una condición y no un plazo, ya que la posibilidad de cumplimiento es un hecho incierto, y el acreedor estará obligado a probar esta posibilidad. En cambio, DÍAZ PAIRÓ considera que, pee a que el hecho sea futuro e incierto, no se ha subordinado el nacimiento de la obligación, sino únicamente el momento de su exigibilidad. Es decir, lo condicionado no es la obligación, sino la oportunidad en que debe cumplirse.

Parece lógico que la parte interesada en la fijación del plazo así lo solicite al tribunal de instancia. Sin embargo, la jurisprudencia es contradictoria en este punto, ya que en unas sentencias se declara que el órgano judicial podrá hacerlo aun cuando no lo hubieran solicitado expresa y concretamente los interesados,[80] mientras que en otras se dice que s necesario que se haya deducido la correspondiente

---

78. RJ 1965, 4443.
79. RJ 1989, 2192.
80. Cfr. STS de 3 de febrero de 1965 (RJ 1965, 524).

petición en la instancia.[81] Además, la STS de 31 de enero de 1992 ha declarado que «es superflua e improcedente la aplicación del artículo 1128 del CC cuando el plazo que hubiera querido o debido concederse ha transcurrido con exceso antes de la iniciación del litigio».[82]

> Según el artículo 1119, párrafo 1.º, de la PMDOC «la obligación sometida a un término, cuya fijación dependa de la voluntad de una de las partes, dará derecho a la otra para requerirla a fin de que, de acuerdo con el título y las exigencias de la buena fe, lleve a cabo la fijación. Si el requerimiento fuese desatendido, sin justa causa, la obligación se tendrá por vencida a partir del momento en que sea posible su cumplimiento, si así se hubiese expresado en el requerimiento». El párrafo 2.º de dicho artículo 1119 añade que «la misma regla será aplicable si la obligación no señalase plazo, pero de su naturaleza y circunstancias se dedujere que ha querido concederse».

En cambio, respecto de las obligaciones mercantiles, ya hemos indicado que el artículo 61 del CCom prohíbe a los tribunales que reconozcan términos de gracia, cortesía u otros que difieran el cumplimiento, a no ser que las partes lo hubieren prefijado en el contrato, o se apoyaren en una disposición terminante de Derecho. Es decir, que existiere un plazo convencional o legal.

Por lo que se refiere al cómputo, el artículo 1130 del CC especifica que, «si el plazo de la obligación está señalado por días a contar desde uno determinado, quedará éste excluido del cómputo, que deberá empezar en el día siguiente». Si el plazo estuviese fijado por meses o por años, se contará de fecha a fecha, y cuando en el mes del vencimiento no hubiese día equivalente al inicial del cómputo, se entenderá que el plazo expira el último del mes. En el cómputo del plazo no se excluyen los días inhábiles (art. 5 CC).[83] Como dice LASARTE, la norma contenida en este artículo 1130 del CC es supletoria de la voluntad de las partes en el ámbito negocial o patrimonial, pues no hay razón alguna de orden público económico para entenderla de *ius cogens*.

BIBLIOGRAFÍA

ALBALADEJO, «La mora en las obligaciones recíprocas», *RCDI*, 1968, p. 9; ALONSO PÉREZ, *Sobre la esencia del contrato bilateral*, Salamanca, 1978; ÁLVAREZ VIGARAY, *La resolución de los contratos bilaterales por incumplimiento*, 3.ª ed., Granada, 2003; íd., «La retroactividad de la condición», ADC, 1964, p. 828; ARIJA SOUTULLO, *Los efectos de las obligaciones sometidas a condición suspensiva*, Granada, 2000; CARDENAL, *El tiempo en el cumplimiento de las obligaciones*, Madrid, 1979; CLAVERÍA GOSÁLVEZ, «Las pertenencias en Derecho privado español», ADC, 1976, p. 3; CLEMENTE MEORO, *Los supuestos legales de vencimiento anticipado de las obligaciones*, Valencia, 1991; CRESPO ALLÚE, «La situación de pendencia en las obligaciones condicionales», *Centenario del Código civil*, Madrid, 1990, p. 541; MORENO, M. C., *La «exceptio non adimpleti contractus»*, Valencia, 2004; DÍEZ-PICAZO, «El pago anticipado», RDM, 1959, p. 37; íd., «El retardo, la mora y la resolución de los contratos sinalagmáticos», ADC, 1969,

---

81. Cfr. STS de 11 de abril de 1996 (RJ 1996, 2917).
82. RJ 1992, 537.
83. Cfr. SSTS de 24 de noviembre de 1978 (JC 1978, V-388), 15 de junio de 1979 (RJ 1979, 2893) y las que éstas citan.

p. 383; íd., *Los incumplimientos resolutorios*, Navarra, 2005; DOMÍNGUEZ LUELMO, *El cumplimiento anticipado de las obligaciones*, Madrid, 1992; ESPÍN, «La excepción de incumplimiento contractual», ADC, 1964, p. 543; FENOY PICÓN, «La entidad del incumplimiento en la resolución del contrato: Análisis comparativo del artículo 1124 CC y del artículo 121 del Texto Refundido de Consumidores», ADC, 2009, p. 157; FERNÁNDEZ RODRIGUEZ, «El término esencial», ADC, 1954, p. 737; GONZÁLEZ GONZÁLEZ, *La resolución como efecto del incumplimiento en las obligaciones bilaterales*, Barcelona, 1987; LETE DEL RÍO, «Notas sobre los derechos accesorios», RGLJ, 1977, p. 49; MORENO QUESADA, B., «El vencimiento anticipado del crédito por alteración de sus garantías», ADC, 1971, p. 429; OGÁYAR, *Efectos que produce la obligación bilateral*, Pamplona, 1983; PANTALEÓN, «Resolución por incumplimiento e indemnización», ADC, 1989, p. 1143; REVERTE NAVARRO, *Los términos de gracia en el cumplimiento de las obligaciones,* Madrid, 1975; SAN MIGUEL PRADERA, «La resolución por incumplimiento en la Propuesta para la Modernización del Derecho de obligaciones y contratos: ¿lo mejor es enemigo de lo bueno?», ADC, 2011p. 1685; TORRES DE CRUELLS, «La medida cautelar del artículo 1121 del Código civil», ADC, 1959, p. 1219; TRAVIESAS, «Obligaciones recíprocas», RDP, 1929. p. 275; VATTIER FUENZALIDA, «Contribución al estudio de las obligaciones accesorias», RDP, 1980, p. 28.

Capítulo VIII
Cumplimiento de la obligación

I. EL PAGO O CUMPLIMIENTO

1. Introducción

La dinámica de la relación obligatoria comienza con su nacimiento (fuentes), y termina con el cumplimiento. Interesa ahora fijarnos en este momento culminante, el cumplimiento, que es el efecto principal y final de la obligación. Principal, porque, como dice ALBALADEJO, el fin natural a que tiende toda obligación es proporcionar al acreedor la satisfacción de su interés mediante el cumplimiento o ejecución de la prestación debida, y, en su defecto, la indemnización de los perjuicios que el incumplimiento le reporte. Tanto a uno, como a otro, se les puede llamar efectos de la obligación. Final, porque el cumplimiento constituye el modo normal de extinguirse la obligación y de quedar liberado el deudor. Es decir, el cumplimiento es fin y medio.

De lo anterior se deduce que del cumplimiento pueden darse dos conceptos, uno amplio y otro estricto o técnico. En sentido amplio, el cumplimiento consiste en la satisfacción del interés del acreedor; en sentido estricto, es la realización del deber de prestación por parte del deudor. En realidad, en ambos supuestos es esencial el deber de prestación, sólo se diferencian en que mientras en el segundo caso tiene que ser el deudor, en el primero no se contempla la persona.

Conviene aclarar que, en sentido vulgar, la palabra «pago» significa entrega de un dinero o especie que se debe. En cambio, en su acepción jurídica significa no sólo la entrega de una suma de dinero, sino más ampliamente el cumplimiento de la prestación, cualquiera que sea la naturaleza de ésta. El Código civil identifica, como equivalentes, los términos «pago» y «cumplimiento», pues el artículo 1156 del CC habla de extinción de las obligaciones «por el pago o cumplimiento», y el artículo 1157 del CC dice que «no se entenderá pagada una deuda sino cuando completamente se hubiese entregado la cosa o hecho la prestación en que la obligación consistía».

Normalmente, la palabra «cumplimiento» se emplea para referirse a la realización voluntaria y personal por el deudor de la prestación debida. Sin embargo, a veces se utiliza también esta expresión en sentido más amplio, comprendiendo en ella el supuesto de que el deudor fuere compelido al pago judicialmente, e incluso el que se realiza por otro a requerimiento de los Tribunales por negarse el deudor. En este segundo caso, es más apropiado hablar de incumplimiento o de cumplimiento forzoso.

Se discute por la doctrina acerca de la *naturaleza jurídica* del pago o cumplimiento, si se trata de un simple hecho o de un negocio jurídico, y en este segundo supuesto si de un negocio jurídico unilateral o bilateral. También existe una teoría intermedia, predominante en la doctrina, según la cual el cumplimiento es un simple hecho, salvo que requiera la realización de un negocio jurídico; razón por la cual el pago implica la capacidad de celebrar negocios jurídicos (art. 1160 CC).

La jurisprudencia se ha inclinado hacia la tesis del negocio jurídico. Es clásica, al respecto, la STS de 18 de noviembre de 1944, en que se declara que, cuando se trata de una obligación de dar o entregar, el pago no queda cumplido con la simple actuación del obligado y requiere el consentimiento o aceptación de quien, con arreglo a lo convenido, haya de recibir la prestación. Y se señalan los argumentos siguientes: *a)* que el artículo 1176 del CC, relativo a la consignación, admite *a sensu contrario*, que el acreedor pueda rechazar el pago, con razón o por causa justificada; *b)* que el artículo 1163 del CC niega validez, salvo determinados casos, al pago hecho a una persona incapacitada para administrar sus bienes; *c)* que los artículos 1166 y 1169 del CC reconocen en cierto modo la anuencia del que debe cobrar cuando se paga cosa distinta de la pactada o se hace el abono parcialmente.[1] La STS de 24 de noviembre de 1988 insiste en la tesis de que el pago es un «negocio jurídico bilateral».[2]

Frente a la concepción negocial del pago o cumplimiento debe afirmarse que éste es un acto debido por sí mismo, es la realización del contenido de la obligación por el deudor. La obligación impone al deudor el deber de observar un determinado comportamiento, así ocurre en todos aquellos casos en que el deudor debe realizar su prestación sin necesidad de colaboración del acreedor, por ejemplo, un deber de omisión. Como dice J. BELTRÁN DE HEREDIA, «el cumplimiento es un simple acto jurídico, voluntario en cuanto acto humano, pero carente de la espontaneidad de origen, de estructura y de función típica en los negocios jurídicos». No obstante, es cierto que en muchos supuestos el deudor sólo puede cumplir realizando un negocio jurídico, puesto que la prestación consiste en una actividad o comportamiento determinado, cuyo contenido es una declaración de voluntad unilateral o bilateral. Pero, aun en estos casos, no puede confundirse el pago (acto debido) con el negocio que se realice o comportamiento (o actividad) que se le exige al deudor para cumplir con su deber de prestación.

2. Objeto del pago

El deudor, para extinguir la relación obligatoria y quedar liberado, debe realizar exactamente la prestación debida, y no otra; por consiguiente, el pago o cumplimiento requiere la ejecución exacta de la prestación prevista en la obligación. De ahí

---

1. RJ 1944, 1266. Cfr. STS de 25 de febrero de 1963 (RJ 1963, 1188).
2. RJ 1988, 8706.

que se hable de identidad e integridad como requisitos objetivos del pago o cumplimiento, o sea, adecuación entre lo debido y lo realizado.[3]

a) Con respecto al principio de *identidad* de la prestación, el Código civil, en relación a las distintas clases de obligaciones, formula las reglas siguientes:

1.º *Obligaciones específicas.* El deudor de una cosa no puede obligar a su acreedor a que reciba otra diferente, aun cuando fuere de igual o mayor valor que la debida. Y en las obligaciones de hacer tampoco podrá ser sustituido un hecho por otro contra la voluntad del acreedor (art. 1166 CC). Como dice la STS de 2 de noviembre de 1994, «si el acreedor no está obligado a recibir cosa distinta de la pactada, ni un cumplimiento parcial, tampoco lo estará a conformarse con una prestación que no se ajuste a lo convenido, ni existe precepto legal alguno que a ello le obligue bajo reserva de exigir su corrección. La entrega ha de sujetarse en todas sus modalidades al programa de prestación previsto al constituirse la obligación para tener por cumplida ésta».[4]

El Tribunal Supremo ha llevado a cabo una interpretación amplia o extensiva de la falta de identidad de la prestación a aquellos supuestos en que la cosa es inhábil para satisfacer los intereses del acreedor. En este sentido, la STS de 26 de octubre de 1990, respecto de la adquisición de una plaza de aparcamiento de imposible acceso y utilización, dice que «el Tribunal *a quo* no equivocó su razonamiento al afirmar encontrarse ante la entrega de cosa diversa o *aliud pro alio*, lo que permitía acudir a la protección dispensada en los artículos 1101 y 1124 del CC, ya que la jurisprudencia de esta Sala tiene entendido con reiteración que tal cosa acontece cuando existe pleno incumplimiento por inhabilidad del objeto y consiguiente insatisfacción del acreedor,[5] siendo esto lo ocurrido en el caso de autos, toda vez que el "local comercial" adquirido lo fue en función de la utilidad que pudiese representar como plaza de aparcamiento de vehículos, y la total ineficacia para tal destino dio lugar a un claro incumplimiento contractual».[6]

> Según el artículo 1154 de la PMDOC, «el deudor no puede obligar a su acreedor a que reciba una prestación diferente aun cuando fuera de valor igual o mayor que la debida».

2.º *Obligaciones genéricas.* Cuando la obligación consiste en entregar una cosa indeterminada o genérica, cuya calidad y circunstancias no se hubieren expresado, el acreedor no podrá exigirla de la calidad superior, ni el deudor entregarla de la inferior (art. 1167 CC). La propia dicción del precepto legal permite afirmar que el deudor podrá entregar cosas de calidad superior. Una regla similar se contiene en el artículo 875 del CC, que atribuye la elección dentro del género al heredero (deudor frente al legatario), al disponer que «cumplirá con dar una cosa que no sea de la calidad inferior ni de la superior».

> El artículo 1097 de la PMDOC dice que «cuando la calidad de la cosa (determinada por su género) no resulte del contenido del contrato, el acreedor no podrá exigirla de las superiores ni el deudor entregarla de las inferiores».

---

3.   Cfr. STS de 24 de octubre de 2001 (RJ 2001, 8666) y las que cita.
4.   RJ 1994, 8364.
5.   Cfr. SSTS de 20 de diciembre de 1977 (RJ 1977, 4837), 23 de marzo de 1982 (RJ 1982, 1500), 10 de junio de 1983 (RJ 1983, 3454) y 19 de diciembre de 1984 (RJ 1984, 6134).
6.   RJ 1990, 8052.

Por su parte, el artículo 327, párrafo 1.º, del CCom establece que «si la venta se hiciere sobre muestras o determinando calidad conocida en el comercio, el comprador no podrá rehusar el recibo de los géneros contratados, si fueren conformes a las muestras o a la calidad fijada en el contrato».

3.º *Obligaciones de entregar sumas de dinero*. El pago de las deudas de dinero ha de hacerse en la especie pactada, y no siendo posible entregar la especie, en la moneda de plata u otro que tenga curso legal en España (art. 1170, párr. 1.º, CC).

El artículo 1100 de la PMDOC determina que «el cumplimiento de las obligaciones pecuniarias deberá realizarse en la moneda que en ellas se indique. Sin embargo, salvo que otra cosa resulte del contrato, el deudor podrá pagar en la moneda de curso legal en el momento y lugar del pago. El deudor carecerá de la facultad de elección cuando el contrato la hubiere excluido. Si resultare imposible cumplir la obligación en la moneda exigible, se utilizará la de curso legal en el momento y lugar del pago. Cuando la imposibilidad provenga de la sustitución de la moneda, se utilizará la que legalmente la haya sustituido». El artículo 1101 de la PMDOC añade que «si por alguna de las causas previstas en el artículo anterior, el pago se realiza en moneda diferente de aquélla con la que se determinó la deuda, la equivalencia se establecerá conforme al valor de mercado en el tiempo y lugar en que se realice el pago. En estos mismos casos, siempre que el retraso en el pago de la deuda fuera debido a una causa imputable al deudor, el acreedor podrá exigir que se establezca la equivalencia aplicando el cambio del día del vencimiento de la obligación». Según el artículo 1102 de la PMDOC, «si el acreedor tuviera abierta en el lugar del pago una cuenta en una entidad de crédito destinada a operaciones relacionadas con el origen de la deuda, el deudor puede cumplir la obligación haciendo acreditar en dicha cuenta la suma debida, a no ser que el acreedor lo haya excluido. La suma se considerará entregada en el momento en que se produzca el abono en la cuenta».

El artículo III.-2:109(1) señala que «el deudor y el acreedor pueden pactar que el pago se efectúe en una determinada moneda».[7] Como dice el comentario oficial, en los contratos internacionales pueden aparecer tres divisas diferentes. La *unidad de cuenta*, que indica en qué divisa se calculará la obligación principal de pago (normalmente, el precio), y será fijada por acuerdo de las partes o por las circunstancias. La *divisa de pago acordada* por las partes, que puede diferir y a menudo difiere, según convenga, de la unidad de cuenta. Si no existiera acuerdo entre las partes, la unidad de cuenta será, normalmente, la divisa de pago. Es a esta divisa de pago acordada a la que se refiere el apartado 1 del artículo III.-2:109 del DCFR Por último, la *divisa del lugar donde deba realizarse el pago*, que puede diferir de la divisa de pago acordada y ser de aplicación en determinadas circunstancias. Según el artículo III.-2:109(2) del DCFR, de no haber pacto al respecto, es decir, no se ha pactado que el pago se realice únicamente en una determinada moneda, «toda cantidad de dinero expresada en una moneda distinta a la de curso legal en el lugar donde deba realizarse el pago, podrá pagarse en la moneda de dicho lugar de acuerdo con el tipo de cambio allí vigente en el momento del vencimiento».[8] El apartado 3 del artículo III.-2:109 añade que «si en un caso como el previsto en el apartado anterior el deudor no hubiera pagado llegado el momento del vencimiento, el acreedor

---

7. Cfr. artículo 7:108(1) de los PECL.
8. Cfr. artículo 7:108(2) de los PECL.

podrá pedir que se le pague en la moneda del lugar donde deba realizarse el pago, aplicando bien el tipo de cambio allí vigente en el momento del vencimiento o bien el vigente en el momento del pago real».[9] En todo caso, cuando el contrato no exprese una moneda concreta, el artículo III.-2:109(4) indica que «el pago deberá realizarse en la moneda del lugar en el que haya de hacerse el pago».

En el ámbito de los *contratos internacionales* también puede pactarse, obviamente, la moneda de pago en que deba cumplirse una obligación de dinero. Pero por lo general el deudor puede realizar el pago en la moneda del lugar del pago. Por eso el artículo 6.1.9(1) de los PCCI señala que «si una obligación dineraria es expresada en una moneda diferente a la del lugar del pago, éste puede efectuarse en la moneda de dicho lugar, a menos que: (a) dicha moneda no sea convertible libremente; o (b) las partes hayan convenido que el pago debería efectuarse sólo en la moneda en la cual la obligación dineraria ha sido expresada».

Como los dos apartados especifican, la regla del lugar de pago no se aplicará si la moneda de ese lugar no es de libre convertibilidad. Además, sigue diciendo el comentario oficial, «las partes pueden excluir la aplicación de esta regla acordando que el pago solamente podrá efectuarse en la moneda en la que la obligación dineraria fue expresada (cláusula de *numerario*). Si el acreedor desea que el pago sólo se realice en la moneda de cuenta, así lo debe expresar en el contrato».

Cuando al deudor le resulte imposible realizar el pago en la moneda pactada, ya sea por reglas de control de cambio o de otras normas imperativas, ya por otras causas que no le permitan conseguir una cantidad suficiente de divisas, el artículo 6.1.9(2) de los PCCI dice que «el acreedor puede reclamar el pago en la moneda del lugar del pago, aun en el caso al que se refiere el párrafo (1)(b)». En cuanto a la determinación del tipo de cambio aplicable cuando el pago se realiza en la moneda del lugar de pago en vez de la moneda estipulada en el contrato, según el artículo 6.1.9(3) de los PCCI, «el pago en la moneda del lugar de pago debe efectuarse conforme al tipo de cambio aplicable que predomina en ese lugar al momento en que debe efectuarse el pago». El apartado 4 del artículo 6.1.9 de los PCCI añade que «sin embargo, si el deudor no ha pagado cuando debió hacerlo, el acreedor puede reclamar el pago conforme al tipo de cambio aplicable y predominante, bien al vencimiento de la obligación o en el momento del pago efectivo». Aunque no sea frecuente en la práctica, podría darse la hipótesis de que el contrato no hubiera expresado la moneda de pago de una obligación dineraria. En ese supuesto se aplicaría el artículo 6.1.10 de los PCCI, a cuyo tenor, «el pago se hará en la moneda del lugar donde deba efectuarse el pago».

Como señala el comentario oficial, «un contrato, por ejemplo, puede estipular que se pagará el "precio vigente" o a determinarse por una tercera persona, o bien puede estipularse que algunos costos serán reembolsados por una parte a la otra, sin especificarse la moneda en que debe efectuarse el pago. La norma establecida en el Artículo 6.1.10 es que en dichos casos el pago deberá efectuarse en la moneda de curso legal en el lugar del pago».

La entrega de pagarés a la orden, o letras de cambio u otros documentos mercantiles, sólo producirá los efectos del pago cuando hubiesen sido realizados, o cuando por culpa del acreedor se hubiesen perjudicado; entretanto, la acción derivada de la

---

9. Cfr. artículo 7:108(3) de los PECL.

obligación primitiva quedará en suspenso (cfr. art. 1.170, párrs. 2.º y 3.º, CC). Es decir, la letra de cambio y otros efectos no son en sí mismos medios de pago y su entrega no determina el cumplimiento, ya que se encuentran subordinados a su efectiva realización, careciendo de eficacia liberatoria.[10]

> El artículo 1103 de la PMDOC señala que «la entrega de pagarés, cheques, letras de cambio u otros títulos análogos sólo producirá los efectos del pago cuando hubiesen sido realizados, o cuando por causa imputable al acreedor se hubiesen perjudicado. Entretanto, la acción derivada de la obligación primitiva quedará en suspenso».

> Como ya se indicó en la parte relativa a las deudas de dinero, tras afirmar el artículo III.–2:108(1) del DCFR que «una deuda dineraria puede pagarse por cualquiera de los medios habituales en el comercio»,[11] el apartado 2 del artículo III.–2:108 del DCFR añade que «cuando un acreedor acepta un cheque u otra orden o promesa de pago, se presume que lo acepta únicamente a condición de que se haga efectivo. El acreedor no podrá reclamar el cumplimiento de la obligación inicial de pago salvo que la orden o promesa no hayan sido atendidas».[12]

En los *contratos internacionales,* tras afirmar el artículo 6.1.7(1) de los PCCI que «el pago puede efectuarse en cualquier forma utilizada en el curso ordinario de los negocios en el lugar del pago», el apartado 2 de dicho artículo 6.1.7 añade que «un acreedor que acepta un cheque u otra orden de pago o promesa de pago, ya sea en virtud del párrafo anterior o voluntariamente, lo acepta solamente bajo la condición de que sea cumplida».

Constituyen excepciones a la regla de la identidad la dación en pago y la cesión de bienes, siempre que el acreedor preste su consentimiento en el momento del cumplimiento. También suele citarse la obligación facultativa, en la que el deudor puede ejercitar la facultad de sustitución sin necesidad de requerir el consentimiento del acreedor.

b) Pero el pago o cumplimiento es, además, *indivisible,* y ha de realizarse *íntegramente* para que la obligación se extinga y produzca plenos efectos liberatorios. Por consiguiente, no se entenderá pagada una deuda sino cuando completamente se hubiese entregado la cosa o hecho la prestación en que la obligación consistía (art. 1157 CC). Esto implica que no podrá compelerse al acreedor a recibir parcialmente las prestaciones en que consista la obligación, a menos que ésta expresamente lo autorice, o que la deuda tuviere una parte líquida y otra ilíquida; en cuyo caso podrá exigir el acreedor y hacer el deudor el pago de la primera sin esperar que se liquide la segunda (art. 1169 CC). Es decir, el pago exige identidad e integridad: adecuación entre lo pactado y lo realizado (arts. 1095 y 1255 CC).[13] Por la misma razón, el acreedor no podrá exigir al deudor pagos parciales, sino que deberá reclamar la totalidad. Ahora bien, como indica MANRESA, esto no significa negar la eficacia propia de las prestaciones particulares, aisladas, cuando sea lícito cumplirlas así con arreglo a la

---

10. cfr. SSTS de 9 de marzo de 1982 (RJ 1982, 1295), 30 de abril de 1983 (RJ 1983, 2200) y 3 de octubre de 1988 (RJ 1988, 7379).
11. Cfr. artículo 7:107(1) de los PECL.
12. Cfr. artículo 7:107(2) de los PECL.
13. Cfr. SSTS de 25 de septiembre de 1986 (RJ 1986, 4789) y 30 de junio de 1987 (RJ 1987, 4829).

obligación o hayan sido aceptadas en tal forma. Pero sí que, como es lógico, no pueden producir aquéllas, mientras no se completan, el resultado total y principalísimo de que se considere hecho el pago y extinguida la relación obligatoria.

A tenor del artículo 1153 de la PMDOC, «no se entenderá cumplida una obligación sino cuando se hubiese realizado enteramente la prestación en que consistía». Por parte, según el artículo 1161 de la PMDOC, «a menos que el título constitutivo de la obligación expresamente lo autorice, no podrá compelerse al acreedor a recibir parcialmente las prestaciones en que consistía la obligación».

En los _contratos internacionales_, el artículo 6.1.3(1) de los PCCI señala que «el acreedor puede rechazar la oferta de un cumplimiento parcial efectuada al vencimiento de la obligación, vaya acompañada o no dicha oferta de una garantía relativa al cumplimiento del resto de la obligación, a menos que el acreedor carezca de interés legítimo para el rechazo». En todo caso, añade el apartado 2 de dicho artículo 6.1.3, que «los gastos adicionales causados al acreedor por el cumplimiento parcial han de ser soportados por el deudor, sin perjuicio de cualquier otro remedio que le pueda corresponder al acreedor».

El comentario oficial matiza que «el acreedor puede, por supuesto, abstenerse de rechazar la oferta de cumplimiento parcial, reservándose los derechos de incumplimiento, o puede aceptarlos sin ninguna reserva, en cuyo caso el cumplimiento parcial no podrá ser considerado más tarde como un incumplimiento».

Por otra parte, como consecuencia del principio de integridad de la prestación, el artículo 1168 del CC dispone que «los gastos extrajudiciales que ocasione el pago serán de cuenta del deudor; respecto de los judiciales, decidirá el Tribunal con arreglo a la Ley de Enjuiciamiento civil».[14]

La primera parte de esta norma, referente a los _gastos extrajudiciales_, tiene carácter meramente dispositivo, por lo que nada se opone a que las partes pueden pactar un régimen distinto, estableciendo que serán de cuenta del acreedor o bien que se repartan entre ambas. Por gastos del pago o cumplimiento hay que considerar todos aquellos que son necesarios para llevar a cabo la preparación y exacta ejecución de la prestación debida, por ejemplo, gastos de embalaje, de transporte al lugar en que debe cumplirse, etc.; sin que, salvo pacto, puedan considerarse incluidos cualesquiera dispendios o gastos realizados con ocasión del pago por el acreedor, a efectos de exigir su reembolso por el deudor.[15] De hecho, la STS de 14 de febrero de 1986 consideraba que tienen esa naturaleza los gastos negociación bancaria de descuento de las letras aceptadas por el deudor.[16] En cambio, la STS de 9 de junio de 1988, con mejor criterio, ha estimado que dichos gastos no se comprenden en el concepto de gastos del pago.[17]

El artículo 1165 de la PMDOC determina que «los gastos que ocasione el pago serán de cuenta del deudor».

En lo que se refiere a los _gastos judiciales_, son los ocasionados para conseguir el pago una vez vencida e incumplida la obligación, es decir, son gastos del proceso.

---

14. Esta norma tiene excepciones, como, por ejemplo, las consignadas en los artículos 1465, 1728 y 1779 del CC.
15. Cfr. STS de 30 de octubre de 1999 (RJ 1999, 8168).
16. RJ 1986, 551.
17. RJ 1988, 4812.

En cuando a este tipo de gastos, el artículo 523 de la LEC de 1881[18] establecía que, como regla general, la condena en costas al vencido, salvo que el juzgador, razonándolo debidamente, aprecie la concurrencia de circunstancias excepcionales que justifiquen su no imposición.[19] Por su parte, el artículo 394.1 de la LEC dispone, también como regla general, sobre la condena en costas de la primera instancia, que se impondrán a la parte que haya visto rechazadas todas sus pretensiones, «salvo que el tribunal aprecie, y así lo razone, que el caso presentaba serias dudas de hecho o de derecho»; añadiendo que «para apreciar que el caso era jurídicamente dudoso se tendrá en cuenta la jurisprudencia recaída en casos similares».[20] Si bien se fija un máximo, ya que el litigante vencido «sólo estará obligado a pagar, de la parte que corresponda a los abogados y demás profesionales que no estén sujetos a tarifa o arancel, una cantidad total que no exceda de la tercera parte de la cuantía del proceso, por cada uno de los litigantes que hubieren obtenido tal pronunciamiento. A estos solos efectos, las pretensiones inestimables se valorarán en 18.000 euros, salvo que, en razón de la complejidad del asunto, al tribunal disponga otra cosa». Limitación que no será de aplicación «cuando el tribunal declare la temeridad del litigante condenado en costas» (art. 394.3 LEC).

Sobre la eficacia del pacto relativo a las costas judiciales, la STS de 30 de noviembre de 1971 dice lo siguiente: «si bien en algunos casos la jurisprudencia ha proclamado la validez del pacto o estipulación sobre el pago de costas, en otras se le ha negado eficacia; y en esta última tendencia es preciso insistir, ya que el artículo 1168 del CC atribuye a los Tribunales la facultad de decidir respecto al pago de las costas judiciales con arreglo a la Ley de Enjuiciamiento civil, sustrayendo así de la esfera de la autonomía de la voluntad al régimen de imposición de costas; doctrina aplicable al caso presente, en el que mediaban razones de justa oposición cuando se pedía el cumplimiento por determinada cuantía no siendo procedente en su totalidad, concediéndose por ello menos de lo pedido, pues, en suma, la aplicación de la penalidad que las costas implican está sometida al prudente arbitrio de los Tribunales y una cosa es conceder validez al pacto de costas en ciertos casos y otra su absoluta e indiscriminada obligatoriedad».[21]

En los *contratos internacionales*, según el artículo 6.1.11 de los PCCI, «cada parte debe soportar los gastos del cumplimiento de sus obligaciones».[22]

> Como señala el comentario oficial, «el cumplimiento de las obligaciones suele acarrear gastos que pueden revestir diferentes formas: gastos de transporte por la entrega de mercaderías, comisiones bancarias por la transferencia de fondos, aranceles a pagar cuando se solicita una autorización, etc. En principio, estos gastos deben ser cubiertos por la parte que cumple con la obligación. Por supuesto que las partes pueden convenir lo contrario, y nada impide a la parte cumplidora incluir dichos costos en el precio. La norma establecida en el Artículo 6.1.11 se aplica en ausencia de este tipo de convenio. Este artículo determina quién debe soportar los gastos

---

18. Reformado por Ley de 6 de agosto de 1984.
19. Cfr. STS de 24 de noviembre de 1998 (RJ 1998, 8705) y las que cita.
20. Sobre costas en apelación, recurso extraordinario por infracción procesal y casación, cfr. artículo 398 de la LEC.
21. RJ 1971, 5020. Cfr. SSTS de 3 de enero de 1952 (RJ 1952, 262) y 29 de diciembre de 1981 (RJ 1981, 5355).
22. Cfr. art. 7:112 de los PECL.

derivados del cumplimiento, no quién debe pagarlos. Aunque suele tratarse de la misma persona, pueden presentarse otro tipo de situaciones, como cuando la legislación fiscal de un país impone el deber de pagar a una persona determinada. Si la persona obligada al pago es diferente a la que debe soportar los gastos conforme con el Artículo 6.1.11, esta última podrá solicitar a la anterior el reembolso de los gastos».

3. Los sujetos del pago

Bajo este epígrafe se pretende determinar quiénes son los sujetos hábiles para realizar y recibir el pago: quién debe o puede pagar y quién puede y debe recibir el pago.

3.1. *Sujeto activo del pago*

En principio, el sujeto activo es el deudor, y sus herederos (cfr. arts. 659, 661 y 989 CC). El deudor puede realizar el pago bien personalmente, o bien por medio de representante legal o voluntario. No obstante, no es posible el pago a través de representante o apoderado cuando la cualidad y circunstancias de la persona del deudor se hubiesen tenido en cuenta al establecer la obligación (art. 1161 CC).

En cuanto a la capacidad para realizar el pago, el Código civil únicamente menciona las obligaciones de dar, diciendo en su artículo 1160 que «no será válido el pago hecho por quien no tenga la libre disposición de la cosa debida y capacidad para enajenarla»; por tanto, para este tipo de obligaciones se requiere tener capacidad de obrar y disposición de la cosa.[23] Ahora bien, el artículo 1160 del CC se refiere a una entrega con función traslativa, pero la disposición de la cosa y capacidad para enajenarla no es exigible a toda clase de obligación de dar. Así, por ejemplo, el depositario o el comodatario debe entregar la cosa vencido el plazo del depósito o el concedido para el uso, y no es posible pedir que para la validez de la misma tenga la propiedad de la cosa ni capacidad para enajenarla, pues mediante la entrega o *da tio* está llevando a cabo una restitución y no una enajenación. Como dice HERNÁNDEZ GIL, la libre disponibilidad implica un poder sobre la cosa, una atribución o, simplemente, ocupar una posición jurídica que permita realizar la prestación en que la obligación consiste, y por eso no tiene un contenido unitario.

Según lo anterior, cabe precisar que la entrega con función traslativa realizada por una persona incapaz dará lugar a la anulabilidad (art. 1301 CC), y la acción de repetición corresponderá al mismo incapaz cuando recupere la capacidad o a sus representantes legales durante la situación de incapacidad (art. 1302 CC). No obstante, si el pago hubiere consistido en una cantidad de dinero o cosa fungible, «no habrá repetición contra el acreedor que la hubiese gastado o consumido de buena fe».[24] DÍEZ-PICAZO considera que la buena fe del acreedor que hubiese gastado o consumido el dinero o la cosa fungible recibida debe existir en el momento de la consumición o gastos, incumbiéndole al *accipiens* probar su concurrencia para evitar la repetición.

Aunque el artículo 1160 del CC sólo se refiere a las obligaciones de dar, no cabe llegar a la conclusión de que no sea igualmente necesaria la capacidad de obrar que

---

23. Cfr. SSTS de 18 de noviembre de 1944 (RJ 1944, 1266), 20 de marzo de 1945 y 13 de febrero de 1960 (RJ 1960, 478).
24. Cfr. STS de 22 de mayo de 1973.

corresponda a la naturaleza de la obligación para llevar a cabo las prestaciones que consistan en hacer o no hacer.

La falta de capacidad del deudor menor de edad, no emancipado, deberá ser suplida por sus padres o tutores, que velarán por sus intereses prestando su consentimiento en representación del menor. En cuanto a la persona con discapacidad, en principio tiene la misma capacidad jurídica que todas las demás y, eventualmente, a ejercitar esa capacidad con los apoyos que precise. En consecuencia, el acreedor podrá exigir directamente de la persona con discapacidad el cumplimiento de la prestación con las particularidades que se deriven de la existencia o no de una medida de apoyo no representativa o de una curatela representativa (art. 269 CC).

> Según el artículo 1159, párrafo 2.º, de la PMDOC, «por incapacidad del deudor que lo hubiere realizado, el pago sólo podrá ser repetido si hubiere sido perjudicial para él». En cambio, el artículo 1160 de la PMDOC determina que «no libera al deudor el cumplimiento realizado después de habérsele notificado el embargo del crédito u otra orden judicial o administrativa de retener su pago; pero podrá repetir desde luego lo pagado al acreedor».

3.2. Sujeto pasivo del pago

En principio, la persona a quien debe hacerse el pago es el acreedor o sus herederos (arts. 659, 661 y 989 CC), o como dice el artículo 1162 del CC, «el pago deberá hacerse a la persona en cuyo favor estuviese constituida la obligación, o a otra autorizada para recibirla en su nombre». En estos casos, el pago libera al deudor, a menos que se le hubiese ordenado judicialmente, con anterioridad, la retención de la deuda (art. 1165 CC).

> Como señala la STS de 23 de octubre de 2009, el presupuesto subjetivo del pago o cumplimiento de la obligación consiste en que lo debe recibir el acreedor, sin perjuicio de que lo perciba un tercero.[25]

Según el artículo 1163, párrafo 1º, del CC, «el pago hecho a una persona menor de edad será válido en cuanto se hubiere convertido en su utilidad. Esta regla también será aplicable a los pagos realizados a una persona con discapacidad con medidas de apoyo establecidas para recibirlo y que actúe sin dichos apoyos, en caso de que el deudor o la persona que realice el pago conociera de la existencia de medidas de apoyo en el momento de la contratación o se hubiera aprovechado de otro modo de la situación de discapacidad obteniendo de ello una ventaja injusta».

La *autorización* que legitima al tercero para recibir el pago puede tener carácter convencional, legal o judicial. Respecto de la primera, para calificar la suficiencia del poder, es criterio general que para los cobros que correspondan a actos de administración bastará un poder general, en otro caso será necesaria una autorización o poder expreso (art. 1713 CC).

Aunque el artículo 1162 del CC parece aludir únicamente al representante (legítimo o voluntario), hay que entender también comprendidos al mandatario sin poder de representación, al *adiectus solutionis causa* o persona designada para recibir la prestación.[26]

---

25. RJ 2009, 5106.
26. Cfr. STS de 28 de diciembre de 1994 (RJ 1994, 10388).

El artículo 1157, párrafo 1.º, de la PMDOC determina que «el pago debe hacerse al acreedor, a su representante, o a la persona indicada por el acreedor o legalmente autorizada para recibirlo».

4. El pago por tercero

La legitimación del _tercero_ ajeno a la obligación para pagar por el deudor se encuentra reconocida en el artículo 1158 del CC, según el cual «puede hacer el pago cualquier persona, tenga o no interés en el cumplimiento de la obligación, ya lo conozca y lo apruebe, o ya lo ignore el deudor». El pago por tercero produce efectos desde que se produce dicho pago.[27] Como dice HERNÁNDEZ GIL, «es ciertamente extraño suponer que haya personas que, sin interés de ninguna clase se presten al cumplimiento. El hecho de efectuar el pago por otra persona presupone la real existencia de un interés. Lo que ocurre más bien, y este parece ser el sentido del precepto, es que no se requiere la demostración del interés para intervenir en el cumplimiento».

Ahora bien, esta posibilidad de que pague un tercero se encuentra supeditada a que dicho cumplimiento no sea contrario al interés del acreedor, por ello especifica el artículo 1161 del CC que «en las obligaciones de hacer el acreedor no podrá ser compelido a recibir la prestación o el servicio de un tercero, cuando la calidad y circunstancias de la persona del deudor se hubiesen tenido en cuenta al establecer la obligación». Por ejemplo, no es lo mismo que una persona sea operada por el cirujano que ella misma ha elegido u otro cualquiera que le inspira igual confianza. Esta excepción debe entenderse que afecta a toda clase de obligaciones y no sólo a las de hacer, siempre que para satisfacer el interés del acreedor resulte imprescindible que la prestación fuere ejecutada personalmente por el deudor.

El pago por un tercero, si bien libera al deudor frente al acreedor, puede dar lugar a unas consecuencias jurídicas distintas en orden al reintegro de ese pago, según se hubiere realizado o no con la aprobación del deudor o contra su prohibición.

a) Pago con conocimiento y aprobación expresa o tácita del deudor. En este caso, el tercero puede, después de pagar, reclamar del deudor lo que ha pagado; es decir, tiene una acción de reintegro o reembolso (_actio in rem verso_) contra el deudor (art. 1158, párr. 2.º, CC). Pero, además, el tercero que paga en nombre del deudor, conociéndolo y aprobándolo éste, puede compeler al acreedor a subrogarle en sus derechos (art. 1159 CC). O sea, que la subrogación queda a voluntad del tercero, si bien el artículo 1210, núm. 2.º, del CC la presume.

Si se produce la subrogación del tercero en el lugar del acreedor, aquél no sólo podrá reclamar el reintegro de lo pagado, sino utilizar todos los derechos y garantías anexos al crédito (art. 1212 CC). Por consiguiente, en este caso, el pago realizado por el tercero no libera al deudor, sino que da lugar a una modificación subjetiva en la titularidad del crédito, siendo sustituido el acreedor primitivo por el tercero.

La STS de 23 de junio de 1969 establece las diferencias entre la acción de subrogación y el derecho al reembolso, señalando que, «así como en el caso del derecho al reembolso el crédito del tercero es nuevo e independiente del que tenía el acreedor originario, por lo cual a ese crédito autónomo no se le comunican las garantías

---

27.   Cfr. STS de 3 de febrero de 2009 (RJ 2009, 1361).

o privilegios del crédito originario, cuando se trata de subrogación, como quiera que el tercero pasa a ocupar la posición del acreedor originario frente al deudor, ello determina el derecho del tercero a exigir el pago efectuado, y, además, a que de igual modo que al crédito del tercero, por ser el mismo que el originario, pasan las garantías de éste, se le puedan oponer las mismas excepciones».[28]

b) Pago por el tercero ignorándolo el deudor. También en este supuesto puede el tercero reclamar del deudor lo que ha pagado por él, pues el artículo 1158, párrafo 2.º, del CC sólo excluye la acción de reintegro cuando el pago se hubiese hecho contra la expresa voluntad del deudor, si bien no puede compeler al acreedor para subrogarse en sus derechos (art. 1159 CC). No obstante, DÍEZ-PICAZO opina que, aunque la subrogación no se da por el simple hecho del pago, puede presumirse si se está en los supuestos de los números 1.º y 3.º del artículo 1210 del CC, esto es, cuando un acreedor pague al otro acreedor preferente, o cuando pague el que tenga interés en el cumplimiento de la obligación.

c) Pago por el tercero contra la expresa voluntad del deudor. Esta oposición o prohibición ha de ser anterior al acto de cumplimiento y, según el artículo 1158, párrafos 2.º y 3.º, del CC, da lugar a que el tercero no pueda reclamar lo que ha pagado por el deudor, salvo «aquello en que le hubiera sido útil el pago». Es decir, simplemente se pretende evitar un enriquecimiento injusto o sin causa del deudor.

Tampoco el tercero tiene derecho a subrogarse en los derechos del acreedor, a no ser que se trate de un acreedor que paga a otro preferente, o que tuviere interés en el cumplimiento de la obligación (art. 1210, núms. 1.º y 3.º, CC).

d) Pacto de exclusión del pago por tercero. ¿Es posible un pacto de esta naturaleza? En principio, la respuesta debe ser afirmativa, ya que nada se opone a la licitud de este pacto (art. 1255 CC), mediante el cual se advierte que se han tenido en cuenta la calidad y circunstancias del deudor (art. 1161 CC). Ahora bien, dicho convenio puede responder al mero capricho de las partes o bien a una justificación objetiva. Por ello, R. BERCOVITZ matiza la posible eficacia del pacto, considerando que, en cualquier caso, sólo vincula a las partes. En cambio, respecto del tercero, entiende que esta excepción a lo dispuesto en el artículo 1158 del CC deberá ser objeto de una interpretación restrictiva y, por consiguiente, que la exclusión esté justificada (el pago del tercero implica el cumplimiento de otra prestación).

El artículo 1155 de la PMDOC señala que «la obligación puede ser cumplida por un tercero, salvo que lo contrario resulte de la ley, de la naturaleza de la obligación o del contenido del contrato; pero el acreedor puede rechazar el pago si el tercero no tiene derecho a subrogarse conforme al artículo siguiente y el deudor ha manifestado su oposición. El tercero podrá reclamar del deudor aquello que resulte de la aplicación de las normas relativas a la relación que existiera entre ambos o, en su defecto, aquello en que el deudor se hubiera enriquecido con el pago». Según el artículo 1156.1 de la PMDOC, «el tercero que haya pagado la deuda quedará subrogado en el crédito del acreedor, con sus garantías y privilegios, cuando en el momento del pago lo convenga así con el acreedor. También quedará subrogado en el crédito del acreedor, con sus garantías y privilegios, si bien con el límite de lo que efectivamente hubiere pagado, en los siguientes casos: 1.º Cuando el deudor haya aprobado expresamente el pago del tercero. 2.º Cuando pague un acreedor a otro acreedor preferente. 3.º Cuando pague

---

28. RJ 1969, 3756.

el tercero que hubiera garantizado el cumplimiento de la deuda pagada o cuando por otras razones estuviera interesado en su cumplimiento. La subrogación no puede hacerse valer en perjuicio del acreedor. Si a éste se le hubiera hecho un pago parcial, podrá ejercitar su derecho por el resto con preferencia al que se hubiere subrogado en su lugar en virtud del pago parcial del mismo crédito». Por otra parte, el apartado 2 del mismo artículo 1156 de la PMDOC determina que «el deudor que, para pagar la deuda, hubiera recibido fondos de un tercero, podrá subrogar a éste en el crédito pagado, sin necesidad de consentimiento del acreedor, siempre que la transferencia de los fondos se haya hecho constar en escritura pública y en la carta de pago se haya expresado la procedencia de la cantidad pagada».

El artículo III.-2:107 del DCFR dispone lo siguiente: «(1) Cuando los términos que regulan la obligación no requieren que la cumpla personalmente el deudor, el acreedor no podrá rechazar que el cumplimiento lo lleve a cabo un tercero si: (a) el tercero actúa con el consentimiento del deudor; o (b) el tercero tiene un interés legítimo en el cumplimiento y el deudor o bien no ha cumplido o bien resulta manifiesto que no cumplirá la obligación en el momento de su vencimiento. (2) El cumplimiento por un tercero de acuerdo con el apartado (1) libera al deudor salvo que el tercero asuma el derecho del acreedor mediante cesión o subrogación. (3) Cuando no se requiere el cumplimiento personal por parte del deudor y el acreedor acepta el cumplimiento de la obligación del deudor por un tercero en circunstancias que no se contemplan en el apartado (1) el deudor quedará liberado, pero el acreedor será responsable frente al deudor por los daños que dicha aceptación pueda ocasionar».[29]

En los _contratos internacionales_, se ocupa de esta materia el artículo 9.2.6 de los PCCI, cuyo apartado 1 afirma que «sin el consentimiento del acreedor, el deudor puede convenir con otra persona que ésta cumplirá la obligación en lugar del deudor, a menos que la obligación, según las circunstancias, tenga un carácter esencialmente personal». El apartado 2 de dicho artículo 9.2.6 de los PCCI añade que «el acreedor conserva su recurso contra el deudor».

5. El pago al acreedor aparente

El artículo 1164 del CC contempla el caso del pago hecho al acreedor aparente, es decir, quien sin ser realmente acreedor se muestra y comporta como tal. Según dicho precepto, «el pago hecho de buena fe al que estuviera en posesión del crédito, liberará al deudor». La STS de 12 de junio de 1953 dice que la buena fe «consiste en la creencia equivocada de que los que ostentaban (el documento) tenían derecho a cobrarlo», y no se da la buena fe tratándose «de un crédito que había sido objeto de una expoliación no ignorada por el deudor».[30] La buena fe no se presume, y su prueba corresponde al deudor.

El artículo 1158, párrafo 1.º, de la PMDOC señala que «el pago hecho de buena fe a quien aparezca como titular del crédito faculta al acreedor para hacer valer su liberación».

No basta para ser reputado como acreedor con tener el documento acreditativo de la deuda, sino que deben concurrir circunstancias objetivas que disipen

---

29. Cfr. artículo 7:106 de los PECL.
30. RJ 1953, 1981.

cualquier duda; así, por ejemplo, se reputa acreedor a la persona declarada here-dero *abintestato* y se le paga la deuda, aun cuando después se descubra un testa-mento en virtud del cual resulta ser otra persona el heredero. AMORÓS GUARDIOLA efectúa el siguiente resumen de la jurisprudencia relativa al artículo 1164 del CC: *a*) la posesión de créditos a que se refiere este artículo no es aplicable a los títu-los nominativos de crédito cuando el poseedor no es la persona designada en el documento; *b*) tampoco es aplicable el artículo 1164 del CC cuando se presentan títulos de crédito con firmas falsificadas por el presentante, ni cuando el crédito ha sido objeto de expoliación o despojo por consecuencia de la guerra; *c*) hay que distinguir entre poseedor del crédito y detentador del documento, aunque éste sea un título valor; *d*) en la cesión de créditos no notificada al deudor, el cedente que cobra puede actuar como acreedor aparente; *e*) el heredero aparente también puede actuar como acreedor aparente, siempre que antes del pago no se haya orde-nado la retención de la deuda.

Desde luego, el verdadero acreedor podrá reclamar la satisfacción de su crédito, a cuyo efecto habrá de ejercitar la acción de enriquecimiento injusto contra el acreedor (aparente) que cobró indebidamente. Sin embargo, RIVERO considera que la acción sería la de repetición por pago de lo indebido: el acreedor verdadero se subrogaría en la posición de *solvens indebiti* del deudor liberado.

A tenor del artículo 1158, párrafo 2.°, de la PMDOC, «el que recibió el pago quedará obligado frente al acreedor según las normas del cobro de lo indebido».

6. El pago hecho a un tercero

El pago hecho a un *tercero* que no es el acreedor, en principio, no libera al deu-dor. Sin embargo, el artículo 1163, párrafo 2.°, del CC contempla la excepción, al decir que «será válido el pago hecho a un tercero en cuanto se hubiere convertido en utilidad del acreedor», como sería el caso de que el tercero que recibió el pago entregase directamente lo percibido al acreedor o si la cantidad debida se entrega a quien en definitiva debía percibirla.[31] La utilidad del acreedor derivada del pago deberá probarse. Como dice CRISTÓBAL MONTES, «no se trata de que la ley legitime al tercero para el cobro, ni que estemos en presencia de un equivalente de la rati-ficación, por cuanto para nada se precisa la intervención del acreedor, ni mucho menos de un supuesto de convalidación, que encontraría muy difícil encaje dentro de esta categoría, sino de una hipótesis que se formula sobre la base consideraciones estrictamente pragmáticas. La Ley estima que si el acreedor, aunque sea por la vía indirecta de la actuación de un tercero no autorizado, ha visto satisfecho su interés en la obligación, el pago debe considerarse válido, porque sería injustificable dejar sin efectos la entrega efectuada, para, por otros medios, volver a producir las mismas consecuencias».

Por supuesto, también tendrá efecto liberatorio para el deudor cuando el acree-dor ratifique la validez del pago realizado por un tercero, pero ya no se tratará del supuesto a que se refiere la norma antes citada.[32]

---

31. Cfr. STS de 5 de diciembre de 1900 (JC 1900, III-158).
32. Cfr. STS de 12 de noviembre de 1987 (RJ 1987, 8874).

Si el pago hecho al tercero no hubiera sido útil al acreedor, el deudor continuará obligado, sin perjuicio de la correspondiente acción de restitución.

> Según el artículo 1157, párrafo 2.º, de la PMDOC, «el pago hecho a quien no estuviere legitimado para recibirlo, sólo libera al deudor en la medida en que se haya convertido en utilidad del acreedor o si éste lo ratifica expresa o tácitamente». Cuando el pago se haya hecho a un incapaz para recibirlo, el artículo 1159, párrafo 1.º, de la PMDOC señala que «sólo libera al deudor en la medida en que lo pagado se haya convertido en utilidad del incapaz o haya llegado a poder de su representante legal».

7. Forma del pago

Entre los modernos medios o formas de pago, que evitan la circulación del dinero en billetes o monedas, se encuentran el ingreso en cuenta corriente del acreedor y la tarjeta de crédito.

7.1. El pago mediante ingreso en cuenta corriente del acreedor

En la actualidad, el ingreso en cuenta bancaria del acreedor es una de las formas más utilizadas para el pago o cumplimiento de las obligaciones pecuniarias. Su razón de ser es clara, en principio, dicho ingreso proporciona al acreedor la misma utilidad que la recepción en mano y, además, representa un medio cómodo para ambas partes.

La jurisprudencia, con base en los preceptos generales sobre el pago ha llegado a las conclusiones siguientes:

1.ª La apertura de una cuenta corriente y su pública manifestación (en membretes, avisos o impresos) revelan una clara invitación a quienes contratan con el titular de la misma para efectuar pagos a través de ella y, al mismo tiempo, inducen fundadamente a estimar que el establecimiento bancario se haya autorizado para recibir cuantas cantidades con destino a dicha cuenta corriente se consignen.[33] Sin embargo, hay que precisar que la simple apertura de la cuenta sería suficiente para estimar que existe una autorización al establecimiento bancario para recibir pagos a favor del titular de la cuenta (art. 1162 CC),[34] pues, como dicen R. BERCOVITZ y VALLADARES, hoy en día así lo avalan los usos del tráfico, sus necesidades y los intereses en juego dignos de protección.

Por otra parte, la STS de 10 de mayo de 1989 declara que no se estima imposible el cumplimiento de una deuda por el hecho de que el acreedor, que había designado nominalmente la sucursal del banco en el que el pago debía efectuarse, omita indicar el número de su cuenta corriente.[35]

2.ª Los pagos en cuenta corriente redundan inmediatamente en utilidad del acreedor (titular de la cuenta), ya que se produce un incremento de su patrimonio y del que puede disponer a través del mismo mecanismo (art. 1163, párr. 2.º, CC).[36] Ahora bien, el efecto liberatorio estará en función de la utilidad experimentada por el

---

33. Cfr. SSTS de 18 de junio y de 26 de noviembre de 1948 (RJ 1948, 960 y 1273).
34. Cfr. SSTS de 27 de abril de 1945 (RJ 1945, 685) y 30 de septiembre de 1987 (RJ 1987, 6460).
35. RJ 1989, 3755.
36. Cfr. SSTS de 27 de abril de 1945 (RJ 1945, 685) y 26 de noviembre de 1948 (RJ 1948, 1273).

acreedor, por lo que si no alcanza al total importe del crédito, subsiste éste en la parte o cuantía en que no hubiere sido cubierto.

3.ª El silencio del acreedor, que conoce el ingreso y se encuentra en situación de poderlo rehusar, significa una aceptación tácita del ingreso como forma eficaz de pago. Por consiguiente, para rechazarlo justificadamente se requiere una manifestación expresa (repudiación) y que el ingreso carezca de las condiciones legales del pago por razón del objeto, lugar y tiempo exigidos por los artículos 1166, 1169 y 1170 del CC.[37]

Según HERNÁNDEZ GIL, la oposición el acreedor debe formularla, en su caso, al deudor, no siendo indispensable que rechace el abono en cuenta que le comunique el banco, aunque a efectos de prueba interese hacerlo. En cambio, en nuestra opinión será suficiente con la comunicación del rehúse a la entidad bancaria tan pronto como se haya tenido conocimiento del ingreso en cuenta.

El artículo 1102 de la PMDOC indica que «si el acreedor tuviera abierta en el lugar del pago una cuenta en una entidad de crédito destinada a operaciones relacionadas con el origen de la deuda el deudor puede cumplir la obligación haciendo acreditar en dicha cuenta la suma debida, a no ser que el acreedor lo haya excluido. La suma se considerará entregada en el momento en que se produzca el abono en la cuenta».

En los *contratos internacionales* también puede efectuarse el pago, dice el artículo 6.1.8(1) de los PCCI, «por una transferencia a cualquiera de las instituciones financieras en las que el acreedor haya hecho saber que tiene una cuenta, a menos que haya indicado una cuenta en particular». No obstante, según el apartado 2 del artículo 6.1.8, «en el caso de pago por transferencia de fondos, la obligación se cumple al hacerse efectiva la transferencia a la institución financiera del acreedor».

Tal y como señala el comentario oficial, la solución de considerar realizado un pago por transferencia de fondos cuando se haga efectivo el traspaso de fondos a la institución financiera del acreedor «parte de la premisa de que la institución actúa como agente del acreedor. Esta significa que el pago no será efectivo simplemente porque se haya dado orden a la institución financiera del deudor y ésta haya procedido a descontar los fondos de la cuenta del deudor. Sin embargo, el pago es efectivo antes de que le sea notificado al acreedor o de que dicho pago sea acreditado en su cuenta por su institución financiera, aunque el momento preciso en que el pago a la institución financiera del acreedor es efectivo depende de las prácticas bancarias aplicables a cada caso».

7.2. *El pago mediante tarjeta de crédito*

La tarjeta de crédito constituye hoy uno de los medios de cumplimiento de las obligaciones de dinero más frecuentemente utilizados en la sociedad moderna. Como tal medio de pago, el deudor (titular de la tarjeta) la entrega al acreedor (empresario o profesional) para pagar el precio de la adquisición (cosa o servicio) que realice.

El artículo 671-1 de la PCM define de manera global las tarjetas como «instrumentos materiales que incorporan un dispositivo electrónico, emitido en ejecución

---

37. Cfr. SSTS de 24 de noviembre de 1943 (RJ 1943, 1292) y 27 de abril de 1945 (RJ 1945, 685).

de un contrato con el emisor, cuya presentación y uso conforme a lo establecido en el contrato de emisión permite al titular de la tarjeta efectuar los actos o las operaciones determinados en ese contrato».

Existen diversos tipos de tarjetas, que se diferencian entre sí por las distintas características que revisten: tarjetas de crédito en sentido estricto, tarjetas de débito, tarjetas de compra y tarjetas monedero. En cualquier caso, con respecto a todas ellas el establecimiento mercantil adherido al sistema de utilización de las tarjetas como medio de obtener el cobro de los bienes o servicios que ofrece en el mercado está obligado a aceptarlas como consecuencia del contrato celebrado con el emisor de las tarjetas, si bien debe verificar su validez y la conformidad de la firma que aparezca en la factura con la que figure en la tarjeta de que se trate. Asimismo, tendrá que exhibir públicamente el distintivo con el que se distinga el sistema al que esté adherido, sin que pueda aplicar recargo sobre el precio a los clientes que utilicen la tarjeta como medio de pago.

La *tarjeta de crédito* propiamente dicha implica una concesión de crédito, irrevocable y confirmado, por parte de la entidad emisora a favor del titular de la tarjeta, de modo que dicha entidad realizará el pago de las transacciones realizadas por el titular hasta el límite pactado y en el plazo fijado siempre que el empresario o profesional haya cumplido con las condiciones de utilización de la tarjeta. En virtud de la relación contractual que le une con la entidad emisora de la tarjeta, el empresario debe abonar una determinada comisión que se hará efectiva mediante el descuento por el emisor de un porcentaje de los pagos efectuados con la tarjeta.

La Comunicación de la Comisión al Consejo «Una nueva baza para Europa: las tarjetas de pago electrónicas», de 12 de enero de 1987, indica en su Anexo, punto 4.1, que «una tarjeta de crédito es una tarjeta que permite que su portador se beneficie de una línea de crédito que le permite comprar bienes y servicios hasta un límite preestablecido (derivado de un acuerdo entre el emisor y el poseedor de la tarjeta)».

Por su parte, el artículo 671-3 de la PCM señala que «mediante las tarjetas de crédito el titular satisface una deuda dineraria que asume el emisor como propia, aplazando el reintegro al emisor conforme a las modalidades pactadas en el contrato de emisión».

Mediante la *tarjeta de débito* su titular puede realizar toda clase de operaciones (retirada y abono de dinero en efectivo, traspasos, órdenes de pago, consultas, etc.), así como pagar el precio de los bienes y servicios adquiridos a un comerciante adherido al sistema con cargo a la cuenta que tenga abierta dicho titular con la entidad de crédito emisora y gestora de la tarjeta.

En la Comunicación de 12 de enero de 1987 se define la tarjeta de débito (Anexo, punto 4.2) como «aquella que da acceso a la cuenta bancaria del poseedor en la que repercutirán las operaciones realizadas mediante la tarjeta (por lo general, retirada de billetes de una ventanilla bancaria automática o pagos realizados en un terminal instalado en el punto de venta) y esto se hará inmediatamente o (en caso de operación electrónica *off-line*) después de un período muy corto».

En este supuesto no hay concesión de crédito por parte de la entidad emisora, ya que sólo se obliga a atender las órdenes de pago del titular de la tarjeta cuando posea fondos suficientes en la cuenta bancaria vinculada a la tarjeta de débito. Por tanto, el pago se hace automáticamente al establecimiento con cargo a tales fondos sin que puedan realizarse reintegros en descubierto sin específica autorización de la entidad. Conviene señalar que la misma tarjeta puede funcionar, a la vez, como tarjeta de crédito y de débito, si bien entonces su uso diferente procederá de dos contratos que poseen su propia individualidad.

El uso de la tarjeta de crédito de débito por su respectivo titular implica el cobro de una tasa de intercambio, que es toda comisión o retribución pagada, directa o indirectamente, por cada operación efectuada entre los proveedores de servicios de pago del ordenante y del beneficiario que intervengan en una operación de pago mediante tarjeta. Por su parte, el beneficiario de la operación de pago deberá pagar a su proveedor de servicios de pago una tasa de descuento por cada operación realizada mediante tarjeta, que es toda comisión o retribución compuesta por la tasa de intercambio, la comisión de procesamiento y del sistema de pagos y el margen del adquirente.

La *tarjeta de compra* es una tarjeta emitida por un establecimiento comercial a favor de sus clientes, lo que les permite aplazar el pago (se exigirán conjuntamente los pagos al final del período pactado) e incluso en ocasiones obtener crédito del establecimiento, aproximándose en este caso sus características a las propias de la tarjeta de crédito en sentido estricto.

La Recomendación de la Comisión relativa a los sistemas de pago y en particular a las relaciones entre titulares y emisores de tarjetas, de 17 de noviembre de 1988, dice en su Anexo, punto 2, que la tarjeta de compra «es la emitida por un detallista y destinada a su cliente, o por un grupo de detallistas para sus clientes, con el fin de permitir o facilitar, sin dar acceso a una cuenta bancaria, el pago en la compra de bienes o servicios adquiridos directamente del detallista o detallistas emisores, o de detallistas que, en virtud del contrato, aceptan la tarjeta».

No obstante, se diferencia de ella porque el empresario o profesional al que se le presenta es al mismo tiempo el emisor de la tarjeta y el concedente del crédito, no pudiendo ser presentada para pagar a otro comerciante. La entrega de la tarjeta no produce el efecto de extinguir la obligación de pago, que sólo tendrá lugar cuando el titular desembolse la cantidad debida al acreedor.

La *tarjeta de empresa* es, cualquier tarjeta de pago emitida a empresas o a entidades del sector público, cuya utilización esté restringida a los gastos profesionales de sus empleados, o cualquier tarjeta emitida a personas físicas que ejerzan una actividad por cuenta propia y cuya utilización esté restringida a sus gastos profesionales o los de sus empleados.

7.3. El dinero electrónico

El «dinero electrónico» es un valor monetario cargado y almacenado en un soporte electrónico, normalmente una tarjeta inteligente o una memoria de ordenador. El hecho de que en la actualidad puedan pagarse las deudas de dinero mediante la comunicación de un mensaje de datos a partir del soporte en el que se almacena el dinero electrónico, sin que se requiera la autorización de bancos ni de terceros, aproxima el dinero electrónico al dinero efectivo (DE MIGUEL ASENSIO). Ahora bien, resultará imprescindible que el vendedor o quien presta un servicio disponga del correspondiente dispositivo electrónico que permita restar la cantidad pagada del valor almacenado en la tarjeta. No obstante, la aparente similitud entre dinero electrónico y dinero efectivo no puede ocultar diferencias que existen entre ambos, pues sólo el dinero efectivo tiene curso legal (y forzoso); además, en ocasiones el dinero electrónico sólo podrá ser utilizado durante un período limitado de tiempo.

Hasta el momento, la última etapa en la evolución del Derecho europeo para elaborar una definición legal unitaria del dinero electrónico está representada por la Directiva 2009/110/CE del Parlamento Europeo y del Consejo de 16 de septiembre de 2009 sobre el acceso a la actividad de las entidades de dinero electrónico y su ejercicio, así como sobre la supervisión prudencial de dichas entidades, por la que se modifican las Directivas 2005/60/CE y 2006/48/CE y se deroga la Directiva 2000/46/CE,[38] incorporada al Derecho español mediante la Ley de dinero electrónico de 27 de julio de 2011. Concretamente, el artículo 2.2 de la Directiva de 2009 define el dinero electrónico como «todo valor monetario almacenado por medios electrónicos o magnéticos que representa un crédito sobre el emisor, se emite al recibo de fondos con el propósito de efectuar operaciones de pago, según se definen en el artículo 4, punto 5, de la Directiva 2007/64/CE, y que es aceptado por una persona física o jurídica distinta del emisor de dinero electrónico».

Según el considerando núm. 8 de la Directiva de 2009, «la definición de dinero electrónico ha de extenderse al dinero electrónico tanto si está contenido en un dispositivo de pago en poder del titular del dinero electrónico o almacenado a distancia en un servidor y gestionado por el titular del dinero electrónico mediante una cuenta específica para el dinero electrónico. Dicha definición ha de ser suficientemente amplia, de modo que no se obstaculice la innovación tecnológica y entren en ella no solo todos los productos de dinero electrónico que existen actualmente en el mercado, sino también los productos que puedan desarrollarse en el futuro». El considerando núm. 9 añade que «el régimen de supervisión prudencial de las entidades de dinero electrónico debe revisarse y adecuarse más a los riesgos en que incurren dichas entidades. Asimismo, debe hacerse más coherente con el régimen de supervisión prudencial que se aplica a las entidades de pago en virtud de la Directiva 2007/64/CE. A este respecto, las disposiciones pertinentes de la Directiva 2007/64/CE deben aplicarse _mutatis mutandis_ a las entidades de dinero electrónico, sin perjuicio de lo dispuesto en la presente Directiva. Por consiguiente, toda referencia a una «entidad de pago» en la Directiva 2007/64/CE ha de entenderse como una referencia a una entidad de dinero electrónico; toda referencia a «servicio de pago» como una referencia a la actividad de servicio de pago y emisión de dinero electrónico; toda referencia a «usuario de servicios de pago» ha de entenderse como una referencia al usuario de los servicios de pago y al titular del dinero electrónico».

Dos son los principales antecedentes de la mencionada definición de dinero electrónico. En primer lugar, la Recomendación de la Comisión de 30 de julio de 1997 relativa a las transacciones efectuadas mediante instrumentos electrónicos de pago, en particular las relaciones entre emisores y titulares de tales instrumentos,[39] cuyo artículo 2, letra c), definía el instrumento de dinero electrónico como «un instrumento de pago recargable distinto de un instrumento de pago». El segundo

---

38. DO L 267 de 10 de octubre de 2009, p. 7.
39. DO L 208 de 2 de agosto de 1997, p. 52.

ha sido la Directiva 2000/46/CE del Parlamento Europeo y del Consejo, sobre el acceso a la actividad de las entidades de dinero electrónico y su ejercicio así como la supervisión cautelar de dichas entidades,[40] que definía en su artículo 1.3 b) el dinero electrónico como «un valor monetario representado por un crédito exigible a su emisor: i) almacenado en un soporte electrónico, ii) emitido al recibir fondos de un importe cuyo valor no será inferior al valor monetario emitido, iii) aceptado como medio de pago por empresas distintas del emisor».

El artículo 1.2 de la LDe se limita a repetir el contenido del ya mencionado artículo 2.2 de la Directiva de 2009, cuando afirma que «se entiende por dinero electrónico todo valor monetario almacenado por medios electrónicos o magnéticos que represente un crédito sobre el emisor, que se emita al recibo de fondos con el propósito de efectuar operaciones de pago según se definen en el artículo 2.5 de la Ley 16/2009, de 13 de noviembre, de servicios de pago, y que sea aceptado por una persona física o jurídica distinta del emisor de dinero electrónico».

En este contexto, podría citarse como ejemplo de dinero electrónico la *tarjeta monedero electrónico*, que consiste en una tarjeta que permite a su titular ingresar en ella una determinada cantidad de dinero, normalmente de escasa cuantía, procedente de la entidad emisora de la tarjeta. Agotada dicha cantidad, se deberá proceder a recargar la tarjeta. La entrega de la tarjeta monedero a la hora de pagar la adquisición de un bien o servicio en un establecimiento adherido al sistema equivale a la del dinero en metálico, produciendo la extinción de la obligación. Por otra parte, dentro de la categoría de las denominadas *tarjetas recargables*, a la que pertenece la tarjeta monedero electrónico, se encuentran las tarjetas telefónicas y las utilizadas en el sector de la sanidad privada para el pago de los servicios médicos por los pacientes a los facultativos. En ambos tipos de tarjetas, al usarlas sus titulares se produce la sustitución del dinero metálico.

Para los pagos por Internet, el empleo de dinero electrónico almacenado en la memoria de un ordenador parece especialmente apropiado. El funcionamiento suele tener como punto de partida el abono por el usuario de cierta cantidad de dinero (como un cargo en una cuenta bancaria, una transferencia desde una cuenta o mediante otro sistema de pago) que se transforma en dinero electrónico almacenado en el disco duro de su ordenador. La transformación en dinero electrónico y su envío implica el empleo de mensajes electrónicos, con series de dígitos, que se corresponden con unidades electrónicas de diferentes importes validadas con certificados digitales (es decir, el equivalente electrónico de monedas y billetes). Una vez que el usuario dispone de dinero electrónico en la memoria de su ordenador puede emplearlo para adquirir productos y servicios de terceros que admiten ese medio de pago. Al aceptar la solicitud de pago del vendedor, el programa de dinero electrónico selecciona de la memoria del ordenador las unidades pecuniarias precisas para alcanzar el precio y las envía a través de la red al vendedor, cuyo programa informático se encarga de remitir las series de dígitos al banco, que verifica la ausencia de fraude (típicamente, al comprobar en su base de datos que esas unidades no han sido previamente gastadas) y deposita el dinero correspondiente en una cuenta del vendedor o, a elección de éste, lo almacena como dinero electrónico en el disco duro del ordenador del vendedor.

---

40. DO L 275 de 27 de octubre de 2000, p. 39.

Debido a que los costes de tramitación de los pagos mediante tarjetas de crédito o débito tradicionales son relativamente elevados, el desarrollo del dinero electrónico cobra especial importancia para facilitar los micropagos (DE MIGUEL ASENSIO).

8. Tiempo y lugar del pago

Se ha dicho que el pago o cumplimiento requiere la ejecución exacta de la prestación prevista al constituirse la obligación. Dicha exactitud exige la realización del pago en el tiempo y lugar debidos.

El *momento* en que debe y puede efectuarse el pago depende de lo pactado y de la propia naturaleza de la obligación.

Si la obligación es *pura*, será exigible y deberá cumplirse inmediatamente (art. 1113, párr. 1.º, CC). También será exigible toda obligación que contenga *condición resolutoria*, sin perjuicio de los efectos de la resolución (art. 1113, párr. 2.º, CC). Ahora bien, por regla general, el deudor no incurre en mora desde que sea exigible el pago, sino desde que el acreedor le exija judicial o extrajudicialmente el cumplimiento de su obligación (art. 1100 CC).

Si la obligación se encuentra sometida a *condición suspensiva*, será exigible cuando ésta se cumpla (art. 1114 CC).

Si la obligación es a *término inicial*, sólo será exigible cuando el día llegue (art. 1125, párr. 1.º, CC). No obstante, si la obligación no señalare plazo, pero de su naturaleza y circunstancias se dedujere que ha querido concederse al deudor, los tribunales fijarán la duración de aquél. También fijarán los tribunales la duración del plazo cuando éste haya quedado a voluntad del deudor (art. 1128 CC).

> Según el artículo 1117, párrafo 1.º, de la PMDOC, «será inmediatamente exigible la obligación que no tenga plazo de cumplimiento, ni quepa deducirlo de los usos».

En algunos casos, el Código civil precisa el tiempo o momento del cumplimiento, Así, por ejemplo, en el contrato de compraventa, en defecto de pacto, el comprador deberá hacer el pago en el tiempo en que se haga la entrega de la cosa vendida (art. 1500, párr. 2.º, CC); y, también, respecto del contrato de obra se especifica que, si no hubiere pacto en contrario, el precio de la obra deberá pagarse al tiempo de efectuarse la entrega (art. 1599 CC).

En las *operaciones comerciales que den lugar a la entrega de bienes o a la prestación de servicios realizadas entre empresas*, el artículo 17.1 de la LOCM determina que «a falta de pacto expreso, se entenderá que los comerciantes deben efectuar el pago del precio de las mercancías que compren antes de treinta días a partir de la fecha de su entrega». El párrafo 1.º del artículo 17.3 de la LOCM añade que «los aplazamientos de pago de productos de alimentación frescos y de los perecederos no excederán en ningún caso de treinta días. Los aplazamientos de pago para los demás productos de alimentación y gran consumo no excederán del plazo de sesenta días, salvo pacto expreso en el que se prevean compensaciones económicas equivalentes al mayor aplazamiento y de las que el proveedor sea beneficiario, sin que en ningún caso pueda exceder el plazo de noventa».

Según el artículo 17.3, párrafo 2.º, de la LOCM, «se entenderá por productos de alimentación frescos y perecederos aquellos que por sus características naturales conservan sus cualidades aptas para comercialización y consumo durante un plazo inferior a treinta días o que precisan condiciones de temperatura regulada de comercialización y transporte. Por su parte, son productos de gran consumo aquellos fungibles de compra habitual y repetitiva por los consumidores y que presenten alta rotación».

Con relación a los productos que no sean frescos o perecederos ni de alimentación y gran consumo, el artículo 17.4 de la LOCM señala que «cuando los comerciantes acuerden con sus proveedores aplazamientos de pago que excedan de los sesenta días desde la fecha de entrega y recepción de las mercancías, el pago deberá quedar instrumentado en documento que lleve aparejada acción cambiaria, con mención expresa de la fecha de pago indicada en la factura. En el caso, de aplazamientos superiores a noventa días, este documento será endosable a la orden. En todo caso, el documento se deberá emitir o aceptar por los comerciantes dentro del plazo de treinta días, a contar desde la fecha de recepción de la mercancía, siempre que la factura haya sido enviada. Para la concesión de aplazamientos de pago superiores a ciento veinte días, el vendedor podrá exigir que queden garantizados mediante aval bancario o seguro de crédito o caución».

A tenor del artículo 17.5 de la LOCM, «en cualquier caso, se producirá el devengo de intereses moratorios en forma automática a partir del día siguiente al señalado para el pago o, en defecto de pacto, a aquel en el cual debiera efectuarse de acuerdo con lo establecido en el apartado 1. En esos supuestos, el tipo aplicable para determinar la cuantía de los intereses será el previsto en el artículo 7 de la Ley por la que se establecen medidas de lucha contra la morosidad en las operaciones comerciales, salvo que las partes hubieren acordado en el contrato un tipo distinto, que en ningún caso será inferior al señalado para el interés legal incrementado en un 50 por 100». El tipo legal de interés a que se refiere dicho artículo 7 de la LMOC, que el deudor estará obligado a pagar, será la suma del tipo de interés aplicado por el Banco Central Europeo a su más reciente operación principal de financiación efectuada antes del primer día del semestre natural de que se trate más ocho puntos porcentuales (cfr. art. 7.2, párr. 1.º, LMOC).

Por tipo de interés aplicado por el Banco Central Europeo a sus operaciones principales de financiación se entenderá el tipo de interés aplicado a tales operaciones en caso de subasta a tipo fijo. En el caso de que se efectuará una operación principal de financiación con arreglo a un procedimiento de subasta a tipo variable, este tipo de interés se referirá al tipo de interés marginal resultante de esa subasta (art. 7.2, párr. 2.º, LMOC). El tipo legal de interés de demora, así determinado, se aplicará durante los seis meses siguientes a su fijación (art. 7.2, párr. 3.º, LMOC).

En los *contratos internacionales* el artículo 6.1.1 de los PCCI estipula que «una parte debe cumplir sus obligaciones: (a) si el momento es fijado o determinable por el contrato, en ese momento; (b) si un período de tiempo es fijado o determinable por el contrato, en cualquier momento dentro de tal período, a menos que las circunstancias indiquen que a la otra parte le corresponde elegir el momento del cumplimiento; (c) en cualquier otro caso, en un plazo razonable después de la celebración del contrato».[41] El artículo 6.1.2 de los PCCI añade que «en los casos previstos en el Artículo 6.1.1(b) o (c), el deudor debe cumplir sus obligaciones en un solo momento, siempre que la prestación pueda realizarse de una vez y que las circunstancias no indiquen otro modo de cumplimiento».

Por lo que se refiere al _lugar_, el Código civil establece una regla general y dos subsidiarias. La regla general es que el pago debe realizarse en el lugar designado en el título constitutivo de la obligación (art. 1171, párr. 1.°, CC), ya que éste es ley para los contratantes. Esta designación puede realizarse de modo expreso o tácito. Respecto de esta última posibilidad, dice la STS de 21 de mayo de 1993 que «no debe confundirse el lugar de creación del negocio jurídico con el lugar de la prestación», añadiendo que «aunque no conste expresamente el lugar designado para la ejecución de la obligación, esto es, el lugar del cumplimiento, esta circunstancia no excluye una indagación de lo que parece concorde con la naturaleza del contrato y con los criterios usuales en la materia».[42]

En defecto de pacto, hay que distinguir: _a)_ si se trata de obligación de entregar una cosa determinada, deberá hacerse el pago donde ésta existía en el momento de constituirse la obligación (art. 1171, párr. 2.°, CC); _b)_ si se trata de entregar cosas fungibles o genéricas o de obligación de hacer o de no hacer rige el principio de que el pago ha de efectuarse en el domicilio del deudor (art. 1171, párr. 3.°, CC). En ambos supuestos se aplica el principio del _favor debitoris_ o de que el deudor siempre se obliga a lo menos.

En las SSTS de 24 de mayo y 24 de noviembre de 1955 se identifica domicilio con ciudad, villa o aldea,[43] y, como este criterio no resuelve el problema de que tanto el acreedor como el deudor tuviesen el mismo domicilio, es decir, que viviesen en la misma ciudad, habrá que identificar domicilio con casa-residencia (R. BERCOVITZ). Si se trata de personas jurídicas, habrá que estar a lo que determinen sus estatutos y, en otro caso, se entenderá que tienen el domicilio en el lugar en que se halle establecida su representación legal o donde ejerzan las principales funciones (art. 41 CC).

En el Código civil también existen disposiciones especiales referentes al lugar del pago. Por ello la STS de 29 de septiembre de 1973 dice que las normas contenidas en el artículo 1171 del CC se encuentran supeditadas no sólo a la existencia de pacto en contrario, sino a que una disposición legal designe un lugar de cumplimiento de la obligación.[44] Así, por ejemplo, en la compraventa, si no se estableció otro distinto, el pago del precio deberá efectuarse en el lugar en que se haga la entrega de la cosa vendida (art. 1500, párr. 2.°, CC). En el depósito, salvo pacto, la devolución deberá hacerse en el lugar en que se encuentre la cosa depositada (art. 1.174, párr. 2.°, CC), etc.

Según el artículo 1162 de la PMDOC, «si el lugar del cumplimiento no resulta de la ley, de la naturaleza de la obligación o del contenido del contrato se aplicarán las reglas siguientes. La obligación de dar cosa determinada deberá cumplirse en el lugar en que se encontraba en el momento de constituirse la obligación. La

---

41. Cfr. artículo 7:102 de los PECL.
42. RJ 1993, 3721.
43. RJ 1955, 1709 y 3584.
44. RJ 1973, 3412.

obligación pecuniaria deberá cumplirse en el domicilio del acreedor, pero si éste fuera distinto del que tenía en el momento de constituirse la obligación, serán de cargo del acreedor los mayores gastos que ocasionare el cambio del lugar del pago. El deudor podrá pagar en su propio domicilio cuando el acreedor no le hubiere comunicado con la antelación necesaria su nuevo domicilio. En los demás casos, el lugar del cumplimiento será el domicilio del deudor; pero si fuera distinto del que tenía en el momento de constituirse la obligación, será en éste donde deberá cumplirse, salvo que el deudor haya comunicado al acreedor el lugar de su nuevo domicilio y asumido la obligación de resarcirle de los perjuicios que le comporte el cambio del lugar de cumplimiento».

En cuanto a las *compraventas mercantiles* es reiterada doctrina jurisprudencial que, «no constando sumisión expresa o tácita de las partes, ni que éstas fijaran expresamente el lugar de entrega de la mercancía, pero sí que ésta viajó del establecimiento del vendedor al del demandado a portes debidos, esto es, por cuenta y riesgo del adquirente, debe entenderse lugar de entrega el del establecimiento del vendedor y en él habrá de efectuarse el pago del precio conforme a los artículos 1171 y 1500 del CC en relación con el artículo 50 del CCom».[45] Es decir, al haber viajado la mercancía por cuenta del comprador, el lugar de cumplimiento de la obligación es el domicilio del vendedor.[46] Asimismo, según constante jurisprudencia, las letras de cambio libradas por el importe de la mercancía no tienen otro alcance que el de facilitar el pago al comprador.[47]

En los *contratos internacionales*, el artículo 6.1.6(1) de los PCCI dice que «si el lugar de cumplimiento no está fijado en el contrato ni es determinable con base en aquél, una parte debe cumplir: (a) en el establecimiento del acreedor cuando se trate de una obligación dineraria; (b) en su propio establecimiento cuando se trate de cualquier otra obligación».[48] A ello añade el apartado 2 del artículo 6.1.6 de los PCCI que «una parte debe soportar cualquier incremento de los gastos que inciden en el cumplimiento y que fuere ocasionado por un cambio en el lugar de su establecimiento ocurrido con posterioridad a la celebración del contrato».

> El comentario oficial indica que «la mudanza del establecimiento comercial puede ocasionar otros inconvenientes a la otra parte, en cuyo caso la obligación de buena fe y lealtad negocial (Artículo 1.7) y el deber de cooperación entre las partes (Artículo 5.1.3) imponen con frecuencia a la parte que cambia su domicilio la obligación de notificar oportunamente dicho cambio a la otra parte, a fin de que ésta pueda hacer los cambios necesarios».

Por otra parte, procede señalar que el artículo 1171 del CC, referido a las obligaciones en general, es también de aplicación a las obligaciones no convencionales, es decir, a las extracontractuales o legales cuando no se hubiere fijado un determinado lugar de cumplimiento. No obstante, la jurisprudencia ha declarado que la obligación de restituir lo cobrado indebidamente deberá cumplirse en el mismo lugar donde se hubiera realizado la entrega,[49] y que la obligación de reparar los daños causados por

---

45. Cfr. SSTS de 18 de marzo y 17 de julio de 1981 (RJ 1981, 1012 y 3080), 26 de octubre y 25 de septiembre de 1985 (RJ 1985, 4955 y 4472).
46. Cfr. STS de 14 de marzo de 1988 (RJ 1988, 2423).
47. Cfr. STS de 10 de abril de 1987 (RJ 1987, 2547).
48. Cfr. artículo 7:101(1) de los PECL.
49. Cfr. SSTS de 17 de marzo de 1911 (JC 1911, I-109) y 12 de enero de 1928 (JC 1928, I-47).

acto ilícito ha cumplirse en el lugar donde el daño se produjo o se realizó la conducta dañosa.[50] En los casos de culpa extracontractual, este criterio jurisprudencial es erróneo e injusto; y, además, no puede justificarse en el *favor creditoris*, pues para ello debería regir el domicilio que hubiera elegido el perjudicado o bien su domicilio habitual.

La importancia del lugar del pago o cumplimiento se extiende no solo al Derecho procesal, en cuanto a la determinación de la competencia para conocer de la reclamación judicial del acreedor, así como lo relativo a la declaración de la eficacia liberatoria de la consignación, sino también al Derecho internacional privado, en cuanto a la determinación de las normas aplicables.

Por último, es preciso traer a colación el hecho de que en el ámbito de la protección de los consumidores la autonomía de la voluntad de los interesados sancionada en el artículo 1171 del CC ha sido restringida por la legislación sectorial en esa materia. Este es el caso del artículo 90 del TRLGDCU, que declara abusivas las cláusulas que establezcan «la previsión de pactos de sumisión expresa a Juez o Tribunal distinto del que corresponda al domicilio del consumidor y usuario, al lugar del cumplimiento de la obligación o aquél en que se encuentre el bien si éste fuera inmueble».

9. La prueba del pago

Es doctrina común que al acreedor incumbe la carga de la prueba de los hechos constitutivos de la relación obligatoria y al deudor la de los hechos extintivos e impeditivos. Por consiguiente, La *prueba* del pago, como causa de extinción de la obligación, corresponde al deudor. Como dice la STS de 12 de febrero de 1999, el hecho negativo del pago no sólo es de difícil prueba, sino que en ocasiones determina inversión de la carga de la prueba, porque lo fácil es probar los hechos positivos.[51]

Aunque son admisibles todos los medios de prueba admitidos en Derecho (confesión, testigos, etc.), el medio por excelencia de la prueba del pago de una obligación es el recibo (o carta de pago) extendido y firmado por el acreedor. El recibo es un documento en el que el acreedor declara que ha recibido del deudor o de un tercero una determinada prestación con la que resulta saldado su crédito. Por consiguiente, el recibo expresa una declaración del acreedor, destinada a servir al deudor de prueba del cumplimiento de su obligación. En el recibo se deberá indicar la cantidad saldada y, si es un tercero el que abona la deuda, la persona del pagador; también deberá contener la fecha y la firma del acreedor.

El recibo tiene el valor de una confesión extrajudicial del acreedor, y da lugar por lo menos a la presunción del pago a que se contrae.[52] Pero, como es lógico, la prueba del pago o cumplimiento de la obligación que proporciona el recibo puede ser impugnada a través de otros medios de prueba, y justificarse la falta de cumplimiento por error, falsedad, etc. del recibo.

En este sentido se expresa la legislación civil especial de Navarra, pues, a tenor de la ley 494 del FN, «quien ha reconocido en un documento el cobro de una

---

50. Cfr. SSTS de 27 de septiembre de 1946 (RJ 1946, 1005) y 29 de marzo de 1963 (RJ 1963, 1939).
51. RJ 1999, 1409.
52. Cfr. STS de 25 de febrero de 1963 (RJ 1963, 1188).

cantidad no podrá exigir la prueba de pago efectivo de la misma, pero podrá impugnar el documento probando la inexistencia de dicho pago».

Si bien el Código civil no establece de modo expreso la obligación del acreedor de dar recibo, y tampoco el consiguiente derecho del deudor a exigirlo, dicha obligación se infiere de ciertos artículos que presuponen el recibo (arts. 1110, 1172, 1229, 1684, etc.), reconociendo la doctrina el derecho a pedirlo y el deber de darlo como una consecuencia de los usos del tráfico y de la buena fe (arg. *ex* arts. 7 y 1258 CC).

Según ALBALADEJO, hay que excluir el deber de dar recibo cuando, no impuesto por leyes fiscales, según el uso o las circunstancias, no sea habitual su expedición, así como cuando su falta no contraríe el principio de buena fe. No obstante, cabe añadir que eso no impide que las partes pacten su exigibilidad.

En todo caso, la jurisprudencia admite la obligatoriedad de dar recibo,[53] así como la posibilidad de que, en caso de negativa del acreedor a expedir carta de pago o recibo sin razón, el deudor no realice el pago.[54]

En otros ámbitos de la contratación, también se impone la exigencia de entregar justificante del pago, pues el artículo 63.3 del TRLGDCU indica que «en los contratos con consumidores y usuarios, estos tendrán derecho a recibir la factura en papel. En su caso, la expedición de la factura electrónica estará condicionada a que el empresario haya obtenido previamente el consentimiento expreso del consumidor. La solicitud del consentimiento deberá precisar la forma en la que se procederá a recibir la factura electrónica, así como la posibilidad de que el destinatario que haya dado su consentimiento pueda revocarlo y la forma en la que podrá realizarse dicha revocación. El derecho del consumidor y usuario a recibir la factura en papel no podrá quedar condicionado al pago de cantidad económica alguna». También el artículo 11.2 de la LOCM dispone que «cuando la perfección del contrato no sea simultánea con la entrega del objeto o cuando el comprador tenga la facultad de desistir del contrato, el comerciante deberá expedir factura, recibo u otro documento análogo en el que deberán constar los derechos o garantías especiales del comprador y la parte del precio que, en su caso, haya sido satisfecha». De la amplitud del término «documento», parece desprenderse que engloba cualquier escrito, el cual dependerá del tipo de compraventa realizada, lo que implica que tal documento podría consistir, tanto en una factura detallada, como en un simple ticket de caja.

También en la legislación arrendaticia, urbana y rústica, concretamente en los artículos 17.4 de la LAU y 14, párrafo 2.º, de la LAR, se consigna la obligación del arrendador de entregar al arrendatario recibo del pago. Si bien en la primera se hace la salvedad de que se hubiera pactado que el pago se realice mediante procedimientos que acrediten el efectivo cumplimiento de la obligación de pago por el arrendatario. En cambio, en el Código civil sólo hay un caso en que de modo expreso se establezca el derecho a exigir resguardo y, curiosamente, es a favor del acreedor. Esto sucede en materia de censos al disponer el artículo 1616 del CC que «el censualista, al tiempo de entregar el recibo de cualquier pensión, puede obligar al censatario a que le dé un resguardo en que conste haberse hecho el pago».

---

53. Cfr. STS de 5 de enero de 1911 (JC 1911, I-7) que lo afirma, pero no lo fundamenta.
54. Cfr. STS de 24 de mayo de 1955 (RJ 1955, 1709).

La Propuesta para la modernización del Derecho de obligaciones y contratos establece de forma expresa la obligación de dar recibo, pues el artículo 1168 de la PMDOC señala que «quien cumple una obligación tiene derecho a exigir un recibo de aquel a quien paga, así como la restitución del título de la obligación si lo hubiere, o cuando el acreedor tuviese interés legítimo en conservarlo, la mención en él del pago realizado. La alegación por el acreedor de que no puede restituir el título, ni mencionar en él el pago, dará derecho al deudor a exigir, a costa del acreedor, que el recibo conste en documento público. El deudor puede denegar la prestación mientras no se le reconozcan los derechos a que se refiere el apartado anterior. En todo caso, el deudor podrá exigir, a su costa que el recibo conste en documento público».

En el ámbito procesal, el artículo 812.1 de la LEC considera la factura como uno de los documentos que permiten acudir al denominado proceso monitorio a quien pretenda de otro el pago de deuda dineraria de cualquier importe, líquida, determinada, vencida y exigible.

Desde el punto de vista de la legislación fiscal, se reconoce taxativamente el deber de dar recibo. Así, por ejemplo, el artículo 32.1 del RGR impone la obligación de entregar justificante, el artículo 66.1, núm. 2, de la LIVA obliga a expedir y entregar facturas y el Real Decreto de 18 de diciembre de 1985 lo impone a empresarios y profesionales.

Por tanto, cuando hay obligación de dar recibo, la negativa a entregarlo debe equipararse a la negativa a admitir el pago a que se refiere el primer párrafo del artículo 1176 del CC, que libera al deudor de responsabilidad mediante la consignación de la cosa debida.[55] Pero, como dice PUIG BRUTAU, incluso sin la consignación, el pago no realizado por la negativa del acreedor a entregar recibo ha de liberar al deudor de las consecuencias de la mora.[56]

Los gastos que ocasione la expedición del recibo serán de cuenta del deudor (art. 1168 CC), ya que se hacen en su interés, a no ser que se hubiere convenido otra cosa.

Con igual valor probatorio que el recibo debe considerarse la nota escrita o firmada por el acreedor a continuación, al margen o al dorso de una escritura que obre en su poder, o del duplicado de un documento que se halle en poder del deudor. En ambos casos el deudor, que quiera aprovecharse de lo que le favorezca, tendrá que pasar por lo que le perjudique (art. 1229 CC). Ahora bien, el recibo no es siempre puro y simple, sino que en ocasiones amplía o limita el efecto extintivo. Ejemplo del primer caso es el recibo que expresa la extinción de toda deuda, es decir, el acreedor declara que el deudor no le debe nada por ningún concepto. Esta declaración puede encubrir o responder al abandono de un derecho (renuncia gratuita o transacción). En cambio, es limitativo aquel recibo que establece reservas, es decir, no se renuncia a otros derechos.

Según el artículo 1169, párrafos 1.º y 2.º, de la PMDOC, «si el acreedor diere recibo del capital sin reserva alguna de los intereses o de otras prestaciones accesorias, se presumirán pagados tales intereses o prestaciones. Si el acreedor, sin reserva alguna, diere recibo de intereses o de otras prestaciones periódicas, se presumirán

---

55. Cfr. STS de 24 de mayo de 1955 (RJ 1955, 1709).
56. Cfr. STS de 5 de junio de 1944 (RJ 1944, 941).

pagados los anteriores». El párrafo 3.º del mismo artículo 1169 indica que «la entrega del título original del crédito, hecha voluntariamente por el acreedor al deudor, hace presumir la liberación de éste. Siempre que dicho título se halle en poder del deudor, constando que había sido entregado antes al acreedor, se presumirá que éste lo devolvió al deudor voluntariamente».

10. ¿Tiene derecho el deudor a la restitución del título de la obligación?

En algunas legislaciones, si se había expedido un título de la obligación, el deudor que pagaba tenía derecho a exigir, además del recibo, la restitución de dicho título, salvo que del mismo todavía se derivasen derechos en favor del acreedor, por ejemplo, el pago fue parcial o en el documento constan diversas obligaciones de las que sólo una ha sido satisfecha.

El § 371 del BGB señala que cuando se haya emitido un título de crédito el deudor puede, además de pedir un recibo en caso de cumplimiento de la obligación, solicitar la devolución de dicho título de crédito. Si el acreedor alega que no le resulta posible devolverlo, el deudor podrá exigir una declaración certificada oficial de que la deuda se ha extinguido. En Derecho suizo, si la deuda ha sido íntegramente pagada, el deudor tiene derecho a la devolución o anulación del título (cfr. art. 88.1 CO). También el artículo 788 del Código civil portugués regula el derecho del deudor a exigir la restitución del título de la obligación.

Nuestro Código civil no otorga un derecho al deudor a la restitución del título de la obligación, limitándose a regular los efectos de la restitución si se hiciere voluntariamente (arts. 1188 y 1189 CC). La razón es que, en principio, realizado el pago, no desaparece el interés del acreedor en conservar el título de la obligación, el cual le permite justificar en cualquier momento que la prestación se efectuó a título de pago y no por otra causa. Por ello, debe predicarse que el título de la obligación es propiedad del acreedor, y que el deudor debe conformarse con el recibo acreditativo del pago o cumplimiento.

Es más, aunque resulte paradójico, la entrega del título o documento puede redundar en perjuicio del deudor. Repárese en que, a tenor de lo dispuesto en el artículo 1188 del CC, del hecho de encontrarse el documento privado justificativo del crédito en poder del deudor, el legislador deduce (presunción *iuris tantum*) que lo ha obtenido en virtud de condonación y no por haber pagado.

Sin embargo, en determinados casos, el derecho del deudor a la devolución del título de la obligación encontrará apoyo en el uso y la buena fe (*arg. ex* arts. 7.1 y 1258 CC). Como dice ALBALADEJO, con el recibo se prueba el pago, con la devolución del justificante de la deuda se elimina la prueba de que ésta existía.

II. IMPUTACIÓN DE PAGOS

Cuando un deudor tiene varias deudas homogéneas con un mismo acreedor y realiza una prestación en favor de éste insuficiente para extinguir todas, se plantea la cuestión de determinar a cuenta de cuál de ellas se ha realizado el pago y, por consiguiente, va a quedar extinguida. Este problema se resuelve por medio de la llamada *imputación de pagos,* o normas que señalan la aplicación o inversión de la prestación que en concepto de pago lleva a cabo el deudor.

El artículo 1172 del CC comienza diciendo que «el que tuviese varias deudas de una misma especie en favor de un solo acreedor, podrá declarar, al tiempo de hacer el pago, a cuál de ella habrá de aplicarse». De este precepto se deducen con bastante claridad los *requisitos* de la imputación de pagos:

1.º Existencia de varias deudas a cargo de un sólo deudor en favor de un solo acreedor. Estas deudas pueden proceder de una misma relación obligatoria o bien ser consecuencia de relaciones obligatorias diversas. Ejemplo del primer caso, el arrendatario que adeuda al propietario la renta de varios meses del piso que ocupa en alquiler; del segundo, el deudor que debe a un mismo acreedor 300 euros por la renta del último mes vencido del piso que habita como arrendatario, 180 euros correspondientes a un plazo vencido de la compra del automóvil y 120 euros por el alquiler de una plaza de garaje.

2.º Las deudas tienen que ser homogéneas o «de la misma especie». Es decir, no es posible la imputación respecto de cosas específicas y determinadas; sí, en cambio, cuando se trate de deudas pecuniarias o de entregar cosas genéricas de la misma especie.

3.º Las deudas han de ser exigibles o vencidas (cfr. art. 1174, párr. 1.º, CC); pues, como dice R. BERCOVITZ, «el requisito de la liquidez de las deudas en el momento de realizar la imputación no es necesario para la imputación de pagos». Sin embargo, la STS de 4 de julio de 1962 advierte que solo cabe la imputación de pagos entre las deudas líquidas y vencidas.[57]

Respecto de las deudas aplazadas y consiguiente posibilidad de anticipación del vencimiento, se deberá atender a que el plazo estuviere establecido en beneficio del deudor, del acreedor o de ambos: en el primer caso, el deudor podrá realizar el pago y la imputación en cualquier momento; en el segundo, el acreedor tendrá que haber manifestado previamente su facultad de exigencia de la prestación; y, en el tercero, se requerirá el acuerdo de ambos.

4.º Que el pago realizado no sea suficiente para extinguir todas las deudas.

Si concurren estos requisitos y la prestación realizada por el deudor representa el pago íntegro, el crédito a que se haga la imputación se considerará extinguido. La imputación parcial respecto de uno de los varios créditos únicamente podrá admitirse si el contrato expresamente lo autoriza o cuando la deuda tuviere una parte líquida y otra ilíquida, en cuyo caso la imputación podrá hacerse a la parte líquida (cfr. art. 1169 CC). Si las diversas deudas fueren de igual naturaleza y gravamen, también será posible la imputación parcial a todas ellas a prorrata (art. 1174, párr. 2.º, CC).

> Según el artículo 1163, párrafo 1.º, de la PMDOC, «el que tuviere deudas de la misma especie a favor del mismo acreedor podrá declarar, al tiempo de hacer un pago no bastante para extinguirlas todas, a cuál de ellas debe aplicarse».

Ahora bien, si al efectuar el pago el deudor manifiesta a cuál de las distintas deudas ha de aplicarse la prestación por él realizada y el acreedor muestra su conformidad,

---

57. RJ 1962, 3188.

quedará extinguida la referida obligación. El problema surge si no existe acuerdo entre acreedor y deudor, en cuyo caso el Código civil lo resuelve estableciendo una serie de normas de carácter dispositivo y a la vez interpretativo.

En principio, la imputación del pago a una de las deudas es una facultad que corresponde al deudor (art. 1172, párr. 1.º, CC). Se trata de una declaración de voluntad unilateral expresa o tácita,[58] de carácter recepticio sobre el destino de la prestación,[59] sin perjuicio de que el acreedor pueda rechazar el pago y, por tanto, la imputación por falta de exactitud o integridad, por no estar la deuda vencida, etc. Como dice R. BERCOVITZ, lo que no puede hacer el acreedor es oponerse a la imputación hecha por el deudor y aplicar la prestación realizada a otra deuda distinta. Pero esta regla general, que se inspira en el principio *favor debitoris*, encuentra las *limitaciones* siguientes:

a) Si la deuda produce interés, no podrá estimarse hecho el pago por cuenta del capital mientras no estén cubiertos los intereses (art. 1173 CC). Según declara la STS de 24 de octubre de 1994, el artículo 1173 del CC se refiere al caso del deudor que tiene una sola deuda productora de intereses frente a su acreedor, no permitiendo imputar «el pago parcial de lo debido al pago del principal sin estar antes satisfechos los intereses, ya que ello supondría convertir por la sola voluntad del deudor una deuda que produce intereses en una simple, en claro perjuicio del acreedor».[60] Y como el artículo 1100, párrafo 1.º, del CC señala que «el recibo del capital por el acreedor, sin reserva alguna respecto a los intereses, extingue la obligación del deudor en cuanto a estos», al declarar aquél haber recibido el capital deberá hacer reserva expresa en cuanto a los intereses, y así eludir la presunción. Para esta reserva no se exige una fórmula determinada, por lo que podrá efectuarse de un modo genérico, por ejemplo, «sin perjuicio de los intereses que se deben» o «salvo los intereses que se adeuden».

> El artículo 1164 de la PMDOC señala que «cuando, junto al capital, el deudor deba satisfacer gastos e intereses, no podrá imputar el pago al capital mientras no estén cubiertos primero los gastos y después los intereses; el acreedor podrá rechazar el pago ofrecido por el deudor con una aplicación que contravenga la regla anterior».

b) Si el deudor aceptare del acreedor un recibo en que se hiciese la aplicación del pago, no podrá reclamar contra ésta, a menos que hubiere mediado causa que invalide el contrato (art. 1172, párr. 2.º, CC). Conviene aclarar que no se trata de un supuesto en que se haya concedido la facultad de hacer la imputación del pago al acreedor, pues el deudor puede aceptar o rechazar el recibo. Por consiguiente, sólo si el deudor acepta el recibo sin reserva alguna, es válida la imputación que hubiere efectuado el acreedor. Según advierte HERNÁNDEZ GIL, en el fondo, lo que hay aquí es un contrato concerniente a la imputación, elaborado sobre la base de la conducta observada por las partes: la del acreedor, extendiendo el recibo que contenga la imputación; la del deudor, aceptando el recibo.

La frase «causa que invalide la obligación» debe entenderse referida al contrato del que nació la obligación a la que se imputó el pago. Es decir, que si la obligación

---

58. Cfr. STS de 22 de junio de 1987 (RJ 1987, 4543).
59. Cfr. SSTS de 11 de mayo de 1984 (RJ 1984, 2407) y 25 de octubre de 1985 (RJ 1985, 4953).
60. RJ 1994, 7681.

fuese nula, por ser inválido el contrato que la generó, el deudor no podrá reclamar la devolución de lo pagado, pero sí pedir que se impute a otra deuda.

Según el artículo 1163, párrafo 3.°, de la PMDOC, «si el deudor aceptare del acreedor un recibo en el que se hiciese la aplicación del pago, no podrá pretender una imputación diferente, a menos que hubiere mediado cualquiera de las causas que invalidan el consentimiento».

c) Para el caso de que el deudor no haya hecho la imputación y tampoco el acreedor al extender el recibo, y no sea aplicable la limitación establecida en el artículo 1173 respecto de la deuda que produce interés, el artículo 1174 del CCC dispone que «se estimará satisfecha la deuda (...) más onerosa entre las que estén vencidas», y si todas las deudas «fueren de igual naturaleza y gravamen, el pago se imputará a todas a prorrata».

Este criterio de la onerosidad es sencillo, pero como todo concepto abierto plantea problemas de interpretación, debiendo, en último término, ser determinado por los tribunales. Hay casos en los que la apreciación de la misma resulta fácil, atendiendo a hechos más o menos objetivos: por deuda «más onerosa» debe entenderse aquella que produce interés o este es más alto, o va acompañada de garantía real o sus garantías son más antiguas,[61] o cláusula penal, o aquella cuyo pago fue reclamado judicialmente.[62] Sin embargo, en realidad la «mayor onerosidad» se encuentra normalmente conectada al mayor perjuicio o sacrificio del deudor; y, por ello, como advierte Rivero, quizá «se debe apreciar también la circunstancia fáctica concreta: para el inquilino desahuciado por falta de pago que pierde un contrato de arriendo muy ventajoso, la deuda que le supone mayor pérdida y, por tanto la más onerosa, es la de los atrasos en el pago de las mensualidades del alquiler».

El artículo 1163, párrafo 2.°, de la PMDOC dice que «a falta de tal declaración, el pago se imputará a la obligación vencida; entre las vencidas, a las más gravosas para el deudor; entre las igualmente gravosas, a las más antiguas; y en última instancia, el pago se imputará a las distintas deudas a prorrata».

En la regulación del contrato de sociedad se contiene una regla especial de imputación para el caso de dos créditos, uno particular del socio administrador y otro de la sociedad contra el mismo deudor. Según el artículo 1684 del CC, debe imputarse lo cobrado en los dos créditos a proporción de su importe, aunque el socio administrador hubiese dado el recibo por cuenta de sólo su haber; pero si lo hubiere dado por cuenta del haber social, se imputará todo en éste. Y añade que ello se entiende sin perjuicio de que el deudor pueda usar de la facultad que se le concede en el artículo 1172 del CC, en el solo caso de que el crédito personal del socio le sea más oneroso.

En los *contratos internacionales*, el artículo 6.1.12 de los PCCI indica que «(1) un deudor de varias obligaciones dinerarias al mismo acreedor puede especificar al momento del pago a cuál de ellas pretende que sea aplicado el pago. En cualquier caso, el pago ha de imputarse en primer lugar a cualquier gasto, luego a los intereses vencidos y finalmente al capital. (2) Si el deudor no hace tal especificación, el acreedor puede, dentro de un plazo razonable después del pago, indicar al deudor a cuál

---

61. Cfr. SSTS de 22 de octubre de 1968 (RJ 1968, 4436), 1 de diciembre de 1970 (RJ 1970, 5252), 16 de mayo de 1989 (RJ 1989, 3770) y 25 de mayo de 1993 (RJ 1993, 3732).
62. Cfr. STS de 16 de junio de 1977 (RJ 1977, 2884).

de las obligaciones lo imputa, siempre que dicha obligación sea vencida y sea indisputada. (3) A falta de imputación conforme a los párrafos (1) o (2), el pago se imputa, en el orden indicado, a la obligación que satisfaga uno de los siguientes criterios: (a) la obligación que sea vencida, o la primera en vencerse; (b) la obligación que cuente con menos garantías para el acreedor; (c) la obligación que es más onerosa para el deudor; (d) la obligación que surgió primero. Si ninguno de los criterios precedentes se aplica, el pago se imputa a todas las obligaciones proporcionalmente».[63]

BIBLIOGRAFÍA

AMORÓS GUARDIOLA, «El acreedor aparente» *Estudios homenaje al Prof. De Castro*, Vol. I, p. 135; BATUECAS CALETRIO, *Pago con tarjeta de crédito. Naturaleza y régimen jurídico*, Navarra, 2005; BAYO RECUERO, *El pago del tercero. Subrogación*, Madrid, 2000; BELTRÁN DE HEREDIA, J., *El cumplimiento de las obligaciones*, Madrid, 1956; BERCOVITZ, R., *La imputación de pagos*, Madrid, 1973; BORRELL Y SOLER, *Cumplimiento, incumplimiento y extinción de las obligaciones*, Barcelona, 1954; CAÑIZARES LASO, *El pago con subrogación*, Madrid, 1996; CRISTÓBAL MONTES, *El pago o cumplimiento de las obligaciones*, Madrid, 1986; DÍEZ-PICAZO, «El pago anticipado», RDM, 1959, p. 37; DOMÍNGUEZ LUELMO, *El cumplimiento anticipado de las obligaciones*, Madrid, 1992; ESPÍN, «Sobre el pago con subrogación», RDP, 1942, p. 300; GETE-ALONSO, *El pago mediante tarjetas de crédito*, Madrid, 1990; íd., *Las tarjetas de crédito*, Madrid, 1997; HERNÁNDEZ MORENO, *El pago del tercero*, Barcelona, 1983; LAUROBA, *El pago al acreedor incapaz*, Madrid, 1990; LARENZ, *Base del negocio jurídico y cumplimiento de los contratos*, Trad. y estudio preliminar de C. FERNÁNDEZ RODRÍGUEZ, Granada, 2002; MARTÍNEZ VÁZQUEZ DE CASTRO, *Pago y transmisión de propiedad (el artículo 1160 del Código civil)*, Madrid, 1990; MIQUEL CALATAYUD, «Consideraciones sobre el pago traditivo», RCDI, 1984, p. 1359; MORENO-TORRES, «La obligación de entrega de recibo», RDP, 1993, p. 1136; NÚÑEZ LOZANO, *La tarjeta de crédito*, Madrid, 1997; OLMO GARCÍA, *Pago de tercero y subrogación*, Madrid, 1998; ORTEGA PARDO, «El pago como negocio abstracto», RGLJ, 1945, p. 184; PASCUAL ESTEVILL, *El pago*, Barcelona, 1986; PUENTE MUÑOZ, «El lugar de cumplimiento de la obligación, en especial en la esfera de la compraventa civil y mercantil», RCDI, 1968, p. 905; ROCA JUAN, «Validez del pago al tercero por conversión en utilidad del acreedor», ADC, 1968, p. 288; RUBIO GARRIDO, *La subrogación por pago. Régimen jurídico y supuestos prácticos de aplicación*, Madrid, 1997.

---

63. Cfr. artículo 7:109 de los PECL.

Subrogados del cumplimiento

I. INTRODUCCIÓN

Es evidente la correlación que existe en toda obligación entre un derecho y un deber: el derecho del acreedor, que debe ser satisfecho, y el deber de prestación, que al realizarse satisface ese derecho extinguiendo la obligación. Por su parte, el pago o cumplimiento, que consiste en la exacta ejecución de la prestación debida, es el medio por el cual se obtiene la satisfacción de los recíprocos intereses de acreedor y deudor. Ahora bien, es posible que las partes convengan, *a posteriori*, que el fin de la obligación se logre de una manera distinta a la inicialmente programada y convenida, mediante la realización por parte del deudor y aceptación por el acreedor de una prestación diferente a la debida. También puede ocurrir que el acreedor no acepte la prestación debida de manera que el deudor, para liberarse, deba recurrir a la consignación de las cosas objeto de la misma.

En ninguno de los dos supuestos se trata de modalidades o de formas especiales de pago, sino de sustitutivos del pago, por lo que parece más apropiado hablar de *subrogados del cumplimiento.*

> CASTÁN estudia la imputación de pagos, la consignación, el pago por cesión de bienes, la dación o adjudicación en pago y el pago con subrogación como «formas especiales del pago».

II. DACIÓN EN PAGO

1. Concepto y requisitos

Según el artículo 1166 del CC, «el deudor de una cosa no puede obligar a su acreedor a que reciba otra diferente, aun cuando fuere de igual o mayor valor que la debida». Sin embargo, a pesar de lo dispuesto en este precepto, en virtud del principio de autonomía de la voluntad (art. 1255 CC), si hay acuerdo entre acreedor y deudor puede variarse el objeto de la prestación. Por consiguiente, la *dación en pago* (*datio in solutum*) es el acto por el cual el deudor ejecuta, en concepto de pago, una prestación distinta de la debida, que el acreedor acepta.

En el Derecho romano, en época justinianea, la *datio in solutum* no sólo era convencional sino también legal, sin tener en cuenta la voluntad del deudor.

Se trata de un medio supletorio del pago, mediante el cual el crédito se extingue, con independencia de que la prestación realizada corresponda o no, por su valor, a la cuantía de aquél.

De lo anterior se deduce que los *requisitos* de la dación son:

1.º Que se realice por el deudor una prestación distinta de la debida (*aliud pro alio*) en concepto de pago.

2.º Que exista acuerdo entre acreedor y deudor respecto de la nueva prestación; es decir, para la realización de una prestación distinta a la que inicialmente se había establecido.

3.º Que se produzca la extinción de la obligación; pues, si la extinción quedara subordinada a que el acreedor convierta en dinero la cosa o derecho que se le transmite, no se trataría de una *datio in solutum* o *datio pro soluto*, sino de una *datio pro solvendo*.[1] El problema de determinar si se trata de una u otra figura habrá de resolverse mediante la interpretación de la voluntad de las partes, que puede manifestarse tanto expresa como tácitamente. En la duda sobre si la entrega de la nueva prestación se llevó a cabo en uno u otro concepto, PÉREZ GONZÁLEZ y ALGUER opinan que se deberá estimar que es una *datio pro solvendo*, y a tal efecto citan el artículo 1170 del CC.

Según la STS de 1 de octubre de 2009, la diferencia entre la dación en pago (*datio pro soluto*) y la dación para pago (*datio pro solvendo*) consiste en que «la *datio pro soluto*, significación de adjudicación del pago de las deudas (...) se trata de un acto en virtud del cual el deudor transmite bienes de su propiedad al acreedor, a fin de que éste aplique el bien recibido a la extinción del crédito de que era titular, actuando este crédito con igual función que el precio en la compraventa (...) adquiriendo el crédito que con tal cesión se extingue, como viene dicho, la categoría de precio del bien o bienes que se entreguen en adjudicación en pago de deudas, en tanto que la segunda, es decir, la *datio pro solvendo* (...) se configura como un negocio jurídico por virtud del cual el deudor propietario transmite a un tercero, que en realidad actúa por encargo, la posesión de sus bienes y la facultad de proceder a su realización, con mayor o menor amplitud de facultades, pero con la obligación de aplicar el importe obtenido en la enajenación de aquéllos al pago de las deudas contraídas por el cedente».[2]

El Código civil español, al igual que el Código francés, y a diferencia del italiano,[3] no regula la dación en pago, aunque presupone su existencia en algunos preceptos: en los artículos 1521 y 1636 del CC, al tratar de los retractos, asimilándola a la venta, al decretar la posibilidad de ejercicio del retracto en los casos de venta o dación en pago; en el artículo 1636 del CC, atribuyendo recíprocamente al dueño directo y al

---

1. Cfr. SSTS de 15 de diciembre de 1989 (RJ 1989, 8832) y 19 de octubre de 1992 (RJ 1992, 8082).
2. RJ 2009, 7263.
3. El Código civil italiano de 1942 regula la dación en pago bajo la denominación de «prestación en lugar de cumplimiento» (cfr. arts. 1197 y 1198).

útil el derecho de tanteo y el de retracto, siempre que vendan o den en pago su respectivo dominio sobre la finca enfitéutica; y en el artículo 1849 del CC, al referirse a la fianza, donde establece que «si el acreedor acepta voluntariamente un inmueble, u otros cualesquiera efectos en pago de la deuda, aunque después los pierda por evicción, queda libre el fiador». También se encuentra referencia expresa a la dación en pago en materia de prenda sin desplazamiento de posesión.

> Según el artículo 65 de la LHM, «cuando el deudor, con consentimiento del acreedor, decidiere vender, en todo o en parte, los bienes pignorados, tendrá el último derecho preferente para adquirirlos por dación en pago, siempre que el precio convenido para esa proyectada venta fuere inferior al total importe del crédito, y quedará subsistente por la diferencia».

En cambio, sí la regula el Fuero Nuevo de Navarra, cuya ley 495 dispone que «cuando el acreedor acepte la dación en pago de un objeto distinto del debido, la obligación se considerará extinguida tan sólo desde el momento en que el acreedor adquiera la propiedad de la cosa subrogada, pero las garantías de la obligación, salvo que sean expresamente mantenidas, quedarán extinguidas desde el momento de la aceptación». Como puede observarse, esta norma no sólo establece el efecto extintivo de la dación en pago, sino que distingue entre la extinción de las garantías y la de la obligación pagada, estableciendo en momentos distintos el efecto extintivo.

> El artículo 73 de la LPHE establece que «el pago de las deudas tributarias podrá efectuarse mediante la entrega de bienes integrantes del Patrimonio Histórico Español, que estén inscritos en el Registro General de Bienes de Interés Cultural o incluidos en el Inventario General, en los términos y condiciones previstos reglamentariamente».

En materia concursal, el artículo 211.1 del TRLC señala que «en cualquier estado del concurso, el juez podrá autorizar la dación de los bienes y derechos afectos a créditos con privilegio especial en pago o para el pago al acreedor privilegiado o a la persona que él designe». La solicitud de dación en pago o para pago deberá ser presentada por el acreedor con privilegio especial o por la administración concursal con el consentimiento expreso y previo de aquél, que se tramitará a través del procedimiento establecido para la obtención de autorizaciones judiciales; y pudiendo cualquier interesado efectuar alegaciones (art. 211.1 TRLC). Mediante la dación en pago quedará completamente satisfecho el crédito con privilegio especial (art. 211.3 TRLC).

2. Naturaleza jurídica

Una de las cuestiones más debatidas por la doctrina acerca de la dación en pago es la de su _naturaleza jurídica_, habiéndose centrado la discusión fundamentalmente en torno a dos figuras, la compraventa y la novación.

Según la llamada teoría clásica, se trata de una compraventa, en la cual el crédito funciona como precio del bien o bienes que se entreguen en adjudicación en pago de deuda. En este sentido se ha pronunciado reiteradamente la jurisprudencia,[4]

---

4. Cfr. SSTS de 9 de enero de 1915 (JC 1915, I-9), 7 de enero de 1944 (RJ 1944, 109), 8 de noviembre de 1966 (RJ 1966, 5125), 7 de diciembre de 1983 (RJ 1983, 6923), 13 de febrero de 1989 (RJ 1989, 831) y 8 de febrero de 1996 (RJ 1996, 952).

declarando bien que constituye compraventa el convenio por el que se da cosa en pago de un crédito líquido, bien que actúa el crédito con igual función que el precio en la compraventa. Pero esta tesis no es aceptable; principalmente por tres tipos de razones: *a*) porque se limita a contemplar el supuesto de que la prestación del deudor consista en dar una cantidad de dinero y en su lugar se entregue una cosa, con lo cual excluye la posibilidad de que la prestación consista en un hacer o que la prestación sustitutoria sea un *facere*; *b*) porque el cambio se produce entre un crédito y una cosa, olvidando que el precio en la compraventa debe consistir en dinero o signo que lo represente (art. 1445 CC); *c*) porque la causa de uno y otro negocio son diferentes (*causa vendendi* y *causa solvendi*), igual que lo es la intención de las partes, que no se proponen concluir un contrato (compraventa) productor de obligaciones recíprocas, sino simplemente extinguir una obligación ya existente entre ellas.

Otra teoría es aquella que, por influencia del Derecho alemán, considera que con la dación en pago se produce una novación de la obligación por cambio de objeto: el acuerdo de las partes en orden a que el deudor realice una prestación distinta de la debida implica una verdadera novación, pues en virtud de dicho acuerdo se ha extinguido la obligación primitiva, creándose otra nueva en su lugar. Sin embargo, tampoco esta solución es aceptable, ya que no se dan los requisitos del artículo 1204 del CC, esto es, que las partes así lo declaren terminantemente o que la antigua y la nueva obligación sean de todo punto incompatibles. Además, tampoco la intención de las partes es la de extinguir la obligación originaria y crear otra nueva, sino simplemente sustituir en la obligación el modo de cumplimiento.

Como puede observarse, se ha incurrido en el error de querer explicar la dación en pago y precisar sus efectos equiparándola completamente a otras figuras (compraventa y novación). En realidad, se trata de un acuerdo de voluntades o contrato atípico, oneroso de transmisión y con *causa solvendi*, en virtud del cual el acreedor tiene derecho a exigir lo que se ha convenido en pago y el deudor el deber de prestarlo. Es un contrato que se regirá por lo que las partes hubieren acordado, por las normas de la compraventa en cuanto contrato oneroso, y por las reglas generales de las obligaciones y contratos.[5] De hecho, la STS de 5 de octubre de 1987 dice que la dación en pago, aunque guarda analogías con la compraventa y la novación, tiene caracteres propios por su finalidad extintiva de las obligaciones como negocio de pago; es decir, excluye que sea idéntica a la compraventa o a la novación.[6]

En palabras de la STS de 9 de abril de 2014, «la dación en pago supone un concierto de voluntades entre deudor y acreedor por el que éste consiente recibir, con carácter solutorio, un *aliud pro alio* (una cosa por otra), con el efecto de extinguir la obligación originaria. Negocio que, como ha recordado esta Sala, es complejo, pues participa de las características del pago o cumplimiento de una obligación, de la compraventa y de la novación por cambio de objeto que, con efectos solutorios, extingue la primitiva obligación».[7]

---

5. Cfr. SSTS de 13 de mayo de 1983 (RJ 1983, 2820), 19 de octubre de 1992 (RJ 1992, 8082) y 2 de diciembre de 1994 (RJ 1994, 9393).
6. RJ 1987, 6712. Cfr. también SSTS de 25 de mayo de 1999 (RJ 1999, 4057) y 27 de septiembre de 2002 (RJ 2002, 7877).
7. RJ 2014, 2597.

3. Régimen legal

a) Perfección. La dación en pago se perfecciona en virtud del acuerdo entre acreedor y deudor sobre el cambio de la prestación, por lo que la realización de la nueva prestación por parte del deudor no es más que la ejecución o consumación del acuerdo.[8]

En cambio, ALBALADEJO opina que «el pago con otra prestación se consigue mediante un contrato compuesto no sólo (como los consensuales) por el acuerdo de cambio de la prestación antigua por la nueva, de acreedor y deudor, sino también por el cumplimiento de la prestación nueva (a semejanza de los tradicionales contratos reales, en los que al acuerdo ha de unirse la entrega de la cosa)».

b) Capacidad. La capacidad de las partes debe ser la misma que se exige para realizar el pago, y estar de acuerdo con el negocio que se realiza y la cosa o derecho que se da en pago. Por consiguiente, el que da una cosa en pago deberá tener la libre disposición de la misma y capacidad para enajenarla (art. 1160 CC).

c) Forma. La forma del acto deberá acomodarse a las reglas generales que rigen en materia de contratos; es decir, habrá de adecuarse a lo establecido en los artículos 1278-1280 del CC.

d) Efectos. La dación en pago produce los efectos siguientes:

1.º Extinción de la primitiva obligación y consiguiente liberación del deudor. Como la obligación originaria es la causa del contrato de liberación o dación en pago, su falta daría lugar a que el deudor que realizó la entrega o prestación distinta de la originariamente debida pueda ejercitar la acción de repetición del pago o cobro de lo indebido.

2.º Extinción de los derechos accesorios y garantías que acompañasen a la antigua obligación. Por ello, con relación a la fianza, el artículo 1849 del CC dispone que «si el acreedor acepta voluntariamente un inmueble, u otros cualesquiera efectos en pago de la deuda, aunque después los pierda por evicción, queda libre el fiador». Aunque el Código civil no hace referencia a otros tipos de garantías, se debe considerar aplicable el mismo criterio.

3.º Si el acreedor pierde por causa de evicción la cosa que le ha sido dada en pago en virtud de un derecho anterior no renace la primitiva obligación, pero podrá ejercitar la garantía propia del comprador; es decir, serán de aplicación las normas del saneamiento por evicción de la compraventa (art. 1475 y ss. CC). Sin embargo, no se responderá de la evicción si la prestación originaria era a título gratuito, pues en este caso la que se entrega en su lugar también tendrá este carácter (art. 638 CC).

4.º Si se cumplen los requisitos necesarios para el ejercicio de alguno de los retractos legales, procederá dicho retracto sobre la cosa que se hubiere dado en pago (art. 1521 CC).

El artículo 1166, párrafo 1.º, de la PMDOC dice que «el deudor no puede liberarse realizando una prestación diferente a la debida, aunque sea de igual o mayor valor, salvo que el acreedor lo consienta. En este caso, la obligación quedará

---

8.   Cfr. SSTS de 4 de octubre de 1989 (RJ 1989, 6881) y 29 de abril de 1991 (RJ 1991, 3106).

extinguida como si se hubiera realizado la prestación debida, cuando se ejecute la prestación diferente. Cuando la cosa dada en pago no sea conforme a lo acordado o adolezca de vicios jurídicos, el acreedor podrá ejercitar las mismas acciones que según este Código corresponden al comprador en estos casos, salvo que opte por dejar sin efecto su consentimiento a la dación y exigir la prestación primitiva con la reparación de los daños y perjuicios sufridos. Si el convenio de dación en pago fuese declarado nulo, anulado o rescindido, el acreedor conservará el derecho a la prestación primitiva. En los casos de los párrafos anteriores, las garantías prestadas por terceros quedarán extinguidas, salvo que éstos conocieran o hubieran debido conocer el defecto de que adolecía la dación en pago». Según el artículo 1167 de la PMDOC, «cuando el deudor ejecuta una prestación diferente a la debida para que el acreedor se haga pago mediante la realización del objeto de aquélla, la obligación se extingue en la medida en que el acreedor quede satisfecho con su realización. La acción para exigir la obligación primitiva quedará en suspenso. Se presumirá que este es el caso y no el contemplado en el artículo anterior cuando la prestación diferente consista en la asunción de una deuda o en la cesión de un crédito. Salvo voluntad distinta de las partes, el acreedor podrá exigir la prestación originaria desde que resulte desatendida una reclamación de pago de la nueva deuda o del crédito».

El RD-Ley 6/2012, de 9 de marzo, de medidas urgentes de protección de deudores hipotecarios sin recursos contiene medidas dirigidas a proteger a ese tipo de deudores que, como consecuencia de su mala situación económica, no pueden hacer frente a su obligación de restituir el préstamo hipotecario. El Anexo del RD-Ley contiene un Código de Buenas Prácticas.

III. PAGO POR CESIÓN DE BIENES

1. Introducción

Esta figura tiene su antecedente en el Derecho romano. La *cessio bonorum* tenía como finalidad evitar que el deudor de buena fe, imposibilitado de cumplir sus obligaciones, se viere privado de libertad; a estos efectos, podía, con aprobación del pretor, ceder o abandonar todos sus bienes en favor de los acreedores, para que procediesen a su venta y cobrasen con el precio sus respectivos créditos.

Nuestro ordenamiento acoge la institución, pues el artículo 1175 del CC dice que «el deudor puede ceder sus bienes a los acreedores en pago de sus deudas». También se advierte en dicho precepto que esta cesión, salvo pacto en contrario, sólo libera al deudor por el importe líquido de los bienes cedidos, persistiendo su responsabilidad por la parte de la deuda que quede sin cubrir. Por consiguiente, se entiende por *cesión de bienes* la entrega o abandono por el deudor de todos sus bienes a los acreedores, para que éstos procedan a su liquidación y apliquen su precio al pago de sus créditos. Es decir, la cesión de bienes es un negocio jurídico *pro solvendo*, sin efectos liberatorios o extintivos hasta que se enajenen y liquiden los bienes cedidos y con su importe se pague a los acreedores de un modo total o parcial.[9]

Como puede observarse, no debe confundirse la dación en pago con la cesión de bienes por las razones siguientes: la dación en pago, según se expuso, implica la

---

9.   Cfr. STS de 15 de diciembre de 1989 (RJ 1989, 8832).

extinción del crédito y, por tanto, libera al deudor de un modo total y definitivo; en cambio, la cesión de bienes sólo libera al deudor en la medida en que los acreedores sean satisfechos. La dación en pago requiere la transferencia de la propiedad de la cosa que se entrega,[10] mientras que la cesión únicamente la posesión de los bienes para proceder a su venta. Además, la dación en pago no requiere situación de insolvencia del deudor, ni pluralidad de acreedores como la cesión, ni se extiende a todos los bienes del deudor.[11]

Respecto de la *naturaleza jurídica* de la cesión de bienes, pueden señalarse dos teorías fundamentales:

a) La teoría de la *transmisión fiduciaria de la propiedad de los bienes cedidos en pago*. Según esta teoría, defendida por Cossío, aun cuando no existe propietario alguno en sentido estricto, en el pago por cesión de bienes nos encontramos «con una especial forma de propiedad: la propiedad fiduciaria, concretada en la persona de los cesionarios; propiedad sometida a determinados vínculos y adscrita a una finalidad concreta que excede del mero interés personal de sus titulares». Esta postura no encuentra apoyo ni justificación en nuestra legislación y, además, como advierte Lacruz, supone unos efectos excesivos e innecesarios (ya que requiere dos transmisiones), siendo más acorde con la voluntad de las partes (salvo manifestación expresa) y la forma normal de producirse que el deudor retenga la propiedad hasta la enajenación a terceros. La STS de 13 de marzo de 1953 declara que «se cede para venta, sin transferencia de dominio».[12]

b) Otra teoría, generalmente seguida hoy por la doctrina, es la que considera la cesión de bienes como un *contrato de mandato con poder irrevocable* celebrado entre deudor y acreedores, en virtud del cual aquél encarga a éstos que realicen los bienes y se cobren con el importe que se obtenga. Según esta teoría, defendida por J. Beltrán de Heredia, no se transmite la propiedad de los bienes a los acreedores, únicamente la posesión y administración de los mismos.[13]

> Esta segunda postura es a la que se refiere la STS de 2 de julio de 2008, cuando afirma que el pago por cesión de bienes «no entraña, por su propia esencia, una atribución de propiedad de los bienes que se ceden, sino su simple posesión, unida un mandato irrevocable para disponer y poder cobrarse con su producto, restituyendo el remanente al deudor que sólo queda liberado por el importe líquido de los bienes cedidos, por lo que se trata de una cesión *"pro solvendo"* de aparte de no atribuir el dominio no produce, sin más, la extinción de la obligación».[14]

2. Clases de cesión de bienes

Es normal distinguir dos clases de cesión de bienes: contractual y judicial. La primera es la que se realiza mediante acuerdo entre el deudor y acreedor o acreedores;

---

10. Cfr. STS de 2 de diciembre de 1994 (RJ 1994, 9393).
11. Cfr. SSTS de 7 de diciembre de 1983 (RJ 1983, 6923) y 5 de octubre de 1987 (RJ 1987, 6712).
12. RJ 1953, 589.
13. Cfr. SSTS de 11 de mayo de 1912 (RJC 1912, II-48), 9 de diciembre de 1943 (RJ 1943, 1309), 1 de marzo de 1969 (RJ 1969, 1137), 3 de enero de 1977 (RJ 1977, 1) y 15 de diciembre de 1989 (RJ 1989, 8832).
14. RJ 2008, 4278. Cfr. STS de 13 de febrero de 1989 (RJ 1989, 831).

la segunda es la que se lleva a cabo con intervención y aprobación de los órganos judiciales en la forma que las leyes determinan. El artículo 1175, párrafo 3.º, del CC remite a las normas de la Ley de enjuiciamiento civil y, en lo sustantivo, a las disposiciones del Título XVII de Libro IV del Código civil. Según la STS de 13 de marzo de 1953, la cesión extrajudicial se rige en primer lugar por las estipulaciones del convenio autorizadas por el artículo 1175 del CC y, supletoriamente, por las normas generales de la contratación, sin que sean de aplicación forzosa las reglas procesales del juicio universal de concurso o de quiebra, sólo utilizables en el supuesto de cesión judicial o abandono de sus bienes por el deudor ante el juez en favor de una pluralidad de acreedores.[15]

Los requisitos de la cesión de bienes diferían según ésta sea contractual o judicial. Para celebrar un convenio de cesión judicial era suficiente la concurrencia de la mayoría de los acreedores cuyos créditos importen las tres quintas partes del total pasivo del deudor (art. 1139 LEC de 1881). En cambio, para la cesión extrajudicial el convenio debe hacerse con todos los acreedores;[16] si se hace sólo con algunos, deben quedar a salvo los derechos de prelación para el cobro de los demás, de acuerdo con lo establecido en el Código civil sobre prelación de créditos. Esta doble posibilidad se mantuvo con la vigente Ley de enjuiciamiento civil, pues la misma procedió a derogar la LEC de 1881, con la excepción, entre otras, de los Títulos XII y XIII del Libro II, referentes al «concurso de acreedores» y al «orden proceder en las quiebras», que quedaban en vigor hasta la vigencia de la Ley concursal (disp. derogatoria única 1.1.ª).

En materia concursal, el artículo 329.1 del TRLC indica que «en la propuesta de convenio de contenido alternativo se podrá incluir como una de esas alternativas la cesión en pago de bienes o derechos de la masa activa a los acreedores».

3. Efectos de la cesión de bienes

Los principales *efectos* de la cesión de bienes son los siguientes:

1.º Irrevocabilidad del poder e indisponibilidad de los bienes por parte del deudor. La irrevocabilidad del poder se basa en que de lo contrario se permitiría al deudor la resolución unilateral del convenio de cesión de bienes.

2.º Los acreedores tienen la posesión de los bienes y el poder de administración y liquidación de los mismos, debiendo imputar lo que se recaude a la satisfacción de sus créditos. En cuanto a la administración y disposición (o liquidación) de los bienes cedidos, el conjunto de los acreedores habrá de regirse por lo pactado y, en su defecto, por las normas sobre comunidad de bienes (arts. 397 y 398 CC).

3.º En el caso de que el importe líquido de los bienes cedidos fuese superior a las deudas, los acreedores deberán entregar el remanente al deudor.

4.º Si no se ha pactado otra cosa, el deudor solo se libera por el importe de los bienes liquidados, y persiste su responsabilidad por la parte de deuda que quede sin cubrir. En este caso, si el contrato no dispone otra cosa, los acreedores cesionarios

---

15. RJ 1953, 589.
16. Cfr. STS de 11 de mayo de 1912 (JC 1912, II-48).

cobrarán conforme a las prelaciones y preferencias que tuvieran antes de la cesión. Ello no impide que las partes puedan convenir que las deudas se extinguirán por el importe de los bienes cedidos, aunque éstos no cubran la totalidad de ellas, en cuyo caso se habría añadido a la cesión de bienes una condonación por la diferencia.

Aunque los bienes se cedan, la obligación se mantiene con sus garantías personales y reales, si las hubiera; pero dejará de producir intereses desde que los bienes se entregan a los acreedores.

5.º Como con la cesión de bienes no se produce transferencia real, los acreedores que no hubieren concurrido al convenio pueden dirigirse en vía ejecutiva contra los bienes cedidos por el deudor.

IV. EL OFRECIMIENTO DE PAGO Y LA CONSIGNACIÓN

El ofrecimiento de pago y la consignación cumplen una función liberatoria, pero no producen la satisfacción del interés del acreedor. Quizás por eso, en muchas ocasiones el Tribunal Supremo se ha referido a la consignación como «una forma especial del pago».[17]

Su *ratio essendi* es que en la relación obligatoria confluyen dos intereses recíprocos: el del acreedor en obtener satisfacción y el del deudor en liberarse de la obligación. Por ello, no sería justo que teniendo el deudor interés en quedar liberado mediante el pago se le obligue a seguir un litigio o se le impusiera indefinidamente la permanencia en su cualidad de deudor, con las consecuencias que la mora podría originarle. No ofrece duda que el deudor tiene derecho a liberarse no sólo porque la deuda le pueda resultar onerosa (por ejemplo, devenga intereses) o porque afecta la responsabilidad de su patrimonio, sino también en aquellos casos en que el acreedor se niegue a recibir el pago, no pueda recibirlo (ausencia o incapacitación) o sea incierta la persona del acreedor (art. 1176 CC).

En definitiva, el deudor tiene un interés jurídicamente reconocido en liberarse de la obligación mediante el pago o cumplimiento, y no puede exigírsela que continúe siendo deudor contra su voluntad, por ello el ordenamiento jurídico le proporciona un procedimiento o mecanismo de liberación coactiva, cual es *el ofrecimiento de pago y la consignación.*

Este procedimiento, supletorio del pago o cumplimiento, consiste en depositar o poner a disposición de la autoridad judicial las cosas debidas, aun con reserva de negar o discutir la deuda. Como dice LARENZ, «la posibilidad de la consignación representa una facilidad concedida al deudor en los supuestos en que por motivos dependientes de la persona del acreedor aquél no puede cumplir la obligación».

1. Introducción

El procedimiento, sustitutivo del pago o cumplimiento, de liberación coactiva del deudor se divide en dos momentos: el ofrecimiento de pago y la consignación de la cosa debida.

---

17. Cfr. SSTS de 23 de marzo de 1929 (JC 1929, II-117) y 7 de enero de 1960 (RJ 1960, 102).

La doctrina ha venido considerando el ofrecimiento de pago como un acto previo o antecedente de la consignación, de carácter meramente secundario respecto de ésta, que es la principal. Por eso, CASTÁN dice que «sólo la consignación es forma de pago», ya que el ofrecimiento por sí solo no produce la liberación del deudor. Sin embargo, como advierte J. BELTRÁN DE HEREDIA, según se desprende del artículo 1176 del CC, el valor del ofrecimiento es distinto, porque salvo los casos que expresamente menciona el párrafo segundo de dicho artículo (ausencia, incapacidad, que varias personas pretendan tener derecho a cobrar o que se haya extraviado el título de la obligación), es totalmente necesario para que pueda hacerse válidamente la consignación.

También cabe señalar que, de acuerdo con el significado de la consignación, este medio sólo puede utilizarse en el ámbito de las obligaciones de dar, pues son estas las únicas en que el objeto de la prestación puede ser depositado o puesto a disposición de la autoridad judicial. Ahora bien, como no parece justo que el deudor no pueda liberarse de una obligación de hacer que está dispuesto a cumplir, ALBALADEJO defiende la tesis de que el deudor se debe liberar «por la no aceptación de su ofrecimiento de realizar la prestación, o bien, a lo más, obteniendo de la autoridad judicial (siguiendo, en cuanto lo permita la analogía con la consignación, el procedimiento fijado para ésta) la declaración de que estuvo dispuesto a realizar la prestación». Como advierte este autor con razón, lo contrario sería dejar el cumplimiento de la obligación al arbitrio de una de las partes, en contra de lo que dispone el artículo 1256 del CC.

Pero el Código civil no dice qué cosas pueden ser objeto de depósito solamente indica que la consignación «se hará por el deudor o por un tercero, poniendo las cosas debidas a disposición del Juzgado o del Notario, en los términos previstos en la Ley de Jurisdicción Voluntaria o en la legislación notarial» (art. 1178 CC), mientras que el artículo 1761 del CC declara que «sólo pueden ser objeto del depósito las cosas muebles», por lo que algunos autores deducen la imposibilidad de consignación de las cosas inmuebles. Es evidente que el deudor de tales cosas también tiene el derecho de liberarse de la obligación, por lo que, como dicen PÉREZ GONZÁLEZ y ALGUER, «no deben erigirse obstáculos de carácter dogmático frente a la solución de justicia que representaría permitir la consignación de inmuebles». Para ello, es suficiente con entender que la expresión «se hará depositando» debe interpretarse no en su sentido técnico sino en el vulgar, es decir, como *puesta a disposición* de la Autoridad judicial, por ejemplo, mediante la entrega de las llaves del inmueble.

> NART entiende que no existe razón legal para excluir de la consignación los bienes inmuebles, ya que en la consignación no se produce un puro depósito contractual, sino un depósito necesario como un medio de realizar un secuestro. De hecho, la ley 496 del Fuero Nuevo de Navarra admite expresamente la consignación de bienes inmuebles.

Y no sólo el deudor puede consignar, sino también un tercero; ya que, como dice la STS de 23 de marzo de 1929, «no puede interpretarse el artículo 1176 del CC en el sentido material de que ha de ser precisamente el deudor directo el que, por modo excluyente, tenga que ser el que haga la consignación, porque equivale ésta a una forma de pago hay que relacionarlo con el artículo 1158, que permite hacerlo a cualquier persona».[18]

---

18. JC 1929, II-117.

2. Casos en que procede la consignación

La consignación procede, según el artículo 1176 del CC, en los casos siguientes:

1.º Cuando el acreedor se negare sin razón (sin justificación) a admitir el pago. En este caso debe ir precedida del ofrecimiento de pago. A la negativa injustificada debe equipararse la conducta evasiva, ya que conlleva el mismo resultado (CANO MATA).

A tenor del artículo 1170, párrafo 1.º, de la PMDOC, «si el acreedor se negare sin razón a admitir el pago ofrecido por el deudor o por un tercero interesado en el cumplimiento de la obligación, el deudor quedará libre de responsabilidad mediante la consignación de la cosa debida».

El artículo III.-2:112(1) del DCFR dice que «cuando un acreedor se niega a aceptar un pago debidamente ofrecido por el deudor, el deudor puede, previa notificación al acreedor, liberarse de la obligación de pago depositando el dinero a la orden del acreedor de conformidad con la legislación del lugar donde tenga lugar el pago».[19] Según el comentario oficial, «esta disposición permite al deudor de una obligación monetaria, previa notificación, liberarse de la obligación de pago depositando el dinero de cualquier forma que autorice la legislación del lugar donde se realizará el pago, por ejemplo, pagándolo a un tribunal. (La cuestión los modos de pago que estén autorizados queda fuera del ámbito de aplicación de las presentes normas). Esta posibilidad se reconoce actualmente en muchos, aunque no todos, los Estados miembros y es claramente conveniente para el deudor, al tiempo que (por las condiciones que se imponen) supone un riesgo mínimo o nulo para el acreedor». El apartado 2 del artículo III.-2:112 del DCFR añade que «el apartado (1) se aplicará, con las modificaciones oportunas, a sumas de dinero debidamente ofrecidas por un tercero en circunstancias en las que el acreedor no tiene derecho a rechazar dicho pago».

2.º Cuando el acreedor no pueda recibir el pago por encontrarse ausente. Se trata de una simple falta de presencia del acreedor en el lugar de su domicilio o residencia, pues si el acreedor hubiera sido declarado en situación de ausencia legal el pago debería hacerse a su representante legítimo.[20]

3.º Cuando el acreedor no pueda recibir el pago en el momento en que deba hacerse por estar incapacitado. Tampoco aquí se trata de una incapacidad declarada judicialmente, pues si así fuera el ofrecimiento de pago debería hacerse al representante legal.

4.º Cuando sea incierto el acreedor, porque varias personas pretendan tener derecho a cobrar. Este supuesto comprende tanto la existencia de un procedimiento judicial acerca de la titularidad del crédito, como que la discusión sea extrajudicial.

5.º Cuando se haya extraviado el título de la obligación. La generalidad de la doctrina considera este caso vinculado al anterior, en el que también se plantea que la persona del acreedor es incierta. Sin embargo, DÍEZ-PICAZO considera que debe entenderse limitado a aquellos casos en que la presentación del título de crédito sea condición necesaria para el pago, tanto porque acredita la legitimación del acreedor como porque la liberación del deudor sólo se produce mediante la recuperación del

---

19. Cfr. artículo 7:111 de los PECL.
20. Cfr. SSTS de 23 de marzo de 1929 (JC 1929, II-117) y 12 de enero de 1943 (RJ 1943, 17).

título. Por tanto, el supuesto debe estimarse referido únicamente a los títulos de crédito que funcionen como títulos de obligación y como títulos de presentación (arts. 45 a 48 LCCh).

> El artículo 1170, párrafo 2.º, de la PMDOC señala que «la consignación por sí sola producirá el mismo efecto cuando se haga estando el acreedor ausente o cuando esté incapacitado para recibir el pago en el momento que deba hacerse, y cuando varias personas pretenden tener derecho a cobrar, o se haya extraviado el título de la obligación».

Además de estos supuestos, un sector de la doctrina entiende que la consignación deberá hacerse también para liberar al deudor cuando sea desconocido el acreedor o se negare a dar recibo o carta de pago, y cuando no se presentaré a su debido tiempo en el lugar convenido o designado por la ley para proceder al cobro.[21] No obstante, parece más acertado el criterio de que no cabe ampliar los supuestos contemplados en el artículo 1176 del CC, y que en estos otros deberá efectuarse el ofrecimiento de pago, debiendo de calificarse la negativa del acreedor a recibir como «sin razón» o injustificada.

> RAGEL SÁNCHEZ opina que el artículo 1176 del CC no contiene un *numerus clausus*, y, por tanto, que es aplicable a todo supuesto en que el deudor no puede verificar el cumplimiento por causa involuntaria del acreedor, pero a él imputable.

3. Requisitos de la consignación

El Código civil exige, para que la consignación sea válida, además del depósito o puesta a disposición de la autoridad judicial, unos requisitos previos y otros posteriores:

1.º Como requisito previo a la consignación se exige, en el artículo 1176, párrafo 1.º, del CC el ofrecimiento de pago. Sin embargo, el párrafo 2.º de dicho artículo enumera los supuestos en que procede directamente la consignación sin necesidad del ofrecimiento de pago, por resultar este imposible, y son estos: la ausencia, incapacidad, que el acreedor sea incierto o que se hubiere extraviado el título de la obligación.

El ofrecimiento de pago debe hacerse incondicionalmente;[22] y, aunque no se exige forma determinada, como la carga de la prueba de haberse realizado pesa sobre el deudor, será conveniente preconstituirla, por ejemplo, efectuándolo a través de notario. PÉREZ GONZÁLEZ y ALGUER consideran que en caso de obligaciones recíprocas (cfr. art. 1100, párr. 3.º, CC) el deudor podrá supeditar la entrega de la cosa que ofrece a que a su vez el acreedor entregue la que le corresponde.[23]

2.º Otro requisito previo, a la consignación, es que sea «anunciada a las personas interesadas en el cumplimiento de la obligación» (art. 1177, párr. 1.º, CC). Es decir, la consignación deberá ser anunciada no sólo al acreedor, sino también a todas aquellas personas que tengan algún interés cierto en la obligación o asuman alguna responsabilidad en la misma, por ejemplo: acreedores y deudores solidarios, fiadores, etc.

---

21. Cfr. STS de 24 de mayo de 1955 (RJ 1955, 1709).
22. Cfr. STS de 27 de noviembre de 1906 (JC 1906, III-145) y 9 de julio de 2003 (RJ 2003, 4616).
23. Cfr. STS de 7 de enero de 1977.

No exige el Código civil forma especial para esta notificación, aunque parece conveniente, al igual que respecto del ofrecimiento, preconstituir la prueba.

> Según el artículo 1171, párrafo 1.º, de la PMDOC, «para que la consignación de la cosa debida libere al obligado, deberá ser previamente anunciada a las personas interesadas en el cumplimiento de la obligación».

Nada se opone a que el ofrecimiento de pago y el anuncio previo de consignación se realicen conjuntamente, tanto judicial como extrajudicialmente (J. BELTRÁN DE HEREDIA). Pero, eso sí, sin olvidar que el «anuncio previo» tiene corno destinatarios no sólo al acreedor, sino también a todas aquellas personas que estuvieron interesadas en el cumplimiento de la obligación.

3.º Que la consignación se ajuste estrictamente a las disposiciones que regulan el pago (art. 1177, párrafo 2.º, CC). Es decir, que el pago deberá hacerse puntual y exactamente. Por ello es ineficaz la consignación de menor cantidad que la debida;[24] no, en cambio, la de cantidad superior a la adeudada, ya que lo más cuantitativamente comprende lo menos.[25] Por otro lado, cuando el ofrecimiento de pago se hace en forma condicional no puede darse por bien hecha la posterior consignación.[26]

> El tenor literal del artículo 1171, párrafo 2.º, de la PMDOC es idéntico al del actual artículo 1177, párrafo 2.º, del CC.

El procedimiento judicial para la consignación es el de la jurisdicción voluntaria.[27] No obstante, el auto judicial declarando bien hecha la consignación es revisable en vía contenciosa, mediante juicio contradictorio.[28]

4.º Como requisito posterior a la consignación, exige el Código que se notifique a los interesados en el cumplimiento de la obligación (art. 1178, párrafo 2.º, CC). Como dice R. BERCOVITZ, esta «notificación cumple la función de permitir al acreedor aceptar la consignación, o bien permanecer pasivo (pasándose entonces a la fase siguiente de decisión judicial) o, finalmente, oponerse a ella, dando lugar al correspondiente procedimiento contencioso, promovido por aquella de las partes que quiera acudir a él».

Algunos autores defienden, por considerarla extremadamente beneficiosa para el tráfico jurídico, «la posibilidad de consignaciones extrajudiciales con efectos liberatorios, siempre que queden garantizados los derechos de todos los interesados y circunscritas a obligaciones pecuniarias» (JUÁREZ GONZÁLEZ).

> El artículo 1172 de la PMDOC señala que «la consignación se hará judicialmente en la forma prevenida en la Ley de Jurisdicción Voluntaria o ante Notario. Cuando se efectúe ante Notario, éste levantará acta a petición de quien intenta el pago. En dicha acta hará constar que se le han entregado en depósito las cosas que se consideren debidas y que se le han acreditado el ofrecimiento, en su caso, y el anuncio de la consignación en los demás; y que conforme a lo solicitado notifica el

---

24. Cfr. SSTS de 18 de junio de 1902 (JC 1902, I-176), 15 de febrero de 1905 (JC 1905, I-60) y 3 de octubre de 1955 (RJ 1955, 2733).
25. Cfr. STS de 1 marzo de 1982.
26. Cfr. STS de 27 de noviembre de 1906 (JC 1906, III-145).
27. Cfr. STS de 18 de mayo de 1943 (RJ 1943, 570).
28. Cfr. STS de 29 de marzo de 1946 (RJ 1946, 691).

depósito y ofrece la entrega de lo depositado al acreedor designado; y que requiere a éste, si se negase a recibir el pago, para que quede enterado de la consignación realizada, sin perjuicio de recoger lo que manifestase como contestación al ofrecimiento y al requerimiento (...)».

Según el artículo 1172, párrafo 2.º, inciso último, de la PMDOC la consignación que se realice ante notario «deberá también notificarse a los interesados».

4. Efectos de la consignación

Respecto de los efectos de la consignación, el artículo 1180, párrafo 1.º, del CC dice que, «la aceptación de la consignación por el acreedor o la declaración judicial de que está bien hecha, extinguirá la obligación y el deudor podrá pedir que se mande cancelar la obligación y la garantía, en su caso». Pero, para que la consignación produzca efectos liberatorios para el deudor, es preciso que el acreedor la acepte o que el juez la declare bien hecha (art. 1180, párr. 1.º, CC), en cuyo caso los gastos de la consignación serán de cuenta del acreedor (art. 1179 CC).

Según el artículo 1174, párrafo 1.º, de la PMDOC, «hecha debidamente la consignación, podrá el deudor o el tercero pedir que se mande cancelar el título de la obligación si el acreedor no consintiere en ello».

Mientras el acreedor no hubiere aceptado la consignación, o no hubiere recaído la declaración judicial de que está bien hecha, podrá el deudor retirar la cosa o cantidad consignada, dejando subsistente la obligación (art. 1180, párr. 2.º, CC). Si hecha la consignación, el acreedor autorizase al deudor para retirarla, perderá toda preferencia que tuviere sobre la cosa. Los codeudores y fiadores quedarán libres (art. 1181 CC).

El artículo 1174, párrafo 21 de la PMDOC dice que «mientras el acreedor no hubiere aceptado la consignación, o no hubiere recaído la declaración (judicial o notarial) de que está bien hecha, podrá el deudor retirar la cosa o cantidad consignada, dejando subsistente la obligación».

Por consiguiente, pueden producirse las situaciones siguientes:

1.ª Hecha la consignación, la autoridad judicial declara que está mal hecha. En cuyo caso, el deudor no queda liberado y puede retirar lo consignado, siendo de su cuenta los gastos.

2.ª Hecha la consignación, es aceptada por el acreedor o se declara que está bien hecha por la autoridad judicial. En este supuesto el deudor queda liberado y se extingue la obligación con todas sus garantías, siendo de cuenta del acreedor los gastos.

3.ª Hecha la consignación, y antes de que el acreedor la acepte o se declare bien hecha por la autoridad judicial, el deudor retira la cosa depositada sin intervención del acreedor. En esta situación el deudor no se libera y subsiste la obligación, siendo los gastos de su cuenta.

4.ª Hecha la consignación, y con independencia de que esté bien o mal hecha, el deudor retira la cosa depositada con la autorización del acreedor. Si esto ocurre la obligación habrá sido extinguida por novación (por variación de su objeto o de sus condiciones principales, (art. 1203.1.º CC) y el acreedor pierde su preferencia (privilegios o hipoteca) sobre la cosa, quedando libres los codeudores y fiadores en la parte de deuda que correspondiera al consignante. En cambio, R. Bercovitz considera que no se trata de una novación, sino que la obligación quedó extinguida y nace una nueva relación jurídica, para la que habrá que atender a la causa de esa transmisión.

El artículo 1175 de la PMDOC señala que «si hecha la consignación, el acreedor autorizase al deudor para retirarla, perderá toda preferencia que tuviese sobre la cosa. Los codeudores y fiadores quedarán libres».

Como dicen Pérez González y Alguer, «en todo caso la aceptación y la sentencia declarando bien hecha la consignación tienen efecto retroactivo, porque el pago debe entenderse consumado "cuando completamente se hubiese entregado la cosa o hecho la prestación en que la obligación consistía" (cfr. art. 1157 CC) y tal ocurre ya a partir del depósito mismo».

A tenor del artículo 1173 de la PMDOC, «los gastos de la consignación, cuando fuere procedente, serán de cuenta del acreedor».

5. El ofrecimiento de pago sin consignación

El Código civil no hace referencia expresa a esta cuestión. Ha sido el Tribunal Supremo quien se ha ocupado de establecer los efectos que produce el ofrecimiento de pago no seguido de la consignación:

a) Respecto del deudor, la oferta no seguida de la consignación excluye la *mora solvendi*, o sea, impide que pueda considerarse al deudor incurso en caducidades ni reclamaciones, lo que permite afirmar que «libera al deudor de la posible tacha de incumplimiento».[29]

b) Respecto del acreedor, la oferta no seguida de la consignación produce «el efecto fundamental de constituir al acreedor en mora (*mora accipiendi*), que si no permite que el deudor quede liberado, ni tiene trascendencia en orden al pago de intereses, ni en la transferencia del riesgo de la cosa ofrecida, impide, en cambio, a aquél dar al deudor trato de moroso y obsta a la declaración autorizada por el artículo 1124 del CC cuando se acredita que el retraso, sólo temporal, obedeció a una causa cuya evidencia y legitimidad no precisa encarecer».[30] En este mismo sentido, la STS de 15 de junio de 1987 indica que «la oferta real también tiene efecto positivo, aunque de menos alcance jurídico, cual es el de la constitución al acreedor en mora, que imposibilita la atribución del incumplimiento a quien ha de entregarla y no puede hacerlo por la negativa de quien ha de recibirla».[31]

Por consiguiente, el ofrecimiento de pago no seguido de consignación impide que el deudor incurra en mora y que el acreedor pueda solicitar la resolución del contrato, pero no salva que el deudor continúe debiendo la prestación vencida y exigible. En otras palabras, para que el ofrecimiento de pago libere al deudor es preciso que éste proceda a efectuar la consignación de la cosa debida.

---

29. Cfr. SSTS de 9 de julio de 1941 (RJ 1941, 905), 5 de junio de 1944 (RJ 1944, 698) y 31 de octubre de 1968 (RJ 1968, 4960).
30. Cfr. SSTS de 9 de julio de 1941 (RJ 1941, 905) y 21 de junio de 1947 (RJ 1947, 778).
31. RJ 1987, 4469.

BIBLIOGRAFÍA

BELTRÁN DE HEREDIA, J., *El cumplimiento de las obligaciones*, Madrid, 1956; CANO HURTADO, *La consignación como mecanismo de liberación del deudor*, Madrid, 2005; CANO MATA, «La consignación«», ADC, 1969, p. 753; COSSÍO, «Convenios extrajudiciales de cesión de bienes en pago de deudas», RDP, 1953, p. 1; CRISTÓBAL MONTES, «Los subrogados del pago», RCDI, 1988, p. 906; DE DIEGO LORA, *La consignación judicial*, Barcelona, 1952; FERNÁNDEZ RODRIGUEZ, «Naturaleza jurídica de la dación en pago», ADC, 1957, p. 753; FÍNEZ, «La dación en pago», ADC, 1995, p. 1465; GAMBÓN, «Notas sobre la naturaleza jurídica del contrato de cesión de bienes», RDP, 1962, p. 1058; LINARES NOCI, «Algunas consideraciones sobre el ofrecimiento de pago», RDP, 1991, p. 171; LATOUR, «Notas sobre la dación en pago», RDP, 1955, p. 625; MARÍN GARCÍA, «Consideraciones sobre la dación en pago», RCDI, 1987, p. 977; MERINO, «La dación en pago», RDN, 1975, p. 79; NART, «Pago por consignación», RDP, 1951, p. 206; NÚÑEZ BOLUDA, «Notas para un estudio de la consignación», RGLJ, 1982, p. 179; SERRANO ALONSO, «Consideraciones sobre la dación en pago», RDP, 1978, p. 416; SERRANO CHAMORRO, *Entrega de cosa distinta a la pactada*, Pamplona, 2006; SERRANO GARCÍA, «Observaciones acerca de la dación en pago» en AA.VV., *Centenario del Código civil*, Vol. II, Madrid, 1990, p. 1995; VÁZQUEZ ALOY, *El ofrecimiento de pago en el Código civil*, Madrid, 1997.

Capítulo X
Incumplimiento de la obligación (I)

I. INTRODUCCIÓN

Cuando el deudor no realiza de modo puntual y exacto el deber de prestación se produce el incumplimiento de la obligación. Pero no sólo se produce cuando se ha faltado a la prestación principal, sino también cuando se han incumplido aquellos deberes que se encuentran íntimamente unidos a la naturaleza del vínculo. En el incumplimiento se vienen distinguiendo dos categorías: el incumplimiento propio (o absoluto) y el incumplimiento impropio (o relativo). En el primero hay imposibilidad de realizar el deber de prestación, por causas imputables o no al deudor; en el segundo, la característica es que todavía puede realizarse el deber de prestación, de ahí el calificativo de impropio.

Hay unas profundas diferencias entre ambas categorías de incumplimiento. En el caso de incumplimiento propio, los daños y perjuicios representan el interés del acreedor, cuando la prestación deviene imposible en función de hechos de los que responde el deudor, la relación obligatoria subsiste, si bien su objeto no puede ser ya probablemente el mismo, debido a que no siempre puede darse una ejecución forzosa directa; en cuyo caso habrá una sustitución del primitivo objeto por una indemnización pecuniaria que represente el interés del acreedor. En cambio, en el incumplimiento impropio, los daños y perjuicios no vienen a sustituir el cumplimiento, el cual todavía es posible, sino que el deudor viene obligado a realizar la prestación debida y, además, a indemnizar los daños y perjuicios por el incumplimiento. Es lo que los romanistas denominan *perpetuatio obligationis*.

La Propuesta para la modernización del Derecho de obligaciones y contratos asume una noción amplia y unitaria de incumplimiento, pues el artículo 1188, párrafo 1.º, de la PMDOC señala que «hay incumplimiento cuando el deudor no realiza exactamente la prestación principal o cualquier otro de los deberes que de la relación obligatoria resulten».

Según el artículo III.-1:102(3) del DCFR, «el incumplimiento de una obligación es una falta de ejecución de la obligación, sea o no por causa justificada, lo que

251

incluye las demoras en el cumplimiento y aquellos casos en que el cumplimiento no se ajuste a los términos que regulan la obligación».[1] Como dice el comentario oficial, «de acuerdo con el sistema adoptado en las presentes reglas, el incumplimiento de una obligación se produce cuando no se cumple la obligación. Hay un concepto unitario de incumplimiento. En el caso de la obligación de recibir o aceptar el cumplimiento de la otra parte, la forma de no cumplirla puede ser negarse a aceptar el cumplimiento de esa otra parte. El incumplimiento no se limita a la ausencia total de cumplimiento. El incumplimiento puede consistir en un cumplimiento defectuoso (es decir, un cumplimiento que no se ajusta a las condiciones que regulan la obligación) o en un cumplimiento no realizado a su debido tiempo, ya sea porque se realiza demasiado pronto, demasiado tarde o nunca. El término incumplimiento se utiliza para todo tipo de incumplimiento, justificado o no. Por eso, cuando se dispone de un remedio sólo para un incumplimiento no justificado, es necesario dejarlo claro. Que se produzca o no un incumplimiento dependerá de las condiciones que regulan la obligación y de las circunstancias. A menudo se hace una distinción entre la obligación de conseguir un resultado concreto (*"obligation de résultat"*) y la obligación de hacer todos los esfuerzos razonables para hacer algo o de actuar con la diligencia y competencia razonables al hacer algo (*"obligation de moyens"*). En este último caso sólo se considerará que se ha producido un incumplimiento si no se hacen los esfuerzos razonables o no se actúa con la diligencia y competencia razonables. Existen muchas variables en cuanto al grado de esfuerzo, diligencia o competencia requeridos».

El artículo 1190 de la PMDOC determina que «en caso de incumplimiento podrá el acreedor, conforme a lo dispuesto en este Capítulo, exigir el cumplimiento de la obligación, reducir el precio o resolver el contrato y, en cualquiera de estos supuestos, podrá además exigir la indemnización de los daños y perjuicios producidos».

Por su parte, según el artículo III.-3:101 del DCFR, «(1) si el deudor no cumple una obligación y no se le ha exonerado del cumplimiento de la misma, el acreedor puede ejercitar cualquiera de los remedios que se regulan en este Capítulo. (2) Si el deudor ha sido exonerado del cumplimiento de una obligación, el acreedor puede ejercitar cualquiera de estos remedios excepto el cumplimiento específico y la reclamación de una indemnización de daños. (3) El acreedor no puede ejercitar dichos remedios en el caso de que haya provocado el incumplimiento del deudor». El comentario oficial aclara que los remedios disponibles por incumplimiento de una obligación dependen de si el incumplimiento no está justificado, si está justificado debido a un impedimento o si resulta de la conducta de la otra parte. Se distingue así entre: a) *Incumplimiento no justificado.* El incumplimiento no justificado puede dar al acreedor derecho a reclamar el cumplimiento (cobro de cantidades que se le adeudan o cumplimiento específico), a reclamar una indemnización por daños, a suspender el cumplimiento de una obligación recíproca, a resolver la relación contractual en su totalidad o en parte, y a reducir el precio (si existe un precio que pagar). Si una parte incumple la obligación de aceptar el cumplimiento, la otra parte también podrá recurrir a los remedios que se acaban de mencionar. b) *Incumplimiento justificado.* El incumplimiento justificado debido a un impedimento no da derecho al acreedor a reclamar el cumplimiento específico o una indemnización por daños. Sin embargo, puede recurrir al resto de remedios. c) *Incumplimiento provocado en su totalidad o en parte por el acreedor.* El hecho de que

---

1. Cfr. artículo 1:301 de los PECL.

el incumplimiento se deba a un acto u omisión del acreedor tiene efecto en los remedios a los que éste puede recurrir. Esto queda expresado en el apartado (3). Contravendría el principio de buena fe contractual que el acreedor pudiera recurrir a un remedio si es responsable del incumplimiento.

II. LA MORA DEL DEUDOR

La manifestación más característica del incumplimiento impropio o relativo es la mora o «cumplimiento tardío». Utilizamos la expresión «cumplimiento tardío», porque, si bien es cierto que existe incumplimiento en cuanto al tiempo (al no cumplirse cuando se debía), la realización del deber de prestación por parte del deudor es todavía posible. Aunque con retraso, puede ejecutarse la prestación; más tarde de lo pactado, pero se cumple. En cambio, si la fecha señalada para el cumplimiento es esencial, de tal modo que la prestación únicamente satisface el interés del acreedor si se realiza en el momento señalado, si no se cumple en el momento oportuno, ya no cabe el cumplimiento tardío. En este caso, el incumplimiento es total o absoluto.

La palabra mora significa retraso, tardanza, dilación. Por tanto, la mora constituye el retraso en la realización del deber de prestación por el deudor. La mayoría de la doctrina señala que ese retraso ha de ser culpable. Parece aceptable esta nota de culpa, pues solamente cuando la mora sea imputable al deudor surge la obligación de indemnizar, en el sentido de que se ha producido en virtud de un hecho propio del deudor; no, en cambio, cuando la tardanza sea debida a caso fortuito o a fuerza mayor. En definitiva, se puede considerar la mora, en sentido jurídico, como el retraso culpable en la realización de la prestación debida, que no impide el cumplimiento tardío.

Según el artículo 1100 del CC, «incurren en mora los obligados a dar o hacer alguna cosa desde que el acreedor les exija judicial o extrajudicialmente el cumplimiento de su obligación». Precepto del que se deducen dos importantes consecuencias:

1.ª Que solo son susceptibles de mora las obligaciones de dar y de hacer, pero no las negativas (de no hacer o de dejar hacer). En las obligaciones negativas, como dice GIORGIANNI, no puede darse más que una situación de cumplimiento o de incumplimiento: de cumplimiento si el deudor se abstiene de aquella actividad a la cual se ha obligado a no cumplir, de incumplimiento si lo realiza, ejecuta o lleva a cabo.

2.ª Que, por regla general, la mora no se produce automáticamente, por el mero hecho de que el deudor no realice la prestación a que viene obligado en el momento oportuno, sino que es preciso un acto de intimación o requerimiento del acreedor.

En cambio, en el ámbito mercantil los efectos de la mora se producen de modo automático, al día siguiente al vencimiento de la obligación (art. 63.1 CCom).

1. Requisitos de la mora del deudor

Son *requisitos* de la mora del deudor los siguientes:

1.º Que se trate de una obligación (positiva) de dar o de hacer, pues en las obligaciones de no hacer o dejar hacer (negativas) no cabe la mora, ya que la realización del acto prohibido supone incumplimiento definitivo de la obligación (art. 1100 CC *a contrario sensu*).

2.º Que la obligación sea exigible. Lo que sucede cuando la deuda es vencida, determinada o líquida.[2] No se produce la mora cuando la obligación es condicional o está sometida a término, mientras la una o el otro no se ha realizado o cumplido.

La jurisprudencia había declarado con reiteración que si la liquidez de la obligación depende de un juicio previo encaminado a precisarla, de un peritaje o de una liquidación de cuentas no se produce morosidad para el deudor. En este sentido, la STS de 5 de marzo de 1990 dice que «la mora no se produce, como indican las sentencias de esta Sala de 4, 5 y 8 de junio de 1986, cuando hay que determinar antes el saldo exigible, y concretamente, como ponen de manifiesto las sentencias de 22 de octubre de 1968 y 8 de mayo de 1981, cuando la cantidad adeudada no es líquida, cosa que ocurre, como ha sucedido en el presente caso, cuando se precisa determinarla mediante un pleito, como reconocen las sentencias de 30 de marzo de 1981, 15 de febrero, 18 de octubre y 30 de noviembre de 1982, y especialmente mediante determinación pericial dentro del litigio entablado por discrepancia producida entre las partes para fijar el importe asignable a las obra cuestionadas, porque, siguiendo la orientación establecida en las sentencias de 17 de febrero y 4 de abril, 10 y 21 de octubre de 1986, sólo si la cantidad es líquida se deben intereses, y si la liquidez se determina en la sentencia su abono sólo procede desde que ésta ha adquirido firmeza, en ortodoxa aplicación del principio reconocido en sentencia de 20 de febrero de 1988, de que *in illiquidis non fit mora*».[3]

El excesivo rigor en la aplicación del citado principio es mitigado en la STS de 5 de marzo de 1992. En ella se argumenta que «ha de tenerse en cuenta que, junto a la consideración de la condena al abono de intereses producidos por las cantidades debidas como una indemnización o sanción que se impone al deudor moroso, precisamente por su conducta renuente en el pago, que da lugar a la mora, cabe también concebir que, si se pretende conceder al acreedor, a quien se debe una cantidad, protección judicial completa de sus derechos, no basta con entregar aquello que en su día se le adeudaba, sino también lo que, en el momento en que se le entrega, debe representar tal suma, y ello no por tratarse de una deuda de valor, sino también, y aunque no lo fuera, porque si las cosas, incluso fungibles y dinerarias, son susceptibles de producir frutos (frutos civiles o intereses), no parece justo que los produzcan en favor de quien debió entregarlas ya con anterioridad a su verdadero dueño, es decir, al acreedor».[4] Para terminar afirmando que «en aquellos supuestos, como el del caso, en el que puede fácilmente colegirse en la litis la existencia de una deuda en favor del actor y en contra del demandado, no parece injusto que se entienda que la completa satisfacción de los derechos del acreedor exige que se abonen los intereses de tal suma, aunque fuese menor de la por él reclamada, desde el momento mismo en que se procedió a su exigencia judicial». En esta misma línea, la STS de 30 de julio de 1999 declara que «es una doctrina jurisprudencial moderna y que ya se puede considerar como pacífica y consolidada, la que determina que el principio *"in iliquidis non fit mora"* está absolutamente superado, por razones de equilibrio económico y de justicia distributiva, puesto que llevado a un extremo

---

2. Cfr. SSTS de 3 de mayo de 1961 (RJ 1961, 1857) y 12 de diciembre de 1963 (RJ 1963, 5224).
3. RJ 1990, 1896.
4. RJ 1992, 2389.

literal podría constituir un empobrecimiento injusto, y así se especifica por todas en las sentencias de 21 de marzo de 1994 y 13 de octubre de 1997»,[5] y en todas ellas se declara que la completa satisfacción de los derechos del acreedor exige que se le abonen los intereses «desde el momento en que se procedió a la exigencia judicial».[6]

3.º Que el deudor retrase el cumplimiento culpable o dolosamente, pues, si la demora se debe a caso fortuito o a fuerza mayor, el deudor no es responsable (art. 1105 CC).[7] La culpa del deudor se presume (art. 1183 CC) y, por consiguiente, la prueba de que no hubo responsabilidad corresponde al deudor, ya que al acreedor le basta con demostrar que la obligación era exigible y, en su caso, que hubo requerimiento de pago.

Es importante la distinción de que el retraso sea debido a culpa o a dolo. Según el artículo 1107 del CC, los daños y perjuicios de que responde el deudor de buena fe (culposo) son los previstos o que se hayan podido prever al tiempo de constituirse la obligación, mientras que el deudor doloso responderá de todos los que conocidamente se derivan de la falta de cumplimiento de la obligación. Y este precepto es aplicable, por evidente razón de analogía, a la mora en el cumplimiento de la obligación.

4.º Que el acreedor requiera de pago al deudor (intimación) judicial o extrajudicialmente (art. 1100 CC.). Solamente mediante el requerimiento o intimación se produce la mora del deudor, de ahí que algunos autores digan que mora y retraso son conceptos que no coinciden automáticamente (DÍEZ-PICAZO).

No se exige forma determinada para la intimación. Según la doctrina, supone requerimiento o intimación en vía judicial: el acto de conciliación, petición de embargo preventivo, la interposición de la demanda o la reconvención, que surtirán efecto desde el momento de su notificación al deudor, ya que se trata de una declaración de voluntad unilateral y recepticia. En vía extrajudicial: el envío de la cuenta con recibí, una expedición a reembolso, telegrama, carta, e incluso la simple petición verbal. Ahora bien, como la prueba de la intimación extrajudicial corresponde al acreedor, el cual tendrá que demostrar que la reclamación ha llegado a conocimiento del deudor, en la práctica para eludir dificultades probatorias será más seguro acudir a la interpelación por vía notarial. Como dice DÍAZ PAIRÓ, la demanda procesalmente nula, defectuosa o improcedente podrá servir, en su caso, como interpelación extrajudicial, desde que conozca de ella el deudor, ya que aun en este supuesto a éste se le hacer saber por el acreedor la voluntad de pago.

La jurisprudencia ha declarado que no sirve para hacer incurrir en mora la reclamación de mayor cantidad que la debida.[8] Se deberá entender que también surge la mora cuando el deudor impide o hace imposible la intimación, por ejemplo, cambia de domicilio sin notificárselo al acreedor.

---

5. RJ 1999, 2561.
6. Cfr. STS de 8 de marzo de 2002 (RJ 2002, 2425) y 5 de octubre de 2006 (RJ 2006, 6635).
7. Cfr. SSTS de 18 de junio de 1964 (RJ 1964, 3930), 8 de junio de 1966 (RJ 1966, 3024) y 12 de febrero de 1986 (RJ 1986, 549).
8. Cfr. SSTS de 10 de octubre de 1965, 28 de febrero de 1975 (RJ 1975, 822), 10 de octubre de 1980 (RJ 1980, 3619) y 3 de noviembre de 1987 (RJ 1987, 8134).

La intimación no es necesaria en los casos siguientes:

1.º A tenor del artículo 1100, párrafo 2.º, núm. 1, del CC, «cuando la obligación o la ley lo declaren así expresamente». Como sucede en las obligaciones mercantiles, en que bien por la ley o por las partes se hubiere señalado un día para su cumplimiento; en ellas los efectos de la mora se inician al día siguiente de su vencimiento (art. 63.2.º CCom).[9] También nuestra legislación civil contempla algunos supuestos concretos: en el artículo 284 del CC, sobre la rendición de cuentas del tutor; en el artículo 1682 del CC, respecto del socio que se ha obligado a aportar una suma en dinero y no la ha aportado; en el artículo 1744 del CC, relativo al comodatario que conserva la cosa en su poder por más tiempo del convenido; en el artículo 1838.2 del CC, acerca de la indemnización por el deudor al fiador que pagó, y en el artículo 1896 del CC, referente al que acepta un pago indebido, si hubiere procedido de mala fe.

2.º Según el artículo 1100, párrafo 2.º, núm. 2, del CC, «cuando de la naturaleza y circunstancias de la obligación resulte que la designación de la época en que había de entregarse la cosa o hacerse el servicio fue motivo determinante para establecerla». Como señala DE BUEN, en este caso, más que mora hay incumplimiento total, puesto que el momento en que ha de realizarse la prestación se considera de esencia para los efectos que con la prestación se pretenden. Sin embargo, otros autores opinan que el núm. 2 del artículo 1100 se refiere a aquellos casos en que la época, si bien tiene gran importancia para el acreedor debido a los perjuicios que en otro caso se producirían, no es tan esencial que impida el cumplimiento tardío. Pero, esta última interpretación es, según advierte DÍEZ-PICAZO, contraria a la letra y al espíritu del precepto legal, que habla de «motivo determinante». No obstante, es aceptada por la jurisprudencia.[10]

3.º Cuando se trate de obligaciones recíprocas, pues entonces «ninguno de los obligados incurre en mora si el otro no cumple o no se allana a cumplir debidamente lo que le incumbe»; pero «desde que uno de los obligados cumple su obligación, empieza la mora para el otro» (art. 1100, párr. 3.º, CC).[11] Es decir, con arreglo al artículo 1100 del CC en las obligaciones recíprocas hay mora automática para uno de los obligados cuando el otro cumple. No obstante, es perfectamente posible que una de las partes no tenga noticia o no conozca el cumplimiento de la otra; por ello cabe interpretar que dicho precepto no excluye la necesidad de intimación, sino que en este tipo de obligaciones es preciso algo más: el cumplimiento por parte del que reclama.

4.º Cuando se trate de obligaciones provenientes de delito o falta; pues, aunque el artículo 1100 del CC no lo dice, se debe llegar a esta conclusión en virtud de lo dispuesto en el artículo 1185 del CC, en el que se dispone que en las deudas procedentes de delito o falta sólo se exime al deudor en los casos en que haya habido ofrecimiento de pago al acreedor.

Según el artículo 1210 de la PMDOC, «cuando la deuda fuese de cosa cierta y determinada y procediere de delito o falta, no se eximirá el deudor del pago

---

9. Cfr. SSTS de 16 de julio de 1982 (RJ 1982, 4244) y 28 de mayo de 1990.
10. Cfr. STS de 15 de noviembre de 1977 (RJ 1977, 4222).
11. Cfr. SSTS de 27 de enero de 1978 (RJ 1978, 16), 22 de febrero de 1979 (RJ 1979, 523) y 29 de marzo de 1985 (RJ 1985, 1256).

de su precio, cualquiera que hubiese sido el motivo de la pérdida, a menos que, ofrecida por él la cosa al que la debía recibir, éste se hubiese sin razón negado a aceptarla».

5.º Cuando el deudor manifieste de modo claro y terminante su voluntad de no querer cumplir, ya que, como afirma Díez-Picazo, «es inadmisible que el deudor que ha efectuado esa declaración se oponga posteriormente a ser considerado como moroso». Pero será preciso que exista constancia documental de dicha declaración.

El artículo 1219 del Código civil italiano se refiere a este caso de «constituir» al deudor en mora, pero exige que dicha declaración conste por escrito.

2. Efectos de la mora del deudor

Con carácter general el artículo 1101 del CC dispone que «quedan sujetos a la indemnización de los daños y perjuicios causados los que en el cumplimiento de sus obligaciones incurrieren en (…) morosidad». Como se trata de un caso de «cumplimiento tardío» de la obligación, es claro que la indemnización de los daños y perjuicios es independiente de la exigibilidad de la prestación.

En coherencia con su concepción «global» o unitaria de la noción de incumplimiento, la Propuesta para la modernización del Derecho de obligaciones y contratos incluye el retraso en el Capítulo relativo al incumplimiento de las obligaciones, concretamente en la Sección que lleva por título «De la resolución por incumplimiento». Según el artículo 1200, párrafo 1.º, de la PMDOC, «en caso de retraso (…) en el cumplimiento, el acreedor también podrá resolver si el deudor, en el plazo razonable que aquél le hubiera fijado para ello, no cumpliere (…)». No obstante, el artículo 1201 de la PMDOC añade que «si el deudor ofreciere tardíamente el cumplimiento (…), perderá el acreedor la facultad de resolver a menos que la ejercite en un plazo razonable desde que tuvo o debió tener conocimiento de la oferta tardía de cumplimiento (…)»

Ya se ha indicado que también el artículo III.-1:102(3) del DCFR declara que el incumplimiento de una obligación «incluye las demoras en el cumplimiento». Por otra parte, el artículo III.-3:503 del DCFR declara que «(1) un acreedor puede resolver en caso de retraso en el cumplimiento de una obligación contractual no esencial en sí misma si dicho acreedor notifica al deudor que le concede un plazo adicional de duración razonable para que proceda al cumplimiento y el deudor no cumple su obligación en dicho plazo. (2) Si el plazo concedido es excesivamente corto, el acreedor sólo puede resolver el contrato transcurrido un tiempo razonable desde el momento de la notificación.

Los daños y perjuicios que han de ser indemnizados por el deudor moroso deben ser objeto de prueba por parte del acreedor que los reclama, pero, «si la obligación consistiere en el pago de una cantidad de dinero, y el deudor incurriera en mora, la indemnización de daños y perjuicios, no habiendo pacto en contrario, consistirá en el pago de los intereses convenidos, y a falta de convenio en el interés legal» (art. 1108 CC).

Según la ley 490 del FN, «todas las deudas dinerarias, aun cuando no mediase estipulación de intereses, devengarán los legales desde el vencimiento de la obligación». Esta disposición, tiene, evidentemente, carácter dispositivo o supletorio en consonancia con el principio de libertad civil acogido por las leyes 7 y 8 del FN. Por consiguiente, cualquier pacto entre las partes, bien por mora o incumplimiento de las obligaciones dinerarias, bien por compensación o por correspectividad de la suma dineraria que el deudor retenga, deberá anteponerse a la solución que la ley 490 del FN prescribe (EGUSQUIZA).

Como ya se indicó con anterioridad, el interés legal se determinará aplicando el tipo básico del Banco de España vigente el día que comience el devengo de aquél, salvo que la Ley de Presupuestos Generales del Estado establezca uno diferente, que es lo que sucede habitualmente.

El artículo 1206 de la PMDOC estipula «el retraso del deudor en el cumplimiento de una deuda pecuniaria le obliga a satisfacer el interés pactado o, en su defecto, el interés legal del dinero, a no ser que resulte otra cosa de la ley o del título constitutivo de la obligación, salvo que pruebe que el daño sea mayor».

El artículo III.-3:708 del DCFR señala que «(1) cuando se produzca una demora en el pago de una cantidad de dinero, esté o no justificado el incumplimiento, el acreedor tiene derecho a los intereses de esa cantidad desde el momento en que el pago es debido hasta el momento efectivo del pago. Dichos intereses se calcularán conforme al tipo medio del interés preferencial aplicado por los bancos comerciales a las grandes cuentas en operaciones a corto plazo, para la moneda y el lugar en que deba procederse al pago. (2) Además, el acreedor puede reclamar una indemnización por otros daños que haya podido sufrir».

Se discute desde qué momento se han de computar los intereses cuando el deudor se constituye en mora en virtud de reclamación judicial. La jurisprudencia es vacilante al respecto, pues unas veces dice que desde la presentación de la demanda, y otras que desde el momento en que ésta es notificada al demandado. Es evidente que este segundo criterio se adecúa mejor con la propia naturaleza de la intimación, como declaración recepticia. Si a la demanda hubiere precedido acto de conciliación, desde que éste se celebró comienza la mora,[12] siempre que la reclamación fuere la misma que la de la demanda posterior.[13]

En las obligaciones de dar cosa específica se produce un importante efecto, denominado *perpetuatio obligationis*, que consiste en la transferencia al deudor del riesgo de perecimiento de la cosa por caso fortuito (arts. 1096, párr. 3.°, y 1182 CC). PÉREZ GONZÁLEZ y ALGUER consideraban que en el supuesto de que la cosa hubiese perecido igualmente en poder del acreedor de habérsela entregado el deudor antes de haber incurrido en mora, éste no debería responder del perecimiento. Criterio que hoy es generalmente aceptado por la doctrina, con base en la regla contenida en el artículo 1896 del CC (relativa al supuesto del deudor de mala fe que acepta un pago indebido), que establece que no responderá de la pérdida por caso fortuito «cuando hubiese podido afectar del mismo modo a las cosas hallándose en poder del que las entregó».

En las obligaciones de hacer la mora únicamente obliga a la indemnización de daños y perjuicios (art. 1101 CC).

---

12. Cfr. STS de 15 de diciembre de 1950 (RJ 1950, 1840).
13. Cfr. STS de 29 de mayo de 1957 (RJ 1957, 2183).

3. Cesación de la mora

El fin de los efectos de la mora del deudor o purga de la mora (*purgatio morae*) se produce en virtud del cumplimiento tardío de la prestación y la correspondiente indemnización por el retraso. Pero, además de las normas generales de extinción de las obligaciones, existen dos causas especiales y que consisten en la compensación de la mora y en la moratoria legal.

La compensación de la mora (*compensatio morae*) tiene lugar cuando el acreedor incurre a su vez en mora, lo que sucede cuando el acreedor se niega injustamente a cooperar a la liberación del deudor no aceptándole la prestación, o si el otro deudor (en las obligaciones recíprocas) retrasa el cumplimiento que le incumbe.

La *moratoria* es la concesión legal de un plazo a una determinada categoría de deudores, en cuyo caso se considera como no vencida la obligación. Por tanto, no es posible que el deudor incurra en mora, pues sus efectos sólo pueden producirse cuando llegue el día que se hubiere señalado. Se trata de una medida de excepción que no debe ser aplicada más que en circunstancias particularmente difíciles.

4. La morosidad en las operaciones comerciales

Los problemas que producen a las pequeñas y medianas empresas los plazos de pago excesivamente amplios, así como la morosidad en el pago de deudas contractuales, ha llevado a la Unión Europa a promulgar Directivas que tienen por finalidad principal intentar fomentar una mayor transparencia sobre estas materias. Se trata de la Directiva 2000/35/CE del Parlamento Europeo y del Consejo de 29 de junio de 2000 por la que se establecen medidas de lucha contra la morosidad en las operaciones comerciales,[14] que fue incorporada a nuestro ordenamiento mediante la Ley de 29 de diciembre de 2004, con idéntico título que el de la Directiva. Modificada por la Ley de 5 de julio de 2010, lo ha sido más recientemente por la Ley de medidas de apoyo al emprendedor y de estímulo del crecimiento y de la creación de empleo de 26 de julio de 2013. A su vez, dicha Directiva de 29 de junio de 2000 ha sido derogada y sustituida por la Directiva 2011/7/UE del Parlamento Europeo y del Consejo de 16 de febrero de 2011 por la que se establecen medidas de lucha contra la morosidad en las operaciones comerciales (refundición).[15]

4.1. Ámbito de aplicación

Según el artículo 3.1 de la LMOC, la Ley de morosidad en las operaciones comerciales será de aplicación «a todos los pagos efectuados como contraprestación en las operaciones comerciales realizadas entre empresas, o entre empresas y la Administración, de conformidad con lo dispuesto en la Ley 30/2007, de 30 de octubre, de Contratos del Sector Público, así como las realizadas entre los contratistas principales y sus proveedores y subcontratistas». Hoy la referencia a la legislación sobre contratos del sector público debe considerarse hecha al Texto refundido de la Ley de contratos del sector público, aprobado por Real Decreto Legislativo 3/2011, de 14 de noviembre.

---

14. DO L 200, de 8 de agosto de 2000, p. 35.
15. DO L 48, de 23 de febrero de 2011, p. 1.

Esta Ley será de aplicación a todos los contratos que, incluidos en su ámbito de aplicación, hayan sido celebrados con posterioridad al 8 de agosto de 2002, en cuanto a sus efectos futuros, incluida la aplicación del tipo de interés de demora establecido en su artículo 7. No obstante, en cuanto a la nulidad de las cláusulas pactadas por las causas establecidas en su artículo 9, la presente Ley será aplicable a los contratos celebrados con posterioridad a su entrada en vigor (disp. transitoria única LMOC).

Por *empresa* se entiende cualquier persona física o jurídica que actúe en el ejercicio de su actividad independiente económica o profesional. Se considera *Administración* a los entes, organismos y entidades que forman parte del sector público, de acuerdo con el artículo 3.3 de la Ley 30/2007, de 30 de octubre, de Contratos del Sector Público (art. 2, letras a) y b) LMOC). En la actualidad, regulados por la Ley 9/2017, de 8 de noviembre.

La *morosidad* consiste en «el incumplimiento de los plazos contractuales o legales de pago» (art. 2, letra c), LMOC). El plazo de pago se referirá a todos los días naturales del año, y serán nulos y se tendrán por no puestos los pactos que excluyan del cómputo los períodos considerados vacacionales (art. 2, letra d) LMOC).

A tenor del artículo 3.2 de la LMOC, quedan fuera de su ámbito de aplicación: *a)* Los pagos efectuados en las operaciones comerciales en las que intervengan consumidores. *b)* Los intereses relacionados con la legislación en materia de cheques, pagarés y letras de cambio y los pagos de indemnizaciones por daños, incluidos los pagos por entidades aseguradoras. *c)* Las deudas sometidas a procedimientos concursales incoados contra el deudor, que se regirán por lo establecido en su legislación especial. Además, en lo que se refiere a los pagos a los proveedores del comercio que regula la Ley de ordenación del comercio minorista, se estará en primer lugar a lo dispuesto por el artículo 17 de dicha Ley, aplicándose de forma supletoria esta Ley de morosidad en las operaciones comerciales (cfr. disposición adicional primera LMOC).

4.2. *Plazo de pago e interés de demora*

A la hora de determinar el *plazo de pago* que debe cumplir el deudor, el artículo 4.1, párrafo 1.º, de la LMOC dice que «si no hubiera fijado fecha o plazo de pago en el contrato, será de treinta días naturales después de la fecha de recepción de las mercancías o prestación de los servicios, incluso cuando hubiera recibido la factura o solicitud de pago equivalente con anterioridad». Parece evidente que dicha norma no otorga ninguna importancia a la fecha de la factura que el acreedor haga llegar al deudor, intentando vincular el cumplimiento de la prestación debida (entrega de las mercancías o prestación del servicio contratado) y el inicio del cómputo del plazo máximo para el pago (GÓMEZ LIGÜERRE).

Sin embargo, el artículo 4.1, párrafo 2.º, de la LMOC dispone que «los proveedores deberán hacer llegar la factura o solicitud de pago equivalente a sus clientes antes de que se cumplan quince días naturales a contar desde la fecha de recepción efectiva de las mercancías o de la prestación de los servicios».

El apartado 2 del artículo 4 de la LMOC añade que «si legalmente o en el contrato se ha dispuesto un procedimiento de aceptación o de comprobación mediante el cual deba verificarse la conformidad de los bienes o los servicios con lo dispuesto en el contrato, su duración no podrá exceder de treinta días naturales a contar desde la fecha de recepción de los bienes o de la prestación de los servicios. En este caso, el plazo de pago será de treinta días después de la fecha en que tiene lugar la aceptación o verificación de los bienes o servicios, incluso aunque la factura o solicitud de pago se hubiera recibido con anterioridad a la aceptación o verificación». Dichos plazos de pago podrán ser ampliados mediante pacto de las partes sin que, en ningún caso, se pueda acordar un plazo superior a sesenta días naturales (art. 4.3 LMOC).

> En principio, los treinta días de que dispone el acreedor para emitir la factura discurren con independencia de plazo de pago del deudor, pues la ley obliga a computar el plazo de pago desde la entrega de las mercancías o la prestación de los servicios, sin que la emisión y recepción de la factura sean criterios relevantes a tales efectos.

No obstante, el inicio del cómputo del plazo de treinta días para el pago de la deuda, que normalmente se computa desde la entrega de las mercancías o la prestación del servicio, se excepciona cuando el acreedor emite la factura por medios electrónicos o cuando agrupa quincenalmente las facturas correspondientes a las entregas de bienes o a las prestaciones de servicios.

En el supuesto de una _factura electrónica_, el artículo 4.1, párrafo 3.º, de la LMOC dispone que «cuando en el contrato se hubiera fijado un plazo de pago, la recepción de la factura por medios electrónicos producirá los efectos de inicio el cómputo de plazo de pago, siempre que se encuentre garantizada la identidad y autenticidad del firmante, la integridad de la factura, y la recepción por el interesado». De esta manera, se atribuyen a la factura electrónica efectos diferentes de los que la ley reconoce a la factura tradicional, que en ningún caso determina el inicio del cómputo del plazo de pago. Como otra excepción a la regla general según la cual los sesenta días de pago se computan desde la entrega de las mercancías o la prestación de los servicios, el artículo 4.4 de la LMOC permite la _agrupación de facturas_, cuando afirma que «podrán agruparse facturas a lo largo de un período determinado no superior a quince días, mediante una factura comprensiva de todas las entregas realizadas en dicho período, factura resumen periódica, o agrupándolas en un único documento a efectos de facilitar la gestión de su pago, agrupación periódica de facturas, y siempre que se tome como fecha de inicio del cómputo del plazo la fecha correspondiente a la mitad del período de la factura resumen periódica o de la agrupación periódica de facturas de que se trate, según el caso, y el plazo de pago no supere los sesenta días naturales desde esa fecha».

> Como señala GÓMEZ LIGÜERRE, «en realidad, el criterio que adopta el artículo 4.4 de la LMLM para fijar el momento de inicio del cómputo del plazo máximo de pago apenas retrasa unos días el período de pago que correspondería en aplicación del criterio general que computa los sesenta días para el pago desde la entrega de las mercancías o la prestación de los servicios. El precepto limita la agrupación o el resumen de facturas a ciclos de 15 días y la mitad de dicho período marcará el inicio del tiempo máximo de pago». Si la factura resumen periódica o la agrupación periódica de facturas se emiten por medios electrónicos, el plazo máximo de pago deberá computarse desde la recepción del documento de pago (cfr. art. 4.1, párr. 3.º, LMOC).

Si bien se reconoce, como no podía ser de otra manera, el principio de libertad contractual puede observarse que los plazos previstos como máximos (treinta o sesenta días naturales) tienen carácter imperativo.[16] Esto implica que se imponen como plazos máximos a las partes contratantes, de modo que será ineficaz todo pacto que conceda al deudor un plazo de pago superior al legal. En definitiva, las partes ven mermada su libertad contractual, pues sólo podrán fijar aplazamientos inferiores al máximo legal, lo que en muchas ocasiones perjudicará precisamente a aquellos a quienes trata de proteger. Como señala ALFARO, el planteamiento que hace el legislador europeo y por ende también el español impide que una pequeña empresa que adquiere productos o servicios de otra grande (por ejemplo, un cliente de ADSL de Telefónica o un bar que es cliente de Coca-cola) pueda conseguir aplazamientos de pago de 90 o 120 días cuando esas empresas estarían dispuestas a dárselos. Aunque Telefónica o Coca-cola quieran captar clientes a base de ofrecer aplazamientos de pago, la ley impide tales pactos. Semejante planteamiento resulta, cuando menos, sorprendente, pues no existen consumidores en la relación contractual que pudieran justificar esta postura de nuestro legislador.

El artículo 3.5 de la Directiva de 2011, tras indicar que los Estados miembros velarán por que el plazo de pago fijado en el contrato no exceda de sesenta días naturales, añade «salvo acuerdo expreso en contrario recogido en el contrato y siempre que no sea manifiestamente abusivo para el acreedor en el sentido del artículo 7». Por tanto, de su tenor literal se desprende que sería factible pactar un plazo de pago superior a sesenta días naturales. No obstante, el legislador español ha hecho uso de la facultad que le atribuye el artículo 12.3 de la propia Directiva, cuando afirma que «los Estados miembros podrán mantener o establecer disposiciones que sean más favorables para el acreedor que las necesarias para cumplir la presente Directiva».

La nulidad de los pactos contractuales que amplíen el plazo de pago que la ley considera como máximo está prevista de forma expresa en el artículo 9.1 de la LMOC, que afirma lo siguiente:

«Será nula una cláusula contractual o una práctica relacionada con la fecha o el plazo de pago, el tipo de interés de demora o la compensación por costes de cobro cuando resulte manifiestamente abusiva en perjuicio del acreedor teniendo en cuenta todas las circunstancias del caso, incluidas: a) Cualquier desviación grave de las buenas prácticas comerciales, contraria a la buena fe y actuación leal. b) La naturaleza del bien o del servicio. c) Y cuando el deudor tenga alguna razón objetiva para apartarse del tipo de interés legal de demora del apartado 2 del artículo 7, o de la cantidad fija a la que se refiere el apartado 1 del artículo 8. Asimismo, para determinar si una cláusula o práctica es abusiva para el acreedor se tendrá en cuenta, considerando todas las circunstancias del caso, si sirve principalmente para proporcionar al deudor una liquidez adicional a expensas del acreedor, o si el contratista principal impone a sus proveedores o subcontratistas unas condiciones de pago que no estén justificadas por razón de las condiciones de que él mismo sea beneficiario o por otras razones objetivas. En todo caso, son nulas las cláusulas pactadas entre las partes o las prácticas que resulten contrarias a los requisitos para exigir los intereses de demora del artículo 6, o aquellas que excluyan el cobro de dicho interés de demora o el de la indemnización por costes

---

16.   Cfr. artículo 6.3 del CC.

de cobro prevista en el artículo 8. También son nulas las cláusulas y prácticas pactadas por las partes o las prácticas que excluyan el interés de demora, o cualquier otra sobre el tipo legal de interés de demora establecido con carácter subsidiario en el apartado 2 del artículo 7, cuando tenga un contenido abusivo en perjuicio del acreedor, entendiendo que será abusivo cuando el interés pactado sea un 70 por ciento inferior al interés legal de demora, salvo que atendiendo a las circunstancias previstas en este artículo, pueda probarse que el interés aplicado no resulta abusivo. Esta posible modificación del interés de demora, de acuerdo con lo previsto en esta Ley, no será de aplicación a las operaciones comerciales realizadas con la Administración».

El apartado 2 del artículo 9 de la LMOC añade que «el juez que declare la invalidez de dichas cláusulas abusivas integrará el contrato con arreglo a lo dispuesto en el artículo 1258 del Código Civil y dispondrá de facultades moderadoras respecto de los derechos y obligaciones de las partes y de las consecuencias de su ineficacia». Como indica GÓMEZ LIGÜERRE, de este modo la norma no impone la aplicación automática del plazo máximo legal, reputándose, por ejemplo, el pacto de un plazo superior como no puesto. En su lugar, la regla prevé la integración judicial de la cláusula nula, que tendrá lugar cuando la nulidad sea declarada por falta de motivos que justifiquen el pago en un período superior al legal. El precepto permite que puedan ser convalidados judicialmente aplazamientos superiores a los legales si el retraso en el pago, más allá de los previsto en la ley, se justifica por las circunstancias del caso, la naturaleza del bien o servicio y los usos habituales del comercio. Tiene razón este autor que resulta extraño que el legislador que ha prohibido pactar plazos de pago superiores a los legales prevea en este artículo 9 de la LMLM que tales pactos sólo serán nulos si son abusivos de acuerdo con los criterios que incorpora dicho precepto.

El *interés de demora* que deberá pagar el deudor será, dice el artículo 7.1 de la LMOC, «el que resulte del contrato y, en defecto de pacto, el tipo legal que se establece en el apartado siguiente». El tipo legal de interés de demora que el deudor estará obligado a pagar será la suma del tipo de interés aplicado por el Banco Central Europeo a su más reciente operación principal de financiación efectuada antes del primer día del semestre natural de que se trate más ocho puntos porcentuales. Por tipo de interés aplicado por el Banco Central Europeo a sus operaciones principales de financiación se entenderá el tipo de interés aplicado a tales operaciones en caso de subastas a tipo fijo. En el caso de que se efectuará una operación principal de financiación con arreglo a un procedimiento de subasta a tipo variable, este tipo de interés se referirá al tipo de interés marginal resultante de esa subasta. El tipo legal de interés de demora, determinado conforme a lo dispuesto en este apartado, se aplicará durante los seis meses siguientes a su fijación. El tipo legal de interés de demora, determinado conforme a lo dispuesto en este apartado, se aplicará durante los seis meses siguientes a su fijación (art. 7.2 LMOC). En todo caso, el Ministerio de Economía y Hacienda publicará semestralmente en el «Boletín Oficial del Estado» el tipo de interés resultante por la aplicación de la norma contenida en el apartado anterior (art. 7.3 LMOC).

Una de las principales peculiaridades que ha instaurado la nueva legislación consiste en el hecho que se reconoce la mora automática, sin necesidad de requerimiento o intimación, ya que el artículo 5 de la LMOC estipula que «el obligado al pago de la deuda dineraria surgida como contraprestación en operaciones comerciales incurrirá en mora y deberá pagar el interés pactado en el contrato o el fijado por esta Ley automáticamente por el mero incumplimiento del pago en el plazo pactado o legalmente establecido, sin necesidad de aviso de vencimiento ni intimación alguna por parte del acreedor».

En todo caso, para que el acreedor tenga derecho a intereses de demora, el artículo 6 de la LMOC exige que concurran simultáneamente los siguientes requisitos: *a*) Que haya cumplido sus obligaciones contractuales y legales; y *b*) Que no haya recibido a tiempo la cantidad debida a menos que el deudor pueda probar que no es responsable del retraso. A ello añade que «en caso de que las partes hubieran pactado calendarios de pago para abonos a plazos, cuando alguno de los plazos no se abone en la fecha acordada, los intereses y la compensación previstas en esta ley se calcularán únicamente sobre la base de las cantidades vencidas».

Por otra parte, cuando el deudor incurra en mora, el acreedor tendrá derecho a cobrar del deudor una cantidad fija de 40 euros, que se añadirá en todo caso y sin necesidad de petición expresa a la deuda principal. Además, el acreedor tendrá derecho a reclamar al deudor una indemnización por todos los costes de cobro debidamente acreditados que haya sufrido a causa de la mora de éste y que superen la cantidad indicada en el párrafo anterior (art. 8.1 LMLM). El deudor no estará obligado a pagar la indemnización establecida en el apartado anterior cuando no sea responsable del retraso en el pago (art. 8.2 LMOC).

4.3. La cláusula de reserva de dominio

En las relaciones internas ente vendedor y comprador, aquél conservará la propiedad de los bienes vendidos hasta el pago total del precio, siempre que se haya convenido expresamente una cláusula de reserva de dominio entre comprador y vendedor antes de la entrega de los bienes. Sin perjuicio de la aplicación del artículo 1112 del CC, el vendedor podrá subrogar en su derecho a la persona que, mediante la realización de anticipos, financiación o asunción de la obligación, realiza la contraprestación por cuenta del deudor o permite a este último adquirir derecho sobre el objeto de la reserva de dominio o utilizarlo cuando dicha contraprestación se destina, efectivamente, a ese fin. Entre las medidas de conservación de su derecho, el vendedor o el tercero que haya financiado la operación podrá retener la documentación acreditativa de la titularidad de los bienes sobre los que se haya pactado la reserva de dominio (cfr. art. 10 LMOC).

III. LA MORA DEL ACREEDOR

Hasta aquí, por condicionamiento legal, se ha venido considerando la mora como si fuera única, como si no existiese o no pudiera producirse este retraso más que por parte del deudor. Sin embargo, es evidente que el deudor puede estar dispuesto a realizar su deber de prestación, y no llevarse a efecto no por culpa suya, sino por no querer recibir, aceptar o cooperar al cumplimiento el acreedor. En este caso, ¿hay mora del acreedor? Vaya por delante la afirmación de que no ha sido cuestión pacífica la de la admisibilidad de la mora del acreedor, de la que no se ocupa nuestro Código civil, regulando únicamente la posibilidad de la liberación del deudor mediante la consignación de la cosa debida.

El mayor inconveniente para la construcción de ésta figura descansaba en el hecho de que se afirmaba que el acreedor sólo tiene derecho, que no está obligado a nada. Pero, como certeramente indica RUGGIERO, «si el acreedor no tiene obligación de recibir, tiene en cambio la de no impedir que el deudor se libere de su sujeción; y si el acreedor se opone a ello, los perjuicios del retraso debe sufrirlos él, nunca el obligado, que estaba dispuesto a efectuar la prestación». En nuestra opinión, cabe dar un paso más, y partir de la idea de que el deudor no sólo tiene interés en liberarse, sino también derecho a liberarse de la obligación.

Por consiguiente, como consecuencia lógica, el acreedor no sólo tendrá el deber de no impedir que el deudor se libere (lo que, en muchos casos, resulta del todo insuficiente), sino que tiene el deber de procurar, en cuanto de él dependa, la realización del deber de prestación. Es decir, tiene el deber de cooperar a la realización del deber de prestación, y si no lo hace incide en una conducta culpable que lo constituye en mora. De hecho, si se quiere insistir en que el acreedor ostenta un derecho, no ofrece duda que no podrá ejercitarlo a su capricho, sino que se encontrará condicionado por las exigencias de la buena fe (cfr. art. 7, párr. 1.º, CC); pues, como dice Díez-Picazo, «el ordenamiento jurídico exige este comportamiento de buena fe, no sólo en lo que tiene de limitación o de veto de una conducta deshonesta, sino también en lo que tiene de exigencia positiva, prestando al prójimo todo aquello que exige una fraterna convivencia, verbigracia, deberes de diligencia, de esmero, de cooperación, etc.».

1. Requisitos de la mora del acreedor

Los requisitos principales para que exista mora del acreedor son los siguientes:

1.º Que la obligación se encuentre vencida. Sólo cuando la prestación es exigible puede pretender el deudor su realización.

2.º Ofrecimiento en forma por parte del deudor. Esta intimación al acreedor deberá contener no sólo la declaración de que el deudor está dispuesto a la puntual y exacta realización de la prestación, sino también la de que el acreedor coopere o preste su colaboración a los efectos oportunos. En todo caso el ofrecimiento de pago, salvo los casos de mora automática, es imprescindible para que el deudor quede libre de responsabilidad mediante la consignación (art. 1176 CC).

Sin embargo, no se requiere la oferta de pago y basta la consignación en los casos contemplados en el artículo 1176, párrafo 2.º, del CC (cuando llegado el momento del cumplimiento el acreedor esté ausente, incapacitado, y cuando varias personas pretendan tener derecho a cobrar o se haya extraviado el título de la obligación).

3.º Negativa injustificada del acreedor a recibir la prestación ofrecida o a cooperar al cumplimiento. Esta negativa puede producirse tanto mediante un acto positivo como negativo (acción u omisión), siendo indiferente que haya existido o no culpa; pues, como advierten PÉREZ GONZÁLEZ y ALGUER, no es la culpa lo que constituye en mora al acreedor, sino su negativa sin razón. Nuestro Código civil dice que (el acreedor) «se negare sin razón a admitirlo» (art. 1176, párr. 1.º, CC).

2. Efectos de la mora del acreedor

Los *efectos* de la mora del acreedor son los siguientes:

1.º La compensación de la mora del deudor, si esta se hubiese producido; en caso contrario, la mora del acreedor evita la del deudor.

2.º El riesgo por perecimiento fortuito de la cosa pasa al acreedor. Esta regla, aunque no con carácter general, se encuentra establecida en el Código civil para supuestos concretos; así, por ejemplo, el artículo 1185 del CC dispone que «cuando la deuda de cosa cierta y determinada procediere de delito o falta, no se eximirá el deudor del pago de su precio, cualquiera que hubiese sido el motivo de la pérdida, a menos que, ofrecida por él la cosa al que la debía recibir, éste se hubiese sin razón negado a aceptarla». Unas declaraciones similares se contienen en el artículo 1451 del CC, en relación con la venta de cosas fungibles, y en el artículo 1589 del CC, respecto del contrato de obra. La STS de 9 de julio de 1941 dice que la mora *accipiendi*, determinada por la oferta real y no seguida de consignación, no tiene trascendencia en orden a la transferencia del riesgo de la cosa ofrecida.[17]

3.º El deudor puede quedar totalmente liberado de su obligación mediante la consignación de la cosa debida.

IV. CUMPLIMIENTO DEFECTUOSO O INEXACTO DE LA PRESTACIÓN

Un supuesto distinto del incumplimiento definitivo y que no implica retraso es el llamado *cumplimiento defectuoso*.

Dice ENNECERUS que «la violación positiva del crédito (*mal cumplimiento*), aunque no tenga por consecuencia ni la imposibilidad ni la mora, hace que, por analogía con las reglas de la imposibilidad y de la mora, el deudor esté obligado a indemnizar precisamente los mismo que en el caso de incumplimiento culposo de un derecho de crédito en los supuestos de imposibilidad o de mora». De manera análoga, VON THUR señala que en el moderno Derecho de *Pandectas* la imposibilidad de la prestación y la mora «se destacan tanto en el primer plano de la exposición, que las legislaciones no mencionan expresamente ningún otro caso de infracción contractual, dejando caer en el olvido una norma tan evidente del Derecho antiguo como la de que el deudor está obligado a indemnizar todos los daños originados por sus infracciones contractuales»; y agrega que, en el Derecho suizo, «a pesar de la redacción del artículo 97, no tenemos noticia de que jamás se haya puesto en duda que el deudor (al igual que en derecho común) está obligado a resarcir los daños causados por su cumplimiento defectuoso».

El cumplimiento defectuoso puede ser debido a circunstancias muy variadas, la inexactitud puede afectar a los sujetos, al objeto o al lugar y tiempo de la relación obligatoria. Por ejemplo, el deudor paga a quien no es su acreedor, entrega una cosa diferente de la debida, anticipa el pago, etc. Pero, sobre todo, como indica Díez-PICAZO, piénsese en el amplio campo de las obligaciones de hacer (por ejemplo, prestación de servicios por abogados, médicos y profesionales en general) en el que la inexactitud obedece a que no se ha obrado conforme a las reglas del arte o profesión;

---

17. RJ 1941, 905.

en las obligaciones de dar, en las que la cosa no posee los requisitos pactados o anunciados en la propaganda o a las cualidades necesarias para el uso a que se destina; en las obligaciones de resultado en que éste se produce deficientemente (por ejemplo: el piso comprado presenta al poco tiempo humedades).

El Código civil no contiene una regulación específica del cumplimiento defectuoso. A pesar de ello, no ofrece problema su reconocimiento, pues el artículo 1101 del CC dice que «quedan sujetos a la indemnización de los daños y perjuicios causados los que en el cumplimiento de sus obligaciones incurrieren en dolo, negligencia o morosidad, y los que de cualquier modo contravinieren al tenor de aquéllas». Como puede observarse, en esta última frase se encuentra el remedio del acreedor frente a un cumplimiento defectuoso o inexacto por parte del deudor. Además, serán de aplicación, por evidente razón de analogía, los artículos 1166 y 1169 del CC, pudiendo el acreedor rechazar una prestación defectuosa o inexacta. Si se tratase de una prestación defectuosa derivada de una obligación recíproca, también podrá solicitar la resolución[18] o la reducción del precio. En todo caso, cabe la excepción de contrato cumplido defectuosamente ante quien exige el cumplimiento de la contraprestación.

Además, como se verá más adelante, el Código civil contempla la figura del cumplimiento defectuoso en relación con algunos concretos contratos, para los que ofrece soluciones específicas. Así ocurre en el artículo 1484 y ss. del CC sobre vicios o defectos ocultos de la cosa vendida que la hacen impropia para el uso a que se la destina, o si disminuyen de tal modo este uso que de haberlos conocido el comprador no la habría adquirido o habría dado menos precio por ella; y también en el artículo 1591 del CC sobre la responsabilidad del contratista y del arquitecto.

Según el artículo 1193 de la PMDOC, «el derecho del acreedor al cumplimiento comprende, con las mismas limitaciones establecidas en el artículo anterior, la reparación o rectificación de los defectos de la prestación ejecutada o su sustitución por otra conforme a lo pactado cuando la naturaleza de la obligación no lo impida». Además, el artículo 1200, párrafo 1.º, de la PMDOC indica que «en caso de retraso o de falta de conformidad en el cumplimiento, el acreedor también podrá resolver si el deudor, en el plazo razonable que aquél le hubiera fijado para ello, no cumpliere o subsanare la falta de conformidad». A ello hay que añadir que, en materia de compraventa, el artículo 1482 de la PMDOC dispone que «en caso de falta de conformidad, el comprador podrá por su sola declaración dirigida al vendedor exigirle el cumplimiento, reducir el precio o resolver el contrato. En cualquiera de estos supuestos podrá exigir, además, la indemnización de los daños y perjuicios, si procediere». A tenor del artículo 1483 de la PMDOC, «el derecho al cumplimiento permite al comprador elegir entre que el vendedor subsane la falta de conformidad de la cosa o que entregue otra conforme con el contrato. La modalidad de cumplimiento elegida deberá ser ejecutada en un plazo razonable y sin inconvenientes significativos para el comprador, habida cuenta de la naturaleza de la cosa y de la utilidad que hubiera de prestar a éste. El vendedor correrá con los gastos de la ejecución de la modalidad elegida, incluidos los de transporte y los de mano de obra y materiales».

El artículo II.-3:201 del DCFR estipula que «(1) el deudor puede hacer un nuevo ofrecimiento de cumplir con la obligación, en conformidad con los términos

---

18. Cfr. STS de 10 de junio de 1976 (RJ 1976, 2696).

que la regulan, si es posible realizar lo ofrecido antes de que la obligación venza. (2) Si el deudor no puede ofrecerse a cumplir la obligación en conformidad con lo estipulado en el plazo dispuesto a este efecto, pero inmediatamente después de recibir la notificación relativa a la falta de conformidad se ofrece a subsanarla en un plazo de tiempo razonable y corriendo con los gastos, el acreedor no podrá ejercitar ningún remedio por incumplimiento, salvo la suspensión de su propio cumplimiento, sin conceder antes al deudor un plazo razonable para que intente subsanar la falta de conformidad». Como dice el comentario oficial, «no hay un requisito de notificación específico aparte, sino que es un elemento esencial en todos los remedios excepto la suspensión del cumplimiento. En la práctica, los acreedores normalmente prefieren en cualquier caso notificar la no conformidad de manera informal antes de emprender acciones legales. En muchos casos, la notificación puede considerarse un requisito del deber de ejercer los remedios de acuerdo con el principio de buena fe contractual».

El apartado 3 del artículo III.-3:201 del DCFR añade que «el apartado (2) está sujeto a las disposiciones del siguiente Artículo». Para los casos en los que el acreedor no tiene que dar al deudor la oportunidad de subsanación, indica dicho artículo III.-3:203 del DCFR que «en virtud del apartado (2) del Artículo anterior, el acreedor no tiene que conceder al deudor un plazo para la subsanación si: (a) el incumplimiento de una obligación contractual en el plazo establecido supone un incumplimiento esencial; (b) el acreedor tiene motivos para creer que el deudor llevó a cabo el cumplimiento sabiendo que no era conforme sin respetar el principio de buena fe contractual; (c) el acreedor tiene motivos para creer que el deudor no podrá realizar la subsanación en un plazo de tiempo razonable y sin causar molestias importantes al acreedor u otros perjuicios a los intereses legítimos del acreedor; o (d) la subsanación sería inadecuada».

BIBLIOGRAFÍA

Albaladejo, «La mora en las obligaciones recíprocas», RCDI, 1968, p. 9; Alfaro, «La nueva regulación del crédito comercial: Una lectura crítica de la Directiva y de la Ley contra la morosidad», InDret, 2005; Beltrán de Heredia, P., *El incumplimiento de las obligaciones*, Madrid, 1990; Borrell y Soler, *Cumplimiento, incumplimiento y extinción de las obligaciones*, Barcelona, 1954; Caballero Lozano, *La mora del acreedor*, Barcelona, 1992; Cabanillas Sánchez, «Ejecución defectuosa de la obra inmobiliaria», ADC, 1980, p. 194; íd., «La responsabilidad del promotor que vende pisos y locales defectuosamente construidos», ADC, 1982, p. 291; íd., «La mora del acreedor», ADC, 1987, p. 1343; Cano Martínez de Velasco, *La mora*, Madrid, 1978; Cristóbal Montes, *La mora del deudor en los contratos bilaterales*, Madrid, 1984; Díez-Picazo, L., «EL retardo, la mora y la resolución de los contratos sinalagmáticos», ADC, 1969, p. 383; Díez-Picazo, G., *La mora y la responsabilidad contractual*, Madrid, 1996; Gómez Ligüerre, «El nuevo régimen legal de la morosidad en las operaciones comerciales», InDret, 2011; Hernández Gil, F., «La intimación del acreedor en la mora *ex persona*», ADC, 1962, p. 331; Jordano Barea, «Cumplimiento tardío y facultad resolutoria tácita», ADC, 1951, p. 303; Martínez Calcerrada, «Cumplimiento defectuoso de la prestación», RCDI, 1976, p. 1335; Moisset de Espanés, «Incumplimiento y mora en las obligaciones de no hacer», RGLJ, 1975, p. 345; Navas Navarro, *El incumplimiento no esencial de la obligación:*

Análisis del incumplimiento no esencial de las obligaciones contractuales de dar, Madrid, 2004; OGÁYAR, «Incumplimiento de las obligaciones», RGLJ, 1981, p. 259; ORDÁS ALONSO, _El interés de demora,_ Navarra, 2004; PERALES VISCASILLAS, _La morosidad en las operaciones comerciales entre empresas. Ley 3/2004 y Directiva 2000/35,_ Cizur Menor (Navarra), 2006; SABATER BAYLE, «Contribución al estudio de la mora del acreedor», Act.Civ., 1989, p. 1997.

Capítulo XI
Incumplimiento de la obligación (II)

I. INTRODUCCIÓN

En el capítulo anterior se han distinguido dentro del incumplimiento dos categorías: el incumplimiento *propio* o absoluto, y el incumplimiento *impropio* o relativo. Examinado el segundo, cumple ahora estudiar el primero.

Respecto del incumplimiento propio o absoluto hay, a su vez, que distinguir según que el mismo se deba a causa imputable al deudor o no, ya que las consecuencias son completamente distintas. Mientras en el primer caso (incumplimiento imputable) se impone al deudor la obligación de indemnizar al acreedor los daños y perjuicios que se le hubiesen ocasionado por el incumplimiento, en el segundo (no imputable al deudor) el deudor queda libre de responsabilidad y la relación obligatoria se extingue. Por ello, es importante conocer las causas del incumplimiento.

Causas del incumplimiento imputables al deudor son aquellas de las que éste es responsable directo. A ellas se refiere el artículo 1101 del CC, al decir que «quedan sujetos a la indemnización de los daños y perjuicios causados los que en el cumplimiento de sus obligaciones incurrieron en dolo (o) negligencia».

Causas de incumplimiento no imputables al deudor son «aquellos sucesos que no hubieran podido preverse, o que, previstos, fueran inevitables» (caso fortuito y fuerza mayor), y que, salvo que la ley expresamente lo mencione o así lo declare la obligación, le eximen de responsabilidad (art. 1105 CC).

II. INCUMPLIMIENTO NO IMPUTABLE AL DEUDOR

El incumplimiento no imputable al deudor es aquél que tiene lugar por causas ajenas a su voluntad, el cual le exonera de responsabilidad. No obstante, si la ley expresamente lo menciona o la voluntad de las partes lo acuerda, el deudor deviene responsable del caso fortuito y de la fuerza mayor (art. 1105 CC).

1. El caso fortuito y la fuerza mayor

El Código civil no determina lo que sea el caso fortuito y la fuerza mayor, simplemente dice que queda extinguida la obligación, si la cosa perece o la prestación se hace imposible sin culpa del deudor (arts. 1182 y 1183 CC), o advierte que «nadie responderá de aquellos sucesos que no hubieran podido preverse o que, previstos, fueran inevitables» (art. 1105 CC). El primero es un criterio negativo, el segundo positivo. En cualquier caso, en ambos casos se está haciendo referencia a que el incumplimiento se produce por una causa totalmente ajena a la voluntad del deudor y que le es imposible evitar. Es decir, tanto la fuerza mayor como el caso fortuito son dos expresiones que, bajo el punto de vista jurídico, se relacionan con la idea de que el incumplimiento del contrato depende de una causa extraña a la voluntad del obligado, o sea, de accidente que por su intensidad y fuerza excesiva queda fuera del curso ordinario y regular de la naturaleza y no puede ser imputable al deudor.[1] Por consiguiente, puede definirse el caso fortuito como aquel acontecimiento imprevisible o inevitable que, sin culpa del deudor, imposibilita el cumplimiento de la obligación. Sin embargo, hay autores (DÍEZ-PICAZO y GULLÓN) que consideran que el artículo 1105 del CC obliga al establecimiento de unos juicios de previsibilidad e inevitabilidad, no de una manera general y abstracta, sino para un deudor concreto (al que se exime de responsabilidad), y para una relación obligatoria determinada (la que contrajo); y que los precitados juicios de valor han de relacionarse con la diligencia que el deudor debe prestar en el cumplimiento de la obligación.

> De hecho, la STS de 17 de abril de 2013 dice que, tal y como se define el caso fortuito por el artículo 1105 del CC (suceso que no pudo preverse), dicha definición no puede aplicarse a la pérdida total de la inversión patrimonial de una persona, porque la entidad encargada de esa inversión «hizo correr al patrimonio del demandante un riesgo que éste, contractualmente, no deseaba, y solamente ya este incumplimiento contractual comportaba de por sí una falta de la diligencia exigible a todo profesional del sector, que entre sus obligaciones frente al cliente tiene la de protegerle frente a riesgos de su inversión no deseados, entre ellos un posible fraude».[2]

1.1. Requisitos del caso fortuito

Según la definición enunciada, los requisitos del caso fortuito son los siguientes:

1.º Que se trate de un hecho o acontecimiento que no sea imputable al deudor[3]. Este requisito se ha utilizado como argumento favorable de la tesis negativa, por

---

1. Cfr. SSTS de 20 de junio de 1916 (JC, III-38) y 12 de marzo de 1956 (RJ 1956, 1511).
2. RJ 2013, 3493.
3. Cfr. SSTS de 10 de diciembre de 1930 (RJ 1930, 1361), 20 de febrero de 1950 (RJ 1950, 550) y 7 de abril de 1965 (RJ 1965, 2118).

considerar que el caso fortuito empieza donde termina la culpa, cuando en realidad la culpa termina porque se produce el caso fortuito, acontecimiento que el deudor viene obligado a demostrar para liberar de responsabilidad.

2.º Que el hecho sea imprevisto o que previsto fuera inevitable.[4] Pero, como advierte Castán, las notas de que se trata (imprevisión e inevitabilidad o irresistibilidad) son muy relativas. La posibilidad de previsión de los eventos dañosos deberá apreciarse racionalmente, según las circunstancias de cada caso concreto (art. 1575 CC). La condición de inevitable en el acontecimiento varía también en cada caso, pues está en relación con los medios del deudor y, por tanto, con el grado de diligencia que hubiere de prestar según el tenor de la obligación y que corresponda a las circunstancias de las personas del tiempo y del lugar.[5]

3.º Que dicho acontecimiento impida al deudor realizar la prestación debida. Ha de tratarse de verdadera imposibilidad en sentido absoluto y objetivo, no de mera dificultad o imposibilidad subjetiva del deudor. El deudor ha de vencer todas las dificultades que se presenten, pero no se pide la prestación exorbitante, aquella que exigiría vencer dificultades que pueden ser equiparadas a la imposibilidad, por demandar sacrificios absolutamente desproporcionados o violación de deberes más altos; pues basta para excusar el incumplimiento que éste no sea imputable al deudor por haber procedido con la diligencia que las circunstancias requerían con arreglo al artículo 1104 del CC.[6] En cambio, no han de tomarse en consideración dificultades surgidas en la realización del contrato, que por haberse podido prever oportunamente se han de afrontar por el posible perjudicado.[7]

4.º Que entre el acontecimiento y la imposibilidad del cumplimiento exista un nexo de causalidad eficiente o una íntima conexión entre el hecho origen del caso fortuito o de la fuerza mayor y la obligación, que sea causa obstativa para su cumplimiento. La prueba de este vínculo causal corresponde al deudor que pretende la liberación.[8]

La apreciación de la existencia del caso fortuito y de la fuerza mayor supone una calificación de derechos y, por tanto, no está sustraída a las facultades del tribunal de casación.[9] En cambio, la apreciación de los elementos de hecho constitutivos del caso fortuito corresponde al tribunal de instancia.[10]

1.2. *Distinción del caso fortuito y la fuerza mayor*

Se discute si las expresiones «caso fortuito» y «fuerza mayor» son o no sinónimas. Aunque en la doctrina tradicional y en la jurisprudencia ha predominado el criterio de identificar ambas expresiones, como en algunos casos se responde del caso fortuito y no de la fuerza mayor, como ocurre en las situaciones a que se refieren los artículos 1784 y 1905 del CC, se ha planteado la oportunidad de distinguirlos.

---

4. Cfr. SSTS de 23 de marzo de 1926 (II-54) y 2 de enero de 1945 (RJ 1945, 117).
5. Cfr. STS de 20 de diciembre de 1985 (RJ 1985, 6605).
6. Cfr. STS de 9 de noviembre de 1949 (RJ 1949, 1245).
7. Cfr. STS de 7 de abril de 1965 (RJ 1965, 2118).
8. Cfr. SSTS de 7 de abril de 1965 (RJ 1965, 2118) y 10 de mayo de 1988.
9. Cfr. STS de 9 de mayo de 1960 (RJ 1960, 1741).
10. Cfr. STS de 10 de noviembre de 1924 (JC, IV-71).

Se utilizan, preferentemente, dos criterios:

a) El de la *evitabilidad*. El caso fortuito es un hecho imprevisible, pero de haberse previsto, hubiera podido evitarse. En cambio, la fuerza mayor es un acontecimiento que, además de imprevisible, es inevitable. Esta tesis trata de adaptarse a la terminología que emplea el artículo 1105 del CC.

b) Otro criterio es el de la *procedencia del hecho impeditivo*, según sea externa o interna al ámbito en que se desenvuelve la relación obligatoria. Según esta teoría, si el suceso es interno se trata de caso fortuito, y si es externo (por ejemplo, un terremoto) es fuerza mayor.

Frente a estos criterios arguye, certeramente, ALBALADEJO que «para nuestro Derecho la frontera entre el caso fortuito y la fuerza mayor se traza habida cuenta únicamente de la mayor o menor gravedad del suceso (sea inevitable o no, externo o no, al círculo de la obligación); sirviendo de pauta para juzgar la gravedad los ejemplos que la ley pone de fuerza mayor (así, el robo a mano armada: art. 1784 CC)».

Ahora bien, lo cierto es que legalmente no se encuentra base suficiente para sostener la distinción. Por el contrario, el Código civil los considera por regla general como sinónimos. Y, cuando en algún precepto se señalan diferencias, es simplemente para distinguir aquellos acontecimientos que son de mayor gravedad y otros que raramente se producen, por lo que suele calificarlos de extraordinarios o de fuerza mayor, como sucede en los supuestos contemplados en los artículos 1784 y 1905 del CC. Según el artículo 1575, párrafo 2.º, del CC, «entiéndese por casos fortuitos extraordinarios: el incendio, guerra, peste, inundación insólita, langosta, terremoto u otro igualmente desacostumbrado, y que los contratantes no hayan podido racionalmente prever». En este contexto, la STS de 16 de junio de 1982 dice que la interpretación jurisprudencial del artículo 1105 del CC establece que la fuerza mayor y el caso fortuito, diferentes doctrinalmente, pero uniformes en la legislación positiva, exigen un acontecimiento no dependiente del deudor, no previsible, o al menos inevitable, que imposibilite a aquél para cumplir total o exactamente la obligación.

La Propuesta para la modernización del Derecho de obligaciones y contratos, en línea con otras iniciativas legislativas de ámbito europeo e internacional, prescinde de la terminología tradicional caso fortuito/fuerza mayor para referirse simplemente al incumplimiento causado por un acontecimiento ajeno al deudor y fuera de su control. En efecto, según el artículo 1209 de la PMDOC, «no será responsable el deudor de los daños y perjuicios causados por el incumplimiento cuando concurran las circunstancias siguientes: 1.º Que el incumplimiento haya obedecido a un impedimento ajeno a su voluntad y extraño a su esfera de control. 2.º Que de acuerdo con el contrato y con las reglas de la buena fe y los usos no le correspondiera el deber de prever el mencionado impedimento o de evitarlo o superar sus consecuencias. La exoneración prevista en este artículo surtirá efecto mientras dura el impedimento. El deudor que conozca la concurrencia de un hecho o circunstancia que impida cumplir la prestación deberá sin demora ponerlo en conocimiento de la otra parte y será responsable de los daños causados por no hacerlo. Lo dispuesto en este artículo no impide al acreedor el ejercicio de cualquier otro derecho distinto del de exigir indemnización de daños y perjuicios que le pueda corresponder conforme a este Código».

Por su parte, el artículo III.-3:104 del DCFR señala lo siguiente: «(1) El deudor queda exonerado del cumplimiento de una obligación si el incumplimiento se debe a un impedimento que escapa a su control y si cabe razonablemente esperar que el deudor no podía evitar o superar dicho impedimento o sus consecuencias. (2) Cuando la obligación se deriva de un contrato u otro acto jurídico, el incumplimiento no admite exoneración si se pudiera esperar razonablemente que el deudor hubiera tenido en cuenta el impedimento cuando contrajo la obligación. (3) Cuando el impedimento sea sólo temporal, la exoneración tiene efecto durante el tiempo en el que éste persista. Sin embargo, si la demora se tradujera en un incumplimiento esencial, el acreedor puede tratarlo como tal. (4) Cuando el impedimento es permanente la obligación se extingue, y con ella las obligaciones recíprocas. En el caso de que se trate de obligaciones contractuales, los efectos restitutorios de la extinción se regularán de conformidad con las reglas del Capítulo 3, Sección 5, Subsección 4 (Restitución) con las modificaciones oportunas. (5) El deudor tiene el deber de asegurarse de que, en un plazo de tiempo razonable desde que tuvo conocimiento o cabe razonablemente esperar que tuvo conocimiento de dichas circunstancias, el acreedor reciba la notificación relativa al impedimento y su efecto sobre su capacidad de cumplimiento. El acreedor tiene derecho a una indemnización por los daños que pudieren resultar de no recibir esa notificación».[11]

En materia de *contratos internacionales*, los Principios de Unidroit solo se refieren al concepto de fuerza mayor, si bien intentando aunar la doctrina de la «frustración e imposibilidad de cumplimiento» del *Common Law* con la de la «fuerza mayor» de la tradición jurídica continental, indicando que el incumplimiento de una parte es excusable cuando se debió a un impedimento ajeno a su control y que no cabía esperar razonablemente al momento de celebrarse el contrato, ni tampoco haber evitado o superado tal impedimento o sus consecuencias (art. 7.1.7(1) PCCI). Cuando el impedimento sólo sea temporal, la excusa tendrá efecto durante un período de tiempo que sea razonable en función del efecto del impedimento en el cumplimiento del contrato (art. 7.1.7(2) PCCI). La parte incumplidora debe comunicar a la otra el impedimento y su efecto en su aptitud para cumplir el contrato. Si la comunicación no es recibida por la otra parte en un plazo razonable partir de que la parte incumplidora supo o debió saber del impedimento, esta parte será responsable de indemnizar los daños y perjuicios causados por la falta de recepción (art. 7.1.7(3) PCCI). Nada de lo dispuesto en este artículo impedirá a una parte ejercitar el derecho a resolver el contrato, suspender su cumplimiento o a reclamar intereses por el dinero debido (art. 7.1.7(4) PCCI).

1.3. *Efectos del caso fortuito*

El efecto característico del caso fortuito es que el deudor no incurre en responsabilidad y la obligación se extingue (arts. 1105 y 1182 CC). Pero, como excepción, responde el deudor del caso fortuito en los dos casos que contempla el artículo 1105 del CC:

a) Cuando así lo disponga la ley. Por ejemplo, si el obligado se constituye en mora o se ha comprometido a entregar una misma cosa a dos o más personas diversas (art.

---

11. Cfr. artículo 8:108 de los PECL.

1096, párr. 3.º, CC); si la deuda de cosa cierta y determinada procediere de delito o falta (art. 1185 CC); si el comodatario destina la cosa a un uso distinto de aquel para el que se prestó, o la conserva en su poder por más tiempo del convenido (art. 1744 CC).

b) Cuando así lo hubieren acordado las partes, pactándolo expresamente.

Como el acreedor soporta el daño, se considera que lo más equitativo es que, en correspondencia, haga suyo el posible beneficio que el deudor obtuviere como consecuencia del caso fortuito, por ejemplo, la indemnización del seguro por pérdida de la cosa. Criterio que encuentra apoyo en el artículo 1186 del CC, a tenor del cual, «extinguida la obligación por la pérdida de la cosa, corresponderán al acreedor todas las acciones que el deudor tuviere contra terceros por razón de ésta». Otra aplicación de este criterio se encuentra en el artículo 1777 del CC, cuando afirma que «el depositario que por fuerza mayor hubiese perdido la cosa depositada y recibido otra en su lugar, está obligado a entregar ésta al depositante».

Si la imposibilidad de cumplimiento fuese sólo parcial, la liberación únicamente afectará a lo imposible, subsistiendo en lo restante.

Si la imposibilidad es sólo temporal, el deudor no responde de la mora en tanto dure el caso fortuito.[12]

III. INCUMPLIMIENTO IMPUTABLE AL DEUDOR

El incumplimiento es imputable al deudor cuando éste, en virtud de un hecho dependiente de su voluntad, impide definitivamente la ejecución de la obligación. El hecho impeditivo puede ser debido a dolo o a culpa, y, en ambos casos, está obligado a responder de los daños y perjuicios ocasionados (art. 1101 CC). Sin embargo, no es lo mismo, ni da lugar a iguales consecuencias que el deudor hubiese incurrido en dolo o en culpa, pues conforme al artículo 1107 del CC los daños y perjuicios de que responde el deudor de buena fe (deudor culposo) son los previstos o que se hayan podido prever al tiempo de constituirse la obligación y que sean consecuencia necesaria de su falta de cumplimiento. En cambio, el deudor doloso no sólo responde de los daños previsibles, sino de todos aquellos que «conocidamente se deriven de la falta de cumplimiento de la obligación».

1. La culpa

La conducta culpable que origina la responsabilidad puede haberse producido tanto en la ejecución de una relación obligatoria preexistente entre las partes, como haber sido la causa de la comisión de un acto ilícito por parte de una persona frente a otra con la que no existía ninguna relación obligatoria anteriormente constituida. En el primer caso, se habla de culpa contractual; en el segundo, de culpa extracontractual o *aquiliana*. Por ello, conviene aclarar que ahora solo se hace referencia a la culpa contractual, si bien cabe advertir que el calificativo de «contractual», aunque tradicional, no es muy riguroso, pues las disposiciones atinentes a estas figuras son aplicables no solo a las obligaciones nacidas de contrato, sino también a las que proceden de la

_____
12. Cfr. STS de 16 de mayo de 1941 (RJ 1941, 630).

ley o de cualquier otra fuente distinta de los hechos o actos ilícitos. De ahí que consideremos más apropiada la expresión «culpa obligacional».

Según lo dispuesto en el artículo 1104 del CC, «la culpa o negligencia del deudor consiste en la omisión de aquella diligencia que exija la naturaleza de la obligación y corresponda a las circunstancias de las personas, del tiempo y del lugar». De acuerdo con este precepto, se puede definir la culpa como aquella conducta del deudor que, por no observar la diligencia debida, y sin propósito deliberado de hacerlo, da lugar al incumplimiento de la obligación.

1.1. *Requisitos de la culpa*

En la culpa concurren dos requisitos:

1.º El elemento *subjetivo* o intencional, que consiste en la falta de diligencia (o negligencia) con que actúa el deudor. Pero no se requiere, por parte del deudor, intención de incumplir o de que se produzca un daño, sino que es suficiente un acto voluntario, reputándose como tal el que se realiza por iniciativa o decisión propia del agente, sin que medie error o violencia que excluya el discernimiento y libertad con que se debe obrar para ser responsable de los propios actos, y que esa conducta determine un daño o perjuicio.[13] Por consiguiente, la culpa o negligencia no radica en la voluntad de causar daños a otros, sino en la desatención o menosprecio que el agente observa al obrar descuidadamente, con peligro para otras personas o bienes protegidos por el Derecho, causando un daño perfectamente previsible y evitable.[14]

2.º El elemento *objetivo*, que consiste en la imposibilidad definitiva del cumplimiento. Si éste todavía fuese posible, se trataría de mora y no de culpa.

1.2. *Apreciación de la culpa*

Como la culpa supone una omisión o falta de diligencia, es necesario conocer el grado de diligencia exigible al deudor en el cumplimiento de sus obligaciones. El artículo 1104 del CC dispone al respecto que la culpa o negligencia consiste en «la omisión de aquella diligencia que exige la naturaleza de la obligación y corresponde a las circunstancias de las personas, del tiempo y del lugar», añadiendo que «cuando la obligación no exprese la diligencia que ha de prestarse en su cumplimiento, se exigirá la que correspondería a un buen padre de familia», es decir, al hombre medio y normal (culpa leve *in abstracto*).

De lo anterior se deduce que la determinación de la existencia o no de la culpa no depende del arbitrio del juzgador, sino que éste habrá de apreciarla, necesariamente, siempre que resulte que se ha omitido aquella diligencia que exija la naturaleza de la obligación y corresponda a las circunstancias de las personas, del tiempo y del lugar. Como advierte Cossío, «lo que ocurre es que, prácticamente, la determinación de si ha existido o no tal diligencia, es un problema de valoración subjetiva de los hechos, que corresponde al tribunal *a quo*,[15] y que, por lo tanto, supone en cierta medida una facultad de arbitrio reconocida a los tribunales». Sin embargo, no ofrece duda que

---

13. Cfr. STS de 20 de marzo de 1946 (RJ 1946, 270).
14. Cfr. STS de 4 de mayo de 1984 (RJ 1984, 2396).
15. Cfr. SSTS de 11 de marzo de 1904 (JC, I-92) y 6 de marzo de 1920 (JC, I-89).

el juzgador sólo puede decidir, de acuerdo con los criterios legales, si ha existido o no culpa, y, en caso afirmativo, como consecuencia necesaria, deberá condenar al deudor a indemnizar. En cambio, lo que sí puede el juez o tribunal, de acuerdo con el artículo 1103 del CC, es moderar la responsabilidad y, por lo tanto, la cuantía de la indemnización, según la mayor o menor gravedad de la culpa.[16]

1.3. Exoneración o modificación de la responsabilidad por culpa

Como el artículo 1102 del CC no contiene prohibición de renuncia a la acción para exigir la responsabilidad por culpa, suele estimarse por la doctrina la posibilidad y licitud de establecer cláusulas convencionales modificativas de la responsabilidad del deudor culposo, bien sean de exoneración, limitativas o agravatorias. Pero, aunque su admisibilidad puede ser proclamada en función del principio de autonomía de la voluntad, no pueden desconocerse los límites que se derivan del artículo 1255 del CC y de las normas imperativas. Por consiguiente, no cabe pronunciarse acerca de la validez de las cláusulas de exoneración de culpa, ya que sería inmoral y contrario a la buena fe permitir al deudor ser descuidado o negligente.

El artículo 1104, párrafo 2.º, del CC admite expresamente la licitud de las cláusulas que pretendan graduar la responsabilidad del deudor, estableciendo la diligencia que el mismo ha de prestar. También lo son las cláusulas de agravación, puesto que el artículo 1105 del CC, si bien exonera al deudor por caso fortuito o fuerza mayor, establece la excepción de que la ley disponga lo contrario o que así lo declare la obligación. Así como tampoco ofrece duda la licitud de las cláusulas limitativas de responsabilidad, en las que se pacta una cantidad de dinero como indemnización para caso de incumplimiento, siempre que no encubran un fraude. De hecho, la STS de 21 de mayo de 1963 exige que tal limitación se haga «con entera precisión y claridad».[17]

1.4. Prueba de la culpa

Según el antiguo artículo 1214 del CC, «incumbe la prueba de las obligaciones al que reclama su incumplimiento, y la de su extinción al que la opone». Por consiguiente, el deudor, para liberarse, habrá de demostrar que el incumplimiento no se debió a culpa suya, sino a caso fortuito, mientras que el acreedor podrá demostrar que el deudor incumplió no culposa, sino dolosamente.[18]

> En palabras de la STS de 23 de febrero de 2010, «cuando se produce un incumplimiento de la obligación se presume que ha sido por culpa del deudor; la conducta humana se supone voluntaria y es el deudor que incumple el que debe probar que ha sido sin culpa sino por caso fortuito o fuerza mayor según se prevé en el artículo 1183 del Código Civil respecto de las obligaciones de dar pero que se extiende no tanto por analogía sino como principio general según la doctrina y la jurisprudencia a todas las obligaciones».[19]

Este mismo criterio es el establecido en el artículo 1183 del CC, a tenor del cual «siempre que la cosa se hubiese perdido en poder del deudor se presumirá que la

---

16. Cfr. SSTS de 9 de febrero y 6 de abril de 1987 (RJ 1987, 692 y 2495).
17. RJ 1963, 2817.
18. Cfr. STS de 30 de abril de 1959 (RJ 1959, 1981).
19. RJ 2010, 4341.

pérdida ocurrió por su culpa, y no por caso fortuito, salvo prueba en contrario». Criterio que, en defecto de pacto, es aplicable a las obligaciones de hacer y no hacer. Pero, como advierte CASTÁN, «el juego de la regla general sobre la carga de la prueba del artículo 1214 hará que normalmente el actor que alegue la responsabilidad contractual tenga que justificar, como fundamento de ella, el incumplimiento de la obligación, y esto rebaja mucho el alcance de la indicada tesis». Esta es también la postura de nuestro ordenamiento en vigor, ya que el artículo 1214 del CC, entre otros preceptos en materia de prueba, están hoy derogados. Por su parte, el artículo 217.2 de la LEC dispone que «corresponde al actor y al demandado reconviniente la carga de probar la certeza de los hechos de los que ordinariamente se desprenda, según las normas jurídicas a ellos aplicables, el efecto jurídico correspondiente a las pretensiones de la demanda y de la reconvención».

2. El dolo

Vaya por delante la afirmación de que, igual que respecto de la culpa, sólo se va a hacer referencia al dolo _obligacional._

Aunque nuestro Código no contiene un concepto del dolo, el artículo 1107 del CC, al tratar del alcance de la responsabilidad, contrapone al deudor que actúa de buena fe (deudor culposo) frente al deudor que actúa con dolo (o de mala fe). De acuerdo con esta idea, puede definirse el dolo como la infracción maliciosa (o intencionada) en el cumplimiento de la obligación. La jurisprudencia dice que la «sustracción deliberada al cumplimiento, con la total conciencia de realizar un acto antijurídico, al margen del innecesario elemento de la intención de dañar, constituye propia característica del dolo».[20]

También en el dolo concurren dos elementos: a) El elemento subjetivo lo constituye la intención, deliberada y consciente, de incumplir la obligación. Pero no es necesario que exista intención de dañar al acreedor, aunque pueda darse; pues, como declara la jurisprudencia, basta una conducta que produzca un resultado antijurídico,[21] o una voluntad deliberadamente rebelde al cumplimiento de lo prevenido.[22] Es decir, lo que caracteriza al deudor doloso es que tiene conocimiento exacto del alcance de su conducta. b) El elemento objetivo consiste en la imposibilidad definitiva del cumplimiento de la obligación.

La responsabilidad procedente del dolo es exigible en todas las obligaciones, y la renuncia a la acción para hacerla efectiva es nula (art. 1102 CC). No obstante, debe entenderse que el artículo 1102 del CC se refiere a la renuncia anticipada, pues la renuncia expresa o tácita a la indemnización de los daños ya causados es perfectamente posible (art. 6.1 CC). Como antes se indicó, lo característico del dolo frente a la culpa es la agravación de la responsabilidad, pues el deudor doloso responde de _todos_ los daños y perjuicios que «conocidamente se deriven de la falta de cumplimiento de la obligación».[23]

---

20. Cfr. SSTS de 9 de marzo de 1962 (RJ 1962, 1230), 19 de mayo de 1973 (RJ 1973, 2339) y 21 de junio de 1980 (RJ 1980, 2726)
21. Cfr. STS de 31 de enero de 1969 (RJ 1969, 430).
22. Cfr. SSTS de 28 de enero de 1944 (RJ 1944, 223) y 9 de marzo de 1962 (RJ 1962, 1230).
23. Cfr. STS de 24 de noviembre de 1997 (RJ 1997, 8396).

En el Código civil no existe ningún precepto en el que se declare que el dolo se presume; por eso, quien alegue que una obligación ha sido incumplida por esta causa debe probarlo[24]-

IV. EFECTOS DEL INCUMPLIMIENTO IMPUTABLE AL DEUDOR

El artículo 1101 del CC establece la consecuencia característica del incumplimiento imputable al deudor: la indemnización de los daños y perjuicios causados. Sin embargo, de acuerdo con el concepto de la obligación, debe tenerse en cuenta que el deudor no tiene un derecho de opción entre el cumplimiento o el abono de los daños y perjuicios, así como tampoco el acreedor puede elegir éstos y no exigir el cumplimiento exacto de la prestación. De ahí que el incumplimiento de la obligación confiera al acreedor, en primer lugar, el derecho a reclamar el cumplimiento forzoso en forma específica (*acción de cumplimiento*), y sólo cuando es imposible obtener la ejecución *in natura* puede el acreedor pretender la indemnización de los daños y perjuicios, representativos de su interés frustrado por el incumplimiento (*acción de resarcimiento de daños y perjuicios*). Con la acción de cumplimiento es compatible, si concurren circunstancias para ello, la indemnización de daños y perjuicios.

> La STS de 26 de diciembre de 2006 dice que los requisitos de aplicación del artículo 1101 del CC son la preexistencia de una obligación, el incumplimiento debido a culpa y no a caso fortuito o fuerza mayor, la realidad de los perjuicios y el nexo causal.[25]

1. Cumplimiento forzoso en forma específica

De lo anteriormente expuesto se deduce que, en caso de incumplimiento, el acreedor mediante la acción de cumplimiento puede solicitar que el deudor se avenga a realizar la prestación incumplida o, en su caso, se proceda a sustituir su comportamiento por el de otra persona. Como la viabilidad de esta segunda posibilidad depende de la naturaleza de la relación obligatoria, hay que examinar el ámbito del cumplimiento forzoso en forma específica según se trate de obligaciones de dar, hacer o no hacer:

a) Obligaciones de *dar*. Si la prestación consiste en la entrega de una cosa determinada (o específica), que se encuentra dentro del patrimonio del deudor, «el acreedor, independientemente del derecho que le otorga el artículo 1101, puede compeler al deudor a que realice la entrega» (art. 1096, párr. 1.°, CC). Y si éste no atiende el requerimiento, el artículo 926 de la LEC de 1881 otorgaba al acreedor la facultad de solicitar de la autoridad judicial la práctica de las diligencias conducentes a ponerlo en posesión de la cosa. En sentido similar se pronuncia el vigente artículo 701.1 de la LEC, que establece que «cuando del título ejecutivo se desprenda el deber de entregar cosa mueble cierta y determinada y el ejecutado no lleve a cabo la entrega dentro del plazo que se le haya concedido, el Letrado de la Administración de Justicia responsable de la ejecución pondrá al ejecutante en posesión de la cosa debida, empleando para ello los apremios que crea precisos. Si fuera necesario proceder a la entrada en

---

24. Cfr. SSTS de 15 de marzo de 1934 (RJ 1934, 462) y 28 de febrero de 1969 (RJ 1969, 1004).
25. RJ 2006, 400. Cfr. SSTS de 3 de julio de 2001 (RJ 2002, 1701), 5 de octubre de 2002 (RJ 2002, 9264) y 10 de julio de 2003 (RJ 2003, 4622).

lugares cerrados recabará la autorización del Tribunal que hubiera ordenado la ejecución, pudiéndose auxiliar de la fuerza pública, si fuere preciso».

El artículo 1192 de la PMDOC dice que «el acreedor de una obligación dineraria tiene, en todo caso, el derecho a exigir el cumplimiento. En las obligaciones distintas de las de pagar dinero, el acreedor podrá exigir el cumplimiento de la prestación debida a menos que: 1.º Tal prestación sea jurídica o físicamente imposible. 2.º El cumplimiento o, en su caso, la ejecución forzosa resulten excesivamente onerosos para el deudor. 3.º La pretensión de cumplimiento sea contraria a la buena fe. 4.º La prestación sea personal del deudor». Según el artículo 1196 de la PMDOC, «si resultare imposible la obligación de dar cosa determinada, corresponderán al acreedor todas las acciones que el deudor tuviere contra terceros por razón de ésta. Si las ejercitare, de la indemnización de daños y perjuicios que le pueda corresponder se deducirá el valor de lo percibido».

El artículo III.-3:301 del DCFR dispone los siguiente: «(1) El acreedor está legitimado para exigir el pago del dinero que se le debe. (2) Cuando el acreedor todavía no haya cumplido su obligación recíproca por la que le corresponda un pago y resulte claro que el deudor que tiene la obligación dineraria se negará a aceptar la prestación, el acreedor, pese a todo, puede llevar a cabo dicha prestación y reclamar el pago de la cantidad que se le deba salvo que: (a) el acreedor haya podido celebrar una transacción sustitutiva razonable sin un esfuerzo o gasto significativo; o (b) la prestación fuese poco razonable dadas las circunstancias». Por su parte, según el artículo III.-3:302 del DCFR, «(1) el acreedor tiene derecho a exigir coactivamente el cumplimiento específico de una obligación que no consista en el pago de dinero. (2) El cumplimiento específico incluye la subsanación sin cargo alguno de un cumplimiento no realizado conforme a los términos que regulan la obligación. (3) Sin embargo, no puede reclamarse el cumplimiento específico cuando: (a) el cumplimiento resulte ilícito o imposible; (b) el cumplimiento no sea razonable por resultar excesivamente oneroso o caro; o (c) el cumplimiento sea de una naturaleza personal tal que sería poco razonable reclamarlo. (4) El acreedor perderá el derecho a reclamar el cumplimiento específico si no lo solicita en un plazo de tiempo razonable desde que tuvo conocimiento o cabe razonablemente esperar que tuvo conocimiento del incumplimiento. (5) El acreedor no puede reclamar una indemnización por daños o el pago pactado para el caso de incumplimiento en la medida en que el acreedor haya aumentado el daño o la cantidad que deba ser pagada al insistir, de forma poco razonable, en el cumplimiento específico en circunstancias en las que el acreedor podría haber realizado una transacción sustitutiva razonable sin un esfuerzo o gasto significativo».

Si la cosa fuere indeterminada (o genérica), y se encuentra en el patrimonio del deudor, el acreedor podrá pedir que se cumpla a expensas del deudor (art. 1096, párr. 2.º, CC), bien mediante su entrega directa, o bien que se adquiera de un tercero a costa del deudor. Esto último sólo es posible si la cosa puede adquirirse en condiciones normales, no a cualquier precio.[26] A este respecto, el artículo 702.1 de la LEC dispone que «Si el título ejecutivo se refiere a la entrega de cosas genéricas o indeterminadas, que pueden ser adquiridas en los mercados y, pasado el plazo, no se hubiese cumplido el requerimiento, el ejecutante podrá instar del Letrado de la Administración de Justicia que le ponga en posesión de las cosas debidas o que se le

---

26. Cfr. STS de 2 de julio de 1910 (JC, II-89).

faculte para que las adquiera, a costa del ejecutado, ordenando, al mismo tiempo, el embargo de bienes suficientes para pagar la adquisición, de la que el ejecutante dará cuenta justificada».

b) Obligaciones de *hacer.* Excepto el caso de que la prestación fuese de carácter personalísimo, en que sólo cabe la indemnización de daños y perjuicios, el artículo 1098, párrafo 1.°, del CC señala que «si el obligado a hacer alguna cosa no la hiciere, se mandará ejecutar a su costa». Es decir, en primer lugar, en trámite de ejecución de sentencia se fijará un plazo para que el deudor realice la prestación, y si éste no la hiciere o contraviniera el tenor de la obligación se mandará ejecutar (por un tercero) a su costa. Como novedad respecto de la regulación anterior, el artículo 706, párrafo 1.°, de la LECiv dice que «cuando el hacer a que obligue el título ejecutivo no sea personalísimo, si el ejecutado no lo llevara a cabo en el plazo señalado por el Letrado del Administración de Justicia, el ejecutante podrá pedir que se le faculte para encargarlo a un tercero, a costa del ejecutado, o reclamar el resarcimiento de daños y perjuicios».

Cuando la obligación de hacer consiste en la emisión de una declaración de voluntad, se plantea la cuestión de si es posible el cumplimiento forzoso en forma específica. Hoy, la doctrina y la jurisprudencia consideran admisible la sustitución de la voluntad del deudor por la de la autoridad judicial si los elementos esenciales del negocio están perfectamente determinados y el consentimiento del deudor no tiene carácter personalísimo. El Tribunal Supremo, en STS de 1 de julio de 1950, rectifica el anterior criterio negativo,[27] y a propósito de un contrato de promesa de venta confirma el fallo de instancia que condenaba al demandado a otorgar la escritura de compraventa, bajo apercibimiento de que de no hacerlo la otorgaría el juez en su nombre.[28]

De hecho, nuestra legislación procesal civil regula este supuesto en el artículo 708 de la LEC, cuyo apartado 1.° dispone que «cuando una resolución judicial o arbitral firme condene a emitir una declaración de voluntad, transcurrido el plazo de veinte días que establece el artículo 548 sin que haya sido emitida por el ejecutado, el Tribunal competente, por medio de auto, resolverá tener por emitida la declaración de voluntad, si estuviesen predeterminados los elementos esenciales del negocio. Emitida la declaración, el ejecutante podrá pedir que el Letrado de la Administración de Justicia responsable de la ejecución libre, con testimonio del auto, mandamiento de anotación o inscripción en el Registro o Registros que correspondan, según el contenido y objeto de la declaración de voluntad. Lo anterior se entenderá sin perjuicio de la observancia de las normas civiles y mercantiles sobre forma y documentación de actos y negocios jurídicos».

Segú el apartado 2.° del artículo 708 de la LEC, «si, en los casos del apartado anterior, no estuviesen predeterminados algunos elementos no esenciales del negocio o contrato sobre el que deba recaer la declaración de voluntad, el tribunal, oídas las partes, los determinará en la propia resolución en que tenga por emitida la declaración, conforme a lo que sea usual en el mercado o en el tráfico jurídico. Cuando la indeterminación afectase a elementos esenciales del negocio o contrato sobre el que debiere recaer la declaración de voluntad, si ésta no se emitiere por el condenado,

---

27. Cfr. STS de 1 de julio de 1950 (RJ 1950, 1187).
28. RJ 1950, 1187.

procederá la ejecución por los daños y perjuicios causados al ejecutante, que se liquidarán con arreglo a los artículos 712 y siguientes».

A tenor del artículo 1195 de la PMDOC, «si la obligación consistiera en emitir una declaración de voluntad, podrá el acreedor exigir la realización de su derecho conforme a los establecido en la Ley de Enjuiciamiento Civil, pero si se hubiese pactado una pena para el caso de incumplimiento sólo podrá exigirse la efectividad de ésta, salvo pacto en contrario».

c) Obligaciones de *no hacer*. Cuando la obligación consista en un no hacer, y el deudor ejecutara lo que se le había prohibido, el acreedor puede pedir que se deshaga lo mal hecho a costa del deudor (art. 1099 CC). De no ser esto posible, no queda otro camino que la indemnización de daños y perjuicios. Para esta clase de obligaciones, el artículo 710.1 de la LEC indica que «si el condenado a no hacer alguna cosa quebrantare la sentencia, se le requerirá, a instancia del ejecutante por parte del Letrado de la Administración de Justicia responsable de la ejecución, para que deshaga lo mal hecho si fuere posible, indemnice los daños y perjuicios causados y, en su caso, se abstenga de reiterar el quebrantamiento, con apercibimiento de incurrir en el delito de desobediencia a la autoridad judicial. Se procederá de esta forma cuantas veces incumpla la condena y para que deshaga lo mal hecho se le intimará por el Letrado de la Administración de Justicia con la imposición de multas por cada mes que transcurra sin deshacerlo».

Según el apartado 2.º del artículo 712 de la LEC, «si, atendida la naturaleza de la condena de no hacer, su incumplimiento no fuera susceptible de reiteración y tampoco fuera posible deshacer lo mal hecho, la ejecución procederá para resarcir al ejecutante por los daños y perjuicios que se le hayan causado».

2. El resarcimiento de daños y perjuicios

El resarcimiento de daños y perjuicios, también llamado «cumplimiento por equivalencia», es un remedio *sustitutorio y subsidiario*. Sustitutorio, porque cuando no puede realizarse la prestación debida se sustituye por el abono del *id quod interest* o equivalente pecuniario de la prestación no realizada. Subsidiario, porque el acreedor, debe exigir en primer lugar el cumplimiento en forma específica, y sólo cuando éste no es posible podrá solicitar el cumplimiento por equivalente. No obstante, en las obligaciones recíprocas el acreedor puede optar entre exigir el cumplimiento o la resolución de la obligación (art. 1124 CC).

Por consiguiente, lo característico de este remedio es que no se trata de una obligación nueva, sino que es la misma, en la que se reemplaza o sustituye la prestación originaria por la de indemnizar el daño. Este efecto es el que se establece en el artículo 1101 del CC, al decir que «quedan sujetos a la indemnización de los daños y perjuicios causados los que en el cumplimiento de sus obligaciones incurrieren en dolo, negligencia o morosidad, y los que de cualquier modo contravinieren al tenor de aquéllas». Indemnización que, según el artículo 1106 del CC, comprende no sólo el valor de la pérdida que haya sufrido, sino también el de la ganancia que haya dejado de obtener el acreedor.

La acción de resarcimiento de daños y perjuicios es compatible con la acción de cumplimiento en forma específica, y también con la acción resolutoria propia de las obligaciones recíprocas.

Tras indicar el artículo 1205, párrafo 1.°, de la PMDOC que «el acreedor tiene derecho a ser resarcido de los daños y perjuicios que el incumplimiento le cause», el párrafo 2.° de dicho artículo 1205 de la PMDOC añade que «este derecho es compatible con las demás acciones que la ley le reconoce en caso de incumplimiento».

Según el artículo III.-3:701(1) del DCFR, «el acreedor tiene derecho a una indemnización por los daños derivados del incumplimiento de una obligación por parte del deudor, salvo que el incumplimiento esté justificado». Como dice el comentario oficial, el presente artículo es de aplicación a todos los tipos de incumplimiento. No se requiere que el acreedor exija por escrito el cumplimiento antes de poder reclamar una indemnización por daños por demora.

2.1. *Requisitos del resarcimiento*

Para que proceda el resarcimiento de daños y perjuicios es necesario que concurran los requisitos siguientes:

1.° Que haya falta de cumplimiento o cumplimiento defectuoso de la obligación, y que el deudor sea responsable del mismo. Es decir, aquí se comprende tanto el incumplimiento total como parcial, propio o impropio. Además, que el incumplimiento sea imputable al deudor, cuestión a la que se ha hecho referencia en el capítulo anterior.

2.° Que no sea posible el cumplimiento en forma específica. Este requisito obedece al carácter subsidiario del resarcimiento de daños.[29]

3.° Que exista un daño resarcible. Se exige que el acreedor pruebe la existencia de los daños,[30] o, dicho de otro modo, la prueba de la cuantía del daño.

La indemnización comprende no sólo daño representado por el valor de la prestación no realizada o cumplida defectuosamente (*daño emergente*), sino también por la pérdida de la ganancia que se hubiere podido obtener si el deudor hubiera llevado a cabo la prestación de manera puntual y exacta (*lucro cesante*) (art. 1106 CC). El daño negativo o ganancia no obtenida es difícil y dudosa, pues su demostración se fundamenta sobre hechos futuros. Por eso, el Tribunal Supremo exige su verosimilitud, esto es, que no sea dudoso ni contingente,[31] que no se trate de la mera posibilidad,[32] sino que es necesaria la aportación de alguna prueba[33] (trata de separar los «sueños de ganancia» de la verdadera idea de daño).[34] Sin embargo, una reciente jurisprudencia considera que, en algunos casos, el incumplimiento o falta de prestación puede constituir *in re ipsa* el propio daño o perjuicio.[35]

El artículo 1207, párrafos 1.° y 2.°, de la PMDOC señala que «la indemnización de daños y perjuicios comprende no sólo el valor de la pérdida que haya sufrido el acreedor, sino también de la ganancia que haya dejado de obtener. Para la

---

29. Cfr. STS de 24 de abril de 1973 (RJ 1973, 1846).
30. Cfr. STS de 6 de octubre de 1961 (RJ 1961, 3592).
31. Cfr. STS de 6 de mayo de 1960 (RJ 1960, 1716).
32. Cfr. STS de 24 de octubre de 1953 (RJ 1953, 3122).
33. Cfr. SSTS de 7 de marzo de 1967 (RJ 1967, 1305) y 17 de enero de 1975 (RJ 1975, 17).
34. La STS de 4 de febrero de 2005 (RJ 2005, 945) recoge la doctrina jurisprudencial sobre el lucro cesante.
35. Cfr. SSTS de 9 de mayo y 27 de junio de 1984 (RJ 1984, 2403 y 3438).

estimación del lucro cesante se atenderá a la probabilidad de su obtención según el curso normal de los hechos y circunstancias».

A tenor del artículo III.-3:701(2) del DCFR, «el daño indemnizable incluye el daño futuro que, razonablemente, es probable que ocurra». El comentario oficial indica que «las pérdidas por las que el acreedor puede reclamar una indemnización incluyen las pérdidas futuras, es decir, las pérdidas que se prevé que se produzcan después de la evaluación de los daños y la indemnización. Eso requiere que el tribunal evalúe dos incertidumbres, la probabilidad de que se produzca la pérdida en el futuro y su cuantía. Como en el caso de las pérdidas acumuladas antes de la sentencia, eso contempla tanto el gasto futuro que se habría evitado de no haberse producido el incumplimiento como las ganancias que el acreedor podría razonablemente haber esperado obtener si no se hubiera producido el incumplimiento. A menudo las pérdidas futuras consisten en la pérdida de una oportunidad».

También en el ámbito contractual se admite el resarcimiento del daño moral,[36] que no puede reducirse a cifras concretas y que habrá de valorarse discrecionalmente por los tribunales, atendiendo a la importancia del incumplimiento y a las circunstancias de cada caso concreto.[37]

El artículo III.-3:701(3) del DCFR estipula que «el término "daño" comprende tanto el patrimonial como el no patrimonial. El término "daño patrimonial" comprende la pérdida de ingresos o de ganancias, los gastos en que se incurra y la reducción en el valor de un bien. El término "daño no patrimonial" comprende el dolor, el sufrimiento y el deterioro en la calidad de vida».

4.º Que exista un nexo causal entre el incumplimiento y el daño sobrevenido. Es decir, el daño sufrido por el acreedor debe ser consecuencia necesaria del incumplimiento imputable al deudor. La jurisprudencia viene exigiendo reiteradamente la relación de causa a efecto entre el incumplimiento y el daño, así como advierte que se trata de una cuestión de hecho que ha de apreciar libremente el tribunal.[38]

Pero, conviene no olvidar que íntimamente ligada a la relación de causalidad se encuentra la idea de previsibilidad, para que el daño sea resarcible. Y, como señala Cossío «este juicio de previsión no es un juicio meramente subjetivo, sino más bien el resultado de una valoración objetiva que el juez ha de llevar a cabo, teniendo en cuenta, no sólo su personal criterio, sino además, y sobre todo, el juicio general que cualquier hombre medio se hubiera debido formar acerca de la posibilidad y probabilidad del daño que había de originarse, juicio que en este caso se convierte en norma de conducta para todos, en virtud de la obligación general de diligencia que nos es impuesta por la vida social, tratándose, por tanto, de un juicio normativo».

2.2. *Concurrencia de culpas*

Cuando el daño es consecuencia de una *concurrencia de culpas*, porque se ha producido no sólo por culpa del deudor, sino también por la del que sufre el perjuicio, se plantea la cuestión de si el juez o tribunal podrá valorarlas y distribuirlas; haciendo

---

36. Cfr. STS de 9 de mayo de 1984 (RJ 1984, 2403).
37. Cfr. STS de 21 de mayo de 1971 y las que cita.
38. Cfr. SSTS de 16 de junio de 1953 (RJ 1953, 1983) y 9 de febrero de 1956 (RJ 1956, 694).

responder al deudor únicamente de la que le fuere imputable, o por el contrario entender que ha desaparecido el deber de indemnizar.

No ofrece duda que la solución más justa es su admisión, y estimar que cabe la concurrencia y compensación o distribución de la culpa de agente y perjudicado. Pues, como dicen PÉREZ GONZÁLEZ y ALGUER, este criterio no sólo «es una consecuencia lógica de los principios sobre el nexo causal, que se cifra en reconocer como causa aquella condición que se halla en conexión adecuada con el resultado dañoso y que, por tanto, no excluye la posibilidad de la concurrencia de dos condiciones que impliquen esa conexión adecuada al daño, sino también porque los tribunales están facultades para moderar, según los casos, la responsabilidad procedente de culpa (art. 1103 CC) (...). Moderada de esta suerte la responsabilidad del agente, y reducido en proporción su deber de indemnizar, implícitamente resulta repartido el daño con el perjudicado». También la más reciente jurisprudencia admite la posibilidad de compensar o distribuir la culpa concurrente del agente y del perjudicado.[39] En este sentido, la STS de 7 de diciembre de 1987 declara que «este principio de compensación de culpas ha sido reconocido jurisprudencialmente y encuadrado en el artículo 1103 del CC, y consiste en que cuando el agente ha incurrido en omisión de diligencia coincidente con la del agraviado, de suerte que los respectivos comportamientos no llegaron a romper la relación de causalidad, no erigiéndose ninguno de ellos en el único factor desencadenante del hecho dañoso, ha de procederse a una equitativa moderación y repartimiento del *quantum* a resarcir».[40]

2.3. Extensión del resarcimiento

Para determinar la extensión del daño resarcible hay que tomar en consideración el grado de culpabilidad del deudor, a cuyo efecto el artículo 1107 del CC distingue entre el incumplimiento de buena fe (por culpa) y el de mala fe (por dolo), declarando que los daños y perjuicios de que responde el primero «son los previstos o que se hayan podido prever al tiempo de constituirse la obligación y que sean consecuencia necesaria de su falta de cumplimiento», pudiendo moderarse (la responsabilidad) por los tribunales según los casos (art. 1103 CC). En cambio, cuando se trata de un deudor doloso, la responsabilidad alcanzará a «todos los (daños y perjuicios) que conocidamente se deriven de la falta de cumplimiento de la obligación» (art. 1107, párr. 2.º, CC).

En ambos casos es necesaria la existencia del nexo causal entre el daño y el incumplimiento o cumplimiento defectuoso (o tardío), lo que ocurre es que en el supuesto del deudor doloso se aprecia con mayor rigor. Por eso, VALVERDE considera que el adverbio «conocidamente» debe interpretarse como «racionalmente», y que los daños a que se refiere el artículo 1107 no pueden ser otros que aquellos que sean consecuencia necesaria del incumplimiento. Por su parte, la STS de 24 de noviembre de 1997 declara que el incumplimiento doloso del contrato determina la indemnización de los daños y perjuicios causados, entre los que «han de incluirse los derivados de la devaluación monetaria, sin que ello comporte la transformación de la deuda de dinero en deuda de valor».[41]

---

39. Cfr. SSTS de 14 de octubre de 1957 (RJ 1957, 2865) y 17 de mayo de 1967 (RJ 1967, 2423).
40. RJ 1987, 9282.
41. RJ 1997, 8396.

La moderación de la indemnización de los tribunales, limitada a los casos de culpa, no puede hacerse extensiva nunca a los supuestos en que el acto fuera doloso. Pero, lo que sí puede suceder, es que el tribunal no califique el acto de doloso porque los daños no son proporcionados a la gravedad de la infracción cometida.

Una aplicación concreta de la responsabilidad por dolo se encuentra en el artículo 455 del CC, a cuyo tenor «el poseedor de mala fe abonará los frutos percibidos y los que el poseedor legítimo hubiera podido percibir».

El artículo 1208 de la PMDOC dice que «el deudor responde de los daños y perjuicios que sean objetivamente imputables a su incumplimiento; pero si éste no hubiera sido doloso, sólo responderá de los daños que se hubiesen previsto o podido prever razonablemente como consecuencia probable de la falta de cumplimiento en el momento de la celebración del contrato».

Según el artículo III.-3:702 del DCFR, «la cuantía global de la indemnización por los daños causados por el incumplimiento de una obligación es la suma de dinero que coloque al acreedor, de la manera más próxima posible, en la situación en que se hubiere encontrado si la obligación hubiere sido debidamente cumplida. La indemnización cubre las pérdidas que el acreedor haya sufrido y las ganancias que haya dejado de obtener». El comentario oficial indica que «el presente artículo combina el criterio generalmente aceptado de la expectativa de beneficios *(expectation interest)* de la indemnización de daños por incumplimiento de una obligación y la norma tradicional del daño emergente *(damnum emergens)* y lucro cesante *(lucrum cessans)* del derecho romano, es decir, que el acreedor tiene derecho a una indemnización de una cuantía equivalente al valor de la expectativa no cumplida. En un contrato de compraventa de mercancías o suministro de servicios, esto se mide normalmente calculando la diferencia entre el precio del contrato y el precio actual o del mercado; pero si el acreedor ha realizado una transacción sustitutiva, en tal caso, con sujeción a las condiciones del Artículo 3:706 (Transacción sustitutiva) del Libro III, el acreedor puede decidir reclamar la diferencia entre el precio del contrato y el precio de dicha transacción. Las cantidades que pueden reclamarse como daños efectivos incluyen tanto los gastos asumidos como las ganancias no obtenidas. Las indemnizaciones de daños que se reclamen en virtud de este artículo no tienen por objeto la restitución de los beneficios recibidos; sin embargo, se puede recurrir a este remedio tras la resolución de un contrato en las circunstancias descritas en el Artículo 3:510 (Restitución de los beneficios recibidos por el cumplimiento) del Libro III». A ello hay que añadir que, además de la reclamación principal por la pérdida de que se debía, (es decir, la pérdida que cualquier acreedor podría sufrir a causa de un incumplimiento), el acreedor puede reclamar una indemnización por las pérdidas que prevea que pueden resultar de determinadas circunstancias. Este tipo de pérdida se denomina a veces como «pérdida consecuencial».[42]

2.4. *Prueba de los daños y perjuicios*

La prueba de los daños y perjuicios corresponde al acreedor; ya que como ha declarado la jurisprudencia, el incumplimiento por sí solo no implica la producción del daño.[43] No obstante, a veces el daño se prueba en virtud de los mismos hechos que prueban el incumplimiento.[44]

---

42. Cfr. artículos 9:501 y 9:502 de los PECL.
43. Cfr. SSTS de 12 de febrero de 1976 (RJ 1976, 458) y 14 de junio de 1978 (RJ 1978, 2239).
44. Cfr. SSTS de 2 de abril de 1960 (RJ 1960, 1269) y 28 de abril de 1969 (RJ 1969, 2234).

Y la prueba no sólo ha de referirse a la existencia del daño, sino a su cuantía. La determinación de la cuantía puede realizarse por acuerdo de las partes o, en su defecto, judicialmente, bien en la misma sentencia, o bien en el período de ejecución de sentencia con arreglo a lo que establece la Ley de enjuiciamiento civil (arts. 712 y ss. LEC). En el caso de deudas de dinero o de mora, a falta de pacto, la indemnización consistirá, según el artículo 1108 del CC, en el pago del interés legal.

Según el artículo 1207, párrafo 3.º, de la PMDOC, «si la obligación consistiere en el pago de una cantidad de dinero, la indemnización de daños y perjuicios, no habiendo pacto en contrario, consistirá en el pago de los intereses convenidos, y a falta de convenio, en el interés legal». Asimismo, el artículo 1206 de la PMDOC establece que «el retraso del deudor en el cumplimiento de una deuda pecuniaria le obliga a satisfacer el interés pactado o, en su defecto, el interés legal del dinero, a no ser que resulte otra cosa de la ley o del título constitutivo de la obligación, salvo que pruebe que el daño sea mayor».

El artículo III.-3:708 del DCFR dispone lo siguiente: «(1) Cuando se produzca una demora en el pago de una cantidad de dinero, esté o no justificado el incumplimiento, el acreedor tiene derecho a los intereses de esa cantidad desde el momento en que el pago es debido hasta el momento efectivo del pago. Dichos intereses se calcularán conforme al tipo medio del interés preferencial aplicado por los bancos comerciales a las grandes cuentas en operaciones a corto plazo, para la moneda y el lugar en que deba procederse al pago. (2) Además, el acreedor puede reclamar una indemnización por otros daños que haya podido sufrir».

Se ha planteado por la doctrina la cuestión de si la pérdida del poder adquisitivo de la moneda, cuando hay una devaluación de la unidad monetaria en el espacio de tiempo que media entre la valoración del daño y el pago, es o no a cargo del deudor. Según ALBALADEJO, «parece innegable la justicia de la afirmación de que la pérdida del poder adquisitivo de la moneda es a cargo del incumplidor, aunque únicamente fuera por el sencillo razonamiento de que, siendo él el causante del daño, lo sería también del que recibiría el acreedor por tomar una suma de menor poder adquisitivo, cuando la necesidad de resarcirle así fue causada por el incumplimiento dañoso de aquél. Y como ha de resarcir todo el daño que ocasionó, habrá de resarcir también el procedente de pagar al otro en unidades monetarias de poder adquisitivo disminuido». A este respecto, el Tribunal Supremo ha declarado con reiteración que la indemnización conducente a la reparación de daños y perjuicios tiene el carácter de deuda de valor, por lo que su cuantía debe determinarse con referencia no a la fecha en que se produzca la causa determinante del perjuicio, sino a la en que recaiga la condena a la reparación o, en su caso, a la que se liquide su importe en el período de ejecución de sentencia.[45]

En los *contratos internacionales*, el artículo 74 de la CISG determina que «la indemnización de daños y perjuicios por el incumplimiento del contrato en que haya incurrido una de las partes comprenderá el valor de la pérdida sufrida y el de la ganancia dejada de obtener por la otra parte como consecuencia del incumplimiento. Esa indemnización no podrá exceder de la pérdida que la parte que haya incurrido en incumplimiento hubiera previsto o debiera haber previsto en el momento de la celebración del contrato, tomando en consideración los hechos de que tuvo o debió

---

45. Cfr. STS de 19 de mayo de 2000 (RJ 2000, 3992) y las que cita.

haber tenido conocimiento en ese momento, como consecuencia posible del incumplimiento del contrato».

Por su parte, el artículo 7.4.1 de los PCCI dice que «cualquier incumplimiento otorga a la parte perjudicada derecho al resarcimiento, bien exclusivamente o en concurrencia con otros remedios, salvo que el incumplimiento sea excusable conforme a estos Principios». La parte perjudicada tiene derecho a la reparación integral del daño causado por el incumplimiento. Este daño comprende cualquier pérdida sufrida y cualquier ganancia de la que fue privada, teniendo en cuenta cualquier ganancia que la parte perjudicada haya obtenido al evitar gastos o daños y perjuicios (art. 7.4.2(1) PCCI).

> Como señala el comentario oficial, se establece «el principio de que la parte perjudicada tiene el derecho a la reparación integral por el daño sufrido a consecuencia del incumplimiento del contrato. Este párrafo reafirma además la necesidad de una relación causal entre el incumplimiento y el daño (véase asimismo el Comentario 3 al Artículo 7.4.3). El incumplimiento no debe ser una fuente de menoscabo ni de ganancias para la parte perjudicada. No se ha adoptado la solución propiciada en algunos ordenamientos jurídicos, que permite al tribunal reducir el monto de la reparación atendiendo a las circunstancias del caso, puesto que en un contexto internacional esta facultad morigeradora podría ocasionar un grado considerable de incerteza, variando ampliamente su aplicación de un tribunal a otro».

Dicho daño puede no ser pecuniario e incluye, por ejemplo, el sufrimiento físico y la angustia emocional (art. 7.4.2(2) PCCI).

V. LA RESPONSABILIDAD DEL DEUDOR POR LA ACTIVIDAD DE SUS AUXILIARES O RESPONSABILIDAD CIVIL INDIRECTA

La organización y división del trabajo en la empresa moderna ha dado lugar a que el deudor recurra frecuentemente a los servicios de terceras personas para la ejecución de sus obligaciones. Incluso para el cumplimiento de prestaciones en las que juegan un papel preponderante el *intuitus personae* (por ejemplo, profesiones liberales) el deudor suele utilizar a terceros. En este contexto, el auxiliar es aquella persona que ejecuta la obligación o ejercita el derecho de otra persona siguiendo las instrucciones o con el consentimiento, expreso o tácito, de este último. No tiene relevancia que los servicios que preste el auxiliar sean ocasionales o permanentes, remunerados o gratuitos.

En nuestro Código civil, a diferencia de los de otros países europeos, (§ 278 BGB, art. 1228 Código civil italiano y art. 800 Código civil portugués), no hay una norma general que de modo expreso haga al deudor responsable de los actos de las personas de que se sirve en el cumplimiento de la obligación. Sin embargo, sí existen algunos preceptos aislados en los que se pone de manifiesto esta responsabilidad. Concretamente, la del arrendatario por los deterioros causados por las personas de su casa (art. 1564 CC); la del contratista por el trabajo ejecutado por las personas que haya ocupado en la obra (art. 1596 CC); la del mandatario por la gestión del sustituto, cuando no se le haya dado facultad para nombrarlo o se le hubiere dado tal facultad, pero sin designar la persona y el nombrado fuera notoriamente incapaz o insolvente (art. 1721 CC); la del fondista o mesonero por los daños causados en los efectos de los viajeros por los criados o dependientes de aquél (art. 1784 CC); y la del gestor por los actos de la persona en que hubiese delegado todos o alguno de los deberes de su cargo (art. 1890 CC).

Jordano Fraga defiende la existencia en nuestro Derecho de la misma regla general vigente en otros ordenamientos, basándose en la extensión de las reglas particulares antes citadas, así como en la aplicación analógica de la responsabilidad extracontractual indirecta del principal por los actos de sus empleados o dependientes (art. 1903, párr., 4.°, CC).

Este principio general de responsabilidad conduce a hacer responsable contractualmente al deudor por las infracciones de su obligación (falta de cumplimiento o de exacto cumplimiento) debidas a la intervención de sus auxiliares en el cumplimiento, que de haber sido cometidas por él mismo habrían desencadenado su responsabilidad contractual personal. Asimismo, da lugar a exonerar al deudor de responsabilidad contractual por la actividad de su auxiliar cuando la falta de exacto cumplimiento de la obligación del primero, debida a la conducta de dicho auxiliar, no habría desencadenado la responsabilidad personal del deudor; de haber éste intervenido personalmente en el cumplimiento de su obligación y actuado de forma idéntica a la de su auxiliar.

El deudor responde por el hecho de sus auxiliares, aunque no incurra en culpa (*in eligendo, in vigilando,* etc.).

Respecto de si es o no precisa la existencia de culpa por parte del auxiliar, algunos autores (Badosa, Cristóbal Montes) responden afirmativamente. Otros, en cambio, consideran que el deudor responde por la actividad de sus auxiliares, aunque no medie culpa de los mismos, en cuanto a la estimación económica de la prestación; mientras que de los daños suplementarios únicamente responde si hubiere habido culpa por parte del auxiliar. En nuestra opinión, la responsabilidad del deudor es independiente de la existencia o ausencia de una falta del auxiliar. El deudor responde por el hecho de sus auxiliares, aunque no incurra en culpa (*in eligendo, in vigilando,* etc.), y no podrá alegar que no incurrió en falta en la elección o en la vigilancia del auxiliar, ni en las instrucciones que le dio. Es obvio que el deudor no puede disculparse alegando circunstancias personales de su auxiliar (juventud, inexperiencia, etc.), y que el deudor mismo no podría invocar en su propio beneficio.

No es necesario que el auxiliar sea un *dependiente* del deudor. Este responde incondicionalmente del hecho del auxiliar independiente que ejercite las actividades que integran el cumplimiento debido. Jordano Fraga matiza, acertadamente, que lo importante no es la relación que media entre el deudor y el auxiliar, que puede ser o no de dependencia, sino que aquél se sirva de éste para la ejecución o cumplimiento de la relación obligatoria.

> Como novedad frente a la regulación tradicional del Código civil, la Propuesta para la modernización del Derecho de obligaciones y contratos convierte en norma general la imputación al deudor de los actos de sus auxiliares y colaboradores. Así, el artículo 1189 de la PMDOC señala que «si el deudor se sirviere del auxilio o colaboración de un tercero para el cumplimiento, los actos y omisiones de éste se imputarán al deudor como si los hubiera realizado él mismo». Obsérvese que no utiliza la expresión «dependiente», sino la de «colaborador».

En el mismo sentido, el artículo III.-2:106 del DCFR dispone que «cuando un deudor encomienda el cumplimiento de una obligación a un tercero seguirá siendo responsable de dicho cumplimiento».[46] Como dice el comentario oficial, «el principio básico es que si el deudor no cumple la obligación personalmente, sino que encomienda el cumplimiento a una tercera persona, el deudor seguirá, no obstante, siendo responsable del debido cumplimiento de la obligación que tiene respecto al acreedor: La relación interna entre el deudor y el tercero es irrelevante en este contexto. La tercera persona puede estar sujeta a instrucciones del deudor, como un empleado o un agente representante, o puede ser un subcontratista independiente».

BIBLIOGRAFÍA

Amorós Guardiola, «La garantía patrimonial y sus formas», RGLJ, 1972, p. 561; Badosa Coll, *La diligencia y la culpa del deudor en la obligación civil*, Bolonia, 1987; Carrasco Perera, «Restitución de provechos», ADC, 1987-1988, pp. 1055 y 5; Cossío, *El dolo en el Derecho civil*, Madrid, 1955; Cristóbal Montes, *El incumplimiento de las obligaciones*, Madrid, 1989; Del Olmo Guarido, *El caso fortuito: su incidencia en la ejecución de las obligaciones*, Navarra, 2004; Díaz Alabart, «La facultad de moderación del artículo 1103 del Código civil», ADC, 1988, p. 1133; Fenoy Picón, «La modernización del régimen del incumplimiento del contrato: Propuestas de la Comisión General de Codificación. Parte primera: Aspectos generales. El incumplimiento», ADC, 2010, p.47; íd., «La Modernización del régimen del incumplimiento del contrato: propuestas de la Comisión General de Codificación. Parte segunda: los remedios del incumplimiento», ADC, 2011, p. 1481; Gómez Pomar, «El incumplimiento contractual en Derecho español», InDret, 2007; García Amigo, *Cláusulas limitativas de la responsabilidad contractual*, Madrid, 1965; Jiménez Horwitz, *La imputación al deudor del incumplimiento del contrato ocasionado por sus auxiliares*, Madrid, 1996; Jordano Fraga, *La responsabilidad contractual*, Madrid, 1987; íd., *La responsabilidad del deudor por los auxiliares que utiliza en el cumplimiento*, Madrid, 1993; Llamas Pombo, *Cumplimiento por equivalente y resarcimiento del daño al acreedor (entre la estimatio rei y el id quod interest)*, Madrid, 1999; Pérez Ontiveros, *Daño moral por incumplimiento de contrato*, Navarra, 2006; Santos Briz, «La culpa en Derecho civil. Ampliación actual de su concepto», RDP, 1967, p. 614; íd., *La responsabilidad civil. Derecho sustantivo y Derecho procesal*, 3.ª ed., Madrid, 1981; Roca Trías, «El incumplimiento de los contratos en la Propuesta de Modernización del Derecho de obligaciones y contratos», BMJ, 2011, núm. 2132; Sierra Pérez, *Responsabilidad del empresario y relación de dependencia*, Madrid, 1997; Soto Nieto, *El caso fortuito y la fuerza mayor*, Madrid, 1965; Torralba, «La responsabilidad por los auxiliares en el cumplimiento de las obligaciones», ADC, 1971, p. 1147; Traviesas, «La culpa», *RDP*, 1926, p. 289; Yzquierdo Tolsada, «Comentario del artículo 1107 del Código civil», *Estudios-homenaje al Prof. Lacruz*, Vol. I, Barcelona, 1992, p. 843.

---

46. Cfr. artículo 1:305 de los PECL.

Capítulo XII
Las garantías de la obligación

I. INTRODUCCIÓN

El Código civil español rechaza la responsabilidad personal, puesto que para el caso de incumplimiento de la obligación proclama la responsabilidad patrimonial universal del deudor en su artículo 1911, a cuyo tenor, «del cumplimiento de las obligaciones responde el deudor con todos sus bienes, presentes y futuros». Por eso suele afirmarse que el patrimonio del deudor constituye la primera o principal garantía del derecho de crédito. Sin embargo, conviene advertir que la obligación se garantiza o se refuerza cuando se aumentan las seguridades de que el acreedor será satisfecho. En este sentido, el patrimonio del deudor no es una verdadera y propia garantía, pues el poder de agresión sobre todos los bienes presentes y futuros del deudor lo tiene todo acreedor por el mero hecho de ostentar esta posición con el fin de hacer efectivo el valor de la prestación debida en caso de incumplimiento. Por consiguiente, en sentido técnico, garantía es aquel derecho o facultad que se añade a la relación obligatoria para aumentar las seguridades de cumplimiento de lo estipulado.

Precisamente por esto, porque el patrimonio del deudor puede no existir o devenir insuficiente, o incluso desaparecer, es lo que explica que el ordenamiento jurídico, al amparo de la libertad de pacto consagrada en el artículo 1255 del CC, suministra y permite establecer unos medios para afianzar el cumplimiento de la obligación.

Suelen distinguirse las garantías en reales y personales. Los medios de garantía real son aquellos que otorgan al acreedor el derecho de dirigirse contra cosas concretas y específicas, propias del deudor o de un tercero e instar su venta en caso de incumplimiento de la obligación, haciéndose pago con su importe (prenda e hipoteca) o con los frutos (anticresis). Estas garantías reales, sobre todo la prenda y la hipoteca, son las más seguras, pues su carácter *erga omnes* permite al acreedor dirigirse contra la cosa con independencia de quien la tenga en su poder.

Las garantías personales propiamente dichas son la fianza y la cláusula penal. En virtud de la primera, un tercero, llamado fiador, se obliga a cumplir la obligación en el caso de que el deudor no lo haga, o bien por haberse obligado solidariamente (art. 1822 CC). La cláusula penal es una estipulación accesoria que se une a la relación obligatoria agravando la responsabilidad del deudor en el caso de incumplimiento.

De las garantías reales no se va a tratar aquí, ni tampoco de la fianza, pues unas y otra tienen su sede propia. En el presente capítulo se van a estudiar solamente la cláusula penal, las arras y el derecho de retención.

II. CLÁUSULA PENAL

1. Introducción

La *cláusula penal*, también llamada pena convencional, es una estipulación de carácter accesorio por la que se establece una sanción, generalmente pecuniaria, para el caso de que el deudor incumpla o cumpla defectuosamente su obligación. La jurisprudencia, en varias sentencias, da un concepto de la cláusula penal en el que pone de relieve las notas de garantía y accesoriedad.[1]

Se denomina cláusula penal a la estipulación en que se establece la pena, y obligación con cláusula penal a aquella cuyo cumplimiento se garantiza mediante la pena; sin embargo, la sanción puede establecerse en otro negocio jurídico separado, e incluso con posterioridad al nacimiento de la obligación principal que se garantiza. Como dice LOBATO DE BLAS, la cláusula penal no es un tipo especial de las obligaciones, sino que cualquiera puede ser reforzada por este medio de garantía.

Los *caracteres* de la cláusula penal son los siguientes:

1.° Es un *medio de garantía de la obligación*. Para conseguir este finalidad la evaluación preventiva de los daños debe ser superior a la medida real de los mismos, pues, como dice la STS de 12 de abril de 1993, la cláusula penal tiene «como función principal la de añadir un plus de onerosidad al convenio para la parte que no lo cumple y de esta manera actúa precautoriamente como estimulante para la adecuada y perfecta ejecución negocial».[2]

2.° Es una *obligación accesoria* que se agrega a la principal para reforzarla. Este carácter está expresamente reconocido en el artículo 1155 del CC, al establecer que la nulidad de la obligación principal lleva consigo la de la cláusula penal, pero no a la inversa.

> Según el artículo 1151 de la PMDOC, «la nulidad de la cláusula de fijación de indemnización o de pena no lleva consigo la de la obligación principal. La nulidad de la obligación principal lleva consigo la de la cláusula».

3.° Es una *obligación subsidiaria*, pues, salvo pacto en contrario, no puede el acreedor exigir conjuntamente el cumplimiento de la obligación y la pena, o la reparación ordinaria y la pena. Sin embargo, el acreedor puede optar por el cumplimiento en

---

1.   Cfr. SSTS de 11 de marzo y 17 de octubre de 1957 (RJ 1957, 751 2872) y 25 de octubre de 2004 (RJ 2004, 6403).
2.   RJ 1993, 2994.

forma específica y, caso de que este no sea posible, por la cláusula penal, es decir, de forma subsidiaria.

El artículo 1149 de la PMDOC determina que «el ejercicio de la acción de cumplimiento en forma específica impide al acreedor reclamar la indemnización convenida de los daños y la pena convencional, salvo que éstas hubiesen sido estimadas para el caso de retraso o que el cumplimiento en forma específica resulte imposible. Si el acreedor obtiene la resolución por incumplimiento, tendrá derecho a las indemnizaciones para el supuesto de aquélla pactadas y a las penas convencionales pactadas para el cumplimiento retrasado».

La cláusula penal, como medio de garantía de la obligación, puede revestir diversas *modalidades*:

a) Como pena *sustitutiva* de la indemnización de daños y perjuicios y abono de intereses en caso de incumplimiento. Esta función o finalidad, de evitar la necesidad de demostrar la existencia o cuantía de unos perjuicios, la presume el artículo 1152 del CC, salvo pacto en contrario. Por consiguiente, sólo cuando se haya pactado de modo expreso es compatible la pena con el resarcimiento de daños y perjuicios causados y probados.[3]

El artículo 1146, párrafo 1.º, de la PMDOC, señala que «la prestación convenida para el incumplimiento o el cumplimiento retrasado o defectuoso sustituirá a la indemnización de daños sin necesidad de probarlos, salvo que las partes le hubiesen asignado sólo carácter penal».

b) Como pena *cumulativa,* cuando la pena es exigible además de los daños y perjuicios causados por el incumplimiento o cumplimiento defectuoso de la obligación principal.[4] Esta modalidad, dada la excesiva onerosidad para el deudor, requiere que la voluntad de los contratantes sobre tal particular conste de manera clara e inequívoca.[5]

No debe confundirse con la *pena de arrepentimiento* o multa penitencial, ya que a tenor del artículo 1153, inciso 1.º, del CC cabe el pacto mediante el cual se otorgue el deudor la facultad de liberarse de la obligación pagando la pena. Esto, en realidad, constituye una obligación facultativa con cláusula de sustitución.[6] Ello lo demuestra el hecho de que, extinguida la obligación principal sin culpa del deudor, éste no vendría obligado a pagar la multa convencional, ya que es una facultad alternativa del pago (ALBALADEJO).

Según el artículo 1146, párrafo 2.º, de la PMDOC, «el deudor no podrá eximirse de cumplir la obligación pagando la prestación convenida sino en el caso de que esta facultad le hubiese sido especialmente concedida».

Según la STS de 21 de febrero de 1969, la cláusula penal consiste, en sentido amplio, en una estipulación añadida al contrato por la que se establece una prestación, generalmente pecuniaria, que el deudor promete para el supuesto de que no

---

3. Cfr. SSTS de 27 de septiembre de 1961 (RJ 1961, 3029), 23 de febrero de 1981 y 17 de noviembre de 2004 (RJ 2004, 7239).
4. Cfr. SSTS de 16 de febrero de 1957 (RJ 1957, 713), 13 de junio de 1962 (RJ 1962, 3168) y 21 de febrero de 1969 (RJ 1969, 967).
5. Cfr. STS de 18 de abril de 1986 (RJ 1986, 1860).
6. Cfr. SSTS de 13 de junio de 1962 (RJ 1962, 3168) y 21 de febrero de 1969 (RJ 1969, 967).

cumpla la obligación principal, o al cumplirla contravenga su tenor. Pero, en sentido estricto, sólo merece este nombre cuando se estipula que el acreedor puede pedir, conjuntamente, el cumplimiento de la obligación y la satisfacción de la pena, careciendo de tal carácter tanto en el supuesto de que por pacto expreso se deje al arbitrio del deudor la posibilidad de liberarse del cumplimiento pagando la pena, como en la hipótesis de que se le asigne una función liquidadora o de cobertura del riesgo; en cuyo caso viene a constituir una anticipada fijación del importe de los daños y perjuicios que puedan derivarse del incumplimiento, sin necesidad de acudir a un ulterior proceso para su fijación.[7]

2. Constitución de la cláusula penal

Los *requisitos necesarios* para la constitución de la cláusula penal son:

1.º Existencia de una obligación principal válida. Esta exigencia está sancionada en el artículo 1155, párrafo 2.º, del CC, según el cual «la nulidad de la obligación principal lleva consigo la de la cláusula penal».[8] Como dice CASTÁN, ha de entenderse que el precepto legal se refiere a la «nulidad absoluta», no a las otras formas de nulidad, que dejando subsistente la posibilidad de que la obligación llegue a producir efecto (por confirmación expresa o tácita del acto anulable que le dio origen), justifican y exigen el mantenimiento de la función de garantía que la cláusula penal desempeña.

2.º Estipulación de una pena que sea también válida (art. 1152, párrafo 2.º, CC). Sin embargo, dado su carácter accesorio, la nulidad de la cláusula penal no lleva consigo la de la obligación principal (art. 1155, párrafo 1.º, CC). En este caso, la cláusula penal se tendrá por no puesta y la liquidación de los daños y perjuicios deberá realizarse según las reglas generales.

Como antes se indicó, aunque lo normal será que la pena se establezca en el momento de constituirse la obligación principal que garantiza, nada impide que se pacte en un momento posterior o incluso en otro negocio jurídico separado, siempre que se efectúe con anterioridad al vencimiento de la obligación principal. Pero es necesario que sea el deudor el que prometa la pena, ya que si fuese un tercero se trataría de una fianza.

No se exigen especiales requisitos de forma, ni se requiere el empleo de determinados términos o expresiones, pues, como ha señalado la jurisprudencia, «la pena convencional existe no sólo cuando se pacta con este nombre, sino también cuando se pacta cualquier otra estipulación que lleva al mismo resultado».[9] Ahora bien, para admitir la existencia de la cláusula penal, debe constar de manera clara y terminante la voluntad de las partes.[10] El Tribunal Supremo aplica este mismo criterio restrictivo de interpretación respecto del alcance y contenido de la cláusula penal.[11]

---

7.   RJ 1969, 967.
8.   Cfr. STS de 5 de noviembre de 1956 (RJ 1956, 3805).
9.   Cfr. SSTS de 6 de febrero de 1906 (JC, II-50), 24 de marzo de 1909 (JC, II-29) y 3 de marzo de 1956 (RJ 1956, 1141).
10. Cfr. SSTS de 3 de marzo de 1956 (RJ 1956, 1141) y 4 de noviembre de 1958 (RJ 1958, 3432).
11. Cfr. SSTS de 13 de junio de 1906, 19 de junio de 1941 (RJ 1941, 754 bis), 18 de abril de 1986 (RJ 1986, 1860) y 30 de junio de 2000 (RJ 2000, 5917).

Por regla general, la sanción o pena tendrá carácter pecuniario. Es decir, el contenido de la obligación penal consistirá en una determinada cantidad de dinero, que el deudor promete pagar para el caso de que no cumpla la obligación principal, o al cumplir contravenga su tenor en sentido estricto; aunque también podrá consistir en dar otra cosa, en hacer o en no hacer, e incluso en una prestación a favor de tercero. En el caso de que consista en una prestación pecuniaria, puede llevar incorporada una cláusula de estabilización (RUIZ VADILLO).

> El artículo 1147 de la PMDOC señala que «la fijación convencional de la indemnización impide al acreedor exigir una cantidad mayor por el daño excedente, salvo que otro hubiera sido el pacto de las partes».

3. Exigibilidad de la cláusula penal

Para que la pena sea exigible se requiere:

a) Subsistencia de la obligación principal. Es necesario que se mantengan los mismos supuestos con base en los cuales se pactó, pues si éstos se alteran con variaciones trascendentales la eficacia de la cláusula desaparece.[12]

b) Que la obligación principal haya sido incumplida o cumplida defectuosamente o con retraso, de acuerdo con la modalidad que la cláusula penal haya previsto como sancionable.

c) Que el incumplimiento o el cumplimiento defectuoso pueda ser considerado como tal legalmente, pues el artículo 1152, párrafo 2.º, del CC dispone que «sólo podrá hacerse efectiva la pena cuando ésta fuere exigible conforme a las disposiciones del presente Código». Como señala DÍEZ-PICAZO, de ello no debe deducirse que la obligación penal sea una obligación condicional, en el sentido de que dependa de un evento futuro e incierto, como es el incumplimiento defectuoso, puesto que tales hechos no constituyen en puridad condiciones en sentido técnico, sino una *conditio iuris* de la exigibilidad de la pena.

Según la STS de 17 de octubre de 1957, el incumplimiento debe afectar a lo esencial de la obligación principal y no a algo secundario.[13]

d) Que el incumplimiento o cumplimiento defectuoso sea imputable al deudor, es decir, la exigibilidad de la pena se basa en la existencia de dolo o culpa por parte del obligado (art. 1101 CC). La jurisprudencia exige que el incumplimiento o el defectuoso cumplimiento sean debido a dolo, culpa o cualquier otra causa imputable a la parte que asumió la responsabilidad accesoria derivada de la cláusula penal.[14] Por el contrario, la STS de 5 de abril de 1988 la declara no aplicable si el incumplimiento es de ambas partes.[15]

Es posible pactar que el deudor responda por caso fortuito o fuerza mayor, en cuyo caso la cláusula cumple la función de fijar anticipadamente la cuantía de la responsabilidad del deudor.

---

12. Cfr. STS de 22 de enero de 1980 (RJ 1980, 83) y las que cita.
13. RJ 1957, 2872.
14. Cfr. SSTS de 27 de septiembre de 1961 (RJ 1960, 3029), 23 de octubre de 1970 (RJ 1970, 4438) y 4 de julio de 1988 (RJ 1988, 5556).
15. RJ 1988, 2655.

El artículo 1148 de la PMDOC dice que «el acreedor sólo podrá exigir la indemnización previamente convenida cuando el incumplimiento o el cumplimiento defectuoso o retardado sea imputable al deudor».

4. Efectos de la cláusula penal

Los efectos de la cláusula penal son distintos, según sea ésta sustitutoria o cumulativa, y según que el incumplimiento de la obligación haya sido total, parcial o defectuoso.

a) Pena *sustitutoria.* Cuando la cláusula penal tiene función sustitutoria, dice el artículo 1153, párrafo 2.º, del CC que el acreedor no podrá exigir conjuntamente el cumplimiento de la obligación y la satisfacción de la pena. Por tanto, a *contrario sensu,* sí podrá reclamar una u otra, lo que no impide que en la misma demanda se solicite el cumplimiento de la obligación principal y, de modo subsidiario, la pena. Y, en el supuesto de que la cláusula penal se hubiera establecido para el caso de mora o retraso del deudor, el acreedor podrá pedir conjuntamente el cumplimiento de la obligación y la pena, pues en este caso no se produce incompatibilidad.[16]

Pero, como es sabido, el efecto principal de la pena es sustituir a la indemnización de daños y al abono de intereses en caso de incumplimiento de la obligación principal (art. 1152, párrafo 1.º, CC), no necesitando el acreedor probar la existencia de los daños ni su cuantía, pues es indiferente que los daños sean menores e incluso que no existan. Sin embargo, el artículo 1154 del CC establece la excepción a esta regla, al disponer que «el Juez modificará equitativamente la pena cuando la obligación principal hubiera sido en parte o irregularmente cumplida por el deudor». Es decir, únicamente se permite en el caso de incumplimiento no total (cumplimiento parcial o irregular), pues de lo contrario dejaría de tener sentido la consignación de los dos casos en que, según el precepto legal, el juez modificará equitativamente la pena.[17] Pero, como dice la STS de 5 de diciembre de 2003, no cabe moderación cuando el incumplimiento parcial era el previsto expresamente en la cláusula penal.[18]

El artículo 1150 de la PMDOC señala que «el Juez modificará equitativamente las penas convencionales manifiestamente excesivas y las indemnizaciones convenidas notoriamente desproporcionadas en relación con el daño efectivamente sufrido».

En este sentido, la STS de 10 de marzo de 2014 ha declarado que «la facultad de moderación equitativa de la pena procede, en general, cuando la configuración de la obligación penal establecida responde o se programa en consideración del incumplimiento total de la obligación, supuesto que permite dicha moderación en atención a la transcendencia o alcance de los incumplimientos parciales o irregulares realizados (artículo 1154 del Código civil). Sin embargo, cuando la obligación penal se aleja de este plano indemnizatorio del incumplimiento contractual en aras a la previsión específica de otros hechos relevantes de la relación contractual (…), en donde se penaliza el desistimiento unilateral del vínculo contractual por alguna de la partes, la

---

16. Cfr. SSTS de 31 de mayo de 1958 (RJ 1958, 2119), 18 de febrero de 1969 (RJ 1969, 928) y 29 de noviembre de 1971 (RJ 1971, 5018).
17. Cfr. SSTS de 21 de junio de 2004 (RJ 2004, 3956) y 3 de octubre de 2005 (RJ 2005, 7099).
18. RJ 2003, 8786.

valoración judicial respecto al alcance patrimonial, o "exceso" de dicha pena queda excluida y, por tanto, fuera de la facultad de moderación (STS de 1 de junio de 2006), a semejanza de lo que ocurre cuando el hecho previsto es el propio incumplimiento parcial o irregular de la obligación». Esto implica que se fija como doctrina jurisprudencial que «en los contratos por negociación, en los que expresamente se prevea una pena convencional para el caso del desistimiento unilateral de las partes, la valoración o alcance patrimonial de la pena establecida no puede ser objeto de la facultad judicial de moderación, cuestión que pertenece al principio de autonomía de la voluntad de las partes».[19]

No obstante, en algunas sentencias, con base en una interpretación literal de la expresión «el juez modificará», el Tribunal Supremo ha dicho que esta facultad judicial no es discrecional, sino de aplicación forzosa, siendo obligación del juez o tribunal adecuar equitativamente la pena a las circunstancias concretas de cada caso;[20] afirmando también que este juicio de equidad del Tribunal es irrevisable en casación,[21] aunque sí puede revisarse la calificación jurídica del incumplimiento.[22] Sin embargo, en otras sentencias, el Tribunal Supremo se ha pronunciado en contra de que la modificación por parte del juez o tribunal pueda y deba proceder de oficio. En este sentido, la STS de 20 de noviembre de 1970 declara que «afirmar que la modificación se hará de manera equitativa implica algo consustancial con la valoración y apreciación discrecionales, que es ajeno a la idea de un mandato imperativo, e implica la necesidad de que sea solicitado por aquel a quien interese».[23] Si las partes, al celebrar el contrato hubieran establecido las bases o elementos con arreglo a los cuales debe llevarse a cabo la modificación, con arreglo a los mismos deberá ejercitar el juez la facultad que le confiere el artículo 1154 del CC. Por último, hay que resaltar que esta actividad equitativa o moderadora es posible efectuarla en la fase de ejecución de sentencia.[24]

> Según la ley 518, letra a), párrafo 5, del FN, «la pena convenida podrá ser reducida por el arbitrio judicial cuando las circunstancias concurrentes la hagan extraordinariamente gravosa o desproporcionada en relación con el objeto de la prestación

_b)_ Pena _cumulativa._ El artículo 1153 del CC permite, mediante pacto expreso, establecer esta modalidad de la cláusula penal, otorgando al acreedor la facultad de exigir conjuntamente el cumplimiento de la obligación y la satisfacción de la pena, o, si aquél no es posible, la indemnización de daños y perjuicios y la pena. Pero, como antes se indicó, la voluntad de las partes ha de constar de manera inequívoca, pues en esta materia no cabe la interpretación extensiva.[25]

---

19. RJ 2014, 1467. Cfr. SSTS de 1 de junio de 2009 (RJ 2009, 3192), que se cita erróneamente en la STS de 10 de marzo de 2014 como de 2006, 14 de junio de 2006 (RJ 2006, 3133) y 13 de febrero de 2008 (RJ 2008, 2666).
20. Cfr. SSTS de 9 de marzo de 1928 (JC 1928, I-46) y 21 de mayo de 1948 (RJ 1948, 773 y 773 bis).
21. Cfr. SSTS de 27 de septiembre de 1955 (RJ 1955, 2720), 25 de junio de 1964 (RJ 1964, 3685) y 17 de junio de 2004 (RJ 2004, 3625).
22. Cfr. STS de 21 de mayo de 1948 (RJ 1948, 773 y 773 bis).
23. RJ 1970, 4825. Cfr. también STS de 30 de junio de 1981 (RJ 1981, 2622).
24. Cfr. STS de 14 de diciembre de 1998 (RJ 1998, 9632).
25. Cfr. SSTS de 18 de abril de 1986 (RJ 1986, 1860), 12 de enero de 1999 (RJ 1999, 36), 18 de julio de 2005 (RJ 2005, 5480) y las que éstas citan.

III. ARRAS

1. Concepto y clases

Arras es lo que un contratante entrega a otro (dinero u otra cosa) en el momento de la conclusión del contrato.

Las arras pueden desempeñar distintas funciones[26]:

a) Arras *confirmatorias*. Cuando lo que se da cumple la función de prenda o señal de la celebración de un contrato. En este sentido, dice el artículo 343 del CCom que «las cantidades que, por vía de señal, se entreguen en las ventas mercantiles se reputarán siempre dadas a cuenta del precio y en prueba de la ratificación del contrato, salvo pacto en contrario». Por consiguiente, el deudor cuando lleve a cabo la prestación debida descontará lo entregado en concepto de arras, o caso de incumplimiento se imputará a la indemnización de daños y perjuicios.

> La Propuesta para la modernización del Derecho de obligaciones y contratos recoge la figura de las arras bajo el epígrafe general «De las cláusulas penales». Según el artículo 1152, párrafo 1.º, de la PMDOC, «la atribución que una de las partes realice en favor de la otra en el momento de la celebración del contrato, será prueba de su conclusión y se imputará a la prestación debida». Parece claro que dicho precepto se refiere a las arras confirmatorias.

b) Arras *penales*. Cuando se entrega una cantidad de dinero u otra cosa y se pacta que si la obligación es incumplida por parte de quien las entregó, las perderá, y si el incumplidor es el que las recibe, las devolverá dobladas. En este caso, no facultan para resolver la obligación.

Como puede observarse, las arras penales guardan gran semejanza con la cláusula penal. No obstante, se diferencian en que la cláusula penal es una obligación accesoria que se añade a la principal para el caso de incumplimiento, mientras que en las arras hay una entrega efectiva de dinero u otra cosa al tiempo de celebrarse el contrato.

c) Arras de *arrepentimiento* o *penitenciales*. Esta función es la que el artículo 1454 del CC reconoce a las arras en la compraventa, permitiendo al comprador desistir del contrato allanándose a perderlas, y también al vendedor devolviéndolas dobladas. Es decir, son un medio de resolver el contrato, y más que de una garantía se trata de una obligación facultativa.

> El artículo 1152, párrafo 2.º, de la PMDOC dice que «sólo existirá la facultad de desistir del contrato, perdiendo aquella atribución quien la realizó o devolviéndola duplicada quien la recibió, si hubiese sido expresamente concedida».

De lo expuesto se desprende que las arras penales son las únicas que tienen propiamente función de garantía o refuerzo de la obligación, ya que las confirmatorias sólo desempeñan una función probatoria, de señalar el momento de la conclusión del contrato, y las de arrepentimiento más bien son un medio de liberarse de la obligación.

> En palabras de la STS de 25 de febrero de 2013, «la doctrina distingue entre arras confirmatorias, penales y penitenciales. Las primeras, con el fin de reforzar

---

26. Cfr. STS de 17 de febrero de 1982 (RJ 1982, 742).

la existencia del contrato, constituyen una señal de su celebración. Las segundas, tienen como fin establecer una garantía del cumplimiento del contrato mediante su pérdida o devolución doblada para el caso de incumplimiento y las últimas, llamadas penitenciales o liberatorias, constituyen un medio lícito de desistir las partes del contrato mediante la pérdida o restitución doblada».[27]

Para determinar el carácter confirmatorio o liberatorio de las arras habrá que atender a la voluntad de las partes, y, cuando ésta no aparezca clara, habrá que acudir a las normas interpretativas de los artículos 1281-1289 del CC. Si de dicha interpretación sólo se puede inferir la voluntad inequívoca de las partes de que medien arras en el contrato, sin especificar sus consecuencias, procederá entonces la aplicación en forma supletoria del único precepto legal que bajo este nombre regula la institución, que es el artículo 1454 del CC.[28]

Sin embargo, es doctrina jurisprudencial constante y reiterada que las arras o señal que permite el artículo 1454 del CC «tienen un carácter excepcional que exige una interpretación restrictiva de las cláusulas contractuales en que se establezcan, de la que resulte la voluntad indubitada de las partes en aquél sentido».[29] De hecho, como afirma la STS de 25 de febrero de 2013, el contenido del artículo 1454 del CC no tiene carácter imperativo «y para que tenga aplicación es necesario que la voluntad de las partes aparezca clara y exprese la intención de los contratantes de otorgar la posibilidad de desligarse de la convención cumpliendo con la obligación establecida en estas arras».[30]

Por consiguiente, nuestro Tribunal Supremo afirma que «debe hacerse constar la función penitencial de los anticipos entregados, conformando pacto arral al efecto», pues, «en otro caso, cualquier entrega dineraria llevada a cabo por el comprador, respetando la reglamentación del contrato, ha de reputarse como integrante del precio y pago anticipado del mismo, que sirve para confirmar el negocio celebrado».[31]

2. Efectos de las arras

Los efectos de las arras dependen de la función que se haya establecido:

Si se trata de arras _confirmatorias_, y el deudor realiza la prestación, habrá que considerarlas como anticipo a cuenta del precio, como un pago parcial; y, en caso de incumplimiento, el acreedor deberá demostrar la existencia y cuantía de los daños, de los que habrá que descontar la cantidad entregada en concepto de arras.

Si se trata de arras _penales_, su función es análoga a la de la cláusula penal y, por tanto, también sus efectos. En consecuencia, habrá que examinar si se pactaron como sustitutorias de los daños y perjuicios o con carácter cumulativo. En el primer caso, funcionan como resarcimiento para el caso de incumplimiento y con la posibilidad

---

27. RJ 2013, 69816.
28. Cfr. STS de 20 de mayo de 1967 (RJ 1967, 2535).
29. Cfr. SSTS de 1 de abril de 1958 (RJ 1958, 1465), 20 de mayo de 1967 (RJ 1967, 2535), 16 de diciembre de 1970 (RJ 1970, 5593) y 20 de mayo de 2004 (RJ 2004, 3529).
30. RJ 2013, 69816. Cfr. SSTS de 24 de marzo de 2009 (RJ 2009, 1660) y 11 de noviembre de 2010 (RJ 2010, 8040).
31. Cfr. SSTS de 17 y 18 de octubre de 1996 (RJ 1996, 7505 y 7160) y las que éstas citan.

de reclamar que la obligación pactada sea estrictamente cumplida,[32] mientras que en el segundo supuesto el acreedor podrá exigirlas además del cumplimiento o de la indemnización.

> A tenor del artículo 1152, párrafo 3.°, de la PMDOC, «la pérdida de la atribución realizada o su restitución duplicada sólo constituirán liquidación convencional de daños y perjuicios cuando así resulte del título constitutivo de la obligación».

Si se trata de arras *penitenciales*, como antes se indicó, se han de aplicar las normas de las obligaciones facultativas.

IV. DERECHO DE RETENCIÓN

1. Concepto y casos en que procede

El Derecho de retención es la facultad que la ley otorga en ciertos casos al acreedor para que conserve en su poder una cosa del deudor que ya tenía legítimamente, hasta tanto éste satisfaga su crédito. Con mayor precisión, Díaz Pairó lo define como «la facultad concedida en ciertos casos por la ley al acreedor para que no restituya una cosa que tiene en su poder, perteneciente a su deudor, en tanto éste no le pague lo que por razón de esa misma cosa le debe».

Es, por tanto, un medio de garantía mediante el cual el acreedor presiona al deudor al cumplimiento de la obligación, negándose a la devolución de la cosa que normalmente debería entregar. Como dice Lacruz, «el fundamento más inmediato de esta facultad se encuentra en el llamado principio de la responsabilidad patrimonial universal (cfr. art. 1911 CC). Si todos los bienes del deudor están afectos en garantía a su responsabilidad, dispuestos para satisfacer, si incumple la obligación, el interés del acreedor, si el acreedor ya poseía por otro título uno de estos bienes afectos, el derecho objetivo le permite que lo retenga; cumple, con ello, una doble función: *compulsiva*, al estimular al deudor a que cumpla la obligación, para recuperar la cosa, y *controladora*, al evitar que la cosa salga del patrimonio del deudor quedando de hecho desafectada a la garantía universal de su patrimonio». Pero, hay que tener en cuenta, según indica este autor, que «en su fundamento se agota su función: el acreedor que retiene no puede usar ni disponer de la cosa, ni realizar su valor, ni anteponer en ella su crédito al de los restantes acreedores, ni interrumpir la prescripción de la deuda, etc.».

El Código civil no regula con carácter general el derecho de retención, limitándose a enunciar *supuestos concretos* en que se concede dicha facultad y estos son los siguientes:

a) En favor del poseedor de buena fe, vencido en juicio en su posesión, hasta que se le satisfagan los gastos necesarios y útiles hechos en la cosa (art. 453 CC). Según lo dispuesto en el artículo 433 del CC, sólo cabe reputar poseedor de buena fe al poseedor con título (poseedor civil) y no al precarista.[33]

b) En favor del adquirente de buena fe en venta pública de una cosa mueble perdida o sustraída y a los montes de piedad en que hubiese sido empeñada, frente al

---

32. Cfr. STS de 12 de julio de 1986 (RJ 1986, 4504).
33. Cfr. SSTS de 17 de mayo de 1948 (RJ 1948, 771) y 9 de julio de 1984 (RJ 1984, 3804).

reivindicante, hasta obtener, respectivamente, el precio que aquél pagó por ella y el monte de piedad la cantidad del empeño y los intereses vencidos (art. 464, párrs. 2.º y 3.º, CC).

c) En favor del usufructuario o sus herederos, hasta que se le satisfagan los gastos extraordinarios hechos en la cosa usufructuada y los desembolsos de que deba ser reintegrado (arts. 502 y 522 CC).

d) En favor del que ha ejecutado una obra en cosa mueble, al que se faculta para retenerla en prenda hasta que se le pague el precio de la obra (art. 1600 CC).

e) En favor del mandatario, al que también se autoriza para retener en prenda las cosas que son objeto del mandato hasta que el mandante realice la indemnización y reembolso a que aquél tenga derecho a causa del mandato (art. 1730 CC).

f) En favor del depositario, que puede retener en prenda hasta el completo pago de lo que se le deba por razón del depósito (art. 1780 CC).

g) En favor del acreedor pignoraticio, que puede retener la cosa en su poder o en el de tercera persona a quien hubiese sido entregada hasta que se le pague el crédito; si mientras el acreedor retiene la prenda, el deudor contrajera con él otra deuda exigible antes de haberse pagado la primera, podrá aquél prorrogar la retención hasta que se le satisfagan ambos créditos, aunque no se hubiese estipulado la sujeción de la prenda a la seguridad de la segunda deuda (art. 1866 CC).

En *Derecho marítimo*, el derecho de retención también se reconoce en favor de los titulares de los créditos derivados de la construcción, reparación o reconstrucción de un buque (art. 139.1 LNM). Este derecho de retención se extinguirá cuando el constructor o reparador pierda la posesión del buque por causa distinta a la de su embargo preventivo o ejecutivo (art. 139.2 LNM). Si en el momento de la venta forzosa el buque se hallare en posesión del constructor o reparador, éste entregará al comprador la posesión del buque, pero podrá obtener el pago de su crédito con el producto de la venta una vez satisfechos los de los titulares de los privilegios marítimos enumerados en el artículo 4 del Convenio internacional sobre los privilegios marítimos y la hipoteca naval, y antes de los créditos hipotecarios y demás gravámenes inscritos o anotados (art. 139.3 LNM).[34] En todo caso, lo dispuesto en el presente artículo sólo será aplicable respecto al constructor cuando en virtud de pacto la propiedad del buque pertenezca al comitente (art. 139.4 LNM).

> En cambio, el Código civil alemán regula sistemáticamente el derecho de retención, considerándolo aplicable a toda clase de prestaciones (y no solo a las que consistan en la entrega de cosas). ENNECERUS, con base en el § 273 del BGB, dice que el derecho de retención es «el derecho del deudor a denegar su prestación (que también puede consistir, por ejemplo, en una prestación de servicios o en la emisión de una declaración de voluntad) hasta tanto que una pretensión vencida que le compete contra el acreedor haya sido satisfecha».

La doctrina se plantea la cuestión de si es posible la analogía y su aplicación a otros casos parecidos a los contemplados por la ley. Como ha puesto de relieve la generalidad de los autores, no parece posible, pues se trata de una facultad excepcional y,

---

34. El Convenio internacional sobre los privilegios marítimos y la hipoteca naval, hecho en Ginebra el 6 de mayo de 1993, está en vigor en España desde el 5 de septiembre de 2004.

además, no existe un principio general que fundamente la analogía. Por su parte, la jurisprudencia ha declarado que «se engendra siempre en una disposición legal a la que es preciso atenerse para deducir sus obligadas consecuencias en cuantos casos puedan presentarse».[35] No obstante, P. Beltrán de Heredia se ha pronunciado en favor de la extensión analógica del derecho de retención, pues entiende que los casos que el Código civil cita como retención tienen un carácter meramente enunciativo o de ejemplo, y son aplicaciones concretas de una institución general que el Código ha cometido la torpeza de sobreentender. Por su parte, Albaladejo, mas moderadamente, considera que sí hay casos en que procede estimar la existencia del derecho de retención, al margen de aquellos en que específicamente lo concede la ley de forma singular, expresa y clara. Pero considera que tales casos no serían de concesión por analogía, ni tampoco por aplicación de un supuesto principio general, sino por obra de una interpretación extensiva de los casos ya regulados, por ejemplo, el del gestor de negocios ajenos, el del albacea, etc.

Las partes pueden pactarlo; y, en los supuestos legales, el que tiene esta facultad puede renunciarla (art. 6.2 CC).

2. Requisitos del derecho de retención

De los distintos preceptos del Código civil que tratan del derecho de retención se deducen los requisitos siguientes:

1.º Que el acreedor posea con título suficiente una determinada cosa que pertenezca a su deudor o que deba entregar al mismo. Es indiferente el concepto en que el acreedor esté poseyendo. Ha de tratarse de un objeto corporal, mueble o inmueble.

2.º Que subsista la situación posesoria del acreedor en el momento de ser exigible el crédito.

3.º Que exista cierto vínculo o conexión entre el crédito y la cosa retenida. Por regla general, esta relación se origina por gastos o mejoras en la cosa.

3. Naturaleza del derecho de retención

El Código civil ha incurrido en cierta imprecisión terminológica de modo que unas veces habla de «derecho de retención», mientras que en otras ocasiones lo hace de «derecho a retener» (arts. 453 y 502 CC); e incluso utiliza la expresión de «retener en prenda» (arts. 1600, 1730 y 1780 CC). Todo ello ha dado lugar a que se discuta por la doctrina acerca de la naturaleza del derecho de retención, esto es, si se trata de un derecho real (con facultades de persecución y preferencia) o de un derecho personal.

La opinión más generalizada es que el derecho de retención carece de naturaleza real, ya que no confiere derecho a la realización del valor de la cosa para cobrarse, ni tampoco un derecho de preferencia con esta finalidad,[36] si bien tiene una eficacia *erga omnes* en el sentido de oponible (Gordillo, Jordano Fraga). En realidad, no es más

---

35. Cfr. SSTS de 24 de junio de 1941 (RJ 1941, 758) y 7 de octubre de 1949 (RJ 1949, 1120).
36. Cfr. STS de 24 de junio de 1941 (RJ 1941, 758).

que una simple facultad legal, que el acreedor puede utilizar por vía de excepción. En este sentido, Badosa considera, respecto del artículo 1780 del CC, que la expresión legal «retener en prenda» puede traducirse como «la misma retención que tiene el acreedor pignoraticio», de manera que de los tres efectos típicos de la prenda (retención, efecto anticrético, *ius distrahendi*) únicamente se reconoce el primero. Criterio que debe aplicarse a los otros dos preceptos del Código que hablan de retener en prenda (arts. 1600 y 1730 CC).

Sin embargo, la STS de 7 de julio de 1987 declaró que en el supuesto del artículo 1730 del CC «se reconoce a favor del mandatario una garantía legal pignoraticia con todos los efectos de este derecho real, es decir, con la facultad de poder enajenar las cosas objeto del mandato en la forma que autoriza el artículo 1872 del CC y con la preferencia que reconocen los artículos 1922, núm. 2 y 1926, regla 1.ª, del CC y que ello, al propio tiempo, conlleva la consecuencia de que, como tal derecho real, sea oponible *erga omnes* y no sólo frente al mandante (…)». Doctrina que ha sido posteriormente rectificada en la STS de 4 de octubre de 1989, que retorna a la tesis tradicional declarando que la retención es «un especial derecho de garantía dirigido principalmente a potenciar en cierta medida la protección de aquellos acreedores que tengan en su poder la cosa o el bien de su deudor, autorizándole a dilatar en orden al tiempo su devolución o entrega».[37]

Por otra parte, algunos autores consideran que el derecho de retención es una aplicación extensiva de la idea de compensación. Sin embargo, las diferencias son importantes, ya que en el derecho de retención las prestaciones no son homogéneas, y, además, no se produce la liberación del retentor; simplemente, hay una dilación en el cumplimiento (Díaz Pairó, Díez-Picazo).

4. Efectos del derecho de retención

El efecto principal, prácticamente exclusivo, es el de autorizar al acreedor a la conservación y no devolución de la cosa hasta que el deudor no le satisfaga el crédito. Simplemente faculta para rehusar la entrega de la cosa a cualquiera que la reclame; por ello suele afirmarse que es un medio de presión frente al deudor que desea recuperarla. Pero, como dice la STS de 24 de junio de 1941, en principio, la facultad de retener está limitada y circunscrita a las relaciones entre acreedor y deudor (o sus herederos), constituye un medio de defensa de éste y no un privilegio con relación a terceros. Esto quiere decir que, si otro acreedor procediere al embargo de la cosa que ha sido objeto de retención o se produce el concurso o la quiebra del deudor, el acreedor que detenta la facultad de retener únicamente estará protegido si, además del derecho de retención, tuviese un derecho de preferencia o un privilegio para el cobro.[38]

El que retiene debe conservar la cosa con la diligencia de un buen padre de familia (art. 1094 CC), no pudiendo usarla o disponer de ella. Es un poseedor obligado a devolverla con los frutos que haya producido (art. 1095 CC), y mientras dura el estado posesorio se encuentra protegido por la ley (art. 446 CC).

---

37. RJ 1989, 6883. Cfr. STS de 7 de julio de 1987 (RJ 1987, 5185).
38. RJ 1941, 758.

5. Extinción del derecho de retención

El derecho de retención termina cuando se extingue el derecho de crédito que garantiza. También se extingue por la destrucción de la cosa, pérdida de la posesión del que retiene o por la renuncia de éste.

La renuncia puede ser expresa o tácita. Esta última deducida de la entrega voluntaria de la cosa, a sabiendas de la existencia del derecho de retención.

BIBLIOGRAFÍA

ALBALADEJO, *Las arras en la jurisprudencia del Tribunal Supremo*, Madrid, 1997; AMUNÁTEGUI, *La función liquidadora en la cláusula penal en la jurisprudencia del Tribunal Supremo*, Barcelona, 1993; BELTRÁN DE HEREDIA, P., *El derecho de retención en el Código civil español*, Salamanca, 1955; CANO MARTÍNEZ DE VELASCO, *La retención de cosa ajena*, Barcelona, 1990; CORONA QUESADA, «Estudio de la jurisprudencia del Tribunal Supremo sobre las arras», AC, 2003, p.46; DÁVILA GONZÁLEZ, *La obligación con cláusula penal*, Madrid, 1992; DE ÁNGEL YAGÜEZ, «El derecho de retención del mandatario, ¿un derecho de prenda?», AC, 1988-1, p. 521; DEL POZO CARRASCOSA, *El derecho de retener en prenda del depositario*, Barcelona, 1989; DÍAZ ALABART, «Las arras», RDP, 1996, pp. 3 y 83; ESPÍN CÁNOVAS, «La cláusula penal en las obligaciones contractuales», RDP, 1946, p. 145; ESPÍN ALBA, *La cláusula penal. Especial referencia a la moderación de la pena*, Madrid, 1997; GÓMEZ CALERO, *Contratos mercantiles con cláusula penal*, 2.ª ed., Madrid, 1983; HERNÁNDEZ GIL, F., *Las arras en el Derecho de la contratación*, Salamanca, 1958; LOBATO DE BLAS, *La cláusula penal en el Derecho español*, Pamplona, 1974; LÓPEZ DE HARO, *El derecho de retención*, Madrid, 1921; LÓPEZ Y LÓPEZ, *Retención y mandato*, Bolonia, 1976; ORTÍ VALLEJO, «Nuevas perspectivas sobre la cláusula penal», RGLJ, 1982, p. 281; ROCA SASTRE/PUIG BRUTAU, «La cláusula penal en las obligaciones contractuales», *Estudios de Derecho privado*, t. I, 1948, p. 269; RODRÍGUEZ TAPIA, «Sobre la cláusula penal en el Código civil», ADC, 1993, p. 511; SABATER BAYLE, «La facultad de retención posesoria», RJN, 1992, pg. 75; RUIZ VADILLO, «Algunas consideraciones sobre la cláusula penal», RDP, 1975, p. 374; SANZ VIOLA, *La cláusula penal en el Código civil*, Barcelona, 1994; VERDERA IZQUIERDO, Los elementos definitorios de las arras en el Derecho patrimonial, Madrid, 2005, VIÑAS MEY, «El derecho de retención», RDP, 1922, p. 102; íd. «Más sobre el derecho de retención», RDP, 1923, p. 1; VIVES MARTÍNEZ, *El juez y el abogado ante la cláusula penal y su moderación*, Valencia, 2000.

Defensa del derecho de crédito

I. INTRODUCCIÓN

En caso de incumplimiento (en sentido amplio) de la obligación, el acreedor puede reclamar del deudor el cumplimiento forzoso en forma específica y, en su defecto, el resarcimiento de daños y perjuicios. El resarcimiento se obtiene a costa del patrimonio del deudor, pues el artículo 1911 del CC dispone que «del cumplimiento de las obligaciones responde el deudor con todos sus bienes, presentes y futuros». Por consiguiente, si en último término la responsabilidad por incumplimiento se hace efectiva sobre los bienes presentes y futuros del deudor, no ofrece duda que al acreedor le interesa la subsistencia e integridad de dicho patrimonio.

> Una importante excepción a esta regla se deriva de la posibilidad de constituir sociedades de responsabilidad limitada o anónima de socio único (arts. 12 y ss. LSC).

También es evidente que el deudor puede intentar disminuir su patrimonio en perjuicio de sus acreedores, bien por omisión, al no hacer efectivos sus créditos, o bien por acción, transmitiendo fraudulentamente sus bienes a otras personas. Ante esta posibilidad, el ordenamiento jurídico concede al acreedor un determinado control sobre el patrimonio de su deudor en una doble vía: *a)* para intentar que entren en el patrimonio del deudor todos los valores que a éste corresponden, y *b)* para evitar que salgan del mismo, mediante actos fraudulentos, determinados bienes o derechos. A esta finalidad responden, respectivamente, las dos clásicas acciones *subrogatoria* (o indirecta) y *revocatoria* (o *pauliana*). Nuestro Código civil hace referencia a estos medios de conservación del patrimonio del deudor en su artículo 1111, según el cual, «los acreedores, después de haber perseguido los bienes de que esté en posesión el deudor para realizar cuanto se les debe, pueden ejercitar todos los derechos y acciones de éste con el mismo fin, exceptuando los que sean inherentes a su persona; pueden también impugnar los actos que el deudor haya realizado en fraude de su derecho». Pero, aunque tienen la misma finalidad, las acciones subrogatoria y revocatoria difieren profundamente, ya que mediante la primera el acreedor actúa en lugar del deudor, ejercitando los derechos y acciones de éste, que tenía abandonados y habían de producir un aumento en su patrimonio; mientras que con la segunda el acreedor actúa *iure propio* ante la actividad fraudulenta del deudor que se desprende de sus bienes.[1]

La llamada acción directa, por la que el acreedor se puede dirigir en nombre propio contra los deudores de su deudor, es también conocida en nuestro Derecho, aunque el Código civil sólo se refiere a aplicaciones concretas de la misma.

II. ACCIÓN SUBROGATORIA O INDIRECTA

1. Introducción

Según el artículo 1111 del CC, «los acreedores, después de haber perseguido los bienes de que esté en posesión el deudor para realizar cuanto se les debe, pueden ejercitar todos los derechos y acciones de éste con el mismo fin, exceptuando los que sean inherentes a su persona». A tenor de este precepto, se puede definir la acción subrogatoria como la facultad que la ley concede al acreedor para ejercitar los derechos y acciones que su deudor no hubiere utilizado contra tercero, siempre que no sean inherentes a su persona y no existan en el patrimonio del deudor bienes suficientes para la efectividad del crédito.

Se discute por la doctrina si la función que desempeña la acción subrogatoria es conservatoria o ejecutiva. La cuestión es importante, pues, según la postura que se adopte, las consecuencias prácticas en principio son muy diferentes: en el primer caso, el ejercicio de los derechos del deudor no permite hacer directamente efectivo el crédito del acreedor, sino que éste deberá posteriormente dirigirse contra aquél; mientras que, si se considera ejecutiva, el acreedor podría hacer efectivo su crédito directamente a través del crédito de su deudor.

La respuesta a este problema es clara, el acreedor que ejercita la acción subrogatoria ha perseguido ya los bienes de su deudor con la intención de cobrar, y cuando actúa lo hace «con el mismo fin» (art. 1111 CC). Por lo tanto, «si después de haber perseguido los bienes de que esté en posesión el deudor para realizar cuanto se le debe» actúa «con el mismo fin», no resulta dudosa la función ejecutiva de este medio, a través del cual se pretende una transformación en el patrimonio del deudor, y ello sin perjuicio de reconocer que, de acuerdo con la regulación legal, el acreedor no podrá cobrarse directamente.[2] Además, como señala Díez-Picazo, «el artículo 1111 establece, por decirlo así, un orden de prelación en la ejecución sobre el patrimonio del deudor: primero se persiguen y se embargan los bienes, y sólo cuando no es posible encontrar bienes la ejecución se sigue contra los derechos del deudor. La acción subrogatoria aparece así como un complemento del embargo de derechos. Embargo de derechos y acción subrogatoria se mueven, sin embargo, en órbitas distintas. El embargo se dirige sólo a la afectación de un bien a las resultas del proceso de ejecución para su posterior enajenación en pública subasta. La acción subrogatoria, en cambio, faculta al acreedor para ejercitar el derecho».

---

1.   Cfr. STS de 26 de abril de 1962 (RJ 1962, 1709).
2.   Cfr. STS de 25 de noviembre de 1996 (RJ 1996, 9119).

Otra cuestión, a veces confundida con la de la función de esta acción, consiste en determinar la naturaleza jurídica de la figura del acreedor que ejercita la acción. En nuestra opinión, no ofrece duda que no puede calificarse al acreedor de representante del deudor o de gestor de negocios del mismo, pues falta el carácter típico tanto de la representación como de la gestión de negocios ajenos, cual es el actuar en interés del representado o *dominus negotii*. Por ello, algunos autores postulan la tesis de la *sustitución procesal*, en que se hace valer un derecho por quien no es su titular (CASTÁN, GUASP). Sin embargo, como dice DÍEZ-PICAZO, la figura del acreedor que actúa no puede reconducirse a ninguna otra figura jurídica, sino que constituye un supuesto autónomo especialmente configurado por la ley en atención a los intereses que se tratan de proteger. Es decir, el acreedor actúa en su propio nombre e interés, facultado para ello por la ley.

Ahora bien, según advierte Cossío, «hay que admitir que la acción subrogatoria es una acción prácticamente en desuso, ya que el objetivo que la misma persigue puede lograrse en la mayor parte de los casos con mucha mayor eficacia y rapidez, a través del embargo de derechos y acciones, que permite al acreedor adjudicárselas como propias y accionar en su propio nombre, evitando todas las limitaciones y dificultades que aquella supone».

2. Requisitos de ejercicio

Los requisitos para el ejercicio de la acción subrogatoria son los siguientes.

1.º *Exigibilidad del crédito.* Esta exigencia resulta del propio artículo 1111 del CC, al decir que los derechos y acciones del deudor sólo pueden ser ejercitados «después de haber perseguido los bienes de que esté en posesión» el mismo, lo cual sólo será posible cuando el crédito esté vencido y sea exigible. Por consiguiente, se excluye del ámbito de la acción de la acción subrogatoria a aquellos acreedores cuyos créditos se encuentran sometidos a condición o término, en tanto no se cumplan tales modalidades.

> Sin embargo, LACRUZ defiende la conveniencia de *lege ferenda*, y aun la posibilidad, mediante interpretación correctora, de ejercicio, cuando un crédito condicional o a plazo se halla en riesgo de ser impagado.

No es necesario que el crédito proceda de un título que lleve aparejada ejecución.

2.º *Insolvencia del deudor.* Para el ejercicio de la acción subrogatoria es necesario, según el artículo 1111 del CC, que previamente se hayan perseguido los bienes de que esté en posesión el deudor. Por consiguiente, de acuerdo con una interpretación literal del precepto habría que afirmar que esta acción tiene carácter subsidiario y hay que seguir dos procesos: uno, para perseguir los bienes de que esté en posesión el deudor; y otro, si el resultado del primero fuese negativo, para ejercitar la acción subrogatoria. Sin embargo, esta interpretación ha sido suavizada por la jurisprudencia, al declarar que «no es forzoso que en un juicio previo se acredite la falta de bienes libres, pudiendo suministrarse la prueba de este requisito en el mismo que el acreedor promueva contra un tercero ejercitando la acción del deudor».[3]

---

3. Cfr. SSTS de 26 de mayo de 1942 (RJ 1942, 636) y 13 de diciembre de 1957 (RJ 1958, 189).

Tiene razón DÍEZ-PICAZO cuando dice que, al exigir la demostración de la insolvencia del deudor, no se está pidiendo la prueba de una total carencia de bienes, sino simplemente la de insuficiencia patrimonial o, por lo menos, la de que fuera de las acciones y derechos en cuestión no existen otros bienes. Es decir, la «insolvencia del deudor» debe ser interpretada como una situación de insuficiencia patrimonial que le impide el normal cumplimiento de sus obligaciones. En este sentido, la STS de 31 de diciembre de 1997 declara que «la insolvencia se puede probar con la demostración de que el deudor no tiene ya bienes con los que pagar o que los que están en su poder se encuentran gravados o afectos a cargas que disminuyen su valor en relación con lo debido».[4]

3.º *Utilidad del acreedor.* Es preciso que al acreedor le resulte útil el ejercicio de la acción subrogatoria, que mediante la misma pueda satisfacer su crédito. Por ello, no puede ejercitarse acción que pretenda adquirir algo inembargable o sustraído a la ejecución.[5]

4.º *Derechos ejercitables.* Son ejercitables todos los derechos y acciones del deudor, lo que debe entenderse en sentido más amplio como «cualquier tipo de poderes» que le competan (ALBALADEJO), o como sinónimo de *pretensiones* del deudor contra tercero (DÍEZ-PICAZO), por ejemplo, reivindicar una cosa, reclamar el pago de una deuda, etc.

Se exceptúan «los que sean inherentes a su persona» (la del deudor), expresión en la que se encuentran comprendidos los derechos de la personalidad, y también aquellos que procuran un efecto patrimonial indirecto (por ejemplo, acciones de nulidad de matrimonio o filiación), así como los que su ejercicio requiere la previa apreciación de un interés personalísimo (por ejemplo, revocar una donación por ingratitud del donatario).

3. Forma de ejercicio

El Código civil no contiene ninguna exigencia de tipo formal, de modo que el ejercicio de la acción subrogatoria no requiere que la reclamación sea necesariamente judicial, ni que intervenga el deudor. Sin embargo, en la práctica, suele ejercitarse judicialmente, y es aconsejable que se dé intervención al deudor en el pleito, para que le sea aplicable, sin duda, la doctrina de la cosa juzgada.

La pretensión del acreedor contra el tercero se puede efectuar por la totalidad del valor del derecho de que se trate, pues, como dice la STS de 23 de junio de 1903, «ningún principio de ley o doctrina les constriñe (a los acreedores) a reducir o limitar la cuantía de la reclamación a lo preciso para el pago de su crédito y responsabilidad a él inherentes.[6]

4. Efectos

a) En relación con el *acreedor* que ejercita la acción, se plantea la cuestión de si puede ejercitar íntegramente el derecho o acción de su deudor o sólo hasta el límite

---

4.   RJ 1997, 9194.
5.   Cfr. STS de 13 de octubre de 1911 (JC 1911, III-79).
6.   JC 1903, I-188.

y cuantía de su propio crédito. Sobre este punto, la mencionada STS de 23 de junio de 1903 estima que dicho acreedor puede reclamar no sólo hasta el límite y cuantía de lo que a él se le debe, sino en su totalidad, sin perjuicio de la obligación de devolver a su deudor lo que sobre, una vez que se haya hecho pago del crédito y los daños y perjuicios sobrevenidos.[7]

b) En relación con el *deudor demandado* (deudor de su deudor), éste podrá utilizar en su defensa las mismas excepciones y medios de defensa que pudiera oponer a su acreedor si ejercitara por sí mismo el derecho o acción.

c) En relación con el *propio deudor,* éste no pierde ninguna facultad sobre el derecho que ejercita el acreedor, por lo que podría ejercitarlo personalmente, transigir, etc.

d) En relación con los *restantes acreedores del propio deudor,* hay que decir que el resultado del ejercicio de la acción cede en beneficio del patrimonio del deudor común.[8] La STS de 25 de noviembre de 1996, con cita de anterior doctrina jurisprudencial, declara que el efecto de esta acción «es el de obtener un incremento del patrimonio del deudor a fin de conseguir la satisfacción del crédito», y que «una vez producido ese incremento patrimonial, el acreedor podrá y deberá exigir de su deudor el pago, sin que en este procedimiento pueda hacerse entrega al demandante de las cantidades que los demandados adeudan, ya que la acción subrogatoria no es una acción directa, sino, como dice la doctrina científica, una acción oblicua, por lo que las cantidades así obtenidas pasan a engrosar el patrimonio del deudor, sin que el acreedor que ejercita la acción ostente, por esa razón, preferencia alguna en la satisfacción de su crédito».[9] Por consiguiente, lo que se obtenga aprovechará a todos los acreedores según sus respectivos créditos, pues del ejercicio de la acción subrogatoria no dimana ningún privilegio sobre lo ingresado en el patrimonio del deudor, si bien aquellos deberán contribuir a los gastos ocasionados al acreedor que actuó.

La STS de 6 de noviembre de 2008 dice que «la acción subrogatoria, en caso de su prosperabilidad, produce el efecto de incrementar la hacienda del deudor, toda vez que fue esgrimida precisamente por la inactividad o el desacierto de éste, con la finalidad de que pudiera ser satisfecho el crédito, pero producido el mentado efecto, el acreedor deberá exigir al deudor que le abone lo debido, es decir, el cumplimiento de la obligación, y será protegido porque con el ejercicio de tal acción ha incrementado los bienes del deudor, pero no tiene preferencia alguna en la satisfacción de su crédito. Destacada doctrina científica ha considerado que el bien ingresa primeramente en el patrimonio del deudor y ahí puede ser agredido por el acreedor que ejercitó la acción subrogatoria o por otros, según las reglas de concurrencia de créditos, si bien debe primeramente resarcirse el acreedor que ejercitó la acción subrogatoria de los gastos del pleito».[10]

Pero, como indica CASTÁN, puede el acreedor actuante trabar embargo sobre los bienes de que se trate, y ejecutarlos en su favor exclusivo. Sin embargo, DÍEZ-PICAZO considera que no hay razón para pensar que la preferencia pueda conseguirse mediante un embargo más rápido.

---

7. *Ibidem.*
8. Cfr. SSTS de 13 de octubre de 1911 (JC 1911, III-79) y 26 de abril de 1962 (RJ 1962, 1709).
9. RJ 1996, 9119.
10. RJ 2008, 5900.

El artículo 1090, párrafo 1.º, de la PMDOC dice que «cualquier acreedor cuyo crédito sea exigible podrá ejercitar los derechos y acciones que correspondan a su deudor, si éste, en perjuicio de acreedores, no los ejercita o descuida su ejercicio». De igual modo, el acreedor condicional y el acreedor a término «podrán también ejercitar los derechos y acciones de su deudor si es necesario para el aseguramiento de sus créditos, a no ser que el deudor pruebe que posee bienes bastantes para responder de sus deudas», según el artículo 1090, párrafo 2.º, de la PMDOC. Obviamente, señala el artículo 1090, párrafo 3.º, de la PMDOC que «se exceptúan de lo dispuesto en los dos párrafos anteriores los derechos y acciones que sean inherentes a la persona del deudor». A tenor del artículo 1090, párrafo 4.º, de la PMDOC, «cuando el acreedor ejercite judicialmente los derechos y acciones del deudor, deberá llamar a este último al proceso».

III. ACCIÓN DIRECTA

1. Introducción

A diferencia de la acción subrogatoria, en la que el acreedor ejercita la acción en nombre de su deudor, la acción directa es aquella facultad que se concede al acreedor para que en su propio nombre pueda dirigirse contra los deudores de su deudor, con objeto de hacerse pago de lo que se le debe. Por consiguiente, a diferencia de la acción subrogatoria (o indirecta), no es necesario haber perseguido previamente los bienes de que esté en posesión el deudor; es decir, su ejercicio no se encuentra supeditado a la situación de insolvencia del deudor.

Como dice PLANIOL, la ventaja de esta acción es que permite al acreedor que la ejercita apropiarse el valor obtenido por ella, en su totalidad o hasta el importe de su crédito, sin tener que compartirlo con los demás acreedores. Se distingue así de lo que sucede en la acción subrogatoria, en la que el acreedor está obligado a repartir el provecho entre todos los acreedores, si éstos se presentan en tiempo oportuno. Por ello, tanto en la doctrina francesa como en la española, algunos autores se han pronunciado por la conveniencia de extenderla con carácter general a todos los casos en que se concede la acción subrogatoria. Sin embargo, también hay otros autores que consideran que la acción directa tiene una fisonomía original, argumentando que si es autónoma sólo podrá admitirse en los casos particulares en que la ley la concede. De esta manera, su régimen no será idéntico en todos ellos.

El Código civil no la regula con carácter general, sino que solamente la admite en casos singulares.

2. Casos en que procede

Los casos particulares, más notables, en que el Código civil otorga al acreedor la acción directa son los siguientes:

a) Acción del arrendador contra el subarrendatario. Según el artículo 1552 del CC, «el subarrendatario queda (también) obligado para con el arrendador por el precio convenido en el subarriendo que se halle debiendo al tiempo del requerimiento, considerando no hechos los pagos adelantados, a no haberlos verificado con arreglo a la costumbre». Sin embargo, LUCAS FERNÁNDEZ estima que el sentido de este artículo es «ordenar una acción indirecta u oblicua o subrogatoria con requisitos propios».

También la Ley de arrendamientos urbanos de 1964 concedía acción directa, en caso de subarriendo, al arrendador contra el subarrendatario para reclamarle el abono de la renta y de su participación en el precio del subarriendo, así como la reparación de los deterioros que éste hubiera causado dolosa o negligentemente en la vivienda (cfr. arts. 15 y 16 LAU de 1964). En el segundo supuesto, la acción directa se concedía «sin perjuicio de la que le asiste contra el inquilino, pudiendo ejercitarlas simultáneamente».

b) Acción de los proveedores del contratista contra el dueño de la obra. Según el artículo 1597 del CC, «los que ponen su trabajo y materiales en una obra ajustada alzadamente por el contratista, no tienen acción contra el dueño de ella sino hasta la cantidad que éste adeude a aquel cuando se hace la reclamación». La STS de 29 de junio de 1936 declaró que esta acción más bien que directa ha de considerarse como una especie de la subrogatoria general.[11] Sin embargo, ALBALADEJO opina que lo que el Tribunal Supremo ha querido expresar en el caso es que se trata de un derecho personal y no real.

c) Acción del mandante contra el sustituto del mandatario. De acuerdo con el artículo 1721 del CC, «el mandatario puede nombrar sustituto si el mandante no se lo ha prohibido; pero responde de la gestión del sustituto: 1.º Cuando no se le dio facultad para nombrarlo. 2.º Cuando se le dio esta facultad, pero sin designar la persona, y el nombrado era notoriamente incapaz o insolvente». Y, a continuación, el artículo 1722 del CC dice que en estos casos «puede además el mandante dirigir su acción contra el sustituto».

d) Acción de los acreedores del enfiteuta. Los acreedores del enfiteuta podrán ejercitar el derecho perteneciente a éste, de redimir el censo para evitar el comiso de la finca (art. 1650 CC).

Por lo que se refiere a la legislación especial, pueden señalarse los supuestos siguientes en que también se reconoce la acción directa:

a) En el ámbito de la protección de los consumidores, en las *garantías en la venta de productos de consumo,* el artículo 125.1, párrafo 1.º, del TRLGDCU atribuye al consumidor la posibilidad de reclamar directamente al productor con el fin de conseguir que el bien o el contenido o el servicio digital sea puesto en conformidad, «cuando le resulte imposible o le suponga una carga excesiva dirigirse al empresario por la falta de conformidad».

Como fácilmente puede apreciarse a la luz del tenor literal de este precepto, la acción directa se ha introducido como un remedio subsidiario, pues el consumidor solo podrá utilizarla «cuando le resulte imposible o le suponga una carga excesiva dirigirse al empresario». Este planteamiento, que tiene su origen en la primera versión de la Directiva sobre garantías en la venta de bienes de consumo, olvida el hecho indubitado de que la mayoría de los casos, al menos en los que se refieran a ventas «internas» o domésticas, al comprador de bienes o productos de consumo le resultará en general mucho más fácil dirigirse por la falta de conformidad contra el vendedor del que adquirió el producto que hacerlo respecto del fabricante o productor. Obviamente, en las ventas transfronterizas sucederá justamente lo contrario.

---

11. RJ 1936, 1491.

Asimismo, a propósito de la *responsabilidad por daños causados por productos defectuosos*, el artículo 135 del TRLGDU, en relación con lo dispuesto por el artículo 138.2 del TRLGDCU, establece la responsabilidad del fabricante, del proveedor y del importador por los daños causados por los defectos de los productos que, respectivamente, fabriquen, suministren o importen, siendo el perjudicado que pretenda obtener la reparación de los daños causados el que deba probar el defecto, el daño y la relación de causalidad entre ambos (art. 139 TRLGDCU).

b) En el *contrato de seguro*, el artículo 76 de la LCS reconoce esta acción al perjudicado o sus herederos contra el asegurador para exigirle el cumplimiento de la obligación de indemnizar.

c) En el *transporte de mercancías*, la Disposición Adicional Sexta de la Ley 9/2013 de 4 de julio, que modificó la Ley de ordenación de los transportes terrestres, señala que «en los supuestos de intermediación en la contratación de transportes terrestres, el transportista que efectivamente haya realizado el transporte tendrá acción directa por la parte impagada, contra el cargador principal y todos los que, en su caso, le hayan precedido en la cadena de subcontratación, en caso de impago del precio del transporte por quien lo hubiese contratado (…)».

La legislación mencionada no resuelve la cuestión de si la obligación del cargador se limita a lo que él deba a su porteador (transportista o porteador intermedio) cuando se le hace la reclamación por el tercero, o, si, por el contrario, dicha obligación lo es a todo evento, es decir, incluso aunque el cargador haya pagado su porte y no deba nada al transportista intermedio. Esto último supondría que el cargador se convertiría en garante del transportista efectivo (transportista o porteador final). La STS de 24 de noviembre de 2017, haciendo un estudio completo de la tramitación parlamentaria en que se introdujo la acción directa contra el cargador principal, concluye que, con claros precedentes en los ordenamientos francés e italiano, la Disposición Adicional Sexta pretende constituir al cargador principal y a los subcontratistas intermedios en garantes solidarios del pago del precio al transportista final, «aunque ya hubieran pagado al subcontratista al tiempo de recibir la reclamación del transportista efectivo». Como indica la sentencia, la única forma que tiene el cargador principal para evitar que pueda ser objeto de este tipo de acciones consistirá en prohibir en el contrato de transporte su subcontratación.[12]

En materia de *responsabilidad civil y seguro en la circulación de vehículos a motor*, el artículo 7.1 del TRLRCSCVM reconoce al perjudicado o sus herederos acción directa contra el asegurador por el importe de los daños sufridos en su persona o en sus bienes, así como los gastos u otros perjuicios a los que tenga derecho, que prescribirá por el transcurso de un año. El asegurador deberá responder dentro del ámbito del aseguramiento obligatorio y con cargo al seguro de suscripción obligatoria.

IV. ACCIÓN REVOCATORIA O PAULIANA

La acción revocatoria o pauliana se encuentra enunciada en el artículo 1111 del CC, a cuyo tenor «los acreedores, después de haber perseguido los bienes de que esté en posesión el deudor para realizar cuanto se les debe (…), pueden (también) impugnar los actos que el deudor haya realizado en fraude de su derecho». Esta

---

12. RJ 2017, 6185.

acción ha sido desarrollada en las normas que el Código civil dedica a la rescisión de los contratos, pues el artículo 1291, número 3, del CC dice que son rescindibles los contratos «celebrados en fraude acreedores cuando éstos no puedan de otro modo cobrar lo que se les deba».[13]

Por tanto, es un recurso subsidiario, mediante el cual el acreedor, que no puede de otro modo cobrar lo que se le deba, puede ejercitar en su propio nombre y derecho la acción para impugnar los actos que el deudor haya realizado en fraude de su derecho; es decir, a través de la acción revocatoria se pretende dejar sin efecto los actos fraudulentos que el deudor haya realizado y que supongan disminución de su patrimonio. Como dice la STS de 21 de noviembre de 2005, la acción pauliana constituye manifestación de una facultad de control reconocida al acreedor sobre los actos dispositivos del deudor, con el fin exclusivo de conservar la integridad de su patrimonio para hacer efectiva contra él la responsabilidad que establece el artículo 1911 del CC.[14]

Ha de tratarse de actos reales y no fingidos, pues si el acto del deudor fuera simulado no procedería el ejercicio de la acción revocatoria, sino el de la acción de simulación, en cuyo caso se pretendería la inexistencia o nulidad absoluta. En la práctica, suelen ejercitarse ambas acciones conjuntamente, la revocatoria y la de simulación, si bien la primera se invoca de manera subsidiaria, o sea, para el caso de falta de éxito de la previa petición de nulidad del acto o negocio por simulación.

La acción revocatoria presupone un acto válido, respecto del cual se permite solicitar su ineficacia en virtud de la finalidad con que ha sido realizado, porque ha sido efectuado con ánimo de defraudar al acreedor. A esta nota alude el artículo 1290 del CC, al decir que «los contratos válidamente celebrados pueden rescindirse en los casos establecidos por la ley».

Por último, cabe advertir que la acción revocatoria puede convertirse en una acción de reparación o indemnización, pues el artículo 1295, párrafos 2.º y 3.º, del CC establece que no tendrá lugar la rescisión cuando las cosas objeto del contrato se hallaren legalmente en poder de terceras personas que no hubiesen procedido de mala fe, en cuyo caso podrá reclamarse la indemnización de perjuicios al causante de la lesión.

1. Requisitos de ejercicio

Como advierte DE CASTRO, hay que distinguir entre *presupuestos* de la impugnación y *requisitos* propiamente dichos.

Presupuestos de la impugnación son:

1.º Que exista un crédito a favor del actor, y que el mismo sea exigible, pues el acreedor sólo puede ejercitar la acción revocatoria «después de haber perseguido los bienes de que esté en posesión el deudor» (art. 1111 CC). Ahora bien, en cuanto a la existencia de un crédito anterior a la enajenación que pretende rescindirse o revocarse, es doctrina jurisprudencial que «ello ha de entenderse en términos generales, siendo preciso que en cada caso se estudie en concreto y con arreglo a las

13. Cfr. SSTS de 15 y 17 de febrero de 1986 (RJ 1986, 681 y 684).
14. RJ 2005, 7678.

peculiaridades que presente, especialmente en aquellos supuestos en que la intencionalidad defraudatoria viene determinada por la próxima y segura existencia posterior del crédito».[15]

En el caso enjuiciado en la STS de 12 de marzo de 2004 se consideró cumplido este requisito, pues si bien el banco demandante no comunicó a los vendedores demandados el saldo resultante de la póliza de crédito concertada en 26 de octubre de 1989 hasta el día 12 de marzo de 1991, fecha posterior a la de formalización de la compraventa impugnada en 22 de febrero de 1991, los vendedores demandados no podían desconocer su posición deudora frente al banco que se venía manteniendo desde fechas muy anteriores.

2.º Que el deudor haya realizado un acto válido que proporcione ventaja patrimonial a un tercero.

Son *requisitos* propiamente dichos:

1.º Que exista perjuicio para el acreedor *(eventus damni).* El perjuicio consiste en que el acto o contrato realizado provoque una disminución del patrimonio del deudor, de modo que resulte insuficiente para satisfacer el interés del acreedor. Respecto a la insolvencia del deudor, así como a la prueba de la misma, la STS de 12 de marzo de 2004, con abundante cita jurisprudencial, dice que «no es rigurosamente necesario que haya de promoverse pleito previo para acreditarla o que esta tenga que ser total, pues es suficiente que concurra minoración provocada para cubrir la integridad de la deuda, causándose de esta manera un real y persistente daño al acreedor, por la actuación fraudulenta del obligado, siendo determinativo y esencial que del conjunto de las pruebas se llegue a la conclusión de que no pudiendo cobrar aquél lo que se le debe, carece de otro recurso legal para obtener la reparación de los perjuicios económicos que le afectan, salvo la rescisión postulada de dicho contrato de compraventa, conforme al artículo 1294 del CC y el carácter subsidiario de la acción pauliana».[16]

El perjuicio sólo existe si el acreedor carece de cualquier otro medio para cobrar lo que se le debe (arts. 1291, párrafo 3.º, y 1294 CC).[17]

2.º Que el acto que se impugne sea fraudulento. Además del requisito objetivo del perjuicio, se requiere el subjetivo de que exista por parte del deudor intención o conocimiento de perjudicar al acreedor, de causarle daño.[18] Y el daño se causa desde el momento que el deudor tiene conocimiento de que después de realizado el acto no dispone de bienes bastantes en su patrimonio para satisfacer a sus acreedores; es decir, bastará probar el resultado producido y que éste fue conocido o debido conocer por el deudor.[19] En este sentido, la STS de 31 de marzo de 1989 dice que «la no concurrencia o falta del primero de los apuntados requisitos (por tener el deudor bienes suficientes, además del transmitido a título gratuito, para atender al pago de sus deudas) lleva lógicamente aparejada también la ausencia del segundo, pues al

---

15. Cfr. SSTS de 11 de noviembre de 1993 (RJ 1993, 8959) y 12 de marzo de 2004 (RJ 2004, 931).
16. RJ 2004, 931.
17. Cfr. SSTS 9 de noviembre de 1901 (JC 1901, II-106) y 20 de marzo de 1908 (JC 1908, I-96).
18. Cfr. SSTS de 7 de enero de 1958 (RJ 1958, 203), 13 de febrero de 1992 (RJ 1992, 844) y 12 de marzo de 2004 (RJ 2004, 931).
19. Cfr. STS de 19 de julio de 2005 (RJ 2005, 5342).

no entrañar perjuicio para el acreedor la transmisión impugnada no puede ésta ser calificada de fraudulenta».[20]

El acto será fraudulento si el tercero participa en el fraude; es decir, conoce el fraude, sabe que el deudor defrauda a sus acreedores.[21]

Ante la dificultad de la prueba del fraude (*consilium fraudis*), la ley establece unas *presunciones*:

a) En las enajenaciones a título gratuito se presume el fraude siempre (art. 1297, párr. 1.º, CC).[22] En este sentido, el artículo 643, párrafo 2.º, del CC establece que «se presumirá siempre hecha la donación en fraude de los acreedores, cuando al hacerla no se haya reservado el donante bienes bastantes para pagar las deudas anteriores a ella». Por su parte, el artículo 37, párrafo 2.º, apartado 4.º, de la LH dice que las acciones rescisorias de enajenaciones hechas en fraude de acreedores perjudicarán a tercero cuando hubiese adquirido por título gratuito, aunque inscriba su título en el Registro de la propiedad; o sea, la inscripción no le protege.

> PRADA GONZÁLEZ considera que más que una presunción es una auténtica calificación legal contra la que no cabe prueba en contrario.

b) En las enajenaciones a título oneroso se presume el fraude cuando hubiesen sido hechas por personas contra las cuales se haya pronunciado antes sentencia condenatoria en cualquier instancia o expedido mandamiento de embargo de bienes (art. 1297, párr. 2.º, CC). El fundamento de esta presunción no es otro que la publicidad a que, respecto de la situación patrimonial del deudor, da lugar la sentencia o el mandamiento de embargo (MARTÍN PÉREZ).

La primera es una presunción *iuris et de iure*. La segunda es *iuris tantum* y, por tanto, puede destruirse mediante prueba en contrario. No obstante, el Tribunal Supremo tiene declarado que el acreedor que intente la rescisión de un contrato pactado en su perjuicio podrá probar la existencia del fraude por todos los medios admitidos en derecho, ya que el artículo 1297 del CC se limita a establecer dos casos de presunción de contratos celebrados en fraude de acreedores, pero no es limitativo o excluyente de otros supuestos que puedan ocurrir.[23] Es decir, se puede probar la existencia del fraude por medios distintos a los consignados en el artículo 1297 del CC.

> Según el artículo 1310.2 de la PMDOC, «son fraudulentos: los actos dispositivos a título gratuito; los pagos hechos en estado de insolvencia por cuenta de obligaciones a cuyo cumplimiento no podía ser compelido el deudor al tiempo de hacerlos y los actos a título oneroso en los que éste y el otro contratante hayan conocido o debido conocer el perjuicio causado. Las disposiciones onerosas en las que, en detrimento del patrimonio del deudor, haya un notable y manifiesto desequilibrio entre el valor de las prestaciones, serán tenidas por gratuitas en la medida del enriquecimiento del otro contratante. Se presume el fraude de acreedores en las disposiciones onerosas a favor de personas especialmente relacionadas con el deudor, en las realizadas por éste en una situación de insolvencia notoria

---

20. RJ 1989, 2289.
21. Cfr. SSTS de 28 de enero de 1966 (RJ 1966, 139) y 16 de junio de 1970 (RJ 1970, 2925).
22. Cfr. STS de 18 de enero de 1991 (RJ 1991, 300).
23. Cfr. SSTS de 30 de octubre de 1928 (JC 1928, VI-151), 18 de marzo de 1929 (JC 1929, II-94) y 29 de mayo de 1985 (RJ 1985, 2832).

y en las enajenaciones a título oneroso hechas después de haberse pronunciado contra él sentencia condenatoria en cualquier instancia o expedido mandamiento de embargo de bienes».

La apreciación de la existencia o inexistencia del fraude, como cuestión de hecho, es facultad exclusiva de la sala sentenciadora de instancia,[24] habiendo concedido la jurisprudencia un amplio margen de apreciación al juez.

Como muestra de la jurisprudencia más moderna, que ha evolucionado desde una concepción tradicional marcadamente subjetiva y dolosa del fraude a otra más objetivable, funcional y flexible con el fin de lograr una mejor protección patrimonial del derecho de crédito, puede mencionarse la STS de 6 de abril de 1992, según la cual «el artículo 1111 del Código Civil contiene una firme respuesta a las necesarias garantías que deben ser inherentes a las obligaciones, expresando un principio de justicia para la efectividad de su funcionalidad no sólo económica sino también decididamente social, que ha llevado, no obstante no darse la exigencia de "animus nocendi" o de perjudicar a los acreedores, a proyectar el requisito subjetivo del "consilium fraudis", bien entendido como actividad intencionada y directamente dolosa o bien como simple conciencia de causarlo y así lo ha declarado esta Sala, llegando a alcanzar cotas de cuasi-objetividad si el perjuicio se ocasiona por simple culpa civil o premeditación».[25] Por su parte, reiterando otros pronunciamientos anteriores, la STS de 7 de septiembre de 2012, señala que «la moderna configuración de la acción tiende a invertir el arquetipo tradicional recibido, delimitado en torno a una concepción extremadamente subjetiva del fraude, así como a una aplicación excepcional de su recurso, por el de un concepto operativo que tiende a objetivar la responsabilidad derivada bajo el protagonismo del *eventus damni* como presupuesto impulsor del ejercicio de la acción rescisoria (...). De forma que el *consilium fraudis*, como confabulación de un propósito defraudatorio entre el deudor y el tercero adquirente, no se erige en el elemento principal de la acción, sino como un criterio accesorio en orden a la determinación temporal del fraude intencionado respecto de su previsible anticipación al momento del nacimiento del derecho de crédito. Con lo que la imputación subjetiva del fraude, a tenor del *eventus damni* como presupuesto objetivo de la lesión del derecho de crédito por la insolvencia del deudor, requiere solamente del concurso de la *scientia fraudis* como referencia ya al conocimiento propio del perjuicio, o bien a la diligencia exigible de haber debido conocer dicho perjuicio».[26]

2. Forma de ejercicio y plazo

Cualquiera de los acreedores podrá ejercitar la acción revocatoria o pauliana, pero es indispensable hacerlo no sólo contra el tercero, sino también contra el deudor que celebró con él el acto fraudulento. Además, deberá ser demandado el subadquirente, si la enajenación fue a título gratuito; si fue a título oneroso, únicamente en el supuesto de que conociera el carácter fraudulento de la enajenación del que trae causa.

---

24. Cfr. SSTS de 9 de julio de 1913 (JC 1913, III-23), 9 de noviembre de 1966 (RJ 1966, 4860) y 28 de octubre de 1988 (RJ 1988, 7749).
25. RJ 1992, 2942.
26. RJ 2013, 2265. Cfr. SSTS de 15 de marzo de 2002 (RJ 2002, 2841), 31 de octubre de 2002 (RJ 2002, 9735) y 13 de junio de 2003 (RJ 2003, 4304).

Según el artículo 1299 del CC, la acción tiene una duración de cuatro años. Dicho plazo es de caducidad,[27] comenzando a contar desde el día de la enajenación fraudulenta (art. 37, párr. 3.º, LH). Sin embargo, la STS de 16 de febrero de 1993 considera que el cómputo del plazo principia en el momento en que el acreedor, víctima del fraude, tiene cabal conocimiento de la enajenación fraudulenta.[28]

El artículo 1312 de la PMDOC señala que la acción caduca a los dos años, y este tiempo empezará a correr «desde que hubiera resultado conocido o se hubiera debido conocer el acto fraudulento o lesivo».

3. Efectos

Mediante la acción revocatoria o pauliana se pretende conseguir la ineficacia del acto o contrato fraudulento en tanto en cuanto ha habido perjuicio para el acreedor que la ejercita. Por eso es posible que la ineficacia sea sólo parcial, pues, como dice la STS de 14 de junio de 1958, «si se atiende a la validez del contrato rescindible y al carácter subsidiario y limitado de la rescisión con arreglo al artículo 1294 del CC, ésta ha de detenerse cuando se logra la reparación de los efectos del fraude, y quedan satisfechos los derechos del acreedor perjudicado».[29] Por otra parte, es de notar que la sentencia que se obtenga en virtud del ejercicio de la acción revocatoria únicamente aprovecha al acreedor-demandante y no a otros acreedores que no hayan intervenido en el procedimiento; en consecuencia, lo que exceda, una vez satisfecho el acreedor, corresponde y deberá entregarse al adquirente.[30] Es decir, si se declara la ineficacia del acto, la cosa enajenada deberá reingresar en el patrimonio del deudor para que el acreedor pueda dirigirse ejecutivamente contra el mismo. Sin embargo, en los casos de rescisión parcial, lo normal es que el tercero abone directamente al acreedor el importe del perjuicio ocasionado, o bien que dicho tercero sufra la ejecución sobre el bien afectado, que se encuentra en su poder.

El artículo 1295.1.º del CC establece que «la rescisión obliga a la devolución de las cosas que fueron objeto del contrato con sus frutos y del precio con sus intereses; en consecuencia, sólo podrá llevarse a efecto cuando el que la haya pretendido pueda devolver aquello a que por su parte estuviese obligado». Tienen razón Díez-Picazo y Gullón cuando dicen que, «interpretado literalmente, exigiría al acreedor la devolución de lo percibido, y de ahí se deduce que a ellos (a los acreedores) es inaplicable porque no han sido parte en el negocio fraudulento y, por tanto, nada han recibido. Es el tercero el obligado a la devolución, sin perjuicio de las acciones que tuviese contra el deudor».[31]

A tenor del artículo 1314, párrafo 1.º, de la PMDOC, «en los contratos en fraude de acreedores la rescisión hará ineficaz el contrato sólo a favor del acreedor que lo haya impugnado y en la medida necesaria para que éste pueda cobrar, pudiendo ejecutar los bienes transmitidos en el patrimonio del adquirente».

---

27. Cfr. SSTS de 11 de mayo de 1966 (RJ 1966, 2419) y 16 de octubre de 1971 (RJ 1971, 135).
28. RJ 1993, 774. Cfr. STS de 4 de septiembre de 1995 (RJ 1995, 6490).
29. RJ 1958, 2150. Cfr. SSTS de 10 de diciembre de 1904 (JC 1904, III-92), 25 de junio de 1907 (JC 1907, II-121).
30. Cfr. SSTS de 10 de diciembre de 1904 (JC 1904, III-92) y 12 de marzo de 2004 (RJ 2004, 931).
31. Cfr. SSTS de 26 de marzo de 1926 (JC 1926, II-62) y 14 de junio de 1958 (RJ 1958, 2150).

Cuando por «cualquier causa» fuere imposible la devolución de lo entregado (por regla general, porque se encuentren en poder de terceras personas que no han procedido de mala fe), «el que hubiese adquirido de mala fe las cosas enajenadas en fraude de acreedores deberá indemnizar a éstos de los daños y perjuicios que la enajenación les hubiese ocasionado» (art. 1298 CC). En la frase «por cualquier causa» hay que estimar comprendida la pérdida de la cosa, aunque hubiese ocurrido por caso fortuito.

En el caso de que el tercero, interviniente en el acto fraudulento con el deudor, hubiese a su vez enajenado a otra persona (subadquirente o tercero mediato), el artículo 1295, párrafos 2.º y 3.º, del CC dispone lo siguiente: «tampoco tendrá lugar la rescisión cuando las cosas objeto del contrato se hallaren legalmente en poder de terceras personas (subadquirentes) que no hubiesen procedido de mala fe. En este caso podrá reclamarse la indemnización de perjuicios al causante de la lesión». Por consiguiente, la acción revocatoria puede dirigirse contra los subadquirentes siempre que concurran los requisitos generales de ejercicio, y se trate de un subadquirente a título gratuito o, si lo es a título oneroso, hubiere procedido con mala fe, es decir, con conocimiento del acto o negocio fraudulento del cual deriva o trae causa su adquisición. En cambio, no cabe dirigirse contra los subadquirentes a título oneroso y de buena fe.

En el mismo sentido, según el artículo 1314, párrafo 3.º de la PMDOC, «la acción de rescisión por fraude procederá también contra los subadquirentes posteriores a la enajenación fraudulenta que sean a título gratuito o de mala fe».

Si bien es cierto que este precepto no hace referencia a la distinción entre adquisición onerosa o lucrativa, sino a adquisición no realizada de mala fe, como advierte Roca Sastre, «hay que entender que, además requiere que este tercero adquirente o subadquirente lo sea a título oneroso para quedar inmune, fundándonos simplemente en que dicho artículo 1295 es un precepto relativo a contratos onerosos, o sea en que hay contraprestaciones, y, además porque en materia de acción pauliana se considera tan natural que el subadquirente a título gratuito no esté protegido, que resulta ociosa toda precisión». Termina diciendo dicho autor que «esta posición del Código civil en este extremo es lógica, y tiene en su apoyo no sólo la legislación histórica y comparada, sino la jurisprudencia y la doctrina».

De acuerdo con el último párrafo del artículo 1295 del CC, la acción revocatoria o pauliana se convierte en una acción de reparación o indemnización de daños y perjuicios contra el causante de la lesión, en el caso de que el subadquirente sea de buena fe. Por tanto, el causante de la lesión es el tercero de mala fe, además del deudor (art. 1298 CC).

El artículo 1314, párrafo 2.º, de la PMDOC señala que «el adquirente de mala fe será responsable del perjuicio producido cuando haya enajenado los citados bienes o cuando éstos se hayan perdido o deteriorado por cualquier causa. En los casos citados, el adquirente de buena fe responderá del perjuicio causado sólo en cuanto se haya enriquecido».

4. Actos que pueden ser impugnados

El artículo 1111 del CC se refiere a «actos», y en los preceptos relativos a la rescisión de los contratos se habla de «contratos» (art. 1291 CC) o «enajenaciones» (art.

1297 CC). Aunque la doctrina, por regla general, utiliza esta última expresión, lo correcto es entender que el artículo 1111 alude a toda clase de actos, sean o no contratos, que impliquen directa o indirectamente disposición patrimonial.

Son también impugnables «los pagos hechos en estado de insolvencia por cuenta de obligaciones a cuyo cumplimiento no podía ser obligado el deudor al tiempo de hacerlos» (artículo 1292 CC). Se encuentran comprendidos en este supuesto los pagos anticipados, las deudas prescritas, etc. Ahora bien, la STS de 9 de julio de 1913 dice que el artículo 1292 del CC no se limita a los gastos extrajudiciales, sino que se extiende a los practicados en un procedimiento judicial cuando éste, con las solemnidades debidas, ha sido estimado nulo e ineficaz a instancia del acreedor perjudicado a medio de la correspondiente tercería de mejor derecho, porque la firmeza de las resoluciones judiciales no afecta a quien no fue parte en ellas.[32]

5. Extinción de la acción

La acción revocatoria o pauliana se extingue por el pago hecho al acreedor, por renuncia posterior al acto fraudulento y por caducidad. En defensa de la caducidad, puede invocarse la STS de 16 de octubre de 1971.[33] Sin embargo, la STS de 17 de diciembre de 1927 había considerado que el plazo era de prescripción, admitiendo por consiguiente su interrupción.[34]

BIBLIOGRAFÍA

ATAZ LÓPEZ, *Ejercicio por los acreedores de los derechos y acciones del deudor*, Madrid, 1988; CRISTÓBAL MONTES, *La vía subrogatoria*, Madrid, 1996; íd., «Aparición y consolidación de la acción pauliana», RDP, 1999, p. 1971; DE CASTRO, «La acción pauliana y la responsabilidad patrimonial. Estudio de los artículos 1911 y 1111 del Código civil», RDP, 1932, p. 193; ESPÍN CÁNOVAS, «Las acciones de filiación y la acción subrogatoria», en *Cien estudios jurídicos del Profesor Diego Espín Cánovas*, T. II, Madrid, 1998, p. 587; FERRARA, «La acción pauliana», RDP, 1928, p. 133; FIGA FAURA, «La acción subrogatoria», AAMN, T. IX, 1957, p. 271; GIMÉNEZ ARNAU, «La acción pauliana y la Ley hipotecaria», AAMN, T. VII, 1953, p. 191; GULLÓN, «La acción subrogatoria», RDP, 1959, p. 102; HERNÁNDEZ ARRANZ, *La acción directa como instrumento de garantía*, Bolonia, 2005; JEREZ DELGADO, *Los actos jurídicos objetivamente fraudulentos (La acción de rescisión por fraude de acreedores)*, Madrid, 1999; JORDANO FRAGA, *El ámbito objetivo de la legitimación subrogatoria (art. 1111 del CC)*, Madrid, 1996; LACRUZ, «Algunas consideraciones sobre el objeto de la acción subrogatoria», ADC, 1950, p. 100; MARTÍN PÉREZ, *La rescisión del contrato (En torno a la lesión contractual y el fraude de acreedores)*, Barcelona, 1995; MARTÍN RETORTILLO, *La lucha contra el fraude civil (La acción pauliana)*, Barcelona, 1943; ORDUÑA MORENO, *La acción rescisoria por fraude de acreedores en la jurisprudencia del Tribunal Supremo*, Barcelona, 1992; PASQUAU LIAÑO, *La acción directa en el Derecho español*, Madrid, 1989; PEÑA BERNALDO DE QUIRÓS, «Causa ilícita y fraude de acreedores», ADC, 1962, p. 1086;

---

32. JC 1913, III-23.
33. RJ 1971, 4135.
34. JC 1927, VII-82.

Puig Peña, «Teoría de la acción pauliana», RDP, 1945, p. 477; Robles Latorre, «La subsidiariedad de la acción pauliana», ADC, 1999, p. 663; Roca Sastre, «La acción pauliana y el artículo 37 de la Ley hipotecaria», RCDI, 1935, p. 510; íd., «La acció pauliana i la Constitució *Per tolre fraus*», RJC, 1935, p. 137; Rodriguez Morata, *La acción directa como garantía personal del subcontratista de obra*, Madrid, 1992; Rubio, «De la rescisión a la inoponibilidad de donaciones y actos "en fraude" del acreedor (a propósito del art. 531-14 del Código civil de Cataluña)», AFDUDC, 2006, p. 1057; Sirvent García, *La acción subrogatoria*, Madrid, 1997; Traviesas, «La acción pauliana», RGLJ, 1920, p. 99; Vaquer Aloy, «Inoponibilidad y acción pauliana (la protección de los acreedores del donante en al artículo 340.3 de la Compilación del Derecho civil de Cataluña», ADC, 1999, p. 1491.

Capítulo XIV

Insuficiencia del patrimonio del deudor y concurrencia de acreedores

I. INTRODUCCIÓN

El artículo 1911 del CC dice que «del cumplimiento de las obligaciones responde el deudor con todos sus bienes, presentes y futuros». Por consiguiente, si el deudor deja de cumplir con sus obligaciones, todos y cada uno de los respectivos acreedores tienen derecho a dirigirse contra el patrimonio de aquél para intentar hacer efectivos sus créditos; es decir, todos y cada uno de los acreedores tienen en principio, frente al patrimonio del deudor, el mismo derecho a cobrar sus créditos (*par conditio creditorum*). Sin embargo, en la práctica, el acreedor más diligente puede cobrar por entero su crédito en perjuicio de los demás, puesto que puede ejercitar individualmente su derecho al cobro mediante la reclamación de la prestación debida y, en último término, en el supuesto de que el deudor no consienta en pagar, podría solicitar, si su actividad no es insustituible, el resarcimiento de daños y perjuicios.

La eventualidad de que el acreedor más rápido o diligente logre la satisfacción de su crédito en perjuicio de los demás desaparece si se establece un procedimiento colectivo intervenido judicialmente, denominado concurso de acreedores, por medio del cual todos ellos procedan a ejecutar de manera ordenada y conjunta los bienes del deudor. Como dice DE BUEN, el procedimiento colectivo tiene ventajas para el deudor, que evita el apremio y el desorden que llevaría consigo la multiplicidad de las reclamaciones individuales, ahorra gastos y ofrece la posibilidad de llegar a acuerdos que pongan término a la situación en que se encuentra. Las tiene para los acreedores, pues en dicho procedimiento se examina el derecho de cada uno, se dificultan los fraudes y se coloca a cada crédito en el lugar en que debe estar, evitando que por razón de su habilidad o de su presteza venza un acreedor a otro que tiene preferente derecho.

Ahora bien, el Derecho concursal español, desde el punto de vista legislativo, ofrecía un sistema muy complicado, ya que la regulación del procedimiento colectivo se encontraba dispersa: en la Ley de enjuiciamiento civil de 1881, en el Código de comercio de 1837, en el Código de comercio vigente, en el Código civil, en la Ley de suspensión de pagos de 1922, así como en otras leyes que establecían modalidades distintas de suspensión de pagos para empresas de servicios públicos. Esta dispersión terminó con la promulgación de la Ley concursal de 9 de julio de 2003, que ha reformado de manera completa el sistema español sobre insolvencia. La nueva ley concursal se ha decantado por los principios de unidad legal, disciplina y de sistema, pues, en palabras de su Exposición de Motivos, «la superación de la diversidad de instituciones concursales para comerciantes y no comerciantes es una fórmula que, además de estar justificada por la desaparición del carácter represivo de la insolvencia mercantil, viene determinada por la tendencia a simplificar el procedimiento, sin que ello suponga ignorar determinadas especialidades del concurso de los empresarios sometidos a un estatuto propio (llevanza obligatoria de contabilidad, inscripción en el Registro Mercantil) y de la existencia en la masa activa de unidades productivas de bienes o de servicios, especialidades que son tenidas en cuenta a lo largo de la regulación del concurso, desde su solicitud hasta su solución mediante convenio o liquidación».

La legislación en vigor, representada por el RDLeg. 1/2020, de 5 de mayo, por el que se aprueba el Texto Refundido de la Ley Concursal, ha sido reformada por la Ley 16/2022, de 5 de septiembre.

II. LA PREFERENCIA Y PRELACIÓN DE CRÉDITOS

Se ha dicho que todos los acreedores tienen igual derecho a satisfacer sus respectivos créditos a costa del patrimonio del deudor; por consiguiente, en caso de insuficiencia patrimonial lógicamente deberían ser satisfechos de manera proporcional. Sin embargo, la regla *par conditio creditorum* sufre importantes excepciones, en cuanto que la ley admite una desigualdad de rango entre los diversos créditos, estableciendo un orden y preferencia en el cobro de los mismos. En este sentido, el artículo 1921 del CC dice que «los créditos se calificarán, para su graduación y pago, por el orden y en los términos que en este capítulo (2.º del Tít. XVII del Lib. IV) se establecen». No obstante, «los créditos concursales se clasificarán, a efectos del concurso, en privilegiados, ordinarios y subordinados» (art. 269.1 TRLC).

Los privilegios o preferencias de cobro, aunque se encuentran contenidos dentro de la regulación del concurso de acreedores, se aplican también fuera de este procedimiento colectivo de ejecución. Por ello, el artículo 614.1 de la LEC dispone que «quien afirme que le corresponde un derecho a que su crédito sea satisfecho con preferencia al del acreedor ejecutante podrá interponer demanda de tercería de mejor derecho, a la que habrá de acompañarse un principio de prueba del crédito que se afirma preferente».

Dado el carácter excepcional que tienen los privilegios o preferencias, no pueden ampliarse a casos distintos de los señalados por el legislador.

1. En el Código civil

1.1. *Créditos preferentes sobre determinados bienes muebles*

Según el artículo 1922 del CC, con relación a determinados bienes muebles del deudor, gozan de preferencia:

1.º Los créditos por construcción reparación, conservación o precio de venta de bienes muebles que estén en poder del deudor, hasta donde alcance el valor de los mismos.

2.º Los garantizados con prenda que se halle en poder del acreedor sobre la cosa empeñada y hasta donde alcance su valor.

De igual preferencia gozan los créditos garantizados con hipoteca mobiliario o prenda sin desplazamiento (arts. 10 y 66 LHM), y los nacidos de contratos de venta de bienes muebles a plazos inscritos en el Registro (art. 16.5 LVPBM).

3.º Los garantizados con fianza de efectos o valores, constituida en establecimiento público o mercantil, sobre la fianza y por el valor de los efectos de la misma. Impropiamente, se habla de fianza, ya que, en realidad, se trata de una prenda.

4.º Los créditos por transporte, sobre los efectos transportados, por el precio del mismo, gastos y derechos de conducción y conservación, hasta la entrega y durante treinta días después de ésta (arts. 374, 375 y 667 CCom).

5.º Los de hospedaje, sobre los muebles del deudor existentes en la posada (o establecimiento hotelero).

Entre los «muebles del deudor», ¿deberá considerarse incluido el automóvil? Si el aparcamiento constituye una actividad propia y complementaria de la prestación hotelera, la respuesta deberá ser afirmativa (GULLÓN).

6.º Los créditos por semillas y gastos de cultivo y recolección anticipados al deudor, sobre los frutos de la cosecha para que sirvieron.

El artículo 113.1 de la LAR de 1980 otorgaba esta misma consideración a «todo anticipo que el cedente haga al aparcero para que éste pueda realizar las aportaciones que le son propias según el contrato de aparcería, incluido el adelanto de jornales». Según la disposición transitoria primera de la vigente LAR de 2003, los contratos de aparcería vigentes a la entrada en vigor de esta ley, se regirán por la normativa aplicable al tiempo de su celebración.

Habrá de tenerse en cuenta que, según el artículo 356 del CC, «el que percibe los frutos tiene la obligación de abonar los gastos hechos por un tercero para su producción, recolección y conservación». Además, a tenor de lo dispuesto en el artículo 357 del CC, «no se reputarán frutos naturales, o industriales, sino los que están manifiestos o nacidos. Respecto de los animales, bastará que estén en el vientre de su madre, aunque no hayan nacido».

7.º Los créditos por alquileres y rentas de un año, sobre los bienes muebles del arrendatario existentes en la finca arrendada y sobre los frutos de la misma.

8.º Los créditos a favor de los tenedores de bonos garantizados, respecto de los préstamos y créditos, y otros activos que los garanticen, integrados en el conjunto de cobertura, conforme al Real Decreto-ley 24/2021, de 2 de noviembre, de transposición de Directivas de la Unión Europea en las materias de bonos garantizados, distribución transfronteriza de organismos de inversión colectiva, datos abiertos y reutilización de la información del sector público, ejercicio de derechos de autor y derechos afines aplicables a determinadas transmisiones en línea y a las retransmisiones de programas de radio y televisión, exenciones temporales a determinadas importaciones y suministros, de personas consumidoras y para la promoción de vehículos de transporte por carretera limpios y energéticamente eficientes, hasta donde alcance su valor.

Si los bienes muebles sobre que recae la preferencia hubieren sido sustraídos, el acreedor podrá reclamarlos de quien los tuviese, dentro del término de treinta días, contados desde que ocurrió la sustracción.

Lasarte entiende que, de acuerdo con los precedentes y el Derecho histórico, «se encontrarían afectados sólo los bienes muebles destinados al normal aprovechamiento del inmueble arrendado (los aperos de labranza, en el caso de un cortijo; el mobiliario y los electrodomésticos, en el supuesto de vivienda) y no otros objetos de personal utilización por el arrendatario y que en absoluto pueden considerarse vinculados objetivamente con la finca (teléfono portátil, dinero o paquete de acciones de cualquier sociedad anónima)».

1.2. *Créditos preferentes sobre determinados bienes inmuebles y derecho reales*

Según el artículo 1923 del CC, con relación a determinados bienes inmuebles y derechos reales, gozan de preferencia:

1.° Los créditos a favor del Estado, sobre los bienes de los contribuyentes, por el importe de la última anualidad, vencida y no pagada, de los impuestos que graviten sobre ellos. Otras normas posteriores extienden la preferencia a dos anualidades: la corriente y la última vencida (art. 194 LH y art. 78 LGT). En la actualidad, este privilegio favorece a los organismos autónomos del Estado, a las Comunidades Autónomas y a las Haciendas locales.[1]

***En realidad, este precepto debe ser sustituido por lo dispuesto en la Ley general tributaria y demás normas tributarias concordantes y de desarrollo. En efecto, el artículo 77.1 de la LGT dice que «la Hacienda pública tendrá prelación para el cobro de los créditos tributarios vencidos y no satisfechos en cuanto concurra con otros acreedores, excepto cuando se trate de acreedores de dominio, prenda, hipoteca u otro derecho real debidamente inscrito en el registro correspondiente con anterioridad a la fecha en que se haga constar en el mismo el derecho de la Hacienda pública, sin perjuicio de lo dispuesto en los artículos 78 y 79 de esta Ley». Además, el artículo 79 de la LGT establece afección a favor de la Hacienda pública de los bienes y derechos transmitidos por el pago de tributos que graven tales transmisiones.

2.° Los créditos de los aseguradores, sobre los bienes de los asegurados, por los premios del seguro de dos años; y, si fuere el seguro mutuo, por lo dos últimos dividendos que se hubiesen repartido.

3.° Los créditos hipotecarios y los refaccionarios, anotados e inscritos en el Registro de la propiedad, sobre los bienes hipotecados o que hubiesen sido objeto de la refacción.

Crédito refaccionario es el que se contrae y emplea en la construcción, conservación o mejora de una cosa. Como dice López de Haro, el crédito refaccionario no se concreta a las edificaciones, sino que abarca toda finca que requiera de alguna forma

---

1. Cfr. STS de 2 de marzo de 1990 (RJ 1990, 2756).

reconstitución de su natural y anterior manera de estar, ya sea una construcción sobre el suelo, o una obra en el subsuelo o arbolado que pueda exigir repoblación; y a pesar de su significación etimológica, entran dentro del concepto del crédito refaccionario, según el Código y la jurisprudencia, no sólo el crédito por reconstrucción de obra anterior, sino también el crédito por obra nueva. Se precisa que a la cantidad prestada se le haya dado el destino contractualmente previsto; por consiguiente, el privilegio no existirá cuando el destino de la cantidad prestada no se haya previsto o habiéndose establecido no se realizó la inversión (arts. 59 y 60 LH y art. 155 RH).

La anotación preventiva del crédito refaccionario sólo puede obtenerse mientras duren las obras que sean objeto de la refacción (art. 42.8.° LH), y surtirá todos los efectos de la hipoteca (art. 59, párr. 2.°, LH). Esta anotación caduca a los sesenta días de concluida la obra (art. 92 LH). Si al expirar este término no estuviere aún pagado por completo el crédito, por no haber vencido el plazo estipulado en el contrato, el acreedor refaccionario podrá pedir la conversión de su anotación primitiva e inscripción de hipoteca. Si el plazo estuviere vencido, podrá el acreedor, o prorrogarlo mediante dicha conversión, o exigir el pago desde luego, para lo cual surtirá la anotación todos los efectos de la hipoteca (art. 93 LH).

4.° Los créditos preventivamente anotados en el Registro de la propiedad, en virtud de mandamiento judicial, por embargos, secuestros o ejecución de sentencias, sobre los bienes anotados; y sólo en cuanto a créditos posteriores, es decir, de fecha ulterior a la de la anotación[2]

5.° Los refaccionarios no anotados ni inscritos, sobre los inmuebles a que la refacción se refiera y sólo respecto a otros créditos distintos de los expresados en los cuatro números anteriores.

La STS de 16 de enero de 1988 establece la prelación de créditos según la fecha de la sentencia que los declara.[3]

Según el artículo 9.1, letra e), de la LPH, los créditos a favor de la comunidad derivados de la obligación de contribuir al sostenimiento de los gastos generales correspondientes a las cuotas imputables a la parte vencida de la anualidad en curso y al año natural inmediatamente anterior tienen la condición de preferentes a efectos del artículo 1923 del CC, y preceden, para su satisfacción, a los enumerados en los apartados 3.°, 4.° y 5.° de dicho precepto, sin perjuicio de la preferencia establecida a favor de los créditos salariales en el Estatuto de los trabajadores.

6.° Los créditos a favor de los tenedores de bonos garantizados, respecto de los préstamos y créditos hipotecarios, y otros activos que los garanticen, integrados en el conjunto de cobertura, conforme al Real Decreto-ley 24/2021, de 2 de noviembre, de transposición de Directivas de la Unión Europea en las materias de bonos garantizados, distribución transfronteriza de organismos de inversión colectiva, datos abiertos y reutilización de la información del sector público, ejercicio de derechos de autor y derechos afines aplicables a determinadas transmisiones en línea y a las retransmisiones de programas de radio y televisión, exenciones temporales a determinadas importaciones y suministros, de personas consumidoras y para la promoción de vehículos de transporte por carretera limpios y energéticamente eficientes, hasta donde alcance su valor.

---

2. Cfr. SSTS de 5 de octubre de 1981 (RJ 1981, 3581), 9 de octubre de 1987 (RJ 1987, 6928).
3. RJ 1988, 121.

1.3. Créditos preferentes sobre los demás bienes muebles e inmuebles

Según el artículo 1924 del CC, con relación a los demás bienes muebles e inmuebles del deudor, gozan de preferencia:

1.º Los créditos a favor de la provincia o del municipio, por los impuestos de la última anualidad vencida y no pagada, no comprendidos en el artículo 1923, número 1.º, del CC.

Este precepto debe ser sustituido por lo dispuesto en la Ley general tributaria y demás normas tributarias concordantes y de desarrollo (arts. 77, 78 y 79 LGT).

2.º Los devengados:

b) Por los funerales del deudor, según el uso del lugar, y también los de su cónyuge y los de sus hijos constituidos bajo su patria potestad, si no tuvieren bienes propios.

c) Por gastos de la última enfermedad de las mismas personas, causados en el último año, contado hasta el día del fallecimiento.

Se refiere a la «última enfermedad» de la que se deriva la muerte del deudor, y no se incluyen los gastos ocasionados por otras enfermedades.

d) Por los salarios y sueldos de los trabajadores por cuenta ajena y del servicio doméstico correspondientes al último año.

Esta disposición hay que entenderla derogada y sustituida por lo establecido en el artículo 32 del ET. En dicho precepto, bajo la rúbrica «garantías del salario», se consigna un superprivilegio, pues «los créditos por salarios por los últimos treinta días de trabajo, y en cuantía que no supere el doble del salario mínimo interprofesional, gozarán de preferencia sobre cualquier otro crédito, aunque éste se encuentre garantizado por prenda o hipoteca» (apartado 1.º); se otorga preferencia a los créditos salariales sobre «los objetos elaborados por los trabajadores, mientras sean propiedad o estén en posesión del empresario» (apartado 2.º); se dispone que los créditos salariales, no protegidos en los apartados 1.º y 2.º, tendrán la condición de «singularmente privilegiados» y gozarán de preferencia sobre cualquier otro crédito, que sólo se pospone a los créditos hipotecarios (apartado 3.º); se concede la posibilidad de ejercicio concursal y extraconcursal del privilegio (apartado 4.º); se otorga el derecho a una ejecución separada en los casos de existencia de un procedimiento concursal (apartado 5.º); y, finalmente, se dice que el plazo para ejercitar los derechos de preferencia del crédito salarial es de un año contado desde el momento en que debió percibirse el salario, transcurrido el cual «prescribirán tales derechos», aunque, en realidad, se trata de un plazo de caducidad.

Por otra parte, procede señalar que, tras algunas oscilaciones, el Tribunal Supremo declaró que los créditos dimanantes de indemnización por cese en la relación laboral se equiparan en garantías y privilegios a los créditos por salarios.[4] Interpretación que posteriormente rectifica, en el sentido de que «tales indemnizaciones no están comprendidas ni pueden ser asimiladas al concepto de salario, por lo que no gozan de las garantías que a éste reconoce el artículo 32 del ET.[5]

---

4. Cfr. SSTS de 20 de noviembre de 1990 (RJ 1990, 8989) y 26 de marzo de 1991 (RJ 1991, 2445).

5. Cfr. SSTS de 12 de marzo y 24 de mayo de 1993 (RJ 1993, 2269 y 3725) y las que éstas citan.

También hay que advertir que el artículo 54 de la LPI establece que «los créditos en dinero por la cesión de derecho de explotación tienen la misma consideración que la de los devengados por salarios o sueldos en los procedimientos concursales de los cesionarios, con el límite de dos anualidades».

e) Por las cuotas correspondientes a los regímenes obligatorios de subsidios, seguros sociales y mutualismo laboral por el mismo período de tiempo que señala el apartado anterior, siempre que no tengan reconocida mayor preferencia con arreglo al artículo precedente.[6]

f) Por anticipaciones hechas al deudo, para sí y para su familia constituida bajo su autoridad, en comestibles, vestido, calzado, en el mismo período de tiempo.

3.° Los créditos que sin privilegio consten:

a) En escritura pública.

b) Por sentencia firme, si hubiesen sido objeto de litigio. El Tribunal Supremo ha declarado que la sentencia de remate está comprendida en este precepto.[7]

Según la jurisprudencia, se equipara a la escritura pública los documentos intervenidos por corredor colegiado o por agente de cambio y bolsa, con base en el artículo 93 del CCom,[8] las letras de cambio intervenidas por los mismos,[9] los documentos privados reconocidos judicialmente,[10] los reconocimientos unilaterales de deuda[11] y el acta notarial de protesto de una letra de cambio.[12]

Respecto de los documentos reconocidos judicialmente, la STS de 8 de abril de 1976 otorga preferencia al crédito declarado en la primera sentencia que gana firmeza.[13]

Estos créditos tendrán preferencia entre sí por el orden de antigüedad de las fechas de las escrituras y de las sentencias.[14] En el caso de que la cantidad debida por el deudor no conste en el propio título ni pueda determinarse por simples operaciones aritméticas, y sea necesaria una operación complementaria de liquidación, es doctrina jurisprudencial que la preferencia se determina en función de la fecha de la liquidación o determinación del saldo deudor.[15]

Como puede observarse, estas preferencias se basan en el carácter fehaciente de la fecha del documento, oponible a terceros; pero, como dice PUIG BRUTAU, ello implica una derogación poco justificada de la regla de que todos los acreedores no privilegiados son de igual condición, y que es sustituida por el principio *prior tempore*

---

6. Cfr. artículo 22 TRLGSS.
7. Cfr. SSTS de 3 de noviembre de 1971 (RJ 1971, 4523) y 21 de septiembre de 1984 (RJ 1984, 4301).
8. Cfr. SSTS de 27 de octubre de 1941 (RJ 1942, 1000), 3 de noviembre de 1971 (RJ 1971, 4523) y 1 de marzo de 1978 (RJ 1978, 758).
9. Cfr. STS de 10 de marzo de 1973 (RJ 1973, 906).
10. Cfr. SSTS de 27 de enero de 1958 (RJ 1958, 551).
11. Cfr. SSTS de 16 de abril de 1955 (RJ 1955, 1546) y 17 de junio de 1958 (RJ 1958, 2494).
12. Cfr. STS de 29 de abril de 1988 (RJ 1988, 3301).
13. RJ 1976, 1706.
14. Cfr. STS de 31 de diciembre de 1993 (RJ 1993, 9924).
15. Cfr. STS de 25 de octubre de 2005 (RJ 2005, 7212) y las que cita.

potior iure. Es más, como señala Díez-Picazo, a esta crítica cabe añadir que «la escritura pública obedece siempre a una simple voluntad de los interesados, de manera que se encuentra siempre en manos del deudor privilegiar a un acreedor frente a otros, lo que según una recta ordenación del sistema de concurrencias es inadmisible. Lo mismo puede decirse de las sentencias que recaen en los juicios ejecutivos, casi todos ellos sin oposición del deudor, en que la mayor rapidez en el ejercicio judicial del derecho no puede resultar premiada y obedecen en ocasiones a circunstancias puramente fortuitas u obra del azar o, lo que es todavía peor, a que un órgano jurisdiccional funcione mejor que otro».

1.4. *Créditos sin preferencia*

Según el artículo 1925 del CC, no gozarán de preferencia los créditos de cualquier clase, o por cualquier otro título, no comprendidos en los artículos anteriores.

1.5. *Prelación de créditos*

El caso de conflicto o colisión entre varios créditos preferentes o privilegiados se puede resolver de dos maneras: estableciendo un orden de prelación entre los diversos privilegios concurrentes o bien decretando la distribución a prorrata del importe obtenido con los bienes entre los diferentes créditos privilegiados. El Código civil ha optado por el primer sistema, una vez clasificados los créditos, reconoce a cada categoría preferencia sobre los demás créditos, y consigna la regulación siguiente:

a) Preferencia sobre determinados bienes muebles. Según el artículo 1926 del CC, los créditos que gozan de preferencia con relación a determinados bienes muebles excluyen a todos los demás hasta donde alcance el valor del mueble a que la preferencia se refiere.

Si concurren dos o más créditos respecto a determinados muebles, se observarán, en cuanto a la prelación para su pago, las reglas siguientes:

1.ª El crédito pignoraticio excluye a los demás hasta donde alcance el valor de la cosa dada en prenda.

2.ª En el caso de fianza (en realidad, prenda de efectos o valores), si estuviere legítimamente constituida a favor de más de un acreedor, la prelación entre ellos se determinará por el orden de fechas de prestación de la garantía.

3.ª Los créditos por semillas, gastos de cultivo y recolección, serán preferidos a los de alquileres y rentas sobre los frutos de la cosecha para que aquéllos sirvieron.

4.ª En los demás casos el precio de los muebles se distribuirá *a prorrata* entre los créditos que gocen de especial preferencia con relación a los mismos.

b) Preferencia sobre determinados bienes inmuebles. Según el artículo 1927 del CC, los créditos que gozan de preferencia con relación a determinados bienes inmuebles o derechos reales, excluyen a todos los demás por su importe hasta donde alcance el valor del inmueble o derecho real a que la preferencia se refiera.

Si concurrieren dos o más créditos respecto a determinados inmuebles o derechos reales, se observarán, en cuanto a su respectiva prelación, las reglas siguientes:

1.ª Serán preferidos, por su orden, los créditos a favor del Estado (de los organismos autónomos del Estado, de las Comunidades Autónomas y de las Haciendas locales) y los créditos de los aseguradores a todos los demás comprendidos en el artículo 1923 del CC.

2.ª Los créditos hipotecarios, los refaccionarios anotados o inscritos en el Registro de la propiedad y los créditos con anotaciones preventivas de embargo, secuestro o ejecución de sentencia, gozan de prelación entre sí por el orden de antigüedad de las respectivas inscripciones o anotaciones.

Si concurren entre sí únicamente créditos con anotaciones preventivas de embargo no existe entre ellos relación por orden de antigüedad, pues la anotación sólo otorga privilegio frente al crédito nacido con posterioridad a la anotación.[16]

3.ª Los créditos refaccionarios no anotados ni inscritos en el Registro de la propiedad a que se refiere el número 5.º del artículo 1923, gozarán de prelación entre sí por el orden inverso de su antigüedad.

c) Créditos sin preferencia sobre determinados bienes. Establece el Código civil las reglas de cobro siguientes:

El remanente del caudal del deudor, después de pagados los créditos que gocen de preferencia con relación a determinados bienes, muebles o inmuebles, se acumulará a los bienes libres que aquél tuviere para el pago de los demás créditos.

Los que, gozando de preferencia con relación a determinados bienes, muebles o inmuebles, no hubiesen sido totalmente satisfechos con el importe de éstos, lo serán, en cuanto al déficit, por el orden y en lugar que les corresponda según su respectiva naturaleza (art. 1928 CC).

Los créditos que no gocen de preferencia con relación a determinados bienes, y los que la gozaren, por la cantidad no realizada, o cuando hubiese prescrito el derecho a la preferencia, se satisfarán conforme a las reglas siguientes:

1.ª Por el orden establecido en el artículo 1924 del CC.

2.ª Los preferentes por fechas, por el orden de éstas, y los que la tuviesen común, a prorrata.

3.ª Los créditos comunes a que se refiere el artículo 1925, sin consideración a sus fechas (art. 1929 CC).

Finalmente hay que advertir, con carácter indicativo, que *la prelación debe ser corregida* en el sentido siguiente:

a) En cada caso se deberá incorporar el privilegio de los créditos salariales (art. 32.1 ET).

b) En la prelación sobre determinados bienes muebles, a que se refiere el artículo 1926 del CC, se debe anteponer a los créditos pignoraticios tanto el privilegio de los trabajadores consignado en el artículo 32.2 del ET, como la «prelación general» consignada en los artículos 73 y 74 de la LGT.

---

16. Cfr. SSTS de 5 y 19 de octubre de 1981 (RJ 1981, 3581 y 3808).

c) En la prelación sobre determinados bienes inmuebles, que se reseña en el artículo 1927 del CC, habrá que anteponer el privilegio establecido en el artículo 32.1 del ET.

Además, se deberá tener en cuenta la doble alteración que experimenta la regla 2.ª de este precepto: 1.º Los créditos salariales y de indemnización de los trabajadores (art. 32.3 ET) han de anteponerse a los refaccionarios, así como a los demás que se citan, excepto los hipotecarios. 2.º Los créditos a favor de la comunidad de propietarios también deben anteponerse, después de los créditos por salarios.

2. En la legislación concursal

Según el artículo 269.1 del TRLC, los créditos concursales se clasificarán, a efectos del concurso, en privilegiados, ordinarios y subordinados. A su vez, los créditos privilegiados se clasificarán en créditos con privilegio especial, si afectan a determinados bienes o derechos de la masa activa, y créditos con privilegio general, si afectan a la totalidad de esa masa. En el concurso no se admitirá ningún privilegio o preferencia que no esté reconocido en la ley (art. 269.2 TRLC).

2.1. *Créditos con privilegio especial*

Según el artículo 270 del TRLC, son créditos con privilegio especial:

1.º Los créditos garantizados con hipoteca legal o voluntaria, inmobiliaria o mobiliaria, o con prenda sin desplazamiento, sobre los bienes o derechos hipotecados o pignorados.

2.º Los créditos garantizados con anticresis, sobre los frutos del inmueble gravado.

3.º Los créditos refaccionarios, sobre los bienes refaccionados, incluidos los de los trabajadores sobre los objetos por ellos elaborados mientras sean propiedad o estén en posesión del concursado.

4.º Los créditos por contratos de arrendamiento financiero o de compraventa con precio aplazado de bienes muebles o inmuebles, a favor de los arrendadores o vendedores y, en su caso, de los financiadores, sobre los bienes arrendados o vendidos con reserva de dominio, con prohibición de disponer o con condición resolutoria en caso de falta de pago.

5.º Los créditos con garantía de valores representados mediante anotaciones en cuenta, sobre los valores gravados.

6.º Los créditos garantizados con prenda constituida en documento público, sobre los bienes o derechos pignorados que estén en posesión del acreedor o de un tercero.

7.º Los créditos a favor de los tenedores de bonos garantizados, respecto de los préstamos y créditos, y otros activos que los garanticen, integrados en el conjunto de cobertura, conforme al Real Decreto-ley 24/2021, de 2 de noviembre, de transposición de directivas de la Unión Europea en las materias de bonos garantizados, distribución transfronteriza de organismos de inversión colectiva, datos abiertos y reutilización de la información del sector público, ejercicio de derechos de autor y derechos afines aplicables a determinadas transmisiones en línea y a las retransmisiones de programas de radio y televisión, exenciones temporales a determinadas importaciones y suministros, de personas consumidoras y para la promoción de vehículos de transporte por carretera limpios y energéticamente eficientes, hasta donde alcance su valor.

A lo anterior, debe añadirse que, si se tratare de prenda de créditos de la masa activa, será suficiente con que la constitución de la garantía conste en documento con fecha fehaciente anterior a la declaración de concurso (art. 271.2 TRLC).

Si se tratare de prenda sobre créditos futuros, será necesario que, antes de la declaración de concurso, concurran los dos siguientes requisitos:

1.º Que los créditos futuros hubieran nacido de contratos perfeccionados o de relaciones jurídicas constituidas antes de esa declaración.

2.º Que la prenda estuviera constituida en documento público o, en el caso de prenda sin desplazamiento, se hubiera inscrito en el registro público correspondiente (art. 271.2 TRLC). Si se tratara de créditos futuros derivados de la resolución de contratos de concesión de obras o de contratos de concesión de servicios, además de lo exigido en el apartado anterior, será necesario que, antes de la declaración de concurso, la pignoración se hubiera constituido en garantía de créditos que guarden relación con la concesión o el contrato y hubiera sido autorizada por el órgano de contratación con arreglo a la normativa sobre contratos del sector público (art. 271.4 TRLC).

Por otra parte, el artículo 271.1 del TRLC añade que «los créditos a que se refieren los números 1.º a 5.º del artículo anterior deberán tener constituida la respectiva garantía antes de la declaración de concurso con los requisitos y formalidades establecidos por la legislación específica para que sea oponible a terceros, salvo que se trate de los créditos con hipoteca legal tácita o de los refaccionarios de los trabajadores».

2.2. *Créditos con privilegio general*

A tenor del artículo 280 del TRLC, son créditos con privilegio general:

1.º Los créditos anteriores a la declaración de concurso por salarios que no tengan la consideración de créditos contra la masa ni reconocido privilegio especial, en la cuantía que resulte de multiplicar el triple del salario mínimo interprofesional por el número de días de salario pendientes de pago; por indemnizaciones derivadas de la extinción de los contratos, en la cuantía correspondiente al mínimo legal calculada sobre una base que no supere el triple del salario mínimo interprofesional; y por los capitales coste de seguridad social de los que sea legalmente responsable el concursado y los recargos sobre las prestaciones por incumplimiento de las obligaciones en materia de salud laboral devengadas con anterioridad a la declaración de concurso.

2.º Las cantidades correspondientes a retenciones tributarias y de seguridad social debidas por el concursado en cumplimiento de una obligación legal.

3.º Los créditos de personas naturales derivados del trabajo personal no dependiente y los que correspondan al propio autor por la cesión de los derechos de explotación de la obra objeto de propiedad intelectual, devengados durante los seis meses anteriores a la declaración de concurso.

4.º Los créditos tributarios, los créditos de la seguridad social y demás de derecho público que no tengan privilegio especial ni el privilegio general del número 2.º de este artículo. Respecto de los créditos públicos señalados, el privilegio general a que se refiere este número solo alcanzará al cincuenta por ciento del importe de los respectivos créditos, deducidos de la base para el cálculo del porcentaje los créditos con privilegio especial, los créditos con privilegio general conforme al número 2.º de este mismo artículo y los créditos subordinados.

5.º Los créditos por responsabilidad civil extracontractual por daños causados antes de la declaración de concurso distintos de aquellos a que se refiere el número 1.º del apartado 1 del artículo 242, las liquidaciones vinculadas a delito contra la Hacienda Pública reguladas en el Título VI de la Ley 58/2003, de 17 de diciembre, General Tributaria, y los créditos por responsabilidad civil derivada del delito contra la Hacienda Pública y contra la Tesorería General de la Seguridad Social, cualquiera que sea la fecha de la resolución judicial que los declare. Si los daños estuvieran asegurados, el crédito del asegurador por subrogación, regreso o reembolso tendrá la consideración de crédito concursal ordinario.

6.º El cincuenta por ciento del importe de los créditos derivados de la financiación interina o de la nueva financiación concedidos en el marco de un plan de reestructuración homologado cuando los créditos afectados por ese plan representen al menos el cincuenta y uno por ciento del pasivo total. En el caso de que la financiación hubiera sido concedida o comprometida por personas especialmente relacionadas con el deudor, será necesario que los créditos afectados por el plan representen más del sesenta por ciento del pasivo total, con deducción de los créditos de aquellas personas para calcular esa mayoría.

7.º Los créditos de que fuera titular el acreedor a instancia del cual se hubiere declarado el concurso, excluidos los que tuvieren el carácter de subordinados, hasta el cincuenta por ciento de su importe.

2.3. Créditos subordinados

Según el artículo 281.1 del TRLC, son créditos subordinados:

1.º Los créditos que se clasifiquen como subordinados por la administración concursal por comunicación extemporánea, salvo que se trate de créditos de reconocimiento forzoso, o por las resoluciones judiciales que resuelvan los incidentes de impugnación de la lista de acreedores y por aquellas otras que atribuyan al crédito esa clasificación.

2.º Los créditos que por pacto contractual tengan el carácter de subordinados respecto de todos los demás créditos contra el concursado, incluidos los participativos.

3.º Los créditos por recargos e intereses de cualquier clase, incluidos los moratorios, salvo los correspondientes a créditos con garantía real hasta donde alcance la respectiva garantía.

4.º Los créditos por multas y demás sanciones pecuniarias.

5.º Los créditos de que fuera titular alguna de las personas especialmente relacionadas con el concursado en los términos establecidos en esta ley.

6.º Los créditos que como consecuencia de rescisión concursal resulten a favor de quien en la sentencia haya sido declarado parte de mala fe en el acto impugnado.

7.º Los créditos derivados de los contratos con obligaciones recíprocas, a cargo de la contraparte del concursado, o del acreedor, en caso de rehabilitación de contratos de financiación o de adquisición de bienes con precio aplazado, cuando el juez constate, previo informe de la administración concursal, que el acreedor obstaculiza de forma reiterada el cumplimiento del contrato en perjuicio del interés del concurso.

El artículo 281.2 del TRLC añade que, por excepción a lo establecido en el número 5.º del apartado anterior, los créditos de que fuera titular alguna de las personas especialmente relacionadas con el concursado no serán objeto de subordinación en los siguientes casos:

1.º Los créditos por alimentos nacidos y vencidos antes de la declaración de concurso, que tendrán la consideración de créditos contra la masa, de acuerdo con lo que dispone el artículo 242.1.3.º.

2.º Los créditos a que se refiere el número 1.º del artículo 280 cuando el concursado sea persona natural.

3.º Los créditos a que se refieren los números 1.º y 4.º del artículo 283 cuando los titulares respectivos reúnan las condiciones de participación en el capital que allí se indican, salvo que procedan de préstamos o de actos con análoga finalidad.

Según el artículo 282 del TRLC, se consideran personas especialmente relacionadas con el concursado persona natural:

1.º El cónyuge del concursado o quién lo hubiera sido dentro de los dos años anteriores a la declaración de concurso, su pareja de hecho inscrita o las personas que convivan con análoga relación de afectividad o hubieran convivido habitualmente con él dentro de los dos años anteriores a la declaración de concurso.

2.º Los ascendientes, descendientes y hermanos del concursado o de cualquiera de las personas a que se refiere el número anterior.

3.º Los cónyuges de los ascendientes, de los descendientes y de los hermanos del concursado.

4.º Las personas jurídicas controladas por el concursado o por las personas mencionadas en los números anteriores, así como sus administradores de derecho o de hecho. Se presumirá que existe control cuando concurra alguna de las situaciones previstas en el apartado primero del artículo 42 del Código de Comercio.

5.º Las personas jurídicas que formen parte del mismo grupo de empresas que las previstas en el número anterior.

6.º Las personas jurídicas de las que las personas descritas en los números anteriores sean administradoras de derecho o de hecho.

El artículo 283 del TRLC determina que se consideran personas especialmente relacionadas con el concursado persona jurídica:

1.º Los socios que conforme a la ley sean personal e ilimitadamente responsables de las deudas sociales y aquellos otros que, en el momento del nacimiento del derecho de crédito, sean titulares, directa o indirectamente, de, al menos, un cinco por ciento del capital social, si la sociedad declarada en concurso tuviera valores admitidos a negociación en el mercado secundario oficial, o un diez por ciento si no los tuviera. Cuando los socios sean personas naturales se considerarán también personas especialmente relacionadas con la persona jurídica concursada las personas que lo sean con los socios conforme a lo dispuesto en el artículo anterior.

2.º Los administradores, de derecho o de hecho, los liquidadores del concursado persona jurídica y los directores generales de la persona jurídica concursada con poderes generales de la empresa, así como quienes lo hubieran sido dentro de los dos años anteriores a la declaración de concurso.

3.º Las sociedades que formen parte del mismo grupo que la sociedad declarada en concurso.

4.º Los socios comunes de la sociedad declarada en concurso y de otra sociedad del mismo grupo, siempre que, en el momento de nacimiento del derecho de crédito, sean titulares en esa otra sociedad, directa o indirectamente, de, al menos, un cinco por ciento del capital social, si la sociedad tuviera valores admitidos a negociación en el mercado secundario oficial, o un diez por ciento si no los tuviera.

El artículo 283.2 del TRLC añade que no tendrán la consideración de personas especialmente relacionadas con el concursado los acreedores que hayan capitalizado directa o indirectamente todo o parte de sus créditos en cumplimiento de un acuerdo de refinanciación adoptado de conformidad con lo dispuesto en esta ley, de un acuerdo extrajudicial de pagos o de un convenio concursal, a los efectos de la calificación de los créditos que ostenten contra el concursado como consecuencia de la refinanciación otorgada en virtud de dicho acuerdo o convenio y aunque hubieran asumido cargos en la administración del deudor por razón de la capitalización.

Tampoco tendrán la consideración de administradores de hecho los acreedores que hayan suscrito un acuerdo de refinanciación, convenio concursal o acuerdo extrajudicial de pagos por las obligaciones que asuma el deudor en relación con el plan de viabilidad salvo que se probase la existencia de alguna circunstancia que pudiera justificar esta condición.

En todo caso, salvo prueba en contrario, se presumen personas especialmente relacionadas con el concursado los cesionarios o adjudicatarios de créditos pertenecientes a cualquiera de las personas mencionadas en los dos artículos anteriores, siempre que la adquisición se hubiere producido dentro de los dos años anteriores a la declaración de concurso (art. 284 TRLC).

2.4. *Créditos ordinarios*

Son créditos ordinarios aquellos que en la ley concursal no tengan la consideración de créditos privilegiados o de créditos subordinados (art. 269.3 TRLC).

BIBLIOGRAFÍA

AA VV, *La reforma del Derecho de quiebra. Jornadas sobre la reforma del Derecho concursal español*, Madrid, 1982; AA VV (coord. R. BERCOVITZ), *Comentarios a la Ley concursal,* Madrid, 2004; AA VV (dir. CORDÓN MORENO), *Comentarios a la Ley concursal,* Pamplona, 2004; AA VV (ROJO/BELTRÁN), *Comentario de la Ley concursal,* Madrid, 2004; ÁLVAREZ CAPEROCHIPI, «Los privilegios crediticios en la jurisprudencia civil», RCDI, 1995, p. 291; íd., *El Registro de la propiedad y el sistema de preferencia crediticias,* Granada, 1995; BLANQUER UBEROS, *Las garantías reales en el concurso,* Navarra, 2006; BLASCO GASCÓ, *Prelación y pago a los acreedores concursales,* Navarra, 2004; CORDERO LOBATO, *El privilegio del crédito refaccionario,* Madrid, 1995; Cossío, «Convenios extrajudiciales de cesión de bienes en pago de deudas», RDP, 1953, p. 1; DE ÁNGEL YAGÜEZ, «En torno al privilegio del crédito quirografario», ADC, 1975, p. 1153; DÍEZ-PICAZO, «Los créditos privilegiados en el concurso de acreedores», en *La reforma del Derecho de quiebra,* Madrid, 1982, p. 293; ESPEJO LERDO DE TEJADA, La reserva de dominio inmobiliaria en el concurso, Navarra, 2006; FERNÁNDEZ GONZÁLEZ-REGUERAL, «Efectos del concurso sobre los contratos bilaterales», AC, 2006, p. 1909; GARRIDO, «Teoría general de la preferencia», ADC, 1998, pg. 1769; GULLÓN, «El crédito privilegiado en el Código civil», ADC, 1985, p. 435; íd., *La prelación de créditos en el Código civil,* Barcelona, 1962; LALAGUNA, *Los créditos hipotecarios,* Valencia, 1992; LÓPEZ ALARCÓN, *El derecho de preferencia,* Murcia, 1960; MOLINA GARCÍA, *La prelación de créditos del Estado,* Madrid, 1977; MUÑOZ MERINO, *Privilegios del crédito tributario,* Pamplona, 1996; ORDUÑA MORENO, *La insolvencia, Análisis de su concepto y concreción de su régimen jurídico,* Valencia, 1994;

La modificación de la relación obligatoria

I. INTRODUCCIÓN

La relación obligatoria nace para extinguirse, pues sólo mediante el cumplimiento (que es fin y medio) se produce la satisfacción del interés del acreedor. No obstante, entre el nacimiento y la extinción, la relación obligatoria puede sufrir modificaciones o transformaciones tanto en cuanto a su objeto o contenido como por lo que se refiere a los sujetos.

Ahora bien, esta idea es moderna, pues el Derecho romano, atado por su concepción de la *obligatio* como un vínculo netamente personal, no admitía la posibilidad de modificación o transmisión de la obligación, permaneciendo ésta una y la misma. Sin embargo, ante las necesidades prácticas, se fueron utilizando mecanismos o figuras existentes para conseguir tal finalidad de manera indirecta. La novación clásica en el Derecho romano, era extintiva, creándose una nueva obligación para sustituir a la primitiva; sólo en época justinianea llega a reconocerse la posibilidad de subsistencia del vínculo obligatorio en caso de cambio de la persona del deudor.

Nuestra legislación civil, claramente influida por el Derecho romano, enumera en el artículo 1156 del CC las causas de extinción de las obligaciones, incluyendo entre ellas la novación, que aparece regulada en los artículos 1203-1213 del CC. Como consecuencia de todo ello, en principio podría pensarse que el Código civil asume la idea de la novación como extinción de la obligación y creación de una nueva que la sustituye. Sin embargo, el apego a la concepción clásica es puramente formal, pues el artículo 1203 del CC dice que «las obligaciones pueden modificarse: 1.º Variando su objeto o sus condiciones principales. 2.º Sustituyendo la persona del deudor. 3.º Subrogando a un tercero en los derechos del acreedor». Igual la doctrina que la jurisprudencia reconocen, con base en este precepto, la existencia de una novación modificativa.[1] Concretamente, la STS de 20 de diciembre de 1960 declara que el Código civil admite la novación modificativa «a virtud de lo dispuesto en el artículo 1203 en su fase inicial y a *sensu contrario* en el artículo 1207».[2] Pero, además hay otros preceptos que remachan o confirman que la novación no sólo es extintiva, sino también modificativa, como ocurre con el artículo 1204 del CC, según el cual «para que una obligación quede extinguida por otra que la sustituya, es preciso que así se declare terminantemente, o que la antigua y la nueva sean de todo punto incompatibles». Por consiguiente, si esto sucede, la obligación habrá sido simplemente modificada.

Por lo que se refiere a los efectos de la novación modificativa, hay que decir que *inter partes* serán los que libremente y de común acuerdo se hubiesen establecido, puesto que se trata de una cuestión dependiente a la autonomía de la voluntad; y, con relación a terceros, dice el artículo 1207 del CC que «cuando la obligación principal se extinga por efecto de la novación, sólo podrán subsistir las obligaciones accesorias en cuanto aprovechen a terceros que no hubiesen prestado su consentimiento». De ahí que, en caso de modificación de la relación obligatoria, deba entenderse que las obligaciones accesorias subsisten con el mismo contenido que tenían originariamente, salvo que la modificación amplíe el contenido de la obligación, haciéndola más onerosa, en cuyo caso será preciso el consentimiento del tercero fiador o garante de la deuda.

II. TRANSMISIÓN DEL CRÉDITO

La transmisión del crédito consiste en la sustitución de la persona del acreedor sin que varíe la identidad de la relación obligatoria, que continúa subsistiendo inalterada en todo lo demás. Es decir, simplemente da lugar a un cambio de la persona del acreedor, se traslada el crédito de una persona a otra.

El cambio de acreedor se puede producir a través de la cesión del crédito o por subrogación en el mismo.

1. Cesión de créditos

La transmisión de la posición de acreedor por acto *inter vivos* a título singular suele denominarse *cesión de crédito*. Por regla general el crédito se cede mediante un negocio jurídico entre el primitivo acreedor (cedente) y un tercero (cesionario) que viene a ocupar su posición.

Es criticable la regulación que el Código civil hace de la cesión de créditos, pues contempla como única causa de la cesión la venta (cesión de un derecho por precio), y, en este sentido, el artículo 1528 del CC habla de la «venta o cesión de un crédito». Pero es evidente que la cesión de un crédito no sólo se realiza *venditionis causa*, sino por otros títulos o contratos de muy diversa naturaleza. Es decir, la causa justificativa puede ser otra distinta de la compraventa, como, por ejemplo, la donación, en cuyo caso serían de aplicación en cuanto a capacidad y forma las normas de ésta figura.

---

1. Cfr. SSTS de 11 de junio de 1947 (RJ 1947, 770), 26 de enero de 1961 (RJ 1961, 288) y 11 de julio de 1985 (RJ 1985, 3970).
2. RJ 1960, 4104.

También puede cederse un crédito a título de permuta, en función de pago, aportación social, etc. Razón por la cual, como dice PANTALEÓN, no puede configurarse la cesión de crédito como negocio de disposición abstracta y, por lo tanto, tampoco existe un negocio jurídico unitario y autónomo de cesión de créditos.

El Código civil se refiere de manera genérica a la cesión en el artículo 1112 del CC, a cuyo tenor «todos los derechos adquiridos en virtud de una obligación son transmisibles con sujeción a las leyes, si no se hubiese pactado lo contrario», y la regula en el Capítulo VII del Título IV del Libro IV, bajo la rúbrica «de la transmisión de créditos y demás derechos incorporales» (arts. 1526-1536 CC). Si bien la expresión «derechos incorporales» no es correcta (incorporales son todos los derechos), ello quiere decir que sus preceptos son también aplicables a la transmisión de derechos y acciones (art. 1526 CC).

A diferencia del Código civil, la Propuesta para la modernización del Derecho de obligaciones y contratos configura la cesión de créditos como negocio jurídico unitario y autónomo, al margen de la causa negocial concreta que pueda existir, ya que el artículo 1214 de la PMDOC dice que «el acreedor puede ceder a un tercero la totalidad o parte del crédito, salvo que la cesión esté prohibida por la ley o por pacto entre acreedor y deudor, o el crédito se encuentre establecido, por la propia naturaleza de la prestación, en contemplación a la persona del acreedor. Se pueden ceder créditos futuros determinados o determinables, aunque aún no se hayan celebrado el contrato o contratos de los que tales créditos deriven».

Según el artículo III.-5:101(1) del DCFR, «esta sección se aplica a la cesión, mediante contrato u otro acto jurídico, del derecho al cumplimiento de una obligación»[3] Como recalca el comentario oficial, «trata de los derechos contractuales y extracontractuales a reclamar el cumplimiento, como los derechos de pago en virtud de promesas unilaterales, derechos de pago de indemnizaciones de daños por incumplimiento de contrato, o derechos que emanan de la legislación en materia de enriquecimiento injustificado a la restitución del enriquecimiento mediante el pago de dinero o la transmisión de bienes». El apartado 2 del artículo III.-5:101 del DCFR añade que «no se aplica a la transmisión de un instrumento financiero o título de inversión que deba realizarse mediante inscripción en un registro a cargo del emisor o para el emisor, o sujeto a otros requisitos o restricciones a la transmisión».[4] La cesión de un derecho es la transmisión del derecho de una persona (el "cedente") a otra persona (el "cesionario"), mientras que un acto de cesión se define como un contrato u otro acto jurídico cuyo objeto es efectuar la transmisión de un derecho (cfr. art. III.-5:102(1) y (2) DCFR). En cualquier caso, en las cesiones con finalidad de garantía se aplican las disposiciones del Libro IX, y en las cesiones con finalidad de trust, o para el trust o desde el trust, las disposiciones del Libro X, pues ambas tienen prioridad sobre las disposiciones del Borrador de Marco Común de Referencia relativas a la cesión de derechos (cfr. art. III.-5:103(1) y (2) DCFR).

A propósito de los requisitos fundamentales de la cesión, el artículo III.-5:104(1) del DCFR indica que «los requisitos para ceder un derecho a reclamar el cumplimiento son: (a) que el derecho exista; (b) que el derecho sea cedible; (c) que la persona que pretende transmitir el derecho tenga derecho o legitimación para realizar la transmisión; (d) que el cesionario tenga derecho a exigir al cedente la

---

3.   Cfr. artículo 11:101(1) de los PECL.
4.   Cfr. artículo 11:101(3) de los PECL.

transmisión en virtud de un contrato o de otro acto jurídico, o de una orden judicial o de alguna disposición jurídica; y (e) que haya un acto válido de cesión del derecho». Según el apartado 2 del artículo III.-5:104 del DCFR, «no es necesario que el derecho al que se hace referencia en el apartado (1)(d) preceda al acto de cesión». Es decir, que no es precisos que exista una obligación subyacente o derecho previo. Como bien dice el comentario oficial, «una persona puede transmitir un derecho a otra incluso si no está obligada a hacerlo, y no importa si nunca ha habido una obligación o ha habido una obligación que se ha extinguido antes de la cesión». El apartado 3 del artículo III.-5:104 del DCFR añade que «el mismo contrato o el mismo acto jurídico pueden funcionar al mismo tiempo como el otorgamiento de un derecho y como el acto de cesión» Tampoco se requiere que el deudor sea notificado, ya que, a tenor del apartado 4 del artículo III.-5:104 del DCFR, «la cesión no exige ni la notificación al deudor ni el consentimiento del deudor a la cesión».

En los *contratos internacionales*, el artículo 9.1.1 de los PCCI define la cesión de créditos como «la transferencia mediante un acuerdo de una persona (el "cedente") a otra (el "cesionario") de un derecho al pago de una suma de dinero u otra prestación a cargo de un tercero (el "deudor"), incluyendo una transferencia a modo de garantía». El término «transferencia», un tanto neutro, «significa que el derecho pasa del activo del cedente al activo del cesionario», dice el comentario oficial. En todo caso, según el artículo 9.1.2 de los PCCI, las disposiciones de los Principios no se aplican «a las transferencias sometidas a las reglas especiales que regulan transferencias: (a) de instrumentos como títulos de crédito, títulos representativos de dominio, instrumentos financieros, o (b) de derechos incluidos en la transferencia de una empresa».

Los *sujetos* de la cesión o transmisión del crédito son el acreedor originario (*cedente*) y el nuevo acreedor (*cesionario*), sin necesidad de intervención ni consentimiento del deudor, si bien nada impide que pueda intervenir, e incluso que pueda ser aconsejable.

Parece evidente que si se produce una cesión de crédito, mientras el deudor no la conozca, el antiguo acreedor es sujeto pasivo del pago, con efectos extintivos de la deuda, pues, como dice la STS de 11 de marzo de 2008, «el artículo 1527 del Código Civil, que establece que "el deudor que antes de tener conocimiento de la cesión satisfaga al acreedor, quedará libre de la obligación", de donde hay que deducir que el deudor que tiene conocimiento de la cesión no queda liberado de su obligación si satisface a su primitivo acreedor y no al nuevo. El deudor cedido no es parte en el contrato de cesión y, por tanto, para la validez del negocio no debe concurrir prestando su consentimiento, pero si la conoce, debe pagar a quien resulta ser su nuevo acreedor para que se produzcan los efectos liberatorios del pago».[5]

Sin embargo, cuando se trata de la cesión de un crédito hipotecario, el artículo 149 de la LH exige que se dé conocimiento al deudor. Ambas partes deben tener capacidad para contratar y la que exija el negocio causa de la cesión (compraventa, donación, permuta, etc.). En el cedente, además, se requiere la capacidad de disposición.

Según el artículo 1215 de la PMDOC, «la transmisión del crédito se produce por el consentimiento de cedente y cesionario y sin necesidad de contar con el

---

5.   RJ 2008, 4044.

consentimiento del deudor. En lo no previsto en este Capítulo, los requisitos y efectos de la cesión entre las partes se regulan por las normas aplicables al contrato que le sirve de base».

En los *contratos internacionales,* artículo 9.1.7(1) de los PCCI establece que para ceder un crédito basta el simple convenio entre cedente cesionario, «sin notificación al deudor». Según el apartado 2 de dicho artículo 9.1.7 de los PCCI, tampoco se requiere el consentimiento del deudor «a menos que la obligación, según las circunstancias, sea de carácter esencialmente personal». Evidentemente, cuando el deudor ha tomado especialmente en consideración la persona del acreedor, resulta imposible la cesión de créditos sin el consentimiento del deudor, «pues no sería apropiado obligarle a cumplir la obligación en favor de otra persona», como indica el comentario oficial.

El *objeto* de la cesión o transmisión es todo derecho de crédito, o como dice (con imprecisión) el artículo 1112 del CC «todos los derechos adquiridos en virtud de una obligación», estén vencidos o no, sometidos a condición suspensiva o a término inicial, así como aquellos que hubiesen prescrito, eso sí, siempre que el cesionario tenga conocimiento de dichas circunstancias. Pero esta regla tiene excepciones. En primer lugar, dicho artículo 1112, después de proclamar la transmisibilidad, declara que «si no se hubiese pactado lo contrario»; y, de otra parte, el crédito tampoco es transmisible cuando la ley así lo disponga, como sucede en el caso del crédito por alimentos, que es intransmisible por disposición del artículo 151 del CC. Otras veces, aunque el crédito es transmisible, la ley prohíbe que se transmita a determinadas personas, como ocurre con los créditos litigiosos (art. 1459, núm. 5.º, CC).

En materia de *contratos internacionales,* el artículo 9.1.3 de los PCCI reconoce la posibilidad de ceder créditos no dinerarios, si bien lo enuncia de manera negativa al indicar que «un crédito relativo a una prestación no dineraria sólo puede ser cedido si la cesión no hace sustancialmente más onerosa la prestación».

Es factible la cesión parcial de un crédito, si la prestación es divisible. Para los créditos hipotecarios esta posibilidad se encuentra expresamente reconocida en el artículo 149 de la LH.

> Ya se ha indicado que el artículo 1214 de la PMDOC permite la cesión total o parcial de un crédito, así como también la cesión de créditos futuros determinados o determinables, «aunque aún no se hayan celebrado el contrato o contratos de los que tales créditos deriven». Además, según el artículo 1216 de la PMDOC, «la cesión de un crédito comprende, salvo pacto en contrario, la de todos los derechos accesorios, como la fianza, hipoteca, prenda o privilegio. Salvo que el contrato de prenda disponga lo contrario, el cesionario podrá exigir la entrega de la cosa pignorada que estuviese en posesión del cedente, pero no de la que estuviese en poder del deudor o de un tercero. Con la adquisición de la posesión de la cosa, el cesionario asume todas las obligaciones inherentes al derecho de prenda; pero de su incumplimiento responde también el cedente como un fiador solidario».

> El artículo III.-5:105(1) del DCFR señala que «todos los derechos a exigir el cumplimiento son cedibles salvo que la ley disponga lo contrario». Un ejemplo de limitación legal a la cesión de derechos es el contenido en el artículo III.-5:109 del DCFR, que dispone que ciertos derechos de naturaleza personal no son susceptibles de cesión. Como es obvio, los derechos accesorios no pueden cederse separadamente

del derecho del que son accesorios, tal y como recalca el artículo III.-5:105(2) del DCFR, cuando indica que «un derecho a exigir el cumplimiento que por ley es accesorio de otro derecho no es cedible separado de ese derecho». De conformidad con la postura que mantienen tanto la Propuesta para la modernización del derecho de obligaciones y contratos como la Propuesta de Código Mercantil, también el Borrador de marco Común de Referencia reconoce la posibilidad de ceder créditos futuros y no determinados, pues el artículo III.-5:106(1) del DCFR indica que «un derecho futuro a exigir el cumplimiento puede ser objeto de un acto de cesión, pero la transmisión del derecho depende de que llegue a existir y de que sea identificable como el derecho correspondiente al acto de cesión». Esto implica, en palabras del comentario oficial, que «la transmisión real depende de que el derecho se origine e identifique como el derecho correspondiente al acto de cesión. No se requiere un nuevo acto de cesión. El requisito de la identificación no tiene que cumplirse en el momento en el que se genera el derecho, pero sí antes de la transmisión del mismo». El apartado 2 del artículo III.-5:106 del DCFR añade que «un conjunto de derechos a exigir el cumplimiento puede cederse sin necesidad de determinación individual si, en el momento en el que la cesión tiene lugar en relación con ellos, son identificables como los derechos correspondientes al acto de cesión».

La cesión parcial aparece recogida en el artículo III.-5:107 del DCFR, cuando afirma que «(1) Un derecho al cumplimiento de una obligación dineraria puede cederse en parte. (2) Un derecho al cumplimiento de una obligación no dineraria puede cederse en parte sólo si: (a) el deudor consiente la cesión; o (b) el derecho es divisible y la cesión no hace que la obligación sea considerablemente más onerosa. (3) Si un derecho es cedido en parte, el cedente es responsable para con el deudor de cualquier aumento en los costes en los que el deudor incurra por ella». Es obvio que la cesión parcial del derecho al pago de una cantidad de dinero no supone habitualmente ninguna dificultad práctica, al margen de que pueda implicar para el deudor un aumento de los costes, que, de acuerdo con el apartado 3 del artículo III.-5:107 del DCFR, el deudor tendría derecho a cobrar. En cuanto a la cesión del derecho a reclamar el cumplimiento de obligaciones no dinerarias, se imponen ciertas limitaciones, ya que «a menudo sería injusto para el deudor requerir la división del cumplimiento, pues eso cambiaría la relación entre la prestación y la contraprestación de una forma que podría resultar perjudicial para el deudor y podría dar lugar a problemas si el cesionario deseara resolver el contrato por incumplimiento esencial».

En los *contratos internacionales,* el artículo 9.1.4(1) de los PCCI señala que «un crédito relativo al pago de una suma de dinero puede ser cedido parcialmente». Por lo que se refiere a un crédito relativo a una prestación no dineraria, también puede cederse parcialmente, pero «sólo si es divisible y si la cesión no hace sustancialmente más onerosa la prestación». En cuanto a un crédito futuro, según el artículo 9.1.5 de los PCCI, «se considera cedido en el momento de celebrarse el acuerdo, siempre que cuando llegue a existir dicho crédito pueda ser identificado como al que la cesión se refiere». Como puede observarse, la cesión de créditos futuros es oponible entre el cesionario y el cedente de forma retroactiva, ya que una vez que nace el crédito se considera que la transferencia tuvo lugar en el momento de la conclusión del acuerdo de cesión. Cuando se trate de créditos cedidos sin especificación individual, el artículo 9.1.6 de los PCCI estipula que podrán cederse «siempre que tales créditos, en el momento de la cesión o cuando lleguen a existir, puedan ser identificados como a los que la cesión se refiere».

En cuanto a la *forma* no se exige ninguna especial, siendo de aplicación las normas generales y las específicas del negocio justificativo de la cesión.[6] No obstante, en casos concretos la ley impone determinados requisitos de forma, como, por ejemplo, en las cesiones de derechos y acciones procedentes de un acto consignado en escritura pública y en la de derechos hereditarios o de la sociedad conyugal, en que el artículo 1280, núms. 4.° y 6.°, del CC exige el documento público; o en la cesión del crédito hipotecario que, según el artículo 149 de la LH, debe hacerse en escritura pública e inscribirse en el registro.

En todo caso, según el artículo 1217, párrafo 2.°, de la PMDOC, «a petición del cesionario, el cedente está obligado a formalizar la cesión en escritura pública».

Ahora bien, aunque la cesión del crédito es perfecta y válida sin la intervención del deudor cedido, mientras éste no sepa que se ha producido la cesión la misma no le afecta, pudiendo pagar al primitivo deudor y quedar liberado de la obligación (art. 1527 CC). Por ello, para que el deudor tenga conocimiento de que ha cambiado la persona del acreedor y evitar que su pago sea liberatorio, es necesario que se la haya notificado cesión. El medio más seguro de conseguir y, posteriormente, probar dicho conocimiento es la notificación de la cesión en forma notarial o judicial. Pero hay que insistir en que dicha notificación no es precisa para la eficacia y validez de la cesión entre cedente y cesionario, pues, como dice la jurisprudencia, no tiene otro alcance que el de obligar al deudor con el nuevo acreedor, no reputándose pago legítimo desde aquel acto el hecho a favor del cedente.[7] Es más, si el deudor tuviese conocimiento de la cesión y puede probarse, aunque no exista notificación, el pago que realizare al primitivo acreedor sería ineficaz.

Frente a terceros, la cesión no surte efecto sino desde que su fecha deba tenerse por cierta en conformidad a lo dispuesto en los artículos 1218 y 1227 del CC. Si se refiere a un inmueble (crédito hipotecario), desde la fecha de su inscripción en el Registro de la propiedad (art. 1526 CC), siempre que se cumplan los demás requisitos consignados en el artículo 34 de la LH, esto es, buena fe y adquisición a título oneroso. Como dice PANTALEÓN, el artículo 1526, párrafo 1.°, del CC no es norma que imponga con carácter general para las cesiones de créditos una forma documental solemne, y no establece tampoco un requisito de eficacia de la cesión frente a terceros, sino un requisito para la prueba a fin de evitar que éstos puedan resultar perjudicados por simulación de una cesión de fecha anterior.

Tal y como ya se ha indicado, el artículo III.-5:104(4) del DCFR estipula que la cesión no exige la notificación al deudor. El comentario oficial lo justifica de la siguiente manera: «dos razones justifican el modelo que se adopta en el artículo. La primera es relativa a la cuestión de si el requisito de notificación sirve a algún fin útil. La notificación al deudor no es equivalente a un anuncio público (por ejemplo, mediante registro), ya que sólo es visible para el deudor. Aunque el requisito de notificación puede ayudar a impedir una retroacción colusoria de una cesión efectuada, por ejemplo, para salvar las normas de insolvencia que rigen la preferencia injusta, la fecha de una cesión raramente se cuestiona y habitualmente puede establecerse por otros medios. La segunda y más importante razón para no requerir

---

6. Cfr. artículo 11:104 de los PECL.
7. Cfr. SSTS de 15 de abril de 1924 (JC 1924, II-33), 27 de febrero de 1981 y 13 de julio de 2004 (RJ 2004, 4671).

la notificación es que es desfavorable para la financiación de créditos actual, que implica actos de cesión relativos a un flujo continuo de créditos derivados tanto de contratos vigentes como de contratos futuros. Por la naturaleza de las cosas, normalmente no puede identificarse a los futuros deudores en el momento del acto de cesión. Además, en los últimos años se ha producido un brusco giro, en particular en las operaciones de factoraje, de la financiación con notificación a la financiación sin notificación, también conocido como descuento de facturas, a fin de evitar perturbar las relaciones entre el cedente-proveedor y su cliente, el deudor, y de permitir al cedente cobrar las deudas en nombre del cesionario. El uso de la financiación sin notificación depende en gran medida de la validez de la transmisión de las deudas por parte del cedente al cesionario. Por consiguiente, el requisito de notificación al deudor para efectuar la cesión podría minar gravemente la financiación de créditos en general y la financiación sin notificación en particular».

El artículo III.-5:119(1) del DCFR determina que «el deudor queda liberado cumpliendo en favor del cedente siempre que el deudor no hay recibido una notificación de cesión del cedente o del cesionario, y no sepa que el cedente ya no tiene derecho a recibir el cumplimiento». Aunque no hay requisitos que especifiquen que la notificación deba hacerse de una forma determinada, el artículo III.-5:120 del DCFR permite al deudor solicitar una confirmación adecuada de la cesión en caso de deuda y suspender el cumplimiento de sus obligaciones hasta que la reciba. En todo caso, según el apartado 2 del artículo III.-5:119 del DCFR, «aunque la persona identificada como el cesionario en una notificación de cesión recibida del cedente no sea el acreedor, el deudor queda liberado cumpliendo de buena fe en favor de esa persona». Si el deudor recibe una notificación de cesión del cedente parece que, en principio, debería confiar en ella. No obstante, como indica el comentario oficial, «el deudor no actuaría de buena fe si hubiera motivos para suponer que el remitente de la notificación de cesión cometió un fraude. El deudor tampoco actuaría de buena fe si sabía que la cesión era ineficaz porque, por ley, el derecho no era susceptible de cesión. En casos de auténtica duda, el deudor podría solicitar más detalles o pruebas en virtud del siguiente artículo y mientras tanto suspender el cumplimiento de su obligación». El apartado 3 del artículo III.-5:119 del DCFR añade que «aunque la persona identificada como el cesionario en una notificación de cesión recibida de una persona que dice ser el cesionario no sea el acreedor, el deudor queda liberado cumpliendo a favor de dicha persona si el acreedor ha hecho creer al deudor, razonablemente y de buena fe, que el derecho se ha cedido a esa persona». En este caso, los requisitos para que el deudor quede liberado son más estrictos, ya que existe un riesgo de fraude como consecuencia de que cualquiera podría enviar la notificación de cesión.

Por lo que se refiere a conseguir una prueba suficiente de la cesión que proteja al deudor en diversas situaciones de incertidumbre, el artículo III.-5:120 del DCFR señala lo siguiente: «(1) Un deudor que tenga motivos razonables para creer que el derecho ha sido cedido, pero que no ha recibido una notificación de la cesión, puede solicitar de la persona que cree que ha cedido el derecho, que le proporcione una notificación de la cesión, o una confirmación de que el derecho no ha sido cedido o que el cedente todavía tiene derecho a recibir el pago. (2) Un deudor que ha recibido una notificación de cesión que no es una forma textual en un soporte duradero, o que no facilita información adecuada sobre el derecho cedido o el nombre y la dirección del cesionario, puede solicitar a la persona que le notificó que le proporcione una nueva comunicación que cumpla estos requisitos.

(3) Un deudor que ha recibido una notificación de cesión del cesionario pero no del cedente puede solicitar al cesionario que proporcione prueba fiable de la cesión. Por prueba fiable se entiende, entre otras cosas, cualquier declaración en forma textual en un soporte duradero proveniente del cedente indicando que el derecho ha sido cedido. (4) Un deudor que ha hecho una solicitud en virtud de este Artículo puede suspender el cumplimiento hasta que se atienda la solicitud».

En los *contratos internacionales*, el artículo 9.1.10(1) de los PCCI determina que «el deudor se libera pagando al cedente mientras no haya recibido del cedente o del cesionario una notificación de la cesión». El apartado 2 de dicho artículo 9.1.10 de los PCCI añade que «después que el deudor recibe tal notificación, sólo se libera pagando al cesionario».

No se indica quién, entre el cedente y el cesionario, debe hacer la notificación. Según el comentario oficial, «en la práctica, es probable que, en la mayoría de los casos, el cesionario tome la iniciativa puesto que tiene mayor interés en evitar que el deudor pague al cedente aunque ya estuviera efectuada la cesión. La notificación dada por el cedente tiene sin embargo el mismo efecto. Cuando la notificación se lleva a cabo por el cesionario, el deudor puede pedirle una prueba suficiente de la cesión».

En cuanto a la prueba adecuada de la cesión, el artículo 9.1.12 de los PCCI dice lo siguiente: «(1) Si la notificación de la cesión es dada por el cesionario, el deudor puede solicitar al cesionario que dentro de un plazo razonable suministre prueba adecuada de que la cesión ha tenido lugar. (2) El deudor puede suspender el pago hasta que se suministre prueba adecuada. (3) La notificación no surte efectos a menos que se suministre prueba adecuada de la cesión. (4) Prueba adecuada de la cesión incluye, pero no está limitada a, cualquier escrito emanado del cedente e indicando que la cesión ha tenido lugar».

1.1. *Efectos entre cedente y cesionario*

Respecto al crédito, éste se transfiere al cesionario en la misma condición y estado que tenía al realizarse la operación,[8] junto con todos los derechos accesorios que tuviere, bien de naturaleza personal o real. Así lo establece el artículo 1528 del CC, al decir que «la venta o cesión de un crédito comprende la de todos los derechos accesorios, como la fianza, hipoteca, prenda o privilegio». El privilegio ha de ser de los que se refiere a la calidad del crédito mismo, no de los que pueden dimanar de la condición personal del cedente (GARCÍA CANTERO).

La Propuesta para la modernización del Derecho de obligaciones y contratos impone ciertos deberes de cooperación entre cedente y cesionario, pues el artículo 1217, párrafo 1.º, de la PMDOC indica que «el cedente debe facilitar al cesionario el documento de donde resulte el crédito y los demás elementos probatorios del mismo de que disponga, así como colaborar de buena fe con el cesionario en la realización del crédito cedido. Si lo cedido hubiere sido parte del crédito, el cedente debe proporcionar al cesionario copias suficientes de los documentos antes mencionados».

---

8.   Por eso, la STS de 12 de enero de 1910 (JC 1910, I-9) declara que se transmite al cesionario el derecho de cobrar el importe nominal del crédito, aunque el cedente hubiese pagado un precio inferior a dicho importe.

Según el artículo III.-5:113 del DCFR, «en cuanto tiene lugar la cesión, el cedente deja de ser el acreedor y el cesionario pasa a ser el acreedor del derecho cedido». El artículo III.-5:114(1) del DCFR indica que la cesión tiene lugar cuando se reúnen los requisitos a que se refiere el artículo III.-5:104 del DCFR «o en un momento posterior si el acto de cesión así lo dispone». Sin embargo, dice el apartado 2 del artículo III.-5:114 del DCFR, «la cesión de un derecho que es futuro en el momento del acto de cesión se considera que tiene lugar cuando se reúnen todos los requisitos distintos de aquéllos de los que depende la existencia del derecho». En este supuesto se trata de reconocer la preferencia que debe tener el cesionario, que muy a menudo habrá pagado por los derechos, frente a los acreedores del cedente. Obviamente, no habrá en absoluto cesión si nunca llega a existir el derecho futuro. Pero, como señala el comentario oficial, el efecto que se pretende es que una vez que exista ese derecho futuro «se pueda considerar con carácter retroactivo que la cesión tuvo lugar cuando se cumplieron todos los demás requisitos. Normalmente, esto significa que se considerará que el derecho se ha transmitido en el momento de celebración del acto de cesión». A tenor del apartado 3 del artículo III.-5:114 del DCFR, «si los requisitos del Artículo III.-5:104 (Requisitos fundamentales) se reúnen en relación con sucesivos actos de cesión al mismo tiempo, el primer acto de cesión surte efecto salvo que en él se disponga lo contrario».

Aunque el primer efecto de la cesión consiste en la transmisión del derecho principal, el artículo III.-5:115(1) del DCFR señala que «la cesión del derecho al cumplimiento transmite al cesionario no sólo el derecho principal, sino también todos los derechos accesorios y los derechos de garantía correspondientes que sean transmisibles». El apartado 2 de artículo III.-5:115 del DCFR añade que «si la cesión de un derecho al cumplimiento de una obligación contractual se asocia con la sustitución del cesionario como deudor respecto de cualquier obligación debida por el cedente en virtud del mismo contrato, este Artículo surte efecto con sujeción al Artículo III.-5:302 (transmisión de la posición contractual)».

En los *contratos internacionales*, según el artículo 9.1.14 de los PCCI, «la cesión de un crédito transfiere al cesionario: (a) todos los derechos del cedente a un pago o a otra prestación previstos por el contrato en relación con el crédito cedido, y (b) todos los derechos que garantizan el cumplimiento del crédito cedido».

Otra cuestión es la responsabilidad por la existencia y legitimidad del crédito (*veritas nominis*), así como por la solvencia del deudor (*bonitas nominis*). Según el artículo 1529 del CC, el vendedor de buena fe responde de la existencia y legitimidad del crédito al tiempo de la venta, pero no de la solvencia del deudor. Es decir, el cedente de buena fe responde de que efectivamente es acreedor en el momento de la cesión, y si no lo fuera habrá de devolver el precio recibido, los gastos del contrato y cualquier otro pago legítimo hecho con motivo de la venta (art. 1518 CC), pero no responde de la falta de cumplimiento e insolvencia del deudor. De hecho, como dice la STS de 10 de julio de 2012, «la solvencia del deudor cedido se inserta en el contenido natural de la cesión configurándose como un riesgo normalmente derivado del negocio celebrado, de suerte que la transmisión del crédito determina la transferencia del riesgo de la solvencia del deudor».[9] En cambio, el cedente de mala fe responde siempre de del pago de todos los gastos y de los daños y perjuicios (art. 1529, párr. 3.º, CC).

---

9. RJ 2012, 9328.

Esta es la regla general. Sin embargo, en determinados casos, la responsabilidad del cedente de buena fe resulta atenuada o agravada. Concretamente, cuando el crédito se transmite como dudoso cesa la responsabilidad, pues el artículo 1529, párrafo 1.º, del CC establece la excepción de que no se responde de la existencia y legitimidad del crédito. Es una disposición bastante lógica, ya que en ese caso el negocio tiene algo o mucho de aleatorio, y seguramente ello se habrá tenido en cuenta al señalar el precio, fijando uno menor. Ocurre lo mismo cuando la cesión tiene causa gratuita (a título de donación), pues el donante del crédito sólo responde si se trata de una donación con carga, en cuyo caso responderá de la evicción hasta la concurrencia del gravamen (art. 638 CC).

En otros supuestos resulta agravada la responsabilidad del cedente, el cual habrá de responder no sólo de la existencia y legitimidad del crédito, sino también de la insolvencia del deudor. Estos casos son los siguientes:

1.º Cuando expresamente se hubiere pactado. Y si no se hubiese dicho nada sobre su duración, el Código civil establece unos límites:

a) Que dicha responsabilidad durará sólo un año, contado desde la cesión del crédito, si estaba ya vencido el plazo (art. 1530, párr. 1.º, CC).

b) Que si el crédito fuere pagadero en término o plazo no vencido, la responsabilidad cesará un año después del vencimiento (art. 1530, párr. 2.º, CC).

c) Que si el crédito consistiere en una renta perpetua, la responsabilidad se extinguirá a los diez años, contados desde la fecha de la cesión (art. 1530, párr. 3.º, CC).

2.º Cuando la insolvencia del deudor fuese anterior y pública (art. 1529 CC). Tienen razón aquellos autores que consideran incongruente esta excepción, pues si la insolvencia es conocida por todos, también lo sería para el cesionario, y en ese caso no se entiende por qué va a responder el cedente.

En estos dos casos, dispone el artículo 1529, párrafo 2.º, del CC que sólo responderá el cedente del precio recibido y de los gastos expresados en el número 1.º del artículo 1518 del CC, es decir, no comprende la indemnización de daños y perjuicios (art. 1529, párr. 3.º, CC).

3.º Cuando el cedente sea de mala fe, responderá siempre del pago de todos los gastos y de los daños y perjuicios (art. 1529, párr. 3.º, CC).

En ocasiones, la cesión del crédito responde a la existencia de una previa obligación entre cedente y cesionario en la que el primero es el deudor, de lo que se desprende que la transmisión se lleva a cabo con la finalidad de pagar dicha obligación. Pero, según que el cedente responda o no de la solvencia del deudor cedido, la transmisión se configura como una cesión *pro soluto* o *pro solvendo*. En la primera, el cedente no responde de la solvencia del deudor y mediante la cesión se extingue la deuda, cobre o no cobre el crédito el cesionario. En la segunda, el cedente no sólo responde de la existencia y legitimidad del crédito, sino también de la solvencia del deudor; en consecuencia, la deuda se extinguirá cuando el cesionario haya hecho efectivo el crédito cedido.

Mientras que el artículo 1218 de la PMDOC obliga al cedente a título oneroso a responder de la «existencia, titularidad y transmisibilidad del crédito, a no ser que

349

lo haya cedido como dudoso», rigiéndose tal responsabilidad por las disposiciones del Capítulo VII, relativo al incumplimiento, el artículo 1219 de la PMDOC señala que «el cedente sólo responde de la solvencia del deudor cuando la ley lo determine o así se haya pactado. Tal responsabilidad se limitará a la restitución de lo recibido del cesionario, con sus intereses o frutos y al reembolso de los gastos de la cesión y de los razonablemente realizados por el cesionario para cobrar del deudor. Será nulo todo pacto que agrave la responsabilidad del cedente. Cuando la insolvencia del deudor fuera anterior y conocida por el cedente y no por el cesionario al tiempo de la cesión, responderá también de daños y perjuicios. La responsabilidad de que trata este artículo cesará cuando en la falta de realización del crédito hubiera concurrido negligencia del cesionario en reclamar el cumplimiento o en proceder contra el deudor».

Por su parte, el artículo III.-5:112 del DCFR indica lo siguiente: «(1) Las garantías de los apartados (2) a (6) se incluyen en el acto de cesión salvo que de éste o de las circunstancias se derive lo contrario. (2) El cedente garantiza que: (a) el derecho cedido existe o existirá en el momento en que la cesión surta efecto; (b) el cedente tiene derecho a ceder el derecho o lo tendrá en el momento en que surta efecto la cesión; (c) el deudor no tiene excepciones contra una alegación del derecho; (d) el derecho no se verá afectado por los derechos de compensación que puedan existir entre el cedente y el deudor; y (e) el derecho no se ha cedido previamente a otro cesionario y no está sujeto a ningún derecho de garantía a favor de cualquier otra persona o a cualquier otro gravamen. (3) El cedente garantiza que cualquier término del contrato o de otro acto jurídico, que han sido revelados al cesionario como términos que regulan el derecho, no han sido modificados ni están afectados por cualquier acuerdo oculto cuyo significado o efecto sería perjudicial para el cesionario. (4) El cedente garantiza que los términos de cualquier contrato u otro acto jurídico de los que se deriva el derecho no serán modificados sin el consentimiento del cesionario, salvo que la modificación se prevea en el acto de cesión o se haga de buena fe y sea de tal naturaleza que el cesionario no pueda razonablemente oponerse. (5) El cedente garantiza que no celebrará o concederá ningún acto de cesión posterior del mismo derecho que pudiera dar prioridad a otra persona sobre el cesionario. (6) El cedente garantiza que transmitirá al cesionario o adoptará las medidas necesarias para completar la transmisión de todos los derechos transmisibles cuyo fin sea garantizar el cumplimiento que no hayan sido transmitidos ya por la cesión, y que transmitirá los beneficios de cualquier derecho no transmisible cuyo fin sea garantizar el cumplimiento. (7) El cedente no declara que el deudor tiene o tendrá la capacidad de pagar».[10]

En los *contratos internacionales,* el artículo 9.1.15 de los PCCI señala que «el cedente garantiza al cesionario, excepto que algo distinto se manifieste al cesionario, que: (a) el crédito cedido existe al momento de la cesión, salvo que el crédito sea un derecho futuro; (b) el cedente está facultado para ceder el crédito; (c) el crédito no ha sido previamente cedido a otro cesionario y está libre de cualquier derecho o reclamación de un tercero; (d) el deudor no tiene excepción alguna; (e) ni el deudor ni el cedente han notificado la existencia de compensación alguna respecto del crédito cedido y no darán tal notificación; (f) el cedente reembolsará al cesionario cualquier pago recibido del deudor antes de ser dada notificación de la cesión».

---

10. Cfr. artículo 11:204 de los PECL.

1.2. *Efectos entre deudor y cesionario*

Aunque, como se ha dicho, no es necesaria la intervención y conocimiento del deudor al negocio de cesión, a veces esto tiene importancia, pues puede ocurrir que el deudor tuviere determinadas defensas personales contra el primitivo acreedor. Por ello, el artículo 1198 del CC permite al deudor oponer al cesionario (nuevo acreedor) en compensación los créditos que tuviere contra el primitivo acreedor (cedente), que sean anteriores a la cesión, si notificada no la consintió, o anteriores a tener conocimiento de la cesión, si no se le notificó. En cambio, si el deudor hubiese consentido en la cesión, no podrá oponer al cesionario la compensación que le correspondería contra el cedente. Los comentaristas opinan que la regla consignada en este precepto, por razón de analogía, debe aplicarse a cualquiera otra excepción de carácter personal.

El artículo 1220 de la PMDOC dice que «el deudor puede hacer valer frente al cesionario todas las excepciones que tuviera contra el cedente en el momento de la cesión. Podrá asimismo hacer valer el pago hecho al cedente, la compensación ya operada con éste y cualquier otro acto o contrato sobre el crédito entre el cedente y el deudor antes de tener éste conocimiento de la cesión». Según el artículo 1221 de la PMDOC, «el deudor podrá hacer valer frente al cesionario la compensación que le habría correspondido contra el cedente si la situación objetiva de compensabilidad existía en el momento en que el deudor tuvo conocimiento de la cesión. Se exigirá además que aquel de los dos créditos compensables que hubiere surgido posteriormente tenga su origen en un contrato celebrado en consideración a la posibilidad de compensación entre ellos».

Según el artículo III.-5:116 del DCFR, «(1) El deudor puede invocar contra una reclamación del cesionario todas las excepciones sustantivas y procesales basadas en el derecho cedido que el deudor podría haber invocado contra el cedente. (2) Sin embargo, el deudor no puede invocar una excepción contra el cesionario: (a) si el deudor ha hecho creer al cesionario que no existía tal excepción; o (b) si la excepción se basa en el incumplimiento por parte del cedente de una prohibición o restricción de cesión. (3) El deudor puede invocar contra el cesionario todos los derechos de compensación que habría tenido disponibles contra el cedente en relación con derechos: (a) existentes cuando el deudor no podía obtener la liberación cumpliendo para con el cedente; o (b) estrechamente relacionados con el derecho cedido». En cuanto a los efectos sobre el lugar de cumplimiento, el artículo III.-5:117 del DCFR determina que «(1) Si el derecho cedido es una obligación de pagar dinero en un lugar determinado, el cesionario puede exigir el pago en cualquier lugar del mismo país o, si dicho país es un Estado miembro de la Unión Europea, en cualquier lugar de la Unión Europea, pero el cedente es responsable para con el deudor de cualquier incremento de los costes en los cuales el deudor incurra por razón de cualquier cambio en el lugar de cumplimiento. (2) Si el derecho cedido es una obligación no dineraria que debe cumplirse en un lugar determinado, el cesionario no puede exigir el cumplimiento en ningún otro lugar».

Respecto de los efectos de la invalidez inicial, de la subsiguiente anulación, del desistimiento, de la resolución y de la revocación, el artículo III.-5:118 del DCFR dice que «(1) Este Artículo se aplica si el derecho del cesionario, a efectos del Artículo III.-5:104 (Requisitos fundamentales) apartado (1) (d), se deriva de un contrato u otro acto jurídico (el contrato u otro acto jurídico subyacentes), independientemente de que sea o no seguido por un separado acto de cesión a efectos del apartado (1) (e) de dicho Artículo. (2) Si el contrato u otro acto jurídico subyacente es nulo desde el principio, la cesión no tiene lugar. (3) Si después de que la cesión haya tenido lugar, el contrato u otro acto jurídico subyacente es anulado en virtud del Libro II, Capítulo 7, se considera que el derecho nunca se ha transmitido al cesionario (efecto retroactivo sobre la cesión). (4) Si después de que la cesión haya tenido lugar, se desiste del contrato u otro acto jurídico subyacente en virtud del Libro II, Capítulo 5, o se resuelve la relación contractual en virtud de cualquier regla del Libro III, o se revoca una donación en virtud del Libro IV.H, Capítulo 4, no hay efecto retroactivo sobre la cesión. (5) Este Artículo no afecta a ningún derecho de restitución que se fundamente en otras disposiciones de estas reglas modelo».

En caso de colisión entre sucesivos cesionarios, según el artículo III.-5:121 del DCFR, «(1) Si hay sucesivas pretendidas cesiones realizadas por la misma persona del mismo derecho a exigir el cumplimiento, el pretendido cesionario, cuya cesión se notifique primero al deudor, tiene prioridad sobre cualquier cesionario anterior si en el momento de la cesión posterior el cesionario de esa cesión no conocía o no cabría razonablemente esperar que hubiera conocido la cesión anterior. (2) El deudor queda liberado pagando al primero que haya notificado, incluso si sabe de la colisión entre demandas».

En los *contratos internacionales*, según el artículo 9.1.13(1) de los PCCI, «el deudor puede oponer al cesionario todas las excepciones que podría oponer al cedente». El apartado 2 de dicho artículo 9.1.13 de los PCCI añade que «el deudor puede ejercitar contra el cesionario cualquier derecho de compensación de que disponga contra el cedente hasta el momento en que ha recibido la notificación de la cesión».

En la hipótesis de cesiones sucesivas, el artículo 9.1.11 de los PCCI determina que «si un mismo crédito ha sido cedido por el cedente a dos o más cesionarios sucesivos, el deudor se libera pagando conforme al orden en que las notificaciones fueron recibidas».

1.3. Cesión de créditos litigiosos

En el Derecho romano clásico no se establecieron limitaciones a la transmisión de créditos y deudas. Sin embargo, en el Bajo Imperio se debieron prodigar los compradores de créditos a bajo precio y que después demandaban de los deudores el pago de la totalidad, pues para atajar esta especulación el emperador ANASTASIO dictó una constitución (C.4.35.22 y 23) en virtud de la cual el comprador de un crédito no podría reclamar al deudor más que aquello que hubiese pagado como precio de la compra. De modo que el deudor, demandado por el total del crédito, podría oponer al actor la *exceptio legis Anastasianae*.

El Código civil recoge esta institución y hace objeto de regulación especial a la cesión de créditos litigiosos en los artículos 1535 y 1536 del CC, que son fiel trasunto de los artículos 1446 y 1447 del Proyecto de Código civil de 1851. El artículo 1535 del CC establece que, «vendiéndose un crédito litigioso, el deudor tendrá derecho a extinguirlo, reembolsando al cesionario el precio que pagó, las costas que se le hubiesen ocasionado y los intereses del precio desde el día en que éste fue satisfecho». También aclara que «se tendrá por litigioso un crédito desde que se conteste a la demanda relativa al mismo», y termina diciendo que «el deudor podrá usar de su derecho dentro de nueve días, contados desde que el cesionario le reclame el pago».[11] La doctrina considera que se trata de un retracto en favor del deudor cedido, y se denomina tradicionalmente como «retracto litigioso». Pero, como señala García Cantero, no debe admitirse el calificativo de retracto, «que únicamente se justifica por un arrastre histórico y por la coincidencia del plazo de ejercicio con el general del artículo 1524 del CC», pues, en realidad, «se trata de una autorización legal al deudor de realizar un pago parcial de su deuda con plenos efectos liberatorios, o, si se quiere, una quita autorizada por la ley en atención a finalidades superiores de velar por la moralidad del tráfico». En definitiva, se trata de una hipótesis especial de liberación de una deuda propia mediante el abono de una prestación distinta a la debida. Es una medida que beneficia al deudor, el cual puede liberarse de la deuda pagando los importes que especifica el artículo 1535 del CC, y que no perjudica al cesionario, pues recupera todo lo que él pagó.

> La STS de 8 de abril de 1904 declara que debe reputarse como litigioso el crédito que, puesto en pleito, no puede tener realidad sin previa sentencia firme que lo declare, careciendo de tal carácter el vendido después de consentida sentencia de remate, dictada, no para su declaración, sino para hacerlo efectivo.[12]

El precio que el deudor deberá abonar es el que el cesionario realmente pagó al cedente, aunque sea distinto del que figure en el documento en que se formalizó la cesión. La cuantía de los intereses será aquella que devengase el crédito, y, en su defecto, la correspondiente al interés legal (Manresa). En cambio, Pantaleón opina que, en todo caso, deberán reembolsarse los intereses legales.

El breve plazo de nueve días, contados desde que el cesionario reclame el pago, es de caducidad, computándose con arreglo a lo dispuesto en el artículo 5 del CC. La reclamación puede efectuarse tanto judicial como extrajudicialmente. Si la reclamación fuere extrajudicial, será preciso probar esta circunstancia. Como dice Manresa, por reclamación judicial deberá entenderse el mero hecho de personarse el cesionario en el litigio pendiente, solicitando se le tenga por parte legítima con tal carácter para continuar el pleito comenzado.

Aunque únicamente se hace referencia a la venta, se deberá entender que lo dispuesto en este precepto puede aplicarse a todo supuesto de cesión del crédito a título oneroso.

Sin embargo, el artículo 1536 del CC exceptúa una serie de casos de la aplicación de lo dispuesto en el artículo anterior, por considerar que en ellos existe un interés legítimo por parte del cesionario y, por tanto, no hay tráfico inmoral. Estos supuestos son la cesión o venta hechas: 1.º A un coheredero. 2.º A un acreedor en pago de su crédito. 3.º Al poseedor de una finca sujeta al derecho litigioso que se ceda.

1.4. Cesión de créditos hipotecarios

A ella se refiere el artículo 149 de la LH, según el cual, «el crédito hipotecario puede enajenarse o cederse en todo o en parte, siempre que se haga en escritura pública, de la cual se dé conocimiento al deudor y se inscriba en el Registro. El deudor

---

11. Este precepto es de aplicación a las obligaciones mercantiles (arg. art. 50 CCom).
12. JC 1904, II-9.

no quedará obligado por dicho contrato a más que lo estuviere por el suyo. El cesionario se subrogará en todos los derechos del cedente». Como excepción, el artículo 150 de la LH dispone que «cuando la hipoteca se hubiere constituido para garantizar obligaciones transferibles por endoso o títulos al portador, el derecho hipotecario se entenderá transferido, con la obligación o con el título, sin necesidad de dar de ello conocimiento al deudor ni de hacerse constar la transferencia en el Registro».

1.5. La prohibición contractual que prohíbe al acreedor ceder créditos

Parece claro que un contrato puede incluir una cláusula que prohíba al acreedor ceder derechos a terceros, lo que plantea un conflicto entre el principio de libertad contractual que rige dicho acuerdo entre las partes, de un lado, y la libertad para enajenar activos, de otra. En este contexto, el artículo III.-5:108(1) del DCFR empieza diciendo que «una prohibición o una restricción contractual de la cesión de un derecho no afecta a la posibilidad de ceder el derecho».

> Como pone de relieve el comentario oficial al artículo III.-5:108 del DCFR, «el deudor puede tener motivos comerciales justificados para incluir una cláusula de no cesión. En primer lugar, el deudor puede no querer tener que tratar con un acreedor desconocido que puede ser más severo que el cedente. En segundo lugar, el deudor puede querer evitar el riesgo de pasar por alto la notificación de cesión y pagar al cedente, en cuyo caso existirá el riesgo de tener que pagar o dar otra prestación una segunda vez, al cesionario. En tercer lugar, el deudor que espera seguir teniendo una relación comercial con el acreedor querrá conservar el derecho de compensación, un derecho que finalizaría en lo que respecta a los derechos mutuos que se generen tras el recibo de la notificación de cesión. En cuarto lugar, el cesionario puede haberse constituido o tener su sede comercial principal en un país cuyo régimen legal o fiscal sea desfavorable a la transacción. Por tanto, hay razones para afirmar que la cesión realizada incumpliendo una cláusula que lo prohíba no debería ser efectiva, con independencia de que el contrato incluya una prohibición expresa o limite el derecho de cesión del acreedor, por ejemplo, requiriendo el consentimiento del deudor. El otro interés en cuestión es la libertad para enajenar activos. Los derechos a reclamar el cumplimiento de obligaciones, especialmente obligaciones monetarias, son activos importantes. La negociabilidad de los derechos al cumplimiento de obligaciones monetarias tiene una enorme importancia práctica y económica. En la transmisión de bienes muebles es un principio generalmente aceptado, que se adopta también en las presentes normas, que las prohibiciones o restricciones contractuales no afectan a la posibilidad de transmisión. Hoy en día, el mercado de derechos al cumplimiento de obligaciones monetarias no es menos importante que el mercado de bienes muebles».

Con el fin de proteger al deudor, el apartado 2 del artículo III.-5:108 del DCFR añade que «sin embargo, si el derecho es cedido incumpliendo tal prohibición o restricción: (a) el deudor puede cumplir en favor del cedente, y al hacerlo, queda liberado; y (b) el deudor conserva todos los derechos de compensación contra el cedente como si el derecho no se hubiera cedido». No obstante, no será necesaria la aplicación de la regla que contiene dicho apartado si el deudor ha consentido la cesión y, al mismo tiempo, no puede justificarse que el deudor haya engañado al cesionario haciéndole creer que no hay prohibición ni restricción (art. III.-5:108(3) (a) y (b) DCFR).

Tampoco se aplicará si el derecho cedido es un derecho al pago por la provisión de bienes o servicios (art. III.-5:108(3)(c) DCFR).

Como señala el comentario oficial, se trata de «la aplicación de una norma especial para las "deudas comerciales", norma que no se encuentra en las legislaciones de los Estados miembros pero que se ha adoptado en una serie de convenios internacionales y también en gran parte de Norteamérica. Se justifica mediante una consideración diferente: el interés en permitir que las "deudas comerciales" se utilicen como fuente de financiación. También en este caso la cesión es completamente efectiva y el deudor al que se ha notificado la cesión debe pagar al cesionario. Esta excepción es especialmente necesaria si la cesión es relativa a un flujo continuo de futuras deudas, por ejemplo, de un deudor a un factor en virtud de un contrato de factoring. En este tipo de acuerdo es manifiestamente imposible esperar que el factor examine cada contrato, que podrían ser cientos, para ver si contienen una cláusula que prohíba la cesión. Como normalmente será el caso, incluso cuando el contrato es un contrato tipo que no incluye tal cláusula, el cesionario que lo examine no puede estar seguro de si del cedente no cambiará en algún momento las condiciones sin notificárselo previamente. Por eso el subapartado (c) del apartado (3) permite que la cesión surta efecto si se trata de la cesión de un derecho de pago por la provisión de mercancías o servicios. De acuerdo con la norma habitual, el deudor puede alegar contra el cesionario las excepciones y derechos de compensación que dispone el Artículo III.-5:116 (Efecto sobre las excepciones y los derechos de compensación). Esta excepción se limita a la cesión de derechos al pago de cantidades de dinero por la provisión de mercancías o servicios; pues es en el ámbito de la financiación de créditos donde la cláusula de prohibición de cesión normalmente crea problemas. La excepción del subapartado (c) del apartado (3) representa una respuesta a las necesidades comerciales que cada vez está ganado más aceptación. Ver, por ejemplo, la sección 9-406(d), Artículo 9 revisado del Código Comercial Uniforme de EE.UU.; el Artículo 6(1) de la Convención del UNIDROIT sobre factoraje internacional de 1988; y el Artículo 9 de la Convención de las Naciones Unidas sobre la cesión de créditos en el comercio internacional (2001)».

El cedente sigue siendo responsable ante el deudor por el incumplimiento de la obligación, pues el apartado 4 del artículo III.-5:108 del DCFR estipula que «el hecho de que un derecho se haya cedido a pesar de una prohibición o restricción contractual no afecta a la responsabilidad del cedente para con el deudor por cualquier incumplimiento de la prohibición o restricción».

En materia de _contratos internacionales_, el artículo 9.1.9(1) de los PCCI señala que «la cesión de un derecho al pago de una suma de dinero surte efectos pese al acuerdo entre cedente y deudor limitando o prohibiendo tal cesión. Sin embargo, el cedente puede ser responsable ante el deudor por incumplimiento del contrato». El apartado 2 de dicho artículo 9.19 de los PCCI añade que «la cesión de un derecho a otra prestación no surtirá efectos si viola un acuerdo entre el cedente y el deudor que limite o prohíba la cesión. No obstante, la cesión surte efectos si el cesionario, en el momento de la cesión, no conocía ni debiera haber conocido dicho acuerdo. En este caso, el cedente puede ser responsable ante el deudor por incumplimiento del contrato».

En palabras del comentario oficial, «en el caso de cesión de créditos dinerarios, el párrafo (1) otorga preferencia a la necesidad del crédito. El cesionario de un crédito monetario está protegido contra una cláusula de no cesión y la cesión es plenamente eficaz. Sin embargo, si el cedente actúa en violación de sus obligaciones contractuales, será responsable ante el deudor por incumplimiento de sus compromisos en virtud de la Sección 4 (Resarcimiento) del Capítulo 7 (Incumplimiento) (...). La cesión de créditos no monetarios no comporta la misma relación con las exigencias del crédito, lo que justifica la diferente solución que encontramos en el párrafo (2). Para lograr un justo equilibrio entre los intereses contradictorios de las tres partes involucradas, la regla es esta vez que la cláusula de no cesión es eficaz frente al cesionario y que la cesión, es, consecuentemente, considerada como inválida. La solución es inversa mientras pueda establecerse que al momento de la cesión el cesionario no sabía ni debía conocer la existencia de la cláusula de no cesión. En este caso, la cesión es válida pero el cedente puede reclamar daños y perjuicios contra el deudor por incumplimiento del contrato en virtud de la Sección 4 del Capítulo 7».

2. El descuento

La cesión de créditos se utiliza como medio de financiación del cedente, que realiza sus créditos frente a terceros sin tener que esperar al vencimiento de los mismos. Es lo que se denomina descuento o contrato (atípico) de descuento bancario (operación de activo). En este contrato, el empresario, usualmente un banco (descontante), anticipa al cliente (cedente o descontatario) el importe de un crédito no vencido (por ejemplo, el derivado de letras de cambio) que éste tiene contra un tercero, previa deducción de los intereses correspondientes (descuento o *interusurium*) por el tiempo que falta para su vencimiento, mediante la cesión, salvo buen fin, del crédito mismo. Por tanto, el cedente asume la obligación de restituir al banco descontante el importe descontado cuando no se abona a su vencimiento por quien es deudor del mismo. Es decir, en este caso el banco recuperará el anticipo que había llevado a cabo, ya que la entrega de los títulos se realizó *pro solvendo* (para pago) y no *pro soluto* (en pago), con lo que la responsabilidad del cedente había quedado subordinada a la condición de que se realizara el pago por el deudor de título o del crédito. Aunque el descuento se lleva a cabo fundamentalmente sobre letras de cambio, que se endosan al banco descontante, también pueden ser objeto de descuento créditos que se hallen incorporados a otros títulos (por ejemplo, pagarés), o créditos no incorporados a títulos (por ejemplo, reconocimiento de deuda o facturas pendientes de cobro).

El banco descontante deberá realizar todos los actos necesarios para hacer efectivo el crédito a su vencimiento, por lo que si no lleva a cabo los actos de conservación de los derechos, se verificarán en su contra las consecuencias derivadas de la prescripción o del perjuicio del crédito, pues será de aplicación lo dispuesto en el artículo 1170, párrafo 2.º, del CC.[13] En cambio, no cabe considerar incluida entre tales obligaciones la previsibilidad de la posible situación de insolvencia en que pueda caer o situarse el librado-aceptante o emisor del pagaré.[14]

En el caso de que el crédito no sea pagado por el tercero a su vencimiento, la entidad descontante podrá resarcirse judicialmente, dirigiéndose contra el sujeto

---

13. Cfr. SSTS de 20 de febrero de 1985 (RJ 1985, 734) y 1 de abril de 1996 (RJ 1996, 2877).
14. Cfr. SSTS de 18 de marzo de 1987 (RJ 1987, 1516), 16 de abril de 1991 (RJ 1991, 2695) y 10 de febrero de 2006 (RJ 2006, 548).

pasivo en esa relación de deuda (cosa no usual en el tráfico), o bien reclamando al cliente (cedente) el importe íntegro del crédito descontado mediante el ejercicio de la acción cambiaria de regreso o de la acción causal nacida del contrato de descuento. También puede hacerse efectivo extrajudicialmente mediante el contra-asiento o cargo al librador de los efectos que resultaron impagados, haciéndose así pago la entidad bancaria por vía de compensación.[15] Es doctrina jurisprudencial «que no es exigible la devolución de los títulos mientras no se pronuncie una decisión judicial con dicho contenido, pues a partir de ese instante el derecho de la entidad bancaria deriva de esta resolución y no delas cambiales sin las cuales no hubiera sido posible dictarla, de manera que los deudores libradores sólo poseerán facultades para recobrar los efectos cuando previamente liquiden su importe».[16]

A su vez, la entidad bancaria descontante puede acudir a otra entidad bancaria para proceder al redescuento mediante la entrega de los créditos. Pero no debe confundirse esta posibilidad con la figura del descuento, ya que el redescuento (o segundo descuento) es una operación bancaria de pasivo y se realiza entre dos entidades de crédito.

3. El endoso

La transmisión o cesión de los derechos de crédito integrados en títulos-valores presenta unas características particulares y propias de dichos documentos, ya que, como dice BROSETA, «esta incorporación del derecho al título asimila en cierta forma la "ley de circulación" de los derechos a la propia de las cosas muebles». Se denomina ley de circulación al conjunto de requisitos que son precisos para que una persona adquiera la titularidad del derecho incorporado o bien la simple legitimación para ejercitarlo, aunque no sea titular del derecho.

Es preciso distinguir títulos nominativos, títulos a la orden y títulos al portador:

a) Los créditos incorporados a *títulos nominativos*, emitidos a favor de una persona determinada, no presentan especialidad, pues la transmisión o cesión de los mismos se rige por las normas generales, es decir, la transmisión del título exige la colaboración del deudor. Ahora bien, para la plena eficacia de la transmisión frente a las entidades emisoras será preciso modificar la designación del titular que figura en el documento, cambiándolo en el propio documento, en un documento complementario o bien en un nuevo título; y, a veces, será necesaria la inscripción del nombre del adquirente en el libro-registro del emisor.

b) Los *títulos a la orden* se transmiten o ceden mediante el endoso y la tradición o entrega del documento. El endoso es una declaración de voluntad, incorporada al título (al dorso del mismo), en la que el tenedor del título expresa que el crédito será abonado por el deudor al endosatario o a la orden de éste (ejercicio del derecho por otra persona cesionaria de la primera). El endosatario adquiere la propiedad del

---

15. Cfr. SSTS de 14 de abril de 1980 (RJ 1980, 1415), 21 de julio de 1993 (RJ 1993, 6178), 28 de junio de 2001 (RJ 2001, 4980), 2 de junio y 25 de noviembre de 2004 (RJ 2004, 3560 y 7254), 10 de febrero de 2006 (RJ 2006, 548) y las que éstas citan.
16. Cfr. SSTS de 17 de junio de 1991 (RJ 1991, 4468,) 6 de noviembre de 1996 (RJ 1996, 7906) y 3 de abril de 2006 (RJ 2006, 1912).

título y el crédito en el consignado. Estos títulos son emitidos a favor de una persona determinada cuyo nombre se expresa, así como el de los sucesivos tenedores.

El deudor quedará liberado si paga al último tenedor, y únicamente podrá oponer al endosatario las excepciones derivadas del título.

En el caso de que el deudor no pague, el endosatario podrá dirigirse en vía de regreso contra el endosante y anteriores titulares.

c) Los créditos incorporados a un *título al portador* designan como titular al portador y se transmiten mediante la simple tradición o entrega del documento, que va unida a la existencia de un negocio causal traslativo. No obstante, la mera posesión del documento crea una apariencia de titularidad que legitima para reclamar, por lo que el deudor que paga de buena fe resulta liberado, aunque el poseedor hubiese adquirido el título de manera ilegal.

Las relaciones entre transmitente y adquirente están sujetas al régimen de transmisión de las cosas muebles.

4. Subrogación en el crédito

Otro modo de sustitución o cambio de la persona del acreedor en la relación obligatoria es el que se denomina *pago con subrogación*, lo que sucede cuando un tercero paga al acreedor y se coloca en la posición de éste. La subrogación, según el artículo 1212 del CC, transfiere al subrogado el crédito con los derechos a él anexos, ya contra el deudor, ya contra los terceros, sean fiadores o poseedores de las hipotecas. Como dice ESPÍN, no se trata de una forma novatoria en su sentido clásico de extinción de la obligación y creación de otra nueva, sino de la transmisión pura y simple de una obligación en su aspecto activo.

4.1. *Clases*

Esta subrogación puede ser *convencional* o *legal*. La primera tiene lugar por la voluntad del acreedor o, excepcionalmente, del propio deudor. La segunda opera *ope legis*, cuando se da el supuesto de hecho contemplado en la norma.

a) Subrogación por voluntad del acreedor

La subrogación convencional por voluntad del acreedor se produce mediante un acuerdo con el subrogado, en virtud del cual aquél transfiere el crédito en favor del que paga. Ha de realizarse al tiempo del pago o con anterioridad al mismo; si se efectúa con posterioridad, no serviría, ya que el crédito se habría extinguido. Además, por imperativo del artículo 1209, párrafo 2.º, del CC, es preciso establecerla con claridad para que produzca efecto. Según la STS de 28 de mayo de 1973, con claridad y de forma inequívoca, de lo que parece desprenderse que es necesaria la forma expresa.[17]

No se exige la notificación de la subrogación al deudor. No obstante, para que surta efectos frente al mismo es necesario que el deudor tenga conocimiento de ella. Es decir, la notificación al deudor no tiene otro alcance que el de obligarle con el

---

17. RJ 1973, 2364.

nuevo acreedor, no reputándose pago legítimo, desde ese instante, el hecho en favor del acreedor originario.

b) Subrogación por voluntad del deudor

Aunque la subrogación convencional requiere acuerdo entre el acreedor y el subrogado antes o en el mismo momento del pago, el artículo 1211 del CC establece que «el deudor podrá hacer la subrogación sin consentimiento del acreedor, cuando para pagar la deuda haya tomado prestado el dinero por escritura pública, haciendo constar su propósito en ella, y expresando en la carta de pago la procedencia de la cantidad pagada». Es lo que se denomina subrogación *ex mutuo*.

Con base en dicho precepto del Código civil, se promulgó en 1994 la legislación sobre subrogación y modificación de créditos hipotecarios. Su finalidad era que el deudor que hubiere concertado un préstamo hipotecario (normalmente, para la compra de una vivienda) pudiera, posteriormente, beneficiarse de la bajada de los tipos de interés sin tener que solicitar la cancelación de dicho crédito y la posterior constitución de otro nuevo. De tal modo que el artículo 2, párrafo 1.º, de la LSMCH indica que «el deudor podrá subrogar a otra entidad financiera de las mencionadas en el artículo anterior sin el consentimiento de la entidad acreedora, cuando para pagar la deuda haya tomado prestado el dinero de aquélla por escritura pública, haciendo constar su propósito en ella, conforme a lo dispuesto por el artículo 1211 del Código Civil».

La entidad que esté dispuesta a subrogarse presentará al deudor una oferta vinculante en la que constarán las condiciones financieras del nuevo préstamo hipotecario (art. 2, párr. 2.º, LSMCH). La aceptación de la oferta por el deudor implicará su autorización para que la oferente se la notifique a la entidad acreedora y la requiera para que le entregue, en el plazo máximo de siete días naturales, certificación del importe del débito del deudor por el préstamo hipotecario en que se ha de subrogar (art. 2, párr. 3.º, LSMCH). La certificación deberá ser entregada con carácter obligatorio en el plazo máximo de siete días naturales por parte de la entidad acreedora (art. 2, párr. 4.º, LSMCH). Con el fin de no menoscabar el también legítimo interés de la entidad acreedora de mantener la titularidad del crédito, siempre que eso fuese posible en las mismas condiciones que las ofertadas por otra entidad financiera, se indica que, entregada la certificación y durante los quince días naturales siguientes a esa fecha, la entidad acreedora podrá ofrecer al deudor una modificación de las condiciones de su préstamo, en los términos que estime convenientes. Durante ese plazo no podrá formalizarse la subrogación (art. 2, párr. 5, LSMCH).

Transcurrido el plazo de quince días sin que el deudor haya formalizado con la entidad acreedora la novación modificativa del préstamo o crédito hipotecario, podrá otorgarse la escritura de subrogación (art. 2, párr. 6.º, LSMCH). Para ello bastará que la entidad subrogada declare en la misma escritura haber pagado a la acreedora la cantidad acreditada por ésta, por capital pendiente e intereses y comisión devengados y no satisfechos. Se incorporará a la escritura un resguardo de la operación bancaria realizada con tal finalidad solutoria. En ningún caso, la entidad acreedora podrá negarse a recibir el pago (art. 2, párr. 7.º, LSMCH).

En caso de discrepancia en cuanto a la cantidad debida, y sin perjuicio de que la subrogación surta todos sus efectos, el juez que fuese competente para entender del procedimiento de ejecución, a petición de la entidad acreedora o de la entidad subrogada, citará a éstas, dentro del término de ocho días, a una comparecencia, y, después de oírlas, admitirá los documentos que se presenten, y acordará, dentro de los tres días, lo que estime procedente. El auto que dicte será apelable en un sólo efecto, y el recurso se sustanciará por los trámites de apelación de los incidentes.

En cualquier caso, como dice la Dirección General de los Registros y del Notariado, se trata de una normativa excepcional respecto de las normas generales de la obligatoriedad de los contratos y de las normas hipotecarias.[18] Por otra parte, la RDGRN de 16 de septiembre de 2004 ha declarado que es innecesaria la intervención de la primitiva entidad acreedora en la escritura de subrogación, siendo suficiente la declaración de la entidad subrogada de haber pagado a la acreedora y la protocolización del resguardo acreditativo de la orden de transferencia efectuada.[19]

c) Subrogación legal

Según el artículo 1210 del CC, se presume que hay subrogación:

1.º Cuando un acreedor pague a otro acreedor preferente. Es preferente el acreedor cuyo crédito tiene rango superior al del *solvens* con arreglo a lo dispuesto en los artículos 1922 y siguientes del CC.

2.º Cuando un tercero no interesado en la obligación pague con aprobación expresa o tácita del deudor. Lo que se explica teniendo en cuenta que el deudor no está obligado a aceptar un nuevo acreedor que pueda ser más duro o exigente que el acreedor con el que contrató.[20] La aprobación puede ser previa o coetánea al pago, pero no posterior.[21] Como dice R. BERCOVITZ, el deudor que conoce el pago y no se opone está consintiéndolo.

3.º Cuando pague el que tenga interés en el cumplimiento de la obligación, salvo los efectos de la confusión en cuanto a la porción que le corresponda. Esta regla se refiere a los fiadores, avalistas y al codeudor solidario que paga la totalidad de la deuda.

Según el artículo 1209, párrafo 1.º, del CC, la subrogación de un tercero en los derechos del acreedor no puede presumirse fuera de los casos expresamente mencionados en el Código civil. Entre otros, en los supuestos de los artículos 1159, 1210 y 1839 del CC.

4.2. *Efectos de la subrogación*

El efecto característico de la subrogación es, como ya hemos indicado, la transmisión al subrogado del crédito con los derechos a él anexos, ya contra el deudor, ya contra los terceros, sean fiadores o poseedores de la hipoteca (art. 1212 CC). Precisamente, en esta transmisión de las garantías que acompañan a la obligación es en lo que esta figura se diferencia de la novación, ya que ésta da lugar a la extinción de esas garantías.

---

18. Cfr. RRDGRN de 19, 20 y 21 de julio de 1995 (RJ 1995, 5579, 5580 y 5581).
19. RJ 2004, 369.
20. Cfr. STS de 14 de julio de 1953 (RJ 1953, 2038).
21. Cfr. STS de 28 de marzo de 1967 (RJ 1967, 2154).

Si la subrogación es parcial, por haberlo sido el pago, el acreedor primitivo puede ejercitar su derecho por el resto con preferencia al que se hubiere subrogado en su lugar en virtud del pago parcial del mismo crédito (art. 1213 CC).

Sin embargo, cabe preguntarse qué sucede cuando el tercero ha pagado una cantidad menor de la debida y el acreedor se da por pagado por el importe total del crédito. En este caso, el tercero tiene derecho a cobrar el crédito en su totalidad, ya que, como dicen LACRUZ y SANCHO, «no siendo litigioso el crédito subrogado y habiendo acuerdo entre el acreedor y el *solvens*, éste adquirirá dicho crédito en su importe originario, no en el importe inferior del pago».

Por último, se debe señalar que el pago realizado por el deudor solidario (subrogado) extingue la solidaridad, pues el artículo 1145 del CC dice que «el que hizo el pago sólo puede reclamar de sus codeudores la parte que a cada uno corresponda, con los intereses del anticipo». Una regla análoga se consigna en el artículo 1844 del CC para el caso del pago hecho por un cofiador.

III. TRANSMISIÓN DE LA DEUDA

Como fácilmente puede comprenderse, no es indiferente al acreedor qué persona ocupe la posición de deudor, pues las cualidades que ésta reúna (seriedad y solvencia patrimonial) son fundamentales. De ahí que, si bien el artículo 1203, número 2.º, del CC admite la modificación de la obligación por sustitución de la persona del deudor, el artículo 1205 del CC establezca que no puede hacerse sin el consentimiento del acreedor.

A pesar de ciertas vacilaciones, tras el decisivo trabajo de CLEMENTE DE DIEGO titulado *La transmisibilidad de las obligaciones*, publicado en Madrid en 1912, la doctrina ha admitido sin discusión la posibilidad de la asunción de deuda, considerando que mediante pacto expreso puede realizarse el cambio de deudor con el efecto de liberar al antiguo y mantener la misma deuda. En esta misma línea la STS de 10 de febrero de 1950 declara que no existe en el Código civil disposición alguna que pueda servir de base a la tesis de que el cambio de la persona del deudor implica necesariamente la extinción de la obligación y la creación de otra nueva; así como que tampoco aparece precepto que prohíba la llamada asunción de deuda, o sea, el contrato por el cual un tercero, con asentimiento del acreedor, toma a su cargo una obligación preexistente, constituyéndose en deudor y liberando al deudor primitivo.[22]

La transmisión de la deuda se puede realizar de dos *formas*:

a) Según el artículo 1205 del CC, «la novación, que consiste en sustituirse un nuevo deudor en lugar del primitivo, puede hacerse sin el conocimiento de éste, pero no sin el consentimiento del acreedor». Por consiguiente, puede realizarse la transmisión de la deuda mediante un convenio entre el acreedor y un tercero, que acuerda con aquél en sustituir al primitivo deudor, liberando a éste de su obligación. Es lo que se denomina *expromisión*. Desde luego, nada impide que también intervenga el primitivo deudor.

---

22.   RJ 1950, 194. Cfr. SSTS de 30 de marzo de 1978 (RJ 1978, 1058) y 11 de diciembre de 1979 (RJ 1979, 4359).

b) La otra forma es la *delegación*. A ella se refiere el artículo 1206 del CC, al decir que «la insolvencia del nuevo deudor, que hubiese sido aceptado por el acreedor, no hará revivir la acción de éste contra el deudor primitivo, salvo que dicha insolvencia hubiese sido anterior y pública o conocida del deudor al delegar su deuda».

1. Asunción de deuda

Tiene su origen en el Derecho alemán, y ha sido recibida en nuestro ordenamiento por la doctrina y la jurisprudencia. Se trata de un convenio entre el que asume la deuda y el deudor primitivo, el cual requiere también el consentimiento del acreedor para que el deudor originario quede liberado. Según la STS de 25 de abril de 1975, «la asunción de deuda debe ser expresa, con constancia de una específica declaración de voluntad en ese sentido por parte del asuntor, así como el conocimiento del acreedor, no siendo admisible en forma tácita y presuntiva».[23] Es decir, «como negocio jurídico entre cedente y cesionario, ambos han de conocer la entidad de la deuda asumida, y para que produzca la liberación del cedente lo ha de conocer y aprobar el acreedor, porque en nuestro Derecho la asunción de deuda deber ser aprobada por el acreedor».[24]

Por su parte, la STS de 21 de mayo de 1997 distingue la asunción de la novación. La primera «es la sustitución de la persona del deudor por otra, con respecto a la misma relación obligatoria, sin extinción de ésta (...). Partiendo de su admisibilidad, sólo se puede dar, tanto en su tipo de expromisión (acuerdo entre el acreedor y el nuevo deudor) como en el de delegación (acuerdo entre el deudor antiguo y el nuevo, con consentimiento del acreedor), si el acreedor lo consiente. Distinto es el caso de la novación (extintiva) subjetiva por cambio de deudor, en que se extingue la obligación primitiva y se constituye una nueva, con la persona del deudor distinta: también requiere el consentimiento del acreedor. Y, además no se presume debe constar claramente la voluntad expresa de extinción o una incompatibilidad indiscutible».[25]

Sin embargo, aunque se requiera el consentimiento del acreedor, el artículo 1205 del CC no exige que deba prestarse en el mismo acto en que los deudores acuerdan la sustitución, por lo que podrá otorgarse antes, al momento o después del convenio de los deudores, así como podrá adoptar forma expresa o tácita: la falta del consentimiento del acreedor dará lugar a la ineficacia del negocio de asunción de deuda.[26]

> El artículo 1223 de la PMDOC señala que «el acuerdo de asunción de deuda entre el deudor y un tercero sólo convierte a éste en deudor si el acreedor lo acepta expresamente, a solicitud del propio deudor o del tercero. Antes de la aceptación, el deudor y el tercero podrán modificar o dejar sin efecto su acuerdo de asunción de deuda. Exceptúase el caso en que esté en vigor el plazo concedido al acreedor para manifestar su aceptación. El acuerdo de asunción de deuda aún no aceptado por el acreedor o el rechazado por éste, vincula al tercero con el deudor al pago de la deuda, salvo que del propio acuerdo resulte otra cosa».

---

23. RJ 1975, 2095. Cfr. también SSTS de 11 de diciembre de 1979 (RJ 1979, 4359) y 22 de diciembre de 2003 (RJ 2003, 8902).
24. Cfr. SSTS de 5 de junio de 1961 (RJ 1961, 2717) y 29 de marzo de 1989 (RJ 1989, 2281).
25. RJ 1997, 4235.
26. Cfr. STS de 20 de mayo de 1997 (RJ 1997, 3890).

El Proyecto de Marco Común de Referencia prescinde de forma consciente de la terminología tradicional (asunción de deuda, expromisión, delegación) para decantarse por otra completamente nueva: sustitución completa por el nuevo deudor, sustitución incompleta por el nuevo deudor y adición del nuevo deudor. El artículo III.-5:201 del DCFR comienza diciendo que «esta Sección se aplica únicamente a la sustitución o a la adición de un nuevo deudor por acuerdo»; pero es el artículo III.-5:202 del DCFR el que determina las posibilidades que reconoce en la sustitución y adición de deudores, a cuyo tenor, «(1) Un nuevo deudor puede sustituir o ser añadido: (a) de manera que el deudor primitivo quede liberado (sustitución completa por el nuevo deudor); (b) de manera que el deudor primitivo siga considerándose como deudor en el caso de que el nuevo deudor no cumpla adecuadamente (sustitución incompleta por el nuevo deudor); o (c) de manera que el deudor primitivo y el nuevo deudor sean responsables solidarios (adición de nuevo deudor). (2) Si es evidente que hay un nuevo deudor, pero no lo es el tipo de sustitución o adición que se pretendió realizar, el deudor primitivo y el nuevo deudor responden solidariamente».[27]

Como indica su comentario oficial, «el apartado (1) del presente artículo establece tres formas en las que puede haber un nuevo deudor en una relación jurídica sin que esta sufra otros cambios. La primera técnica es la sustitución completa. El nuevo deudor sustituye completamente al antiguo, que queda liberado. Esto es lo contrario de una cesión. La segunda técnica es la sustitución incompleta. El nuevo deudor sustituye al antiguo, pero la sustitución no es completa mientras el nuevo deudor no haya cumplido la obligación. Hasta entonces, el deudor original continuará como deudor subsidiario por si el nuevo deudor no cumpliese. La tercera técnica es la adición de un nuevo deudor. El deudor original no queda liberado en absoluto pero el acreedor tiene otro deudor, y ambos deudores son responsables solidariamente. La característica fundamental de las técnicas jurídicas que se regulan en esta sección es que se conserva la relación jurídica, con un cambio de parte en lo que concierne a los deudores, en vez de resolverse. Por supuesto, si las partes del contrato prefieren resolverlo y empezar de nuevo celebrando uno nuevo, son libres de hacerlo. En la regulación de estos tres tipos de situación las normas modelo van más allá que los Principios de derecho contractual europeo, que solo regulaban lo que aquí se llama sustitución completa. La ampliación se acordó en principio en la última reunión del Grupo de estudio en Atenas en junio de 2008. La decisión reflejaba la opinión que desde hace tiempo tenían algunos miembros del Grupo de estudio de que las normas de los Principios de derecho contractual europeo eran incompletas. También reflejaba el hecho de que muchos ordenamientos jurídicos nacionales regulan diferentes tipos de sustitución o adición de un nuevo deudor y de que los Principios UNIDROIT sobre los contratos comerciales internacionales de 2004 hacen lo mismo (ver los artículos 9.2.1 a 9.2.8). El Grupo de estudio autorizó al equipo de recopilación y redacción para ampliar las normas de los Principios de derecho contractual europeo en la línea de los Principios UNIDROIT. Para llevar a cabo este encargo, el equipo de recopilación y redacción ha tenido en cuenta la necesidad de utilizar conceptos y terminología del Marco Común de Referencia y de intentar garantizar la coherencia con el resto de las normas modelo».

El artículo III.-5:203 del DCFR señala que «se requiere el consentimiento del acreedor para la sustitución de un deudor por otro nuevo, ya sea completa

---

27. Cfr. artículo 12:101 de los PECL.

o incompleta». Como dice el comentario oficial, «claramente, es esencial que el acreedor deba dar su consentimiento a la sustitución completa de un deudor por un nuevo deudor. El deudor actual puede ser solvente y fiable, mientras que el nuevo deudor propuesto puede ser insolvente o de poca confianza. Lo mismo es de aplicación, aunque menos estrictamente, a la sustitución incompleta. En este caso el acreedor el acreedor mantiene al deudor original, pero solo de forma subsidiaria. No hay motivo alguno para imponer la relación del deudor original a un acreedor que no ha consentido y que no desee enfrentarse a las dificultades de actuar primero contra un nuevo deudor insatisfactorio». Aunque no es necesario que el consentimiento se preste de forma expresa, debe ser definitivo e inequívoco. El apartado 2 del artículo III.-5:203 del DCFR añade que «el acreedor puede dar su consentimiento a la sustitución de un deudor por otro nuevo por anticipado. En tal caso, la sustitución únicamente surte efecto cuando el nuevo deudor notifica al acreedor el acuerdo entre el nuevo y el deudor primitivo». Según el apartado 3 del artículo III.-5:203 del DCFR, «no se requiere el consentimiento del acreedor para la adición de un nuevo deudor, pero el acreedor, mediante notificación al nuevo deudor, puede rechazar el derecho que se le confiere sobre el nuevo deudor si lo hace sin excesiva demora después de haber sido informado del derecho y antes de que haya sido expresa o implícitamente aceptado. Si se produce el rechazo del derecho, se considera que el mismo nunca se confirió».

La insolvencia del nuevo deudor, que hubiese sido aceptado por el acreedor, no hará revivir la acción de este contra el deudor primitivo, salvo en los dos supuestos que contempla el artículo 1206 del CC, al afirmar «que dicha insolvencia hubiere sido anterior y pública o conocida del deudor al delegar su deuda».

Aunque se trata de la misma obligación, las garantías que acompañaran a la deuda (fianza, derecho real de garantía) se extinguen, a no ser que quienes las hubiesen prestado consientan también en el cambio de deudor, ya que este cambio de deudor también a ellos puede serles perjudicial (arg. *ex* art. 1851 CC).

Según el artículo 1224, párrafo 1.º, de la PMDOC, «la asunción de la deuda por un tercero una vez aceptada expresamente por el acreedor, libera al deudor primitivo y extingue las garantías prestadas por terceros, a no ser que los afectados hubieren consentido que en tal caso se mantengan».

En cuanto a la sustitución completa, el artículo III.-5:204 del DCFR señala que «un tercero puede comprometerse con el acuerdo del acreedor y del deudor primitivo a sustituir al deudor primitivo de forma completa, con el efecto de que el deudor primitivo queda liberado». Respecto a la sustitución incompleta el artículo III.– 5:206 del DCFR dispone que «un tercero puede acordar con el acreedor y con el deudor primitivo sustituir al deudor de forma incompleta, con el efecto de que el deudor primitivo seguirá considerándose como deudor en el caso de que el nuevo deudor no cumpla adecuadamente».

Como indican Díez-Picazo y Gullón, el nuevo deudor podrá oponer aquellas excepciones que se deriven de la propia deuda asumida (por ejemplo, está prescrita, no ha llegado el término para su vencimiento, etc.), y también las que se fundamentan en el propio negocio de asunción de deuda, en sus vicios (por ejemplo, que carece de causa o que ésta es ilícita). La nulidad de ese negocio de asunción supondrá que el deudor primitivo no se ha liberado, la deuda no ha sido asumida.

El artículo 1225 de la PMDOC dice que «el que haya asumido una deuda podrá oponer al acreedor las excepciones derivadas de sus relaciones con él, así como las que provengan de la deuda asumida o resulten de las vicisitudes de la relación en la que la misma se inserta».

Los efectos de la sustitución completa los determina el artículo III.-5:205 del DCFR cuando indica que «(1) el nuevo deudor puede invocar frente al acreedor todas las excepciones que el deudor primitivo podría haber invocado frente al acreedor. (2) El nuevo deudor no puede ejercitar frente al acreedor ningún derecho de compensación disponible del deudor primitivo frente al acreedor. (3) El nuevo deudor no puede invocar frente al acreedor cualesquiera derechos o excepciones que surjan de la relación entre el nuevo deudor y el deudor primitivo. (4) La liberación del deudor primitivo también se extiende a cualquier garantía personal o real proporcionada por el deudor primitivo al acreedor para el cumplimiento de la obligación, salvo que la garantía recaiga sobre un activo que se transmite al nuevo deudor como parte de una transacción entre el deudor primitivo y el nuevo deudor. (5) Liberado el deudor primitivo, se libera la garantía concedida por cualquier persona distinta del nuevo deudor para el cumplimiento de la obligación, salvo que aquella persona acuerde que dicha garantía habrá de continuar disponible para el acreedor».

En cuanto a los efectos de la sustitución incompleta, según el artículo III.-5:207 del DCFR, «(1) los efectos de una sustitución incompleta en relación con las excepciones y con la compensación son los mismos efectos que los de una sustitución completa.(2) En la medida que el deudor primitivo no queda liberado, cualquier garantía personal o real proporcionada para el cumplimiento de las obligaciones de aquel deudor no se ve afectada por la sustitución. (3) Siempre que no entre en contradicción con los apartados (1) y (2), la responsabilidad del deudor primitivo se rige por las reglas sobre responsabilidad de quien proporciona una garantía personal subordinada a una responsabilidad subsidiaria».

La acción derivada de la asunción de deuda tiene naturaleza personal, y le corresponde el plazo de prescripción de quince años establecido en el artículo 1964 del CC para las personales que no tienen señalado un término especial.[28]

A tenor del artículo 1224, párrafo 2.º, de la PMDOC, «si la asunción de deuda es nula, subsistirá la obligación del deudor primitivo».

Distinta de esta figura es la llamada «asunción de deuda acumulativa», en la que no hay transmisión de deuda y liberación del deudor originario. Como dice la STS de 22 de marzo de 1991, «cuando la asunción de deuda se hace por la intromisión de un nuevo deudor en la relación obligacional de pago de un contrato en el que no es parte el que asume tal compromiso, lo que no requiere la liberación del primitivo deudor, sino que se adhiere con vínculo solidario a la obligación contraída por éste (asunción acumulatoria o de refuerzo) (...), no se modifica la obligación prístina, que se mantiene intacta, sino que se añade una nueva obligación libérrimamente contraída por un tercero, que refuerza el resultado final del pago en los términos, condiciones, circunstancias y modos que ese tercero ofrezca, (...) y que tan sólo precisa para su vinculación de la aceptación expresa o tácita del acreedor».[29] Se trata de

---

28. Cfr. STS de 14 de octubre de 1988 (RJ 1988, 7486).
29. RJ 1991, 2428. Cfr. STS de 29 de abril de 2005 (RJ 2005, 4550).

«un negocio atípico que, como tal, ha de regirse por los pactos establecidos por las partes y consentidos por el acreedor».[30]

De lo anterior se desprende que, por lo general, la asunción de deuda acumulativa se estipulará con el fin de proporcionar una garantía al acreedor;[31] por lo que cabe argüir que esta misma finalidad se lograría a través de la fianza. Sin embargo, conviene señalar que existe una importante diferencia, y es que el fiador se obliga a responder de una deuda ajena (la del deudor principal), mientras que el nuevo deudor asume como propia la del deudor originario. Su régimen será el de la solidaridad de deudores.

A propósito de la adición de un nuevo deudor, el artículo III.-5:208 del DCFR dice que «un tercero puede acordar con el deudor pasar a ser incluido como deudor, con el efecto de que el deudor primitivo y el nuevo deudor responden solidariamente». Como recalca su comentario oficial, «a diferencia de la sustitución completa o incompleta, la adición de un nuevo deudor no libera al deudor original. Ambos deudores tienen responsabilidad solidaria. Como el acreedor no se ve perjudicado, no se requiere su consentimiento. Sin embargo, de acuerdo con el principio de que no puede obligarse a una persona a aceptar un beneficio, o aparente beneficio, el acreedor puede rechazar el derecho contra el deudor adicional si lo hace inmediatamente tras tener conocimiento del mismo». A ello añade que «sin embargo, se requiere el consentimiento del deudor original, porque la adición cambia la posición del deudor original. El deudor se ve cercado por un conjunto de normas sobre responsabilidad solidaria por las que este puede no querer verse cercado. El deudor pierde un elemento de control sobre el cumplimiento de la obligación y se convierte en parte de una relación jurídica con una persona que no ha elegido. Los argumentos son similares a los argumentos para requerir el consentimiento del deudor a la sustitución por un nuevo deudor. La adición de un nuevo deudor con responsabilidad solidaria no es necesariamente un simple beneficio para el deudor original y, particularmente en el caso de obligaciones no monetarias, puede tener desventajas. Si un nuevo deudor entra en la relación, el deudor original debería poder opinar al respecto y sobre las condiciones que regulan la relación entre los dos deudores. El principio subyacente es el de autonomía de las partes. Una persona debería poder elegir con quien celebrar una relación jurídica y en qué condiciones. En algunos casos, como en la cesión de derechos, este principio da lugar al principio de la libre negociabilidad de los activos, pero con excepciones importantes para proteger al deudor. No hay tal principio compensatorio en el presente contexto».

A tenor del artículo III.-5:209 del DCFR, los efectos de la adición de un nuevo deudor son los siguientes: «(1) Si hay un contrato entre el nuevo deudor y el acreedor, o un acto jurídico unilateral separado hecho por el nuevo deudor en favor del acreedor, en el cual el nuevo deudor se incorpora como tal deudor, el nuevo deudor no puede invocar frente al acreedor los derechos o excepciones que surgen de la relación entre el nuevo deudor y el deudor primitivo. Cuando dicho contrato o acto jurídico unilateral no existe, el nuevo deudor puede invocar frente al acreedor cualquier motivo de invalidez que afecte al acuerdo con el deudor primitivo. (2) Siempre que no entre en contradicción con el apartado (1), se aplican las reglas del Libro III, Capítulo 4, Sección 1 (Pluralidad de deudores)».

---

30. Cfr. SSTS de 7 de noviembre de 1986 (RJ 1986, 6217), 1 y 15 de diciembre de 1989 (RJ 1989, 8786 y 8832).
31. Cfr. STS de 14 de febrero de 2005 (RJ 2005, 1671).

En materia de *contratos internacionales*, el artículo 9.2.1 de los PCCI dice que «una obligación de pagar dinero o de ejecutar otra prestación puede ser transferida de una persona (el "deudor originario") a otra (el "nuevo deudor") sea: (a) por un acuerdo entre el deudor originario y el nuevo deudor, conforme al Artículo 9.2.3». En cualquier caso, esta sección no se aplica a las transferencias de obligaciones sometidas a reglas especiales que regulan transferencias de obligaciones en el curso de la transferencia de una empresa (cfr. art. 9.2.2 PCCI). Como un cambio de deudor puede poner en riesgo la situación del acreedor, parece lógico que se exija el consentimiento de dicho acreedor para «la transferencia de obligaciones por un acuerdo entre el deudor originario y el nuevo deudor», en palabras del artículo 9.2.3 de los PCCI. No obstante, el artículo 9.2.4(1) de los PCCI permite que el acreedor preste su consentimiento de forma anticipada. En este caso, añade el artículo 9.2.4(2) de los PCCI, «la transferencia de la obligación surte efectos cuando una notificación de la transferencia se da al acreedor o cuando el acreedor la reconoce».

El consentimiento del acreedor tiene, como efecto principal, la liberación del deudor originario (cfr. art. 9.2.5(1) PCCI). Sin embargo, el artículo 9.2.5(2) de los PCCI determina que «el acreedor puede también retener al deudor originario como deudor en caso de que el nuevo deudor no cumpla adecuadamente».

En este caso, dice el comentario oficial, «el acreedor debe necesariamente demandar en primer lugar la ejecución al nuevo deudor. Pero si el nuevo deudor no ejecuta adecuadamente la prestación, entonces el acreedor puede requerir el cumplimiento del deudor originario».

En cualquier otro caso, añade el apartado 3 del artículo 9.2.5 de los PCCI, «el deudor originario y el nuevo deudor responden solidariamente».

Obviamente, esta posibilidad es la más favorable para los intereses del acreedor. Como indica el comentario oficial, «esto significa que cuando la ejecución de la obligación sea exigible, el acreedor pueda acudir ya sea en contra el deudor originario, ya sea contra el nuevo deudor (véase los Artículos 11.1.3 y siguientes). Si el acreedor obtiene la ejecución del deudor originario, este último entonces podrá ejercitar su acción en contra del nuevo deudor (véase los Artículos 11.1.10 y siguientes)».

El cumplimiento de la obligación puede ser realizada por un tercero, ya que el artículo 9.2.6(1) de los PCCI señala que «sin el consentimiento del acreedor, el deudor puede convenir con otra persona que ésta cumplirá la obligación en lugar del deudor, a menos que la obligación, según las circunstancias, tenga un carácter esencialmente personal». El apartado 2 del artículo 9.2.6 de los PCCI añade que «el acreedor conserva su recurso contra el deudor».

Como dice el comentario oficial, «pueden existir situaciones en que el acreedor no otorgue su consentimiento, sea porque no le ha sido solicitado, sea porque ha rehusado. En estos casos, el deudor puede convenir con otra persona que ésta cumplirá con la obligación en lugar del deudor. Cuando la ejecución de la obligación sea exigible, la otra persona se hará cargo de ella en beneficio del acreedor».

Por último, como indica el artículo 9.2.7(1) de los PCCI, «el nuevo deudor puede oponer contra el acreedor todas las excepciones que el deudor originario podía oponer contra el acreedor». En cambio, añade el apartado 2 de dicho artículo 9.2.7 de los PCCI, «el nuevo deudor no puede ejercer contar el acreedor ningún derecho de compensación disponible al deudor originario contra el acreedor». De hecho, el deudor originario podrá ejercer su derecho de compensación mientras no hay sido liberado. En cuanto a los derechos relativos a la obligación transferida, el artículo 9.2.8(1) de los PCCI dice que «el acreedor puede oponer contra el nuevo deudor, respecto de la obligación transferida, todos sus derechos al pago o a otra prestación bajo el contrato». Esta solución, dice el comentario oficial, «está justificada por el hecho que la cesión de un crédito no altera la situación del deudor, es decir que las garantías pueden continuar sirviendo los mismos fines antes circunstancias inmutables». Evidentemente, como estipula el apartado 2 de dicho artículo 9.2.8 de los PCCI, «si el deudor originario es liberado en virtud del Artículo 9.2.5(1), queda también liberada cualquier garantía otorgada para el cumplimiento de la obligación por cualquier otra persona que no sea el nuevo deudor, a menos que esa otra persona acuerde que la garantía continuará disponible al acreedor». Eso implica que el riesgo de incumplimiento o de insolvencia afectaría sólo al nuevo deudor, salvo que exista ese acuerdo a que alude el artículo 9.2.8(2) *in fine*. Según el artículo 9.2.8(3) de los PCCI, «la liberación del deudor originario también se extiende a cualquier garantía del deudor originario otorgada al acreedor para garantizar el cumplimiento de la obligación, a menos que la garantía sea sobre un bien que sea transferido como parte de una operación entre el deudor originario y el nuevo deudor».

2. Expromisión

En este caso se trata de un convenio entre el acreedor y un tercero (el nuevo deudor) que acepta colocarse en la posición del deudor originario, liberándolo de su obligación. Es decir, no hay intervención ni consentimiento, por no ser necesario, del primitivo deudor (art. 1205 CC), y que se justifica por el hecho de que el único efecto de la expromisión es su liberación.

> Según el artículo 1222 de la PMDOC, «la asunción de una deuda por un tercero podrá producirse por acuerdo entre este tercero y el acreedor, sin consentimiento ni conocimiento del primer deudor».

En este supuesto no ha lugar a aplicar lo dispuesto en el artículo 1206 del CC, por la sencilla razón de que la liberación del deudor originario se ha producido sin su consentimiento.

En materia de *contratos internacionales*, el artículo 9.2.1 de los PCCI reconoce esta posibilidad cuando afirma que «una obligación de pagar dinero o de ejecutar otra prestación puede ser transferida de una persona (el "deudor originario") a otra (el "nuevo deudor") sea: (…) (b) por un acuerdo entre el acreedor y el nuevo deudor, por el cual el nuevo deudor asume la obligación».

3. Delegación

Delegar significa encargar, encomendar, etc., y la delegación es el encargo que se da a una persona para que pague o prometa una prestación. En esta figura intervienen tres personas: el delegante, que da la orden de pagar o prometer una prestación; el delegado, que recibe la orden o encargo y la lleva a efecto, y el delegatario o persona en cuyo favor el delegado efectuará el pago o la prestación. Por lo tanto, se producen tres relaciones: una, entre el delegante que ordena y el delegado que recibe el encargo; otra, entre el delegante y el delegatario que recibe el pago o la prestación; y, finalmente, entre el delegado que ejecuta la orden o encargo y el delegatario.

Las posibilidades pueden ser muchísimas, por lo que tiene razón LACRUZ cuando dice que no nos encontramos ante una situación jurídica, sino ante un denominador común, la tripolaridad, en la que cabe incluir una variedad ilimitada de combinaciones con muy distintas consecuencias.

La delegación es pasiva o de deuda cuando el delegante es deudor del delegatario y ordena o invita a un tercero a que pague al acreedor. Esta delegación es perfecta si el acreedor-delegatario acepta la extinción del crédito, quedando liberado el delegante; e imperfecta si persiste el crédito frente al delegante. La delegación pasiva se encuentra reconocida o aludida en el artículo 1206 del CC.

> El artículo 1226, párrafo 1.º, de la PMDOC indica que «quien por encargo o mandato de otro emitiese una declaración de voluntad de obligarse frente a un tercero, quedará obligado a ejecutar la prestación prometida, aun cuando las relaciones subyacentes entre delegante y delegado no existan, sean nulas o irregulares o se hayan extinguido con posterioridad». El párrafo 2.º del artículo 1226 de la PMDOC añade que «el delegatario que hubiera aceptado expresamente la delegación habrá de dirigir su acción contra el delegado y sólo podrá repetir contra el delegante si aquélla hubiera resultado infructuosa. La misma regla se aplicará si la orden o el encargo fuesen de hacer un pago y el delegado aceptase expresamente el susodicho encargo u orden».

IV. LA LLAMADA CESIÓN DE CONTRATO

1. Legislación civil general y legislación sobre protección de los consumidores

Cuando en una relación contractual la posición de una de las partes (acreedor o deudor) o de ambas pasa a ocuparla otra u otras personas, permaneciendo idéntica la relación en su dimensión objetiva, se dice que hay *cesión de contrato*. Si bien, como indica J. BELTRÁN DE HEREDIA, el nombre carece de claridad, pues «conduce al error de estimar que lo que se intenta ceder es la totalidad del contrato en bloque, es decir, en lo que afecta a ambas partes contratantes, mientras que la realidad es que sólo se contempla la cesión de los efectos contractuales de una de las partes o de ambas, continuando intacto todo lo demás, que no se cede, sino que se limita a resentirse de las consecuencias de la cesión».

La figura de la cesión del contrato, aunque no ha sido regulada de manera específica en el Código civil, es generalmente aceptada por la doctrina, por entender que encuentra apoyo en el principio de autonomía de la voluntad de los contratantes, sancionado en el artículo 1255 del CC. Además, la ley contempla muchas figuras de cesión de contrato, por ejemplo, en la legislación especial de arrendamientos rústicos y urbanos (art. 23 LAR y art. 8 LAU), en la legislación sobre propiedad intelectual (art. 49 LPI), en el Fuero Nuevo de Navarra (cfr. ley 513 FN), en la legislación administrativa (cesión de contratos de obra), en la laboral (art. 44 ET), etc.

También la jurisprudencia ha admitido su posibilidad, declarando que «puede una de las partes contratantes hacerse sustituir por un tercero en las relaciones derivadas de un contrato con prestaciones sinalagmáticas, si éstas no han sido todavía cumplidas, y la otra parte (contratante cedido) prestó consentimiento anterior, coetáneo o posterior al negocio de cesión»;[32] «exigiendo, tal y como dispone el artículo 1209, párrafo 2.º, del CC, establecer la subrogación con claridad para que produzca sus efectos, fuera de los casos excepcionales en que se presume por ley».[33] En todo caso, la cesión de contrato no debe confundirse con la novación, ya sea objetiva o subjetiva, que produce la extinción de la antigua relación contractual y la constitución de otra nueva, pues en la cesión el vínculo jurídico no se altera.

En principio, todo contrato puede ser objeto de cesión, ya que la cesión de contrato no se opone al principio de relatividad contractual. Sin embargo, existen tres *excepciones*:

1.ª El contrato puede haber sido concluido *intuitu personae*: la satisfacción de acreedor depende de la personalidad del deudor. Debe tratarse de una obligación de hacer, ya que la consideración de la solvencia del deudor en una obligación de pagar no podría impedir la cesión. A pesar del *intuitu personae*, la cesión será válida si el cedido la consiente.

2.ª El contrato no puede haber producido su efecto principal, pues la cesión supone que el contrato continúa con un tercero, que deviene parte del mismo.

3.ª El acuerdo de las partes puede prohibir la cesión del contrato. Sin embargo, un pacto de esta naturaleza no debe confundirse con el *intuitu personae*.

Por consiguiente, en la cesión de contrato intervienen tres *partes*: el cedente, originario contratante que sale de la relación contractual; el cesionario, que se coloca en la posición del cedente; y el cedido, que permanece en la relación contractual.

Se requiere:

1.º Que se trate de contratos bilaterales y que las recíprocas prestaciones no hayan sido todavía cumplidas, pues si fuere un contrato de prestación única o con prestaciones a cargo de una sola de las partes se estaría ante una simple cesión de crédito o una asunción de deuda, según se transmita la posición de acreedor o de deudor.[34]

2.º Que se recabe el consentimiento del contratante cedido, al que no resulta, por regla general, indiferente la personalidad del obligado a realizar las prestaciones contractuales, personalidad a menudo tenida en cuenta para contratar;[35] es decir, la cesión de contrato exige, obviamente, el consentimiento de todas las partes implicadas: cedente, cedido y cesionario, por ello suele afirmarse que se trata de un contrato trilateral. La necesidad de mediar el consentimiento es requisito determinante de la cesión contractual, y así lo ha declarado reiteradamente la jurisprudencia.[36] En realidad, el consentimiento del contratante cedido esa una autorización, que éste puede prestar con anterioridad, en el momento o posterior al negocio de cesión.[37]

---

32. Cfr. STS de 26 de noviembre de 1982 (RJ 1982, 6933) y las que cita.
33. Cfr. STS de 7 de noviembre de 1988 (RJ 1988, 8421).
34. Cfr. STS de 5 de marzo de 1994 (RJ 1994, 1653).
35. Cfr. STS de 7 de noviembre de 1988 (RJ 1988, 8421).
36. Cfr. SSTS de 26 de noviembre de 1982 (RJ 1982, 6933), 23 de octubre de 1984 (RJ 1984, 4972), 4 de febrero de 1993 (RJ 1993, 825), 5 de marzo de 1994 (RJ 1994, 1653), 9 de julio de 2003 (RJ 2003, 4619) y 29 de junio de 2006 (RJ 2006, 5394).
37. Cfr. STS de 26 de noviembre de 1982 (RJ 1982, 6933).

Según el artículo 1227, párrafo 1.º, de la PMDOC, «sin perjuicio de lo establecido en las leyes para determinadas relaciones obligatorias, el acuerdo por el que una de las partes cede a un tercero su posición jurídica en una relación obligatoria con prestaciones recíprocas, sólo adquiere eficacia frente a la otra parte si ésta lo acepta».

El artículo III.-5:302(1) del DCFR señala que «una parte de la relación contractual puede acordar con un tercero, con el consentimiento de la otra parte de la relación contractual, que esa persona le sustituirá como parte de la relación».[38] Como indica el comentario oficial, «dado que los contratos de larga duración y las adquisiciones o fusiones de empresas son habituales, las normas sobre transmisión de la totalidad de un contrato tienen una gran importancia práctica». En este sentido, no resulta extraño que los contratos de arrendamiento, de préstamo, de trabajo, y otros de larga duración impliquen en muchos casos la transmisión de una posición contractual completa. El Borrador de Marco Común de Referencia reconoce en el apartado 2 del artículo III.-5:302 que la otra parte, distinta de la que transmite su posición contractual, puede dar su consentimiento por anticipado, en cuyo caso «la transmisión únicamente surte efecto cuando se le notifique a dicha parte». Según el artículo III.-5:302(3) del DCFR, «en la medida que la sustitución por el tercero suponga una transmisión de derechos, se aplican las disposiciones de la Sección 1 de este Capítulo sobre cesión de derechos; en la medida en que las obligaciones son transmitidas, se aplican las disposiciones de la Sección 2 de ese capítulo sobre la sustitución por un nuevo deudor».[39]

3.º Que se establezca con claridad la subrogación.

4.º Que se haga en la misma forma prescrita para el contrato cedido.

El *efecto* que se pretende mediante la cesión de contrato es la sustitución del cedente por el cesionario. Por regla general, salvo pacto expreso en contrario, la cesión dará lugar a la liberación del cedente, que al ser sustituido por el cesionario queda fuera de la relación contractual, liberándose de sus obligaciones, que se traspasan al cesionario, si bien mantiene las que le ligan a este respecto a la existencia, validez y virtualidad del contrato traspasado.[40] En consecuencia, en caso de ineficacia de la cesión, el cedente vendrá obligado a restituir lo que hubiese recibido.

A tenor del artículo 1227, párrafo 2.º, de la PMDOC, «el cedente garantizará al cesionario, conforme a la naturaleza del negocio por el que se realiza la cesión, la existencia de la posición contractual transmitida, pero no el cumplimiento de las obligaciones por la otra parte de la relación».

El contratante cedido podrá alegar frente al cesionario las excepciones que se deriven del contrato, así como las personales de ambos; en cambio, no podrá oponerle las personales que tuviere contra el cedente, a menos que se haya hecho reserva expresa de tal facultad en el momento de consentir la cesión (arg. *ex* art. 1198 CC).

El artículo 1227, párrafo 3.º, de la PMDOC señala que el contratante cedido «sólo podrá oponer al cesionario las excepciones que resulten de la relación cedida; las restantes que hubiera podido oponer al cedente sólo podrá hacerlas valer frente al cesionario si así se hubiese previsto al perfeccionarse la cesión».

---

38. Cfr. artículo 12:201(1) de los PECL.
39. Cfr. artículo 12:201(2) de los PECL.
40. Cfr. SSTS de 5 de marzo de 1994 (RJ 1994, 1653) y 9 de julio de 2003 (RJ 2003, 4619).

Nuestra legislación especial reconoce un caso de cesión de contrato en materia de *viaje combinado*, pues según el artículo 157.1 del TRLGDCU «el viajero podrá ceder el contrato de viaje combinado a una persona que reúna todas las condiciones aplicables a ese contrato». En la versión actual se ha suprimido el requisito de que la cesión deba realizarse de manera gratuita, que pretendía evitar una posible «reventa» con fines lucrativos, así como también el hecho de que cesión pudiera encubrir una actividad empresarial de intermediación en el sector de los viajes combinados (SOLER VALDÉS-BANGO). La cesión deberá ser comunicada previamente al organizador o, en su caso, al minorista, en un soporte duradero, con una antelación razonable de al menos siete días naturales al inicio del viaje combinado (art. 157.2 TRLGDCU). Esta exigencia de que se comunique la cesión con un cierto plazo de antelación al comienzo del viaje viene justificada con el fin de permitir al organizador o detallista la comprobación, en su caso, de que el cesionario reúne las condiciones requeridas para el viaje (de carácter legal o administrativo o derivadas de las propias características del viaje), así como la realización de los cambios pertinentes (por ejemplo, en la documentación del viaje). El cedente del contrato y el cesionario responderán solidariamente de la cantidad pendiente de pago del precio acordado, así como de cualquier comisión, recargo u otros costes adicionales derivados de la cesión. El organizador o, en su caso, el minorista informará al cedente acerca de los costes efectivos de la cesión. Tales costes deberán ser razonables y, en todo caso, no superarán los costes efectivamente soportados por el organizador y el minorista a causa de la cesión (art. 157.3 TRLGDCU). El organizador y, en su caso, el minorista proporcionará al cedente las pruebas de las comisiones, recargos u otros costes adicionales derivados de la cesión del contrato (art. 157.4 TRLGDCU).

Como puede observarse, a diferencia de la cesión de contrato propiamente dicha, se prescinde del requisito del consentimiento del contratante cedido (organizador y detallista), pues éste ya está suficientemente protegido, tanto mediante la responsabilidad solidaria de cedente y cesionario, como mediante los requisitos a que se supedita la cesión. Es obvio que de no cumplirse los presupuestos que contiene el artículo 157 del TRLGDCU el organizador y el detallista podrían oponerse a la cesión de la reserva.

2. Contratos internacionales

El artículo 9.3.1 de los PCCI dice que «"cesión de contrato" es la transferencia mediante un acuerdo de una persona (el "cedente") a otra (el "cesionario") de los derechos y obligaciones del cedente que surgen de un contrato con otra persona (la "otra parte")». En todo caso, a tenor del artículo 9.3.2 de los PCCI, «esta Sección no se aplica a las cesiones de contratos sometidas a reglas especiales que regulan cesiones de contratos en el curso de la transferencia de una empresa». Ello se debe a que dichas reglas especiales «prevén frecuentemente los mecanismos por los cuales todos los contratos de la empresa, bajo ciertas condiciones, serán cedidos por mandato de la ley».

Según el artículo 9.3.3 de los PCCI, «la cesión de un contrato requiere el consentimiento de la otra parte», el cual puede prestarse de forma anticipada (cfr. art. 9.3.4(1)

PCCI).[41] Si la otra parte ha dado su consentimiento anticipadamente, «la cesión del contrato surte efecto cuando una notificación de la cesión se da a la otra parte o cuando la otra parte la reconoce» (cfr. art. 9.3.4(2) PCCI).

Como destaca el comentario oficial, «esto significa que es suficiente que el cedente o el cesionario notifiquen la cesión cuando ésta sobreviene. La notificación no es necesaria si consta que la otra parte ha reconocido la cesión del contrato, cesión a la cual éste ya había dado su consentimiento anticipadamente. Hay un "reconocimiento" cuando la otra parte da una señal manifiesta de su conocimiento de la existencia de la cesión».

Si bien la otra parte puede liberar al cedente, «puede también retener al cedente como deudor en caso de que el cesionario no cumpla adecuadamente» (cfr. art. 9.3.5(1) y (2) PCCI). Es decir, que la otra parte puede, en primer lugar, liberar completamente al cedente de sus obligaciones; si bien también puede optar por aceptar la cesión de contrato bajo la condición de reservarse el derecho de actuar subsidiariamente contra el cedente. En este segundo caso, «la otra parte debe pedir en primer lugar la ejecución al cesionario. Pero si el cesionario no cumple adecuadamente, la otra parte puede requerir el cumplimiento al cedente». El apartado 3 del artículo 9.3.5 de los PCCI añade que «en cualquier otro caso, el cedente y el cesionario responden solidariamente».[42] En esta hipótesis, que sería la más favorable para la otra parte, éste retendría al cedente y ala cesionario como codeudores solidarios. Por consiguiente, cuando la ejecución sea debida, «la otra parte podrá ejercer su crédito en contra del cedente así como del cesionario (véase los Artículos 11.1.13 y siguientes). Si la otra parte obtiene ejecución del cedente, este último tendrá entonces un recurso contra el cesionario (véase los Artículos 11.1.10 y siguientes)».

BIBLIOGRAFÍA

Adame Martínez, *Asunción de deuda en el Derecho civil*, Granada, 1996; Álvarez Caperochipi, «El artículo 1207 del Código civil», RCDI, 1973, p. 413; Clemente de Diego, *Transmisión de las obligaciones según la doctrina y la legislación española y extranjera*, Madrid, 1912; Cossío, «La transmisión pasiva de las obligaciones», AAMN, 1945, p. 168; Cristóbal Montes, «La llamada novación modificativa en el Derecho español», RCDI, 1973, p. 1167; De Castro, «Cesión de crédito litigioso. Aplicación del artículo 1535 del Código civil», *ADC*, 1953, pg. 259; Espín, «Sobre el pago con subrogación», RDP, 1942, p. 300; Forner Delaygua, *La cesión de contrato: Construcción de la figura y ley aplicable*, Barcelona, 1989; García Amigo, «Transmisión de las relaciones obligatorias derivadas de un contrato», RDP, 1963, p. 25; íd., *La cesión del contrato*, Madrid, 1965; García-Pita, *El contrato bancario de descuento*, Madrid, 1990; García Valdecasas, «La sucesión en las deudas a título singular», *Estudios en honor del Prof. Castán Tobeñas*, T. II, Pamplona, 1969, p 207; Gil Rodriguez, *Garantía por insolvencia jurídica en la delegación y en la cesión*, Madrid, 1988; Hernández Gil, «El ámbito de la novación objetiva modificativa», *RDP*, 1961, p. 797; Jordano Barea, «Asunción de deuda», ADC, 1950, p. 1372; Navarro Pérez, *La cesión de créditos en el Derecho civil español*, 2.ª ed., Granada,

---

41. Cfr. 9.2.4 de los PCCI.
42. Cfr. 9.2.5 de los PCCI.

1998; LALAGUNA, «La delegación en el Derecho civil español», Temis, 1958, p. 157; íd., «Los créditos hipotecarios», en *Libro homenaje al Prof. De Castro*, T. I, Madrid, 1976, p. 77; NÚÑEZ LAGOS, «La cesión del contrato», RDN, 1956, p. 7; PANTALEÓN PRIETO, «Cesión de créditos», ADC, 1988, p. 1033; PÉREZ PASCUAL, «La responsabilidad por insolvencia del deudor en la cesión de créditos», RDP, 1989, p. 411; RAGEL SÁNCHEZ, «El concepto de alteración objetiva convencional de la relación obligatoria», ADC, 1987, p. 895; SANCHO REBULLIDA, *La novación de las obligaciones*, Barcelona, 1964; SOLER VALDÉS-BANGO, *El contrato de viaje combinado*, Cizur Menor (Navarra), 2005; TORRALBA, «La responsabilidad del cedente por insolvencia anterior y pública del deudor cedido (estudio histórico-crítico)», *Estudios-homenaje al Prof. Santa Cruz Teijeiro*, Valencia, 1974, p. 435; VALLS TABERNER, *La cesión de contratos en el Derecho español*, Barcelona, 1955; VATTIER FUENZALIDA, «Notas sobre la subrogación personal», RDP, 1985, p. 491.

Extinción de la relación obligatoria (I)

I. CAUSAS DE EXTINCIÓN DE LA RELACIÓN OBLIGATORIA

La relación obligatoria se extingue cuando se produce alguno de los hechos o negocios a los que la ley atribuye el efecto de hacer desaparecer el vínculo que existía entre acreedor y deudor. A estos hechos se les denomina causas o modos de extinción de las obligaciones. Sin embargo, conviene precisar que el estudio de las causas de extinción se concreta en aquellas que ponen término a una relación obligatoria válida y eficaz, excluyendo, por consiguiente, aquellas circunstancias por las que se declara la ineficacia de una relación obligatoria, como son la nulidad, la anulabilidad, la rescisión, la resolución o la denuncia. Ahora bien, extinguida la relación obligatoria, puede subsistir lo que LARENZ denomina «deber de liquidación», por ejemplo, extinguido el contrato de mandato, deberán liquidarse las cuentas resultantes del mismo.

Los derechos de obligación tienen una naturaleza transitoria, por ello suele decirse que la obligación nace condenada a su extinción. El pago o cumplimiento (fin y medio) es el modo lógico y normal de extinción de la relación obligatoria, pues a través de ese pago se satisface el interés del acreedor, y también el del deudor, que se libera de la atadura que le constriñe. No obstante, la ley también atribuye a otros hechos o negocios la virtud de extinguir el vínculo obligatorio.

La doctrina científica ofrece distintas clasificaciones de los modos de extinción. Se pueden citar, por ejemplo, los siguientes: *a)* causas generales o comunes a todas las obligaciones (como el pago, la compensación, etc.) y especiales o propias sólo de algunas (como la muerte de las partes, el plazo o condición resolutoria, etc.); *b)* causas voluntarias (como el pago, la compensación, la condonación, etc.) e involuntarias (como la pérdida de la cosa, muerte de la persona, etc.); *c)* causas que operan *ipso iure* o de manera directa (como el pago) y *ope exceptionis,* que necesitan ser alegadas por el deudor (como la prescripción); *d)* causas satisfactorias del interés del acreedor (como la compensación o el pago) y no satisfactorias (como la condonación o la pérdida de la cosa). Como puede observarse, todas estas clasificaciones dependen del criterio que se utilice, por lo que carecen de verdadero interés práctico.

El Código civil no efectúa una clasificación de las causas de extinción de la relación obligatoria, sino que se limita a enumerarlas. Así, el artículo 1156 del CC dice que «las obligaciones se extinguen: por el pago o cumplimiento, por la pérdida de la cosa debida, por la condonación de la deuda, por la confusión de los derechos de acreedor y deudor, por la compensación, por la novación».

Esta enumeración no es completa, pues no menciona todas las causas de extinción: omite la muerte de las personas, el mutuo disenso, el desistimiento unilateral, la prescripción, la condición resolutoria y el plazo. Por esta razón, la STS de 5 de diciembre de 1940 dice que la enumeración «no agotadora», que hace el artículo 1156 del CC, debe ser completada con las demás causas previstas en otros lugares del Código civil o que resultan de un modo claro de la adecuada combinación de sus preceptos.[1] Pero, además, como advierte OSSORIO MORALES, es poco precisa en su redacción, pues dice que las obligaciones se extinguen por la «pérdida de la cosa debida» y tal principio no puede predicarse en términos absolutos, ya que la pérdida de la cosa debida sólo extingue la obligación cuando se trata de una obligación de dar cosa específica, la pérdida tiene lugar por causa no imputable al deudor y antes de haberse éste constituido en mora. De otra parte, no alude al supuesto de que se trate de una obligación de hacer, que igualmente produce la extinción si se produce sin culpa del deudor y antes de haberse constituido en mora.

DÍEZ-PICAZO, sobre la base de la relación obligatoria como fenómeno unitario, ha propuesto la siguiente enumeración o clasificación de los supuestos de hecho extintivos:

1.º Cuando ambas partes han celebrado un negocio jurídico extintivo de la relación, al que denomina contrato extintivo o mutuo disenso.

2.º Cuando se ha logrado plenamente la finalidad económica pretendida y se han agotado todos los efectos buscados, porque han quedado plenamente satisfechos los intereses de ambas partes y ejecutadas todas las obligaciones previstas.

3.º Cuando se produce la circunstancia expresamente prevista como momento final de la relación obligatoria: expiración del término final, cumplimiento de la condición resolutoria.

4.º Cuando le es atribuida a una de las partes la facultad de dar unilateralmente por terminada la relación obligatoria. Facultad que puede ser enteramente libre o necesitar como fundamento una justa causa especialmente contemplada por la ley como presupuesto del ejercicio.

II. COMPENSACIÓN

La *compensación* es un modo de extinguir las obligaciones, cumplideras en dinero o cosas fungibles, entre personas que son recíprocamente acreedoras y deudoras. Consiste en dar por pagada la deuda de cada uno en cantidad igual a la de su crédito

---

1. RJ 1940, 1129. Cfr. SSTS de 23 de abril de 1956 (RJ 1956, 1944) y 12 de noviembre de 1987 (RJ 1987, 8374) Esta última sentencia declara que la «imputación en cuenta» es una de las formas posibles de extinción de las obligaciones.

que se da por cobrado en otro tanto. Como dice la STS de 4 de julio de 2005, la compensación legal de deudas constituye una «técnica de neutralización de obligaciones» en la suma concurrente, cuando se cumplan los requisitos que la norma exige.[2]

Mientras que el artículo 1195 del CC dice que «tendrá lugar la compensación cuando dos personas, por derecho propio, sean recíprocamente acreedoras y deudoras la una de la otra, el artículo 1202 del CC señala que «el efecto de la compensación es extinguir una y otra deuda en la cantidad concurrente aunque no tengan conocimiento de ella los acreedores y deudores». Así, por ejemplo, si Juan debe 1000 euros a José, y éste, a su vez, adeuda otros 1000 euros al primero, ambas deudas se compensan y se extinguen totalmente; y, si Juan debe 1000 euros a José, y éste, a su vez, debe a aquél 1500 euros, la obligación de Juan se extingue totalmente, mientras que la de José se extingue en la cantidad concurrente, subsistiendo por los 500 euros de diferencia.

Según el artículo 1176 de la PMDOC, «cuando dos personas sean a la vez acreedoras y deudoras la una de la otra, cualquiera de ellas puede liberarse de su deuda por medio de la compensación si concurren los requisitos exigidos en la ley o lo que las partes hubieran establecido especialmente. Si las deudas no fueren de igual cuantía, la compensación, cuando proceda, se producirá en la cantidad concurrente».

El artículo III.-6:101(1) del DCFR señala que «la "compensación" es el procedimiento por el cual una persona puede servirse de un derecho a exigir el cumplimiento a otra persona para extinguir, total o parcialmente, una obligación que tiene frente a esa persona». De conformidad con lo dispuesto por el artículo III.-6:102 del DCFR, si dos personas son recíprocamente deudoras la una de la otra de obligaciones de la misma naturaleza, cualquiera de las partes puede compensar su derecho con el derecho de la otra parte, si y en la medida que en el momento de la compensación se cumplan las condiciones que el propio precepto establece.[3]

Como puede observarse, se trata de evitar una innecesaria duplicidad de pagos, y por eso la doctrina la ha llamado «doble pago abreviado». La jurisprudencia ha dicho que «equivale a pesar y balancear dos obligaciones»,[4] calificándola de «pago abreviado»[5] y de «permuta de deudas».[6] Pero la compensación también cumple una función de garantía (en sentido no técnico) basada en criterios de justicia y de equidad, pues mediante ella se evita que un deudor pague su deuda y corra el riesgo de no poder cobrar su crédito por la posterior insolvencia del otro deudor.

Este modo de extinción de las obligaciones ha logrado una gran importancia práctica, sobre todo en la esfera mercantil, en este caso a través del contrato de cuenta corriente y de las cámaras de compensación bancarias.

1. La compensación legal: carácter y requisitos

La compensación legal es aquella que tiene lugar por ministerio de la ley, sin intervención de las partes interesadas, pues dice el artículo 1202 del CC que opera incluso aunque no tengan conocimiento de ella los interesados. Por consiguiente, la

2. RJ 2005, 5275.
3. Cfr. artículo 13:101 de los PECL.
4. Cfr. STS de 11 de marzo de 1929 (JC 1929, II-55).
5. Cfr. SSTS de 21 de marzo de 1932 (RJ 1932, 968) y 26 de marzo de 1968 (RJ 1968, 1928).
6. Cfr. SSTS de 21 de marzo de 1932 (RJ 1932, 968) y 25 de junio de 1962 (RJ 1962, 3023).

compensación legal se produce en nuestro Derecho de modo automático (*ipso iure*), pues basta que se den los requisitos establecidos por la ley.[7]

Como señala la STS de 14 de marzo de 2012, la compensación legal «es la que regula el propio Código civil en los artículos 1195 a 1202 y actúa aunque no tengan conocimiento de ella los acreedores y los deudores».[8]

Para que se produzca la compensación legal deben concurrir los *requisitos* siguientes:

1.º Que dos personas sean recíprocamente acreedores y deudores principales y por derecho propio (arts. 1195 y 1196, núm. 1.º, CC), sin que importe el origen de las obligaciones a compensar,[9] pues, como dice la STS de 8 de noviembre de 1911, no obsta a la compensación «que los créditos que concurran a ella nazcan de distintos contratos y consten en diferentes títulos, cosa que ordinariamente acontece por ser diferentes las causas por las que resulten recíprocamente acreedora y deudora una de la otra parte».[10] Es necesario que la titularidad de los créditos corresponda por «derecho propio» y no por representación, por ello el representante o administrador no puede compensar sus deudas con un tercero, con los créditos que su representado tuviere contra éste. Por tanto, se encuentran excluidas de la compensación las obligaciones del representante o administrador en relación con las que sus acreedores ostentan frente al representado.

Según el artículo 1182, párrafo 1.º, de la PMDOC, «sólo pueden extinguirse créditos y deudas propios» El párrafo 2.º del mismo artículo 1182 añade que «un tercero facultado para pagar una deuda ajena no puede pretender su extinción por compensación, a menos que de este modo evite perder el dominio u otro derecho sobre una cosa».

En virtud de la regla de la reciprocidad, establece el artículo 1198, párrafo 1.º, del CC que «el deudor que hubiere consentido en la cesión de derechos hecha por un acreedor a favor de un tercero no podrá oponer al cesionario la compensación que le correspondería contra el cedente». En cambio, cuando el deudor no hubiera consentido la cesión o se hubiere realizado sin su conocimiento, podrá oponer la compensación de las deudas anteriores a la cesión y, en el segundo caso, la de los créditos anteriores y posteriores hasta que se hubiere tenido conocimiento de la cesión (art. 1198, párrs. 2.º y 3.º, CC).

Como indica la STS de 7 de noviembre de 2007, «la cesión no notificada no puede ser eficaz ante el deudor cedido. En consecuencia, el deudor podrá oponer al cesionario la compensación de los créditos que tuviera frente al cedente, antes de efectuarse la cesión y también la de aquellos que nacieran con posterioridad a ella, ya que mientras el deudor no tiene conocimiento de la cesión, ésta no produce los debidos efectos».[11]

El artículo III.-6:105 del DCFR señala que «la compensación surte efecto mediante notificación a la otra parte».[12] Como dice el comentario oficial, «una declaración informal, unilateral y extrajudicial a la otra parte es suficiente para realizar la compensación. Si posteriormente la cuestión se lleva a los tribunales, la

---

7. Cfr. STS de 21 de marzo de 1932 (RJ 1932, 968).
8. RJ 2012, 5117.
9. Cfr. STS de 8 de noviembre de 1911 (JC 1911, III-118).
10. JC 1911, 118.
11. RJ 2007, 8421.
12. Cfr. artículo 13:104 de los PECL.

sentencia tiene simplemente un efecto declarativo: no da lugar a la compensación, son que simplemente confirma que se ha llevado a cabo». En cualquier caso, si existen dos o más derechos y obligaciones, según el artículo III.-6:106(1) del DCFR, «si la parte que notifica la compensación tiene dos o más derechos frente a la otra parte, la notificación sólo es efectiva si identifica el derecho al que se refiere».[13] De lo contrario, la notificación de compensación se considerará inválida por no ser suficientemente específica. Pero, como indica el comentario oficial, «no es necesario identificar expresamente el derecho, o los derechos, a los que se refiere la notificación de compensación; si la intención de la parte que efectúa la notificación puede inferirse del contexto o de las circunstancias. Si no puede inferirse dicha intención, debe ser la parte que notifica la compensación quien tiene que correr el riesgo de la incertidumbre. La compensación constituye una forma de ejecución del derecho vinculado, y un acreedor que tenga varios derechos contra el deudor siempre debe ser suficientemente específico respecto a cuál de ellos se está ejecutando» El apartado 2 del artículo III.-6:106 del DCFR añade que «si la parte que notifica la compensación tiene que cumplir dos o más obligaciones para con la otra parte, se aplican las reglas sobre imputación de pagos con las oportunas adaptaciones».[14]

Como excepción al carácter principal de los créditos y de las deudas, se admite que el fiador pueda oponer la compensación respecto de lo que el acreedor debiere a su deudor principal (art. 1197 CC). Pero, cabe advertir que en realidad no se trata de una compensación de deudas y créditos entre acreedor y fiador, pues lo que el fiador puede oponer en compensación es el crédito que el deudor principal tuviera contra su acreedor. Es decir, el fiador alega la compensación entre acreedor y deudor, ya que en virtud de esa compensación él ya no tendrá que pagar.

El artículo 1182, párrafo 3.º, de la PMDOC señala que «el fiador y los propietarios de bienes sobre los que se hubiera constituido prenda o hipoteca en garantía de deuda ajena, podrán oponer en compensación sus propios créditos y el crédito que el deudor principal tuviere contra el acreedor».

2.º Que ambas deudas consistan en una cantidad de dinero o, siendo fungibles las cosas debidas, sean de la misma especie y también de la misma calidad, si ésta se hubiese designado (art. 1196, núm. 2.º, CC). Es decir, se requiere que las prestaciones sean homogéneas; por lo tanto, la compensación no puede operar entre una deuda de suma de dinero y una deuda de cosa fungible, ni tampoco cuando las cosas son fungibles y de distinta calidad.[15]

El tenor literal del artículo 1179, núm. 1.º, de la PMDOC es el mismo que el del actual artículo 1196, núm. 2.º, del CC. Sin embargo, a tenor del artículo 1181 de la PMDOC, «no impide la compensación el hecho de que los créditos estén constituidos en monedas diferentes. Para la compensación se tomará en cuenta la cotización del día en que las deudas se tornaron compensables en el lugar en que debió ser pagada la deuda del compensante, pero la otra parte podrá optar por la cotización del día en que se efectuó la declaración de compensación».

Por su parte, el artículo III.-6:104 del DCFR señala que «si las partes son recíprocamente deudoras la una de la otra de dinero en diferentes divisas, cada parte

---

13. Cfr. artículo 13:105(1) de los PECL.
14. Cfr. artículo 13:105(2) de los PECL.
15. Cfr. STS de 7 de julio de 1982 (RJ 1982, 4219).

puede compensar el derecho de esa parte frente al derecho de la otra parte, salvo que las partes hayan acordado que la parte que declare la compensación pagará exclusivamente en una divisa específica».[16] El comentario oficial de dicho precepto dice que «es dudoso que las deudas en diferentes divisas sean "del mismo tipo" y que, por tanto, puedan compensarse entre sí. El presente artículo parte del Artículo 8, apartado (6) del Reglamento CE n.º 974/98 del Consejo, de 3 de mayo de 1998, sobre la introducción del euro (DO L 139/1) que entró en vigor el 1 de enero de 1999. Según los términos de este reglamento, el euro se ha convertido en la moneda uniforme de aquellos países que se han incorporado a la unión monetaria. Durante un periodo de transición (hasta el 31 de diciembre de 2001) las antiguas divisas nacionales se consideraron como subunidades del euro. Por tanto, ya no se impedía la compensación dentro de la zona euro por razón de que las obligaciones estuvieran expresadas en diferentes divisas. Esta también debería ser la norma respecto a otras divisas. Esto es acorde con la perspectiva actual que cada vez se está adoptando más en los ordenamientos jurídicos nacionales, puesto que facilita la compensación sin perjudicar más de lo debido a los intereses razonables del acreedor del derecho principal. Es posible que la libre disponibilidad de compensación en divisa extranjera fomente la especulación sobre la fluctuación de los mercados monetarios. Sin embargo, este mismo hecho normalmente inducirá a la parte que tenga más posibilidades de perder como resultado de dicha fluctuación a notificar la compensación lo antes posible. Desde el 1 de enero de 2002, ya no se plantea la conversión dentro de la zona euro». El comentario añade que «el Artículo 8, apartado (6) del Reglamento del euro dispone que la conversión tiene que efectuarse "con arreglo a los tipos de conversión". En el Artículo 1 del Reglamento se define "tipo de conversión" como "el tipo de conversión fijado irrevocablemente, que el Consejo adopte para la moneda de cada Estado miembro participante con arreglo a lo dispuesto en la primera frase del apartado 4 del artículo 109 L (ahora Artículo 123, apartado 4, primera frase) del Tratado". En lo que respecta a otras divisas, el tipo de cambio que tiene que aplicarse debería ser el tipo unificado si lo hay; si no, debería ser el tipo de compra para la divisa del derecho con el que se realiza la compensación».

3.º Que las dos deudas estén vencidas (art. 1196, núm. 3.º, CC), pues sólo entonces puede pedirse su cumplimiento. No excluye la exigibilidad la circunstancia de que ambas deudas sean pagaderas en lugares distintos, sino que únicamente dará lugar a que sean computados los gastos de transporte o cancelación.

4.º Que sean líquidas y exigibles (art. 1196, núm. 4.º, CC).[17] Por consiguiente, no pueden oponerse en compensación las obligaciones naturales, ni las pendientes de plazo o condición, o si para determinar su cuantía es necesaria una previa liquidación. Según la STS de 7 de octubre de 1966, no pueden compensarse las deudas que no estén reconocidas como tales, ni han sido consentidas ni declaradas.[18] Se considera líquida una deuda cuando para determinarse no sea necesaria más que una sencilla operación aritmética,[19] por lo que no procede si requiere una liquidación de cuentas.[20]

---

16. Cfr. artículo 13:103 de los PECL.
17. Cfr. STS de 10 de marzo de 1960 (RJ 1960, 1646).
18. RJ 1966, 5266.
19. Cfr. SSTS de 13 de noviembre de 1924 (JC 1924, IV-81), 11 de julio de 1961 y 3 de julio de 1978 (RJ 1978, 2702).
20. Cfr. SSTS de 27 de junio de 1958 (RJ 1958, 2167), 24 de noviembre de 1959 (RJ 1959, 4459) y 24 de octubre de 1966 (RJ 1966, 4726) y 30 de marzo de 1988 (RJ 1988, 2575).

Según el artículo 1179, núm. 2.º, de la PMDOC, se requiere que «que ambas obligaciones sean líquidas, salvo que los créditos puedan reconocerse como existentes y liquidarse en el mismo juicio». Además, como indica el artículo 1179, núm. 3.º, de la PMDOC, es asimismo necesario que «el crédito que se oponga en compensación sea judicialmente exigible y no se pueda oponer contra él ninguna excepción de derecho sustantivo».

Según el artículo III.-6:102 del DCFR, se requiere que «en el momento de la compensación: (a) el cumplimiento de la primera parte sea exigible o, aunque no se exigible, la primera parte pueda obligar a la otra parte aceptar el cumplimiento; (b) el cumplimiento de la otra parte es exigible».[21]

5.º Que sobre ninguna de ellas haya retención o contienda promovida por terceras personas y notificada oportunamente al deudor (art. 1196, núm. 5.º, CC). En palabras de la STS de 19 de septiembre de 1987, este caso «presupone la existencia de un litigio en el que el deudor se convierte en depositario judicial hasta el fin de la _litis_».[22]

El artículo 1179, párrafo 1.º, núm. 4.º, de la PMDOC exige que «el que ejercita la facultad de compensación ostente la libre y plena disposición del crédito con el que pretende efectuarla». De modo que, como dice el párrafo 2.º de dicho artículo 1179 de la PMDOC, «no habrá lugar a la compensación si el crédito hubiera sido objeto de retención, embargo u otra medida judicial análoga; o si existiera sobre la titularidad del crédito litigio promovido por terceras personas y haya sido conocido por el compensante».

Según el artículo III.-6:103(1) del DCFR, «un deudor no puede compensar un derecho incierto en cuanto a su existencia o en su valor, salvo que la compensación no perjudique los intereses del acreedor».[23] El apartado 2 del artículo III.-6:103 del DCFR añade que «si los derechos de ambas partes surgen de la misma relación jurídica se presume que los intereses del acreedor no se verán perjudicados».[24] Como dice el comentario oficial, el artículo adopta una solución de compromiso entre la postura que considera que el derecho vinculado tiene que estar determinado y la que entiende lo contrario, pues «si el derecho vinculado no puede determinarse fácilmente, el juez a tiene poder para dictar resolución sobre el derecho principal sin tener en cuenta la compensación realizada por el deudor, siempre que el derecho principal esté por lo demás listo para que se dicte resolución al respecto. Por tanto, se da al juez una facultad discrecional, y este tendrá que tener en cuenta todas las circunstancias del caso, como la probable duración de los procedimientos relativos tanto al derecho principal como al derecho vinculado, o el efecto de la demora por parte del acreedor. Sin embargo, en el ejercicio de esta facultad discrecional, el juez tendrá que distinguir dos casos. (a) Si el derecho principal y el derecho vinculado se derivan de la misma relación jurídica, el juez normalmente no resolverá sólo sobre el derecho principal sino también sobre el derecho vinculado, y considerará la cuestión de la compensación. El artículo establece la presunción de hecho de que los intereses del acreedor del derecho principal no se ven perjudicados normalmente en esta situación. (b) Si el derecho principal y el derecho vinculado no se derivan de la misma relación, la sentencia irá normalmente en la

21. Cfr. artículo 13:101 de los PECL.
22. RJ 1987, 6069.
23. Cfr. artículo 13:102(1) de los PECL.
24. Cfr. artículo 13:102(2) de los PECL.

otra dirección: La previsibilidad y la justicia comercial exigen que no se impida a una parte que tiene un derecho determinado ejercer ese derecho. Si el juez dicta sentencia sobre el derecho principal, el fallo no tiene simplemente una naturaleza provisional. La sentencia sólo se refiere al fundamento de la reclamación del acreedor, que el juez considera que no resulta afectada por la compensación. Como resultado, la declaración de la compensación debe considerarse nula. Por tanto, el derecho del deudor tendrá que reclamarse independientemente».

La STS de 24 de octubre de 1966 advierte que la compensación es de apreciación exclusiva del juzgador de instancia.[25]

2. Excepciones a la compensación legal

A pesar de concurrir los requisitos legales, no es posible compensar las obligaciones en los casos siguientes:

1.º Cuando alguna de las deudas proviniere de depósito o de las obligaciones del depositario o comodatario (art. 1200, párr. 1.º, CC). Se discute por la doctrina si la imposibilidad de compensar se refiere únicamente a las obligaciones que derivan de los contratos de depósito o comodato o también a las que se constituyan posteriormente: ALBALADEJO considera que la prohibición comprende cualquier obligación, pues al depositario y al comodatario como deudores de cuerpo cierto, no se les puede aplicar la compensación legal por no ser fungible la cosa. Por su parte, PEÑA estima que no alcanza a las deudas del depositante y del comodante; y CASTÁN defiende la tesis de que únicamente afecta a las obligaciones derivadas inmediatamente de la naturaleza de los contratos de depósito y comodato (de restituir las cosas dadas en depósito o comodato), no a las derivadas indirectamente por vía de indemnización de perjuicios.

Este último criterio es el que parece seguir la jurisprudencia, en cuanto ha declarado que «esta excepción no admite interpretación extensiva ni de analogía, sino que ha de aplicarse estrictamente en los supuestos que contempla, ya que, en otro caso, podría convertirse en un arbitrio para no pagar»,[26] y la ha relacionado, principalmente, con la obligación reseñada en el artículo 1758 del CC, en el cual se consigna la obligación de restitución de la cosa dada en depósito.[27] Por otra parte, la STS de 19 de septiembre de 1987 declara que «en el supuesto del depósito irregular de dinero o cosa fungible no hay depósito propiamente dicho».[28]

2.º Tampoco podrá oponerse la compensación al acreedor por alimentos debidos por título gratuito (art. 1200, párr. 2.º, CC). También el artículo 151 del CC advierte que no puede compensarse lo que el alimentista deba al que ha de prestarlos, pero añade que sí podrán compensarse las pensiones alimenticias atrasadas.

3.º Cuando voluntariamente, en virtud de pacto, se haya excluido esta posibilidad.

---

25. RJ 1966, 4726. Cfr. también STS de 7 de junio de 1958 (RJ 1958, 2136).
26. Cfr. SSTS de 31 de enero de 1956 (RJ 1956, 676) y 21 de noviembre de 1978 (RJ 1978, 3639).
27. Cfr. SSTS de 21 de noviembre de 1978 (RJ 1978, 3639) y 21 de abril de 1988 (RJ 1988, 3269).
28. RJ 1987, 6069.

4.° Cuando se hubiese declarado la situación de concurso. En este sentido, el artículo 153.2 del TRLC señala que «declarado el concurso, no procederá la compensación de los créditos y deudas del concursado a excepción de aquellos que procedan de la misma relación jurídica. Queda a salvo lo establecido en las normas de derecho internacional privado[Insert Equation Here]. Sin embargo, la compensación cuyos requisitos hubieran existido antes de la declaración de concurso producirá plenos efectos, aunque sea alegada después de esa declaración o aunque la resolución judicial o el acto administrativo que la declare se haya dictado con posterioridad a ella (art. 152.1 TRLC).

Por su parte, el artículo 727.1 del TRLC dispone que «la declaración de concurso no afectará al derecho de un acreedor a compensar su crédito cuando la ley que rija el crédito recíproco del concursado lo permita en situaciones de insolvencia», lo cual debe entenderse sin perjuicio de las acciones de reintegración que en su caso procedan (art. 727.2 TRLC).

> Según el artículo 1180 de la PMDOC, «declarado un concurso de acreedores, no procederá la compensación de los créditos y deudas del concursado; pero producirá sus efectos la compensación cuyos requisitos hubieran existido con anterioridad a la declaración». Por su parte, el artículo 1187 de la PMDOC declara que «no puede oponerse compensación a los siguientes créditos: 1.° Al proveniente de hecho ilícito doloso. 2.° A cualquier crédito en la medida en que sea inembargable. Tampoco se admite la compensación si se hubiese renunciado a ello, si la ley la prohibiese expresamente. En ningún caso la compensación perjudicará los derechos legítimamente adquiridos por terceros antes de que los créditos se tornaran compensables».

> El artículo III.-6:108 del DCFR señala que «la compensación no procede: (a) si es excluida por acuerdo; (b) frente a un derecho en la medida en que ese derecho no sea embargable; y (c) frente a un derecho que surja de un acto ilícito deliberado».[29] Es evidente que, de conformidad con el principio de libertad contractual, el derecho a la compensación puede excluirse de mutuo acuerdo, con sujeción, eso sí, a las limitaciones normales sobre la autonomía privada de los particulares, como podría ser el caso de las normas sobre cláusulas abusivas. Por otra parte, continúa el comentario oficial, «la compensación no debería privar a una persona de derechos (como los relativos al sustento o salarios) que proporcionan un nivel de subsistencia mínimo. La forma más sencilla, apropiada y completa de abordar esta cuestión es prohibir la compensación en la medida en que el derecho principal no puede embargarse. La legislación aplicable a dicha cuestión será la que decidirá si el derecho principal puede embargarse y en qué medida».

3. Reglas de la compensación en casos especiales

a) Según el artículo 1201 del CC, «si una persona tuviere contra sí varias deudas compensables, se observará en el orden de la compensación lo dispuesto respecto a la imputación de pagos».

> El tenor literal del artículo 1185 de la PMDOC es idéntico al del artículo 1201 del CC, actualmente en vigor.

---

29.   Cfr. artículo 13:107 de los PECL.

De acuerdo con las normas de la imputación de pagos, el deudor que tiene varias deudas compensables es quien debe decidir a cuál de ellas ha de imputarse el pago; a falta de esta declaración, se entenderá compensada la designada por la otra parte, si se acepta el recibo o documento en que se hace constar la compensación; y, en defecto de esta declaración expresa o tácita, se entenderá compensada la deuda más onerosa (arts. 1172-1174 CC).

b) Si se trata de deudas pagaderas en diferentes lugares, según el artículo 1199 del CC, para poder compensarlas habrán de indemnizarse los gastos de transporte o cambio al lugar del pago. Como señala RIVERO, «los "gastos de transporte" son los de las cosas fungibles, y los de "cambio" son los que ocasiona hacer efectiva una cantidad de dinero en determinada plaza cuando los fondos se remiten desde otra o el que ha de hacer el pago en aquella retiene una comisión».

El artículo 1184 de la PMDOC señala que «las deudas pagaderas en diferentes lugares pueden compensarse indemnizando al compensante los daños sufridos como consecuencia de que el crédito no se satisfaga en el lugar previsto».

4. Efectos de la compensación legal

Su efecto principal lo establece el artículo 1202 del CC, al decir que la compensación extingue una y otra deuda en la cantidad concurrente, aunque no tengan conocimiento de ella los acreedores y deudores. Es decir, la compensación se produce automáticamente por ministerio de la ley.[30]Sin embargo, si alguno de los acreedores y deudores se niega a admitirla, aquel que la reclama deberá acudir a los tribunales para que se declare judicialmente desde el momento en que se produjeron los requisitos legales.

Según el artículo 1177, párrafo 3.º, de la PMDOC, «hecha efectiva la compensación, los créditos quedan extinguidos desde el momento en que se hicieron compensables». Por su parte, el artículo 1178 de la PMDOC señala que «los efectos de la compensación se retrotraen al momento en que se creó la situación de compensabilidad, pero si después de ésta se hubiese hecho algún pago, por capital o intereses, a cuenta de alguno de los créditos, sólo se reputarán éstos extinguidos desde el momento en que el último pago se hubiese efectuado».

El artículo III.-6:107 del DCFR dice que «la compensación extingue las obligaciones en la cantidad concurrente, desde el momento de la notificación».[31] El comentario oficial aclara que «la compensación no tiene efecto retroactivo. Solamente tiene efecto en el futuro: es efectiva desde el momento en el que se han cumplido todos los requisitos sustantivos para la compensación y cuando haya surtido efecto la notificación de compensación. Por tanto, en términos generales, la situación tiene que evaluarse como si ambas obligaciones se hubiesen cumplido en el momento en que se realizó la compensación (…)». En cuanto a los intereses sobre ambas obligaciones, «siguen devengándose hasta que se haya realizado la compensación. Por tanto, puede ser ventajoso para la parte que paga el tipo de interés más alto realizar la compensación tras conocer que tiene esta posibilidad».

Ahora bien, dado el carácter rogado de la jurisdicción civil, la compensación no podrá ser declarada de oficio, sino que tiene que ser alegada por alguna de

---

30. Cfr. SSTS de 1 de febrero de 1962 (RJ 1962, 642) y 16 de octubre de 1975 (RJ 1975, 3599).
31. Cfr. artículo 13:106 de los PECL.

las partes;[32] en cuyo caso, sus efectos se retrotraen al momento en que concurrieron los requisitos legalmente exigidos. En este sentido, la STS de 19 de abril de 1901 declara que para que la compensación pretendida por el demandado pueda ser discutida ha de formularse haciendo uso de la reconvención, al contestar la demanda, según preceptúa terminantemente el artículo 543 de la LEC de 1881.[33]

> La compensación puede ser alegada en el proceso por vía de excepción o de reconvención. Para el caso de que fuese alegada como excepción, el artículo 408.1 de la LEC dice que «dicha alegación podrá ser controvertida por el actor en la forma prevenida para la contestación a la reconvención, aunque el demandado sólo pretendiese su absolución y no la condena al saldo que a su favor pudiera resultar».

Por consiguiente, se trata de una facultad que defiende un interés puramente privado (VALVERDE), y puede ser renunciada, bien expresa o tácitamente. Pero dicha renuncia nunca deberá perjudicar a los terceros que podrían beneficiarse de ella, los cuales podrán alegar la compensación frente al acreedor; pues, como dice el artículo 1853 del CC, el fiador puede oponer al acreedor todas las excepciones que competan al deudor y sean inherentes a la deuda. Según declara la STS de 15 de febrero de 2005, «el automatismo de la compensación es expresión de la idea de que la neutralización de deudas se produce desde el mismo momento en que concurren los requisitos precisos, más no en el sentido de que no sea necesario para compensar que lo quiera, al menos, uno de los deudores».[34]

> A tenor del artículo 1177, párrafos 1.º y 2.º, de la PMDOC, «la compensación se hace efectiva mediante la declaración del facultado para valerse de ella y será ineficaz si se realiza bajo o condición o término. El Juez no puede declarar de oficio la compensación».

También hay que advertir que no debe confundirse la compensación judicial con la legal por el hecho de que esta última deba ser alegada, por no ser reconocida por una de las partes, pues, como dice RUGGIERO, «el que la compensación legal se pueda y se haga valer en juicio, no implica que se transforme en judicial». La diferencia entre una y otra clase de compensación tiene importancia en orden a la producción de los efectos, ya que en la compensación judicial los créditos sólo se considerarán extinguidos desde el momento de la sentencia, cuando el Juez liquida el crédito, admite la compensación y la pronuncia.

> Según el artículo1183 de la PMDOC, «la simple dilación consentida graciosamente por el acreedor no es obstáculo para la compensación». Por su parte, el artículo 1186 de la PMDOC señala que «la prescripción extintiva no impide la compensación si el cumplimiento del tiempo de aquélla no estuviera realizado cuando los créditos se tornaron compensables».

5. Otras clases de compensación

Aunque en realidad sólo es propiamente compensación la legal, la doctrina por su origen distingue también las siguientes: convencional, facultativa y judicial.

---

32. Cfr. STS de 29 de abril de 1944 (RJ 1944, 547) y 26 de febrero de 1952 (RJ 1952, 724).
33. JC 1901, I-105. Cfr. STS de 26 de febrero de 1952 (RJ 1952, 724).
34. RJ 2005, 1672. Cfr. STS de 3 de abril de 2006 (RJ 2006, 1911).

Compensación *convencional* o voluntaria es la que, por no concurrir todos los requisitos legales, se produce por pacto o convenio de quienes son, recíprocamente, acreedores y deudores el uno del otro. Como señala DÍEZ-PICAZO, el convenio de compensación puede establecerse con anterioridad al momento del nacimiento de las recíprocas obligaciones o bien con posterioridad a ellas.

> Como dice la STS de 14 de marzo de 2012, la compensación convencional «se da cuando las partes pactan la extinción recíproca de las obligaciones, pero sin concurrir los requisitos legales de la compensación».[35]

Compensación *facultativa* es aquella en que también falta algún requisito para que pueda producirse la compensación legal, y este obstáculo es removido por la persona interesada, renunciando mediante declaración unilateral a oponerlo, por ejemplo, la renuncia a un plazo.[36]

Compensación *judicial* es aquella en que tampoco se dan los requisitos legales, y se ordena por el juez en la sentencia al estimar la pretensión del actor y lo alegado por el demandado. Esta compensación, a diferencia de la legal, carece de efectos retroactivos. Es doctrina jurisprudencial que no es preciso alegarla nominalmente, sino que basta la invocación de los hechos de que resulte.[37] La STS de 9 de abril de 1994 dice que la compensación puede tener lugar, aunque no concurran todos los requisitos que la normativa exige para la procedencia de la legal, y de esta manera cabe su actuación en trámite de ejecución de la sentencia en que se reconozca el crédito compensable. Pero, en todo caso, es preciso que se dé la necesaria dualidad de títulos y créditos recíprocos.[38]

> En palabras de la STS de 6 de noviembre de 2008, «la compensación judicial exige como presupuesto la instancia judicial, esto es, promover un juicio donde se solicite la declaración de extinción de una deuda por compensación, aunque no concurra alguno de los requisitos legales para la misma, o bien la formulación por el demandado de reconvención al contestar la demanda en juicio promovido por el acreedor».[39] Por su parte, la STS de 14 de marzo de 2012 reitera que la compensación judicial «tiene lugar cuando es el juez el que la determina en cuanto pronuncia una sentencia que contiene una condena dineraria a favor de cada una de las partes y en contra de la otra, según las pretensiones de las mismas formuladas en el proceso; supuesto en el que lo que procede es fijar el saldo resultante a favor de una u otra parte tras desaparecer los respectivos créditos en la cantidad concurrente, de modo que tal extinción viene ordenada por el propio órgano jurisdiccional en sentencia y como resultado de un proceso».[40]

Los efectos de la compensación convencional dependen de lo acordado por las partes, y, si las mismas no hubieren dispuesto otra cosa, no tendrán eficacia

---

35. RJ 2012, 5117.
36. Cfr. SSTS de 14 de junio de 1971 (RJ 1971, 3200) y 14 de marzo de 2012 (RJ 2012, 5117).
37. Cfr. SSTS de 24 de octubre de 1985 (RJ 1985, 4949), 10 de junio de 1987 (RJ 1987, 4272), 7 de marzo de 1988 (RJ 1988, 1556) y 2 de febrero de 1989 (RJ 1989, 658).
38. RJ 1994, 2739. Cfr. SSTS de 27 de diciembre de 1995 (RJ 1995, 9210), 18 de enero de 1999 (RJ 1999, 39), 21 de septiembre de 2001 (RJ 2001, 7485), 5 de enero de 2007 (RJ 2007, 321) y 6 de noviembre de 2008 (RJ 2008, 5900).
39. RJ 2008, 5900.
40. RJ 2012, 5117.

retroactiva, como tampoco la tiene la llamada compensación facultativa. En opinión de ALBALADEJO, «las tres compensaciones llamadas convencional, facultativa y judicial no son sino tres caminos, convencional, facultativo o judicial, de conseguir que las obligaciones reúnan todos los requisitos para que la compensación legal se produzca».

En los contratos _internacionales_, también se reconoce la compensación (legal) al afirmar el artículo 8.1(1) de los PCCI que «cuando dos partes se deben recíprocamente deudas de dinero u otras prestaciones de igual naturaleza, cualquiera de ellas ("la primera parte") puede compensar su obligación con la de sus acreedores ("la otra parte") si en el momento de la compensación: (a) la primera parte está facultada para cumplir con su obligación; (b) la obligación de la otra parte se encuentra determinada en cuanto a su existencia e importe y su cumplimiento es debido». Si bien la condición de que las deudas deban ser recíprocas puede presentar problemas cuando la otra parte ha cedido a un tercero el crédito que tiene contra la primera parte, el comentario oficial matiza que «la primera parte podría, sin embargo, compensar su propia deuda con la deuda de la otra parte si el derecho de compensación existía en contra de la deuda del cedente antes de que la cesión haya sido notificada al deudor».

Como puede observarse, el artículo 8.1(1) de los PCCI habla de «de deudas de dinero u otras prestaciones de igual naturaleza», pero no utiliza el término «fungible». Según el comentario oficial, «el concepto de "prestaciones de igual naturaleza" es más amplio que el de "deudas fungibles". El cumplimiento de obligaciones no monetarias puede ser de la misma naturaleza sin que sean fungibles. Dos obligaciones de entregar vino proveniente del mismo viñedo pero de diversa cosecha pueden ser obligaciones de la misma naturaleza, pero no se consideran fungibles. Dinero en efectivo y títulos de crédito no son prestaciones de la misma naturaleza en el sentido del presente artículo. Sin embargo, como es el caso con las obligaciones de pago en monedas diferentes, la compensación puede ser ejercida si los títulos son fácilmente convertibles y si no hay un acuerdo que imponga que el pago sea efectuado únicamente en una moneda específica o por un tercero. Si las deudas son o no de la misma naturaleza dependerá de las prácticas comerciales o de la rama del comercio de que se trate».

El apartado 2 del artículo 8.1 de los PCCI añade que «si las obligaciones de ambas partes surgen del mismo contrato, la primera parte puede también compensar su obligación con una obligación de la otra parte cuya existencia o importe no se encuentre determinado». Por ejemplo, dice el comentario oficial, «una obligación de pagar los daños y perjuicios puede ser cierta en su existencia, pero no en su monto. Si el monto mínimo a pagar no puede ser puesto en duda, la primera parte puede compensar su propia deuda hasta por ese monto mínimo, aunque el monto total de la deuda de la otra parte se desconozca». Por otro lado, aunque no se reúnan los requisitos del artículo 8.1 de los PCCI, «las partes pueden sujetarse a los efectos de la compensación por la vía convencional. Igualmente, las partes pueden decidir que sus deudas recíprocas se compensen automáticamente en una fecha precisa o periódicamente. También, dos o más partes pueden acordar que sus deudas respectivas se extingan, por ejemplo, en virtud del llamado _netting_».

El _netting_ significa la compensación neta de créditos y débitos. Habitualmente, si una empresa dispone de delegaciones o de distintos puntos de venta, la compañía tendrá varias cuentas en diferentes oficinas. El servicio de _netting_ le permitiría conectar automáticamente las cuentas que desee en una única cuenta centralizadora para simplificar su gestión ahorrándole tiempo, y además para obtener el máximo rendimiento a su dinero evitando costes financieros innecesarios. Para ello debería elegir una cuenta (corriente o de crédito) central, llamada «cuenta madre», y establecer las cuentas que se relacionan con ella, llamadas «cuentas hijas». De este modo, se establece una agrupación automática entre sus cuentas, realizando traspasos automáticos de saldos entre las cuentas hijas y madre, en ambos sentidos, así como una cobertura automática de saldos en descubierto y/o el traspaso de los excesos o defectos de saldo respecto de las cantidades que se indiquen.

Cuando se trate de obligaciones de pagar dinero en diferentes monedas, el artículo 8.2 de los PCCI permite ejercitar la compensación «siempre que amabas moneda sean libremente convertibles y las partes no hayan convenido que la primera parte sólo podrá pagar en una moneda determinada». Aunque los pagos hechos en monedas diferentes no son prestaciones de una misma naturaleza en el sentido a que se refiere el artículo 8.1 de los PCCI, la compensación podrá llevarse a cabo si los pagos se hacen en divisa convertibles. No obstante, dice el comentario oficial, «conforme al artículo 6.1.9, en la medida en que las partes no hayan convenido otra cosa, el pago puede ser efectuado por el deudor en la moneda del lugar del pago, bajo reserva de su libre convertibilidad. Por el contrario, como el valor relativo de una moneda que no es libremente convertible no es cierto para los efectos de la compensación, la compensación no puede ser utilizada para imponer a la otra parte el pago en esta moneda».

La compensación no se realiza automáticamente ni tampoco por decisión de un tribunal, pues, como dice el artículo 8.3 de los PCCI, «el derecho a compensar se ejerce por notificación a la otra parte». Según el artículo 8.3(1) de los PCCI, «la notificación debe especificar las obligaciones a las que se refiere». El apartado 2 del artículo 8.3 de los PCCI añade que «si la notificación no especifica la obligación con la que es ejercitada la compensación, la otra parte puede, en un plazo razonable, declarar a la primera parte la obligación a la que se refiere la compensación. Si tal declaración no se hace, la compensación se referirá a todas las obligaciones proporcionalmente». Por último, el artículo 8.5(1) de los PCCI declara que «la compensación extingue las obligaciones». Si las obligaciones difieren en su importe, la compensación extingue las obligaciones hasta el importe de la obligación menos onerosa (art. 8.5(2) PCCI). La compensación surte efectos desde la notificación (art. 8.5(3) PCCI).

Como indica el comentario oficial, «el momento a partir del cual la compensación produce sus efectos está vinculado con la necesidad de notificar la compensación. Además, desde un punto de vista práctico, será fácil conocer la fecha en la cual surtió efecto la compensación. La situación debe apreciarse como si las dos deudas estuvieran saldadas al día de la notificación. Dos consecuencias derivan de esta regla. En primer lugar, los intereses de la deuda corren hasta el día de la notificación. Una parte que está en condiciones y que desea efectuar una compensación de su deuda, debe declarar la compensación cuanto antes si desea detener el curso de los intereses. En segundo lugar, si se efectuó un pago indebido después de la declaración de la compensación, la restitución de la suma puede pedirse puesto que el pago no tiene fundamento jurídico. En cambio, si el pago se efectuó antes de la notificación, el pago es válido y la restitución de la suma no puede exigirse».

III. CONFUSIÓN DE LOS DERECHOS DE ACREEDOR Y DEUDOR

Toda relación obligatoria se establece entre dos partes o sujetos: el sujeto activo, titular del derecho subjetivo de crédito o acreedor, y el sujeto pasivo, titular del deber jurídico o deudor. De ahí que se extinga la obligación cuando en un mismo sujeto se reúne el crédito y la deuda, pues lógicamente nadie puede ser deudor o acreedor de sí mismo. Por eso, tras indicar el Código que las obligaciones se extinguen por la confusión de los derechos de acreedor y deudor (art. 1156, párr. 1.°, CC), el artículo 1192, párrafo 1.°, del CC afirma que «quedará extinguida la obligación desde que se reúnan en una misma persona los conceptos de acreedor y de deudor».

El fenómeno de la _confusión_ se produce cuando mediante la sucesión jurídica, bien a título universal o particular, _inter vivos_ o _mortis causa_, el deudor adquiere el crédito o cuando el acreedor sucede al deudor. La causa más frecuente es la sucesión _mortis causa_ a título universal, pues en este caso tiene lugar la confusión de los patrimonios del causante y del heredero. También en virtud de la sucesión _mortis causa_ a título particular se puede ocasionar la extinción de la relación obligatoria por confusión, es el caso del legado hecho por el acreedor a favor del deudor del crédito que el primero tiene contra éste. Asimismo, por acto _inter vivos_ se puede producir la confusión, por ejemplo, cuando el depositario compra la cosa depositada.

Ahora bien, el artículo 1192, párrafo 2.°, del CC señala que «exceptúa el caso en que esta confusión tenga lugar en virtud de título de herencia, si ésta hubiese sido aceptada a beneficio de inventario». La razón es clara, la aceptación de la herencia a beneficio de inventario da lugar a una total separación entre el patrimonio del heredero y el patrimonio hereditario, y por ello el artículo 1023 del CC establece la no confusión de patrimonios en perjuicio del heredero, a la vez que declara que éste no queda obligado a pagar las deudas de la herencia sino hasta donde alcancen los bienes de la misma. O sea, limita su responsabilidad, permitiendo al heredero que conserve contra el caudal hereditario todos los derechos y acciones que tuviera contra el difunto.

Sin embargo, esto no quiere decir que no se haya producido realmente confusión, sino que, como dice LACRUZ, «con independencia de la real confusión de créditos y deudas, titularidades activas y pasivas de los dos polos del fenómeno sucesorio, la separación de patrimonios permite actuar a los favorecidos por ella (no, pues, al heredero puro), como si la confusión individual o particular extintiva no se hubiera producido, conservando el caudal relicto su afección preferente (por este orden) al pago de las deudas del causante y de los legados». Por consiguiente, las deudas que el heredero tuviere frente al causante se deberán considerar extinguidas. En cambio, los créditos que detente contra el causante los conserva al efecto de poder concurrir con los demás acreedores y, después de la liquidación de los bienes hereditarios, percibir su importe o la parte de los mismos que le corresponda.

Se repite por cierto sector de la doctrina que la confusión, en el ámbito de los derechos de crédito, es el equivalente a la figura de la consolidación en la esfera de los derechos reales. Sin embargo, entre ambas figuras hay una diferencia estructural importante, ya que, como advierte certeramente ALBALADEJO, no existe una identidad total. Ello es debido a que en el caso de la consolidación se extingue sólo un derecho (por ejemplo: el de usufructo), pues de la cosa goza su dueño por derecho de propiedad, mientras que en virtud de la confusión se extingue el único derecho de crédito que había.[41]

1. Requisitos de la confusión

Para que tenga lugar la confusión se requiere:

1.º Que se trate de acreedor y deudor principal, pues la que se realiza entre acreedor y fiador no extingue la obligación (art. 1193 CC). Por consiguiente, si el acreedor hereda al fiador o éste a aquél, se extingue la fianza, pero no la obligación principal.

2.º Que se trate de titularidades que se ejerzan en nombre propio, ya que no se produce confusión en los casos de representación.

3.º Que afecte a la totalidad de la relación obligatoria, pues la confusión no extingue la deuda mancomunada más que en la porción correspondiente al acreedor o deudor en quien concurran los dos conceptos (art. 1194 CC), y, por consiguiente, sólo cabe hablar de una confusión parcial. Esto se corresponde con lo dispuesto en el artículo 1138 del CC, en el que se dice que «el crédito o la deuda se presumirán divididos en tantas partes como acreedores o deudores haya, reputándose créditos o deudas distinto unos de otros». A la confusión parcial también se refiere el artículo 1087 del CC, a cuyo tenor, «el coheredero acreedor del difunto puede reclamar de los otros el pago de su crédito, deducida su parte proporcional como tal heredero».

4.º Que el crédito y la deuda formen parte del mismo patrimonio. Razón por la que el artículo 1192, párrafo 2.º, del CC, exceptúa el caso en que la confusión tenga lugar en virtud de título de herencia, si esta hubiere sido aceptada a beneficio de inventario; y que, como ya se indicó, en realidad no se trata de una excepción a la extinción de la obligación, pues la aceptación a beneficio de inventario simplemente da lugar a una total separación entre los patrimonios del causante y del heredero (art. 1023 CC) con el fin de limitar su responsabilidad (Díez-Picazo).

2. Efectos de la confusión

El efecto principal de la confusión es la extinción automática (sin necesidad de declaración), total o parcial, de la relación obligatoria desde el mismo instante en que se reúnen en la misma persona la titularidad activa y pasiva. El artículo 1087 del CC se refiere a la confusión parcial cuando afirma que el coheredero acreedor del difunto puede reclamar de los otros el pago de su crédito, deducida su parte proporcional como tal heredero. También alude a la extinción parcial el artículo 1194 del CC, a cuyo tenor, la confusión no extingue la deuda mancomunada sino en la proporción correspondiente al acreedor o deudor en quien concurran los dos conceptos.

Asimismo, la extinción de la obligación principal da lugar a la extinción de las obligaciones accesorias, lo que explica que el artículo 1193 del CC diga que la confusión que recae en la persona del deudor o del acreedor principal aprovecha a los fiadores, pero la que recae en cualquiera de éstos no extingue la obligación. Como señala Albaladejo, «si lo que coincide en una misma persona son las titularidades de

---

41. Cfr. STS de 19 de mayo de 2006 (RJ 2006, 3047).

deudor y de fiador, no hay confusión extintiva de la obligación (porque no es el uno acreedor del otro) aunque se pueda hablar de confusión (así, art. 1848, principio) como fusión de (otras) titularidades».

En caso de solidaridad, activa o pasiva, la confusión que se produce en uno de los acreedores o deudores solidarios extingue la relación obligatoria respecto de los demás acreedores o deudores. Ahora bien, el acreedor que haya dado lugar a la confusión responde a los restantes de la parte que les corresponde en la obligación, y el deudor para el que se hubiere producido podrá reclamar de los demás la parte que les corresponda en la deuda (art. 1143 CC).

Si el acto jurídico en virtud del cual se ha producido la confusión desaparece o queda ineficaz, es preciso determinar si el crédito renace o revive o hay que considerarlo definitivamente extinguido. Como indica DíAZ PAIRÓ, ello va a depender de la causa por la cual desaparezca el hecho productor de la confusión y de la forma en que pierda su eficacia. Por tanto, si el testamento es declarado nulo, por un vicio del consentimiento o incapacidad, o resulta que fue revocado, o se invalida la aceptación de la herencia, el crédito resurgirá; pero si el hecho productor fue válido y luego por un acto no retroactivo se hace desaparecer la concurrencia de acreedor y deudor en la misma persona, el crédito habrá quedado definitivamente extinguido. Sin embargo, la STS de 16 de mayo de 1978 declara que la resolución del contrato que provocó la confusión no hace renacer las situaciones jurídicas legalmente extinguidas (el arrendatario que dejo de serlo, al convertirse por compra en propietario, no vuelve a ser arrendatario tras la resolución del contrato de compraventa.[42] Pero, como dice MARTÍNEZ DE AGUIRRE, «es dudoso que estemos aquí, realmente, ante un caso de confusión como causa de extinción de las obligaciones, más bien sería un supuesto de extinción del contrato de arrendamiento, por coincidir en la misma persona la condición de arrendatario y la de dueño de la cosa arrendada (arrendador)».

Según el artículo 1233 de la PMDOC, «quedará extinguida la obligación desde que se reúnan en una misma persona las cualidades de acreedor y deudor. Se exceptúa el caso en que el crédito y la deuda formen parte de patrimonios separados». No obstante, como dice el artículo 1234 de la PMDOC, «la confusión no perjudica los derechos de terceros». En todo caso, el artículo 1235 de la PMDOC añade que «si la confusión resultare ineficaz en virtud de un hecho anterior a la misma, además de subsistir la relación obligatoria, se entenderán subsistentes las garantías prestadas».

A tenor del artículo III.-6:201(1) del DCFR, «una obligación se extingue si en una misma persona se reúnen los conceptos de acreedor y deudor». Como excepción a esta norma, el apartado 2 del artículo III.-6:201 del DCFR señala que «sin embargo, el apartado (1) no se aplica si su efecto priva a un tercero de un derecho».

IV. CONDONACIÓN

La *condonación*, también llamada remisión, perdón o liberación, es el acto gratuito mediante el cual el acreedor manifiesta su voluntad de liberar en todo o en parte al deudor.

---

42. RJ 1978, 1859.

La STS de 5 de abril de 1993 declara inadmisible que el deudor (ente público) la imponga al acreedor en difícil situación económica, forzado a admitirla para cobrar el resto.[43]

El artículo 1156 del CC incluye entre las causas de extinción de las obligaciones la condonación y se dedican a su regulación los artículos 1187-1191 del CC. De esta normativa, y más concretamente del artículo 1187 del CC, que somete la condonación a los preceptos que rigen las donaciones, se deduce con claridad su configuración como un «acto gratuito». En este sentido, la STS de 21 de noviembre de 1988 declara que «la condonación debe ser alegada por quien se va a beneficiar de la misma tras la prueba de su existencia, pues si bien es cierto que puede ser expresa o tácita, siempre requiere un *animus donandi*, que tendrá que ser demostrado directamente o por presunciones».[44]

A tenor del artículo 1231, párrafo 1.º, de la PMDOC, «el acreedor puede remitir, total o parcialmente, la deuda siempre que el deudor la consienta». El apartado 2 del mismo artículo recalca que «a la remisión realizada con ánimo de liberalidad le serán aplicables las reglas de las donaciones».

Sin embargo, hay autores que, aun reconociendo que en la regulación del Código civil aparece claramente una liberación del deudor sin satisfacción del acreedor, admiten la posibilidad de que en ciertos casos la remisión de la deuda tenga carácter oneroso. Así, por ejemplo, DÍEZ-PICAZO y GULLÓN advierten que la condonación «puede formar parte de una transacción celebrada con el deudor, o bien ser hecha en una situación de dificultad del mismo para facilitar el cobro del resto del crédito (por ejemplo, en los convenios dentro de los procedimientos de quita y espera o concurso de acreedores)», situaciones en las que efectivamente no hay ánimo liberal, pero que tampoco son acreditativas de la existencia de remisiones de deuda «no gratuitas». Desde luego es cierto que el acreedor al perdonar la deuda puede obrar por un móvil distinto del ánimo de liberalidad, pero también lo es que en esos casos no es posible hablar de condonación. Si se hace, se opera una verdadera confusión de conceptos, ya que el perdón o remisión se está utilizando como un simple medio para la realización de otro acto totalmente distinto.

Como indica ESPÍN, «si con la remisión de una deuda se quiere pagar otra deuda, en sentido contrario, del acreedor, no existe una verdadera remisión, sino en realidad una compensación convencional; lo mismo ocurre si la remisión se hace a cambio de otra ventaja, pues se tratará de una transacción o de otra operación distinta de la remisión». Es decir, cuando se extingue una relación obligatoria «a cambio de algo» no puede afirmarse que exista perdón, pues lo que caracteriza a la condonación o perdón es la ausencia de contraprestación. El carácter gratuito de la condonación existe aun cuando el móvil del acreedor sea querer evitarse las molestias y gastos de una reclamación judicial.

El artículo 12 del RISD determina que, entre otros, tienen la consideración de negocios jurídicos gratuitos e *inter vivos* a los efectos de este impuesto, además de la donación, la condonación de deuda, total o parcial, realizada con ánimo de liberalidad.

---

43. RJ 1993, 2791.
44. RJ 1988, 9039.

También se discute por la doctrina si para que exista condonación o perdón es suficiente la simple voluntad del acreedor (*acto unilateral*) o si, por el contrario, se requiere para que produzca efectos la aceptación del deudor (*acto bilateral*). En favor de la unilateralidad de la condonación se argumenta del modo siguiente: «no hay razón para que el acreedor no pueda disponer del crédito extinguiéndolo, de la misma forma que puede disponer de él cediéndolo a un tercero, para lo que no necesita consentimiento del deudor; y que el acreedor puede liberar al deudor, lo demuestra el hecho de que está legitimado para recibir el pago de un tercero» (DÍEZ-PICAZO y GULLÓN). Frente a esta tesis, cabe argüir que el acto unilateral del acreedor, no seguido de aceptación, es una simple manifestación de no ejercicio de un derecho que por sí misma no basta para liberar al deudor, el cual, en tanto no transcurra el plazo de prescripción, se encontrará amenazado por la posible reclamación. Por otra parte, el acreedor no puede imponer la remisión de su crédito al deudor, pues éste puede no desear o querer la condonación o perdón de su acreedor y, para liberarse, acudir al procedimiento de la consignación. Como dice LARENZ, «el crédito no es un derecho de soberanía, en virtud del cual el deudor estaría sometido unilateralmente a la voluntad del titular del crédito, sino un vínculo ético: una facultad que es de otra persona en el reverso de la obligación. El acreedor no puede liberar al deudor de su obligación sin el consentimiento del mismo, ya que el primero no puede, naturalmente, sobreponerse a la posible voluntad del deudor de cumplir su obligación».

En nuestra opinión, la condonación expresa se encuentra sometida, de acuerdo con lo dispuesto en el artículo 1187, párrafo 2.º, del CC, a las normas que regulan las donaciones y, por tanto, es imprescindible la aceptación del deudor (cfr. arts. 618 y 629 CC). Aunque pueda admitirse una condonación tácita sin necesidad de aceptación del deudor, tampoco ofrece duda que no tendrá eficacia sin el consentimiento del deudor (el abandono de un derecho real, en cambio, es un acto unilateral).

> Según la STS de 24 de octubre de 1955, esto no excluye la posibilidad de que, si no media el *animus donandi*, característico y esencial de toda donación, tenga eficacia la renuncia unilateral de un derecho al amparo del (antiguo) artículo 4 del CC, sin necesidad de someterla a las reglas de las donaciones, lo que sucede cuando nada consta en los autos que revele que la indicada renuncia se haya hecho por causa de liberalidad, sino más bien para satisfacer propias conveniencias del renunciante en su relaciones con el inquilino que sigue en el local.[45]

Por otra parte, no es posible argumentar que existe un caso de condonación unilateral expresamente reconocido en el Código civil, cual es el legado de liberación o perdón, regulado en los artículos 870-872 del CC, ya que tampoco resulta dudoso que la persona favorecida con dicho legado puede no aceptarlo. Así lo pone de manifiesto el artículo 888 del CC, en el que se establece que «cuando el legatario no pueda o no quiera admitir el legado, o éste, por cualquier causa, no tenga efecto, se refundirá en la masa de la herencia, fuera de los casos de sustitución y derecho de acrecer».

> El artículo 1231, párrafo 1.º, de la PMDOC requiere específicamente que el deudor «consienta» la remisión de la deuda.

Finalmente, hay que advertir que no debe confundirse la condonación o remisión de la deuda con el «pacto o promesa de no pedir» (*pactum de non petendo*), pues dicho

---

45. RJ 1955, 3083.

pacto no da lugar a la extinción de la obligación y consiguiente liberación del deudor, sino que únicamente faculta a éste para oponerlo como excepción en el caso de que se ejercite el crédito.[46] A él se refería el artículo 1464.6.ª de la LEC de 1881, como una de las excepciones admisibles en el juicio ejecutivo, que igualmente recoge el artículo 557, causa 5.ª, de la LEC. Como dice LARENZ, el *pactum de non petendo* puede estar o no sometido a plazo; en el primer caso se produce una prórroga o demora del vencimiento, en el segundo se acerca mucho a un contrato de condonación.

1. Requisitos de forma

Según el artículo 1187 del CC, la condonación podrá hacerse expresa o tácitamente.

La condonación *expresa* o mediante declaración formal de voluntad deberá ajustarse a las formas de la donación (art. 1187, párrafo 2.º, CC), por lo que requiere la aceptación del deudor (arts. 618 y 629 CC). Conforme al artículo 1280 del CC, deberá hacerse constar en documento público la remisión de deuda de carácter hipotecario también consignada en escritura pública; y por escrito, aunque sea privado, cuando la cuantía de la deuda que se condona exceda de 1500 pesetas. Según la STS de 21 de noviembre de 1935 «el que el deudor conserve durante trece años una carta en su poder, en que se le condona una deuda y no la hubiese tampoco reclamado el acreedor, no sirve a dar por aceptada la donación en los términos que explícitamente ordena el artículo 632, aplicable a las condonaciones de deuda por imperio de lo previsto en el último inciso del párrafo segundo del artículo 1187, que ordena que se ajusten las condonaciones expresas a las formas de la donación. Tampoco cabría aplicar los artículos 1188 y 1189, porque la carta no es el documento acreditativo de la deuda que constaba en escritura pública anterior».[47]

La condonación *tácita*, que resulte de un acto o comportamiento claro e inequívoco del acreedor (*facta concludentia*), no requiere forma especial, por lo que no será necesaria para su validez la aceptación del deudor. Pero, como señala DÍAZ PAIRÓ, al admitirse la condonación tácita sin sujeción a las formas de la donación, se permite que se burle la regla limitativa de la forma, pues el acreedor que quiera prescindir de ella condonará tácitamente.

El artículo 1231, párrafo 3.º, de la PMDOC señala que «la renuncia unilateral del crédito notificada al deudor es extintiva si no se opone a ella en un tiempo prudencial».

2. Presunciones de condonación

El Código civil establece las presunciones de condonación siguientes:

1.ª «La entrega del documento privado justificativo de un crédito, hecha voluntariamente por el acreedor al deudor, implica la renuncia de la acción que el primero tenía contra el segundo» (art. 1188, párr. 1.º, CC). Supone el legislador que, al entregar al deudor un documento privado y justificativo del crédito, entrega el acreedor el arma defensiva de su derecho, cosa que no ocurre en el documento público, porque

---

46. Cfr. STS de 14 de septiembre de 1987 (RJ 1987, 6048).
47. RJ 1935, 2078.

siempre existe el archivo o protocolo y, por consiguiente, la posibilidad de obtener copia autorizada y fehaciente para justificar el crédito (VALVERDE). Esta presunción resulta, a su vez, reforzada en virtud de otra presunción contenida en el artículo 1189 del CC, en el que se indica que «siempre que el documento privado de donde resulte la deuda se hallare en poder del deudor, se presumirá que el acreedor lo entregó voluntariamente, a no ser que se pruebe lo contrario». Además, como dice la STS de 30 de abril de 1904, esta última presunción presupone por su naturaleza el hecho de que el documento a que el precepto se refiere haya estado el algún momento en poder del acreedor, pues de otra suerte no cabría imaginar la entrega voluntaria.[48] No ofrece duda que esta presunción opera contra el más elemental criterio lógico, que obligaría a presumir que si el documento privado se encuentra en poder del deudor es debido a que éste pago la deuda y, por lo tanto, el acreedor no tenía ya necesidad de conservarlo o retenerlo.

Además, el artículo 1188, párrafo 2.º, del CC dice que, si para invalidar la renuncia de la acción hecha por el acreedor se pretendiese que es inoficiosa, el deudor y sus herederos podrán sostenerla probando que la entrega del documento se hizo en virtud del pago de la deuda, de lo que se deduce una presunción más: la de considerar que la entrega del documento se hizo por causa de condonación y no como consecuencia del pago de la deuda. Esta presunción es muy criticada y con razón por la doctrina, pues lo más lógico era que el legislador hubiera establecido precisamente lo contrario. Esto es, la presunción de que la entrega voluntaria del documento privado justificativo del crédito se debía a causa de pago y no de remisión de la deuda, ya que es evidente que el modo normal de cumplimiento de las obligaciones es el pago.

> Sin embargo, GONZÁLEZ PORRAS la interpreta del siguiente modo: *inter partes* es indiferente que la presunción opere como remisión o como pago, ya que en cualquier caso se produce el efecto extintivo. Pero, para los legitimarios y acreedores del condonante, es más favorable la presunción de condonación, en cuanto que por «vía de límites» permite aplicar las reglas de las donaciones inoficiosas o de los actos en fraude de ley.

2.ª «Se presumirá remitida la obligación accesoria de prenda, cuando la cosa pignorada, después de entregada al acreedor, se hallare en poder del deudor» (art. 1191 CC). En realidad, en este caso, no se trata de una verdadera y propia condonación, sino de una renuncia al derecho accesorio de prenda que garantizaba la obligación principal. También deberá presumirse la extinción del derecho de prenda cuando la cosa pignorada fuese propiedad de un tercero y se encontrare en poder del mismo. En cualquier caso, el traspaso de la cosa pignorada debe haberse efectuado de modo voluntario, pues en otro caso no hay fundamento para presumir que el acreedor hubiera querido cancelar el derecho de prenda. Pues, como señala VALLET DE GOYTISOLO, se presume la remisión mientras no se pruebe que no la hubo, bien porque la readquisición no fue querida por el acreedor o porque la devolución voluntaria obedeció a otra causa distinta.

Ambas son presunciones *iuris tantum* que admiten prueba en contrario. En el primer caso, el deudor deberá acreditar que la entrega y posesión del documento privado ha sido consecuencia del pago y, en el segundo, el acreedor pignoraticio habrá

---

48. JC 1904, II-46.

de demostrar que no entregó la cosa voluntariamente, sino que lo hizo por error o por otra causa.

Otra presunción de condonación, también *iuris tantum*, se contiene en el artículo 266 del CC, a tenor del cual «el tutor que no incluya en el inventario los créditos que tenga contra el tutelado, se entenderá que los renuncia».

3. Efectos de la condonación

El efecto principal de la condonación o perdón es la extinción de la obligación. Si recae sobre la obligación principal extinguirá las obligaciones accesorias, pero si recae sobre éstas dejará subsistente la primera (art. 1190 CC). Según el artículo 1146 del CC, «la quita o remisión hecha por el acreedor de la parte que afecte a uno de los deudores solidarios, no libera a éste de responsabilidad para con los codeudores, en el caso de que la deuda haya sido totalmente pagada por cualquiera de ellos». En el caso de la fianza, «la liberación hecha por el acreedor a uno de los fiadores sin el consentimiento de los otros, aprovecha a todos hasta donde alcance la parte del fiador a quien se ha otorgado».

La impugnación de la condonación deberá ajustarse a los preceptos que rigen las donaciones inoficiosas (art. 1187, párr. 2.º, CC). Es decir, no se podrá dar o recibir por vía de condonación más de lo que se pueda dar o recibir por testamento; y, por consiguiente, cuando la remisión de la deuda perjudique la cuota que en concepto de legítima corresponde a los herederos forzosos o legitimarios, habrá de reducirse en el exceso como si se tratara de una donación inoficiosa (arts. 654 y 655 CC). A pesar de que el Código civil no lo dice, la generalidad de la doctrina considera que también será de aplicación la normativa sobre revocación de donaciones, por lo que se podrá revocar la condonación por superveniencia o supervivencia de hijos, por ingratitud del deudor y por incumplimiento de cargas (art. 644 CC).

Según el artículo 1232 de la PMDOC, «la remisión aprovecha a los terceros. Si en virtud de causa imputable al acreedor remitente la remisión fuere declarada nula, no subsistirán las garantías prestadas por terceros que no hubieran conocido la causa de nulidad al tiempo de realizarse aquélla».

BIBLIOGRAFÍA

ABRIL CAMPOY, *La confusión de derechos como causa de extinción de la relación obligatoria. Análisis del Derecho de obligaciones*, Valencia, 1995; ALBALADEJO, «La prohibición o improcedencia de compensación en los casos de depósito y comodato», RDP, 1947, p. 254; ÁLVAREZ VIGARAY, «El efecto automático de la compensación», *Estudios en honor del Prof. Castán Tobeñas*, T. IV, Pamplona, 1969, p. 37; ARIAS DÍAZ, *La confusión como modo de extinción de las obligaciones*, Jaén, 1994; BLASCO GASCÓ, «Las presunciones de condonación», ADC, 1988, p. 59; íd., «Reflexiones acerca de la condonación de deuda», ADC, 1990, p. 59; BORRELL Y SOLER, *Cumplimiento, incumplimiento y extinción de las obligaciones contractuales*, Barcelona, 1954; FLORENSA Y TOMÁS, *La condonación de la deuda en el Código civil*, Madrid, 1996; GONZÁLEZ PALOMINO, «La compensación y su efecto», *Estudios jurídicos de arte menor*, T. II, Pamplona, 1964, p. 9; LLÁCER MATACÁS, «La extinción de las obligaciones por confusión», RDP,

1990, p. 13; Miguel Sancha, *Compensación convencional*, Madrid, 1999; Moreno Quesada, «Problemática de las obligaciones de hacer», RDP, 1976, p. 467; Navas Navarro, *Compensación, depósito y comodato*, Madrid, 1997; Peña Bernaldo de Quirós, «Facultad de compensar y encargo de custodia», *Estudios homenaje al Prof. De Castro*, T. II, Madrid, 1976, p. 449; Rojo Ajuria, *La compensación como garantía*, Madrid, 1992; Sancho Rebullida, «Notas sobre la naturaleza jurídica de la condonación de las obligaciones», RDP, 1955, p. 30.

Extinción de la relación obligatoria (II)

I. PÉRDIDA DE LA COSA O IMPOSIBILIDAD DE LA PRESTACIÓN

Uno de los requisitos de la prestación es la *posibilidad*, por eso la imposibilidad subsiguiente o sobrevenida del objeto de la prestación, si se produce por hecho fortuito, da lugar a la extinción de la relación obligatoria; de ahí que el artículo 1156 del CC incluya la pérdida de la cosa debida entre las causas de extinción de las obligaciones. Sin embargo, conviene advertir que, en este precepto, así como en la rúbrica que encabeza la regulación de este modo de extinción (arts. 1182-1186 CC), se utiliza una terminología poco exacta, pues la «pérdida de la cosa debida» únicamente produce la extinción de la relación obligatoria cuando obedece a causa no imputable al deudor. Además, la frase legal puede inducir a la idea de que sólo pueden extinguirse de este modo las obligaciones de dar, en las que se debe una cosa, cuando también en las de hacer se produce el incumplimiento involuntario y la extinción de la obligación por imposibilidad sobrevenida de la prestación.

1. Régimen legal

De lo anterior se deduce la conveniencia de distinguir entre obligaciones de dar y obligaciones de hacer.

a) *Obligaciones de dar.* Según el artículo 1182 del CC, «quedará extinguida la obligación que consista en entregar una cosa determinada cuando ésta se perdiere o destruyera sin culpa del deudor y antes de haberse éste constituido en mora».[1] Este precepto se refiere a la pérdida definitiva de la cosa, y no a la pérdida transitoria de la misma o a la imposibilidad provisional de cumplimiento de la obligación. Por consiguiente,

---

1. Cfr. STS de 14 de mayo de 2009 (RJ 2009, 3026).

para que tenga lugar la extinción de la obligación por pérdida de la cosa, tanto por destrucción como por desaparición, habrán de concurrir los requisitos siguientes:

1.º Que se trate de una cosa determinada o específica. En las obligaciones de dar cosas genéricas, en virtud de la regla *genus nunquam perit*, no opera esta causa de extinción. Sin embargo, constituye una excepción a este principio el supuesto de las obligaciones «genéricas delimitadas», en las que existe pérdida o imposibilidad cuando desaparece o se destruye el género «delimitado». Ahora bien, en muchos casos, a falta de una expresa declaración de las partes, será bastante difícil saber si se trata de una obligación genérica normal o bien de una genérica «delimitada», planteándose la cuestión de si es posible entender que la delimitación se encuentra implícitamente establecida. DÍEZ-PICAZO opina que se trata de un problema de interpretación del negocio constitutivo de la relación obligatoria, siendo decisivos «no sólo la voluntad implícita de los contrayentes sino también el sentido general de los usos de los negocios». Y añade que «bajo este punto de vista, y a reserva de que las circunstancias de cada caso puedan conducir a otra solución, cabe señalar que si el deudor es un fabricante, en principio la obligación de entrega debe entenderse limitada al género derivado de su propia producción, en cambio, si el deudor es un comerciante, no parece existir razón alguna que abone una implícita limitación del género a las existencias de sus almacenes o a los *stocks* con que cuente en el momento en que asume la obligación».

No es preciso que la pérdida o destrucción total de la cosa objeto de la obligación, sino que es suficiente con que el deterioro impida el cumplimiento tal y como se había convenido.

2.º Que la cosa se perdiere sin culpa del deudor; pues, en caso contrario, no quedaría liberado, sino que estaría obligado a indemnizar al acreedor los daños y perjuicios causados (art. 1101 CC). La prueba de la inexistencia de la culpa corresponde al obligado, pues, según el artículo 1183 del CC, «siempre que la cosa se hubiese perdido en poder del deudor, se presumirá que la pérdida ocurrió por su culpa y no por caso fortuito, salvo prueba en contrario y sin perjuicio de lo dispuesto en el artículo 1096».

3.º Que se hubiese perdido la cosa antes de haberse constituido el deudor en mora, pues, si el obligado se constituye en mora, no quedará liberado, aunque la cosa se pierda por caso fortuito; y lo mismo sucede si se había comprometido a entregar la misma cosa a dos o más personas diversas (art. 1096, párr. 3.º, CC). Como dice BADOSA, de las dos circunstancias que requiere el artículo 1182 del CC para la eficacia extintiva de la imposibilidad, el «antes de hallarse» se presenta como una causa «absoluta», puesto que si hay mora se elimina la eficacia de sin culpa, de modo que ésta no es suficiente por sí misma, sino confirmada con la de «antes de haberse» constituido el deudor en mora.

4.º Que la deuda no procediera de delito o falta, ya que en este caso no se exime el deudor del pago de su precio cualquiera que fuese el motivo de la pérdida, a menos que, ofrecida por él la cosa al que la debía recibir, éste se hubiese sin razón negado a aceptarla (cfr. art. 1185 CC).

b) *Obligaciones de hacer.* Es también aplicable esta causa de extinción cuando la prestación debida resulte imposible de realizar. En este sentido, el artículo 1184 del CC dice que «también quedará liberado el deudor cuando la prestación resultara legal o físicamente imposible». Según la STS de 15 de diciembre de 1987 «la tesis normativa contenida en el artículo 1184 del CC ha de entenderse en sus términos literales en cuanto a la dicotomía que establece para el impedimento, entendiendo por legal aquella que por derivación del ordenamiento jurídico y sea cual fuere la jerarquía normativa o la actuación de cualquier organismo estatal establezca dentro de sus facultades una imposibilidad jurídica de cumplimiento».[2] A su vez, la STS de 23 de febrero de 1994, que trató de una imposibilidad surgida por razón de la denegación de la licencia de construcción, declaró que «un cierto grado de previsibilidad de que podrían sobrevenir circunstancias que hicieran imposible la prestación no debe excluir la operatividad de lo dispuesto en el artículo 1184 del CC».[3] La imposibilidad física tiene lugar cuando la prestación no puede realizarse en virtud de hechos de la naturaleza o de otras personas.

Como indica CASTÁN, doctrina análoga habrá que aplicar a las obligaciones de no hacer, cuando el hecho resulte de realización legal o físicamente necesaria.

2. Efectos de la imposibilidad sobrevenida

Si concurren todos los requisitos a que se ha hecho mención, la imposibilidad sobrevenida de la prestación produce la extinción de la relación obligatoria. En cambio, si la pérdida o imposibilidad tuvo lugar por culpa del deudor, la obligación no se extingue, y el deudor viene obligado a indemnizar los daños y perjuicios causados.

En caso de extinción de la obligación por pérdida de la cosa «corresponderán al acreedor todas las acciones que el deudor tuviere contra terceros por razón de ésta» (cfr. art. 1186 CC). Así, por ejemplo, si la cosa estaba asegurada, el acreedor podrá reclamar la indemnización de su valor, o el justiprecio en el supuesto de expropiación. Como señala SANTOS BRIZ, también tendrá acción el acreedor contra el deudor cuando, por razón de la pérdida de la cosa, éste haya obtenido algún provecho, ya que en otro caso habría lugar a un enriquecimiento injustificado.

El artículo 1186 del CC no dice cómo el acreedor puede acceder a las acciones del deudor, y ello da lugar a que en la doctrina se plantee la cuestión de si el acreedor se subroga *ipso iure* o bien se requiere la cesión de las mismas. Como indica MANRESA, la redacción clara y terminante de este precepto no deja lugar a dudas, en cuanto a que la transmisión de acciones a que se refiere se verifica por ministerio de la ley, sin necesidad de una cesión dependiente de la voluntad del deudor.

3. La imposibilidad transitoria o temporal

Una imposibilidad sobrevenida temporal o transitoria puede no dar lugar a la extinción de la relación obligatoria, sino simplemente a constituir al deudor en mora, a menos que el pago o cumplimiento estuviere sujeto a un término esencial. En este sentido, el Tribunal Supremo ha declarado que la imposibilidad sobrevenida no implica siempre una causa de extinción de la obligación, sino un metro retraso en el cumplimiento de la prestación cuando la imposibilidad es temporal o transitoria;[4]

---

2.   RJ 1987, 9434.
3.   RJ 1994, 683.
4.   Cfr. SSTS de 16 de mayo de 1941 (RJ 1941, 630), 24 de septiembre de 1953 (RJ 1953, 2273) y 10 de diciembre de 1963 (RJ 1963, 5220).

pues estima que si hay una imposibilidad sobrevenida transitoria o temporal la obligación revive al cesar y habrá extinción de la misma cuando el contrato haya perdió valor por no ser ya posible conseguir la finalidad económica perseguida por las partes.[5]

Esta doctrina jurisprudencial permite establecer el límite de la imposibilidad transitoria. De acuerdo con la misma, parece lógico afirmar que la imposibilidad transitoria o temporal dará lugar a la extinción de la relación obligatoria cuando ocasione la frustración del fin práctico perseguido por las partes.

> De modo similar se expresa el Código civil italiano, cuyo artículo 1256, párrafo 2.º, dice que la imposibilidad temporal extingue la obligación si dura tanto tiempo que, de conformidad con el título constitutivo o con la naturaleza del objeto, el deudor no puede considerarse ya como obligado o el acreedor ha perdido el interés en conseguir la prestación.

4. La dificultad extraordinaria o excesiva onerosidad de la prestación

Plantea la doctrina moderna la cuestión de si es posible equiparar a la imposibilidad absoluta de realizar la prestación, con la consiguiente extinción de la relación obligatoria y liberación del deudor, el caso de que ésta resulte excesivamente onerosa o de una dificultad extraordinaria (también llamada por la doctrina prestación «exorbitante»).

Se ha dicho que a su admisión se opone el sentido literal de los artículos 1182 y 1184 del CC, que se refieren a una imposibilidad puramente objetiva y absoluta. De hecho, el artículo 1182, por lo que se refiere a la obligación de dar cosa específica, condiciona la liberación del deudor al hecho de que se produzca la pérdida o destrucción de la cosa, mientras que el 1184, respecto a la obligación de hacer, exige que la prestación resulte legal o físicamente imposible. Sin embargo, la opinión más generalizada, con base en los principios de equidad y buena fe, se muestra claramente partidaria de la tesis extensiva.

Es muy significativa la STS de 9 de noviembre de 1949, en la que se declara que el deudor ha de superar todas la dificultades que se presenten, pero no se le exige la llamada prestación «exorbitante», es decir, «aquella que exigiría vencer dificultades que puedan ser equiparadas a la imposibilidad, exigir sacrificios absolutamente desproporcionados o violación de deberes más altos, pues hasta para excusar el incumplimiento que éste no sea imputable al deudor por haber procedido con la diligencia que las circunstancias requerían, con arreglo al artículo 1104».[6] Por consiguiente, como indican DÍEZ-PICAZO y GULLÓN, «al deudor no se le ha de pedir la superación de obstáculos para el cumplimiento que exigen esfuerzos considerables, cuando ello sea contrario a la buena fe (art. 7.1 CC) o cuando caen fuera de la diligencia que ha de prestar según el artículo 1104».

En todo caso, es esta una cuestión que debe estudiarse con más detenimiento dentro de la teoría general del contrato, al tratar de la resolución judicial de los contratos

---

5. Cfr. SSTS de 16 de mayo de 1941 (RJ 1941, 630), 13 de junio de 1944 (RJ 1944, 893) y 24 de septiembre de 1953 (RJ 1953, 2273).

6. RJ 1949, 1245. Cfr. STS de 5 de mayo de 1986 (RJ 1986, 2339).

por alteración de las circunstancias que se tuvieron en cuenta en el momento de su conclusión.[7]

También en el ámbito de los *contratos internacionales* se puede llegar a tener en cuenta la aparición de circunstancias extraordinarias que alteran el equilibrio contractual. Es lo que el artículo 6.2.2 de los PCCI denomina «excesiva onerosidad» o *hardship*, cuyos efectos regula el artículo siguiente.

II. NOVACIÓN EXTINTIVA

La novación es la extinción de una relación obligatoria mediante la creación de otra nueva destinada a reemplazarla, en la que resulta variado algún elemento de la anterior. Lo característico de la novación es ser al mismo tiempo causa de extinción y de creación de obligaciones. Como dice HEDEMANN, «su nota principal consiste en una *renovación* producida por medio de otra relación obligatoria precisamente creada al mismo tiempo». En este sentido, la STS de 11 de junio de 1947 declara que «la novación ofrece la singularidad, que la caracteriza y distingue de los demás modos extintivos de las obligaciones, que sólo de una manera relativa cabe decir que extingue la obligación a que afecta, porque en realidad su propio efecto es el de variarla, modificarla o sustituirla por otra, y como ambas no pueden subsistir, ya que si esto ocurriera no se habría producido la figura jurídica de la novación, bien cabe entender que el efecto de ésta es extintivo de la obligación sustituida, siempre que la modificación altere o varíe su esencia».[8]

El Código civil incluye la novación entre las causas de extinción de las obligaciones (art. 1156 CC), y dedica a su regulación los artículos 1203-1213 del CC, si bien en dichos preceptos se contiene también la figura de la novación simplemente modificativa. En este lugar cumple el estudio de la primera, esto es, de la novación propiamente dicha o extintiva. Para saber cuándo nos encontramos ante una novación extintiva y no meramente modificativa es imprescindible atender a la voluntad de las partes, pues, como dice el artículo 1204 del CC, «para que una obligación quede extinguida por otra que la sustituya, es preciso que así se declare terminantemente, o que la antigua y la nueva sean de todo punto incompatibles». Y, en caso de duda, habrá que pronunciarse por el efecto más débil.[9]

Es doctrina legal: *a)* que la novación nunca se presume, ni puede inferirse de meras deducciones o conjeturas, debiendo constar de modo inequívoco la voluntad de novar; *b)* que la facultad de establecer si se dan o no los presupuestos de la novación reside en los tribunales de instancia, a cuyo criterio ha de estarse; y *c)* que también es función propia del tribunal sentenciador la fijación del sentido y alcance de las manifestaciones de voluntad de las que puede inducirse o derivarse la existencia de la novación, sólo combatible cuando de modo patente haya incurrido en infracción de las normas sustantivas contenidas en los artículos 1281 y ss. del CC.[10]

---

7. Cfr. STS de 6 de octubre de 1987 (RJ 1987, 6720), que menciona la cuestión de la prestación desorbitante, pero en relación con la cláusula *rebus sic stantibus*.
8. RJ 1947, 770.
9. Cfr. STS de 6 de julio de 1989 (RJ 1989, 5404) y las que cita.
10. Cfr. STS de 10 de febrero de 1990 (RJ 1990, 675), 14 de diciembre de 1998 (RJ 1998, 9632) y 2 de junio de 2005 (RJ 2005, 6293), y las que éstas citan.

Según el artículo 1228 de la PMDOC, «la novación, por la que las partes extinguen una obligación constituyendo otra nueva que la sustituye sólo tendrá lugar si así lo declaran terminantemente, o la antigua y la nueva obligación son de todo punto incompatibles».

1. Requisitos de la novación

Para que tenga lugar el cambio o sustitución de una obligación por otra distinta se necesita la concurrencia de los requisitos siguientes:

1.º Que exista una obligación válida; pues si la obligación originaria fuere nula también lo será la novación, «salvo que la causa de nulidad sólo pueda ser invocada por el deudor, o que la ratificación convalide los actos nulos en su origen» (art. 1208 CC). Como dice DE BUEN, este artículo «está fundado en que si una persona capaz hace una novación que extingue otra obligación preexistente, contraída por la misma cuando era incapaz, debe entenderse que es lo mismo que si convalidara, ya en estado de capacidad, la obligación antes contraída. Pero, es evidente que para que se entienda aceptable tal resultado la novación deberá reunir las condiciones que a la convalidación se exigen, y, por tanto, no será válida si no se hace respecto a un contrato que reúna los requisitos necesarios para su existencia, y con conocimiento de la causa de nulidad, y habiendo ésta cesado». Es decir, en todo caso habrá que aplicar las normas correspondientes a la clase de ineficacia que afecte a la obligación, ya que si se trata de una nulidad absoluta también lo será la novación, sin que quepa la posibilidad de confirmación. En cambio, si la obligación primitiva era anulable, será de aplicación lo dispuesto en el artículo 1208 del CC.

El artículo 1229 de la PMDOC determina que «la novación es nula si lo fuera también la obligación primitiva, pero si ésta derivara de un título anulable, la novación es válida en cuanto suponga confirmación de él».

Si la obligación es condicional, también lo será la novación, salvo que por voluntad de las partes se hubiese cambiado este carácter, sustituyendo la obligación condicional originaria por una obligación pura.

2.º Que se cree una obligación nueva, también válida, que sustituya a la anterior, variando alguna circunstancia de la relación jurídica. Si no hubiese ninguna diferencia entre la obligación primitiva y la nueva no se trataría de una novación, sino de un simple reconocimiento de deuda. En este sentido, DE BUEN explica que «si la acción de nulidad llegare a ejercitarse y la nueva obligación se anulara, también debería entenderse que la novación no había existido, a no ser que hubiera sido la voluntad de las partes el sustituir una obligación primitiva firme y válida por una obligación anulable».

Como antes se ha indicado, cabe la posibilidad de sustituir una obligación preexistente condicional por otra nueva pura, y al contrario una obligación pura por otra condicional. Pero, en este último supuesto, como afirma RUGGIERO, «la novación misma y consiguientemente la extinción de la obligación primitiva se sujeta a condición; así que mediante la condición, como quiera que no surja la obligación nueva, no puede hacerse valer la extinción de la antigua, cuyo cumplimiento tampoco podrá exigirse estando la condición pendiente».

Es doctrina jurisprudencial que la nueva obligación no ha de reunir idénticas solemnidades que la obligación primitiva «a no ser que la ley exija forma especial para su constitución».[11]

También a la nueva obligación son de aplicación las normas generales sobre la ineficacia; es decir, si la nueva obligación es anulada la novación no se produce y la antigua obligación permanece.

3.º Que exista intención de novar (_animus novandi_). El artículo 1204 del CC exige que la voluntad de las partes se manifieste claramente de modo expreso o tácito, o, como dice textualmente, «para que una obligación quede extinguida por otra que la sustituya, es preciso que así se declare terminantemente, o que la antigua y la nueva sean de todo punto incompatibles». Por consiguiente, la voluntad de novar debe manifestarse de manera expresa o tácita, pero deducida, en este último caso, exclusivamente de la incompatibilidad entre la antigua y la nueva obligación, sin que tampoco sea posible presumirla. La jurisprudencia interpreta también restrictivamente la posibilidad de novar tácitamente; en este sentido, declara que la novación extintiva no se presume, ni puede inferirse de meras deducciones o conjeturas, ni apoyarse en actos equívocos, a no ser que resulten de todo punto incompatibles entre sí ambas obligaciones.[12] Asimismo dice que la apreciación de la voluntad tácita deducida de la incompatibilidad entre las dos obligaciones corresponde a los Tribunales.[13]

> Como dice la STS de 10 de julio de 2012, es necesario que «conste con claridad la voluntad de llevar a cabo la extinción de la primitiva obligación o, en su caso, la razón de la plena incompatibilidad de las respectivas obligaciones».[14]

4.º Que el acreedor tenga capacidad para disponer del crédito y el deudor para obligarse.

2. Clases de novación

De acuerdo con la variación de los elementos de la relación obligatoria, se distingue tradicionalmente entre novación _objetiva_, si consiste en el cambio de objeto, de causa o de alguna de las condiciones o circunstancias principales, y novación _subjetiva_, si se refiere a alguno de los sujetos, activo o pasivo.

A estas clases de novación alude el artículo 1203 del CC, según el cual, «las obligaciones pueden modificarse: 1.º Variando su objeto o sus condiciones principales. 2.º Sustituyendo la persona del deudor. 3.º Subrogando a un tercero en los derechos del acreedor».

2.1. _Novación objetiva_

Puede realizarse por cambio de objeto, de causa o de las condiciones o circunstancias principales de la obligación.

---

11. Cfr. STS de 20 de marzo de 1947 (RJ 1947, 355).
12. Cfr. SSTS de 24 de junio de 1940 (RJ 1940, 674), 22 de diciembre de 1941 (RJ 1941, 1400), 9 de abril de 1970 (RJ 1970, 1892), 24 de noviembre de 1978 (RJ 1978, 4173), 17 de febrero de 1987 (RJ 1987, 712) y 27 de septiembre de 2002 (RJ 2002, 7877).
13. Cfr. STS de 24 de enero de 1957 (RJ 1957, 367).
14. RJ 2012, 9328.

a) Al cambio de *objeto* de objeto se refiere el número 1.º del artículo 1203 del CC. Por ejemplo, se conviene que se sustituya el objeto de la prestación, el deudor en lugar de entregar una cosa dará una determinada cantidad de dinero, o bien la prestación de dar se cambia por otra de hacer. La generalidad de la doctrina considera que las alteraciones de la cuantía no encierran una *animus novandi*, sino una mera modificación de la obligación, a menos que se declare terminantemente la intención novatoria.

b) El cambio de *causa*, aunque no se encuentra expresamente mencionado en el número 1.º del artículo 1203 del CC, según la doctrina científica también puede dar lugar a la novación objetiva, por ejemplo, si el precio debido por una compraventa se acuerda que se adeuda en concepto de préstamo.[15]

> ALBALADEJO opina que «se puede hablar de novación por cambio de causa. Pero, si se analiza bien el fenómeno, se observa que no se trata exactamente de un caso como las demás novaciones, en las que una obligación que existe se extingue y pasa a ser sustituida por otra».

c) Según el número 1.º del artículo 1203 del CC, puede tener lugar la novación objetiva por cambio de las condiciones principales, como ocurre, por ejemplo, si se añade o se suprime una condición.

Como advierten algunos autores, la palabra «condición» que utiliza el número 1..º del artículo 1203 del CC hay que entenderla en un sentido amplio, comprensivo de cualquier estipulación de importancia decisiva.

> Según CASTÁN, son alteraciones accidentales, que no suponen novación extintiva, «las relacionadas con el lugar o el modo de cumplimiento de la obligación o con el pago de intereses, así como la adición o la sustracción de garantías», añadiendo que «la relatividad del límite que separa lo principal de lo accidental da gran inseguridad a toda esta doctrina, y obliga a que se considere, en cada caso, para determinar si existe o verdadera novación, no sólo la naturaleza de la cláusula modificada, sino también la voluntad de las partes, y la significación económica de la modificación». De acuerdo con este criterio, DÍAZ PAIRÓ considera que, a pesar de que se produzca un cambio en las condiciones principales, puede no existir una novación extintiva si falta la voluntad de novar y, por el contrario, que puede existir novación propia o extintiva cuando se cambian condiciones no principales. Añade este autor que «no vemos por qué motivo o fundamento se ha de negar la existencia de la novación si las partes, la hacer la alteración, declaran terminantemente que dan por extinguida la primitiva obligación. Único límite será el que el cambio operado sea tal que no afecte a la identidad de la obligación, pues en tal caso faltará la creación de una obligación nueva, imprescindible para la existencia de la novación; en esa hipótesis, el pacto podrá tener efectos, pero no podrá calificarse de novación propia o extintiva».

La jurisprudencia ha declarado que la simple alteración o prórroga del plazo no constituye novación,[16] y tampoco la modificación de la forma de pago y de la especie monetaria en que ha de hacerse el pago.[17]

---

15. Cfr. SSTS de 28 de noviembre de 1906 (JC 1906, III-146) y 11 de abril de 1961 (RJ 1961, 1804).
16. Cfr. SSTS de 16 de mayo de 1945 (RJ 1945, 582) y 26 de abril de 1955 (RJ 1955, 1553).
17. Cfr. STS de 27 de mayo de 1959 (RJ 1959, 2471).

2.2. Novación subjetiva

En la novación subjetiva permanece idéntico el contenido objetivo de la obligación, y el cambio de la primitiva obligación se produce por la sustitución de alguno de sus sujetos. La novación subjetiva puede ser activa, si cambia el acreedor, o *pasiva*, si cambia el deudor.

a) Novación subjetiva *por cambio de deudor*. La novación, «sustituyendo la persona del deudor» (art. 1203, núm. 2.º, CC), puede realizarse de dos formas: por delegación y por expromisión.

Por *delegación* o encargo del deudor primitivo a un tercero (nuevo deudor) para que lo sustituya y pague al acreedor, quedando él liberado, requiriéndose para que produzca efectos la aceptación del acreedor. Según puede observarse, la delegación requiere la intervención de tres personas: el *delegante* o deudor originario, que da al tercero la orden o encargo de obligarse frente al acreedor; el *delegado* o tercero, que recibe la orden y se obliga frente al acreedor; y el *delegatario* o acreedor, que acepta la promesa del delegado. Con la aceptación del acreedor y liberación del deudor primitivo queda extinguida la relación obligatoria que ligaba al delegante con el delegatario. Por ello, el artículo 1206 del CC establece que «la insolvencia del nuevo deudor, que hubiese sido aceptado por el acreedor, no hará revivir la acción de éste contra el deudor primitivo»; no obstante, el mismo precepto exceptúa el caso de que «la insolvencia hubiese sido anterior y pública o conocida del deudor al delegar su deuda». Es obvio que la insolvencia anterior debe existir en el momento en que se realiza la delegación, pues, como dice Díaz Pairó, si el delegado fue insolvente antes de la delegación, pero no lo era en el preciso momento de llevar a cabo la operación, es indiscutible que no será de aplicación este precepto.

Ahora bien, la delegación puede ser imperfecta; es decir, el delegatario o acreedor acepta, pero no libera al deudor originario, en cuyo caso no hay novación y persiste la relación obligatoria primitiva. Es lo que se denomina delegación «acumulativa», mucho más beneficiosa para el acreedor, que adquiere una nueva posibilidad de reclamación del cumplimiento de un tercero, además del propio deudor. Esta forma de delegación produce el mismo efecto de garantía que la fianza.

Por *expromisión* o acuerdo entre el acreedor y un tercero (nuevo deudor) que se compromete a cumplir una deuda ajena, siendo liberado el deudor primitivo por la aceptación del cambio por el acreedor. En este caso, no es necesaria la aceptación o consentimiento del antiguo deudor, que incluso puede no tener conocimiento de la novación (cfr. art. 1205 CC). La razón de que se pueda prescindir de la voluntad del deudor es la misma que justifica que un tercero pueda pagar por él: no se considera que exista un interés del deudor digno de consideración en impedirlo. Si el acreedor acepta el compromiso del tercero, pero no libera al deudor originario, no habrá novación, sino acumulación o yuxtaposición de un nuevo deudor; es lo que se denomina *adpromissio*.

b) Novación subjetiva *por cambio de acreedor*. El artículo 1203 del CC, en su número 3.º, se refiere a la subrogación de un tercero en los derechos del acreedor como un modo de novación extintiva, pero después no la regula, pues en los artículos 1209-1213 del CC se limita a regular la novación simplemente modificativa. No obstante, no ofrece duda que, al amparo del principio de autonomía de la voluntad (art. 1255 CC) puede configurarse una novación extintiva por cambio de acreedor, para lo cual bastará que el acuerdo entre los acreedores establezca terminantemente que el cambio del primero supone extinción de la obligación antigua y creación de una nueva (art. 1204 CC), requiriéndose además el consentimiento del deudor.

Esta novación puede realizarse mediante *delegación* (activa): el acreedor encarga u ordena a su deudor que realice la prestación en favor de un tercero, liberándole respecto de él; encargo que deberá ser aceptado por el deudor.

3. Efectos de la novación extintiva

El efecto principal de la novación es extinguir la obligación primitiva, dando lugar a la creación de otra nueva y distinta. También se extinguirán las obligaciones accesorias. El artículo 1207 del CC advierte de la irrelevancia de la novación respecto de terceros que no hubiesen prestado su consentimiento.

ÁLVAREZ CAPEROCHIPI interpreta este precepto en el sentido de que aquellos que han de prestar su consentimiento no son los terceros ajenos a la obligación extinguida, sino aquellos que la han garantizado. Es decir, que las obligaciones accesorias únicamente subsistirán cuando el tercero que las prestó renueve su consentimiento.

Sin embargo, hay dos supuestos en que no se produce la extinción de los derechos accesorios:

a) Aunque el Código civil no lo dice expresamente, las partes pueden pactar que los derechos accesorios subsistan en favor del nuevo crédito. Por supuesto, en este caso, será imprescindible el consentimiento de quien prestó la garantía.

b) A tenor del artículo 1207 del CC, cuando alguien tuviese interés en la obligación accesoria y no hubiese prestado su consentimiento a la novación, aquélla subsistirá respecto del mismo. Según MANRESA, «este precepto se refiere al caso en que la obligación principal se hallara constituida en favor de alguna persona, y en provecho de otra distinta hubiera alguna estipulación, que si bien subordinada a aquélla, tuviese utilidad propia que pudiera hacerse efectiva por separado».

A tenor del artículo 1230 de la PMDOC, «cuando la obligación se extinga por efecto de la novación, quedarán canceladas las garantías de aquélla».

III. OTRAS CAUSAS DE EXTINCIÓN DE LA RELACIÓN OBLIGATORIA

Al iniciar el capítulo de la extinción obligatoria se advertía que la enumeración de causas de extinción contenida en el artículo 1156 del CC, si bien comprendía las más generales y comunes a todas las obligaciones, no era completa, pues se omitían: el mutuo disenso, el desistimiento unilateral, la muerte de la persona, la condición resolutoria, el término final y la prescripción. Ahora corresponde hacer una breve referencia a estas últimas.

1. Mutuo disenso

También llamado retractación bilateral o contrato extintivo, es el acuerdo o conformidad de las partes (acreedor y deudor) en disolver o dejar sin efecto la relación obligatoria entre ellas existente. Es enteramente lógica esta posibilidad, ya que las partes, en virtud del principio de autonomía de la voluntad (art. 1255 CC), del mismo modo (común acuerdo de voluntades) que crean una relación obligatoria deben poder extinguirla.

Se trata de un nuevo contrato de carácter liberatorio encaminado a dejar sin efecto la relación obligatoria, al que serán exigibles los requisitos de validez (capacidad, objeto, causa y forma) de todo contrato.

La jurisprudencia, y también la Dirección General de los Registros y del Notariado en el ámbito hipotecario, superando la enumeración incompleta del artículo 1156 del CC, han reconocido la eficacia del negocio jurídico extintivo por «mutuo disenso» de la relación obligacional, _contrarius consensus_ o retractación bilateral del contrato que resulta disuelto.[18] La STS de 25 de octubre de 1999 declara que el mutuo disenso «se puede manifestar de forma conjunta (pacto), o por concurrencia de disentimientos unilaterales derivados de manifestaciones explícitas o de hechos de significación inequívoca»;[19] mientras que la STS de 15 de diciembre de 2004 afirma que «al mutuo disenso, contrato extintivo, sólo se llega mediante declaraciones de voluntad expresas o tácitas o actos concluyentes».[20]

Por su parte, la STS de 13 de febrero de 1965 diferencia el mutuo disenso de la renuncia unilateral y dice que ésta es abdicación o dejación de un derecho peculiar y privativo del renunciante, por medio de una declaración unilateral de voluntad no extendible a las relaciones obligatorias emanadas de un contrato, por impedirlo el principio _nemo dat quod non habet_. En cambio, el _contrarius consensus_ presupone la existencia de un negocio vinculante para los disidentes, de carácter sinalagmático, que requiere para conseguir su ineficacia la suscripción de común acuerdo de un nuevo convenio resolutorio y liberatorio del anterior o la realización de un comportamiento de todos los interesados dirigido a obtener su terminación o impedir su normal desenvolvimiento.[21]

En la legislación especial, el artículo 24, letra c), de la LAR, al enumerar las causas de terminación del contrato, cita el «mutuo acuerdo de las partes».

Finalmente, los efectos del contrato extintivo se habrán determinado en el mismo contrato. En su defecto, la cuestión deberá resolverse mediante la interpretación o integración del negocio. En este sentido, DÍEZ-PICAZO establece las siguientes pautas orientadoras: Si la relación que se extingue no había desplegado ningún efecto, la regla debe ser que ningún efecto se ha producido, ni puede ser reclamado (por ejemplo, si el arrendatario no había comenzado a utilizar la cosa arrendada, no se le podrá reclamar ningún tipo de renta). En cambio, si había producido algún efecto, deberá entenderse que en las relaciones obligatorias de tracto único el desistimiento mutuo comporta la restitución de las cosas al estado que tenían en el momento de constituirse la relación; y en las relaciones obligatorias duraderas o de tracto sucesivo habrá de interpretarse que la extinción se produce _ex nunc_ y que supone, por tanto, una subsistencia de los efectos contractuales ya producidos (por ejemplo, si el

---

18. Cfr. SSTS de 5 de abril de 1979 (RJ 1979, 1518), 11 de febrero de 1982 (RJ 1982, 588), 30 de mayo de 1984 (RJ 1984, 2809) y 20 de abril de 1999.
19. RJ 1999, 7624.
20. RJ 2004, 7920.
21. RJ 1965, 592.

arrendamiento había durado seis meses, se podrán reclamar al arrendatario las rentas correspondientes a dicho período).

El artículo III.-1:110 del DCFR establece lo siguiente: «(1) Los derechos, obligaciones o relaciones contractuales puede modificarse o extinguirse de mutuo acuerdo cuando las partes lo estimen oportuno. (2) Cuando las partes no regulen los efectos de la extinción entonces: (a) no tendrá en ningún caso efecto retroactivo y no afectará al derecho a percibir una indemnización por daños por el incumplimiento de obligaciones que debían haberse cumplido antes de la extinción; (b) no afectará en absoluto a las estipulaciones previstas para la resolución de conflictos, ni a cualquier otra cláusula que deba surtir efecto incluso tras la resolución; y (c) en el caso de una obligación o relación contractual, los efectos de restitución se regularán de conformidad con las reglas del Capítulo 3, Sección 5, Subsección 4 (Restitución) con las modificaciones oportunas».

Como dice el comentario oficial, «el deudor y el acreedor siempre pueden acordar modificar o extinguir la obligación y su derecho correspondiente; las partes de un contrato siempre pueden acordar modificar o resolver su relación. El acuerdo no tiene que ser expreso; puede quedar implícito por lo que las partes han dicho o hecho. Por ejemplo, la extinción de una obligación contractual puede a veces inferirse del hecho de que se haya celebrado un nuevo contrato con el mismo objeto, o relacionado con este. Eso se conoce a veces como novación, pero este término se utiliza con diferentes sentidos en diferentes ordenamientos jurídicos. Sin embargo, la extinción de un derecho u obligación no debería darse por supuesta inmediatamente, sino sólo si esa es claramente la intención de las partes. Normalmente, las partes regularán los efectos de una resolución de mutuo acuerdo. En los apartados (2) y (3) del artículo se disponen simplemente normas supletorias. Salvo que se acuerde lo contrario, la resolución no tiene efecto retroactivo. No afecta a la responsabilidad por los daños causados por un incumplimiento pasado ni a estipulaciones de un contrato, como la cláusula de arbitraje, cuyo objeto es subsistir a la resolución. Cuando una obligación se extinga de mutuo acuerdo, normalmente las partes regularán lo que ha de hacerse con lo que ya se haya transmitido de una a la otra en un cumplimiento parcial o intento de cumplimiento, o en virtud de una obligación recíproca. En cualquier caso, si excepcionalmente se olvidaran de hacerlo, serán de aplicación las normas del Capítulo 3, Sección 5, Subsección 4 (Restitución). Normalmente, estas normas requerirían que el beneficiario devolviera lo que ha recibido».

2. El desistimiento unilateral (o denuncia)

Es la facultad atribuida a una de las partes (o a ambas) de poder extinguir la relación obligatoria por su exclusiva voluntad. Sin embargo, en el caso de una relación obligatoria plurilateral (por ejemplo: en el contrato de sociedad), la extinción puede ser parcial, únicamente para el que desiste y no para los demás sujetos.

El Código civil no regula con carácter general esta causa de extinción, pero sí la admite respecto de determinados contratos:

a) En el artículo 1594 se dice que el dueño puede desistir, por su sola voluntad, de la construcción de la obra, aunque se haya empezado (con indemnización y abono del llamado beneficio industrial).

b) En los artículos 1700, núm. 4.º, y 1705 se permite que la disolución de la sociedad tenga lugar por la voluntad o por la renuncia de uno de los socios.

c) El artículo 1732, núms. 1.º y 2.º, sanciona entre los modos de acabarse el mandato la revocación del mandante y la renuncia del mandatario.

d) El artículo 1750 establece que, si no se pactó la duración del comodato ni el uso a que había de destinarse la cosa y éste no resulta determinado por la costumbre, el comodante puede reclamarla a su voluntad.

e) El artículo 1775 consigna la facultad del depositario de reclamar la restitución de la cosa al depositante, aunque se haya fijado un plazo o tiempo determinado para la devolución.

En varias leyes especiales en materia de contratos (arrendamientos urbanos, venta a plazos de bienes muebles) y, por regla general, en las que se ocupan de las relaciones entre empresarios y consumidores, también se reconoce y regula un derecho de desistimiento unilateral.

También cabe que en el negocio jurídico constitutivo de la obligación se haya estipulado esta facultad de denuncia en favor de una o de ambas partes contratantes, sin que tenga que basarse en causa especial. E incluso, como señala DÍEZ-PICAZO, es posible la generalización de lo dispuesto en los preceptos legales, que hacen aplicación del desistimiento unilateral, y reconocer esta facultad en aquellas relaciones obligatorias que reúnan las características siguientes:

1.ª Que se trate de una obligación duradera o de tracto sucesivo, como sucede en el arrendamiento, el contrato de servicios, la sociedad, el mandato, etc.

2.ª Que se trate de obligaciones que no tengan un plazo previsto de duración temporal.

3.ª Que se trate de obligaciones en las que exista un componente fiduciario o *intuitu personae*, o bien que el interés de cada una de las partes sea predominante

La STS de 16 de septiembre de 1988 declara que tratándose de un negocio (de distribución en exclusiva) de tracto continuado, sin limitación concreta en cuanto a su duración, se puede dar por concluido por cualquiera de las partes a su voluntad sin compensación, salvo la concurrencia de abuso del derecho o de mala fe.[22]

Su ejercicio requiere una declaración de voluntad recepticia y su efecto, normalmente, no será retroactivo. Pero, además, esta facultad de denuncia «debe ser hecha de buena fe en tiempo oportuno» (arg. *ex* arts. 1705 y 1706 del CC),[23] lo que normalmente exigirá un prudencial plazo de preaviso que posibilite a la otra parte acomodarse a la nueva situación,[24] cuya omisión dará lugar a un deber de indemnización de daños y perjuicios.[25]

---

22. RJ 1988, 6691. Cfr. STS de 22 de marzo de 1988 (RJ 1988, 2224).
23. Cfr. STS de 3 de julio de 1986 (RJ 1986, 4408).
24. Cfr. SSTS de 17 de diciembre de 1973 (RJ 1973, 4788) y 11 de febrero de 1984 (RJ 1984, 646).
25. Cfr. STS de 16 de diciembre de 2003 (RJ 2003, 8665).

Salvo que lo exijan el negocio constitutivo de la relación obligatoria o la ley, la declaración de desistimiento o denuncia no precisa una forma especial; sin embargo, a efectos de prueba, será aconsejable efectuarla de forma fehaciente.

Por regla general, el desistimiento dará lugar a la extinción de la relación obligatoria duradera, pero puede subsistir una relación obligatoria simple, como así sucede cuando aun no se hubiesen cumplido determinados deberes de prestación (por ejemplo, el pago de rentas o pretensiones de indemnización fundadas en vulneración del contrato, etc.); e incluso, determinados deberes («deberes de liquidación») surgen en el momento de extinción de la relación duradera, por ejemplo, restitución de las cosas, abono de saldos, etc. (LARENZ).

3. Muerte del deudor

Por regla general, las obligaciones no se extinguen por muerte del deudor, sino que se transmiten a sus herederos. Sin embargo, constituyen una excepción a esta regla aquellos casos en que la relación obligatoria no es transmisible, debido a su carácter personalísimo. Se trata de aquellas obligaciones que se contraen *intuitu personae*, en que la calidad y circunstancias de la persona del deudor fueron tenidas en cuenta al constituir la relación obligatoria, en cuyo caso el acreedor no puede ser compelido a recibir la prestación o servicio de un tercero (art. 1161 CC), extinguiéndose la obligación por muerte de la persona del deudor. Así, por ejemplo, el contrato de mandato se acaba por muerte del mandatario (art. 1732, núm. 3.º, CC), debiendo sus herederos ponerlo en conocimiento del mandante y proveer entre tanto a lo que las circunstancias exijan en interés de éste (art. 1739 CC).

4. La condición resolutoria y el término final

La relación obligatoria sometida, por voluntad de las partes, a una condición resolutoria produce todos sus efectos desde el mismo instante de su constitución, como si se tratase de una obligación pura; pero, cuando tiene lugar el hecho resolutorio la obligación se extingue de modo automático. Lo mismo sucede con el término final. Ambas causas de extinción han sido objeto de consideración al tratar de las obligaciones condicionales y a plazo, a cuya exposición procede remitirse.

BIBLIOGRAFÍA

ÁLVAREZ CAPEROCHIPI, «El artículo 1207 del Código civil», RCDI, 1973, p. 1413; BADENES GASSET, *El riesgo imprevisible*, Barcelona, 1947; CRISTÓBAL MONTES, «El *commodum representationis* del artículo 1186 del Código civil», ADC, 1987, p. 601; GUTIÉRREZ SANTIAGO, *La novación extintiva por cambio de objeto*, Granada, 1999; JORDANO BAREA, «Denuncia unilateral del contrato y derecho de separación en sociedad limitada, constituida por tiempo indefinido», ADC, 1955, p. 895; KLEIN, *El desistimiento unilateral del contrato*, Madrid, 1997; NÚÑEZ BOLUDA, *El mutuo disenso*, Madrid, 1996; PINO, *La excesiva onerosidad de la prestación*, trad. esp., Barcelona, 1959; QUESADA GONZÁLEZ, *Disolución de la sociedad civil por voluntad unilateral de un socio*, Barcelona, 1991; RAGEL SÁNCHEZ, «La denuncia unilateral sin justa causa en el contrato de agencia por tiempo indeterminado», ADC, 1985, p. 61; RODRÍGUEZ MARÍN, _El desistimiento unilateral (como causa de extinción del contrato)_, Madrid, 1991; RUIZ-RICO RUIZ MORÓN, «Las causas de extinción del artículo 1156 del Código civil y su aplicación facultativa», RDP, 1988, p. 114; SANCHO REBULLIDA, _La novación de las obligaciones_, Barcelona, 1964; TERRAZA MARTORELL, _Modificación y resolución de los contratos por excesiva onerosidad o imposibilidad en su ejecución_, Barcelona, 1951.

Capítulo XVIII
La prescripción

I. INTRODUCCIÓN

El Título XXVIII y último del Libro IV del Código civil, dedicado a las obligaciones
y contratos, se ocupa de la prescripción. En su Capítulo II se contiene la regulación
de la «prescripción del dominio y demás derechos reales» o prescripción adquisitiva
o usucapión, mientras que en el Capítulo III se regula la «prescripción de acciones» o
prescripción extintiva. Por su parte, el Capítulo I comprende las «disposiciones generales», comunes a ambos tipos de prescripción. No obstante, esta sistemática resulta
inadecuada, pues la prescripción extintiva no es de aplicación exclusiva a las obligaciones o derechos de crédito, sino que afecta toda clase de derechos.

Esta defectuosa sistemática que afecta a la prescripción contenida en el Código
civil ha sido utilizada como otro argumento más para defender la nueva regulación
de la que al respecto se ha dotado el Derecho civil catalán a través de la primera Ley
del Código civil de Cataluña.

Las normas del Libro primero del Código civil de Cataluña que regulan la prescripción y la caducidad se aplican a las pretensiones, las acciones y los poderes de
configuración jurídica nacidos y aún no ejercidos con anterioridad al 1 de enero
de 2004, con las excepciones que resultan de las normas siguientes: a) El inicio, la
interrupción y el reinicio del cómputo de la prescripción producidos antes del 1
de enero de 2004 se regulan por las normas vigentes hasta aquel momento. b) Si el
plazo de prescripción establecido por la presente Ley es más largo, la prescripción
se consuma cuando ha transcurrido el plazo establecido por la regulación anterior.
c) Si el plazo de prescripción establecido por la presente Ley es más corto que el
que establecía la regulación anterior, se aplica el establecido por la presente Ley, el
cual empieza a contar desde el 1 de enero de 2004. Sin embargo, si el plazo establecido por la regulación anterior, aun siendo más largo, se agota antes que el plazo
establecido por la presente Ley, la prescripción se consuma cuando ha transcurrido
el plazo establecido por la regulación anterior (disp. trans. única CCCat).

A tenor de lo dispuesto en los artículos 1930 y 1961 del CC, se podría decir que la prescripción extintiva, también llamada liberatoria, es un medio de extinción de los derechos y acciones por el transcurso ininterrumpido del tiempo determinado por la ley. Sin embargo, esta aseveración no sería correcta, ya que es requisito o presupuesto imprescindible «la inacción o falta de ejercicio del derecho de crédito por parte de su titular». Pero como esta expresión no abarca todos los hechos que la ley reconoce como causas de interrupción de la prestación, la falta de ejercicio deberá ir unida a una falta de reconocimiento del deudor. Por consiguiente, como indican ALAS, DE BUEN y RAMOS, se requiere el «silencio de la relación jurídica» durante el tiempo determinado legalmente, expresión que comprende tanto los hechos que exteriorizan la conducta inactiva del acreedor, como los que manifiestan la actitud del deudor (no reconociendo la deuda).

Como la prescripción no se funda en razones de justicia, pues permite liberarse al deudor sin cumplir con su obligación, la doctrina ha tratado de justificarla con base en diferentes criterios, de carácter subjetivo y objetivo. Según el primero, el fundamento de esta figura se encuentra en la presunción de abandono o renuncia del derecho que corresponde al acreedor y que, por tanto, podría ejercitar. Esta teoría tiene el serio inconveniente de que en muchos casos, aunque no pueda presumirse el abandono o renuncia, la prescripción producirá sus efectos con total independencia de esta voluntad. Por eso es preferible la tesis objetiva, que considera que el fundamento de la prescripción descansa en razones de necesidad y utilidad social, es decir, mediante esta institución se pretende dar fijeza y estabilidad a los derechos, imponiendo que el titular de un derecho sea diligente en su ejercicio, a la vez que exime de la prueba de determinados hechos o situaciones de difícil o imposible justificación.

La STS de 13 de abril de 1956 declara que la seguridad del Derecho y la paz jurídica «exigen que se ponga un límite a las pretensiones jurídicas envejecidas, ya que sin la prescripción nadie estaría a cubierto de pretensiones sin fundamento o extinguidas de antiguo».[1] En el mismo sentido, la STC de 25 de noviembre de 1986 dice que la prescripción «es una figura estrechamente conectada con la idea de seguridad jurídica, porque, para garantizarla, puede llegar a permitir la consolidación de situaciones que, en su origen, eran contrarias a la ley cuando el titular de la pretensión no la ejercita en un plazo de tiempo que puede considerarse razonable».[2] No obstante, hay que reconocer que los fundamentos subjetivo y objetivo no se excluyen; pues, como también indica la mencionada STS de 13 de abril de 1956, «aunque con carácter subordinado, este fundamento objetivo de la prescripción se complementa en el subjetivo de la presunción de abandono o renuncia que la inacción del titular del derecho parece implicar».

La jurisprudencia ha declarado reiteradamente que las normas sobre la prescripción deben ser objeto de una interpretación restrictiva y cautelosa, por tratarse de una institución que no se basa en criterios de estricta justicia, «sino más bien cercana a la oportunidad y fallo humanos».[3] Pero, según advierte DÍEZ-PICAZO, «esta dirección interpretativa no puede llevar a afirmar que ha existido interrupción de la prescripción

---

1. RJ 1956, 1560.
2. RJ 1986, 147.
3. Cfr. SSTS de 30 de septiembre de 1986, 18 de septiembre de 1987 (RJ 1987, 9982), 20 de octubre de 1988 (RJ 1988, 7593), 3 de octubre de 2001 (RJ 2001, 7142), 21 de mayo de 2004 (RJ 2004, 2787) y 2 de noviembre de 2005 (RJ 2005, 7619).

cuando se está en presencia de los hechos que la Ley considera como tales y única-mente ellos».

Un amplio sector de la doctrina considera que la falta de ejercicio de un derecho subjetivo de crédito por parte de su titular, durante el tiempo establecido en la ley, da lugar a la extinción de la relación obligatoria. Sin embargo, estimamos más correcta la tesis de que la prescripción, respecto de la relación obligatoria, no se produce de manera automática, pues el deudor puede renunciar a la prescripción ganada y cum-plir o reconocer la deuda. Es decir, como indica ALBALADEJO, lo que sucede es que «al pasar cierto tiempo intacto e irreconocido el derecho, el ordenamiento lo deja a la buena voluntad del sujeto pasivo, retirando al titular el poder de imponerlo a aquél». Buena prueba de ello es que, a pesar de haber transcurrido el tiempo necesario para la prescripción, si el acreedor reclamase judicialmente al deudor el cumplimiento de la obligación y éste no alegara la prescripción a su favor, la sentencia tendría que ser necesariamente condenatoria, pues, como dice la STS de 17 de febrero de 1961, la prescripción «es una excepción autónoma y propia que no puede ser acogida de oficio por los Tribunales sin incurrir en vicio de incongruencia».[4] Además, prescrita la obligación, la ejecución voluntaria no constituye una donación. El deudor que cumple o paga no podrá exigir la devolución de lo que voluntariamente hubiese entregado o abonado, ya que no es un pago indebido. Por consiguiente, en nuestra opinión, la prescripción no da lugar a la extinción de la relación obligatoria, sino que únicamente permite al deudor ampararse en ella, alegarla y no cumplir con su deber de prestación, razón por la cual preferimos darle tratamiento independiente de las demás causas de extinción. Esto implica que no parece correcto el término prescripción «extintiva».

En palabras de VON THUR, «el acreedor que no ejercite su derecho durante largo tiempo no pierde su crédito, pero sí la posibilidad de ejercitarlo, si el deudor no se aviene a ello». No puede obviarse, por tanto, que al no producir el transcurso del plazo una total extinción de los derechos, puesto que siguen existiendo, si bien el deudor puede denegar su cumplimiento, tales derechos podrían funcionar en algu-nos aspectos como obligación natural.

En el comentario oficial del Proyecto de Marco Común de Referencia, al principio del Capítulo 7 relativo a la prescripción, se afirma, a propósito de la terminología y sig-nificado del término, que «el término prescripción "extintiva" es incorrecto en el pre-sente contexto porque, según las normas de este capítulo, el derecho no se extingue. Sigue existiendo, pero se da al deudor el derecho a denegar el cumplimiento (…). Más apropiada, aunque no muy descriptiva, es la terminología de la legislación escocesa ("prescripción negativa"). Una alternativa sería "prescripción liberatoria". Otra posibi-lidad sería "limitación de derechos", es decir, una transposición a términos del derecho sustantivo del concepto inglés de "limitación de las acciones" (_limitation of actions_). Por simplicidad y puesto que estas normas no tratan la prescripción adquisitiva, se utiliza el término "prescripción" generalmente, sin ningún adjetivo calificativo».

II. OBJETO DE LA PRESCRIPCIÓN

A tenor del artículo 1930, párrafo 2.º, del CC, se extinguen por la prescripción «los derechos y acciones de cualquier clase que sean». Esta afirmación ha sido objeto de

---

4.   RJ 1961, 889. Cfr. STS de 22 de diciembre de 2000 (RJ 2000, 10137).

debate, discutiéndose si son objeto de prescripción los derechos subjetivos o bien las acciones que los protegen. No ofrece duda que prescriben no sólo los derechos sino también las acciones, mediante las cuales se pretende obtener una sentencia favorable de contenido determinado (GÓMEZ ORBANEJA).

Sin embargo, esta regla, que debe considerarse referida a los derechos de naturaleza patrimonial, no tiene un carácter absoluto como así lo acreditan algunos preceptos del propio texto legal. Por ejemplo, a tenor de lo dispuesto en el artículo 1936 del CC, son imprescriptibles los derechos que están fuera del comercio y, por tanto, no son susceptibles de disposición por los particulares. Por otra parte, hay acciones que si bien se extinguen por su no ejercicio durante un determinado plazo, no se encuentran sometidas a prescripción sino a caducidad.

Asimismo, los vicios que dan lugar a la nulidad radical (o inexistencia) de los actos o negocios jurídicos no son susceptibles de sanación por el transcurso del tiempo, por lo que las acciones correspondientes son imprescriptibles. En este sentido, el Tribunal Supremo ha declarado que «no prescriben las acciones que pretenden declarar la simulación absoluta; investigar el negocio disimulado, si bien no debe confundirse dicha acción encaminada a desvelar el contrato oculto, con la acción que nace del mencionado negocio; las de nulidad radical del negocio disimulado, o la de nulidad de un contrato a nombre de otro sin poder o excediéndose del concedido, pues la jurisprudencia dictada en aplicación de los artículos 1727, párrafo 2.º, y 1259, párrafo 2.º, del CC entiende que se trata de supuestos de inexistencia, de cuya orientación solo se separa alguna resolución asilada, que habla de anulabilidad».[5] Asimismo, conviene tener en cuenta que las acciones restitutorias que se ejercitan con la de nulidad del contrato sí prescriben,[6] siempre que la restitución fuere objeto de petición expresa y no se estime como un efecto automático de la declaración de nulidad (art. 1303 CC).[7]

Según el artículo 121-1 del CCCat, «la prescripción extingue las pretensiones relativas a derechos disponibles, tanto si se ejercen en forma de acción como si se ejercen en forma de excepción. Se entiende por pretensión el derecho a reclamar de otra persona una acción o pretensión». Sin embargo, no prescriben las pretensiones que se ejercen mediante acciones meramente declarativas, incluida la acción de declaración de cualidad de heredero o heredera; las de división de cosa común; las de partición de herencia; las de delimitación de fincas contiguas, ni las de elevación a escritura pública de un documento privado, ni tampoco las pretensiones relativas a derechos indisponibles o las que la ley excluya expresamente de la prescripción (cfr. art. 1212 CCCat). Por consiguiente, el Código civil de Cataluña adopta la idea de que no prescribe ni el derecho ni la acción, sino la pretensión. Esta es también la postura que parece adoptar la doctrina española más moderna.

El artículo III.-7:101 del DCFR dice que «el derecho al cumplimiento de una obligación está sujeto a prescripción por la expiración de un plazo de acuerdo con las reglas de este Capítulo». En su comentario se indica que «para instituir la prescripción es fundamental el concepto de derecho a reclamar el cumplimiento de una obligación. Por tanto, la prescripción se concibe como una institución del derecho sustantivo: el deudor tiene derecho a denegar el cumplimiento por el

---

5. Cfr. STS de 14 de marzo de 2002 (RJ 2002, 2476) y las que cita.
6. Cfr. SSTS de 27 de febrero de 1964 (RJ 1964, 1152) y 13 de abril de 1988 (RJ 1988, 3146).
7. Cfr. STS de 24 de marzo de 1995.

vencimiento del plazo. Si el deudor se decanta por eso, el acreedor pierde efectivamente el derecho a exigir el cumplimiento. Por supuesto, como resultado de ello, el acreedor ya no puede reclamar el derecho en los tribunales. La prescripción no solo limita el derecho a emprender acciones, sino que impide en efecto el derecho a recibir el cumplimiento. Así, por ejemplo, si un deudor alega prescripción frente a una reclamación de pago, y si se cumplen todos los requisitos para la misma, ya no se considera que el deudor se esté demorando en el pago y, por tanto, ya no sufre las consecuencias del incumplimiento de una obligación».

Por el contrario, en el comentario oficial al artículo III.-7:201 del DCFR se indica que «no parece haber unos criterios generales lo suficientemente claros y convincentes para proporcionar la base para un conjunto de normas sobre prescripción diferenciado, al menos no en el derecho de las obligaciones. Por tanto, es aconsejable someter los derechos derivados de transacciones cotidianas, o de poca relevancia, a plazos de prescripción más cortos que los derechos complejos o extraordinarios, pero es imposible establecer una frontera plausible y definirla en términos legales precisos. Otro posible punto de referencia podría ser la posición profesional del acreedor o del deudor, pero cualquier normativa basada en esta sería, o bien muy casuística y en constante peligro de quedar obsoleta, o bien demasiado abstracta y general (y, por tanto, abierta a interpretaciones contradictorias). Además, tal diferenciación sólo parecería tener sentido en lo concerniente al derecho a reclamar el cumplimiento en virtud de un contrato y posiblemente también al derecho a reclamar indemnizaciones de daños por incumplimiento de contrato. Es mucho menos convincente para otros derechos otorgados por ley, con los que incluso a menudo un profesional tiene poca experiencia». Obsérvese, no obstante, que la Propuesta de Código mercantil de 2013 sigue el camino contrario.

En los *contratos internacionales*, el artículo 10.1(1) de los PCCI señala que «el ejercicio de los derechos regulados por estos Principios está limitado por la expiración de un período de tiempo, denominado "período de prescripción", según las reglas de este Capítulo». Del tenor literal que utiliza el precepto, «derechos regulados por estos principios», se desprende, en palabras de su comentario oficial, que «no sólo el derecho a reclamar el cumplimiento u otra medida para los casos de incumplimiento prescribirá, sino también el ejercicio de derechos que afecten en manera directa a un contrato, tales como el derecho a terminarlo o a reclamar una reducción de precio acordada contractualmente».

Según el comentario oficial del artículo 10.1 de los PCCI, «todos los sistemas reconocen la influencia que ejerce el curso del tiempo sobre los derechos. Existen dos sistemas básicos. En virtud de uno, el curso del tiempo extingue los derechos y las acciones. En virtud del otro, el curso del tiempo no es más que un medio de defensa, que puede ser invocado como excepción frente a una acción legal. En virtud de estos Principios, la expiración de un plazo no extingue los derechos, sino que opera sólo como un medio de defensa (véase el Artículo 10.9)».

En cualquier caso, como recalca el artículo 10.1(2) de los PCCI, «este Capítulo no regula el tiempo en el cual, conforme a estos Principio, se requiere a un parte, como condición para adquisición o ejercicio de su derecho, que efectúe una negociación a la otra parte o que lleve a cabo un acto distinto a la apertura de un procedimiento jurídico». Son los supuestos de comunicaciones en el ámbito de formación de los contratos, anulación del contrato por vicios de consentimiento, solicitud de renegociar, derecho a reclamar la ejecución y resolución del contrato por incumplimiento, que regulan otras disposiciones de los Principios y que cumplen una función similar a la de los períodos de prescripción.

III. PLAZOS DE PRESCRIPCIÓN

Según el artículo 1961 del CC, la prescripción requiere el transcurso del lapso de tiempo fijado por la ley, pero no establece un plazo único o uniforme, sino que instaura una serie de plazos de prescripción atendiendo a la naturaleza del derecho o acción que prescribe.

1. Plazo general

El artículo 1964.2 del CC dispone que prescriben a los *cinco años*, desde que pueda exigirse el cumplimiento de la obligación, las acciones personales que no tengan plazo especial.

Este plazo de prescripción es de aplicación no sólo a las acciones recogidas en el Código civil, sino también a las establecidas en otras leyes (art. 4.3 CC). Se exceptúan las acciones imprescriptibles (por ejemplo, las acciones declarativas y las mencionadas en el artículo 1965 del CC, si bien la imprescriptibilidad no comprende los efectos restitutorios), las que tienen señalado un término especial y las que se encuentran sometidas a un plazo de caducidad.

> El artículo III.-7:201 del DCFR fija un plazo general de prescripción de tres años.[8] Como dice en su comentario oficial, «si se estudia el desarrollo del derecho de prescripción, en las nuevas leyes y anteproyectos de ley propuestos en los últimos cien años encontramos (i) una tendencia hacia plazos de prescripción más cortos y (ii) una tendencia hacia plazos de prescripción uniformes. Mientras los ordenamientos jurídicos europeos actuales aún reconocen una gran variedad de plazos, que van desde seis meses a treinta años, cada vez más derechos y en cada vez más países están sujetos a un plazo de prescripción de entre dos y seis años; y hay una creciente convicción de que el plazo general debería estar en un punto entre estos extremos. En cierta medida la elección es arbitraria, pero si también se tiene en cuenta una tercera tendencia internacional, a saber, el cada vez mayor reconocimiento del criterio de posibilidad de conocimiento [ver el artículo III.-7:301 (Suspensión en caso de ignorancia)], debería elegirse un plazo más cercano al más corto en vez de al más largo de este espectro; pues mientras un ordenamiento jurídico garantice que el plazo de prescripción no computará contra un acreedor que no sepa, y es razonable que no pueda saber, de la existencia del derecho, cabe esperar que el acreedor actúe razonablemente rápido. Tres años es el plazo que se dispone en un importante acto legislativo europeo –el artículo 10 de la Directiva relativa a la responsabilidad por los daños causados por productos defectuosos (85/374/CEE)– y parece que cada vez se acepta más como una norma general en la legislación europea».

En materia de *contratos internacionales*, el artículo 10.2(1) de los PCCI dice que «el período ordinario de prescripción es tres años, que comienza al día siguiente del día en que el acreedor conoció o debiera haber conocido los hechos a cuyas resultas el derecho del acreedor puede ser ejercido».

---

8.   Cfr. artículo 14:201 de los PECL.

Según el comentario oficial, «los "hechos", conforme a la presente disposición, son los hechos que sirven de base al derecho, tales como la formación de un contrato, la entrega de mercaderías, la asunción de servicios y el incumplimiento. Los hechos indicadores que un derecho o crédito son exigibles deben ser conocidos o al menos poder ser conocidos por el acreedor antes que el período de prescripción general comience a correr. Puede ocurrir, asimismo, que el acreedor tenga dudas sobre la identidad del deudor, _v.gr._, en los casos de representación, cesión de obligaciones o contratos, disolución de sociedades o contratos a favor de terceros desconocidos. En esos casos el acreedor debe conocer o tener motivos para conocer a quién reclamar antes de que se le pueda reprochar el no haber ejercido su derecho o acción. El conocimiento cierto o posible de los "hechos", sin embargo, no significa que el acreedor debe conocer las implicancias jurídicas de tales hechos. Si no obstante su completo conocimiento de los hechos, el acreedor está equivocado acerca de sus derechos, el período de prescripción de tres años igualmente comenzará a correr».

En todo caso, añade el apartado 2 del artículo 10.2 de los PCCI, «el período máximo de prescripción es diez años, que comienza al día siguiente del día en que el derecho podía ser ejercido». Parece evidente, que los objetivos a lograr por este plazo más largo son, indica enfáticamente el comentario oficial, «el restablecimiento de la paz y la prevención de la especulación litigiosa cuando las pruebas sean más difíciles de obtener».

2. Plazo quinquenal

Dice el artículo 1966 del CC que por el transcurso de _cinco años_ prescriben las acciones para exigir el cumplimiento de las obligaciones siguientes:

1.ª «La de pagar pensiones alimenticias». Aquellas obligaciones consistentes en tener que pagar al alimentista todo lo que es indispensable para su subsistencia, y que pueden tener su origen en la ley (arts. 142 y ss. CC) o en la autonomía privada (art. 153 CC).

Prescriben las pensiones alimenticias atrasadas, es decir, ya devengadas y no satisfechas (art. 151 CC), ya que el derecho de reclamar alimentos es imprescriptible.[9] Como dice la STS de 24 de febrero de 1989, la prescripción que este precepto reconoce con relación a pensiones alimenticias ya devengadas se refiere a las que provengan del período de tiempo precedente a los indicados cinco años anteriores a la presentación de la demanda en que se solicitan. Pero la acción que prescribe es la del alimentista para exigir los alimentos del obligado a prestarlos, y no la del que por haberlos suministrado sin estar obligado a ello pide que se le abonen, que prescribe a los quince años.[10]

2.ª «La de satisfacer el precio de los arriendos, sean estos de fincas rústicas o de fincas urbanas». En este concepto deben entenderse comprendidas cualesquiera otras cantidades que el acreedor reclame y el arrendatario pague periódicamente, por ejemplo, la repercusión de gastos, contribuciones, etc.

3.ª «La de cualesquiera otros pagos que deban hacerse por años o en plazos más breves».

---

9. Cfr. STS de 7 de octubre de 1970 (RJ 1970, 4183).
10. RJ 1989, 1399. Cfr. STS de 13 de abril de 1910 (JC 1910, I-108).

Como señala Díez-Picazo, «la periodicidad indica una separación temporal entre varias prestaciones, cuyos vencimientos son sucesivos y se encuentran distanciados por unidades de tiempo fijas y constantes». Por consiguiente, esta prescripción quinquenal se aplica a las prestaciones periódicas, con independencia de su carácter principal o accesorio; en cambio, resulta inaplicable a las obligaciones con prestación única.[11] En consecuencia, se deberá afirmar que no es aplicable este plazo corto de prescripción a aquellos arrendamientos en los que se hubiera convenido en concepto de renta «una cantidad alzada», salvo que el pago deba realizarse por anualidades, como así prevé en defecto de pacto el artículo 13.3 de la LAR.

Esta misma ley de arrendamientos rústicos ha establecido un plazo especial de prescripción de un año para la reclamación de las «cantidades asimiladas a la renta». Desde luego, no se comprende cuál es la razón o motivo que ha llevado al legislador a consignar un plazo de prescripción distinto al de la renta (art. 15.3 LAR).

También la obligación de pago de intereses, legales o convencionales, está sujeta a este plazo de cinco años,[12] si bien la jurisprudencia lo restringe a los intereses «compensatorios» del capital que se recibe, excluyendo los «moratorios» que resarcen los daños y perjuicios.[13] Como dice la STS de 3 de febrero de 1994, la obligación de pagar intereses de demora prescribe a los quince años «y no a los cinco que señala el artículo 1966, núm. 3.º, ya que este último precepto se refiere sólo a las obligaciones en que el pago de lo principal sea periódico, pero no al pago de los intereses de las sumas debidas».[14]

La doctrina extiende el ámbito de las obligaciones consignadas en el artículo 1966.3.ª del CC a los pagos fraccionados o aplazados de una obligación principal, los réditos anuales de una renta vitalicia, las pensiones o cánones censales, los dividendos, beneficios y utilidades sociales en la sociedad civil, las primas debidas al asegurador en el contrato de seguro civil y el precio del abono a un suministro.

Según el artículo 121-21 del CCCat, «prescriben a los tres años: a) Las pretensiones relativas a pagos periódicos que deban efectuarse por años o plazos más breves».

3. Plazo trienal

Según el artículo 1967 del CC, por el transcurso de *tres años* prescriben las acciones para el cumplimiento de las obligaciones siguientes:

1.ª «La de pagar a los Jueces, Abogados, Registradores, Notarios, Escribanos, peritos, agentes y curiales sus honorarios y derechos, y los gastos y desembolsos que hubiesen realizado en el desempeño de sus cargos y oficios en los asuntos a que las obligaciones se refieren».[15]

---

11. Cfr. SSTS de 16 de mayo de 1942 (RJ 1942, 631) y 31 de enero de 1980 (RJ 1980, 174).
12. Cfr. SSTS de 10 de octubre de 1959 (RJ 1959, 3668) y 14 de marzo de 1964 (RJ 1964, 1594).
13. Cfr. STS de 17 de marzo de 1994 (RJ 1994, 1989).
14. RJ 1994, 972.
15. Cfr. STS de 15 de marzo de 1994 (RJ 1994, 1982).

Como señala Díez-Picazo, los jueces a los que se alude no son los órganos de la Administración de justicia, porque están ligados con el Estado por una relación de servicio público. Deben incluirse sólo a los que ejercitan privadamente una función decisoria de un litigio (los llamados árbitros), o los que componen cualquier conflicto entre particulares, aviniéndolos (los mediadores).

La jurisprudencia ha precisado que esta regla sólo es aplicable al caso en que se reclamen derechos u honorarios, no cuando la cantidad reclamada por abogados, notarios, peritos, etc., lo sea en virtud de un compromiso especial contraído por las partes o en virtud de una liquidación de cuentas por operaciones de compra y venta de valores públicos.[16] Asimismo, la STS de 20 de diciembre de 2002 declara inaplicable el artículo 1967.1.ª del CC a la reclamación de las costas procesales por constituir éstas, no unos honorarios profesionales a pagar por el cliente, sino un crédito del litigante vencedor contra el litigante vencido y condenado a su pago por la sentencia judicial.[17]

El momento inicial del cómputo es el de la finalización del procedimiento, y no el momento en que se redactó el escrito que inició dicho procedimiento (Díez-Picazo).

En la expresión genérica «agentes» están comprendidos todos los que gestionan negocios ajenos, y, por tanto, los agentes de la propiedad inmobiliaria, que además devengan sus derechos por arancel como los registradores, incluidos expresamente.[18] En cambio, no deben considerarse incluidos los agentes judiciales.

2.ª «La de satisfacer a los Farmacéuticos las medicinas que suministraron; a los Profesores y Maestros sus honorarios y estipendios por la enseñanza que dieron, o por el ejercicio de su profesión, arte u oficio».

Aunque esta norma no empleó la palabra «médico», se encuentra comprendida en la frase «profesores y maestros», pues «no puede dudarse que el médico, en el ejercicio de su carrera, es un verdadero profesor, y, por otra parte, el inciso final de dicho texto, al referirse a los honorarios y estipendios de los profesores y maestros, tanto por la enseñanza que dieren como por el ejercicio de su profesión arte u oficio, señala bien a las claras que no se trata sólo de las actividades docentes, sino también de aquellas que constituyen la práctica profesional».[19]

3.ª «La de pagar a los menestrales, criados y jornaleros el importe de sus servicios, y el de los suministros o desembolsos que hubiesen hecho concernientes a los mismos».

La STS de 13 de julio de 1910 dice que la participación en los beneficios sociales que correspondieren a un socio, ofrecida por éste a un dependiente, no está comprendida en la prescripción de acciones a que se refiere el núm. 3.º del artículo 1967 del CC, por no ser complemento de sueldo o haber que el segundo disfrutaba.[20] Tampoco lo está el contrato de obra con suministro de materiales, pues, según la STS de 31 de marzo de 1943, participa de los caracteres del contrato de compraventa, y por ello el contratista no puede ser considerado como menestral.[21]

---

16. Cfr. STS de 12 de octubre de 1907 (JC 1907, III-100) y 22 de enero de 1930 (RJ 1930, 598).
17. RJ 2002, 223.
18. Cfr. SSTS de 18 de abril de 1967 (RJ 1967, 1874) y 6 de noviembre de 1985.
19. Cfr. STS de 7 de noviembre de 1940 (RJ 1940, 1001) y 10 de marzo de 1952 (RJ 1952, 495).
20. JC 1910, II-106.
21. RJ 1943, 702.

4.ª «La de abonar a los posaderos la comida y habitación, y a los mercaderes el precio de los géneros vendidos a otros que no lo sean, o que siéndolo se dediquen a distinto tráfico».

Aunque únicamente se hace referencia expresa a «la comida o habitación», se deberá aplicar el mismo plazo de prescripción a todos los servicios que se presten en función del hospedaje. Cafetería y bar, lavado y planchado de ropa, etc.

En el inciso final de esta norma se comprende la venta de cosas muebles por un comerciante a otro que no lo sea o que se dedique a distinto tráfico, por estar dicho contrato excluido del ámbito mercantil, ante la no reventa.[22]

La norma 4.ª de dicho artículo 1967 del CC contiene un segundo párrafo, en el que se dice que «el tiempo para la prescripción de las acciones a que se refieren los tres párrafos anteriores se contará desde que dejaron de prestarse los respectivos servicios», suscitándose la cuestión de si la norma se refiere a todo el artículo 1967, o debe entenderse excluida la norma 1.ª El Tribunal Supremo se ha planteado la duda a propósito de las reclamaciones de honorarios de abogados, declarando que el plazo de los tres años se aplica también a abogados, porque hay códigos (ediciones) oficiales que, en el último párrafo del artículo 1967 del CC, se refiere a los cuatro párrafos anteriores, entendiendo que es errata decir tres párrafos anteriores.[23] Pero no se aplica cuando los honorarios no han sido divididos en períodos, sino continuados.[24] Por otra parte, la STS de 4 de noviembre de 1991 resolvió que el artículo 1967, en su referencia a los abogados, hay que entenderlo en sus relaciones con sus clientes, no entre quien ha vencido en un proceso y el vencido, condenando además al pago de las costas procesales de aquél, entre las que se incluyen minutas de abogados.[25]

A tenor del artículo 121-21 del CCCat, «prescriben a los tres años: (…) b) Las pretensiones relativas a la remuneración de prestaciones de servicios y de ejecuciones de obra. c) Las pretensiones de cobro del precio en las ventas al consumo. d) Las pretensiones derivadas de responsabilidad extracontractual».

4. Plazo anual

A tenor del artículo 1968 del CC, prescriben por el transcurso de *un año*:

1.º «La acción para retener o recobrar la posesión».

2.º «La acción para exigir la responsabilidad civil por injuria o calumnia», cuando fuese ejercida la acción civil con independencia de la penal.

Se encuentran excluidas de esta regla las acciones de responsabilidad por la intromisión al honor, a la intimidad personal y familiar y a la propia imagen, que, a tenor de lo dispuesto en el artículo 9 de la LOPDH, caducan transcurridos cuatro años desde que el legitimado pudo ejercitarlas.

3.º «La acción para exigir el cumplimiento de las obligaciones derivadas de la culpa o negligencia de que se trata en el artículo 1902, desde que lo supo el agraviado». Esta

---

22. Cfr. STS de 12 de diciembre de 1983 (RJ 1983, 6929).
23. Cfr. STS de 16 de abril de 2003 (RJ 2003, 3717).
24. Cfr. STS de 12 de febrero de 1990 (RJ 1990, 680).
25. RJ 1991, 8138.

prescripción se refiere tanto a la acción contra el responsable directo como al responsable indirecto o responsable subsidiario.

La expresión «desde que lo supo el agraviado» debe interpretarse de acuerdo con el artículo 1969 del CC, en el que se dispone que la prescripción (de las acciones) «se contará desde el día en que pudieron ejercitarse», pues cabe la posibilidad de que el agraviado lo haya sido antes, y, sin embargo, no haya podido ejercitar la acción. Una reiterada doctrina jurisprudencial interpreta que esta última frase «se refiere de manera notoria a la posibilidad legal de hacerlo».[26]

La STS de 18 de julio de 1991, citando la STS de 28 de abril de 1983,[27] afirma que el cómputo del plazo para la prescripción de la acción de responsabilidad civil por los daños causados en accidente de vehículo de motor comienza a partir del auto ejecutivo preceptuado por el artículo 10 del RSRCCVM;[28] mientras que la STS 18 de octubre de 1993 dice que es doctrina constante y uniforme la que proclama que la expedición del título ejecutivo y su consiguiente notificación determinan el comienzo del plazo prescriptivo que fija el artículo 1968.2.° del CC.[29]

Aunque el precepto legal no lo diga expresamente, doctrina y jurisprudencia entienden que este plazo de un año es aplicable a las acciones indemnizatorias derivadas de los artículos 1903-1910 del CC. En este sentido, la STS de 23 de febrero de 1956 declaró que la prescripción anual es también aplicable a los supuestos del artículo 1903 del CC y a otras situaciones análogas como las derivadas de daños causados por animales.[30]

El artículo 121-22 del CCCat establece el plazo de prescripción de un año para «las pretensiones protectoras exclusivamente de la posesión». En todo caso, según el artículo 121-24 del CCCat, «cualquier pretensión susceptible de prescripción se extingue en todo caso por el transcurso ininterrumpido de treinta años desde su nacimiento, con independencia de que hayan concurrido en las mismas causas de suspensión o de que las personas legitimadas para ejercerla no hayan conocido o no hayan podido conocer los datos o las circunstancias a que hace referencia el artículo 121-23, en materia de cómputo de plazos».

5. La alteración convencional de los plazos legales

¿Pueden modificarse convencionalmente los plazos legales de prescripción? Si hemos dicho que la prescripción responde a razones de seguridad jurídica y, además, no se admite una renuncia anticipada a prescribir en el tiempo fijado por la ley (cfr. art. 1935 CC), es lógico afirmar que la voluntad de las partes no podrá convertir un derecho legalmente prescriptible en imprescriptible y a la inversa. Otra cosa sería la posibilidad de alargar o acortar los plazos legales por vía convencional.

En cuanto a la ampliación de los plazos legales mediante pacto o convenio, un importante sector de la doctrina ha postulado su invalidez; sin embargo, consideramos

---

26. Cfr. STS de 21 de febrero de 1974 (JC 1974, II-84).
27. RJ 1983, 2196.
28. RJ 1991, 5396.
29. RJ 1993, 7611. Cfr. STS de 23 de marzo de 2006 (RJ 2006, 5453).
30. RJ 1956, 1114. Cfr. artículo 1905 del CC y STS de 20 de octubre de 1980.

más acertada la respuesta afirmativa. Pues, como dice Díez-Picazo, la prohibición de la renuncia anticipada no implica, a su vez, prohibición del alargamiento de los plazos legales, salvo que por su extensión conviertan de hecho lo prescriptible en imprescriptible. Quizá se debería interpretar que el alargamiento convencional del plazo de prescripción únicamente es posible respecto de los plazos especiales de uno, tres y cinco años, sin sobrepasar el término general de quince años establecido en el artículo 1964 del CC.

En cambio, no presenta inconveniente alguno el pacto que abrevia o acorta el plazo legal de prescripción, ya que en este caso no se produce una renuncia previa y, por otra parte, propicia, adelantándola, la propia finalidad legal de la prescripción. Lo que no podrá admitirse, en ningún caso, es un acortamiento del plazo que hiciese imposible o muy difícil la alegación del derecho por parte de su titular. Sin embargo, Santos Briz, considera que «la reducción por pacto del plazo de prescripción no debe considerarse admisible, por implicar una renuncia en contra de lo dispuesto en el artículo 6.2 del CC. Es decir, en contra del orden público».

El artículo 121-3 del CCCat, tras afirmar que las normas sobre prescripción son de naturaleza imperativa, añade a continuación que «sin embargo, las partes pueden pactar un acortamiento o un alargamiento del plazo no superiores, respectivamente, a la mitad o al doble del que está legalmente establecido, siempre y cuando el pacto no comporte indefensión de ninguna de las partes».

El Proyecto de Marco Común de Referencia mantiene una postura más coherente con el espíritu liberal que debe presidir el Derecho de obligaciones y contratos, pues sanciona la libertad de las partes para modificar los plazos de prescripción. En consecuencia, el artículo III.-7:601(1) del DCFR señala que «los requisitos de la prescripción pueden modificarse por acuerdo entre las partes, en particular para acortar o para ampliar los plazos de prescripción». Como dice el comentario oficial, «debe recordarse que la prescripción de derechos sirve principalmente para proteger al deudor y que, si el deudor renuncia a dicha protección, puede considerarse que la autonomía privada prevalece sobre el interés público».[31] El apartado 2 del artículo III.-7:601 del DCFR añade que «sin embargo, el plazo de prescripción no puede reducirse a menos de un año o extenderse a más de treinta años contados desde el momento en que se inicia el plazo según el Artículo III.-7:203 (Inicio)».[32] Este plazo de un año es un límite mínimo a la autonomía de las partes, el cual se aplicaría, como indica el comentario oficial, «incluso a contratos negociados expresamente entre partes profesionales».

En los *contratos internacionales*, el artículo 10.3(1) de los PCCI indica que «las partes pueden modificar los períodos de prescripción». No obstante, el apartado 2 de dicho artículo 10.3 de los PCCI añade como límites a la posibilidad de modificar los plazos de prescripción lo siguiente: «sin embargo, ellas no podrán: (a) acortar el período ordinario de prescripción a menos de un año; (b) acortar el período máximo de prescripción a menos de cuatro años; (c) prorrogar el período máximo de prescripción a más de quince años».

Según el comentario oficial, «dado que los Principios se aplican por lo general a los contratos internacionales entre personas de negocios, que por lo general

---

31. Cfr. artículo 14:601(1) de los PECL.
32. Cfr. artículo 14:601(2) de los PECL.

cuentan con los conocimientos y experiencia pertinentes y que por lo tanto no requieren ser protegidas, se permite a las partes adaptar a las necesidades de cada caso los períodos de prescripción aplicables a los derechos nacidos de los contratos». Otra cosa es que «sería posible que un parte con poder de negociación superior, o con mejor información, pudiera intentar obtener alguna ventaja sobre la otra parte, ya sea abreviando o alargando excesivamente el período de prescripción», lo que justifica las restricciones que contiene el artículo 10.3(2) de los PCCI.

6. La existencia de un plazo especial para los derechos establecidos mediante procedimientos legales

A diferencia de la Ley de enjuiciamiento civil de 1881, que no fijaba plazo alguno para ejecutar las sentencias, la actual Ley de enjuiciamiento establece un plazo de caducidad de cinco años a contar desde que la sentencia es firme. En efecto, según el artículo 518 de la LEC, «la acción ejecutiva fundada en sentencia, en resolución del tribunal o del secretario judicial que apruebe una transacción judicial o un acuerdo alcanzado en el proceso, en resolución arbitral o en acuerdo de mediación caducará si no se interpone la correspondiente demanda ejecutiva dentro de los cinco años siguientes a la firmeza de la sentencia».

Cuando la sentencia pueda ser objeto de recurso, los cinco años deberán computarse desde el día siguiente a aquél en que expiró el plazo para la interposición del recurso correspondiente.

> El problema podría existir cuando la sentencia adquiera firmeza antes que para el otro, por haberse realizado la notificación de la resolución en momentos distintos. Por ejemplo, cuando el actor se hubiera personado por medio de procurador y el demandado estuviera en situación de rebeldía. En este caso, el plazo de cinco años de caducidad de la acción ejecutiva deberá contarse desde que la resolución judicial fue firme para todos los litigantes (Achón).

En cambio, si la sentencia no puede recurrirse, porque así lo dispone la ley (art. 441.4 LEC), o porque ha sido dictada en segunda instancia y no concurren los presupuestos establecidos en el artículo 477 de la LEC, ni en el Acuerdo adoptado por la Sala de lo Civil del Tribunal Supremo de 30 de diciembre de 2011 para recurrir en casación, ni tampoco se pueden alegar los motivos previstos en el artículo 469 de la LEC para interponer recurso extraordinario por infracción procesal, el cómputo del plazo contenido en el artículo 518 de la LEC deberá atenerse al día en que se dictó dicha sentencia, al margen del momento en que hubiere sido notificada a las partes.

> Como señala Achón, resulta más difícil dar una respuesta en el supuesto de que no se hubiera admitido el recurso de apelación, casación o extraordinario por infracción procesal contra la sentencia, y el auto hubiera sido recurrido en queja. En esta hipótesis, el plazo de caducidad de cinco años podría contarse desde la inadmisión del recurso o desde la desestimación de la queja, solución esta última que se considera más adecuada por no ser posible recurrir el auto que resuelva la queja (art. 495.5 LEC).

Aunque el plazo de la acción ejecutiva a que se refiere el artículo 518 de la LEC es de caducidad se admite su suspensión cuando se haya iniciado la ejecución. Sin embargo, en el caso de que el ejecutante desistiera del proceso de ejecución, se alzará la suspensión del plazo de caducidad y éste continuará corriendo por el tiempo que reste (ACHÓN).

Bajo el epígrafe «Plazo en el caso de un derecho establecido mediante procedimientos legales», el artículo III.-7:202 del DCFR contiene un plazo de prescripción especial para un derecho establecido mediante procedimientos legales, según el cual, «(1) el plazo de prescripción de un derecho establecido mediante sentencia es de diez años. (2) El mismo plazo se aplica al derecho establecido mediante laudo arbitral u otro instrumento que sea ejecutable como si se tratare de una sentencia».[33]

Según el comentario oficial, «este es el único plazo de prescripción especial que se dispone en este capítulo. Evita cualquier posible discusión doctrinal respecto al efecto de la sentencia sobre el derecho original. (¿Sigue existiendo, o es sustituido por un nuevo derecho?). El plazo aplicable en este caso tiene que ser sustancialmente más largo que el plazo general que establece el Artículo III.-7:201 (Plazo general). Un derecho establecido mediante sentencia es lo más firme y seguro posible y, por tanto, se ve mucho menos afectado por el "ofuscante poder del tiempo" que otros derechos. Además, el acreedor ha dejado muy claro que reclama el derecho en serio; el deudor sabe que todavía se requiere el pago. Finalmente, tiene que resolverse el conflicto jurídico entre las partes. No genera una fuente de incertidumbre ni de peligro para el interés público. Al contrario: generaría gastos innecesarios y, por tanto, sería más perjudicial para el interés público, que un plazo de prescripción corto obligara al acreedor a intentar periódicamente ejercer su derecho, lo que, en vista de la situación financiera del deudor, se sabe que es inútil. En este caso, el derecho de prescripción, como siempre, debe impedir, y no fomentar o incluso generar, litigios». A pesar de lo expuesto, el propio comentario reconoce que es algo arbitrario fijar un plazo específico en este caso, si bien considera que «diez años parece una elección razonable en vista del que es el plazo más habitual empleado, o propuesto, en la legislación actual».

El plazo de diez años que propone el Proyecto de Marco Común de Referencia es un plazo de prescripción normal sujeto a las normas generales. Por otra parte, una sentencia declaratoria es suficiente a efectos del artículo III.-7:202 del DCFR, «siempre y cuando establezca el derecho y no sólo uno de sus requisitos previos».

En cuanto a otros instrumentos que obtenga el acreedor que pueden producir el efecto de iniciar un nuevo plazo de diez años, el comentario oficial añade que «el criterio relevante es si se consideran tan susceptibles de ejecución como si se trataran de una sentencia. Un ejemplo podría ser un acuerdo entre las partes de un conflicto aprobado por el tribunal. Los instrumentos privados también están incluidos, ya que no requieren un acto formal por parte de un tribunal antes de que puedan ejecutarse, sino que pueden ejecutarse directamente. Se mencionan los fallos arbitrales por su reconocimiento general e importancia práctica».

IV. INICIO DEL PLAZO DE PRESCRIPCIÓN Y SU CÓMPUTO

El principio tradicional, respecto al inicio de los plazos, es que sólo puede prescribir la acción ya nacida (*actioni nondum natae non praescribitur*).

---

33. Cfr. artículo 14:202 de los PECL.

El Código civil parece adscribirse a este principio o teoría de la _actio nata_, ya que, en su artículo 1969, establece que «el tiempo para la prescripción de toda clase de acciones (...) se contará desde el día en que pudieron ejercitarse». Sin embargo, este criterio no resuelve la cuestión, en cuanto que plantea la necesidad de concretar cuándo ha nacido la acción, es decir, cuando pudo ejercitarse la acción. A este respecto, suele afirmarse que la prescripción de los derechos de crédito comienza por la insatisfacción del acreedor, es decir, cuando llegado su vencimiento el deudor no ejecuta la prestación debida. Pero, como existen derechos de crédito que únicamente son violados mediante un acto positivo (por ejemplo, las obligaciones de «no hacer»), es corriente afirmar que en estos casos el derecho comienza a prescribir desde que es violado, pues en ese momento puede y tiene que ejercitarse la acción para protegerlo (Díez-Picazo).

Ahora bien, como señala nuestra jurisprudencia, «para que un derecho prescriba no basta que haya nacido, sino que además es necesario que pueda ser ejercitado, por lo que como fórmula general la doctrina científica y la jurisprudencia proclaman al unísono que si el titular de un derecho se encuentra en la imposibilidad de ejercitarlo a consecuencia de un obstáculo cualquiera, que proceda, ya de la Ley, ya de fuerza mayor o hasta de la misma convención, la prescripción no comienza a correr contra aquél hasta el día en cesa o desaparece esa imposibilidad. Por lo que, consiguientemente, los derechos cuyo nacimiento está subordinado a un acontecimiento posible o probable sólo quedan sometidos a la prescripción a partir del momento en que tal acontecimiento se ha producido. Esto explica que algunos Códigos más detallistas que el nuestro tienen buen cuidado en puntualizar que la prescripción no corre: _a)_ cuando se trata de un crédito cuyo nacimiento depende del cumplimiento de una condición suspensiva, hasta que tal condición sobreviene; _b)_ cuando se trata de una acción de garantía, hasta que la evicción haya tenido lugar, y _c)_ cuando se trata de créditos a término, hasta que llegue su vencimiento».[34]

Consecuencia de esta exigencia de «posibilidad de ejercicio» en sentido objetivo, es la irrelevancia de la imposibilidad material en que el sujeto pueda encontrarse para ejercitar el derecho (por ejemplo, enfermedad, viaje, etc.). No obstante, la prescripción no comienza cuando es la ley la que pone algún obstáculo para el cumplimiento de la obligación, como era el caso contemplado en la STS de 20 de junio de 1969, en el que el deudor necesitaba una autorización administrativa para pagar el precio pactado en moneda extranjera. En ella se declara que «habrá de entenderse que tal obstáculo cesa en cuanto se acceda a la concesión, aunque ésta no se consume por el abono del correspondiente contravalor en la moneda nacional, ya que, desde el momento de tal concesión tiene el deudor camino libre para poder hacer frente al pago y si no lo efectúa, desde el momento en que pudo hacerlo, empezará a correr el plazo de prescripción de la acción que al acreedor le corresponda para exigirlo».[35]

No obstante, el artículo 1969 del CC advierte que la regla general en él expresada se aplicará en tanto «no haya disposición especial que otra cosa determine». Y en el propio Código se consignan, precisamente, diversos casos especiales, que son los siguientes:

---

34. Cfr. SSTS de 25 de enero de 1962 (RJ 1962, 562) y 10 de octubre de 1977 (RJ 1977, 3895).
35. RJ 1969, 3569.

a) El artículo 1968, núm. 2.º, del CC dice que la prescripción anual de la acción para exigir la responsabilidad civil por injuria o calumnia o por las obligaciones derivadas del artículo 1902 del CC comienza «desde que lo supo el agraviado»;

> La jurisprudencia más moderna ha declarado que si el acto ilícito dio lugar a proceso penal, el plazo de prescripción es de quince años.[36]

b) El artículo 1967 del CC, relativo a obligaciones derivadas de relación de servicios, establece que la prescripción trienal comienza «desde que dejaron de prestarse los respectivos servicios»;

c) El artículo 1970 del CC, para la prescripción de las acciones que tienen por objeto reclamar el cumplimiento de obligaciones de capital con interés o renta, decreta que el tiempo «corre desde el último pago de la renta o del interés»;

> Dice la STS de 10 de octubre de 1959 que no puede prescribir el capital mientras se paguen los intereses y, por tanto, el plazo comienza a correr desde el último pago de éstos.[37]

d) El artículo 1971 del CC, para el cumplimiento de obligaciones declaradas por sentencia, dispone que el tiempo comienza «desde que la sentencia quedó firme»;

> La sentencia se hace firme por la falta de interposición de los correspondientes recursos o cuando el recurso ha sido resuelto. Es obvio que será precisa la notificación de la sentencia al interesado que se encontraba personado en el proceso.

e) El artículo 1972 del CC dice que el término de prescripción de las acciones para exigir rendición de cuentas corre «desde el día en que cesaron en sus cargos los que debían rendirlas», y respecto al resultado de las cuentas, «desde la fecha en que fue éste reconocido por conformidad de las partes interesadas».

También procede tener en cuenta que, cuando los daños son continuados o de producción sucesiva e ininterrumpida, y no es posible separar en etapas diferentes o hechos diferenciados la serie proseguida, es doctrina jurisprudencial que el plazo de prescripción de la acción «no se inicia hasta la producción del definitivo resultado».[38] En este contexto, en materia de daños a la salud de las personas, también se ha afirmado que el plazo de prescripción empieza a correr desde que se conocen todos los efectos y secuelas, siendo irrelevante acudir posteriormente a consultas médicas a modo de revisión y control.[39] Asimismo, la jurisprudencia ha matizado que si existen secuelas físicas y psíquicas, susceptibles de mejora, la fecha inicial del cómputo no es el alta de la enfermedad, sino cuando se sabe exactamente su alcance, es decir, a partir del conocimiento del daño padecido.[40]

En el caso de archivo de archivo de las diligencias penales, la notificación del auto en que así se acuerda sirve de presupuesto para el ulterior ejercicio de la acción civil,

---

36. Cfr. SSTS de 15 de noviembre de 1986 (RJ 1986, 6435), 7 de diciembre de 1989 (RJ 1989, 8806), 1 de abril y 19 de octubre de 1990 (RJ 1990, 2684 y 7984).
37. RJ 1959, 3668.
38. Cfr. SSTS de 25 de junio de 1990 (RJ 1990, 4889), 2 de julio de 2001 (RJ 2001, 4983), 21 de marzo de 2005 (RJ 2005, 3878) y las que citan
39. Cfr. STS de 25 de septiembre de 2000 (RJ 2000, 8124).
40. Cfr. STS de 4 de mayo de 2000 (RJ 2000, 3384) y las que cita.

cuyo cómputo para la prescripción comienza a partir del momento de dicha notificación, en la fecha acreditada, y, si no se ha practicado, sigue viva la acción.[41]

Como señala la STS de 22 de junio de 2006, «la impugnación casacional no procede en modo alguno, pues se pretende que la fecha de emplazamiento actúe como definitiva y se margina por completo el trámite de apelación, que es al que hay que atender y sobre todo al momento en que se puso fin al proceso penal, que no es otro que el referido auto de 26 de octubre de 1988, que sí consta que resultó efectivamente notificado el 7 de noviembre siguiente, y a partir de entonces fue cuando quedó expedita la vía civil».[42]

Finalmente, conviene no olvidar que el Tribunal Supremo ha dicho que «la determinación del día inicial o las dudas que sobre el particular puedan surgir no deben, en principio, resolverse en contra de la parte a cuyo favor juega el derecho reclamado, sino en perjuicio de aquella otra que pretende su extinción precisamente con base en la supuesta extemporaneidad de la pretensión adversa, sobre la que efectivamente pesa la carga probatoria de los hechos impeditivos o extintivos del derecho en litigio».[43]

Según el artículo 121-23, apartado 1, del CCCat, «el plazo de prescripción se inicia cuando, nacida y ejercible la pretensión, la persona titular de la misma conoce o puede conocer razonablemente las circunstancias que la fundamentan y la persona contra la cual puede ejercerse».

Según el artículo III.-7:203(1) del DCFR, «el plazo general de prescripción se inicia desde el momento en el que el deudor tiene que efectuar el cumplimiento o, en el caso del derecho a la indemnización por daños, desde el momento del acto del cual surge el derecho».[44] En el primer caso, no se plantean problemas, pues el vencimiento de la obligación debe ser siempre el punto de partida del cómputo del plazo de prescripción para reclamar contra el deudor de la prestación. Sin embargo, no puede decirse lo mismo a propósito de las indemnizaciones que deban pagarse por daños causados por terceros. El derecho al pago de tales indemnizaciones generalmente vence en cuanto se genera el derecho, pero, como dice el comentario oficial, «sólo se genera cuando se cumplen todos los requisitos de la norma que adjudica la responsabilidad. A menudo, uno de ellos será que se haya producido el daño; y a veces el daño sólo se produce muchos años después de que se cometa el acto que haya dado lugar a la responsabilidad (por ejemplo, la lesión a la integridad física, los derechos o bienes de alguna persona). Por tanto, durante unos años puede no haber certeza respecto a si una persona tiene derecho a reclamar una indemnización por daños en virtud de un acto que lesiona sus derechos. Además, puede ser difícil determinar si todos los derechos a reclamar indemnizaciones que derivan del acto ilícito tienen que sujetarse al mismo conjunto de normas sobre prescripción, o si podría haber consecuencias latentes completamente inesperadas respecto de las que el plazo de prescripción sólo empezaría a computar una vez fuesen evidentes. Los casos de daño patrimonial puro también presentan problemas especiales en la aplicación de una norma que se centra en la producción de un daño. Por tanto, parece aconsejable no hacer que el inicio del plazo de prescripción dependa de que

---

41. Cfr. STS 20 de septiembre de 2001 (RJ 2001, 8144) y las que cita.
42. RJ 2006, 4010.
43. Cfr. STS de 10 de marzo de 1989 (RJ 1989, 2034).
44. Cfr. artículo 14:203(1) de los PECL.

se produzca un daño, de modo que éste empiece a computarse cuando se hayan cumplido todos los demás requisitos para adquirir el derecho a reclamar una indemnización, es decir, en el momento en que se haya cometido el acto en cuestión (o en el momento en que se haya producido el incumplimiento de una obligación). Esta norma no produce una excesiva onerosidad al reclamante, ya que el plazo no computa, según lo dispuesto en el artículo III.-7:301 (Suspensión en caso de ignorancia), mientras el reclamante no sepa, y razonablemente no pueda saber, de la existencia de un posible peligro. Por tanto, es relevante prácticamente sólo para el cálculo de lo que habitualmente se describe como "tiempo limitado" y lo que en estos capítulos se expresa como el tiempo máximo al que el plazo de prescripción puede ampliarse (artículo III.-7:307 (Duración máxima del plazo)). Sin embargo, en este caso, se requiere una fecha que pueda determinarse fácilmente para equilibrar la incertidumbre necesariamente asociada con el criterio de posibilidad de conocimiento. Esta fecha sólo puede ser la misma en la que se comete el acto que da lugar al derecho a reclamar una indemnización por daños. La ventaja específica de la norma que aquí se propone es que proporciona, efectivamente, un único y el mismo punto de partida para el plazo general de prescripción y el "tiempo limitado"».

En cuanto a las obligaciones de hacer y de no hacer, el artículo III.-7:203(2) del DCFR señala que «si la obligación del deudor es una obligación continua de hacer o de abstenerse de hacer algo, el plazo general de prescripción se inicia con cada incumplimiento de la obligación».[45] El comentario oficial afirma con razón que en los casos en que una parte tiene la obligación de no hacer algo la fecha de vencimiento de la obligación no puede ser el momento adecuado para computar el plazo de prescripción, «ya que el derecho del acreedor ha nacido incluso antes de que de que el deudor haya incumplido la obligación. Sin embargo, antes de que se haya producido dicho incumplimiento, el acreedor no tiene normalmente ninguna razón para demandar al deudor y que el cómputo del plazo de prescripción se detenga. Los problemas de prescripción sólo pueden originarse cuando la obligación del deudor se prolongue durante algún tiempo, en el caso de una obligación continua de no hacer algo. En este caso, parece adecuado que el plazo de prescripción se inicie, no definitivamente con el primer incumplimiento, sino con cada nuevo incumplimiento».

Respecto de los derechos establecidos mediante procedimiento judicial, el artículo III.-7:203(3) de DCFR dispone que «el plazo de prescripción que se indica en el artículo III.-7:702 (Plazo en el caso de un derecho establecido mediante procedimientos legales) se inicia desde que la sentencia o el laudo arbitral tienen efecto de cosa juzgada, o cuando el otro instrumento llega a ser ejecutable, aunque no antes de que el deudor haya de efectuar el cumplimiento».[46]

En cuanto al *cómputo del plazo*, se deberá tener en cuenta lo dispuesto en el artículo 5 del CC, cuyo apartado 1 indica que «siempre que no se establezca otra cosa, en los plazos señalados por días, a contar de uno determinado, quedará éste excluido del cómputo, el cual deberá empezar en el día siguiente; y si los plazos estuviesen fijados por meses o años, se computarán de fecha a fecha. Cuando en el mes del vencimiento no hubiera día equivalente al del inicial del cómputo, se entenderá que el plazo expira el último del mes». El apartado 2 del artículo 5 del CC añade que

---

45. Cfr. artículo 14:203(2) de los PECL.
46. Cfr. artículo 14:203(3) de los PECL.

«en el cómputo civil de los plazos no se excluyen los días inhábiles».[47] La STS de 13 de marzo de 1982 advierte que en el cálculo del plazo no ha de tenerse en cuenta si el año es bisiesto.[48] Por su parte, la STS de 21 de noviembre de 1981 declara que la laguna legal existente para el cómputo de los plazos cuando el último día sea inhábil ha sido llenada por la jurisprudencia interpretando que en este caso se trasladará al primero hábil siguiente.[49] Ahora bien, la salvedad expresada al comienzo del artículo 5.1 del CC («siempre que no se establezca otra cosa») permite afirmar que mediante pacto se puede incluir el día inicial en el cómputo, así como excluir del mismo los días festivos o inhábiles.

El artículo 121-23, apartado 2, del CCCat dice que «en el cómputo del plazo de prescripción no se excluyen los días inhábiles ni los festivos. El cómputo de días se hace por días enteros. El día inicial se excluye y el día final debe cumplirse totalmente». El apartado 3 del artículo 121-23 continúa afirmando que «el cómputo de meses o años se hace de fecha a fecha. Si en el mes del vencimiento no existe el día correspondiente al inicial, se considerará que el plazo finaliza el último día del mes».

Repitiendo el tenor literal del artículo 5.1 del CC, el artículo 712-3, apartado 1, de la PCM dispone que «siempre que no se establezca otra cosa, en los plazos de prescripción señalados por días, a contar de uno determinado, quedará éste excluido del cómputo, el cual deberá empezar el día siguiente; y si los plazos estuviesen fijados por meses o años, se computarán de fecha a fecha. Cuando en el mes de vencimiento no hubiera día equivalente al inicial del cómputo, se entenderá que el plazo expira el último del mes». Lo mismo hay que decir del artículo 712-3, apartado 2, de la PCM, que repite lo dispuesto por el artículo 5.2 del CC, añadiendo que «si el plazo vence en un día inhábil, se considera prorrogado hasta el día siguiente hábil».

El Proyecto de Marco Común de Referencia posee un precepto, el artículo I.-1:110, que se refiere al cómputo del tiempo. Las reglas que contiene dicho artículo reflejan normas que pueden encontrarse en los sistemas nacionales, si bien su redacción coincide, en términos generales, con lo dispuesto por el artículo 3 del Reglamento (CEE Euratom) núm. 1118/71 del Consejo, de 3 de junio de 1971, por el que se determinan las normas aplicables a los plazos y fechas. Según el artículo I.-1:101 del DCFR: «(1) El presente Artículo es aplicable al cómputo del tiempo para cualquier fin previsto en las presentes reglas. (2) De acuerdo con las siguientes disposiciones de este Artículo: (a) un plazo expresado en horas empieza a computarse en el primer instante de la primera hora y concluye al expirar la última hora del plazo; (b) un plazo expresado en días empieza a computarse en el primer instante de la primera hora del primer día y concluye al expirar la última hora del último día del plazo; (c) un plazo expresado en semanas, meses o años, empieza a computarse desde el primer instante de la primera hora del primer día del plazo, y concluye al expirar la última hora del día de la última semana, mes o año que sea el mismo día de la semana, o caiga en la misma fecha, que el día a partir del cual empezó a contar el plazo; con la excepción de que si, en un plazo que se expresa en meses o años, el día en que el plazo debería terminar no tiene lugar en el último mes, terminará al expirar la última hora del último día de dicho mes; (d) cuando un plazo incluye parte de un mes, la duración del mismo se calculará

---

47. Cfr. STS de 23 de diciembre de 1999 (RJ 1999, 9374).
48. JC 1982, II-113.
49. RJ 1981, 4541.

considerando que el mes tiene 30 días. (3) Cuando un plazo se calcula desde el momento de un acontecimiento o acto concreto: (a) si el plazo se expresa en horas, la hora durante la cual se produce el acontecimiento o acto no se considerará incluida dentro del plazo en cuestión; y (b) si el plazo se expresa en días, semanas, meses o años, el día durante el que tiene lugar el acontecimiento o acto no se considerará incluido dentro del plazo en cuestión. (4) Cuando un plazo se calcula desde una hora concreta: (a) si el plazo se expresa en horas, se considerará que la primera hora del plazo empieza a dicha hora concreta; y (b) si el plazo se expresa en días, semanas, meses o años, no se computa el día en el que dicha hora concreta tiene lugar. (5) Los plazos incluirán sábados, domingos y días festivos salvo cuando se excluyan expresamente o cuando los plazos se expresen en días laborables. (6) Cuando el último día de un plazo no expresado en horas sea un sábado, domingo o días festivos en el lugar en que deba cumplirse un acto obligatorio, dicho plazo se cumplirá al expirar la última hora del siguiente día laborable. Esta disposición no se aplicará a plazos que se calculen de forma retroactiva desde una fecha o acontecimiento concretos. (7) Un plazo de dos días o más comprenderá al menos dos días laborables. (8) Cuando una persona envíe a otra un documento dándole un plazo para responder o tomar otras medidas, pero sin indicar el momento de inicio del cómputo, el plazo se computará, salvo disposición en contrario, desde la fecha del documento o, si no consta fecha alguna, desde el momento en que el destinatario reciba el documento. (9) En el presente Artículo: (a) se entenderá por "día festivo", en relación con un Estado miembro o parte de una Estado miembros de la Unión Europea, aquél declarado como tal en ese Estado o parte del mismo, en el listado publicado en el boletín oficial correspondiente; y (b) "días laborables" son todos los días, salvo sábados, domingos y días festivos».

La regla de los "dos días laborables" que contiene el apartado (7) pretende evitar que la regla anterior, apartado (6), tenga un efecto demasiado drástico en el caso de plazos cortos. Por ejemplo, dice el comentario oficial, «si se da un plazo de tres días desde un viernes y el lunes siguiente es festivo, entonces, el efecto de la regla anterior es que el plazo finalizaría en la medianoche del martes. Los supuestos tres días incluirían sólo un día laborable. El efecto del apartado (7) es que el plazo expira en la medianoche del miércoles. De esta forma, los supuestos tres días incluyen dos días laborables. Claramente, esta regla no es de aplicación cuando el plazo es de un solo día porque la regla general ya establece un día laborable incluso si el plazo finaliza en un día no laborable».

V. INTERRUPCIÓN Y SUSPENSIÓN DE LA PRESCRIPCIÓN

La *interrupción* de la prescripción supone cortar el tiempo ya transcurrido, de tal modo que, al interrumpirse, vuelve a comenzar y a contarse el plazo de prescripción. De esta manera, queda ineficaz el tiempo transcurrido con anterioridad, y el nuevo cómputo comienza el día siguiente a aquél en que termina el acto interruptor. La interrupción de la prescripción requiere un acto humano voluntario, cuyo efecto viene determinado por la ley. En este sentido, la STS de 30 de septiembre de 1993 dice que un simple atisbo de *animus conservandi* deberá entenderse como interrupción del plazo de prescripción.[50]

---

50. RJ 1993, 6665. Cfr. SSTS de 12 de julio de 1991 (RJ 1991, 5381) y 26 de diciembre de 1995 (RJ 1995, 9400).

El acto de interrupción tiene que emanar del sujeto activo del derecho o acción y tener como destinatario al sujeto pasivo de tal derecho y no a ninguna otra persona o entidad.[51]

El artículo 121-12 del CCCat indica que «para que la interrupción de la prescripción sea eficaz es preciso que el acto: a) Proceda de la persona titular de la pretensión o de una tercera persona, que actúe en defensa de un interés legítimo y que tenga capacidad suficiente. b) Se efectúe frente al sujeto pasivo de la pretensión, antes de que se consume la prescripción». Debe alegarse por la persona interesada, ya que «la interrupción de la prescripción no puede ser apreciada de oficio por los tribunales, sino que debe ser alegada por la parte a quien beneficia», según el artículo 121-13 del CCCat.

El artículo 1973 del CC señala, con carácter taxativo, tres *causas de interrupción* de la prescripción:

1.ª *Por el ejercicio de la acción ante los tribunales.* El precepto legal utiliza la palabra acción en sentido amplio, por lo que debe entenderse comprendida la excepción.

Según la doctrina y la jurisprudencia, la prescripción se interrumpe:

a) Por la interposición de la demanda o por vía de reconvención, con la *conditio iuris* de que sea admitida a trámite.[52] No obstante, en la actualidad el Tribunal Supremo se inclina por considerar que no puede negarse el *animus conservandi* del titular del derecho, aunque a la demanda le falte alguno de sus requisitos.[53] También se produce el efecto de interrupción, aunque se presente ante juez incompetente (art. 1945 CC)[54] o el demandante desista de la demanda (DÍEZ-PICAZO), y con independencia del resultado del litigio.[55] En cualquier caso, DE PABLO CONTRERAS considera que «una interpretación razonable del artículo 1973 del CC conduce a entender que el efecto interruptivo lo produce cualquier demanda, puesto que toda demanda constituye la relación procesal o, lo que es lo mismo, abre el proceso a tales efectos, la ausencia de los requisitos intrínsecos de forma, o de sus requisitos extrínsecos es irrelevante».

En la STS de 21 de julio de 2004 el demandante alegaba que con anterioridad al pleito había promovido una demanda ante el juzgado de lo social y que tal demanda había interrumpido la prescripción de la acción que ejercitaba. No obstante, el Tribunal Supremo declaró, con cita de la STS de 14 de marzo de 1989,[56] que para interrumpir la prescripción «se requiere que la demanda haya determinado un proceso con contenido sustancialmente idéntico al presente, esto es, con la misma pretensión de mantener los derechos y acciones presentes, ya que, en tal caso, no sería justo suponer abandono de derechos por quien manifestó su voluntad contraria pidiéndolos oportunamente en otro juicio que, en este orden de cosas, tiene el sentido de dar fe del "animus conservandi" del derecho controvertido».[57]

---

51. Cfr. STS de 27 de mayo de 2009 (RJ 2009, 3044).
52. Cfr. STS de 4 de octubre de 1985 (RJ 1985, 4572).
53. Cfr. SSTS de 22 de febrero y 12 de julio de 1991 (RJ 1991, 1588 y 5381).
54. Cfr. STS de 20 de junio de 1994 (RJ 1994, 6025).
55. Cfr. SSTS de 9 de febrero de 1954 (RJ 1954, 331) y 20 de junio de 1994 (RJ 1994, 6025).
56. RJ 1989, 2043.
57. RJ 2004, 4874. Cfr. STS de 9 de marzo de 2006 (RJ 2006, 1069).

b) Por el acto de conciliación, sin que su eficacia quede interrumpida por la presentación de una segunda papeleta.[58] Según la STS de 7 de noviembre de 2000, la interrupción se produce, aunque no se explicite la cantidad reclamada.[59]

c) Por la demanda de justicia gratuita, siempre que se mencione la acción de reclamación del derecho.[60] Sin embargo, se extingue la acción si el demandado deja transcurrir un plazo excesivo sin ejercitarla, por ejemplo, veinte meses en el caso contemplado en la STS de 28 de febrero de 1976.[61]

d) Por la solicitud de embargo preventivo.

e) Por la petición de medidas cautelares

f) Por la solicitud de inclusión de un crédito en el procedimiento concursal.

g) Por la iniciación de un proceso penal que verse sobre los mismos hechos que constituyen la causa de pedir de la acción civil.

Con mayor precisión, el artículo 944 del CCom, dice que «la prescripción de interrumpirá por la demanda u otro cualquier género de interpelación judicial hecha al deudor».

> El artículo 121-11 del CCCat señala que «son causas de interrupción de la prescripción: a) El ejercicio de la pretensión frente a los tribunales, aunque sea desestimada por defecto procesal. b) El inicio del procedimiento arbitral relativo a la pretensión o la interposición de la demanda de formalización judicial de arbitraje».

Si triunfa la acción ejercitada ante los tribunales, de la sentencia surge una nueva prescripción, la de la acción personal encaminada a solicitar la ejecución, cuyo tiempo de prescripción será de quince años, comenzando a contar desde que la sentencia quedó firme (arts. 1964 y 1971 CC). En este sentido la STS de 19 de febrero de 1982 dice que, «según estableció la sentencia de 15 de diciembre de 1908, sancionando la doctrina reiterada, entre otras, por las de 22 de abril de 1915 y 7 de julio de 1921, cualquiera que sea la naturaleza de la acción deducida en juicio, la ejecutoria que en éste recae constituye un nuevo y verdadero título, con efectos en derecho propios e inherentes a la misma, del que se deriva una acción personal para el cumplimiento de la resolución judicial distinta de la primitiva en que se basó la petición formulada en el pleito; y esto sentado, no habiendo la ley fijado plazo especial para el ejercicio de la referida acción, es manifiesto que el plazo para la prescripción de la misma tiene que ser el de quince años a tenor de lo prevenido en el artículo 1964 del CC, relacionado con el 1971».[62]

Se debe considerar comprendida en esta causa el planteamiento de la controversia ante los árbitros, ya que el laudo tiene los mismos efectos de una sentencia.

---

58. Cfr. SSTS de 14 de octubre de 1988, Sala Social (RJ 1988, 7819) y 19 de octubre de 1990 (RJ 1990, 7984).
59. RJ 2000, 8678.
60. Cfr. STS de 20 de octubre de 1988 (RJ 1988, 7591) y 26 de diciembre de 1995 (RJ 1995, 9400).
61. RJ 1976, 889.
62. RJ 1982, 746.

2.ª _Por reclamación extrajudicial del acreedor._ Como no se exige una forma determinada, la podrá hacer por cualquier medio: requerimiento notarial, carta, telegrama, fax, etc..[63] Se trata de una declaración de voluntad unilateral no recepticia y, por tanto, es eficaz desde que se hace, sin que sea preciso que el destinatario tome conocimiento de la misma. La STS de 24 de diciembre de 1994 declara que tal reclamación tiene naturaleza recepticia, debiendo ir dirigida al sujeto pasivo y recibida por él, si bien añade que «no es necesario que el sujeto a quien va dirigida llegue efectivamente a conocer la reclamación, siendo bastante (…) su recepción».[64] Por su parte, la STS de 14 de julio de 1998 dice que «la reclamación administrativa previa, como reclamación extrajudicial, interrumpe el plazo de prescripción; éste volverá a correr cuando el órgano administrativo responda negativa y expresamente o cuando no responda y transcurra el plazo para ello».[65]

No se exige que el acto de interrupción sea efectuado por el titular del derecho, sino que se admite la eficacia del realizado por su representante legal o voluntario, e incluso por mandatario verbal.[66]

Aunque el artículo 944 del CCom no cita la reclamación extrajudicial, el Tribunal Supremo ha declarado que no se aprecian razones válidas para defender la postura de que la reclamación extrajudicial no puede interrumpir la prescripción respecto de las obligaciones mercantiles, lo que lleva a concluir que nuestro ordenamiento permite su utilización tanto en el tráfico civil como en el mercantil.[67]

En palabras de la STS de 4 de diciembre de 1995, «las discrepancias doctrinales, existentes, al efecto no enturbian, desde luego, la solución ya indicada favorable a un régimen jurídico unitario de la interrupción de la prescripción de las acciones en materia civil y mercantil por las siguientes razones: a) La reclamación extrajudicial fue introducida "ex novo" por el Código Civil, como medio de extender las posibilidades del acreditamiento del "animus conservandi" de las acciones., frente a una formalización excesiva que permitiera considerar abandonadas las acciones, cuando constaba por otras vías una voluntad contraria a tal "derelictio" de los derechos. b) Cronológicamente, la posterior fecha de promulgación y publicación del Código Civil, respecto del Código de Comercio abona la solución de integración que se propone al considerar incorporado tal medio interpretativo de la prescripción al artículo 944 del Código de Comercio. c) El principio conforme al cual debe entenderse que la ley general no deroga a la Ley especial no es aplicable a este supuesto, ya que no hay ninguna razón que justifique la pretendida "especialidad" frente al derecho común de las obligaciones y contratos mercantiles sino más bien argumentos en contra derivados del criterio antiformalista que para los contratos de comercio reconoce el artículo 50; de la importancia del principio de buena fe en la ejecución y cumplimiento de estos contratos, que recoge el artículo 57 y del

---

63. Cfr. SSTS de 22 de septiembre de 1984 (RJ 1984, 4332), 12 de noviembre de 1986 (RJ 1986, 6386), 16 de noviembre de 1998 (RJ 1998, 8827) y 16 de enero de 2003 (RJ 2003, 6).
64. RJ 1994, 10384. Cfr. SSTS de 24 de enero de 2007 (RJ 2007, 1325) y 29 de febrero de 2012 (RJ 2012, 5268).
65. RJ 1998, 6255.
66. Cfr. SSTS de 18 de enero de 1968 (RJ 1968, 448), 27 de junio de 1969 (RJ 1969, 3668), 9 de diciembre de 1983 (RJ 1983, 6926) y 16 de enero de 2003 (RJ 2003, 6).
67. Cfr. SSTS de 4 de diciembre de 1995 (RJ 1995, 9157), 31 de diciembre de 1998 (RJ 1998, 9769), 21 de marzo de 2000 (RJ 2000, 2022), 20 de octubre de 2004 (RJ 2004, 6772) y 8 de marzo de 2006 (RJ 2006, 1074).

principio del favor al deudor que en cuanto a las dudas que se originase señala el artículo 59, todos del Código de Comercio. d) Las discriminaciones en la aplicación de las normas que no resultan fundadas, como sucedería en este caso, si pese a lo dicho, se mantuvieran dos raseros en orden a la interrupción de la prescripción, lo que supondría infracción del principio de igualdad ante la Ley, reconocido por el artículo 14 de la vigente Constitución».[68]

Según el artículo 121-11 del CCCat, «son causas de interrupción de la prescripción: c) La reclamación extrajudicial de la pretensión».

3.ª *Por cualquier acto de reconocimiento de la deuda por el deudor.* La STS de 24 de junio de 1991 dice que el precepto legal «se refiere a cualquier acto», y, por consiguiente, «hay que proyectarlo no sobre actos de naturaleza determinada, sino a conductas y situaciones en virtud de las cuales resulte acreditado que el sujeto pasivo y obligado pone de manifiesto, bien directa y expresamente o bien indirectamente, su voluntad y decisión de zanjar o concretar la disputa, de tal manera que se aviene a reconocer la pretensión, aunque no se admita la misma total o parcialmente».[69]

Se admite que este reconocimiento sea expreso o tácito. La STS de 12 de marzo de 1970 declaró que el pago parcial de una deuda de honorarios interrumpía la prescripción,[70] mientras que según la STS de 10 de febrero de 1986 que el reconocimiento de conversaciones sobre la voluntad conservativa de un derecho evidentemente proclama implícitamente el reconocimiento de la correspondiente obligación.[71]

A tenor del artículo 121-11 del CCCat, «Son causas de interrupción de la prescripción: d) El reconocimiento del derecho o la renuncia a la prescripción de la persona contra quien puede hacerse valer la pretensión en el transcurso del plazo de prescripción».

Según el artículo 121-14 del CCCat, «la interrupción de la prescripción determina que empiece a correr de nuevo y completamente el plazo, que vuelve a computarse del siguiente modo: a) En caso de ejercicio extrajudicial de la pretensión, desde el momento en que el acto de interrupción pase a ser eficaz. b) En caso de ejercicio judicial de la pretensión, desde el momento en que la sentencia o la resolución que ponen fin al procedimiento pasen a ser firmes, o, si éstas no han prosperado por defecto procesal, desde el mismo momento del ejercicio de la acción con la que se exige la pretensión. c) En caso de arbitraje, desde el momento en que la sentencia o la resolución que pone fin al procedimiento para que sea formalizado judicialmente pasen a ser firmes, así como desde el momento en que el laudo pase a ser firme o desde el desistimiento del procedimiento arbitral».

El Código civil regula también los *efectos de la interrupción respecto a los deudores mancomunados o solidarios, a los herederos del deudor y a los fiadores,* estableciendo las reglas siguientes:

a) La interrupción de la prescripción de acciones en las obligaciones solidarias aprovecha o perjudica por igual a todos los acreedores y deudores (art. 1974, párr. 1.º, CC).

---

68. RJ 1995, 9157.
69. RJ 1991, 4619.
70. RJ 1970, 1849.
71. RJ 1986, 515.

En las obligaciones mancomunadas, cuando el acreedor no reclame de uno de los deudores más que la parte que le corresponda, no se interrumpe por ello la prescripción respecto a los otros codeudores (art. 1974, párr. 3.º, CC).

Como puede observarse, la solidaridad comunica los efectos interruptivos a todos los sujetos de la relación obligatoria. En cambio, en la mancomunidad se limita el efecto interruptivo a aquellos sujetos que han realizado directamente el acto con virtualidad de interrupción.

Sin embargo, no se puede desconocer que, según la jurisprudencia, el artículo 1974, párrafo 1.º, del CC se aplica en el caso de las obligaciones solidarias en sentido propio, cuando tal carácter derive de norma legal o de pacto convencional, pero no en los de creación jurisprudencial, es decir, de la llamada solidaridad impropia (obligaciones _in solidum_). En este sentido, el Tribunal Supremo ha declarado que en los supuestos de responsabilidad extracontractual «sólo juega la prescripción individualmente aplicable respecto de cada uno de los demandados, aunque luego el abono de las indemnizaciones se acuerde con carácter solidario en la resolución judicial, ya que ello deriva de la doctrina jurisprudencial, no de la preexistencia de una obligación con tal carácter (existencia de vínculo antecedente _ex voluntate_ o _ex lege_)[72]».

La STS de 14 de abril de 2001 dice que «cuando hay varios agentes de un acto ilícito culposo y la obligación es solidaria, las reclamaciones extrajudiciales frente a uno de ellos interrumpen la prescripción frente a los demás».[73]

_b_) Los herederos del deudor se encuentran sometidos a la misma regla establecida para las obligaciones solidarias (art. 1974, párr. 2.º, CC).

_c_) La interrupción de la prescripción contra el deudor principal por reclamación judicial de la deuda surte efecto también contra su fiador; pero no perjudicará a éste la que se produzca por reclamaciones extrajudiciales del acreedor o reconocimientos privados del deudor (art. 1975 CC). Esta norma no será de aplicación al supuesto de fianza solidaria, que deberá regirse por lo establecido en el párrafo 1.º del artículo 1974 del CC.

Es opinión bastante común interpretar que la expresión «reconocimientos privados» se contrapone a reconocimiento judicial, por lo que sólo la confesión judicial de la deuda quedaría fuera del ámbito del artículo 1975 del CC. Sin embargo, esta interpretación es, por una parte, muy restrictiva, y por otra demasiado amplia, debiéndose admitir todos los reconocimientos realizados ante funcionarios públicos que posean fecha auténtica, mientras que para producir efectos frente al fiador deberá exigirse el conocimiento por éste del hecho interruptivo (DÍEZ-PICAZO).

Una reiterada doctrina jurisprudencial tiene declarado que los casos de interrupción no pueden interpretarse en sentido extensivo, por la inseguridad e incertidumbre que llevaría consigo la exigencia y virtualidad del derecho mismo, advirtiendo que después de transcurrido el plazo no puede producirse la interrupción; habiendo declarado también que la acción antes ejercitada y la que después se use ha de ser siempre la misma.[74] Igualmente es jurisprudencia reiterada y uniforme que la apreciación

---

72. Cfr. STS de 27 de junio 2006 (RJ 2006, 7988) y las que cita.
73. RJ 2001, 3640.
74. Cfr. SSTS de 3 de junio de 1972 (RJ 1972, 3591), 18 de abril de 1989 (RJ 1989, 3064), 2 de noviembre de 2005 (RJ 2005, 7619) y las que citan.

de las pruebas suministrada por las partes acerca de la interrupción o no del plazo de la prescripción es de exclusiva soberanía del tribunal de instancia.[75]

Así como la interrupción inutiliza todo el tiempo anterior a ella, la *suspensión* paraliza la prescripción, impide que principie el tiempo o continúe corriendo, pero no hace inútil el que ya ha transcurrido. Por ello al cesar la causa de suspensión vuelve a correr el plazo de prescripción, pero el tiempo que ya había transcurrido antes se tiene en cuenta en el cómputo.[76] En definitiva, la suspensión amplía un plazo de prescripción determinado. Si bien el Código civil no regula la suspensión, puede ser acordada por las partes, siempre que se establezca por tiempo determinado y su extensión no suponga exclusión de la prescripción.[77] El Código de comercio, por su parte, prevé, de forma excepcional, una moratoria que actúa suspendiendo el transcurso de los plazos para las acciones derivadas de operaciones mercantiles (art. 955 CCom).

El Código civil de Cataluña reconoce la suspensión de la prescripción en tres supuestos: suspensión por fuerza mayor, suspensión por razones personales o familiares y suspensión con respecto a la herencia yacente. A propósito de la *suspensión por fuerza mayor*, el artículo 121-15, apartado 1, del CCCat señala que «la prescripción se suspende si la persona titular de la pretensión no puede ejercerla, ni por ella misma ni por medio de representante, por causa de fuerza mayor concurrente en los seis meses inmediatamente anteriores al vencimiento del plazo de prescripción». El apartado 2 del artículo 121-15 añade que «los efectos de la suspensión no se inician en ningún caso antes de los seis meses establecidos por el apartado 1, aunque la fuerza mayor sea preexistente». La *suspensión por razones personales o familiares* implica, según el artículo 121-16 del CCat, que «la prescripción también se suspende: a) En las pretensiones de las cuales sean titulares personas menores de edad o incapaces, mientras no dispongan de representación legal. b) En las pretensiones entre cónyuges, mientras dura el matrimonio, hasta la separación judicial o de hecho. c) En las pretensiones entre los miembros de una unión estable de pareja, mientras se mantiene la convivencia. d) En las pretensiones entre el padre o la madre y los hijos en potestad, hasta que ésta se extingue por cualquier causa. e) En las pretensiones entre la persona que ejerce los cargos de tutor, curador, administrador patrimonial, defensor judicial o acogedor y la persona menor o incapaz, mientras se mantiene su función correspondiente». En cuanto a la *suspensión con respecto a la herencia*, el artículo 121-17 del CCCat señala que «la prescripción de las pretensiones entre las personas llamadas a heredar y la herencia yacente se suspende mientras no sea aceptada la herencia».

La suspensión de la prescripción no puede ser apreciada de oficio por los tribunales, sino que debe ser alegada por la parte a la que beneficia, «salvo la producida en los supuestos establecidos por el artículo 121-16.a, cuando afecte a personas que aún son menores o incapaces», como dice el artículo 121-18 del CCCat. En cuanto a los efectos de la suspensión, a tenor del artículo 121-19 del CCCat, «el tiempo durante el cual la prescripción queda suspendida no se computa en el plazo de prescripción».

Por su parte, el Proyecto de Marco Común de Referencia, al margen del criterio seguido por los ordenamientos tradicionales, que distinguen con nitidez entre

---

75. Cfr. STS de 3 de junio de 1972 (RJ 1972, 3591) y las que cita.
76. Cfr. STS de 12 de junio de 1997 (RJ 1997, 4769).
77. Cfr. STS de 16 de diciembre de 1957 (RJ 1958, 191).

«interrupción» y «suspensión» del plazo de prescripción (en el primer caso, como se ha indicado, el plazo se inicia de nuevo; en el segundo, cuando finaliza la causa de la suspensión, es el antiguo plazo el que sigue su curso), utiliza la terminología de _ampliación_, que puede realizarse por medio de la suspensión del cómputo del plazo o por el aplazamiento de su finalización, y de _reinicio_, que consiste en lo que habitualmente se denomina en Derecho civil «interrupción», ya que se refiere al supuesto en que un nuevo plazo de prescripción empieza a computar tras producirse algún acontecimiento. En el aplazamiento de la finalización del plazo de prescripción, dicho plazo sigue su curso, pero sólo finaliza transcurrido un cierto tiempo extra.

La _suspensión en caso de ignorancia_ se regula en el artículo III.-7:301 del DCFR, según el cual, «el cómputo del plazo de prescripción se suspende mientras el acreedor no conozca, y no quepa razonablemente esperar que conozca: (a) la identidad del deudor; o (b) los hechos de los que surge el derecho incluyendo, en el caso del derecho a la indemnización por daños, el tipo de daño».[78] Respecto de la _suspensión en caso de procedimientos judiciales o de otro tipo_, el artículo III.-7:302 del DCFR indica lo siguiente: «(1) El cómputo del plazo de prescripción se suspende desde el momento en que se inicie el procedimiento judicial para reclamar el derecho. (2) La suspensión permanece hasta que haya una decisión que tenga el efecto de res judicata, o hasta que el procedimiento haya concluido de otro modo. Si el procedimiento finaliza dentro de los últimos seis meses del plazo de prescripción son que haya una decisión sobre el fondo del asunto, el plazo de prescripción no expira antes de que hayan transcurrido seis meses contados desde el momento en que el procedimiento finaliza. (3) Estas disposiciones se aplican, con las adaptaciones oportunas, a los procedimientos arbitrales mediante los cuales un conflicto entre dos partes se remite a un tercero que ha de tomar una decisión vinculante y a todos los demás procedimientos iniciados con objeto de obtener una decisión respecto al derecho. (4) Por procedimientos de mediación se entienden procedimientos estructurados mediante los cuales dos o más partes en conflicto intentan llegar a un acuerdo sobre la solución de su conflicto con la ayuda de un mediador».[79]

En cuanto a la _suspensión en caso de impedimento que escapa al control del acreedor_, el artículo III.-7:303 del DCFR determina que «(1) el cómputo del plazo de prescripción se suspende mientras el acreedor se vea impedido de iniciar un procedimiento para hacer valer su derecho a causa de un impedimento que escapa a su control y que no cabía razonablemente esperar que el acreedor hubiera podido evitar o superar. (2) El apartado (1) se aplica únicamente si el impedimento nace, o subsiste, en los últimos seis meses del plazo de prescripción. (3) Si la duración o la naturaleza del impedimento es tal que sería irrazonable esperar que el acreedor tome medidas para hacer valer su derecho dentro del plazo de prescripción que reste después de que la suspensión haya finalizado, el plazo de prescripción no expira antes de que hayan transcurrido seis meses contados desde el momento en que el impedimento desapareció. (4) En este Artículo un impedimento incluye un impedimento psicológico».[80] La _posposición de la expiración del plazo en el caso de negociaciones_, está contenida en el artículo III.-7:304 del DCFR, a cuyo tenor, «si las partes negocian sobre el derecho, o sobre las circunstancias de las cuales podría surgir una demanda relativa al derecho, el plazo de prescripción no expira antes de

---

78. Cfr. artículo 14:301 de los PECL.
79. Cfr. artículo 14:302 de los PECL.
80. Cfr. artículo 14:303 de los PECL.

que haya transcurrido un año desde la última comunicación realizada en las negociaciones».[81] La *posposición de la expiración del plazo en caso de incapacidad*, la regula el artículo III.-7:305 del DCFR, que dice que «(1) si una persona sujeta a una incapacidad no tiene representante, el plazo de prescripción de un derecho de esa persona o frente a esa persona no expira antes de que haya transcurrido un año contado desde el fin de la incapacidad o desde el nombramiento de un representante. (2) El plazo de prescripción de derechos entre una persona sujeta a una incapacidad y su representante no expira antes de que haya transcurrido un año contado desde el fin de la incapacidad o desde el nombramiento de un nuevo representante».[82]

En todo caso, la duración máxima del plazo la fija el artículo III.-7:307 del DCFR cuando afirma que «el plazo de prescripción no puede extenderse, por la suspensión de su cómputo o por la posposición de su expiración en virtud de este Capítulo, más de diez años o, en caso de derechos a la indemnización por daños personales, más de treinta años. Esto no se aplica a la suspensión en virtud del Artículo III.–7:302 (Suspensión en caso de procedimientos judiciales o de otro tipo)».[83]

El *reinicio por reconocimiento* aparece recogido en el artículo III.-7:401 del DCFR, cuyo apartado 1 señala que «si el deudor reconoce el derecho, con respecto al acreedor, mediante pago parcial, pago de intereses, provisión de una garantía, o de cualquier otra forma, se inicia un nuevo plazo de prescripción».[84] Como no se tiene en cuenta el tiempo transcurrido antes del suceso que dio lugar a la «interrupción», lo esencial es que empieza a computar un nuevo plazo de prescripción. Según el apartado 2 de dicho artículo III.-7:401 del DCFR, «el nuevo plazo es el plazo general de prescripción, independientemente de si el derecho estaba sujeto originalmente al plazo general de prescripción o al plazo de diez años establecido en el Artículo III.-7:202 (Plazo en el caso de un derecho establecido mediante procedimientos legales). Sin embargo, en este último caso, este Artículo no puede invocarse para acortar el plazo de diez años».[85] El *reinicio por intento de ejecución* está contenido en el artículo III.-7:402 del DCFR, a cuyo tenor, «el cómputo del plazo de prescripción de diez años que se contempla en el Artículo III.-7:202 (Plazo en el caso de un derecho establecido mediante procedimientos legales) se inicia de nuevo con cada intento razonable de ejecución por parte del acreedor». Como dice el comentario oficial, normalmente, el intento de ejecución lo efectuará un tribunal o funcionario público a instancia del acreedor. Lo que conlleva que «es suficiente que el acreedor haya hecho la solicitud siempre y cuando esta no sea inválida o se retire antes de que haya tenido lugar el intento de acto de ejecución».[86]

En los *contratos internacionales*, la suspensión de la prescripción por procedimiento judicial es objeto del artículo 10.5 de los PCCI, según el cual, «(1) el decurso del período de prescripción se suspende: (a) cuando al iniciar un procedimiento judicial, o en el procedimiento judicial ya iniciado, el acreedor realiza cualquier acto que es reconocido por el derecho del foro como ejercicio del derecho del acreedor contra el deudor; (b) en caso de insolvencia del deudor, cuando el acreedor ejerce sus derechos en los procedimientos de insolvencia; o (c) en el caso de procedimientos para

---

81. Cfr. artículo 14:304 de los PECL.
82. Cfr. artículo 14:305 de los PECL.
83. Cfr. artículo 14:307 de los PECL.
84. Cfr. artículo 14:401(1) de los PECL.
85. Cfr. artículo 14:401(2) de los PECL.
86. Cfr. artículo 14:402 de los PECL.

disolver la entidad deudora, cuando el acreedor ejerce sus derechos en los procedimientos de disolución. (2) La suspensión dura hasta que se haya dictado una sentencia definitiva o hasta que el procedimiento concluya de otro modo».

En cuanto a la suspensión de la prescripción por procedimiento arbitral el artículo 10.6 de los PCCI determina que «(1) el decurso del período de prescripción se suspende cuando al iniciar un procedimiento arbitral ya iniciado, el acreedor realiza cualquier acto que es reconocido por el derecho del tribunal arbitral como ejercicio del derecho del acreedor contra el deudor. A falta de disposiciones en el reglamento de arbitraje o de otras reglas que determinen la fecha exacta del comienzo del procedimiento arbitral, dicho procedimiento se considera comenzado el día en que el deudor recibe una solicitud para que se adjudique el derecho en disputa. (2) La suspensión dura hasta que se haya dictado una decisión vinculante o hasta que el procedimiento concluya de otro modo». Según el artículo 10.7 de los PCCI, «las disposiciones de los Artículos 10.5 y 10.6 se aplican, con las modificaciones apropiadas, a otros procedimientos con los que las partes solicitan de un tercero que les asista en el intento de lograr una resolución amistosa de sus controversias».

La suspensión de la prescripción en los casos de fuerza mayor, de muerte o de incapacidad también ha sido objeto de atención por los Principios. En concreto, el artículo 10.8(1) de los PCCI indica que «cuando el acreedor no ha podido detener el decurso del período de prescripción según los Artículos precedentes debido a un impedimento fuera de su control y que no podía ni evitar ni superar, el período ordinario de prescripción se suspende de modo que no expire antes de un año después que el impedimento haya dejado de existir».

> Según el comentario oficial, «a título de ejemplos prácticos de impedimentos puede mencionarse la guerra y los desastres naturales que impiden al acreedor el acceso al tribunal competente. Otros casos de fuerza mayor pueden también impedir el ejercicio de un derecho y al menos causar la suspensión del curso del período de prescripción. El evento que impida al acreedor el ejercicio de su derecho debe escapar a su control. La prisión, por lo tanto, no suspende el curso del período de prescripción, sino solamente cuando no pudo haber sido evitada, como en el caso de un prisionero de guerra, pero no en el caso de un criminal. De todos modos, sólo se suspende el período de prescripción general. Podrá oponerse la expiración del período máximo de prescripción si tal período ha transcurrido antes que el acreedor pueda ejercer su derecho».

El artículo 10.8(2) de los PCCI añade que «cuando el impedimento consiste en la incapacidad o muerte del acreedor o del deudor, la suspensión cesa cuando se designe un representante para el incapacitado, el difunto o su herencia, o cuando un sucesor haya heredado la parte que le corresponde. En este caso se aplica el período suplementario de un año, conforme al párrafo (1)».

El nuevo período de prescripción por reconocimiento se contiene en el artículo 10.4 de los PCCI, a cuyo tenor, «(1) cuando el deudor reconoce el derecho del acreedor antes del vencimiento del período ordinario de prescripción (de tres años), comienza a correr un nuevo período ordinario de prescripción al día siguiente del reconocimiento. (2) El período máximo de prescripción (de diez años) no comienza a correr nuevamente, pero puede ser superado por el comienzo de un nuevo período ordinario de prescripción conforme al Artículo 10.2(1)».

En palabras del comentario oficial, «si el deudor reconoce el derecho del acreedor pasados siete años, pero antes de que el período de prescripción haya expirado, el nuevo período ordinario de prescripción podrá superar el período máximo hasta por tres años, aunque el período de prescripción máximo no recomienza nuevamente tras un reconocimiento».

VI. EFECTOS Y FUNCIONAMIENTO DE LA PRESCRIPCIÓN

La prescripción extingue los derechos y acciones, de cualquier clase que sean, de modo definitivo en el momento de cumplirse el plazo de tiempo marcado por la ley (art. 1930, párr. 2.º, CC).

Tras afirmar el artículo 121-1 del CCCat que la prescripción extingue las pretensiones relativas a derechos disponibles, tanto si se ejercen en forma de acción como de excepción, el artículo 121-8, apartado 1, del CCCat añade que «el efecto extintivo de la prescripción, una vez alagada y apreciada, se produce cuando se cumple el plazo». La extinción por prescripción de la pretensión principal se extiende a las garantías accesorias, aunque no haya transcurrido su propio plazo de prescripción (art. 121-8, ap. 2, CCCat).–.

El artículo III.-7:502 del DCFR dispone, lógicamente, que «el plazo de prescripción de un derecho al pago de intereses, y de otros derechos accesorios, no expira más tarde que el plazo del derecho principal». Lo contrario sería contradictorio con la propia finalidad de la prescripción.

A tenor del artículo III.-7:501(1) del DCFR, «tras la expiración del plazo de prescripción, el deudor tienen derecho a rechazar el cumplimiento».[87] Como señala el comentario oficial, «incluso si un ordenamiento jurídico considera la prescripción como una cuestión del derecho sustantivo (como hacen las normas de este capítulo; ver el comentario B al Artículo III.-7:101 (Derechos sujetos a prescripción)), tiene dos opciones. Una vez concluido el plazo de prescripción, puede considerarse que el derecho ha dejado de existir (efecto fuerte de la prescripción); o simplemente puede concederse al deudor el derecho a denegar el cumplimiento (es decir, la prescripción constituye una excepción en el derecho sustantivo; efecto débil). El deudor que haya pagado a pesar de haber tenido lugar la prescripción, ha pagado legalmente según la última opción y no debería poder reclamar la devolución del pago; mientras que el deudor debería poder reclamar la devolución del pago por haber pagado sin motivos legales según la primera opción. Sin embargo, los ordenamientos jurídicos que suscriben el efecto fuerte de la prescripción no establecen esta consecuencia, ni todos ellos consideran, como podría parecer lógico, la prescripción como una cuestión que el tribunal debe tener en cuenta de oficio. Por tanto, efectivamente, es el efecto débil de la prescripción el que ha ganado terreno internacionalmente; lo cual no es sorprendente. El efecto débil es más adecuado en vista de los objetivos que persigue el derecho de la prescripción. No hay motivo para que un ordenamiento jurídico dé protección a un deudor que está dispuesto a pagar y que, por tanto, puede considerarse que reconoce la obligación de hacerlo; y el interés público (*ut sit finis litium*) no se ve adversamente afectado si se permite pagar al deudor, incluso tras haber finalizado el plazo de prescripción. Por el contrario, sería perjudicial para el interés público si se permitiese al deudor

---

87. Cfr. artículo 14:501(1) de los PECL.

reclamar la devolución del pago realizado. Una vez realizado el pago, incluso aunque se haya producido la prescripción, la cuestión debe darse por cerrada. Aunque cualquier régimen de prescripción inevitablemente resultará en que los acreedores no puedan siquiera reclamar derechos completamente válidos, la legislación no debe aprobar esta consecuencia si es innecesaria en términos de los objetivos subyacentes». El apartado 2 del mismo artículo III.-7:501 del DCFR añade que «nada de lo que haya sido pagado o transmitido por el deudor en cumplimiento de la obligación puede reclamarse por el mero hecho de que el plazo de prescripción haya expirado».[88] Podría, sin embargo, reclamarse por otras razones, por ejemplo, si el deudor ha cumplido con la reserva de que el derecho no hubiese prescrito o si el acreedor ha inducido fraudulentamente al deudor a creer que el derecho no ha prescrito.

Para que entre en juego la prescripción es preciso que el interesado la invoque, ya que el juez no la puede tener en cuenta de oficio.[89] Por eso el cumplimiento del plazo legal de prescripción atribuye automáticamente al interesado la facultad de oponer la prescripción en caso de reclamación, retrotrayéndose sus efectos al momento de dicho cumplimiento. La alegación de la prescripción puede hacerse en juicio o extrajudicialmente. En el primer caso, se invocará como excepción, como medio de defensa; sin embargo, el interesado podrá tomar la iniciativa y pedir al juez que declare la situación a que ha dado lugar la prescripción.

A tenor del artículo 121-4 del CCCat, «la prescripción no puede ser apreciada de oficio por los tribunales, sino que debe ser alegada judicial o extrajudicialmente por una persona legitimada». Son personas legitimadas para alegar y hacer valer la prescripción, señala el artículo 121-5 del CCCat, «a) Las personas obligadas a satisfacer la pretensión. b) Las terceras personas perjudicadas en sus intereses legítimos por la falta de oposición o por la renuncia a la prescripción consumada, excepto si ha recaído sentencia firme sobre la misma». En cuanto a las personas frente a las cuales la prescripción produce efectos, el artículo 121-6, apartado 1, del CCCat determina que «la prescripción produce efectos en perjuicio de cualquier persona, salvo en los casos de suspensión». Según el apartado 2 de dicho artículo 121-6, «la persona titular de la pretensión prescrita tiene acción para reclamar el resarcimiento de los daños que deriven de la misma a las personas a las cuales sean imputables».

El artículo 711-3, apartado 1, de la PCM dice que «el Juez no puede estimar la prescripción si no es alegada por la parte a quien beneficie». Según el apartado 2 de dicho artículo 711-3, «en el caso de que la parte no la haga valer, la prescripción podrá ser alegada por cualquiera que tenga un interés legítimo».

Pero la prescripción puede tener un efecto traslativo. Es el caso de los saldos de cuentas corrientes, libretas de ahorro y cuentas análogas abiertas en bancos, sociedades de crédito o entidades financieras en general, respecto de los cuales no se haya realizado gestión o reclamación alguna por los interesados, que implique el ejercicio de su derecho de propiedad, en el plazo de veinte años, los cuales son atribuidos por ministerio de la ley al Estado. Es decir, como dice la STS de 14 de noviembre de 2001, «transcurrido el período de 15 años que determinaba la extinción por prescripción de las acciones que para la reclamación de la suma depositada podría haber

---

88. Cfr. artículo 14:501(2) de los PECL.
89. Cfr. STS de 4 de marzo de 1983 (RJ 1983, 1422).

ejercitado el demandante, todavía debería conservar el Banco sus datos contables y documentales relativos al depósito de autos, a fin de que una vez cumplidos los 20 años que fija la Ley General Presupuestaria, se promoviese el expediente de declaración de abandono que habría de culminar con el ingreso en el erario público de la cantidad correspondiente, momento en el cual podría considerarse cancelada la cuenta abierta por el actor en 1974».[90]

En materia de *contratos internacionales*, según el artículo 10.9(1) de los PCCI, «el vencimiento del período de prescripción no extingue el derecho», lo que implica que sólo impide su exigibilidad. El apartado 2 de dicho artículo 10.9 de los PCCI añade que «para que el vencimiento del período de prescripción tenga efecto, el deudor debe invocarlo por vía de excepción». En palabras del comentario oficial, «los efectos de la expiración del período de prescripción no son automáticos. Surgen sólo si el deudor opone como excepción o defensa la expiración del período de prescripción. El deudor puede hacer tal cosa en cualquiera de los procedimientos que existan de conformidad con la ley aplicable, o también invocar la expiración fuera de los mismos. La declaración de la expiración del período puede además ser materia de un procedimiento declarativo».

Finalmente, el artículo 10.9(3) de los PCCI recalca que «la existencia de un derecho siempre puede ser invocada por vía de excepción a pesar de haberse invocado el vencimiento del período de prescripción para el ejercicio de dicho derecho.

VII. LA RENUNCIA A LA PRESCRIPCIÓN

El artículo 1935, párrafo 1.º, del CC establece la posibilidad de renuncia a la prescripción «ganada, pero no el derecho de prescribir para lo sucesivo». La «prescripción ganada» es aquella en que el plazo de prescripción ha transcurrido totalmente. Aunque no se mencione de manera expresa, parece claro que el Código civil no admite una renuncia anticipada a la prescripción.

> Por el contrario, el artículo 121-10, apartado 1, del CCCat declara que «la renuncia anticipada a la prescripción es nula, si bien la realizada en el transcurso del plazo de prescripción produce los efectos de la interrupción».

La renuncia a la prescripción ganada implica una declaración de voluntad no recepticia, que puede ser expresa o tácita. Entiéndese tácitamente renunciada la prescripción cuando la renuncia resulta de actos que hacen suponer el abandono del derecho adquirido (art. 1935, párrafo 2.º, CC).

> Tras indicar el artículo 121-10, apartado 2, del CCCat que «cualquier persona obligada a satisfacer la pretensión puede renunciar a la prescripción consumada», el apartado 3 del mismo artículo añade que «cualquier acto incompatible con la voluntad de hacer valer la prescripción supone renunciar a la misma».

El renunciante ha de tener capacidad para enajenar (art. 1935 CC).

Ahora bien, la renuncia tiene dos limitaciones:

---

90. RJ 2001, 9453. Cfr. STS de 21 marzo de 2000 (RJ 2000, 1496), que cita el RD-Ley del Ministerio de Hacienda de 24 de enero de 1928 y las Leyes generales presupuestarias de 1977 y 1988.

1.ª Que no es posible la renuncia del «derecho de prescribir en lo sucesivo» (art. 1935 CC).

2.ª Que los acreedores, y cualquier otra persona interesada en hacer valer la prescripción, podrán utilizarla a pesar de la renuncia expresa o tácita del deudor (art. 1937 CC).

> El artículo 121-10, apartado 4, del CCCat dice que «la renuncia, efectuada válidamente, a la prescripción consumada deja subsistente la pretensión a que se refiere, pero no impide la futura prescripción de la misma».

VIII. LA CADUCIDAD

La caducidad es una institución no regulada en el Código civil, si bien el propio texto legal reconoce su existencia e incluso utiliza en algún precepto el vocablo caducidad (art. 102, párr. 3.º (redacción originaria) y art. 730 CC). Aunque se trata de una institución afín a la prescripción, la caducidad o decadencia es distinta de ella; ya que surge cuando la ley o la voluntad de los particulares señalan un término fijo para la duración de un derecho, transcurrido el cual ya no podrá ser ejercitado. Por consiguiente, puede tener un origen legal o convencional.[91] Asimismo, la STS de 18 de octubre de 1988 declaró que «si convencionalmente puede establecerse la caducidad, menos problemática plantea el que las partes interesadas amplíen o prorroguen mediante pacto el término legalmente establecido, dando lugar a una caducidad atenuada».[92]

Como dice DÍAZ PAIRÓ, la distinción entre una y otra figura «tiene razón de ser en que puede haber grados en el interés social de que se esclarezcan y fijen las situaciones jurídicas al cabo de cierto tiempo: cuando es más intenso el legislador fijará un plazo dentro del cual forzosamente tiene que ejercitarse el derecho, prescindiendo de todo supuesto de abandono o negligencia por parte de su titular, y entonces el plazo será de caducidad; otras veces, el interés social se subordina más al particular, a quien se permite mantener vivo el derecho, a condición de que mediante actos interruptivos manifieste su intención de no abandonar el derecho, en estos casos el plazo será de prescripción». Para MESSINEO, la diferencia de orden jurídico entre prescripción y decadencia consiste en que ésta implica un _onere_ de observancia perentoria de un término de rigor o preclusivo en el cumplimiento de un acto, mientras que la prescripción implica que un derecho se extingue y se pierde cuando su ejercicio por un cierto período de tiempo de variada extensión, según los casos.

> Según el Preámbulo de la primera Ley del Código civil de Cataluña, a diferencia de la prescripción, que se predica de las pretensiones, entendidas como derechos a reclamar a otra persona una acción u omisión, y que se refiere siempre a derechos disponibles, «la caducidad, en cambio, se aplica a los poderes de configuración jurídica, entendidos como facultades que la persona titular puede ejercer para alterar la realidad jurídica, que nacen con una duración predeterminada y que no necesitan la actuación ajena. La caducidad imposibilita su ejercicio y puede producirse tanto en los casos de relaciones jurídicas indisponibles como en los de relaciones

---

91. Cfr. SSTS de 20 de mayo de 1972 (RJ 1972, 3589), 18 de octubre de 1988 (RJ 1988, 7587) y 10 de noviembre de 1994 (RJ 1994, 8466).

92. RJ 1988, 7587.

jurídicas disponibles. En este último caso, la caducidad presenta unas semejanzas con la prescripción que aconsejan aplicar algunas de sus normas».

El artículo 122-1, apartado 1, del CCCat señala que «las acciones y los poderes de configuración jurídica sometidos a caducidad se extinguen por el vencimiento de los plazos correspondientes». La caducidad de las acciones o de los poderes de configuración jurídica deja de tener efecto únicamente sui una persona legitimada los ejerce adecuadamente (art. 122-1, ap. 2, CCCat). Las normas sobre caducidad son de naturaleza imperativa, sin perjuicio de lo dispuesto por el artículo 122-3, apartado 1.º, en materia de suspensión (art. 122-1, ap. 3, CCCat).

El Código de comercio tampoco reguló en su momento la caducidad, como no podía ser de otra manera, pues dicha institución empezó a perfilarse por la doctrina justamente alrededor de la misma época en que dicho texto legal fue promulgado.

La jurisprudencia se ha apoyado precisamente sobre dichos fundamentos con el fin de establecer las diferencias entre ambas instituciones. Así, la STS de 27 de abril de 1940 señala que diferente de la prescripción es la caducidad o decadencia: la primera reconoce por causa la inercia del titular del derecho, por lo que admite impedimentos *rationi initii* y motivos de interrupción y de suspensión, mientras que la segunda opera con efecto radical y automático, con determinación precisa del día en que comienza su computación.[93] Por su parte, la STS de 30 de abril de 1940 indica que la nota diferencial es que la prescripción es renunciable, por lo que sólo cuando se alega puede ser estimada, en tanto que la caducidad no requiere alegación y opera por sí misma, obligando al juzgador a declararla de oficio, si en los autos hay elementos de juicio que la revelan.[94] Estos criterios han sido reiterados posteriormente.[95] En cualquier caso, en la caducidad no produce efecto alguno la reclamación extrajudicial.

Según el artículo 122-2, apartado 2, del CCCat, «en las relaciones jurídicas indisponibles la caducidad debe ser apreciada de oficio por los tribunales». En cambio, tal y como indica el artículo 122-3, apartado 2, del CCCat, cuando se trate de relaciones jurídicas disponibles, «la caducidad no debe ser apreciada de oficio por los tribunales, sino que debe ser alegada por una persona legitimada».

Aunque es opinión común en la doctrina que la caducidad no admite suspensión o interrupción, el Tribunal Supremo lo ha admitido en algunos casos.[96] Sin embargo, en la STS de 10 de julio de 1999[97] se dice que «la jurisprudencia más moderna se pronuncia en el sentido de que la caducidad no admite interrupción de ninguna clase». Tampoco cabe la posibilidad de renuncia.

El artículo 122-2, apartado 1, del CCCat dice que «en las relaciones jurídicas indisponibles los plazos establecidos legalmente no pueden suspenderse». Cuando se trate de relaciones jurídicas disponibles, el artículo 122-3, apartado 1, del CCCat

---

93. RJ 1940, 303.
94. RJ 1940, 304.
95. Cfr. SSTS de 17 de noviembre de 1948 (RJ 1948, 1413), 7 de abril de 1956 (RJ 1956, 1552), 5 de julio de 1957 (RJ 1957, 2554), 31 de octubre de 1978 (RJ 1978, 3291) y 7 de mayo de 1981 (RJ 1981, 1984) y las RRDGRN de 9 de noviembre de 1955 (ADGRN 1955, pg. 74), 16 de marzo de 1959 (RJ 1959, 1216) y 1 de febrero de 1960 (RJ 1960, 164).
96. Cfr. SSTS de 30 de mayo de 1984 (RJ 1984, 2808) y 24 de enero de 1986 (RJ 1986, 407).
97. RJ 1999, 5902. Cfr. SSTS de 30 de septiembre de 1992 (RJ 1992, 7419) y 20 de julio de 1993 (RJ 1993, 6170).

indica que «el plazo de caducidad se suspende de acuerdo con lo establecido por los artículos del 121-15 al 121-19 en lo que concierne a la suspensión de la prescripción, o por acuerdo expreso de las partes. La suspensión se levanta una vez agotado el plazo pactado o, en su defecto, a partir del momento en que cualquiera de las partes denuncie el acuerdo de forma fehaciente».

Con carácter general son plazos de caducidad en el Código civil, respecto del Derecho de obligaciones: las acciones de anulabilidad (art. 1301 CC) y de rescisión (art. 1299 CC), así como las derivadas de la obligación de saneamiento en la compraventa (arts. 1475 y ss. CC). No obstante, la STS de 1 de febrero de 2002 nos recuerda que en diversas ocasiones la Sala de lo Civil del Tribunal Supremo no ha reconocido el plazo de cuatro años fijado en el artículo 1301 del CC como efectivo plazo de caducidad.[98] Por lo que se refiere a las acciones de saneamiento por vicios ocultos, DE PABLO CONTRERAS estima más correcto entender que el plazo de esas acciones es de prescripción, porque «la brevedad de los plazos establecidos no es suficiente argumento en contra de la prescripción y a favor de la caducidad y, siendo las acciones edilicias acciones de condena, es más razonable considerar el término como de prescripción».

Como indica DÍEZ-PICAZO, «debe señalarse la diferencia profunda que existe entre la llamada caducidad convencional y la verdadera caducidad, porque esta última es un límite puesto al ejercicio de las acciones como medios de defensa judicial de los derechos, mientras que aquélla, cuando sea legítima, es un plazo legal de vida de los derechos, independiente del modo de ejercicio judicial de los mismos».

El artículo 122-4 del CCCat determina que «la caducidad convenida por las partes se rige, en defecto de pacto, por las disposiciones sobre caducidad en las relaciones jurídicas disponibles establecidas por el presente Código».

En defecto de norma expresa, a los plazos de caducidad será de aplicación lo dispuesto con carácter general en el artículo 5 del CC.

Según el artículo 122-5, apartado 1, del CCCat, «el plazo de caducidad se inicia, en defecto de normas específicas, cuando nace la acción o cuando la persona titular puede conocer razonablemente las circunstancias que fundamentan la acción y la persona contra la cual puede ejercerse. En todo caso, se aplica también a la caducidad lo dispuesto por el artículo 121-24 en materia de preclusión». Siguiendo los mismos criterios que los establecidos por el artículo 5 del CC, el apartado 2 del artículo 122-5 añade que «en el cómputo del plazo de caducidad no se excluyen los días inhábiles ni los festivos. El cómputo de días se hace por días enteros. El día inicial se excluye y el día final debe cumplirse totalmente»; y lo mismo hay que decir del apartado 3 del artículo 122-5, cuando afirma que «el cómputo de meses o años se hace de fecha a fecha. Si en el mes del vencimiento no existe el día correspondiente al inicial, se considera que el plazo finaliza el último día del mes».

BIBLIOGRAFÍA

ALAS/DE BUEN/RAMOS, *La prescripción extintiva*, Madrid, 1918; ALBALADEJO, *La prescripción extintiva*, 2.ª ed., Madrid, 2004; ALBIEZ DOHRMANN, *El reconocimiento de*

---

98. RJ 2002, 1586.

deuda. *Aspectos contractuales y probatorios*, Granada, 1987; CAÑIZARES LASO, *La caducidad de los derechos y acciones*, Madrid, 2001; CAPÓN REY, «La prescripción anual de las acciones derivadas de la culpa extracontractual caso de haberse tramitado diligencias criminales», ADC, 1983, p. 288; CORDÓN MORENO, «La interrupción de la prescripción extintiva por el ejercicio de la acción ante los Tribunales», La Ley, 1983-1, p. 1161; DE ÁNGEL YAGÜEZ, «La interrupción de la prescripción extintiva por reclamación del acreedor en el Derecho comparado», La Ley, 1986-4, p.1048; DÍEZ-PICAZO, *La prescripción extintiva. En el Código Civil y en la jurisprudencia del Tribunal Supremo*, 2.ª ed., Cizur Menor (Navarra), 2007; GARCÍA CANTERO, «El instituto de la prescripción y sus orientaciones en el Derecho comparado», AC, 1995-4, p. 907; GÓMEZ CORRALIZA, *La caducidad*, Madrid, 1990; HINOJOSA, «Sobre la imprescriptibilidad de la acción nacida de los préstamos usurarios», RDP, 1934, p. 242; OROZCO PARDO, *De la prescripción extintiva y su interrupción en el Derecho civil*, Granada, 1995; PORPETA, «Caducidad y prescripción», RDM, 1949, p. 341; PUIG BRUTAU, *Caducidad y prescripción extintiva*, Barcelona, 1986; PUIG BRUTAU, *Caducidad y prescripción extintiva y usucapión*, 3.ª ed., Barcelona, 1996; RIVERO HERNÁNDEZ, *La suspensión de la prescripción en el Código civil español: Estudio crítico de la legalidad vigente*, Madrid, 2002; RUBIO LINIERS, «La prescripción extintiva del crédito hipotecario», RCDI, 1978, p. 947.

La prueba de las obligaciones

I. INTRODUCCIÓN

El Código civil, en los **cuatro** primeros capítulos del Título I del Libro IV, regula la llamada teoría o doctrina general de las obligaciones y, a continuación, en el quinto y último Capítulo (**arts.** 1214-1253 CC), se ocupa de desarrollar la *prueba de las obligaciones.* Sin embargo, aunque se trata de la prueba referida a las obligaciones, las reglas que contiene son de aplicación general a todo el ámbito del Derecho civil, e incluso al Derecho privado en general. Por otra parte, hay que reconocer que varios de estos preceptos tienen un carácter puramente adjetivo o procesal, por ello no debe extrañar que la vigente Ley de enjuiciamiento civil haya procedido a la derogación de los artículos 1214, 1215, 1226 y 1231-1253 del CC (disp. derogatoria única, 2.1.º LEC).

Pero, aunque es cierto que la prueba goza de aplicación preferente en el proceso, también lo es que continuamente se utiliza fuera del mismo y, por tanto, interesa y tiene evidente importancia para el Derecho civil, especialmente para el Derecho de obligaciones. Por ello, se va a tratar de la misma de manera breve, con referencia casi exclusiva a las normas de carácter sustantivo y a las presunciones; mientras que de los distintos medios de prueba únicamente serán objeto de examen los documentos públicos y privados. Respecto de los demás medios probatorios, cuya regulación es estrictamente procesal, sólo se expondrá una idea somera de cada uno de ellos.

La prueba es un fin y un medio. En el primer sentido (o prueba en sí misma), es la demostración de la realidad o exactitud de un hecho del que depende la existencia de un derecho. Como medio, es el conjunto de recursos o medios de prueba que pueden utilizarse para lograr aquella demostración.

II. OBJETO DE LA PRUEBA

Son *objeto de prueba* los hechos materiales y los actos jurídicos. Si los hechos no son admitidos por la parte a quien perjudican habrá que probarlos. Lo cual quiere decir, referido a las obligaciones, que aquél que alegue o pretenda la existencia de una relación obligatoria deberá probar los hechos de donde resulte la misma; es decir, si se pide una cantidad debida por préstamo habrá que demostrar el hecho del préstamo. La razón es que los Jueces están obligados a conocer el Derecho, pero no los hechos, a los que son completamente ajenos; y, como en el proceso civil no se admite la averiguación o investigación de oficio, ya que la prueba se rige por el principio dispositivo o de instancia de parte, si no se prueban los hechos el Juez no podrá aplicar la norma (art. 216 LEC). Por ello, el artículo 217.1 de la LEC dice que «cuando, al tiempo de dictar sentencia o resolución semejante, el Tribunal considerase dudosos unos hechos relevantes para la decisión, desestimará las pretensiones del actor o del reconviniente, o las del demandado o reconvenido, según corresponda a unos u otros la carga de probar los hechos que permanezcan inciertos y fundamenten las pretensiones».

Ahora bien, no todo lo que puede ser objeto de prueba necesita ser probado. Concretamente, además de los hechos admitidos o reconocidos por la parte a quien perjudiquen, tampoco es preciso probar los hechos notorios o los hechos que se encuentren favorecidos por una presunción legal. El hecho notorio, aunque en principio no necesita ser probado, tiene que ser alegado. Un hecho es notorio cuando en virtud de su publicidad es conocido por todos y, por consiguiente, debe presumirse que también el juez lo conoce, por ejemplo, fechas históricas, sucesos o acontecimientos nacionales, etc. No obstante, a pesar de su publicidad y generalidad, el juzgador puede no tener conocimiento del hecho, en cuyo caso será necesaria o conveniente la prueba de su notoriedad, normalmente por testigos o por peritos. La notoriedad no debe confundirse con el conocimiento privado del juez (por ejemplo, no es notorio el fallecimiento de una persona, aunque el juez como amigo personal del difunto haya asistido al entierro), ni con la regla o máxima de experiencia de conocimiento general, ni con la conducta observada por las partes en el proceso. No obstante, es aconsejable la prueba de afirmaciones sobre hechos que, a pesar de su notoriedad, pudieran no ser conocidos por el juez.

También pueden constituir objeto de prueba ciertas normas jurídicas: el Derecho consuetudinario y el Derecho extranjero:

La *prueba de la costumbre* está admitida en el artículo 1.3 del CC, y el Tribunal Supremo ha declarado, reiteradamente, que la aplicabilidad de la costumbre en defecto de ley exige la indispensable prueba de su existencia y de su alcance.[1] En la actualidad, el artículo 281.2 de la LEC dice que «también será objeto de prueba la costumbre», añadiendo que «la prueba de la costumbre no será necesaria si las partes estuviesen conformes en su existencia y contenido y sus normas no afectasen al orden público». En palabras de la STS de 4 de octubre de 1982, «siendo la costumbre una cuestión de hecho para poder apreciar su existencia, en tanto no venga reconocida por la ley la institución a que afecte, se precisa que se alegue y pruebe por la parte que sostenga un derecho, con relación de sus circunstancias, alcance y demás preciso

---

1. Cfr. SSTS de 26 de febrero de 1926 (JC 1926, I-185), 20 de enero de 1966 y 20 de marzo de 1969 (RJ 1969, 1517) y 12 de marzo de 1975 (RJ 1975, 1192).

para dedudir als consecuencias pretendidas».[2] Esta excepción al principio *iura novit curia* parece lógica, en cuanto que al Juez no se le puede exigir que tenga de la costumbre un conocimiento exacto como sucede con la ley. Sin embargo, nada impide que investigue su existencia de oficio e incluso que la aplique, aunque no haya sido probada, en virtud del conocimiento que tiene de la misma. Además, alegada y probada, decretar su vigencia y aplicabilidad corresponde al juez.

En cuanto al *Derecho extranjero*, se ha sostenido tradicionalmente que era un «hecho» que debía ser probado por quien lo alegase, pues el artículo 12.6, párrafo 2.°, del CC disponía que la persona que lo invocase «deberá acreditar su contenido y vigencia por los medios de prueba admitidos en la ley española», si bien indicaba a continuación que, «para su aplicación, el juzgador podrá valerse además de cuantos instrumentos de averiguación considere necesarios, dictando al efecto las providencias oportunas».[3] Es por eso que también se consideró que no ofrecía duda que en nuestro ordenamiento el juez puede investigar de oficio el contenido y vigencia del Derecho extranjero, debiendo hacer constar en autos el resultado. No obstante, la STS de 25 de enero de 1999 parece olvidar esta posibilidad de investigación, pues declara que «la línea jurisprudencial mantenida en esta materia se refiere a que la utilización del Derecho extranjero supone una cuestión de hecho, y como tal ha de ser alegada por la parte invocante, siendo necesario acreditar tanto la exacta entidad del Derecho vigente como su alcance y autorizada interpretación, de suerte que su aplicación no suscite la menor duda razonable a los Tribunales españoles». Además, recalca que «cuando a los Tribunales españoles no les es posible fundamentar con seguridad absoluta la aplicación del Derecho extranjero, juzgarán entonces según el Derecho patrio».[4]

Actualmente, hay que poner de relieve que el mencionado artículo 12.6, párrafo 2.°, del CC ha sido sustituido por el artículo 281.2 de la LEC, que señala que «también será objeto de prueba la costumbre y el derecho extranjero (...). El derecho extranjero deberá ser probado en lo que respecta a su contenido y vigencia, pudiendo valerse el tribunal de cuantos medios de averiguación estime necesarios para su aplicación». De hecho, no puede ignorarse que la STC de 17 de enero de 2000 exige a los órganos judiciales una activa participación en la obtención de la prueba del Derecho extranjero, sobre todo en el caso de que la aplicación del Derecho extranjero resulte debida por imposición del propio ordenamiento jurídico español.[5]

En el caso resuelto por dicha STC de 17 de enero de 2000 se trataba de una mujer de nacionalidad armenia, y residente en Bilbao, que había presentado una demanda de separación contra su marido, también de nacionalidad armenia, residente en la misma ciudad, y declarado posteriormente en rebeldía. Tanto la sentencia de instancia como la de apelación habían desestimado la demanda de separación matrimonial con el argumento de que la actora no había acreditado adecuadamente el Derecho extranjero aplicable al caso con arreglo a lo dispuesto en el artículo 12.6 del CC. La recurrente en amparo ante el Tribunal Constitucional denunció en su demanda que ambas resoluciones judiciales, en particular la sentencia de la Audiencia provincial que es contra la que en rigor se dirigen sus reproches, habían lesionado su derecho a

2. RJ 1982,5537.
3. Cfr. STS de 4 de octubre de 1982 (RJ 1982, 5537) y las que cita.
4. RJ 1999, 321.
5. RTC 2000, 10.

la tutela judicial efectiva sin padecer indefensión en relación con el derecho a utilizar los medios de prueba pertinentes; pues desestimaron sus pretensiones sin entrar en el fondo del asunto como consecuencia de la frustración, sólo imputable a los órganos judiciales, de la correcta práctica de la prueba del Derecho armenio aplicable al caso. Por su parte, el Ministerio Fiscal coincidió con la recurrente en considerar las resoluciones judiciales mencionadas, por las mismas razones antedichas, lesivas de las garantías del artículo 24 de la CE, interesando del Tribunal Constitucional la estimación del amparo solicitado.

En este contexto, es obligado traer a colación las palabras de CASTÁN cuando afirma, con cita de DUSI, que si el juez conoce la costumbre o la ley extranjera «no puede fingir ignorarlas, como debe hacer con respecto a los hechos no notorios y no legalmente probados».

III. LA CARGA DE LA PRUEBA

Según el derogado artículo 1214 del CC, «incumbe la prueba de las obligaciones al que reclama su cumplimiento y la de su extinción al que la opone». Este precepto había sido tachado por la generalidad de la doctrina de incompleto y técnicamente poco exacto: lo primero, porque se olvida los hechos impeditivos; lo segundo, porque no se prueban las obligaciones sino los hechos de los que resulta la existencia de las mismas. De ahí que, de acuerdo con estas observaciones, se afirmara que al acreedor incumbe la carga de la prueba de los hechos constitutivos de la relación obligatoria (el contrato, el acto ilícito) y al deudor la de los hechos extintivos (por ejemplo, el pago o cumplimiento de la obligación, la condonación de la deuda, etc.) e impeditivos (por ejemplo, vicios del negocio jurídico),[6] y ello con independencia de la posición que uno u otro adopten en el proceso, bien como demandante o bien como demandado. En este sentido, «corresponde al actor y al demandado reconviniente la carga de probar la certeza de los hechos de los que ordinariamente se desprenda, según las normas jurídicas a ellos aplicables, el efecto jurídico correspondiente a las pretensiones de la demanda y de la reconvención» (art. 217.2 LEC); e «incumbe al demandado y al actor reconvenido la carga de probar los hechos que, conforme a las normas que les sean aplicables, impidan, extingan o enerven la eficacia jurídica de los hechos a que se refiere el apartado anterior» (art. 217.3 LEC).

Esta regla general, de reparto de la carga de la prueba, tiene dos importantes excepciones: una, que por disposición legal expresa no se distribuya con criterios especiales la carga de probar los hechos relevantes (art. 217.6 LEC); otra, que una presunción legal favorezca al que tiene que probar, produciéndose el efecto de la inversión de la carga probatoria (art. 385.1 LEC).

Con el significado expuesto, el Tribunal Supremo tenía declarado que «el principio jurídico, sancionado por la jurisprudencia, de que la prueba de las obligaciones incumbe a quien reclama su cumplimiento, sustancialmente recogido en el artículo 1214 del CC, ha de ser entendido, conforme a los dictados de las más autorizadas doctrinas relativas a la carga de la prueba, en el sentido de que al actor le basta con probar los hechos normalmente constitutivos del derecho que reclama, pues si el demandado no

---

6.   Cfr. SSTS de 10 de junio de 1986 (RJ 1986, 3379) y 25 de abril de 1990 (RJ 1990, 2802).

se limita a negar tales hechos, sino que alega otros suficientes para impedir, extinguir o quitar fuerza al efecto jurídico reclamado en la demanda, tendrá él que probarlos, como habrá de probar también aquellos hechos que, por su naturaleza especial o carácter negativo, no podrán ser demostrados por la parte adversa sin grandes dificultades».[7] En este punto, es de notar que el artículo 217.6 de la LECiv recoge este criterio jurisprudencial y dispone que, para la aplicación de lo dispuesto en los apartados anteriores de este precepto, sobre la carga de la prueba, «el tribunal deberá tener presente la disponibilidad y facilidad probatoria que corresponde a cada una de las partes del litigio».

Ahora bien, el derogado artículo 1214 del CC contenía un precepto general y de carácter subsidiario, que sólo era de aplicación cuando no hubiere prueba alguna.[8] Pues el Tribunal Supremo había declarado reiteradamente que «la doctrina del _onus probandi_, entendida en su recto sentido, de que las consecuencias perjudiciales de falta de pruebas han de parar en quien tenga la carga de la misma, sólo entra en juego cuando hay inexistencia probatoria, pero no cuando hay demostración en los autos».[9] En otras palabras, el artículo 1214 del CC y su normal interpretación proporcionaban al juzgador una «regla de juego» que exigía al menos una mínima labor probatoria, que ha tenido que practicarse en el proceso.[10] En consecuencia, únicamente había de acudirse a las reglas sobre carga de la prueba cuando los hechos en que las partes fundamentan sus pretensiones no habían resultado probados, con independencia de cuál de ellas haya aportado los elementos probatorios.[11]

Como el artículo 1214 del CC no era una norma valorativa de la prueba, solamente podía ser invocado como infringido en casación cuando a uno de los litigantes se le imponían los efectos de la no probanza y al mismo no le correspondía la carga de la prueba.[12] Por otra parte, también procede advertir que no es admisible en casación hacer un examen de determinados elementos probatorios (documental y testifical) con el propósito de contraponer el criterio de la parte al sustentado por el tribunal, especialmente cuando el error de hecho en la apreciación de la prueba fue suprimido como motivo casacional por la reforma introducida por la Ley de 30 de abril de 1992.[13] En este sentido, el Tribunal Supremo ha declarado de manera reiterada que la impugnación de la prueba debe realizarse con fundamento en el error de derecho en que pueda haber incurrido la Sala sentenciadora, porque la casación no constituye una tercera instancia en la que se puedan valorar de nuevo todas las pruebas.[14]

IV. VALORACIÓN DE LA PRUEBA

Valoración o apreciación de la prueba es aquella operación mediante la cual el juez adquiere el convencimiento de que el hecho alegado ha sido o no probado.

---

7. Cfr. STS de 3 de junio de 1935 (RJ 1935, 1242), y también las SSTS de 13 de febrero de 1951 (RJ 1951, 258) y 15 de junio de 1961 (RJ 1961, 2723).
8. Cfr. STS de 5 de octubre de 1988 (RJ 1988, 10378).
9. Cfr. STS de 13 de diciembre de 1989 (RJ 1989, 8828).
10. Cfr. STS de 25 de noviembre de 1996 (RJ 1996, 8974).
11. Cfr. STS de 10 de mayo de 1989 (RJ 1989, 3679).
12. Cfr. SSSTS de 18 de octubre de 1994 (RJ 1994, 7484) y 21 de octubre de 1996 (7235).
13. Cfr. STS de 23 de diciembre de 1996 (RJ 1996, 9220).
14. Cfr. SSTS de 15 de julio de 2005 (RJ 2005, 5279), 16 de marzo y 19 de mayo de 2006 (RJ 2006, 5430 y 3274).

En nuestro Derecho, la valoración general de la prueba se deja a la discrecionalidad del juez, que es libre en su apreciación para llegar al convencimiento de la verdad o no de los hechos alegados y probados. Pero esta libertad no significa que el juez pueda actuar caprichosamente y no haya de atenerse a unas normas lógicas de valoración, simplemente quiere decir que esas reglas de valoración no las formula la ley. No obstante, existen algunas excepciones a las que se hace referencia en las pruebas en particular.

Por otra parte, es necesario advertir que el Tribunal Supremo ha negado valor probatorio preferente a la confesión en juicio y a los documentos públicos, postulando la *apreciación conjunta de la prueba*. Lo cual debe interpretarse en el sentido de que el juez no podrá formar su convicción en uno solo de los medios de prueba, con exclusión de los restantes, si bien eso no le excusa de motivar o razonar separadamente todos y cada uno de los medios de prueba.[15]

V. MEDIOS DE PRUEBA

La ley establece cómo hay que probar, a cuyo efecto enumera taxativamente unos determinados medios, a través de los cuales las partes o sujetos de la relación obligatoria deben intentar demostrar o convencer al Juez que los hechos por ellos alegados son ciertos.

Según el derogado artículo 1215 del CC, la prueba podía hacerse:

1.º Por instrumentos.

2.º Por confesión.

3.º Por inspección personal del Juez.

4.º Por peritos.

5.º Por testigos.

6.º Por presunciones.

Esta enumeración era la misma, con ligeras variantes, que la que efectuaba el artículo 578 de la LEC de 1881. El Código civil, respecto de la ley procesal, contenía las innovaciones siguientes: alteraba el orden de enumeración, cambiaba la denominación de «documentos públicos y privados» por la de «instrumentos» y la de «reconocimiento judicial» por la de «inspección personal del juez», omitía los libros de los comerciantes (debido al carácter mercantil de este medio de prueba), e incluía como novedad la prueba de presunciones (que en realidad no es un verdadero medio de prueba, sino un procedimiento intelectivo o psicológico del juez o del intérprete).

Estos medios, eran tasados, es decir, únicamente era posible utilizar los medios de prueba establecidos por la ley. De ahí que la utilización y la admisión de modernos medios técnicos, como la fotografía, la fotocopia, la cinta magnetofónica, etc., se hayan efectuado de una manera indirecta, a través de una interpretación flexible de la prueba documental y del reconocimiento judicial. Así ocurrió respecto del documento aportado en fotocopia, pues se le consideró con el mismo valor probatorio

---

15. Cfr. STS de 4 de junio de 1992 (RJ 1992, 4999) y las que cita.

que el original; siempre que hubiera sido adverada o autenticada notarialmente, o reconocido su autenticidad aquél al que perjudicaba, o las partes litigantes hubiesen manifestado de modo expreso su conformidad con esta forma de llevar a cabo la prueba.[16] En cambio, respecto de la grabación en cinta magnetofónica hubo más resistencia para su admisión como medio de prueba, por la dificultad de comprobar su autenticidad.[17] Sin embargo, finalmente, las cintas magnéticas, vídeos y cualquier otro medio de reproducción hablada o representación visual del pensamiento humano fueron admitidos por la jurisprudencia.[18]

> En este sentido, la STS de 12 de junio de 1999 declara que los modernos medios de reproducción del sonido y de la imagen «deben ser catalogados dentro de la enumeración contenida en los artículos 1215 del CC y 578 de la LEC, como prueba documental asimilable a los documentos privados, por cuanto que, al igual que con estos ocurre, si la parte a quien perjudiquen no los reconoce como legítimos, habrán de ser sometidos a la correspondiente verificación o comprobación, por medio de la prueba pericial o, incluso, de reconocimiento o inspección personal del Juez».[19]

La vigente Ley de enjuiciamiento civil mantiene la misma enumeración y denominaciones de los distintos medios de prueba de la Ley de 1881, pero separa los documentos públicos de los privados, elimina los «libros de los comerciantes» (a los que hace referencia dentro de la sección dedicada a los documentos privados, remitiéndose a la legislación mercantil) y a la confesión en juicio la llama «interrogatorio de las partes» (art. 299.1 LEC). La prueba de presunciones la coloca al final del capítulo para dejar claro que no es un verdadero medio de prueba (arts. 385 y 386 LEC).

Las novedades más importantes de nuestra actual legislación procesal son las siguientes: 1.ª La admisión de los medios de reproducción de la palabra, el sonido y la imagen, así como los instrumentos que permitan archivar y conocer o reproducir palabras, datos, cifras y operaciones matemáticas llevadas a cabo con fines contables o de otra clase, relevantes para el proceso (art. 299.2 LEC). 2.ª Suprimir el carácter taxativo de los medios de prueba que la propia ley enumera. A tal efecto, el artículo 299.3 de la LEC dice que, «cuando por cualquier otro medio no expresamente previsto en los apartados anteriores de este artículo pudiera obtenerse certeza sobre hechos relevantes, el tribunal, a instancia de parte, lo admitirá como prueba, adoptando las medidas que en cada caso resulten necesarias». Esta postura de no atribuir carácter tasado a la enumeración de los medios de prueba que hace la Ley de enjuiciamiento civil en vigor implica que ya no es preciso hacer extensiva la noción de «documento».

Por lo que se refiere a la prueba por documentos, es preciso tener en cuenta que el documento no es el objeto, sino el medio de la prueba, porque prueba documental es únicamente la del contenido del documento, o el probar mediante ese contenido.[20] Junto a éste, el documento puede ser objeto de percepción, y por tanto de inspección

---

16. Cfr. SSTS de 30 de marzo de 1982 (RJ 1982, 1549) y 15 de octubre de 1984 (RJ 1984, 4866).
17. Cfr. STS de 30 de noviembre de 1981 (RJ 1981, 4680).
18. Cfr. SSTS de 30 de noviembre de 1992 (RJ 1992, 9458) y 2 de diciembre de 1996 (RJ 1996, 8939).
19. RJ 1999, 4735.
20. En todo caso, en cuanto a la no restricción del concepto de documento a una «escrito», cfr. STS de 30 de noviembre de 1981 (RJ 1981, 4680).

judicial y de examen pericial. Como señala GÓMEZ ORBANEJA, «esta distinción es esencial para comprender que, en primer lugar, no es prueba documental la prueba de la autenticidad del documento; reconocimiento del documento privado, cotejo de letras. En este caso, el documento figura no como fuente de prueba, o medio para probar "otro" hecho, sino como el tema mismo de la prueba». Así también hay una importante diferencia entre el documento y los demás medios de prueba, como es el hecho de que el documento es anterior al proceso.

1. Documentos públicos

Según el artículo 1216 del CC, «son documentos públicos los autorizados por un Notario o empleado público competente con las solemnidades requeridas por la ley». Como dice MANRESA, esta definición consigna las tres notas que caracterizan al documento público: 1.ª) la intervención de un notario o funcionario público, que presta autenticidad; 2.ª) la competencia del mismo; y 3.ª) la concurrencia en el documento de las solemnidades exigidas por la ley. En cambio, la Ley de enjuiciamiento no da un concepto de documento público, sino que en el artículo 317 de la LEC se limita a enumerar los que, a efectos de prueba en el proceso, deben considerarse como tales. Son, concretamente, los siguientes:

1.º Las resoluciones y diligencias de actuaciones judiciales de toda especie y los testimonios que de las mismas expidan los secretarios judiciales.

2.º Los autorizados por notario con arreglo a Derecho.

3.º Los intervenidos por corredores de comercio colegiados y las certificaciones de las operaciones en que hubiesen intervenido, expedidas por ellos con referencia al Libro Registro que deben llevar conforme a Derecho.

4.º Las certificaciones que expidan los registradores de la propiedad y mercantiles de los asientos registrales.

5.º Los expedidos por funcionarios públicos legalmente facultados para dar fe en lo que se refiere al ejercicio de sus funciones.

> No tienen el concepto de documentos públicos los certificados médicos, aunque consten en modelo oficial. Tampoco se puede llamar documento público al certificado del alcalde, pues entre sus funciones no se encuentra la de dar fe.[21]

6.º Los que, con referencia a archivos y registros de órganos del Estado, de las Administraciones públicas o de otras entidades de Derecho público, sean expedidos por funcionarios facultados para dar fe de disposiciones y actuaciones de aquellos órganos, Administraciones o entidades.

Por razón del funcionario que los puede autorizar se distingue entre documentos notariales, administrativos y judiciales. Únicamente a los primeros se hace referencia.

> Según el artículo 1269.1 de la PMDOC, «son documentos públicos los autorizados por un Notario o empelado público competente, con las solemnidades requeridas por la ley». El apartado 2 de dicho artículo 1269 añade que «los documentos en que intervenga Notario público se regirán por la legislación notarial».

---

21. Cfr. STS de 14 de diciembre de 1985.

1.1. Documentos notariales

Los documentos notariales son aquellos en que interviene notario público (art. 1217 CC), y comprenden las escrituras públicas, las pólizas intervenidas, las actas y, en general, todo documento que autorice el notario bien sea en original, en copia o testimonio (art. 144, párr. 1.°, RN).

_a_) Las _escrituras públicas_ tienen como contenido propio las declaraciones de voluntad, los actos jurídicos que impliquen prestación de consentimiento y los contratos de todas clases (art. 144, párr. 2.°, RN).

_b_) Las _pólizas intervenidas_ tienen como contenido exclusivo los actos y contratos de carácter mercantil y financiero que sean propios del tráfico habitual y ordinario de al menos uno de sus otorgantes, quedando excluidos de su ámbito los demás actos y negocios jurídicos, y en cualquier caso todos los que tengan objeto inmobiliario; todo ello sin perjuicio, desde luego, de aquellos casos en que la Ley establezca esta forma documental (art. 144, párr. 3.°, RN). El original de la póliza será conservado por el notario en su Libro-Registro (arts. 272 y 283 RN), o, en su caso, en el protocolo ordinario (art. 197 RN).

_c_) Las _actas notariales_ son los documentos en que los notarios, a instancia de parte, consignan hechos y circunstancias que presencian o les constan, y que por su naturaleza no son materia de acto o contrato, así como sus juicios o calificaciones (art. 144, párr. 4.°, y art. 198 RN). No obstante, los documentos privados cuyo contenido sea materia de contrato podrán protocolizarse por medio de acta cuando alguno de los contratantes desee evitar su extravío y dar autenticidad a su fecha, expresándose en tal caso que tal protocolización se efectúa sin ninguno de los efectos de la escritura pública y sólo a los efectos del artículo 1227 del CC (art. 215, párr. 1.°, RN).

La STS de 14 de julio de 1993, aunque reconoce que el artículo 1218 del CC se refiere a las escrituras y no a las actas notariales, declara que no es posible desconocer el carácter sustantivo probatorio de las actas en cuanto incorporen hechos reales captados sensiblemente por el fedatario.[22]

_d_) Los _testimonios, certificaciones_ y _demás documentos notariales_ que no reciban las denominaciones de escrituras, pólizas intervenidas o actas, cuyo contenido se encuentra delimitado en el Reglamento notarial (art. 144, párr. 5.°, y art 251 RN). A diferencia del acta, que se incorpora al protocolo, el testimonio sólo se menciona en el libro indicador, por lo que la primera tiene matriz y copia, y el segundo sólo un original, que se devuelve al interesado.

Los documentos notariales se rigen por la legislación notarial (art. 1217 CC). Se exceptúan los testamentos y actos de última voluntad que, en cuanto a su forma y requisitos o solemnidades, se rigen por los preceptos de la legislación civil, acoplándose a los mismos la notarial, como norma supletoria de aquélla. Los documentos públicos autorizados o intervenidos por notario gozan de la fe pública, presumiéndose su contenido veraz e íntegro de acuerdo con lo dispuesto en la ley. El artículo 143 del RN señala que «los efectos que el Ordenamiento jurídico atribuye a la fe pública sólo podrán ser negados o desvirtuados por los Jueces o Tribunales», añadiendo, con expresión desafortunada, «y por las Administraciones y funcionarios públicos en el

---

22. RJ 1993, 5802.

ejercicio de sus competencias» (art. 143 RN).[23] La legislación notarial, «en todo caso», competencia exclusiva del Estado (cfr. art. 149.1.8.ª CE).[24] No obstante, por lo que se refiere al idioma, esta competencia tiene que ser puesta en relación con las respectivas competencias autonómicas en materia de normalización lingüística.

1.2. Valor probatorio de los documentos públicos

En cuanto al valor probatorio de los documentos públicos, y sin desconocer que pueden cumplir otro tipo de funciones, el Código civil establece las reglas siguientes:

> Por ejemplo, podrían ser necesarios para la perfección de determinados negocios o ser el medio que permite la entrada en el Registro de la propiedad o en el Registro de bienes muebles de ciertos actos o negocios jurídicos.

a) «Los documentos públicos hacen prueba, aun contra tercero, del hecho que motiva su otorgamiento y de la fecha de éste» (art. 1218, párr. 1.º, CC). La razón es que tanto el hecho del otorgamiento (el contrato o negocio contenido en el documento), como la fecha de éste, le constan al notario o han ocurrido en su presencia. El artículo 319.1 de la LEC establece que «los documentos públicos comprendidos en los núms. 1 a 6 del artículo 317 harán prueba plena del hecho, acto o estados de cosas que documenten, de la fecha en que se produce esa documentación y de la identidad de los fedatarios y demás personas que, en su caso, intervengan en ella». El concepto de tercero no está circunscrito al riguroso sentido que tiene el vocablo en la legislación hipotecaria, sino que está empleado comprendiendo a todos los que no son contratantes y sus causahabientes.[25]

> El artículo 1270.1, párrafo 1.º, de la PMDOC señala que «el documento público hace prueba, aun contra tercero, del hecho, acto o estado de cosas que documente, de la fecha en que se produce esta documentación, de la autorización y de la identidad de las personas de que se hubiere dado fe en él».

Como dice el artículo 1220 del CC, «las copias de los documentos públicos de que exista matriz o protocolo, impugnadas por aquellos a quienes perjudiquen, sólo tendrán fuerza probatoria cuando hayan sido debidamente cotejadas. Si resultara alguna variante entre la matriz y la copia, se estará al contenido de la primera». Por otra parte, a tenor del artículo 1221 del CC, «cuando hayan desaparecido la escritura matriz, el protocolo o los expedientes originales, harán prueba: 1.º Las primeras copias sacadas por el funcionario público que las autoriza. 2.º Las copias ulteriores, libradas por mandato judicial, con citación de los interesados. 3.º Las que, sin mandato judicial, se hubiesen sacado en presencia de los interesados y con su conformidad. A falta de las pruebas mencionadas, harán prueba cualesquiera otras que tengan la antigüedad de treinta o más años, siempre que hubiesen sido tomadas del original por el funcionario que lo autorizó u otro encargado de su custodia. Las copias de menor antigüedad, o que estuviesen autorizadas por funcionario público en quien no concurran las circunstancias mencionadas en el párrafo anterior, sólo servirán como un principio de prueba por escrito. La fuerza probatoria de las copias de copia será apreciada por los tribunales según las circunstancias».

---

23. Parece ser que dicha expresión se introdujo a instancia o por presión de los registradores con la finalidad de ejercer una labor de control.
24. Cfr. STC de 6 de mayo de 1993 (RTC 1993, 156).
25. Cfr. STS de 30 de septiembre de 1930 (RJ 1930, 1148).

Finalmente, el artículo 1222 del CC señala que «la inscripción en cualquier registro público, de un documento que haya desaparecido, será apreciada según las reglas de los dos últimos párrafos del artículo precedente». Ahora bien, lo prescrito en el artículo 1221 del CC no impide que, a falta tanto de matriz como de copias, el hecho pueda ser probado por otros medios (art. 322.2 LEC).[26] De hecho, el artículo 318 de la LEC determina que «los documentos públicos tendrán la fuerza probatoria establecida en el artículo 319 si se aportaren al proceso en original o por copia o certificación fehaciente, ya sean presentados éstos en soporte papel o mediante documento electrónico, o si, habiendo sido aportado por copia simple, en soporte papel o imagen digitalizada, conforme a lo previsto en el artículo 267, no se hubiere impugnado su autenticidad».

A tenor del artículo 1270.3 de la PMDOC, «las copias autorizadas de una escritura pública son también escrituras públicas, que acreditan con fe pública la concordancia con su matriz. Si resultare alguna variante entre la copia y la matriz, se estará al contenido de ésta». El apartado 4 del artículo 1270 de la PMDOC añade que «cuando el cotejo resulte imposible por haber desaparecido la escritura matriz, el protocolo o los expedientes originales, cualquier copia autorizada producirá el efecto señalado en el párrafo anterior, salvo prueba en contrario». El artículo 1271 de la PMDOC indica que «en caso de destrucción del documento público original y en defecto de copia autorizada, los datos que de él hayan quedado reflejados en algún registro o expediente público serán apreciados como prueba según las circunstancias».

Según el artículo 1224 del CC, «las escrituras de reconocimiento de un acto o contrato nada prueban contra el documento en que éstos hubiesen sido consignados, si por el exceso u omisión se apartaren de él, a menos que conste expresamente la novación del primero». Se trata de un medio de reconocimiento de un acto o contrato preexistente; sin embargo, en la doctrina se habla de «contrato reproductivo», expresión de una renovación contractual, por la que se refunden sucesivas declaraciones de voluntad sobre las que se presta nuevo consentimiento, y otras veces de «contrato de fijación jurídica» que, con designios de claridad y firmeza, establece y fija situaciones jurídicas anteriores.[27] El documento originario podrá ser público o privado; sin embargo, lo normal será que se trate de un documento privado, ya que no tendría mucho sentido el reconocimiento de una escritura pública, salvo de que la matriz hubiese desaparecido o que se pretenda evitar la prescripción. Al documento originario se deberá hacer mención en la escritura, pues el carácter confesorio de la escritura de reconocimiento «exige, al menos, una referencia al acto o contrato primordial».[28]

El tenor literal del artículo 1270.2 de la PMDOC es idéntico al del artículo 1224 del CC, actualmente en vigor.

b) Los documentos públicos «harán prueba contra los contratantes y sus causahabientes en cuanto a las declaraciones que en ellos hubiesen hecho los primeros» (art. 1218, párr. 2.º, CC).

---

26. Cfr. STS de 25 de marzo de 1952 (RJ 1952, 735).
27. Cfr. SSTS de 6 de junio de 1969 (RJ 1969, 3281), 5 de febrero de 1981 (RJ 1981, 350) y 23 de junio de 1983 (RJ 1983, 3654).
28. Cfr. STS de 17 de julio de 1984 (RJ 1984, 4076).

Según el artículo 1270.1, párrafo 2.º, de la PMDOC, «también harán prueba (los documentos públicos) contra los contratantes y sus causahabientes, en cuanto a las declaraciones que en ellos hubiesen hecho los primeros».

Por otra parte, el artículo 517.2.4.º de la LEC reconoce como título ejecutivo las escrituras públicas, Las escrituras públicas, con tal que sea primera copia; o si es segunda que esté dada en virtud de mandamiento judicial y con citación de la persona a quien deba perjudicar, o de su causante, o que se expida con la conformidad de todas las partes.[29]

No obstante, debe tenerse en cuenta que, como ha declarado reiteradamente el Tribunal Supremo, el carácter público de un documento sólo puede garantizar que las manifestaciones en él contenidas han sido realmente hechas por las partes, pero no garantizan su veracidad intrínseca, ni la intención o propósito que oculten o disimulen, porque ésta y aquélla escapan a la apreciación notarial.[30] Por ello, es doctrina jurisprudencial que «las declaraciones que los contratantes hubiesen hecho en documento público no impiden combatir tal prueba y declarar la falta de correspondencia entre esas declaraciones y la realidad, por convicción adquirida mediante otros elementos de prueba, pues de otro modo la escritura pública cubriría y haría inatacables entre las partes toda clase de ficciones y simulaciones».[31] Pero no es menos cierto que de los documentos públicos emana, en principio, una presunción de veracidad, que subsiste mientras no se acredite la falta de correspondencia o adecuación entre el contenido del negocio documentado y la realidad exterior al mismo.[32]

También hay que señalar que no hay que confundir documento público con documento auténtico en casación, que es el que no ha sido tenido en cuenta en la instancia y demuestra de modo inequívoco, sin lugar a dudas, el error en que haya podido incurrir el Juez al apreciar la prueba.[33]

c) «La escritura defectuosa, por incompetencia del Notario o por otra falta en la forma, tendrá el concepto de documento privado si estuviese firmada por los otorgantes» (cfr. art. 1223 CC). Supuesto que, tradicionalmente, ha sido calificado de «conversión formal» Sin embargo, parece más correcta la tesis de CORDÓN, quien considera que no hay ningún tipo de conversión, sino que se trata de atribución de la eficacia propia del documento privado a la firma puesta en un documento público nulo. En consecuencia, el documento, falto de firma, no desplegará su plena operatividad.

El tenor literal del artículo 1272 de la PMDOC es casi idéntico al del artículo 1223 del CC, actualmente en vigor. Simplemente, aquél añade el adjetivo «sustancial» a la falta en la forma.

d) «Las escrituras hechas para desvirtuar otra escritura anterior entre los mismos interesados, sólo producirán efectos contra terceros cuando el contenido de

---

29. Cfr. artículos 233 y 250 del RN.
30. Cfr. SSTS de 4 de julio de 1941 (RJ 1941, 895), 16 de marzo de 1951 (RJ 1951, 998), 13 de febrero de 1958 (RJ 1958, 590), 4 de mayo de 1968 (RJ 1968, 2266) y 27 de enero de 2005 (RJ 2005, 1165).
31. Cfr. SSTS de 20 de enero de 1984 (RJ 1984, 355), 13 de octubre de 1987 (RJ 1987, 9985), 10 de junio de 1994 (RJ 1994, 5225) y 30 de marzo de 2006 (RJ 2006, 1870).
32. Cfr. STS de 6 de octubre de 1984 (RJ 1984, 4770).
33. Cfr. SSTS de 25 de marzo de 1982 (RJ 1982, 1502) y 7 de enero de 1983 (RJ 1983, 159).

aquéllas hubiese sido anotado en el Registro público competente o al margen de la escritura matriz y del traslado o copia en cuya virtud hubiera procedido el tercero» (art. 1219 CC).

> Como dice CORDÓN, con esta norma el Código civil se ha anticipado a posibles procedimientos encaminados a perjudicar a terceros interesados en la relación jurídica documentada en la escritura primitiva, condicionando la eficacia de esta segunda modificativa a la posibilidad de que hayan tenido conocimiento de la misma por alguno de los medios que el artículo 1219 del CC señala. Sin embargo, hay que advertir que los medios a que alude este precepto no son los únicos, pues es suficiente con que el tercero tenga conocimiento, cualquiera que sea el medio a través del cual lo obtuvo.

Aplicaciones de lo dispuesto en el artículo 1219 del CC se encuentran en otros preceptos del Código, por ejemplo, en el artículo 1332 del CC respecto de los pactos modificativos de anteriores capitulaciones matrimoniales.

e) La prueba de documentos públicos no es de carácter absoluto, sino que debe ser valorada conjuntamente con las restantes.[34] En palabras de la STS de 14 de junio de 1989, el documento público no tiene prevalencia sobre otras pruebas, y por sí solo no basta para enervar una valoración probatoria conjunta.[35]

f) El artículo 1218 del CC no puede referirse a una certificación librada por el registrador de la propiedad, ya que está pensado para las escrituras públicas regidas por la legislación notarial, limitándose además a acortar el efecto de prueba legal que les es propio, y que se limita al hecho que motivó su otorgamiento.[36]

En definitiva, la diferencia fundamental entre los documentos públicos y privados es que los primeros hacen prueba de su autenticidad por sí mismos, mientras que los segundos necesitan probarla.[37]

2. Documentos extranjeros

Según el artículo 323.1 de la LEC, a efectos procesales, se considerarán documentos públicos «los documentos extranjeros a los que, en virtud de tratados o convenios internacionales o de leyes especiales, haya de atribuírseles la fuerza probatoria prevista en el artículo 319 de esta Ley».

Cuando no sea aplicable ningún tratado o convenio internacional ni ley especial, se considerarán documentos públicos los que reúnan los siguientes requisitos: *a)* Que en el otorgamiento o confección del documento se hayan observado los requisitos que se exijan en el país donde se hayan otorgado para que el documento haga prueba plena en juicio. *b)* Que el documento contenga la legalización o apostilla y los demás requisitos para autenticidad en España (art. 323.2 LEC).

El Convenio XII de la Conferencia de La Haya de 5 de octubre de 1961, ratificado por España por instrumento de 10 de abril de 1978, suprime la exigencia de

---

34. Cfr. STS de 6 de noviembre de 1987 (RJ 1987, 3340).
35. RJ 1989, 4635.
36. Cfr. STS de 18 de febrero de 1985 (RJ 1985, 559) y las que cita.
37. Cfr. STS de 25 de marzo de 1988 (RJ 1988, 2472).

legalización de los documentos públicos extranjeros. Por su parte, el RD de 2 de octubre de 1978, desarrollado por OM de 30 de diciembre de 1978, determina los funcionarios competentes para realizar la legalización o apostilla prevista en dicho Convenio.

Sin embargo, únicamente el segundo requisito establece el valor probatorio del documento público extranjero, pues el primero, como decía GUASP respecto del artículo 600 de la LEC de 1881, se limita a determinar el valor jurídico material del documento extranjero, su eficacia para constituir o declarar situaciones jurídicas materiales.

Cuando los documentos extranjeros a que se refieren los apartados anteriores incorporen declaraciones de voluntad, la existencia de éstas se tendrá por probada, pero su eficacia será la que determinen las normas españolas y extranjeras aplicables en materia de capacidad, objeto y forma de los negocios jurídicos (art. 323.3 LEC).

3. Documentos privados

Documentos privados son aquellos que suscriben las partes por sí o con presencia de testigos, pero sin la intervención de funcionario público que los autorice. Se suelen citar como más característicos: los contratos privados, la correspondencia, los libros y documentos mercantiles (letras de cambio, cheques, pagarés, etc.), los recibos y resguardos, los vales, los asientos y registros privados, etc..[38] El artículo 324 de la LEC los define de un modo negativo y por exclusión, «como aquellos que no se hallen en ninguno de los casos del artículo 317».

Las cartas son documentos privados y pueden tener eficacia probatoria aun cuando estén firmadas únicamente con el nombre de pila, toda vez que es la manera corriente de firmar cuando la carta se dirige a un familiar o persona de gran intimidad o confianza.[39]

El Tribunal Supremo tiene declarado que los documentos privados no reconocidos por su autor podrán ser adverados por otros medios de prueba.[40] Conforme a la vigente Ley de enjuiciamiento civil, las partes han de pronunciarse sobre los documentos aportados de contrario en la audiencia previa, en la que han de manifestar si los admite, impugna o reconoce o si, en su caso, propone prueba acerca de su autenticidad (art. 427.1 LEC), y si no hay impugnación los documentos privados aportados tendrán pleno valor probatorio (art. 326.1 LEC). Por consiguiente, la fuerza probatoria del documento privado está en función de su autenticidad, bien por reconocimiento de la parte a quien perjudica, bien mediante el cotejo de letras y firma. Pero, como afirma RODRIGUEZ ADRADOS, «la no impugnación de la autenticidad de un documento privado a la que se refiere el artículo 326.1 de la LEC, hace prueba plena según dicho precepto de su autenticidad formal, de su autoría, y no supone en modo alguno conformidad con el contenido del documento, que siempre podrá ser impugnado».

En cuanto al *valor probatorio de los documentos privados*, el Código civil contiene las normas siguientes:

---

38.   Cfr. SSTS de 21 de octubre de 1943 (RJ 1943, 1039) y 21 de junio de 1945 (RJ 1945, 863).
39.   Cfr. SSTS de 27 de abril y 21 de noviembre de 1934 (RJ 1934, 770 y 1833).
40.   Cfr. SSTS de 18 de enero de 1921 (JC 1921, I-13) y 3 de abril de 1946 (RJ 1946, 405).

a) «El documento privado, reconocido legalmente, tendrá el mismo valor que la escritura pública entre los que lo hubieren suscrito y sus causahabientes» (art. 1225 CC). Ahora bien, este mandato no se aplica a toda clase de documentos privados, sino únicamente a una determinada categoría de ellos: los suscritos por las partes y que tienen por objeto un acto o negocio jurídico.[41] Es decir, se trata de una eficacia *inter partes*, sin que pueda sustituir a la escritura pública cuando se trate de actos o contratos que conforme al artículo 1280 del CC deban constar en documento público como condición de validez (*ad solemnitatem*), como ocurre con la donación de inmuebles (art. 633 CC), el censo enfitéutico (art. 1622 CC) o la hipoteca (art. 1875 CC).

El tenor literal del artículo 1273 de la PMDOC es idéntico al del artículo 1225 del CC, actualmente en vigor.

Sin embargo, cabe advertir que una cosa es que, de conformidad con lo establecido en el artículo 1225 del CC, no pueda atribuirse al documento privado no reconocido legalmente igual valor probatorio que al documento público, y otra bien distinta que carezca en absoluto de eficacia probatoria; porque, según reiterada doctrina jurisprudencial, el documento privado no tachado de falso, aunque no haya sido reconocido legalmente, se puede apreciar en unión de otros elementos de juicio, y nada impide que sea adverado por otros medios probatorios. Por tanto, la falta de reconocimiento no priva a los documentos privados íntegramente del valor que les otorga el artículo 1225 del CC, pudiendo ser tomados en consideración ponderando su grado de credibilidad, atendidas las circunstancias del debate.[42] La razón es clara, privarlo en este caso de eficacia supondría dejar ésta al exclusivo arbitrio de la parte a quien perjudica.[43] Esta doctrina también puede ser aplicada a la fotocopia del documento privado no adverada.[44]

Por otra parte, la STS de 11 de febrero de 1985 establece que «ha de distinguirse entre la estimación de un documento privado reconocido como tal, que releve a la parte favorecida de probar su contenido, y la valoración de ese contenido por el Tribunal, que cuando es realizada por éste en conexión y conjugándola con el resultado obtenido del estudio de la totalidad de las pruebas practicadas, si ello pone de relieve que su contenido no es exactamente el que pretende la recurrente, la posición interpretativa del juzgador debe prevalecer».[45]

b) «La fecha de un documento privado no se contará respecto de terceros sino desde el día en que hubiese sido incorporado o inscrito en un Registro público, desde la muerte de cualquiera de los que firmaron, o desde el día en que se entregase a un funcionario público por razón de su oficio» (art. 1227 CC). Pero no es menos cierto que el artículo 1227 del CC contiene una presunción que cede ante la prueba en contrario, de tal manera que puede tenerse por eficaz en juicio la fecha de un documento privado cuando se corrobora por otras pruebas practicadas. Es decir, que el precepto

---

41. Cfr. SSTS de 29 de mayo de 1987 (RJ 1987, 3849) y 3 de marzo de 1990 (RJ 1990, 1663).
42. Cfr. SSTS de 28 de octubre de 1972 (RJ 1972, 4259), 22 octubre 1992 (RJ 1992, 8598), 21 de julio de 1998 (RJ 1998, 6389) y 26 de mayo de 1999 (RJ 1999, 4255).
43. Cfr. SSTS de 24 de abril de 1962 (RJ 1962, 2094) y 5 de febrero de 1988 (RJ 1988, 705).
44. Cfr. SSTS de 23 de mayo de 1985 (RJ 1985, 2615) y 1 de febrero de 1989 (RJ 1989, 705).
45. RJ 1985, 556.

sólo es aplicable cuando el hecho a que se refiere únicamente puede tener demostración por el propio documento.[46]

El artículo 1274 de la PMDOC señala que «el documento privado no prueba, por sí solo, la certeza de la fecha del acto o contrato que constituya su contenido. La existencia del documento constará fehacientemente desde la fecha en que se incorpora o inscribe en un registro público, o en que se entrega a un funcionario por razón de su oficio, o en que acaece la muerte de cualquiera de los que lo firmaron. Para la determinación de la fecha o del tiempo del acto o contrato caben todo tipo de pruebas».

c) «Los documentos privados hechos para alterar lo pactado en escritura pública no producen efecto contra tercero» (art. 1230 CC), que no ha sido parte en el contrato ni es causahabiente de los que fueron partes. Por consiguiente, *a contrario sensu*, tendrán eficacia entre los interesados y sus herederos, que no pueden considerarse terceros.[47] Como dice Mucius Scaevola, con esta disposición se trata de impedir que aconsejado el tercero por los términos de la escritura pública que conoce, se vea sorprendido y perjudicado por los de un documento privado de los que no tiene noticia. Este mismo autor se muestra partidario de interpretar que los efectos ante tercero deben y pueden darse no sólo cuando éste haya reconocido tal documento privado, sino también cuando hubiere habido notificación; con la consecuencia de que en el segundo caso será menester probar cumplidamente el propio hecho de la notificación.

d) «Los asientos, registros y papeles privados únicamente hacen prueba contra el que los ha escrito en todo aquello que conste con claridad; pero el que quiera aprovecharse de ellos habrá de aceptarlos en la parte que le perjudiquen» (art. 1228 CC). Como indica Manresa, «estos documentos o escritos son bases de prueba que se forman por uno solo de los interesados, que se conservan siempre por él, y que en atención a lo mismo hacen prueba contra aquél, y sólo por la indivisibilidad del conjunto podrán aprovecharle». La jurisprudencia afirma de forma reiterada que los «papeles» a que se refiere el artículo 1228 del CC son los que se forman y conservan por un particular para mantenerlos consigo, no destinados a otros, es decir, los denominados documentos «domésticos», que son aquellos que las personas crean para su uso personal, sin dirigirse directa o indirectamente a terceros.[48] En este sentido, el Tribunal Supremo ha declarado que no son papeles privados los extractos de cuenta contable, dada su utilización y destino,[49] ni las notas de pedido o de entrega de mercancías; pero sí las de procedencia unilateral.[50] También ha declarado que este artículo contiene una norma concreta de valoración, y que su aplicación debe ser restrictiva y de gran prudencia.[51]

---

46. Cfr. SSTS de 6 de julio de 1982 (RJ 1982, 4217), 9 de julio de 1988 (RJ 1988, 5684), 23 de junio de 1992 (RJ 1992, 5467) y 23 de diciembre de 1996 (RJ 1996, 9220).
47. Cfr. SSTS de 13 de marzo de 1928 (JC 1928, III-58), 11 de marzo de 1932 (RJ 1932, 956), 10 de marzo de 1944 (RJ 1944, 526) y 28 de julio de 1998 (RJ 1998, 6449).
48. Cfr. SSTS de 12 de marzo, 16 de mayo y 26 de junio de 1984 (RJ 1984, 1212, 2414 y 3264), 13 de marzo de 1985 (RJ 1985, 1158), 29 de diciembre de 2005 (RJ 2005, 178) y 21 de abril de 2006 (RJ 2006, 1876).
49. Cfr. SSTS de 26 de junio de 1984 (RJ 1984, 3264) y 21 de enero de 1985 (RJ 1985, 190).
50. Cfr. STS de 12 de marzo de 1984 (RJ 1984, 1212).
51. Cfr. SSTS de 21 de junio de 1945 (RJ 1945, 863) y 18 de febrero de 1988 (RJ 1988, 1114).

Según el artículo 1275 de la PMDOC, «el que quiera aprovecharse de un documento, papel privado, nota o asiento contra quien lo haya escrito o firmado, habrá de aceptarlo en la parte que le perjudique».

Según el artículo 1229 del CC, «la nota escrita o firmada por el acreedor a continuación, al margen o al dorso de una escritura que obre en su poder, hace prueba en todo lo que sea favorable al deudor. Lo mismo se entenderá de la nota escrita o firmada por el acreedor al dorso, al margen o a continuación del duplicado de un documento o recibo que se halle en poder del deudor. En ambos casos, el deudor que quiera aprovecharse de lo que le favorezca, tendrá que pasar por lo que le perjudique». En opinión de MANRESA, en la figura del duplicado se debe incluir, pese a su no integridad, la matriz talonaria de los documentos o recibos que se entreguen al deudor.

e) Los documentos no presentados a liquidación tienen valor probatorio y originan el deber de los tribunales de comunicar esta situación a la administración tributaria, para su posible sanción económica.[52]

Según el artículo 326.2 *in fine* de la LEC, en todos los demás supuestos no especificados, cuando no se pueda deducir la autenticidad del documento o no se hubiere propuesto prueba alguna, el juez lo valorará conforme a las reglas de la sana crítica.

4. Documentos electrónicos

Según el artículo 3, núm. 35, del Reglamento (UE) núm. 910/2014 del Parlamento Europeo y del Consejo de 23 de julio de 2014 relativo a la identificación electrónica y los servicios de confianza para las transacciones electrónicas en el mercado interior y por la que se deroga la Directiva 1999/93/CE,[53] se considera documento electrónico «todo contenido almacenado en formato electrónico, en particular, texto o registro sonoro, visual o audiovisual».

Este Reglamento, que derogó con efectos a partir de 1 de julio de 2016 la Directiva sobre la firma electrónica de 13 de diciembre de 1999, no se centra en la regulación de un tipo de firma electrónica sometida a rigurosos requisitos («firma electrónica avanzada basada en un certificado reconocido», cuyo equivalente en el Reglamento es la «firma electrónica cualificada»), sino que abarca otros mecanismos de gran relevancia desde el punto de vista de la seguridad, de la confianza y de la fiabilidad del comercio electrónico, como es el caso de los sellos electrónicos (referidos a personas jurídicas), los sellos de entrega electrónica y la autenticación de sitios web. Frente al modelo anterior, el Reglamento pretende proporcionar un marco global con el fin de garantizar unas transacciones electrónicas seguras, de la misma manera que otro de sus objetivos básicos es eliminar los obstáculos al uso transfronterizo de los medios de identificación electrónica utilizados en los Estados miembros para autenticar al menos en los servicios públicos (DE MIGUEL ASENSIO).

Los documentos electrónicos podrán ser soporte de: *a*) documentos públicos firmados electrónicamente por funcionarios que tengan legalmente atribuida la facultad de dar fe pública, judicial, notarial o administrativa, siempre que actúen en

---

52. Cfr. STS de 10 de noviembre de 1989 (RJ 1989, 7866).
53. DO L 257, de 28 de agosto de 2014, p. 73.

el ámbito de sus competencias con los requisitos exigidos por la Ley en cada caso; *b)* documentos expedidos y firmados electrónicamente por funcionarios o empleados públicos en el ejercicio de sus funciones públicas, conforme a su legislación específica y *c)* documentos privados». Los documentos electrónicos públicos, administrativos y privados, tienen el valor y la eficacia jurídica que corresponda a su respectiva naturaleza, de conformidad con la legislación que les resulte aplicable (art. 3.1 LSEC).

Por lo que se refiere al documento público notarial electrónico, su soporte físico no es el papel, sino un archivo informático. El notario no aplica en él su rúbrica tradicional, sino su Firma Electrónica Reconocida Notarial (FEREN). La Ley de medidas fiscales, administrativas y del orden social de 27 de diciembre de 2001 introdujo un nuevo régimen legal dirigido a regular la atribución y uso de la firma electrónica por parte de los notarios y registradores de la propiedad, mercantiles y de bienes muebles, siendo modificada posteriormente por la Ley de reformas para el impulso a la productividad de 18 de noviembre de 2005 que introdujo ciertas modificaciones en materia de fe pública y seguridad jurídica en relación con la utilización de las técnicas informáticas, electrónicas y telemáticas.

El artículo 107 de la Ley de 2001 impuso a notarios, registradores de la propiedad, mercantiles y de bienes muebles la obligación de disponer de sistemas telemáticos para la emisión, transmisión, comunicación y recepción de información, así como la de integrarse en la correspondiente red privada telemática. De hecho, impone al Colegio de Registradores de la Propiedad y Mercantiles de España y al Consejo General del Notariado la obligación de disponer de «redes privadas telemáticas que deberán garantizar una interconexión segura por procedimientos exclusivos cuyos parámetros y características técnicas sean gestionadas por las respectivas organizaciones corporativas». Corresponde a la Dirección General de los Registros y del Notariado determinar las características de tales sistemas, así como su inspección y control.

Ahora bien, el documento notarial electrónico presenta una doble vertiente: la copia electrónica y la escritura matriz digital. Mientras que la primera de ellas es una realidad práctica desde finales de 2002, la segunda es todavía un objetivo a lograr en el futuro. Los notarios pueden expedir copias electrónicas de las matrices de escrituras o actas que figuren en su protocolo, con valor de documento público, pues el artículo 17 bis.3 de la LN permite la remisión de este tipo de copias, con firma electrónica avanzada, «a otro notario o a un registrador o a cualquier órgano de las Administraciones públicas o jurisdiccional, siempre en el ámbito de su respectiva competencia y por razón de su oficio».[54]

VI. LAS PRESUNCIONES

Las presunciones son una prueba indirecta, que consiste en deducir de un hecho conocido (hecho base), demostrado a través de los demás medios de prueba admitidos en Derecho, otro desconocido (hecho consecuencia). Es decir, se trata de una operación o juicio lógico.

Hay que distinguir las presunciones *legales* de las presunciones *judiciales*. En las legales, es la propia ley la que de un hecho conocido deduce otro que ha de ser

54. Cfr. artículo 224.4 del RN.

considerado como cierto. El artículo 1183 del CC contiene una presunción de esta naturaleza, cuando afirma que «siempre que la cosa se hubiese perdido en poder del deudor, se presumirá que la pérdida ocurrió por su culpa y no por caso fortuito, salvo prueba en contrario, y sin perjuicio de lo dispuesto en el artículo 1096». En las judiciales, en cambio, es la ley la que permite al juez deducir mediante un razonamiento lógico un hecho desconocido de otro acreditado.

Las presunciones legales se dividen, a su vez, en presunciones *iuris et de iure*, que no admiten prueba en contrario, y presunciones *iuris tantum*, que sí admiten demostración o prueba en contrario.

Esta materia se encontraba contenida en los artículos 1249-1253 del CC, preceptos que fueron derogados por la actual Ley de enjuiciamiento civil y sustituidos por los artículos 385-386 de la LEC, los cuales no han mejorado, sin embargo, de manera sustancial la regulación del Código civil.

a) Las *presunciones legales* no constituyen un verdadero medio de prueba, sino que sirven para dispensar de la carga de la prueba, trasladándola a la otra parte, y por ello se afirma que invierten la carga de la prueba. A las mismas se refería el artículo 1250 del CC, disponiendo, con carácter general, que «las presunciones que la ley establece dispensan de toda prueba al favorecido por ellas». Esta norma se repite en el artículo 385.1 de la LEC, si bien se añade que «tales presunciones sólo serán admisibles cuando la certeza del hecho indicio del que parte la presunción haya quedado establecida mediante admisión o prueba» (párrafo 2.º), lo que quiere decir que una de las partes ha de alegar el hecho base y, si la otra no la admite, deberá probarlo. También se dice en el apartado 2 de dicho artículo 385 de la LEC algo obvio, como es que «cuando la ley establezca una presunción salvo prueba en contrario, está podrá dirigirse tanto a probar la inexistencia del hecho presunto como a demostrar que no existe, en el caso de que se trate, el enlace que ha de haber entre el hecho que se presume y el hecho probado o admitido que fundamenta la presunción».

En cuanto a su valor, el artículo 1251, párrafo 1.º, del CC, refiriéndose a las dos clases de presunciones legales, decía que «pueden destruirse por la prueba en contrario (presunciones *iuris tantum*), excepto en los casos en que la ley expresamente lo prohíba (presunciones *iuris et de iure*)». Precepto que reproduce casi textualmente el contenido del artículo 385.3 de la LEC.

El Código civil también consideraba la *cosa juzgada* como una presunción, al disponer en su artículo 1251, párrafo 2.º, que «contra la presunción de que la cosa juzgada es verdad, sólo será eficaz la sentencia ganada en juicio de revisión». Para que la excepción de «cosa juzgada» surtiera efecto en otro juicio, el artículo 1251 del CC exigía las siguientes condiciones: 1.ª Identidad en las personas de los litigantes y la calidad en que lo sean. Se entiende que hay identidad de personas siempre que los litigantes del segundo pleito sean causahabientes de los que contendieron en el pleito anterior, o estén unidos a ellos por vínculos de solidaridad o por los que establece la indivisibilidad de las prestaciones entre los que tienen derecho a exigirlas u obligación de satisfacerlas. Es decir, la excepción de cosa juzgada no perjudica a los terceros que no hubiesen litigado, salvo en las cuestiones relativas al estado civil de las personas y en las de validez o nulidad de las disposiciones testamentarias. 2.ª Identidad de las cosas. 3.ª Identidad de la causa.

La Ley de enjuiciamiento civil regula la «cosa juzgada material» fuera de las presunciones, al tratar de los efectos de la sentencia (arts. 222 LEC), siendo lo más significativo: *a*) que no se reconoce eficacia general a las sentencias relativas a disposiciones testamentarias y, por tanto, la existencia de varios herederos o legatarios dará lugar a la necesidad de un litisconsorcio; *b*) que tampoco habrá extensión de la cosa juzgada a los unidos por vínculos de solidaridad, si alguno de ellos no ha sido parte, como así se deduce de lo dispuesto en los artículos 1140 y 1148 del CC.

b) Las *presunciones judiciales*, también llamadas presunciones simples o «de hombre», son las que constituyen un verdadero medio de prueba; pues, como declara la STS de 4 de abril de 1984, «son medios indirectos que partiendo de un hecho base demostrado, que no es controvertido, y utilizando las máximas de experiencia o reglas del criterio humano, deducen la existencia de un hecho consecuencia, trascendente a efectos de las pretensiones actuadas en el proceso».[55]

Para la admisibilidad de este medio de prueba, el Código civil exige que se cumplan los requisitos siguientes: 1.º Que el hecho del que ha de deducirse la presunción este completamente acreditado (art. 1249 CC).[56] 2.º Que entre el hecho demostrado y aquel que se trate de deducir haya un enlace preciso y directo según las reglas del criterio humano (art. 1253 CC).[57] La jurisprudencia había declarado que el enlace ha de consistir en la conexión y congruencia entre el hecho demostrado y aquel que se trate de deducir, de manera que la realidad del primero lleve al conocimiento del segundo, por ser concordante la relación entre ambos y no poderse aplicar a varias circunstancias.[58] Sin embargo, no se exige que la deducción sea necesaria y unívoca, y en ello se diferencia la verdadera presunción de los *facta concludentia*, que sí han de ser inequívocos. En las presunciones del hecho base pueden seguirse diversos hechos consecuencia, correspondiendo la opción discrecional entre las distintas deducciones posibles al buen criterio y sana crítica del tribunal de instancia; de modo que lo que se ofrece al control de la casación, es la sumisión a la lógica de la operación deductiva.[59] Por eso, para destruir la conclusión judicial presuntiva hay que demostrar que el juez ha seguido, al establecer dicho nexo o relación, una vía o camino erróneo, no razonable o contrario a las reglas de la sana lógica y buen criterio, sin que pueda confundirse deducción ilógica con deducción alternativa.[60]

Y, aunque es verdad que no hay necesidad de acudir a las presunciones si hay pruebas directas, también era doctrina jurisprudencial que no existe norma que prohíba tener por demostrado un hecho mediante presunciones, a pesar de que no exista otra prueba.[61]

---

55. RJ 1984, 1926. Cfr. STS de 6 de noviembre de 1998 (RJ 1998, 8406).
56. Cfr. STS de 22 de febrero de 1989 (RJ 1989, 1243).
57. Cfr. STS de 23 de septiembre de 1989 (RJ 1989, 6352).
58. Cfr. SSTS de 28 de febrero de 1953 (RJ 1953, 278) y 24 de marzo de 1956.
59. Cfr. SSTS de 15 y 16 de febrero de 1990 (RJ 1990, 688 y 690), 31 de mayo, 18 y 20 de julio de 2006 (RJ 2006, 3507, 4957 y 4738).
60. Cfr. SSTS de 5 de noviembre de 1981 (RJ 1981, 4464), 26 de febrero de 1983 (RJ 1983, 1077), 11 de febrero de 1984 (RJ 1984, 647), 26 de septiembre de 1991 (RJ 1991, 6068) y 18 de julio de 2006 (RJ 2006, 4957).
61. Cfr. SSTS de 10 de diciembre de 1976 (RJ 1976, 5254), 12 de julio de 1983 (RJ 1983, 4214) y 2 de noviembre de 1988 (RJ 1988, 8406).

Con base en esta doctrina jurisprudencial, el artículo 386.1 de la LEC se refiere a las presunciones judiciales, pues establece que, «a partir de un hecho admitido o probado, el Tribunal podrá presumir la certeza, a los efectos del proceso, de otro hecho, si entre el admitido o demostrado y el presunto existe un enlace preciso y directo según las reglas del criterio humano. La sentencia en la que se aplique el párrafo anterior deberá incluir el razonamiento en virtud del cual el tribunal ha establecido la presunción». El apartado 2 del artículo 386 de la LEC añade que «frente a la posible formulación de una presunción judicial, el litigante perjudicado por ella siempre podrá practicar la prueba en contrario a que se refiere el apartado 2 del artículo anterior».

No constituyen presunciones las deducciones o inferencias lógicas, basadas en la experiencia, que posibilitan juicios hipotéticos, obtenidos de hechos o circunstancias concluyentes que llevan a conclusiones razonables en el orden normal de las cosas.[62]

VII. OTROS MEDIOS DE PRUEBA

Como antes se indicó, los demás medios de prueba a que se refiere el artículo 299 de la LEC contienen una regulación básicamente procesal, y, en la práctica, sin repercusión en el tráfico jurídico ordinario. Esta es la razón por la que sólo se hace a continuación una breve referencia de cada uno de los demás medios de prueba distintos de los documentos públicos y privados.

1. Interrogatorio de las partes

El interrogatorio de las partes, antes denominado confesión, está regulado en los artículos 301-316 de la LEC.

Según el artículo 301.1 de la LEC, «cada parte podrá solicitar del Tribunal el interrogatorio de las demás sobre hechos y circunstancias de los que tangan noticia y que guarden relación con el objeto del juicio». A su vez, se autoriza el «interrogatorio entre colitigantes», siempre y cuando exista en el proceso oposición o conflicto de intereses entre ambos. El apartado 2 del artículo 301 de la LEC añade que «cuando la parte legitimada, actuante en el juicio, no sea el sujeto de la relación jurídica controvertida o el titular del derecho en cuya virtud se acciona, se podrá solicitar el interrogatorio de dicho sujeto o titular».

Por lo que se refiere a la _valoración del interrogatorio de las partes_, el artículo 316.1 de la LEC determina que «si no lo contradice el resultado de las demás pruebas, en la sentencia se considerarán ciertos los hechos que una parte haya reconocido como tales, si en ellos intervino personalmente y su fijación como ciertos le es enteramente perjudicial». De esta manera se convierte en Derecho positivo, al igual que sucedía en la Ley de enjuiciamiento civil de 1881, la máxima de experiencia que enseña que nadie suele reconocer como cierto un hecho que le perjudica salvo que, efectivamente, sea cierto. Partiendo de esta base, hay que pensar que, si el juez considera los hechos así reconocidos como probados, ello es, en primer término, porque tal

---

62. Cfr. SSTS de 19 de diciembre de 2005 (RJ 2005, 295) y 20 de julio de 2006 (RJ 2006, 4735) y las que citan.

proceder de la parte es apto para formar su convicción. Sin embargo, la expresión «si no lo contradice el resultado de las demás pruebas» implica que dicha presunción puede verse desvirtuada por los resultados diversos que se obtuvieren de la práctica de otras pruebas que podrían conducir al juez al convencimiento de que los hechos ocurrieron de otro modo (SAMANES).

Según el apartado 2 del artículo 316 de la LEC, «en todo lo demás, los tribunales valorarán las declaraciones de las partes y de las personas a que se refiere el apartado segundo del artículo 301 (quien no siendo parte es sujeto de la relación jurídica controvertida o titular del derecho en cuya virtud se acciona) según las reglas de la sana crítica, sin perjuicio de lo que se dispone en los artículos 304 y 307». Estos dos últimos preceptos se refieren a la incomparecencia y admisión tácita de los hechos, así como a la negativa a declarar, respuestas evasivas o inconcluyentes y admisión de hechos personales.

2. Dictamen de peritos

El dictamen de peritos aparece regulado en los artículos 335-352 de la LECiv. Según el artículo 335.1 de la LEC, «cuando sean necesarios conocimientos científicos, artísticos, técnicos o circunstancias relevantes en el asunto o adquirir certeza sobre ellos, las partes podrán aportar al proceso el dictamen de peritos que posean los conocimientos correspondientes o solicitar, en los casos previstos en esta Ley, que se emita dictamen por perito designado por el Tribunal». Aunque se contemplan dos tipos de dictámenes, el aportado por las partes y el emitido por perito de designación judicial, el primero no excluye la posibilidad de solicitar el segundo (cfr. art. 339 LEC).

Respecto a su *valoración*, el artículo 348 de la LEC dice que se efectuará según las reglas de la sana crítica. Como dice la jurisprudencia, las reglas de la *sana crítica* son, ante todo y sobre todo, los principios, axiomas, máximas, directrices, reglas ponderativas, cánones amplísimos por definición que deben servir de medida, y que, en el ámbito en el que nos encontramos, constituyen el único módulo de control judicial que permite fiscalizar los criterios aplicables o los modos empleados por el tribunal en la valoración del dictamen.[63] Por su parte, como señala GARCIANDÍA, la expresión que conforma la sana crítica se ha de entender referida a la lógica y a la experiencia, ya que las reglas que examinamos se componen tanto de principios lógicos como de máximas generales nacidas de la experiencia común. Puesto que los primeros son una especie de guías que rigen la marcha del pensamiento, en el caso de la valoración del dictamen, se concretan estos principios en una admonición o exhortación al raciocinio, al buen sentido o a la prudencia en la apreciación por el tribunal, cuya observancia supone un conocimiento y manejo de los datos de hecho y un encadenamiento entre los juicios que se realizan, que no han de llevar al absurdo.[64] Los principios de la lógica exigen entonces al tribunal mantener la invariabilidad de los hechos

---

63. Cfr. SSTS de 28 de enero de 1989 (RJ 1989, 157), 8 de noviembre de 1996 (RJ 1996, 8145), 26 de mayo de 2000 (RJ 2000, 3497), 29 de abril de 2005 (RJ 2005, 3647), 15 de noviembre de 2007 (RJ 2007, 8110), 13 de mayo de 2008 (RJ 2008, 3062).

64. Cfr. SSTS de 6 de diciembre de 1985 (RJ 1985, 6324), 3 de diciembre de 1986 (RJ 1986, 7194), 18 de mayo de 1990 (RJ 1990, 3739), 10 de diciembre de 1990 (RJ 1990, 9902), 7 de enero de 1991 (RJ 1991, 109), 2 de noviembre de 1993 (RJ 1993, 8566), 10 de marzo de 1994 (RJ 1994, 1735), 3 de abril de 1995 (RJ 1995, 2929), 19 de febrero de 1996 (RJ 1996,

recogidos en el dictamen, omitir juicios contradictorios, excluir un tercer género entre la verdad o la falsedad de las proposiciones y el razonamiento de cada uno de los juicios que emite, pues se trata de hacer visible la razón o la verdad que sustenta los mismos. Por lo que se refiere a las máximas de experiencia, segundo de los componentes de las reglas de la sana crítica, continúa el autor citado que «es posible definirlas como aquellos postulados o principios abstractos que, derivados de la experiencia, han surgido, por aplicación de las normas de la lógica, a través de una labor de inducción. La pretensión de validez que se predica de estas máximas para casos nuevos y similares a aquellos que motivaron su existencia hace que se identifiquen con el comportamiento normal de las cosas o del hombre antes una circunstancia concreta y determinada, permitiendo guiar al juez en la valoración del dictamen».[65]

Si bien podría llegar a pensarse que la inclusión en el artículo 348 de la LEC de una referencia expresa a las reglas de la sana crítica viene a resultar superflua, habida cuenta de que sin ella los principios lógicos y las máximas de experiencia seguirían sirviendo de guía en la labor de valoración, sin embargo, es la referencia legal a estas reglas, la necesidad expresas de que el tribunal las respete, la que atribuye a las mismas una importante función de control o fiscalización, y ello pese a que no conste su contenido en precepto jurídico alguno. Así, el control de la discrecionalidad y del mero arbitrio en la valoración del dictamen se manifiesta en un doble momento del proceso. Por un lado, se hace patente en la sentencia, en cuanto que estas reglas, además de servir de guía al tribunal, exigen a éste que haga constar en su resolución la motivación o el razonamiento seguido que le lleva a aceptar o rechazar el resultado del peritaje. Por otro lado, la constancia del proceso valorativo en la resolución judicial hace posible su fiscalización por los litigantes, a través de la vía de los recursos (Garciandía).

3. Reconocimiento judicial

Los artículos 353-359 de la LEC se ocupan del reconocimiento judicial. El artículo 353 de la LEC determina lo siguiente: «1. El reconocimiento judicial se acordará cuando para el esclarecimiento y apreciación de los hechos sea necesario o conveniente que el tribunal examine por sí mismo algún lugar, objeto o persona. 2. Sin perjuicio de la amplitud que el tribunal estime que ha de tener el reconocimiento judicial, la parte que lo solicite habrá de expresar los extremos principales a que quiere que éste se refiera e indicará si pretende concurrir al acto con alguna persona técnica o práctica en la materia. La otra parte podrá, antes de la realización del reconocimiento judicial, proponer otros extremos que le interesen y asimismo deberá manifestar si asistirá con persona de las indicadas en el párrafo anterior. 3. Acordada por el Tribunal la práctica del reconocimiento judicial, el Secretario señalará con cinco días de antelación, por lo menos, el día y hora en que haya de practicarse el mismo».

Ningún precepto establece reglas sobre la valoración, por lo que deberá entenderse que este medio de prueba es de libre apreciación.

1413), 20 de marzo de 1997 (RJ 1997, 2184), 20 de noviembre de 2009 (RJ 2010, 138), 23 de febrero de 2010 (RJ 2010, 4341) y 15 de junio de 2010 (RJ 2010, 5151).
65. Cfr. SSTS de 7 de julio de 1993 (RJ 1993, 6112), 11 de octubre de 1994 (RJ 1994, 7478), 24 de diciembre de 1994 (RJ 1994, 10383) y 8 de noviembre de 1996 (RJ 1996, 8145).

Como dice CORDÓN, en nuestro Derecho no existen limitaciones, por lo que todas las cosas (muebles o inmuebles, animadas o inanimadas) y las personas pueden ser objeto del reconocimiento judicial, siempre que guarden relación con los hechos objeto del proceso y el medio de prueba resulte necesario o conveniente para su esclarecimiento. No presentan dificultad las cosas, muebles e inmuebles, en su dimensión estática o dinámica. Con respecto a las cosas muebles, deben excluirse las que tengan consideración de documentos, salvo que la prueba tenga por objeto sus meras características externas, y los instrumentos a que se refiere el artículo 299.2 de la LEC, que son objeto de medios de prueba específicos También es posible el «reconocimiento» de bienes inmateriales, a través de su percepción por sentidos diferentes del de la vista (por ejemplo, el volumen de los ruidos de una discoteca). La admisibilidad del reconocimiento de personas, en fin, pone fin a la tradicional polémica suscitada bajo la vigencia de la ley anterior, aunque persista la discusión sobre cuál es su ámbito.

4. Interrogatorio de testigos

Al interrogatorio de testigos hacen referencia los **artículos 360-381 de la LEC**. Su contenido aparece expresado en el artículo 360 de la LEC, a cuyo tenor «las partes podrán solicitar que declaren como testigos las personas que tengan noticia de hechos controvertidos relativos a lo que sea objeto del juicio».

Las partes pueden proponer cuantos testigos estimen oportuno, pero el artículo 363 del LEC limita a tres por cada hecho discutido al efecto de que sean repercutibles en las costas, y permite al tribunal obviar las declaraciones de los que excedan de ese número sobre un hecho cuando considere que con las emitidas ha quedado suficientemente ilustrado. Se prevé la posibilidad del careo de los testigos (cfr. art. 373 LEC).

En relación con la *valoración* de esta prueba, el artículo 376 de la LEC dispone que se hará conforme a las reglas de la sana crítica, «tomando en consideración la razón de ciencia que hubieren dado, las circunstancias que en ellos concurran y, en su caso, las tachas formuladas y los resultados de la prueba que sobre éstas se hubiere practicado».

5. De la reproducción de la palabra, el sonido y la imagen y de los instrumentos que permiten archivar y conocer datos relevantes para el proceso

Como reconocimiento y respuesta a los avances tecnológicos, el artículo 299 de la LEC especifica que son medios de que se puede hacer uso en juicio la reproducción de la palabra, el sonido y la imagen, así como los instrumentos que permiten archivar y conocer o reproducir palabras, datos, cifras y operaciones matemáticas llevadas a cabo con fines contables o de otra clase relevantes para el proceso, regulando su utilización los artículos 382-384 de la LEC.

Según el artículo 382.1 de la LEC, «las partes podrán proponer como medio de prueba la reproducción ante el tribunal de palabras, imágenes y sonidos captados mediante instrumentos de filmación, grabación y otros semejantes. Al proponer esta prueba, la parte podrá acompañar en su caso, transcripción escrita de las palabras contenidas en el soporte de que se trate y que resulten relevantes para el caso». El apartado 2 de dicho artículo 382 de la LEC añade que «la parte que proponga este medio de prueba podrá aportar los dictámenes y medios de prueba instrumentales que considere convenientes. También las otras partes podrán aportar dictámenes y medios de prueba cuando cuestionen la autenticidad y exactitud de lo reproducido».

Aunque la ley no especifica, frente a lo que ocurre con otras pruebas, el modo en que ha de practicarse, indicando simplemente que consistirá en la reproducción. No obstante, hay que afirmar que es ineludible que se respeten los principios de contradicción y publicidad en aplicación de lo dispuesto en el artículo 289.1 de la LEC, e igualmente el de inmediación, pues el artículo 289.2 de la LEC impone la necesidad de la presencia judicial mencionando expresamente este medio de prueba (SAMANES).

En cuanto a la _valoración_ de este medio de prueba, el artículo 382.3 de la LEC señala que «el tribunal valorará las reproducciones a que se refiere el apartado 1 de este artículo según las reglas de la sana crítica». Como puede observarse, no se imponen reglas legales de valoración de este medio de prueba. Por tanto, el juez deberá, en primer lugar, convencerse de la veracidad de la información en él contenida, caso de que la parte contraria lo impugne. En segundo lugar, y una vez alcanzado ese convencimiento, extraerá de las impresiones percibidas las conclusiones de carácter probatorio a que su buen sentido le conduzca, de modo parecido a lo que ocurre con la prueba de reconocimiento judicial (SAMANES).

BIBLIOGRAFÍA

ALONSO CUEVILLAS, _Las normas jurídicas como objeto de prueba_, Valencia, 2004; CASTÁN TOBEÑAS, _Función notarial y elaboración del Derecho_, Madrid, 1941; GETE-ALONSO, _El reconocimiento de deuda_, Madrid, 1989; GIMÉNEZ ARNAU, _Introducción al Derecho notarial_, Madrid, 1944; GONZÁLEZ PALOMINO, _Negocio jurídico y documento_, Valencia, 1951; GUASP, _Juez y hechos en el proceso civil_, Barcelona, 1943; HERRERO OVIEDO, _Del documento público al título inscribible_, Madrid, 2006; MARCO MOLINA, _El reconocimiento documental y la novación modificación del contrato_, Madrid, 1998; NÚÑEZ LAGOS, «Estudio sobre el valor jurídico del documento notarial», AAMN, T. I, 1945, p. 379; íd., «Falsedad civil en documento público», AAMN, t. IX, 1957, p. 411; íd., «Reconocimiento de documento privado», RDN, 1959, p. 7; RODRÍGUEZ ADRADOS, «El documento notarial y la seguridad jurídica», _La seguridad jurídica y el Notariado_, Academia Sevillana del Notariado, Madrid, 1986, p. 41; íd., _El documento en el Código civil_, Anales de la Real Academia de Legislación y Jurisprudencia, separata núm. 21, 1988-1989; id., _La prueba documental en la nueva Ley de Enjuiciamiento civil_, Madrid, 2003; TENA ARREGUI, _Valor del documento notarial_, Madrid, Madrid, 2003; VALLET DE GOYTISOLO, «Documentos privados. Legitimación de firmas y documentos públicos», RDN, 1979, p. 349.

SUMARIO: I. INTRODUCCIÓN. II. CONCEPTO DEL CONTRATO. III. EL CONTRATO COMO SITUACIÓN JURÍDICA OBJETIVA. IV. LA CRISIS DE LA AUTONO-MÍA DE LA VOLUNTAD Y SUS MANIFESTACIONES. V. CLASIFICACIÓN DE LOS CONTRATOS. 1. *Contratos consensuales, reales y formales.* 2. *Contratos unilaterales y bilaterales.* 3. *Contratos onerosos y gratuitos.* 4. *Contratos conmutativos y aleatorios.* 5. *Contratos principales y accesorios.* VI. CONTRATOS TÍPICOS Y ATÍPICOS. BIBLIOGRAFÍA.

I. INTRODUCCIÓN

El contrato es una de las fuentes de las obligaciones, pero no la única (art. 1089 CC), aunque sí la más frecuente y relevante en una sociedad moderna. Es el instrumento que utilizan las personas para el intercambio de toda suerte de bienes y servicios, así como el medio idóneo para satisfacer toda clase de necesidades presentes y futuras. Por eso puede afirmarse que el contrato cumple una evidente función social, ya que es el medio más importante para articular la cooperación entre los individuos. Como dice LACRUZ, «el contrato sigue siendo hoy el vehículo de la división del trabajo; la clave de la economía en los países de mayor nivel de vida; el instrumento príncipe de las relaciones económicas entre los hombres, las cuales se establecen en vista de la complementariedad de las economías individuales y de las exigencias del intercambio de bienes y servicios; el tejido conectivo de la vida de los negocios; el medio práctico de actuar las más variadas finalidades; artificio indispensable para satisfacer las necesidades económicas del individuo o de la empresa, comprendiendo un complejo de intereses contrapuestos y sirviendo en definitiva (el contrato, no cada contrato individual) a los intereses comunes. Es, sin duda, el último reducto de defensa del individuo, y cualquier régimen político que respete al individuo tendrá que respetarlo, en la medida en que ayuda al desarrollo de la individualidad».

II. CONCEPTO DEL CONTRATO

En un *sentido amplio*, la noción de contrato se identifica con la de negocio jurídico bilateral, por lo que puede definirse como todo acuerdo de voluntades entre dos o más personas dirigido a producir efectos jurídicos, o, si se prefiere, encaminado a dar vida a una relación jurídica. Se trata de un concepto utilizado no sólo en el ámbito del Derecho civil, sino también en las demás ramas del Derecho privado, e incluso en el Derecho público.

En un *sentido más restringido*, desde la concreta perspectiva del Derecho de obligaciones, el término «contrato» se refiere a todo acuerdo de voluntades entre dos o más personas encaminado a crear (modificar o extinguir) una relación obligatoria de carácter patrimonial. Por consiguiente, mediante el contrato las partes establecen una reglamentación de una situación particular, que será válida siempre que se haya celebrado dentro de los límites y con los requisitos exigidos por el ordenamiento jurídico positivo.

El Código civil español dedica el título II del libro IV (arts. 1254-1314) a establecer una regulación general de los contratos, aunque no contiene una definición del contrato; lo que, por otra parte, no es su función. No obstante, en diversos preceptos de dicho título se hace referencia expresa a la idea fundamental de que el contrato surge en virtud del acuerdo de voluntades (convenio o consentimiento recíproco); así, el artículo 1254 del CC dice que «el contrato existe desde que una o varias personas consienten en obligarse respecto de otro u otras (...)»; el artículo 1258 del CC establece que «los contratos se perfeccionan por el mero consentimiento (...)», y el artículo 1262 del CC indica que «el consentimiento se manifiesta por el concurso de la oferta y de la aceptación (...)». Pero el Código también señala que la función del contrato es la de dar vida a relaciones obligacionales, como lo demuestra el artículo 1089 del CC, al decir que «las obligaciones nacen de (...) los contratos», y lo confirma el artículo 1258 del CC, al advertir que «los contratos se perfeccionan por el mero consentimiento, y desde entonces obligan», lo que también corrobora el artículo 1254, según el cual «el contrato existe desde que una o varias personas consienten en obligarse (...)».

Según el artículo 1236 de la PMDOC, «por el contrato, dos o más personas acuerdan crear modificar o extinguir relaciones jurídicas patrimoniales, y establecer reglas para las mismas». El artículo 1239, párrafo 1.º, de la PMDOC señala que «los contratos se perfeccionan por el mero consentimiento, cualquiera que sea la forma en que se haya manifestado, salvo que por ley o por voluntad de las partes se exija que para su validez que conste por escrito u otro requisito adicional». En todo caso, no impedirá la perfección del contrato, si las partes están de acuerdo en sus elementos esenciales y quieren vincularse ya, el que hayan dejado algún punto pendiente de negociaciones ulteriores (cfr. art. 1242, párr. 1.º, PMDOC).

El artículo II.-1:101(1) del DCFR define el contrato como un «acuerdo dirigido a crear una relación jurídica vinculante o producir otro efecto jurídico». Tal y como pone de relieve el comentario oficial de este precepto, se trata así de incidir en el elemento intencional, o acuerdo de las partes, como piedra angular de la noción de contrato. Esta definición no se refiere únicamente a los acuerdos que pretenden crear una serie de derechos y de obligaciones, sino también a aquellos ideados para producir otro efecto jurídico (modificar las condiciones de un contrato previo o resolver la relación jurídica existente entre las partes. A diferencia del Derecho español, que no considera al contrato como un medio apto, él solo, para adquirir y transmitir la propiedad y los derechos reales, «también entrarán en la definición de contrato aquellos acuerdos que contemplan la transmisión de la propiedad o la cesión o renuncia de un derecho de forma inmediata sin que exista la obligación previa de hacerlo», dice el comentario oficial del DCFR.

Este carácter obligacional del contrato no impide admitir dentro de su concepto aquellos acuerdos que pretenden modificar o extinguir obligaciones. En cambio, no es posible configurar el contrato como medio apto para adquirir y transmitir la propiedad y derechos reales, pues el artículo 609 del CC declara que «la propiedad y los demás derechos reales sobre los bienes se adquieren y transmiten (...) por consecuencia de ciertos contratos mediante la tradición»; lo cual quiere decir que no es suficiente el simple acuerdo de voluntades (contrato), sino que el mismo ha de completarse con la tradición o entrega (título y modo). Precisamente, por esta razón, el artículo 1095 del CC advierte que el acreedor tiene derecho a los frutos de la cosa desde el momento en que, por virtud del contrato, nace la obligación de entregarla, pero «no adquirirá derecho real sobre ella hasta que le haya sido entregada».[1] Como dice Espín, «incluso en los casos límite, en que parecen fundirse los efectos obligacionales y reales, cabe diferenciarlos atribuyendo al consentimiento en cada una de las esferas obligacional y real sus propios efectos; existirá simultaneidad temporal en el consentimiento, y consiguiente simultaneidad en los efectos, pero la causalidad de los mismos es diferente y diferenciable».

Ahora bien, conviene aclarar que esta idea de contrato, fundamentada exclusivamente en el acuerdo o consentimiento de las partes, es moderna, pues en el Derecho romano se distinguía entre contrato y pacto como figuras distintas, de manera que no todo acuerdo de voluntades era reconocido como un contrato, sino sólo determinados convenios, a los cuales se atribuía objetivamente la posibilidad de dar vida a obligaciones jurídicamente exigibles (amparados por una _actio_).

> Los juristas del Derecho romano clásico no desarrollaron una teoría sistemática de lo que en la actualidad se denomina «contrato», sino que por regla general se conformaron con discutir los tipos singulares de contrato. Aunque los autores del Derecho postclásico mostraron mayor interés, en conjunto fue la jurisprudencia del Derecho romano común la verdadera creadora de una teoría general del contrato (Schulz).

De ahí que el Derecho moderno haya construido un concepto genérico y uniforme del contrato, mientras que el Derecho romano, en cambio, únicamente ofrecía una lista de contratos. Es decir, el contrato considerado como un acuerdo de voluntades es un logro tardío, el resultado de un largo proceso histórico en el que han influido ideas y factores muy diversos, entre los que cabe citar como más relevantes o significativos los siguientes: _a)_ La _doctrina de los canonistas,_ que, como consecuencia del deber de veracidad, reconoce la fuerza vinculante de la palabra dada y, por tanto, el deber de cumplir los pactos, otorgando un reconocimiento moral y religioso a la promesa, al pacto: faltar a una promesa es un pecado. En las Decretales de Gregorio IX se encuentran casos en los que se sanciona con penas a quien incumple una promesa. _b)_ Las _necesidades del tráfico comercial,_ en cuanto dio lugar a que los mercaderes y sus tribunales aceptaran la validez y exigibilidad de todos los contratos en que sólo concurriera el consentimiento de los otorgantes. _c)_ El fundamental _influjo de la Escuela racionalista del Derecho natural_ (Grocio, Puffendorf), ampliamente desarrollado por las ideas de la Ilustración, que abre paso al principio de libertad de los particulares y autonomía de la voluntad, auspiciando el desenvolvimiento del voluntarismo jurídico, y, por tanto, la noción de que _solus consensus obligat._ Tributarios de estas ideas

---

1.   Cfr. SSTS de 28 de marzo de 1936 (RJ 1936, 757), 18 de diciembre de 1962 (RJ 1962, 4899), 4 de mayo de 1965 (RJ 1965, 2441), 22 de diciembre de 1986 (RJ 1986, 7795) y 31 de mayo de 1996 (RJ 1996, 3866).

serán DOMAT y POTHIER. El término de esta evolución se produce con la etapa codificadora, pues los Códigos civiles elaborados en el siglo XIX ponen de relieve cómo el acuerdo de voluntades o consentimiento de las partes constituye el requisito básico del contrato, lo que explica que la mayoría de las normas que dedican a la contratación tengan carácter dispositivo o supletorio.

Sin embargo, aunque se ha superado el problema de la distinción entre contrato y pacto, en el Derecho moderno surge otra cuestión polémica, cual es la de determinar la función que el contrato desempeña; concretamente, la relativa a la extensión de los efectos del contrato: si por medio del mismo se pueden crear todo tipo de relaciones jurídicas o nada más que las de carácter patrimonial, o, incluso más restringidamente, sólo las obligacionales; y si el objeto del acuerdo únicamente alcanza a crear relaciones obligacionales o también puede comprender su modificación o extinción. Sobre esta cuestión, hay que decir, siguiendo a ALBALADEJO, que «la discusión sobre cuál es el ámbito del contrato es totalmente bizantina y puramente terminológica, ya que, sin duda, en defecto de otras, las reglas del contrato obligatorio no serían, por el solo hecho de ser reglas contractuales, aplicables a los contratos familiares o sucesorios, pongamos por caso, ni viceversa. Lo serían, sí, en cuanto la analogía de una hipótesis lo justificara. Pero, entonces, lo serían incluso sin que fuese necesario estimar que en ambos casos había un contrato (llámesele, convención, acuerdo, o como sea). Por otro lado, el contrato del que nacen obligaciones es figura cuyas reglas, cuando lo admita la analogía de la situación, son sin duda aplicables al acuerdo (llámesele o no contrato) por el que aquellas se modifican o extinguen».

III. EL CONTRATO COMO SITUACIÓN JURÍDICA OBJETIVA

Al definir el contrato como un acuerdo de voluntades entre dos o más personas o partes por el que se crean, modifican o extinguen obligaciones, se fija la atención sobre un solo aspecto del complejo fenómeno contractual, ya que en el contrato cabe contemplar dos etapas o momentos sucesivos en el tiempo, aunque a veces puedan confundirse o identificarse en la práctica, como son la celebración y el cumplimiento.

Obsérvese que la palabra «contrato» no es unívoca, una cosa es *celebrar* y otra *cumplir* un contrato. En el primer sentido, se hace referencia al acuerdo de voluntades a través del cual las partes dan vida al contrato; en el segundo, se pone de relieve la «situación objetiva» creada mediante dicho acuerdo, y en cuya virtud los contratantes vienen obligado a cumplir con las obligaciones y contenido del mismo. Como dice OSSORIO MORALES, «entre estos dos sentidos del término "contrato" existe una necesaria relación de temporalidad y de causa a efecto: el antecedente, el contrato acuerdo de voluntades se agota en el momento de producirse, y genera el contrato situación jurídica que se impone y rige sin la voluntad y aun contra la voluntad de los contratantes». Por eso, si se quiere dar una noción de contrato que abarque ambos momentos, habrá que completar el anterior concepto de contrato y decir que se trata de un acuerdo de voluntades entre dos o más personas por el que se crean, modifican o extinguen obligaciones, y a cuyo cumplimiento pueden ser compelidas.

Esta distinción del acuerdo de voluntades generador de obligaciones y el contrato mismo como situación jurídica objetiva, dotada de vida propia, se refleja perfectamente en diversos preceptos del Código civil. Así, por ejemplo, el artículo 1254 dice que «el contrato existe desde que una o varias personas consienten en obligarse», o, con otras palabras, que, una vez logrado el acuerdo de voluntades, el contrato existe con vida propia, vinculando recíprocamente a sus otorgantes en lo sucesivo. Y lo mismo expresa el artículo 1258, al establecer que «los contratos se perfeccionan por el mero consentimiento y desde entonces obligan»; es decir, después del acuerdo de voluntades o consentimiento de las partes el contrato cobra vida propia y despliegan su eficacia los derechos y obligaciones que surgen del mismo.

> No obstante, en Derecho español no existe una regla general absoluta de «consensualidad» de los contratos, ya que el precepto decisivo acerca de su existencia es el artículo 1261 del CC, de modo que se requiere la prestación del consentimiento, y además el objeto cierto y la causa. A ello habrá que añadir que por disposición de la ley o por voluntad de las partes puede ocurrir que la prestación del consentimiento solo se realiza cuando queda plasmada o incorporada a un documento de carácter público o privado (Díez-Picazo).

Al separar estos dos momentos del fenómeno contractual, en cierto modo, se acepta la distinción de Kelsen, del contrato como _acto_ y como _norma_. El contrato como acto (acuerdo de voluntades) es la celebración del mismo, mientras que en el contrato como norma se contempla como resultado (después de su celebración). Es decir, al celebrar un contrato las partes se vinculan recíprocamente, y, al hacerlo, establecen una norma (el contrato) mediante la cual regulan la situación jurídica creada (la relación contractual). Norma que los contratantes han establecido libremente, pero que después de celebrado el contrato los obliga como si de una ley se tratara, y por esta razón se la denomina _lex contractus_ o _lex privata_. Sin embargo, esta afirmación debe ser matizada, pues únicamente es cierta si se entiende que dicha ley particular (el contrato), en que se contiene la reglamentación de una relación particular, está garantizada por el ordenamiento jurídico positivo y puede imponerse coactivamente a los que contrataron; pero dejando bien claro que el contrato no tiene función creadora de Derecho objetivo (no es fuente del Derecho), no es una norma jurídica general aplicable a todo tipo de personas y casos posibles.[2]

En este sentido es en el que debe interpretarse la declaración contenida en el artículo 1091 del CC de que «las obligaciones que nacen de los contratos tienen fuerza de ley entre las partes contratantes, y deben cumplirse a tenor de los mismos»; pues este precepto no dice que el contrato sea una ley, sino que los acuerdos contenidos en el contrato son normas de conducta dotadas de fuerza vinculante para las partes, del mismo modo que las emanadas de la ley. En otras palabras, lo pactado se convierte en una norma o precepto (_lex privata_) que vincula a los contratantes y a sus herederos o causahabientes (principio de la relatividad de los contratos a que se refiere el artículo 1257, párrafo 1.º, del CC).[3] Es este uno de los principios básicos del Derecho «clásico» de contratos: los contratos válidos son obligatorios para las partes que los celebraron. Como afirma la STS de 4 de mayo de 2011, «en definitiva, la jurisprudencia (…) respeta la potencialidad normativa creadora de los contratantes –artículo 1255 del Código Civil– y el efecto vinculante de la "lex privata" que crearon –artículo 1091 del Código Civil–: "pacta sunt servanda"».[4]

---

2. Cfr. STS de 25 de abril de 1975 (RJ 1975, 2095).
3. Cfr. SSTS de 5 de febrero de 1901 (JC 1901, I-29), 18 de abril de 1941 (RJ 1941, 505) y 10 de marzo de 1983 (RJ 1983, 1468).
4. RJ 2011, 3728.

Según el artículo 1243 de la PMDOC, «los contratos obligan no sólo al cumplimiento de lo expresamente pactado, sino también a todas las consecuencias que, según su naturaleza, sean conformes a la buena fe, al uso y a la ley».

Como no podía ser de otra manera, pues se trata de un principio general del Derecho contractual europeo, el artículo II.-1:103(1) del DCFR también señala que «un contrato válido es vinculante para las partes».

IV. LA CRISIS DE LA AUTONOMÍA DE LA VOLUNTAD Y SUS MANIFESTACIONES

La concepción liberal e individualista de la estructura socio-económica que imperaba en la época de la codificación trasciende a nuestro Código civil, el cual concibe la contratación como el ordenamiento de los particulares, fundado en el principio de igualdad de todos los hombres frente a la ley y construido sobre la base de reconocer el más amplio campo de actuación a la soberanía individual, que encuentra su límite externo en la concurrencia con otras esferas individuales. En otros términos, se otorga reconocimiento y protección al contrato, a cualquier tipo de contrato, construido por la voluntad concorde y soberana de las partes, consagrando lo que se ha llamado el *principio o dogma de la autonomía de la voluntad*. Como dice OSSORIO MORALES, se parte de la idea de que quienes contratan se encuentran en una situación de absoluta igualdad, que les permite pactar, en régimen de libertad, lo más conveniente para sus intereses; es decir, se considera que todo lo contractual es justo y, por eso, el ordenamiento jurídico reconoce a los particulares libertad para concluir el contrato y determinar libremente sus efectos. Es en este contexto en el que puede citarse la frase de FOUILLÉE, «qui dit contractuel, dit juste».

Este amplio reconocimiento de la libre iniciativa individual, a la que sólo se exige adecuarse a sus límites naturales, da lugar a que la mayor parte de las normas que los Códigos civiles decimonónicos, y entre ellos el nuestro, dedican a la contratación tengan carácter dispositivo o supletorio. Aunque, como advierte CASTÁN, también el Derecho necesario despliega su influencia sobre la contratación, limitando la potencialidad creadora de la voluntad privada; ya que el Estado, definidor del Derecho objetivo, puede establecer y establece cada vez con más fuerza las normas generales de la contratación relativas a la capacidad, materia lícita y forma del contrato, garantizando con ello, en cuanto es posible, el imperio de la justicia y de la buena fe.

El carácter dispositivo o supletorio que en general tienen las disposiciones que regulan el Derecho de contratos aparece recogido en el artículo II.-1:102(2) del DCFR, a cuyo tenor, «salvo disposición en contrario, las partes pueden excluir la aplicación de cualesquiera de las siguientes reglas relativas a los contratos u otros actos jurídicos, o de los derechos y obligaciones resultantes de los mismos, así como alterar sus efectos». Por otra parte, el apartado 3 del mismo precepto añade que «una disposición que contemple que las partes no puedan suprimir ninguna regla ni derogar o modificar sus efectos no impide que una parte pueda renunciar a un derecho previo del que es consciente». Se trata así, con esta última regla, de dejar claro que el hecho de que una norma sea imperativa no impide la renuncia a un derecho que se haya derivado de ella.

A esta consagración del principio de la autonomía de la voluntad, en su aspecto de libertad de configuración del contenido de la relación obligatoria, responde el artículo 1255 del CC, al disponer que «los contratantes pueden establecer los pactos, cláusulas y condiciones que tengan por conveniente, siempre que no sean contrarios a las leyes, a la moral ni al orden público».

> Por regla general, en todo contrato hay una variedad de cláusulas, ya que la cláusula es una parte del contrato que se refiere a un punto concreto. La cláusula es al contrato lo que el artículo es a la ley.

Pero también existen normas en el Código civil que reducen o limitan este principio de libertad de contratación. De hecho, el artículo 1258 del CC advierte que los contratos «obligan no sólo al cumplimiento de lo expresamente pactado, sino también a todas las consecuencias que, según su naturaleza, sean conformes a la buena fe, al uso y a la ley»; el artículo 1256 del CC establece que «la validez y el cumplimiento de los contratos no pueden dejarse al arbitrio de uno de los contratantes», etc. Y tampoco faltan normas integradoras para el caso de que la voluntad de las partes no se haya expresado (arts. 1097, 1104.2.° y 1127 CC). No obstante, en términos generales, puede afirmarse que, en la época de la codificación, la autonomía de la voluntad se erigió en el principio rector de la concepción tradicional del contrato. Ahora bien, muy pronto, principalmente a partir de la Primera Guerra Mundial se puso de manifiesto la utopía e injusticia que conlleva la aplicación rigurosa del principio de la autonomía de la voluntad, pues resulta evidente que en la mayoría de los casos los particulares no se encuentran en una situación de absoluta igualdad al contratar, así como que el contrato no debe ser un instrumento de satisfacción de meros intereses individuales, sino que también ha de ser utilizado en beneficio y provecho de la comunidad. Es esta quiebra de la igualdad formal o de derecho la que da lugar a que los postulados que presidieron la etapa codificadora (libertad, igualdad e individualismo) entraran en crisis y fueran sustituidos o complementados por otros que reflejaran las nuevas ideas político-sociales imperantes (dirigismo político, servicio de la comunidad, etc.).

> La idea de la función social aparece hoy como un lugar común en los ordenamientos de todos los Estados europeos a la hora de configurar los derechos de contenido patrimonial. Como dice la STC de 9 de julio de 1993, «en un Estado social y democrático de Derecho, como el que proclama el art. 1 de la Constitución, es lícitamente posible para el legislador la introducción de límites y restricciones al ejercicio de derechos de contenido patrimonial, como son los de propiedad y libertad de empresa, por razones derivadas de su función social. En este sentido, la libertad de empresa, junto a su dimensión subjetiva, tiene otra objetiva o institucional, en cuanto elemento de un determinado sistema económico, y se ejerce dentro de un marco general configurado por las reglas, tanto estatales como autonómicas, que ordenan la economía de mercado y, entre ellas, las que tutelan los derechos de los consumidores, preservan el medio ambiente, u organizan el urbanismo y una adecuada utilización del territorio por todos».[5]

Este cambio de ideas y principios ha propiciado el intervencionismo estatal, fundamentalmente en el campo de la actividad económica, a saber, en la esfera de la contratación, del que son llamativos ejemplos el contrato de trabajo, los de arrendamientos rústicos y urbanos, la fijación y control del precio de determinados bienes y servicios, la obligación de contratar en determinadas situaciones, etc. Y como este

---

5. RTC 1993, 227.

intervencionismo pone de manifiesto un profundo debilitamiento de la eficacia de la voluntad individual, es conveniente advertir que el Derecho civil, igual que el sistema de libertades propio de un Estado social y democrático de Derecho, reclama siempre para la persona un determinado grado de autonomía, que sin duda puede variar según las circunstancias sociales y las exigencias de cada momento, pero que nunca podrá ser eliminada o negada. Al contrario, la anulación total o la restricción excesiva de la libertad individual, en la esfera contractual o en cualquier otra, no sólo comprometería la existencia del Derecho civil, sino la del Derecho mismo.

De ahí que la Constitución de 1978, después de proclamar en su título I un sistema de libertades y derechos, declare en su artículo 9.2 que «corresponde a los poderes públicos promover las condiciones para que la libertad e igualdad del individuo y de los grupos en que se integra sean reales y efectivas», a cuyo efecto deben «remover los obstáculos que impidan o dificulten su plenitud». De hecho, a veces parece necesario repetir algo que es, o debería ser, un lugar común. A saber, que el contrato es la forma más importante, cuantitativa y cualitativamente, al menos en una sociedad compleja, de articular la cooperación entre los individuos (GÓMEZ POMAR).

También cabe señalar que, aunque permanece el esquema abstracto del contrato, la crisis de la autonomía de la voluntad y las rectificaciones a este principio han dado lugar a la aparición de nuevas y, en algunos casos, discutibles modalidades contractuales. Es el caso de los denominados contratos-tipo o con condiciones generales, en los que es patente la posición privilegiada de una de las partes respecto de la otra, que se ve obligada a admitir sin discusión un determinado esquema contractual o unas concreta condiciones o cláusulas, como sucede cuando se trata de determinados bienes o servicios (gas, agua, electricidad, teléfono, etc.) y la empresa oferente se encuentra en una prepotente situación de monopolio o de oligopolio. Otra manifestación de este fenómeno de debilitamiento del consensualismo y, por tanto, de la misma libertad de contratar, que cede en favor de otros criterios que se consideran dignos de protección, lo constituyen los *contratos normados,* en los que los particulares sólo pueden contratar dentro de un marco imperativo e irrenunciable establecido por el poder público para proteger al contratante más débil, y para el caso de que no sea respetado se suele establecer la nulidad de las cláusulas que lo contradigan (nulidad parcial); los ejemplos más significativos son: el contrato de trabajo, los arrendamientos, tanto rústicos como urbanos, el contrato de seguro, etc.

De las discutidas modalidades contractuales de nuevo cuño hay que mencionar la de los denominados *contratos forzosos,* en los que ante ciertos hechos se impone el deber de contratar por la ley o por disposición de la autoridad administrativa o judicial. Se trata de manifestaciones derivadas de la «economía dirigida» que suponen una limitación o violación del principio de libertad de contratación, y que, como señala LARENZ, tienen por finalidad evitar el acaparamiento de las mercancías escasas, el poner a disposición de la población la totalidad de los productos agrícolas y, en cuanto a las viviendas, el obligar al propietario de espacio habitacional a ponerlo a disposición de los que careciesen del mismo; en suma, ante la escasez de determinados bienes vitales, busca su más justa distribución. Como casos más significativos pueden citarse: la venta mediante cupo, la venta forzosa de solares y el arrendamiento forzoso. Sin embargo, en puridad no son verdaderos contratos, sino situaciones o relaciones jurídicas similares, pues, como dice DÍEZ-PICAZO, todo caso de contrato forzoso se resuelve en la creación de una relación jurídica de Derecho privado en virtud de un mandato legal, de un acto administrativo o de un decreto de los órganos jurisdiccionales del Estado.

Por último, es preciso aludir a los supuestos de *relaciones obligatorias fácticas,* también llamadas «prestaciones del tráfico en masa» (HAUPT, LARENZ), en las que se generan obligaciones sin que exista una previa declaración de voluntad, como sucede, por ejemplo, cuando se utiliza un medio de transporte público, un aparcamiento o las máquinas automáticas. Obsérvese que, en el caso del transporte público, la persona que sube al autobús viene obligada al pago del billete y tiene derecho a ser transportada de acuerdo con las condiciones fijas establecidas (según la tarifa), y ello sin consideración a que haya querido o no hacer una declaración de voluntad, a si conocía o no las condiciones y el importe del billete, y sin que tenga posibilidad de impugnar por error. Es evidente que en este y en similares supuestos no se trata de un contrato, al que falta la declaración de voluntad contractual, sino de relaciones obligatorias de hecho o derivadas de una «conducta social típica», específica del tráfico en masa, que produce las mismas consecuencias que si se hubiere celebrado un contrato.[6] Se trata de un sector de la contratación donde se utilizan condiciones generales (cláusulas contractuales estandarizadas y prerredactadas). En palabras de BETTI, «la forma a través de la cual el acto jurídico que es el negocio se hace reconocible a los demás puede ser la de una declaración o la de un comportamiento puro y simple, sin valor de declaración».

No obstante, el principio o dogma de la autonomía de la voluntad no ha sido eliminado, sino rectificado en la moderna normativa. Por ello, podría hablarse de «ruptura de la uniformidad del contrato», que se manifiesta en el plano normativo en la llamada legislación especial. Como señala HERNÁNDEZ GIL, en la actualidad «la zona contractual aparece dividida en dos sectores: uno, en el que predomina la voluntad sobre la norma o, dicho de otro modo, la norma se traduce en una concesión de libertad dentro de ciertos límites; y otro en el que la norma se sobrepone a la voluntad».

V. CLASIFICACIÓN DE LOS CONTRATOS

La doctrina, con finalidad esencialmente didáctica, suele formular variadas clasificaciones de los contratos, atendiendo a criterios particulares de uniformidad, que permiten la aplicación a cada grupo de una serie de principios y normas que los identifican y a la vez diferencian de otros grupos o categorías. Con esta finalidad, y sin pretender agotar los criterios de distinción, se exponen a continuación aquellas categorías que ofrecen una mayor transcendencia jurídica. Pero conviene tener en cuenta que las distintas categorías que se mencionan no se excluyen entre sí, por lo que la inclusión de un determinado contrato en una concreta categoría o grupo no impide necesariamente su pertenencia a otra distinta, por ejemplo, la clasificación del contrato de compraventa entre los consensuales no prohíbe incluirlo en otros términos clasificatorios, y decir que también se trata de un contrato bilateral, oneroso y conmutativo.

1. Contratos consensuales, reales y formales

Según los requisitos necesarios para la formación del contrato, se distingue entre contratos consensuales, reales y formales.

---

6. Cfr. STS de 18 de febrero de 1997 (RJ 1997, 1240).

En los contratos *consensuales* basta el mero acuerdo de voluntades o consentimiento de las partes para su perfección; pues la entrega de la cosa, cuando en esto consiste la prestación objeto de la obligación, supone el cumplimiento o ejecución del contrato. En nuestro ordenamiento positivo ésta es la regla general, porque, como dice el artículo 1258 del CC, «los contratos se perfeccionan por el mero consentimiento, y desde entonces obligan».[7] Constituyen casos típicos de contratos consensuales los de compraventa, permuta, arrendamiento y mandato.

En los contratos *reales*, además del consentimiento, es necesaria la entrega previa de una cosa por una de las partes a la otra; es decir, la entrega es necesaria para que el contrato se perfeccione y produzca efectos. Por eso los romanos decían que la obligación nacía «re» (*re contrahitur obligatio*). Pero no debe confundirse esta acepción de contrato real con aquella otra que lo contrapone a contrato obligatorio, por considerar que el primero es el que produce como efecto la constitución, transmisión, modificación o extinción de un derecho real, mientras que el efecto del segundo es el de crear una relación obligatoria, por las razones siguientes: *a*) este último sentido o acepción no se refiere al momento de perfección del contrato, sino al efecto; *b*) los contratos, en nuestro Derecho, no producen, por regla general, este efecto, como lo ponen de manifiesto los artículos 609 y 1095 del CC, según los cuales la adquisición de la propiedad y demás derechos reales sobre los bienes requiere de título (contrato) y, además, de la tradición o entrega (modo).

También hay que advertir que esta categoría de los contratos reales ha sido impugnada por un amplio sector de la doctrina (JORDANO BAREA), por entender que, al desaparecer el carácter formalista del Derecho romano, en el que la entrega de la cosa era la formalidad necesaria para la existencia del contrato, se ha eclipsado su razón de ser, pasando los antiguos contratos reales (mutuo, comodato, depósito y prenda) a la categoría de consensuales; sin embargo, como dice OSSORIO MORALES, la razón de que en estos contratos no baste el simple consentimiento para su perfección no es sólo un producto de la tradición histórica, sino que responde a la propia naturaleza de la obligación principal que de tales contratos nace, cual es la de restituir (arts. 1740, 1758 y 1863 CC), porque es bastante claro que ni la obligación de restituir ni la de custodia pueden nacer en tanto que la cosa haya sido entregada, pues racionalmente resulta muy difícil admitir la obligación de restitución o custodia de una cosa por parte de quien no la ha recibido.

> Según DE BUEN, «en realidad la obligación de devolver la cosa, característica del contrato real, no es una obligación que nazca de un contrato, o sea de un acuerdo de voluntades, sino de un hecho: el de entrega de la cosa».

Además el mismo lenguaje del Código civil precisa con meridiana claridad que el comodato se constituye en el mismo momento en que una de las partes *entrega* a la otra alguna cosa no fungible, el mutuo o simple préstamo cuando el mutuante *entrega* dinero u otra cosa fungible (art. 1740 CC), la prenda cuando el deudor pone la cosa mueble en posesión del acreedor (art. 1863 CC), declarando respecto del depósito que se constituye cuando se produce la *tradición* de la cosa (desde que uno recibe la cosa ajena) (art. 1758 CC). Por consiguiente, el mero acuerdo de voluntades, no acompañado de la entrega de la cosa, podrá dar lugar a una promesa de préstamo o de depósito, etc., pero no a un contrato de préstamo o de depósito.

---

7.   Cfr. artículo 1254 del CC.

**Este debate también ha tenido lugar en el Derecho francés; sin embargo, la mayoría de los autores, así como la Cour de cassation, continúan fieles al análisis clásico del contrato real, a tenor del cual el contrato solamente se perfecciona por la entrega de la cosa (MALAURIE y AYNÈS). En el vigente Derecho portugués, la categoría de los contratos reales se configura como indiscutible, ya que la ley considera la entrega de la cosa como elemento constitutivo.

En los _contratos formales_ o solemnes se exige una forma especial para su validez (escritura pública, documento privado, inscripción en el Registro). Como es sabido, en nuestro Derecho rige el principio espiritualista del consentimiento o de libertad de forma para la perfección de los contratos (art. 1278 CC), por lo que esta categoría constituye la excepción. Por consiguiente, sólo serán formales o solemnes aquellos contratos en los que la ley o la voluntad de las partes exija de modo expreso una determinada forma, por ejemplo, el de constitución de hipoteca (art. 1875 CC), el otorgamiento de capitulaciones matrimoniales (art. 1327 CC) o la donación de inmuebles (art. 633 CC).[8] En cambio, son _no formales_ todos aquellos contratos en los que su perfección, validez y eficacia solo depende del libre acuerdo de voluntades, cualquiera que sea el medio a través del cual se ha expresado este consentimiento o voluntad contractual.[9]

2. Contratos unilaterales y bilaterales

El contrato es siempre un negocio jurídico bilateral, porque necesariamente han de concurrir dos personas o partes, sin las cuales la prestación del consentimiento o voluntad contractual sería imposible. Sin embargo, se habla de contratos (no de negocios jurídicos) unilaterales y bilaterales en otro sentido, atendiendo al contenido de la relación obligatoria que se crea, en función de que generen un _vínculo_ unilateral o bilateral, imponiéndose obligaciones a cargo de una sola de las partes o de ambas. Por ello, para evitar la confusión, algunos autores se refieren a los contratos unilateral o bilateralmente obligatorios (ENNECERUS).

> La pluralidad de partes existe hasta en la donación hecha al concebido y no nacido, ya que únicamente será eficaz cuando, en virtud del nacimiento, haya sido determinada la personalidad del beneficiado (arts. 627 y 29 CC).

La nota esencial del contrato bilateral, también llamado sinalagmático, es la de «reciprocidad» de deudas y créditos. La bilateralidad implica que en una misma relación obligatoria o contrato cada uno de los sujetos ocupa a la vez la posición de acreedor y deudor. Es decir, en los contratos _unilaterales_ sólo surgen obligaciones para una de las partes, un sujeto es el obligado a realizar la prestación y el otro es quien puede reclamarla; por ejemplo, en el préstamo sin interés sólo el prestatario tiene obligaciones, como es la de devolver al acreedor (prestamista) otro tanto de la misma especie y calidad (art. 1752 CC). En cambio, en los contratos _bilaterales_ surgen obligaciones recíprocas para ambas partes, cada obligación es la contrapartida de la otra, su equivalencia; por ejemplo, en el contrato de compraventa, el vendedor se obliga a entregar una cosa al comprador y éste a pagar por ella un precio (art. 1445 CC).

---

8.   Cfr. STS de 15 de octubre de 1985 (RJ 1985, 4846).
9.   Cfr. STS de 30 de septiembre de 1988 (RJ 1988, 6939).

Por influencia del Derecho romano un sector de la doctrina distingue entre contratos bilaterales *perfectos*, porque de ellos surgen necesariamente obligaciones para ambas partes, y bilaterales *imperfectos*, porque nacen como unilaterales y esta es su configuración normal, pero eventualmente pueden surgir obligaciones para la parte que sólo tenía derechos; así, por ejemplo, en el contrato de depósito sólo surgen obligaciones para el depositario, pero, si la conservación de la cosa depositada exigió desembolsos, el depositante habrá de resarcirlos (art. 1779 CC). En realidad, como ya se indicó (al examinar las obligaciones unilaterales y bilaterales) esta distinción no es correcta, pues la nueva obligación tiene un origen distinto, por ser consecuencia de un hecho posterior, que nada tiene que ver con la causa que dio lugar a la relación jurídica originaria; en otras palabras, falta esa relación de recíproca dependencia que caracteriza a las obligaciones que surgen de los contratos bilaterales.

> ENNECERUS distingue los contratos unilaterales en rigurosamente unilaterales y no rigurosamente unilaterales; y dice que, «en los primeros, sólo uno de los contratantes adquiere un crédito y sólo el otro queda obligado. En los segundos, si bien uno de los contratantes es el que principalmente tiene derechos, cabe que también venga a su cargo una obligación que, sin embargo, no representa la contrapartida o retribución de su derechos».

El carácter bilateral de las obligaciones contractuales se manifiesta en que éstas surgen coetáneamente para ambas partes; en cambio, si nacen de manera sucesiva, «no pueden ser consideradas como sirviéndose entre sí de contrapartida o contrapeso» (JOSSERAND).

De la distinción entre contratos unilaterales y bilaterales se derivan importantes consecuencias prácticas, ya que a estos últimos son de aplicación las reglas siguientes: 1.ª) La excepción de contrato no cumplido o posibilidad que tiene cada una de las partes de no cumplir en tanto la otra no realice su prestación, que se infiere de lo dispuesto en los arts. 1100, párrafo 3.º, 1124 y 1466 CC. 2.ª) La compensación de la mora (art. 1100 CC). 3.ª). La facultad de cada una de las partes de optar entre exigir de la otra el cumplimiento de su obligación o resolver el contrato cuando la contraria incumple la prestación debida (art. 1124 CC).

3. Contratos onerosos y gratuitos

Son contratos *onerosos* aquéllos en que cada una de las partes pretende obtener un beneficio o equivalente a través de su prestación.

Son contratos *gratuitos*, también llamados lucrativos, aquéllos en que una de las partes proporciona a la otra un beneficio o ventaja sin contrapartida o equivalencia alguna.

Esta distinción no coincide exactamente con la anterior, pues aunque es cierto que los contratos bilaterales son onerosos, en cuanto existe una relación de causalidad entre las mutuas o recíprocas prestaciones de las partes, también lo es que hay contratos unilaterales onerosos, como por ejemplo es el caso del préstamo con interés, en el que no hay reciprocidad entre ambas prestaciones.

La relación de equivalencia entre las prestaciones es meramente subjetiva y, por tanto, no implica una rigurosa correspondencia económica. En este sentido, la STS de 23 de febrero de 1951 declara que no caracteriza al contrato oneroso la equivalencia e igualdad de las prestaciones o promesas contrapuestas, «que si hubiera de concurrir en todo contrato sería contraria al fundamental principio que preceptivamente establece el artículo 1255 del CC».[10] Es decir, no es indispensable que el precio se corresponda exactamente con el valor de la cosa.

La donación entre vivos es el caso típico de contrato gratuito o lucrativo (cfr. art. 618 CC); pero existen otros en los que no se produce el empobrecimiento del donante y correlativo enriquecimiento del donatario, como ocurre en todos aquellos contratos en que el espíritu de beneficencia o liberalidad de una de las partes no va acompañado de un correlativo empobrecimiento. Así, por ejemplo, el mandato (art. 1711 CC), el simple préstamo (art. 1740, párr. 3.°, CC), el comodato (art. 1740, párr. 2.°, CC) y el depósito (art. 1760 CC).

El interés práctico de esta distinción se manifiesta en la manera de valorar los derechos y deberes de los contratantes. Aquél que recibe una cosa, una ventaja o un servicio gratuitamente no puede ser igual de exigente que si hubiera pagado por ello. Por esta razón, en la donación simple, el donante no queda obligado al saneamiento de las cosas donadas, a no ser que existiese pacto expreso en contrario; en cambio, si la donación fuere onerosa, responderá el donante de la evicción hasta la concurrencia del gravamen (art. 638 CC).

4. Contratos conmutativos y aleatorios

Los contratos onerosos se subdistinguen en conmutativos y aleatorios.

Son contratos conmutativos aquéllos en que cada una de las partes, desde el momento de la celebración, conoce la ventaja o contraprestación que va a obtener; es decir las prestaciones no dependen de la suerte o azar, sino que la extensión de las mismas es inmediatamente cierta y previsible desde la conclusión del contrato. Sin embargo, no es necesario que una y otra sean equivalentes, por ejemplo: no es indispensable que en la compraventa el precio se corresponda exactamente con el valor de la cosa. Es más, obsérvese que todo contrato cuya ejecución está diferida en el tiempo comporta un alea, y no por ello puede calificarse de aleatorio.

En cambio, en los contratos aleatorios la ventaja o contraprestación no es cierta y determinada desde el mismo instante en que el contrato se celebra, sino que depende de un acontecimiento incierto: de la suerte. Así, por ejemplo, en el contrato de seguro, la obligación del asegurador depende de que sobrevenga un siniestro; en la renta vitalicia, la duración de la vida del acreedor determina, en el tiempo, la obligación del deudor. Es indiferente el resultado final, el cálculo de las mayores o menores posibilidades de pérdida o ganancia.

El artículo 1790 del CC define el contrato aleatorio del modo siguiente: «por el contrato aleatorio una de las partes, o ambas recíprocamente, se obligan a dar o hacer alguna cosa en equivalencia de lo que la otra ha de dar o hacer para el caso de un acontecimiento incierto, o que ha de ocurrir en tiempo indeterminado». Definición a la que la doctrina, en general, tacha de poco exacta, en cuanto parece referirse

---

10. RJ, 1951, 594.

al contrato sometido a condición o término, pues este precepto da a entender que lo que está pendiente del acontecimiento incierto es la obligación misma, cuando en realidad lo que caracteriza al contrato aleatorio es que de la incertidumbre (del suceso incierto) depende que la prestación se realice o no. Por consiguiente, en el contrato condicional la eficacia depende de la condición; en cambio, en el contrato aleatorio la eficacia de las obligaciones se produce siempre y desde el instante mismo de su celebración.[11]

La ley regula determinados contratos como aleatorios (juego, apuesta, seguro, renta vitalicia), pero también la voluntad de las partes puede crear contratos aleatorios atípicos, e incluso dar carácter aleatorio a algunos de los regulados en la ley como conmutativos. Éste es el caso de la compraventa de esperanza (*emptio spei*), en la que el comprador se obliga a pagar un precio determinado por una cosa futura e incierta en su cantidad, por ejemplo, la caza o la pesca que una persona obtenga en un día.

En la actualidad, al haber desaparecido la rescisión por lesión como característica de los contratos conmutativos frente a los aleatorios, esta clasificación tiene poco interés. Por otra parte, el cálculo de probabilidades ha dado lugar a que el alea sólo exista para una de las partes.

5. Contratos principales y accesorios

Contratos *principales* son aquellos que por sí mismos cumplen una finalidad concreta, sin necesidad de complemento o relación especial con ningún otro contrato; mientras que los *accesorios* sólo pueden existir en relación con otro contrato (principal) que le sirve de base o fundamento, al que se añaden y del que dependen. Ejemplo de los primeros es la compraventa, la donación o el arrendamiento; de los segundos, la fianza, la hipoteca o la prenda.

En opinión de PLANIOL, esta distinción está mal aplicada a los contratos, pues entiende que lo accesorio no es el contrato, sino la obligación de garantía que por él se crea.

La característica más importante de esta distinción radica en que los contratos principales tienen un régimen de vida propia e independiente; en cambio, los accesorios no pueden subsistir por sí mismos, sino que siguen las vicisitudes del contrato principal al que van unidos o acompañan.[12]

VI. CONTRATOS TÍPICOS Y ATÍPICOS

El Código civil ofrece un repertorio legal de tipos contractuales, pero no agota todas las posibilidades que a los particulares ofrece el principio de libertad que informa nuestro sistema contractual, y por eso cabe distinguir entre contratos típicos y atípicos, según tengan o no reglamentación legal propia.

La posibilidad de existencia o configuración de contratos típicos y atípicos no es más que una consecuencia o aplicación del principio de libertad de contratación

---

11. Las SSTS de 20 de noviembre de 1915 (JC 1915, III-96) y 14 de mayo de 1962 (RJ 1962, 2357) diferencian los contratos aleatorios de los condicionales
12. Cfr. STS de 8 de octubre de 1927 (JC 1927, V-39).

consagrado en el artículo 1255 del CC, en virtud del cual los interesados pueden adaptar íntegramente el fin propuesto a cualquiera de los esquemas contractuales tipificados en la ley, o bien introducir en el contrato típico elegido los pactos, cláusulas y condiciones que estimen oportunos y que, sin variar su naturaleza, supongan modificación de sus efectos; pero también pueden, actuando dentro de las limitaciones legales y con observancia de las normas imperativas sobre la contratación en general, alcanzar la finalidad propuesta concluyendo contratos que sean mezcla de distintos tipos legales o crear nuevas figuras contractuales que no encajen en ningún tipo legal. En los dos primeros casos se tratará de contratos típicos; en el tercero y cuarto, de contratos atípicos. Por consiguiente, contratos *típicos* son aquellos que tienen individualidad y reglamentación legal propia, por ejemplo, compraventa, arrendamiento, depósito, etc.; y contratos *atípicos* son los que, faltos de individualidad y de una disciplina legal específica, han sido creados y reglamentados por las partes contratantes.

No es conveniente utilizar la palabra «atípicos» como sinónima de «innominados» y hablar de contratos atípicos o innominados, por dos razones fundamentalmente: *Primera*, porque podría producirse el equívoco de que los denominados contratos atípicos tienen su antecedente o derivan de los «innominados» del Derecho romano, cuando no tienen ninguna relación o conexión. De hecho, la categoría romana de los contratos innominados surgió por la necesidad de distinguir las figuras en ella comprendidas (*do ut des*, «doy para que des», *do ut facias*, «doy para que hagas», *facio ut des*, «hago para que des» y *facio ut facias*, «hago para que hagas») de los cuatro contratos reales típicos (mutuo, comodato, depósito y prenda), debido a que en aquellos la contraprestación no consistía (como en éstos) en la devolución de la misma cosa recibida, sino que era siempre de naturaleza diferente a la de la prestación previa del acreedor, que es la que sirve de causa; así como para asegurar el interés del que cumplió, otorgándole la *actio praescriptis verbis*, mediante la cual podría conseguir la ejecución de lo convenido y forzar a la otra parte a realizar la prestación ofrecida, es decir, reconociendo a tales convenios como verdaderos contratos.

> En Derecho romano eran casos de contratos innominados el contrato estimatorio, la permuta, la *datio ad experiendum* y la *datio ad inspiciendum*, y el precario.

Sin embargo, en la actualidad esta distinción carece de sentido, pues, como es sabido, en nuestro sistema el derecho no depende de la acción, sino que de todo derecho nace una acción. *Segunda*, porque podría pensarse que los contratos atípicos son aquellos que no tienen nombre, cuando lo característico de estos contratos no es que carezcan de *nomen iuris*, sino de reglamentación legal propia; buena prueba de ello es la existencia de contratos que ostentan un nombre legal, (por ejemplo, el denominado contrato «de hospedaje») y, sin embargo, no tienen regulación legal específica y precisamente por eso deben ser calificados como atípicos.

Esta distinción presenta fundamentalmente dos problemas:

1.º Determinar cuándo nos encontramos ante un contrato atípico o bien ante una simple modificación del tipo contractual que no altera su naturaleza.

Es un tema difícil, al que no cabe dar una solución radical, sino simplemente apuntar un criterio, cual es el de considerar que se tratará de una figura atípica cuando, para conseguir el fin propuesto y distinto del designado al tipo legal, los interesados hayan sustituido o cambiado alguno de los elementos esenciales del negocio, variando la función práctica y económica del contrato típico. Por ejemplo, si en una donación (no modal) se establece que el donante quedará sujeto al saneamiento de las cosas donadas (art. 638 CC), no ofrece duda que se tratará de un contrato típico de donación al que se ha introducido una simple modificación que no altera su naturaleza. Por el contrario, deberá calificarse como atípico el contrato por el que una persona cede sus bienes inmuebles a favor de sus hijos, a cambio de que éstos le presten ciertos servicios, ayudas o cuidados y además le entreguen una cantidad anual de por vida, susceptible de aumentarse si aumentan las necesidades del cedente; pues en tal caso, al no consistir la obligación de los deudores en el pago de una pensión fija, determinada y periódica, se han alterado los caracteres esenciales y, por tanto, la naturaleza del contrato típico de renta vitalicia (arts. 1802 y ss. CC y arts. 1791 y ss. CC).[13]

2.º Determinar qué reglas jurídicas son de aplicación a los contratos atípicos.

Los contratos atípicos se regulan, en primer lugar, por las normas legales imperativas aplicables a todos los contratos, contenidas en el título II del libro IV del Código civil (por ejemplo, no puede haber un contrato sin causa, a tenor de lo dispuesto por el artículo 1261 del CC). En segundo término, deberá atenderse a lo convenido por las partes, pues los contratantes, en virtud del principio de libertad contractual, (art. 1255 CC), han dado vida al contrato atípico, creando una *lex privata* (art. 1091 CC). Y finalmente, en lo no previsto por las partes, el contrato deberá adecuarse a las normas legales de Derecho supletorio establecidas para la contratación en general; entre las que se encuentra y destaca el artículo 1258 del CC, a cuyo tenor el contrato obliga no sólo al cumplimiento de lo expresamente pactado, sino también a todas las consecuencias que, según su naturaleza, sean conformes a la buena fe, al uso y a la ley (dispositiva).

No obstante, todavía se plantearán dudas acerca de la normativa aplicable en el caso de que la figura atípica sea *mixta* o *compleja*, es decir, cuando el contrato es el resultado de la combinación de elementos procedentes de dos o más contratos típicos. Son varias las teorías que, con la pretensión de solucionar el problema, establecen el criterio a seguir para determinar la regulación legal aplicable a dichos contratos:

a) La teoría de la *absorción*, conforme a la cual en cada caso de contrato atípico deberá buscarse el elemento predominante y aplicarse las normas del tipo contractual que corresponda a la prestación principal o elemento dominante.

b) La teoría de la *combinación*, que obtiene la normativa aplicable al contrato atípico mediante el acoplamiento de las reglas correspondientes a cada uno de los contratos típicos de los que aquél tenga algún elemento, mientras no sean contradictorias.

c) La teoría de la *analogía*, que aconseja la aplicación de la normativa del tipo contractual que más se asemeje al caso concreto.

d) La teoría del *interés predominante*, que postula se atienda a la situación de los intereses y se indague el interés predominante perseguido por las partes.

Ahora bien, estas teorías, útiles en algunos casos, se revelan insuficientes en otros. Obsérvese que la de la absorción quiebra cuando no es posible determinar el

---

13. Cfr. STS de 16 de diciembre de 1930 (RJ 1930, 1353).

elemento preponderante, debido a que ninguna de las prestaciones tiene un marcado carácter secundario; que la de la combinación olvida que el contrato atípico constituye un todo (una unidad orgánica), cuyos elementos no se pueden separar e interpretar aisladamente; que la de la analogía desconoce que el contrato mixto es atípico precisamente porque no es análogo a los tipificados legalmente; y que la del interés predominante supone el reconocimiento de la insuficiencia de las otras teorías.

Por consiguiente, el intérprete debe evitar caer en un puro conceptualismo lógico de carácter formal, procurando no encastillarse en ninguna de las teorías expuestas con exclusión absoluta de las otras, pues ello daría lugar a la inversión del orden real de los valores a que el Derecho debe atender. Para resolver las dificultades que en su regulación presenta este tipo de contratos y determinar la aplicación preferente de unas u otras normas, deberá tener en cuenta la valoración jurídica del resultado práctico perseguido por los contratantes y atender, como dice la jurisprudencia, al objeto predominante, que será el que por su propia naturaleza o por razón de la finalidad perseguida habrá llevado a los interesados a la conclusión del contrato.[14]

Finalmente, cabe preguntarse si la constante utilización y consolidación de algunos contratos atípicos hace necesaria su reglamentación legal o, por el contrario, es más conveniente continuar respetando la absoluta autonomía de la voluntad de las partes, únicamente sometida a la interpretación y calificación judicial. Algunos autores consideran que es una cuestión de oportunidad; sin embargo, esta respuesta debe ser matizada, pues es la práctica la que debe revelar esta necesidad para evitar cualquier tipo de abuso en la contratación y consiguiente protección de la parte más débil.

BIBLIOGRAFÍA

Alonso Pérez, _Sobre la esencia del contrato bilateral_, Salamanca, 1967; Álvarez Vigaray, «Los contratos aleatorios», ADC, 1968, p. 629; Blanquer Uberos, «Nuevos esquemas contractuales», RDN, 1984, p. 9; Cossío y Martínez, _Frustraciones y desequilibrios contractuales_, Granada, 1994; De Castro, _El negocio jurídico_, Madrid, 1967; íd., «Notas sobre las limitaciones intrínsecas de la autonomía de la voluntad», ADC, 1982, p. 987; Díaz Gómez, _El contrato aleatorio_, Granada, 2004; Díez-Picazo, «Los llamados contratos forzosos», ADC, 1956, p. 85; íd., «¿Una nueva doctrina general del contrato?», ADC, 1993, p. 1705; Doral, «Orientaciones actuales sobre el futuro del contrato», _Libro-homenaje a Vallet de Goytisolo_, Vol. VI, Madrid, 1988, p. 95; d'Ors, A., «La formación histórica de los tipos contractuales romanos», AAMN, T. VI, 1950, p. 247; íd., «Apostillas sobre la formación histórica de los tipos contractuales romanos», RDN, 1959, p.7; Espín, «Tendencias modificadoras de la categoría del contrato bilateral», en _Libro-homenaje a Pérez Serrano_, T. I, Madrid, 1959, p. 444; García Amigo, «El contrato en la perspectiva comunitaria», AC, 1992, p. 95; García Bañón, «Concepción unitaria del contrato», _Estudios en homenaje al Prof. Castán_, T. V, 1969, p. 259; Gete-Alonso, _Estructura y función del tipo contractual_, Barcelona, 1979; íd., «La influencia del concepto de contrato en el Código civil», _Centenario del Código civil_, Asociación de Profesores de Derecho civil, T. I, Madrid, 1990, p. 885; García Rubio, «De nuevo sobre la incidencia del principio

---

14. Cfr. RRDGRN de 13 de mayo y 4 de noviembre de 1968 (ADGRN 1968, pags. 34 y 72).

de no discriminación por razón de sexo en la contratación privada» en AA VV (coords. GÓMEZ/VALBUENA), *Igualdad de género: una visión jurídica global*, Burgos, 2008, p. 361; GIMÉNEZ COSTA, «El principio de no discriminación y su incidencia en la contratación privada en el Marco Común de Referencia» en AA VV (dir. BOSCH CAPDEVILA), *Nuevas perspectivas del Derecho contractual*, Barcelona, 2002, p. 621; GÓMEZ POMAR, «El incumplimiento contractual en Derecho español», InDret, 2007; GORLA, *El contrato*, trad. y notas de FERRANDIS VILELLA, Barcelona, 1959; JORDANO BAREA, «Los contratos atípicos», RGLJ, 1953, p. 53; íd., «Contratos mixtos y unión de contratos», ADC, 1951, p. 326; íd., *La categoría de los contratos reales*, Barcelona, 1958; LALAGUNA, «La libertad contractual», RDP, 1972, p. 871; íd. *El contrato. Estructura, formación y eficacia*, Valencia, 1997; LÓPEZ FRÍAS, *Los contratos conexos: estudios de supuestos concretos y ensayo de una construcción doctrinal*, Barcelona, 1994; LÓPEZ JACOISTE, «Sobre la aporía de la equivalencia contractual», *Libro-homenaje al prof. De Castro*, T. II, p. 829; OSSORIO MORALES, «Crisis en la dogmática del contrato», ADC, 1952, p. 1175; íd., «Notas para una teoría general del contrato», RDP, 1965, p. 1071; PRADA GONZÁLEZ, «Onerosidad y gratuidad de los actos jurídicos», AAMN, t. XVI, 1968, p. 225; ROYO MARTÍNEZ, «La transformación del concepto del contrato en el Derecho moderno», RGLJ, 1945, p. 113; SANTOS BRIZ, *La contratación privada*, Madrid, 1966; íd., *Los contratos civiles. Nuevas perspectivas*, Madrid, 1992; SIEBERT, «Relaciones contractuales de hecho», RCDI, 1970, p. 227; VÁZQUEZ BOTE, «Algunas consideraciones sobre los contratos aleatorios del Código civil», RCDI, 1969, p. 351.

Capítulo XXI
Los elementos esenciales del contrato (I)

I. INTRODUCCIÓN

La palabra «requisitos» significa «circunstancias o condiciones necesarias para una
cosa». Referida a los contratos, son las circunstancias o condiciones necesarias para
que los mismos existan; por consiguiente, en este sentido, todos los requisitos son
esenciales. Sin embargo, la mayoría de los autores utiliza esta palabra como sinónima
de «elementos», distinguiendo entre:

a) Requisitos *esenciales* o elementos constitutivos, que afectan a la substancia del
contrato, sin los cuales este no puede existir En tal sentido se expresa el artículo 1261
del CC, al decir que no hay contrato sino cuando concurren el consentimiento, el
objeto y la causa. Por ejemplo, el precio en la compraventa; sin él, no hay compraventa.

b) Requisitos *naturales*, que acompañan normalmente al contrato, como el saneamiento en la compraventa o la gratuidad en el mandato (art. 1461 en relación con el
núm. 1 del art. 1474, y art. 1711, ambos del CC), pero pueden ser suprimidos por la
voluntad de las partes sin que el contrato quede desvirtuado en su calidad específica,
como así ocurre en los ejemplos citados (arts. 1475 y 1711 CC).

c) Requisitos *accidentales*, que no son necesarios para que el negocio exista, ni la ley
los supone existentes. Se trata de requisitos compatibles con la naturaleza del negocio
y que las partes añaden voluntariamente para limitar o modificar los efectos normales
del contrato, por ejemplo: la condición, el término y el modo.

En realidad, los llamados elementos naturales no son requisitos, sino efectos del
contrato atribuidos por las normas dispositivas para el caso de no previsión de las partes, y que éstas pueden suprimir o modificar; en cambio, los elementos accidentales
son requisitos de eficacia del contrato, que, si se introducen, devienen esenciales de
ese concreto negocio. Por eso MESSINEO considera que en este segundo caso debería
hablarse de elementos «implícitos». Como dice MANRESA, «esta clasificación se comprende mejor y con más precisión si se atiende a la distinta influencia que en cada

grupo de elementos tienen las dos grandes bases del contrato, que son la voluntad y la ley. Esta, en un orden descendente, *impone* los elementos esenciales, *presume* los naturales y *autoriza* los accidentales; y en su sentido inverso de influencia, la voluntad de los contratantes *acata* los primeros, *acepta, si no los rechaza*, los segundos, y *crea* por sí sola los terceros».

También la doctrina tradicional (SÁNCHEZ ROMÁN, VALVERDE, CASTÁN) distingue entre elementos esenciales *comunes y especiales*. Los primeros son propios de todos los contratos (el consentimiento, el objeto y la causa), los segundos sólo existen en determinados contratos (la forma en los contratos solemnes y la entrega de la cosa en los contratos reales). E incluso añaden un tercer término, el de los *especialísimos*, en cuanto que en él muestra la individualidad característica de cada tipo de contrato, como sucede con el precio en la compraventa o la renta en el arrendamiento; sin embargo, parece más acertado reservar el carácter esencial para aquél requisito que no puede faltar en ninguna clase contrato, pues en un supuesto negocio de compraventa si falta el precio se hace imposible la figura, pero en cambio puede subsistir como negocio jurídico de otra naturaleza, por ejemplo, la donación.

CLEMENTE DE DIEGO subdivide los requisitos esenciales en necesarios para la existencia del contrato y necesarios para su *validez*. Los primeros, dice este autor, son precisos para que el contrato exista a los ojos de la ley; los segundos, para que pueda desplegar su eficacia o para su existencia, sin vicio que afecte a su firmeza. La falta de los primeros produce la *inexistencia* del contrato y es insubsanable; la de los segundos, la *insubsistencia* del contrato cuando sea alegada o declarada, siendo subsanable por prescripción y confirmación.

II. EL ARTÍCULO 1261 DEL CÓDIGO CIVIL

Los requisitos esenciales del contrato se encuentran enumerados en el artículo 1261 del CC. Según este precepto, para que exista contrato deben concurrir los requisitos siguientes:

1.º *Consentimiento* de los contratantes.

2.º *Objeto* cierto que sea materia del contrato.

3.º *Causa* de la obligación que se establezca.

A estos requisitos hay que añadir el de la *forma* en determinados casos, en aquellos en que la ley la impone como necesaria (*ad solemnitatem*), por ejemplo, el otorgamiento de la escritura en el contrato de constitución de hipoteca (art. 1875 CC) o en la donación de cosa inmueble (art. 633 CC)[1].

Las cuestiones sobre la concurrencia de los requisitos esenciales del contrato, que exige el artículo 1261 del CC, son de hecho; y, por tanto, la determinación de la existencia o inexistencia de tales condiciones es de la exclusiva competencia del tribunal *a quo*[2].

---

1. Cfr. STS de 15 de octubre de 1985 (RJ 1985, 4846).
2. Cfr. SSTS de 17 de junio de 1977 (RJ 1977, 2886), 19 de junio de 1979 (RJ 1979, 2440) y 7 de noviembre de 1980 (RJ 1980, 4131).

III. EL CONSENTIMIENTO

1. Concepto

Como dice PUIG BRUTAU, la materia referente al consentimiento contractual abarca dos aspectos que no deben confundirse: uno, el relativo a la capacidad para consentir o contratar; otro, el concerniente a la efectiva prestación del consentimiento.

El consentimiento, como se deduce de su propia raíz etimológica (de _sentire cum_, «sentir con»), es la coincidencia (conformidad o acuerdo) de dos o más voluntades distintas y contrapuestas (oferta y aceptación), sobre el contenido del contrato que celebran. Es el más importante de los requisitos que para la existencia del contrato exige el artículo 1261 del CC, pues en él convergen los otros dos. Así lo pone de relieve el artículo 1262, párrafo 1.º, del CC, al decir que «el consentimiento se manifiesta por el concurso de la oferta y la aceptación sobre la cosa y la causa que han de constituir el contrato». Los comprende de tal modo que el artículo 1258 del CC puede declarar, con razón, que los contratos se perfeccionan por el mero consentimiento.

> La STS de 14 de diciembre de 1964 dice que, «en su más general aceptación, el consentimiento es la coincidencia de dos o más voluntades para la producción de un efecto jurídico, y si éste es la constitución de una obligación de dar, hacer o no hacer, originará el contrato tan pronto como se dé el concurso de la oferta y de la aceptación»[3]. Y la STS de 28 de abril de 1977 declara que «el consentimiento viene determinado por el encuentro de dos o más declaraciones de voluntad, que partiendo de distintos sujetos se dirigen a un fin común y se unen para producir efectos prácticos protegidos por el Ordenamiento jurídico»[4].

Según el artículo 1262, párrafo 2.º, del CC, «hallándose en lugares distintos el que hizo la oferta y el que la aceptó, hay consentimiento desde que el oferente conoce la aceptación o desde que, habiéndosela remitido el aceptante, no pueda ignorarla sin faltar a la buena fe. El contrato, en tal caso, se presume celebrado en el lugar en que se hizo la oferta». En los contratos celebrados mediante dispositivos automáticos, añade al párrafo 3.º del artículo 1262 del CC, «desde que se manifiesta la aceptación».

2. Requisitos

El consentimiento requiere las condiciones siguientes:

1.ª _Pluralidad de sujetos._ El contrato es un negocio jurídico bilateral y, como tal, exige una pluralidad de sujetos o partes contratantes; así lo pone claramente de manifiesto el artículo 1254 del CC, al proclamar que «el contrato existe desde que _una o varias personas consienten en obligarse respecto de otra u otras_». No obstante, como se verá más adelante, doctrina y jurisprudencia admiten la posibilidad del autocontrato o contrato consigo mismo.

2.ª _Capacidad de las partes._ En realidad, este requisito no es un presupuesto de la existencia del consentimiento, sino de la validez y eficacia del negocio.

---

3. RJ 1964, 5877.
4. RJ 1977, 1697.

3.ª *Existencia de una voluntad contractual*. La voluntad interna e individual de cada contratante ha de dar lugar al consentimiento o voluntad contractual (concordada y coincidente de las partes: acuerdo de voluntades), por el que se establece una reglamentación de intereses. Estas voluntades han de ser conscientes, deliberadas y libres, pues si falta el discernimiento o la libertad de alguna de las partes el consentimiento (acuerdo de voluntades) estará viciado[5].

4.ª *La manifestación del consentimiento o declaración de voluntad contractual*. En todo caso la voluntad, como fenómeno psicológico interno, carece de eficacia jurídica en tanto no se manifiesta exteriormente mediante una declaración; es decir, la voluntad interna debe manifestarse o exteriorizarse para que pueda ser conocida tanto por la otra parte como por las demás personas o terceros.

Ahora bien, la declaración de voluntad se opera en virtud de aquellos medios de exteriorización que según el uso del comercio o por fuerza vinculante del pacto antecedente especial están destinados a expresar aquella voluntad. Así, por ejemplo, por la palabra oral o escrita o por medio de signos, gestos o ademanes que inequívocamente la expresan. Es la llamada declaración *expresa*, que se concreta en hechos de comunicación o participación de voluntad, actos cuyo único fin es emitir la declaración. La declaración *tácita*, por su parte, es la que se encierra en actos de ejecución de una voluntad anterior o precedente, hechos que realizados con otro fin distinto al de emitir declaración permiten, sin embargo, deducir aquella voluntad[6]. Pero también puede hacerse la declaración de voluntad manifestándola en hechos (actos y omisiones) que indican de una manera indubitada la previa existencia de determinada voluntad; así, por ejemplo, cuando el designado mandatario comienza a ejercitar el encargo recibido, da con tales hechos o actos expresión cierta de su voluntad de aceptar el mandato (art. 1710 CC). Ésta es la llamada declaración *tácita*, consecuencia de *facta concludentia*, o sea de aquellos hechos que, como dice WINDSCHEID, aseguran «una ilación en torno a la existencia de una voluntad». En todo caso, la declaración de voluntad emitida indirectamente ha de resultar determinante, y además debe ser clara e inequívoca; sin que sea lícito deducirla de expresiones o actitudes de dudosa significación, sino por el contrario a través de las que sean reveladoras del designio de crear, modificar o extinguir algún derecho[7].

Finalmente, respecto a la cuestión de que el *silencio* (conducta o actitud meramente pasiva) valga como declaración de voluntad, hay que rechazar la aplicación del adagio «quien calla otorga» y proclamar, en cambio, que la regla general debe inclinarse a la no producción de efectos jurídicos. Por consiguiente, el silencio no constituye una declaración de voluntad propiamente dicha, ya que nadie está obligado a responder a una oferta de contrato. No obstante, es preciso reconocer que en nuestro ordenamiento jurídico, igual que en otros sistemas positivos modernos, reiteradamente se atribuyen efectos jurídicos al silencio (arts. 364, párr. 2.º, y 1005, entre otros preceptos, del CC; arts. 7 y 248 del CCom), e incluso que el artículo 1255 del CC, al consagrar la libertad de pacto en cuanto no se oponga a las leyes, a la moral y al orden público, hace factible que se estipule un pacto entre las partes según el cual la oferta de una de ellas a la otra se reputará aceptada en cuanto no sea rechazada

---

5. Cfr. STS de 13 de mayo de 1959 (RJ 1959, 1997).
6. Cfr. STS de 17 de marzo de 1972 (RJ 1972, 1256).
7. Cfr. STS de 20 de julio de 2006 (RJ 2006, 4738) y las que cita.

expresamente dentro de determinado plazo. En cambio, no es admisible que una oferta imponga al posible aceptante la obligación de contestar para que se entienda que la rechaza, por la evidente razón de que nadie por su sola voluntad puede imponer a otra persona una obligación (PUIG BRUTAU). Por lo tanto, cabe afirmar que, en las obligaciones contractuales, es el principio de la buena fe el que justifica que el silencio pueda valer como declaración de voluntad cuando la situación en que aquél se produce no omitiría manifestación, protesta o ejercicio de la acción correspondiente a un hombre diligente (*bonus vir*). Es lo que la doctrina francesa denomina «silence circonstancié». Como dice la STS de 17 de noviembre de 1995, «dada una determinada relación entre personas, cuando el modo corriente y usual de proceder implica el deber de hablar, si el que puede y debe hablar no lo hace, se ha de reputar que consiente en aras de la buena fe»[8]. Porque nuestra jurisprudencia no sigue en materia contractual el criterio de la regla «qui tacet videtur consentire» (el que calla otorga), sino que mantiene el recogido en el principio «qui siluit cum loqui et debuit et potuit consentire videtur», con arreglo al que no basta el mero silencio, sino que además es preciso que se pueda y deba responder[9].

> PACCHIONI considera que atribuir eficacia de consentimiento al silencio se beneficia al inoportuno y se favorecen los fraudes; pero añade que ello no excluye la posibilidad de un reconocimiento juicioso del valor del silencio como consentimiento. Como dice este autor, «ciertamente un profesor, un abogado o un médico no estarán obligados a rechazar todas las ofertas de libros que les sean hechas por libreros o autores desconocidos. Pero si un librero del cual nos servimos desde hace años nos envía libros para su examen con el ruego de restituirlos dentro de un cierto tiempo en el caso de que no interesen, y si nosotros hemos pagado siempre en el pasado el libro no devuelto y ciertos libros son retenidos durante largo tiempo, no dejará de ser lógico que el librero nos considere obligados al pago del precio».

De lo expuesto se desprende que el silencio absoluto sólo es productor de efectos jurídicos cuando la ley o la voluntad de las partes reconocen previamente o conceden tales efectos, como podría ser el caso de la tácita reconducción. No obstante, también cabe hablar de la eficacia de un *silencio cualificado*, como así lo hace la STS de 24 de enero de 1957, cuando se junte a hechos positivos precedentes, a una actividad anterior de la parte que guardó silencio o a particulares situaciones subjetivas u objetivas, que sirvan como elemento útil para tener por hecha la manifestación de una determinada voluntad[10].

En definitiva, hay ocasiones en que el silencio vale como aceptación. En palabras de las STS de 10 de junio de 2005, «aunque es cierto que generalmente el mero conocimiento no implica conformidad, ni basta el mero silencio para entender que se produjo la aquiescencia (pese a la máxima «tacite consensu convenire intelligitur», PAULO, Digesto: 2,14,2)[11], sin embargo el silencio puede entenderse como aceptación cuando se haya tenido la oportunidad de hablar, es decir, que no se esté imposibilitado para contradecir la propuesta del oferente, por impedimento físico o por no

---

8.   RJ 1995, 8734.
9.   Cfr. STS de 21 de marzo de 2003 (RJ 2003, 2762).
10. RJ 1957, 367. Cfr. SSTS de 29 de enero de 1965 (RJ 1965, 262), 6 de abril (RJ 1989, 2994) y 7 de diciembre de 1989 (RJ 1989, 8810).
11. Cfr. STS de 13 de febrero de 1978.

haber tenido noticia del mismo[12], y se deba hablar (conforme al principio general del Derecho "tacens consentit, si contradicendo impedire poterat" y "qui siluit cum loqui et debuit et potuit, consentire videtur, existiendo tal deber de hablar cuando haya entre las partes relaciones de negocios que así lo exijan[13], o cuando lo natural y normal, según los usos generales del tráfico y en aras de la buena fe, es que se exprese el disentimiento, si no se deseaba aprobar las propuesta de la contraparte»[14].

5.ª *Concordancia entre lo declarado y lo internamente querido.* Para su determinación se deberá valorar la intención de cada uno de los contratantes a través de su manifestación, tomando como guía los principios de la voluntad, de la buena fe y de la autorresponsabilidad. Según la STS de 23 de mayo de 1935, «no obstante la diversidad de teorías que en el campo doctrinal se han formulado acerca de los efectos de la divergencia entre la voluntad y su declaración en los negocios jurídicos, en ausencia de textos legales concretos que enfoquen el problema en el Código civil, puede admitirse, como *regla general,* la de que es preferente la voluntad real a la voluntad declarada, pues así se infiere no sólo de las tradiciones constantes de nuestro Derecho, sino además de la norma contenida en los artículos 1265 y 673, relativos a la nulidad de los contratos y de los testamentos por vicios del consentimiento, y aun de la que establecen los artículos 1281 y 675 a propósito de la interpretación de esos respectivos actos jurídicos, siquiera haya de ser atenuado el rigor de dicho principio con una serie de necesarias *restricciones,* que implican parciales desviaciones hacia la teoría llamada de la declaración y entre las cuales, de conformidad con la opinión científica más generalizada, figuran como más fundamentales las siguientes: *Primera.* Que la divergencia ha de ser probada por quien la afirme, ya que si no se prueba el Derecho considerará la voluntad declarada como coincidente con la real. *Segunda.* Que cuando la disconformidad sea imputable al declarante, por ser maliciosa o por haber podido ser evitada con el empleo de una mayor diligencia, existiendo a la vez buena fe en la otra parte, se ha de atribuir pleno efecto a la declaración, a virtud de los principios de responsabilidad y de protección a la *bona fides* y a la seguridad del comercio jurídico, que se oponen a que pueda ser tutelada la intención real cuando es viciosa, y a que pueda ser alegada la ineficacia del negocio por la parte misma que es culpable de haberla producido»[15].

Casos de discrepancia entre la declaración y la voluntad real son:

a) El *error obstativo* (error impropio o error en la declaración) o desacuerdo inconsciente (no querido) entre la voluntad declarada y la voluntad real, por ejemplo, una persona que conoce exactamente el cuadro «A» se propone comprarlo y al hacer la declaración por error designa el cuadro «B».

En opinión de JORDANO FRAGA, el error obstativo puede recaer en el acto de la declaración, en el contenido de la misma y en la transmisión de la voluntad.

Según la STS de 25 de febrero de 1995, es el error «no influyente en la formación de la voluntad, sino con efectos en la declaración y transmisión de la misma, que no

---

12. Cfr. SSTS de 4 marzo 1972 y 13 febrero 1978.
13. Cfr. SSTS de 14 junio de 1963, 13 febrero de 1978, 18 octubre de 1982 y 17 de noviembre de 1995 (RJ 1995, 8734).
14. RJ 2005, 4364.
15. RJ 1935, 1124. Cfr. STS de 27 de octubre de 1951 (RJ 1951, 2354).

se correspondió con la realmente existente»[16]. En este supuesto, suele afirmarse que no existe voluntad eficaz, pues no lo es jurídicamente aquella voluntad interna que no ha sido declarada, ni lo es tampoco la voluntad real que se declaró por error. Es por eso que este tipo de error da lugar a predicar la inexistencia del negocio por falta de consentimiento, provocando en su virtud la acción de nulidad absoluta o radical, así como la imposibilidad de ratificación y de prescripción. No obstante, si la discrepancia se debió a la negligencia del declarante, éste vendrá obligado a resarcir los daños que la otra parte haya sufrido, a no ser que acredite que la misma conocía o debía haber conocido el error. En cambio, con mejor criterio, los anotadores de Ennecerus estiman que no se puede dar distinto tratamiento al error vicio y al error obstativo y que, por tanto, el contratante que sufrió el error en la declaración estaría vinculado por la misma. Una postura intermedia es la de Morales, ya que este autor considera que es preciso distinguir, según que el error obstativo afecte o no a algún elemento esencial del contrato, y que no existirá contrato cuando el error en la declaración afecte a la identidad del objeto o a la causa, pero si el error no afecta a un elemento esencial el contrato habrá nacido y no podrá postularse la nulidad absoluta, sino la anulabilidad.

Como dice la STS de 10 de abril de 2001, la falta del consentimiento como consecuencia del error obstativo implica la nulidad absoluta del contrato, que podrá reclamarse sin la limitación temporal que para la acción de anulabilidad establece el artículo 1302 del CC. No sólo podrán ejercitar la acción de nulidad los que intervinieron como partes en el contrato, sino también los terceros perjudicados[17].

b) La *reserva mental,* en la que el sujeto quiere la declaración y no su contenido; es decir, quiere hacer la declaración de compra y, sin embargo, no quiere comprar la cosa, no quiere lo declarado e induce a engaño a la otra parte que lo ignora. Supuesto de discrepancia consciente y querida que no impide la validez y eficacia del negocio, por la fundamental consideración de que el Derecho disciplina relaciones entre varias personas y, por tanto, es forzoso atender no solamente al sujeto que emite la declaración, sino también a aquél a quien va dirigida, cuya buena fe exige se le garantice la seguridad de la declaración recibida.

Según el artículo 244.2 del Código civil portugués, cuando la reserva mental fuese conocida por el destinatario, producirá los mismos efectos que la simulación.

c) La declaración *iocandi causa,* que se hace sin intención de concluir el negocio, por broma. Esta declaración es nula, pero, si el destinatario no advirtió la falta de seriedad, el declarante deberá resarcir los daños y perjuicios que aquél haya sufrido por considerar válido el negocio. Sin embargo, como declara la STS de 24 de julio de 1989, no se debe confundir la declaración hecha en broma o *iocandi causa,* en la que no existe voluntad de obligarse, con la realizada en serio, pero en términos humorísticos, más o menos jocosos En el caso que decidió esta sentencia se había vendido una participación de lotería de un número que resultó premiado, y su redacción era la siguiente: «*El gachó que exhibe el presente aforó la cantidad de mil legañas pa que se endiñe la «tosta» u sease una pasta mu gansa pa en el caso de que los guarismos indicaos al frontis sean agraciados en el sorte de la lote del día 21 de diciembre de 1984. Son mil chulas*». Y, al final, la

---

16. RJ 1995, 1643. Cfr. SSTS de 22 de diciembre de 1999 (RJ 1999, 9369) y 10 de abril de 2001 (RJ 2001, 2027).
17. RJ 2001, 2027.

palabra «*autógrafo*» con la firma debajo. La demanda del partícipe fue estimada y el Tribunal Supremo declaró que «el consentimiento manifestado en forma jocosa no vicia su existencia, ni la del objeto y la causa, cuando éstos resultan claros de aquella expresión y no cabe dudar de su validez; es decir, que el consentimiento *iocandi causa* sólo revela la inexistencia del contrato cuando de él se desprenden la falta de objeto cierto que sea materia del mismo o la falta de causa de la obligación que se establezca, nada de lo cual se da en el presente caso, en el que el buen humor en la forma, como muestra de alegría y complacencia e incluso de la duda o esperanza sobre la buena suerte que haya de acompañar a los contratantes en el juego de la lotería, en nada empece a la seriedad del contrato»[18].

3. Capacidad para contratar

Según el artículo 1263 del CC, «los menores de edad no emancipados podrán celebrar aquellos contratos que las leyes les permitan realizar por sí mismos o con asistencia de sus representantes y los relativos a bienes y servicios de la vida corriente propios de su edad de conformidad con los usos sociales».

Del tenor literal de dicho precepto se desprende que el *menor de edad* posee capacidad para celebrar contratos de acuerdo con la edad que en cada momento tenga, esto es, en función de la madurez que vaya adquiriendo a lo largo de su vida. Por tanto, podrá celebrar aquellos contratos que, según lo socialmente aceptado, sean los normales y corrientes para su edad. Para celebrar otros contratos que afecten a sus propios intereses necesitará el apoyo y asistencia de sus padres o tutores, que velarán por esos intereses mismos prestando su consentimiento en representación suya.

En este, debe mencionarse la STS de 5 de febrero de 2013, que, a propósito de la contratación de un menor de edad para la práctica del fútbol profesional, señala que el poder de representación que ostentan los padres, que nace de la ley y que sirve al interés superior del menor, no puede extenderse a aquellos ámbitos que supongan una manifestación o presupuesto del desarrollo de la libre personalidad del menor y que puedan realizarse por él mismo, caso de la decisión sobre su futuro profesional futbolístico que claramente puede materializarse a los 16 años»[19].

Los argumentos utilizados por el Tribunal Supremo establecen una relación directa entre el interés superior del menor y el libre desarrollo de su personalidad (art. 10 CE), «de suerte que el interés del menor en decidir sobre su futuro profesional constituye una clara manifestación o presupuesto del desarrollo de su libre personalidad que no puede verse impedida o menoscabada. En este ámbito no cabe la representación, del mismo modo que tampoco pueden ser sujetos obligados respecto de derechos de terceros, La adecuación al interés superior del menor, por tanto, se sitúa como el punto de partida y de llegada en que debe fundarse toda actividad que se realice en torno tanto a la defensa y protección de los menores, como a su esfera de su futuro desarrollo profesional. Esta proyección de su incidencia en el núcleo de los derechos fundamentales encuentra, a su vez, un progresivo desarrollo complementario ya en torno a otros específicos derechos fundamentales contemplados por nuestra Constitución, caso del derecho de asociación (artículo

---

18. RJ 1989, 5776.
19. RJ 2013, 928.

22 CE), bien por la vía de los "Derechos y Deberes de los ciudadanos", caso del artículo 35.1 CE, en relación a la libre elección de profesión y oficio y la promoción a través del trabajo y, en su caso, por el cauce de los denominados "Principios Rectores de la Política Social y Económica", supuesto del artículo 39.2 y 4 CE en relación a la protección integral de los hijos y a la extensión de su tutela prevista en los Acuerdos Internacionales. Precisamente en esta línea de los Acuerdos Internacionales, como referentes en la interpretación de los derechos que recoge nuestra Constitución y el resto del Ordenamiento Jurídico cabe señalar la tendencia por mejorar la protección del menor junto a un mayor protagonismo de actuación por él mismo que claramente informa la redacción tanto de la Convención de Derechos del Niño, de Naciones Unidas, de 20 de noviembre de 1989, ratificada por el Reino de España el 30 de noviembre de 1990, como la Carta Europea de los Derecho del Niño, aprobada por el Parlamento Europeo mediante la Resolución A 3-172/92».

En el caso de que el _menor de edad esté emancipado_, podrá celebrar contratos como si fuera mayor, salvo aquellos que consistan en «tomar dinero a préstamo, gravar o enajenar bienes inmuebles y establecimientos mercantiles o industriales u objetos de extraordinario valor», para lo cual precisarán del consentimiento de sus progenitores y, a falta de ambos, el de su defensor judicial (art. 247 CC). Sin embargo, los contratos que celebre el menor de edad sin la asistencia requerida legalmente no serán radicalmente nulos, sino que podrán ser anulados por sus representantes legales o incluso por el propio menor una vez que alcance la mayoría de edad, durante un plazo de cuatro años (art. 1302.2 CC). Si esos contratos ya se hubiesen celebrado, habrán de restituirse recíprocamente las cosas que hubiesen sido materia del contrato, con sus frutos, y el precio con los intereses, pero teniendo en cuenta que el menor solo estará obligado a restituir en la medida en que se hubiera enriquecido con la prestación recibida (arts. 1303 y 1304 CC).

Según el artículo 7, letra b), del ET, pueden contratar la prestación de su trabajo «los menores de dieciocho y mayores de dieciséis años, que vivan de forma independiente con consentimiento de sus padres o tutores, o con autorización de la persona o institución que los tenga a su cargo».

En cuanto a la _persona con discapacidad_, como principio general hay que destacar que _a priori_ la persona con discapacidad tiene la misma capacidad de contratar que todas las demás y, por añadidura, tiene derecho a hacerlo con los apoyos que precise, que en la práctica y para el contrato de que se trate puede tener o no (GARCÍA RUBIO).

Pueden distinguirse varias hipótesis:

_a_) Si la _persona con discapacidad no tiene establecidas_, para el contrato en concreto, _medidas de apoyo voluntarias_, fácticas o judiciales (curatela o defensor judicial _ad hoc_ decretada por resolución judicial), podrá celebrar por sí misma ese contrato. Los contratos así celebrados serán válidos sin que puedan anularse al amparo del artículo 1302.3 del CC, al menos si se tiene en cuenta la literalidad de dicho precepto. En su caso, cuando proceda, porque la discapacidad conlleve en realidad falta de consentimiento, y esta pueda probarse, se aplicará el artículo 1261.1.º del CC.

_b_) Si la _persona con discapacidad tiene establecida una medida de apoyo no representativa_, podrá celebrar por sí sola todos los contratos. En el caso de que se haya establecido una curatela o defensor judicial de tipo asistencial (art. 269 CC), se plantea la duda sobre la transcendencia de la falta de dicha asistencia. Para algunos autores, si la persona con discapacidad celebra por sí sola uno de esos contratos, será anulable en virtud de lo dispuesto por el artículo 1302.3 del CC. No es este, sin embargo, el criterio de quienes opinan que el apoyo es un derecho de la persona con discapacidad, pero no puede ser una imposición, por lo que el contrato en cuestión sería válido y eficaz (García Rubio).

c) Si la *persona con discapacidad tiene establecida una curatela representativa*, podrá celebrar por sí sola los contratos que, según la resolución judicial, no precisen del curador (art. 269 CC) o del defensor judicial Si esta persona celebra contratos para los que se había designado un curador representativo, la literalidad del precepto parece indicar que podrán anularse al amparo del artículo 1302.3 del CC. También cabe otra interpretación, según la cual la situación sería la misma que en el caso anterior: puesto que el apoyo es un derecho de la persona con discapacidad, pero no puede ser una imposición, el contrato en cuestión sería válido y eficaz (García Rubio/Varela Castro).

Por último, el artículo 1264 CC añade que «lo previsto en el artículo anterior se entiende sin perjuicio de las prohibiciones legales o de los requisitos especiales de capacidad que las leyes puedan establecer». Se menciona en él un fenómeno distinto del de la capacidad para contratar, cual es el de la existencia de una prohibición legal que impida al sujeto celebrar un determinado tipo de contrato. En tales casos, la inconveniencia jurídica de su eficacia reside en razones de tipo objetivo al estar cualificado previamente el sujeto bajo unas circunstancias determinadas. Se estudia en el siguiente epígrafe.

4. Prohibiciones legales para contratar

Es preciso señalar que la incapacidad y las *prohibiciones legales para contratar*, también llamadas impropiamente «incapacidades especiales» (art. 1264 CC), no deben confundirse, ya que no tienen el mismo significado[20].

La prohibición se funda en razones objetivas, de moralidad, mientras que la incapacidad se basa en circunstancias subjetivas de la persona. La incapacidad afecta, en general, a toda clase de contratos; en cambio, la prohibición se refiere a un negocio (o tipo de contratos) respecto del cual la persona tiene capacidad para celebrarlo, pero que se le prohíbe por las circunstancias que en el mismo concurren. Precisamente por esta razón, el Tribunal Supremo ha declarado que, cuando se trata de una prohibición, no es posible la interpretación extensiva ni la aplicación de la analogía[21]. No obstante, un sector de la doctrina aboga por una prudente actualización integradora de algunos de los supuestos de hecho, debido a que parecen redactados en un lenguaje arcaico y actualmente superado (García Cantero, López y López).

Son *casos de prohibición*: los de los artículos 1459 del CC, que prohíbe a determinadas personas la adquisición por compra de determinados bienes; 221.1.º y 3.º del CC, que impide a quien desempeñe algún cargo tutelar recibir liberalidades del tutelado o de sus causahabientes, mientras que no se haya aprobado definitivamente su gestión o adquirir por título oneroso bienes del tutelado o transmitirle por su parte bienes

---

20. Cfr. STS de 25 de mayo de 1959 (RJ 1959, 2013).
21. Cfr. SSTS de 22 de febrero de 1958 (RJ 1958, 1420), 27 de mayo de 1959 (RJ 1959, 2469) y 9 de mayo de 1986 (RJ 1986, 2671).

por igual título; 1677 del CC, que dice que «no pueden contraer sociedad universal entre sí las personas a quienes está prohibido otorgarse recíprocamente alguna donación o ventaja»; y las prohibiciones de disponer o enajenar establecidas por la ley, por resolución judicial o administrativa o por voluntad privada (art. 26 LH).

La violación de una prohibición da lugar a la nulidad de pleno derecho (art. 6.3 CC).

Con base en las prohibiciones de contratar, la doctrina italiana (CARNELUTTI, BETTI) ha elaborado el concepto de *legitimación para contratar,* y la define como el hecho de encontrarse un sujeto en una determinada posición respecto de otros o con relación a los bienes e intereses que son objeto o materia del contrato. Sin embargo, MESSINEO estima que la legitimación para contratar no puede ser considerada como un elemento autónomo del contrato, sino que se trata de casos de incompatibilidad por razones de orden público.

5. Autocontrato

El autocontrato o «contrato consigo mismo» se da cuando una persona con poderes de disposición sobre dos patrimonios distintos, porque es titular de uno y representante del otro (o es administrador de dos patrimonios ajeno), mediante su actuación unilateral crea relaciones jurídicas entre ellos; por ejemplo, el apoderado compra para sí la cosa que el poderdante le había encargado vender.

Se ha discutido la posibilidad jurídica de esta figura del contrato «consigo mismo». La principal objeción es que, si para que exista contrato es necesaria la concurrencia de dos voluntades distintas que aceptan un mismo contenido obligatorio, en este caso únicamente interviene una voluntad. A lo que cabe contestar que la exigencia de dos manifestaciones de voluntad para que el contrato exista se produce, pues el representante (o apoderado) realiza una en su propio nombre y otra en nombre del representado (o poderdante), y lo que falta, pero no es imprescindible, son dos personalidades distintas; por ejemplo, el representado confiere poder al representante en el que se le autoriza expresamente para venderse una finca a sí mismo.

No ofrece duda de que existe un peligro de contraposición de intereses. Pero este inconveniente se soslaya admitiendo la autocontratación sólo en aquellos casos en que así se le consienta expresamente al representante en los poderes que se le otorguen[22], o no exista peligro de abuso por parte del apoderado (por ejemplo, el precio de compra viene señalado de manera objetiva) o el negocio es claramente ventajoso para el representado. En caso contrario, el autocontrato no obligaría al representado, si bien sería susceptible de ratificación. Nuestro Código civil no regula el autocontrato y tampoco se pronuncia, con carácter general, acerca de su admisión o prohibición. Sin embargo, se ha querido deducir una regla general de prohibición de determinados preceptos del Código civil y del Código de comercio, en los que se contemplan situaciones que podrían considerarse de autocontratación con contraposición de intereses y que, por tanto, se prohíben (arts. 1459, núms. 1.° y 2.°, y 163 y 299.1.° CC y art. 267 del CCom). En este sentido, el de negar validez al autocontrato, ya se pronunció el

---

22. Cfr. STS de 29 de noviembre de 2001 (RJ 2001, 7322) y RDGRN de 8 de noviembre de 2004 (RJ 2004, 7927).

Tribunal Supremo a principios del siglo pasado[23]. Sin embargo, posteriormente el alto Tribunal ha rectificado este criterio, decantándose rotundamente a favor de su admisión, por considerar que «aunque nuestro Derecho positivo parece rechazar esta especie jurídica en algunas disposiciones aisladas, lo es manifiestamente con la finalidad de prevenir toda colisión de intereses que ponga en riesgo la imparcialidad del autocontratante, pero sin que en la hipótesis contraria haya razón legal para negar eficacia al autocontrato como forma lícita y simplificadora del comercio jurídico»[24]. Esta última postura ha sido reiterada en sentencias posteriores[25].

Según la STS de 29 de noviembre de 2001, «el autocontrato o negocio jurídico del representante consigo mismo es válido cuando se ha autorizado expresamente en el poder de representación (...) sin que la propia autorización para contratar aunque haya de constar con claridad, esté sujeta a requisitos especiales, por lo que salvo que otra cosa se disponga no hay más exigencias que del propio poder que modaliza este criterio de flexibilidad formal». Sin embargo, el hecho de haber concedido tal autorización no es óbice a que el poderdante acuda a la vía jurisdiccional para impugnar los negocios abusivos que hubiera podido concertar su apoderado; ya que la dispensa no puede ser interpretada como una renuncia anticipada al ejercicio de las acciones correspondientes.

También la Dirección General de los Registros y del Notariado ha declarado que debe admitirse la autocontratación aunque la autorización sea genérica, por no ser necesario que se trate de un poder concreto o para un acto determinado[26]. En cuanto a la facultad de calificación del Registrador, la RDGRN de 20 de enero de 2004 dice que éste ha de limitarse a comprobar «si la escritura presentada acredita la capacidad del otorgante según las normas de la legislación notarial, en cuyo caso será directamente inscribible al amparo del artículo 3 de la LH, toda vez que cumplidas aquellas normas (presupuesto que el artículo 1217 del CC impone como necesario para que la escritura goce de los efectos que le atribuye el artículo 1218 del CC) la fe pública del Notario autorizante no puede ser discutida en este punto»[27].

Admitida la posibilidad del autocontrato, hay que preguntarse por los efectos que pueda producir cuando no concurran los requisitos necesarios para su validez. Es decir, se trata de determinar el tipo de sanción. La jurisprudencia se ha pronunciado por la nulidad de pleno derecho, tanto en la representación voluntaria[28], como en la representación legal[29]. Sin embargo, por lo que se refiere a la representación voluntaria la solución no es convincente, pues, como dicen Díez-Picazo y Gullón, «lo que en realidad protege el precepto no es una razón de orden público o moral, sino intereses del titular del patrimonio afectado por la autocontratación» y, por consiguiente, deberá estimarse aplicable el criterio que el artículo 1259 del CC establece para los contratos celebrados a nombre de otro sin estar por éste autorizado o sin tener por

---

23. Cfr. STS de 6 de marzo de 1909 (JC1909, II-11).
24. Cfr. STS de 5 de noviembre de 1956 (RJ 1956, 3430).
25. Cfr. SSTS de 30 de septiembre de 1968 (RJ 1968, 5164), 8 de enero de 1980 (RJ 1980, 21) y 29 de noviembre de 2001 (RJ 2002, 7322).
26. Cfr. RRDGRN de 21 de mayo de 1993 (RJ 1993, 4191), 1 de junio de 1999 (RJ 1999, 4191), 15 de junio de 2004 (RJ 2004, 5483) y 3 de diciembre de 2004 (RJ, 2004, 7933).
27. RJ 2004, 1989.
28. Cfr. STS de 11 de junio de 1966 (RJ 1966, 3406).
29. Cfr. SSTS de 5 de noviembre de 1956 (RJ 1956, 3430) y 9 de mayo de 1968 (RJ 1968, 3721).

la ley su representación legal: será nulo, a no ser que lo ratifique la persona a cuyo nombre se otorgue[30].

Es análoga a la autocontratación la *doble representación,* que se produce cuando el representante tiene poderes de disposición sobre los patrimonios de dos personas y concierta entre ellas un contrato.

> Ahora bien, aunque la figura del autocontrato viene referida a la hipótesis en que una persona mediante su actuación unilateral da origen a una relación obligatoria entre dos patrimonios distintos, se produce un resultado parecido cuando una misma persona actuando en representación de dos sujetos distintos procede a vincular sus respectivos patrimonios no de un modo directo, sino a cada uno de ellos con un tercero. A esta posibilidad se refiere la resolución de la DGRN de 20 de septiembre de 1989 a propósito de una hipoteca constituida en garantía de una deuda ajena por una misma persona que actúa, a la vez, en representación de la sociedad deudora y de la sociedad hipotecante, en cuyo título se contiene tanto el reconocimiento de la deuda a garantizar como la constitución de dicha garantía. La citada resolución declara «que no puede ignorarse que esa relación de subordinación y accesoriedad entre los dos negocios celebrados, recíprocamente dependientes y económicamente contrapuestos (es innegable tanto la repercusión de la prestación de la garantía en la concesión del crédito y en sus condiciones, como el sacrificio patrimonial actual que la hipoteca implica para el propietario gravado, aún antes de su efectividad), provoca una situación similar a la que subyace en la figura del autocontrato *stricto sensu,* y que es la que determina las cautelas y prevenciones con que ésta es considerada jurídicamente; efectivamente, en ambos casos, una persona con su sola actuación compromete simultáneamente los intereses de dos patrimonios cuya representación ostenta, en forma tal que no queda garantizada la independencia necesaria entre los procesos de formación de cada una de las voluntades negociales emitidas; no se asegura que en cada uno de ellos haya sido considerado exclusivamente lo más conveniente y beneficioso para el patrimonio afectado; se incide con ello en la cuestión del ámbito de las facultades representativas conferidas al apoderado y, en este sentido, tanto el criterio de interpretación estricta que ha de regir en la materia (art. 1713 del CC), como la aplicación analógica de las soluciones legalmente previstas para casos similares (arts. 221.2.º del CC y 267 del CCom), imponen la necesidad de específica autorización para la inclusión en el poder conferido de la hipótesis considerada; en otro caso, la insuficiencia de facultades del apoderado viciaría el negocio y determinaría su ineficacia respecto del patrimonio representado (arts. 1727 del CC y 247 y 253 del CCom), sin perjuicio de la posible sanación posterior si mediase la ratificación».

Por último, hay que señalar que el artículo 28 de la LF reconoce y admite la autocontratación, pues afirma que «los patronos podrán contratar con la Fundación, ya sea en nombre propio o de un tercero, previa autorización del Protectorado que se extenderá al supuesto de personas físicas que actúen como representantes de los patronos». También lo hace el artículo 16.1 de la LSC, pues contempla el supuesto de «contratación del socio único con la sociedad unipersonal», si bien requiere que los contratos consten por escrito o en la forma documental que exija la ley de acuerdo con su naturaleza, y que se transcriban a un libro-registro de la sociedad. Además, en la memoria anual se deberá hacer referencia expresa e individualizada a estos

---

30. Cfr. RDGRN de 2 de diciembre de 1998 (RJ 1998, 10481).

contratos, con indicación de su naturaleza y condiciones. Según el apartado 3 de dicho precepto, durante el plazo de dos años a contar desde la fecha de celebración de los contratos mencionados, «el socio único responderá frente a la sociedad de las ventajas que directa o indirectamente haya obtenido en perjuicio de ésta como consecuencia de dichos contratos».

IV. LAS OBLIGACIONES PRECONTRACTUALES DE INFORMACIÓN

En los contratos celebrados con consumidores, la legislación impone al empresario la obligación de suministrar una determinada información previa al contrato. Según el artículo 60.1 del TRLGDCU, «antes de contratar, el empresario deberá poner a disposición del consumidor y usuario de forma clara, comprensible y adaptada a las circunstancias la información relevante, veraz y suficiente sobre las características esenciales del contrato, en particular sobre sus condiciones jurídicas y económicas, y de los bienes o servicios objeto del mismo».

A tales efectos, dice el artículo 60.2 del TRLGDCU, serán relevantes las obligaciones de información sobre los bienes o servicios establecidas en esta norma o normas que resulten de aplicación y, además: *a)* Nombre, razón social y domicilio completo del responsable de la oferta contractual y, en su caso, el nombre, razón social y la dirección completa del comerciante por cuya cuenta actúa. *b)* Precio completo, incluidos los impuestos, o presupuesto, en su caso. En toda información al consumidor sobre el precio de los bienes o servicios, incluida la publicidad, se informará del precio final completo, desglosando, en su caso, el importe de los incrementos o descuentos que sean de aplicación, de los gastos que se repercutan al consumidor y usuario y de los gastos adicionales por servicios accesorios, financiación u otras condiciones de pago similares. *c)* Fecha de entrega, ejecución del contrato y duración. *d)* Procedimiento de que dispone el consumidor para poner fin al contrato. *e)* Garantías ofrecidas. *f)* Lengua o lenguas en las que podrá formalizarse el contrato, cuando ésta no sea la lengua en la que se le ha ofrecido la información previa a la contratación. *g)* Existencia del derecho de desistimiento del contrato que pueda corresponder al consumidor y usuario, el plazo y la forma de ejercitarlo. *h)* La dirección completa en la que el consumidor o usuario puede presentar sus quejas y reclamaciones, así como, en su caso, la información sobre el sistema extrajudicial de resolución de conflictos prevista en el artículo 21.4

A tenor del artículo 60.3 del TRLGDCU, «la información precontractual debe facilitarse al consumidor de forma gratuita».

V. VICIOS DEL CONSENTIMIENTO

El consentimiento, requisito necesario para la existencia del contrato, debe haberse formado libre, consciente y deliberada; en caso contrario, se dice que está viciado, lo que da lugar a la anulabilidad del negocio. Por ello, el artículo 1265 del CC declara que «será nulo (en realidad, anulable) el consentimiento prestado por error, violencia, intimidación o dolo». A la falta de conocimiento se refieren el error y el dolo; a la falta de libertad, la violencia y la intimidación.

Como la enumeración contenida en el artículo 1265 del CC es taxativa y la voluntad o consentimiento contractual se presume libre, consciente y espontáneamente manifestada, representando una presunción _iuris tantum_ de validez del contrato, al impugnarlo habrá que alegar y probar que la voluntad se formó en virtud de alguno de dichos vicios (art. 217.2 LEC)[31]. La apreciación de la existencia del vicio es una cuestión de hecho, cuya constatación es una facultad privativa del Tribunal de instancia[32], pero no se puede olvidar que esa apreciación ha de estar fundamentada y no sostenida en meras conjeturas, de forma que la calificación jurídica que se atribuya a aquellos hechos o actos, que tienen que ser fundamentales, sea comprobable en casación[33].

1. Error propio

El error es la falsa idea que se tiene de una cosa o de un hecho; en cambio, la ignorancia es la ausencia de toda noción sobre los mismos. Sin embargo, jurídicamente error e ignorancia se valoran igual, puesto que la noción errónea sobre una cosa o un hecho es ignorancia de la verdad, y, en consecuencia, la ley se refiere indistintamente con una expresión u otra al supuesto de insuficiente conocer de las cosas o de los hechos (comparativamente, arts. 433 y 1950 CC).

El error puede incidir sobre la declaración o sobre la formación de la voluntad; por ello conviene aclarar que en este momento se va a tratar de este último, al que se denomina por la doctrina _error vicio_ o _error propio_.

El _error propio_ (o error vicio del consentimiento) es la falsa idea o conocimiento de una cosa o de un hecho que determina la voluntad en un sentido distinto del que hubiera adoptado libre de tal influjo[34], por ejemplo, una persona se decide a comprar un cuadro creyendo erróneamente que es de cierta firma y resulta ser de otra, o compra una parcela para construir en ella y luego resulta que no es posible por impedirlo la normativa urbanística[35]. En este caso, el error recae sobre la voluntad; se trata de una voluntad existente, pero viciada.

Pero no basta cualquier error para invalidar el consentimiento, sino que han de concurrir ciertos requisitos:

_a)_ El error tiene que haber sido determinante del consentimiento. Es decir, ha de tratarse de un _error esencial_[36], ya que debe operar sobre un elemento fundamental del negocio. Para valorar la esencialidad del error la jurisprudencia ha adoptado una concepción subjetiva[37]; sin embargo, la STS de 4 de enero de 1982 declara que «no por ello deberán desecharse los criterios objetivos, puesto que generalmente la común opinión del tráfico económico-jurídico sobre lo que es relevante y primordial

---

31. Cfr. SSTS de 15 de junio de 1966 (RJ 1966, 3108), 28 de febrero de 1969 (RJ 1969, 1034), 20 de junio de 1973 (RJ 1973, 2545) y 21 de abril de 2004 (RJ 2004, 3013).
32. Cfr. SSTS de 28 de marzo de 1957 (RJ 1957, 1185), 15 de diciembre de 1966 (RJ 1966, 5706), 22 de mayo de 1971 (RJ 1971, 2906), 17 de mayo de 1988 (RJ 1988, 6360) y 23 de octubre de 2003 (RJ 2003, 7762).
33. Cfr. SSTS de 6 de noviembre de 1948 (1948, 1264), 8 de febrero de 1955 (RJ 1955, 342) y 13 de diciembre de 2000 (RJ 2000, 9333).
34. Cfr. STS de 21 de mayo de 1997 (RJ 1997, 4235).
35. Cfr. SSTS de 27 de marzo de 1989 (RJ 1989, 2201) y 28 de febrero de 1990 (RJ 1990, 726).
36. Cfr. STS de 21 de mayo de 1997 (RJ 1997, 4235).
37. Cfr. SSTS de 14 de junio de 1943 (RJ 1943, 719), 30 de septiembre de 1963 (RJ 1963, 3958) y 8 de junio de 1968 (RJ 1968, 3766).

en el bien objeto del contrato coincidirá con lo deseado por las partes al emitir su declaración».

b) El error tiene que ser excusable. Este requisito, que el Código civil no menciona expresamente, es consecuencia de los principios de autorresponsabilidad y de buena fe, este último consagrado en el artículo 7.1 del CC. Por esta razón debe negarse eficacia invalidante al error cuando pudo ser evitado empleando una diligencia media o regular[38]. No obstante, también el error «inexcusable» deberá tener eficacia invalidante en el caso de que, atendidas las circunstancias de toda índole, se acredite que fue conocido por la otra parte; porque, como advierte la STS de 4 de enero de 1982, «deberán valorarse las respectivas conductas según el principio de la buena fe (art. 1258 CC), pues, si el adquirente tiene el deber de informarse, el mismo principio de responsabilidad negocial le impone al enajenante el deber de informar»[39].

Como dice la jurisprudencia, «la función básica del requisito de la excusabilidad es impedir que el ordenamiento proteja a quien ha padecido el error cuando éste no merece esa protección por su conducta negligente, trasladando entonces la protección a la otra parte contratante, que la merece por la confianza infundida en la declaración»[40].

1.1. Errores invalidantes

El Código civil tipifica con eficacia invalidante los errores siguientes:

1.º *Error sobre la sustancia de la cosa o cualidades determinantes*. Según el párrafo 1.º del artículo 1266 del CC, «para que el error invalide el consentimiento, deberá recaer sobre la sustancia de la cosa que fuere objeto del contrato, o sobre aquellas condiciones de la misma que principalmente hubiesen dado motivo a celebrarlo».

No se trata de dos clases de error, sino que la expresión «sobre aquellas condiciones de la cosa que principalmente hubiesen dado motivo a celebrarlo» es un criterio definitorio de lo que, desde el punto de vista de los contratantes, ha de entenderse por cualidad sustancial de la cosa objeto del contrato. Pero la reciente jurisprudencia limita este matiz subjetivista, al estimar que las condiciones de la cosa que dieron motivo a celebrar el contrato «debieron incorporarse al acto jurídico, saliendo de la esfera interna de los contratantes, para integrarse en la causa e incorporarse a la declaración de voluntad contractual»[41].

Y, de acuerdo con lo expuesto, en principio, el *error en la cantidad* «sólo podrá considerarse relevante para privar de eficacia al contrato cuando se resuelva en error sobre la identidad del objeto»[42]; es decir, este error vicia el consentimiento cuando el contrato se hubiese celebrado en atención a la extensión o disminución de la cosa. En cambio, el simple *error de cuenta* (error accidental), padecido al transcribir o consignar alguna cifra o el padecido en un cálculo u operación matemática, sólo dará lugar a su corrección; habiendo declarado la jurisprudencia que no puede ser motivo de

---

38. Cfr. STS de 14 de febrero de 1994 (RJ 1994, 1469).
39. RJ 1982, 179.
40. Cfr. SSTS de 6 de febrero de 1998 (RJ 1998, 408) y 17 de febrero de 2005 (RJ 2005, 1679).
41. Cfr. SSTS de 9 de abril de 1980 (RJ 1980, 1411) y 4 de enero de 1982 (RJ 1982, 571).
42. Cfr. STS de 9 de abril de 1980 (RJ 1980, 1411).

un recurso, y que puede ser subsanable en ejecución[43]. Pero dicho error de cuenta, «a que se refiere el párrafo 3.º del artículo 1266 del CC, se ciñe al materialmente padecido al transcribir o consignar alguna cifra o al cometido al efectuar cualquier operación matemática con los guarismos referentes a conceptos a estimar, pero no a si éstos, han de ser, en definitiva, computados o no (error cualitativo) o en qué medida (error cuantitativo)»[44].

2.º *Error en la persona.* Este error puede recaer tanto sobre la *identidad* de la persona como sobre las cualidades que en la misma concurran. Según el artículo 1266, párrafo 2.º, del CC, «el error sobre la persona sólo invalidará el contrato cuando la consideración a ella hubiese sido la causa principal del mismo».

Por regla general, en materia de contratación, el error sobre la persona no tiene un carácter básico, pues los contratos suelen celebrarse en consideración a las prestaciones; al comprador, generalmente, le es indiferente quién sea la persona del vendedor. Sin embargo, tampoco es extraño que el consentimiento de una de las partes se haya formado en consideración a la identidad o a las cualidades del otro contratante *(intuitu personae)*, en cuyo caso el error en la persona será causa invalidante del negocio (por ejemplo, se contrata con Luis creyendo hacerlo con Pedro; se contrata con José creyendo que es un retratista al óleo y resulta ser un fotógrafo).

En cambio, no son errores vicio invalidantes:

a) El *error en el negocio.* Por ejemplo, si uno de los contratantes cree (y dice) vender, y el otro entiende que se le arrienda. Este error impide el consentimiento y, por tanto, no existe contrato (art. 1261 CC).

b) El *error sobre la existencia del objeto del contrato.* Igual que en el caso anterior, el error impide la existencia del contrato, pues el objeto es requisito esencial del mismo (art. 1261 CC).

c) El *error sobre los motivos.* Los móviles o motivos, subjetivos, que inducen a celebrar un contrato no son tomados en consideración. Su irrelevancia jurídica se justifica por razones de seguridad del tráfico[45]. No obstante, el Tribunal Supremo ha declarado que «son relevantes los motivos incorporados a la causa, o lo que es igual, la creencia errónea sobre la motivación misma del contrato demostrada por la expresiva conducta de ambos contratantes acerca de lo que constituye la finalidad del contrato»[46].

1.2. *Error de hecho y error de derecho*

El error puede ser de *hecho* y de *derecho*, según recaiga sobre un hecho u objeto (por ejemplo: error sobre la persona del otro contratante o sobre las cualidades del objeto del contrato) o sobre la existencia, contenido o interpretación de una disposición legal.

---

43. Cfr. SSTS de 25 de febrero de 1963 (RJ 1963, 1186) y 18 de diciembre de 1965 (RJ 1965, 5899).
44. Cfr. STS de 18 de diciembre de 1965 (RJ 1965, 5899).
45. Cfr. SSTS de 12 de febrero de 1979 (RJ 1979, 439) y 27 de mayo de 1982 (RJ 1982, 2605).
46. Cfr. STS de 21 de junio de 1978 (RJ 1978, 2359).

La doctrina tradicional no admitía la eficacia invalidante del error de derecho[47], basándose en una errónea interpretación del artículo 6.2 del CC en su versión original, en el que se decía que «la ignorancia de las leyes no excusa de su cumplimiento». En cambio, la doctrina moderna impugnó esta postura, argumentando que en dicho precepto no se contenía una presunción de que toda ley es conocida en su exacta interpretación, sino que el ámbito de la disposición se concreta a expresar que la infracción de la ley no admite excusa fundada en que el infractor desconociera la ley que infringe; y, por consiguiente, se pronunció favorable a la apreciación del error de derecho como vicio del consentimiento, ya que provoca una motivación de voluntad distinta de la que se hubiera producido sin la influencia del error.

Este criterio favorable a la admisión del error de derecho, equiparándolo al error de hecho, también fue acogido por la jurisprudencia, aunque con singular prudencia, pues, como dice la STS de 6 de abril de 1962, «no sólo se exige una prueba plena del error jurídico independiente de los motivos o intenciones de los contratantes, sino que también requiere que recaiga sobre la esencia y sustancia de lo convenido y que sea excusable dadas las circunstancias concurrentes en el caso concreto, lo que elude toda idea de generalización, con la subsiguiente aplicación restrictiva»[48].

Después de la reforma del Título preliminar del Código civil, se ha disipado cualquier duda que todavía pudiera existir al respecto, pues el vigente artículo 6.1, párrafo 2.º, del CC, después de proclamar que la ignorancia de las leyes no excusa de su cumplimiento, advierte que «el error de derecho producirá únicamente aquellos efectos que las leyes determinen». Como puede observarse, el legislador sigue el criterio marcado por la jurisprudencia que le precedía, eludiendo la generalización. En opinión de LUNA SERRANO, al error sobre la existencia y trascendencia de la norma se equipara el error sobre la existencia de una sentencia firme con relación a los asuntos propios del pleito decidido definitivamente por ella (arg. *ex.* art. 1819 CC).

> Según el artículo 1298.1 de la PMDOC, «el contratante que en el momento de celebrar el contrato padezca un error esencial de hecho o de derecho, podrá anularlo si concurre alguna de las circunstancias siguientes: 1.º Que el error hubiera sido provocado por la información suministrada por la otra parte contratante. 2.º Que esta última hubiera conocido o debido conocer el error y fuere contrario a la buena fe mantener en él a la parte que lo padeció. 3.º Que la otra parte hubiera incidido en el mismo error».

En el ámbito de la *contratación internacional,* también se distingue entre error determinante o esencial (error vicio o propio), y error en la transmisión o en la comunicación (error obstativo o en la declaración), si bien al mismo tiempo no se distingue entre error de hecho y error de derecho. En efecto, el artículo 3.4 de los PCCI define el error como «una concepción equivocada sobre los hechos o sobre el derecho, que debió existir al tiempo de la celebración del contrato».

> Tal y como se indica en el comentario oficial a este precepto, «la fijación de este elemento temporal obedece a la necesidad de diferenciar los supuestos en que se aplican las normas del error de aquellos otros en que se deberán ejercer las acciones por incumplimiento. En efecto, muchas veces un caso típico de error puede ser

---

47. Tampoco la jurisprudencia, cfr. STS de 12 de febrero de 1898 (JC 1898, I-68).
48. RJ 1962, 1678. Cfr. también la STS de 21 de mayo de 1963 (RJ 1963, 3586).

considerado como un obstáculo que evita o impide el cumplimiento del contrato. Se aplican las reglas del error si una parte ha celebrado un contrato bajo una falsa concepción de los hechos o del contexto jurídico, y por lo tanto, se equivoca acerca de los efectos del contrato. Si, por el contrario, una parte ha tenido una acertada concepción de las circunstancias fácticas y jurídicas en las que se celebró el contrato, pero incurre en un juicio equivocado acerca de sus efectos y más tarde se niega a cumplirlo, en este supuesto se trata de un caso de incumplimiento más que de error». De acuerdo con dicho planteamiento, el artículo 3.7 de los PCCI indica que «la parte equivocada no puede dar por anulado el contrato invocando error, si los hechos en los que basa su pretensión le otorgan o le podrían haber otorgado derechos y acciones por incumplimiento del contrato».

El error determinante o esencial aparece regulado con un criterio subjetivo, lo cual, evidentemente, favorece la protección del interés del contratante que lo padece. No obstante, dicho criterio se matiza mediante la exigencia de que el error fuera común a las partes o, siendo unilateral, fuera imputable al otro contratante por haberlo provocado o por no haber contribuido a deshacerlo. En palabras del artículo 3.5(1) de los PCCI, «cualquiera de las partes podrá dar por anulado un contrato, basándose en error, únicamente si en el momento de su celebración el error fue de tal magnitud que una persona razonable y en la misma situación, no habría contratado o lo habría hecho en términos sustancialmente diferentes en caso de haber conocido la realidad de las cosas, y además: *a*) la otra parte incurrió en el mismo error, o lo causó, o lo conoció o lo debió haber conocido, y cuando dejar a la otra parte en el error hubiese sido contrario a los criterios comerciales razonables de lealtad negocial; o *b*) en el momento de darse por anulado el contrato, la otra parte no había actuado aún de conformidad con el contrato».

En todo caso, el artículo 3.5(2) de los PCCI señala que «una parte no puede dar por anulado un contrato cuando: *a*) ha incurrido en culpa grave al cometer el error; o *b*) el error versa sobre una materia en la cual la parte equivocada ha asumido el riesgo o si, tomando en consideración las circunstancias del caso, dicha parte debe soportar dicho riesgo»[49].

2. Violencia e intimidación

Según que la violencia o coacción sea física o moral, se distingue entre *violencia* e *intimidación*. Según el artículo 1267, párrafo 1.º, del CC, «hay violencia cuando para arrancar el consentimiento se emplea una fuerza irresistible».

Cabe plantearse si una violencia o coacción «resistible», pero que condicionó la declaración de voluntad, podría considerarse como vicio del consentimiento y, por tanto, daría lugar simplemente a la anulabilidad del contrato. En este sentido parece manifestarse la STS de 8 de marzo de 1958[50]. Es más, algún autor, como GORDILLO, ha defendido que la violencia física, cualquiera que fuere su intensidad, siempre sería un caso de anulabilidad.

El artículo 1267, párrafo 2.º, del CC dice que «hay intimidación cuando se inspira a uno de los contratantes el temor racional y fundado de sufrir un mal inminente y

---

49. Cfr. artículo 4:103 de los PECL.
50. RJ 1958, 1067.

grave en su persona o bienes, o en la persona o bienes de su cónyuge, descendientes o ascendientes»,

El artículo 1299.2 de la PMDOC repite el tenor literal del actual artículo 1267, párrafo 1.º, del CC. En cambio, el apartado 3 del artículo 1299 de la PMDOC indica que «hay intimidación cuando se inspira injustamente a uno de los contratantes el temor racional y fundado de un mal inminente y grave».

La definición legal es suficientemente descriptiva y, por lo tanto, no requiere más que las matizaciones siguientes:

a) Difiere la intimidación de la violencia material o física en que mediante aquélla se coacciona la voluntad, determinándola en un sentido distinto del que libremente hubiera adoptado, mientras que la violencia, constituida por una fuerza irresistible que actúa sobre el sujeto, sustituye su actuación por el hecho productor de dicha fuerza. Mientras que en el primer supuesto existe una voluntad motivada viciosamente, en el segundo falta toda voluntad. De lo cual se deduce que, si aquél es un caso de anulabilidad, éste lo es de inexistencia o nulidad del contrato[51].

b) La intimidación ha de cumplir determinadas condiciones objetivas y subjetivas para ser causa invalidante del negocio: las primeras, en cuanto que el mal con que se amenaza ha de ser *inminente* (es decir, cierto, seguro, actual e inmediato y no problemático o contingente, futuro y remoto), *grave* (es decir, no liviano o superficial) y referirse a intereses tan personales como son los propios, los del cónyuge, descendientes o ascendientes; y, en cuanto a las condiciones subjetivas, la intensidad de la amenaza ha de ser tal que deba racional y fundadamente inspirar temor a la persona sobre quien recae, atendida su edad, estado, etc.[52] Entre la intimidación y el consentimiento otorgado ha de mediar un nexo eficiente de causalidad.

Si bien el precepto legal no ampara el miedo o temor espontáneo o irracional, sin embargo, ALBALADEJO opina que si el otro contratante es consciente de ello y se aprovecha, el contrato deberá ser calificado como inmoral, pudiendo proceder a su anulación el que lo hubiera sufrido.

c) La intimidación ha de ser probada[53].

La injusticia del hecho en que la amenaza consiste es un requisito que el Código civil no establece expresamente como algo que sea propio de la naturaleza de la intimidación. Sin embargo, no se puede prescindir de tal elemento.

La jurisprudencia afirma sin contradicción que el mal a que se refiere el artículo 1267, párrafo 2.º del CC ha de ser injusto y no el que pueda producir el ejercicio legítimo y no abusivo de un derecho[54]; es decir, si la conminación consiste en el ejercicio de las acciones que competen contra el interesado (por ejemplo, solicitar el embargo de los bienes del deudor), es evidente que éste no es objeto

---

51. Cfr. STS de 5 de marzo de 1992 (RJ 1992, 2390).
52. Cfr. SSTS de 28 de marzo de 1957 (RJ 1957, 1185) y 4 de octubre de 2002 (RJ 2002, 9797) y las que citan.
53. Cfr. SSTS de 13 de octubre de 1934 (RJ 1934, 1461), 16 de enero de 1987 (RJ 1987, 300) y 16 de julio de 1991 (RJ 1991, 5391).
54. Cfr. SSTS de 6 de diciembre de 1985 (RJ 1985, 6324) y 4 de octubre de 2002 (RJ 2002, 9797).

de una intimidación viciante[55]. Pero, como también tiene declarado el Tribunal Supremo, es inaceptable como criterio general que no sea causa de intimidación la amenaza de un procedimiento judicial, si se utiliza con el fin ilícito de obtener ventajas o mejorar convenios ya concertados[56]. Por ello, la STS de 21 de marzo de 1950 dice que «la fuerza coactiva de la amenaza de promover un procedimiento judicial contra la persona a quien se pretende intimidar ha de ser, en cada caso, cuidadosamente examinada por los Tribunales, porque si bien en ciertas ocasiones el ejercicio de dicha facultad es justo y legítimo, por constituir un derecho de quien anuncia su utilización, que por una u otra vía pretende obtener lo que le es debido, en otras se convierte en un verdadero chantaje, con trascendencia notoria en distinta esfera jurisdiccional»[57]. Por su parte, la STS de 21 de marzo de 1970 afirma que no existe intimidación por tratarse de un temor leve y, además, haber intervenido el letrado del recurrente en la redacción del documento cuya validez era objeto de impugnación[58].

Por el contrario, se excluye del concepto de intimidación el temor o miedo de intimidación y, por disposición expresa de la ley, el «temor o miedo reverencial», es decir, el temor a desagradar a las personas a quienes se debe sumisión y respeto (cfr. art. 1267, párr. 4.º, CC). Sin embargo, como advierte MANRESA, «en este punto lo más difícil es distinguir el simple temor de desagrado a las personas a quienes se debe respeto, de otras consecuencias más graves que puedan viciar el consentimiento. En efecto, una cosa es el temor de desagradar, y otra el de destitución, tratándose de un empleado; despedida respecto de un criado; desheredación para un descendiente; separación refiriéndose a un cónyuge. Se impone, por tanto, una distinción cuidadosa que en cada caso habrá de practicarse atendiendo a la importancia del contrato, que es el dato al cual siempre habrá de acudirse para apreciar, comparando, la gravedad del mal con que se amenace».

Es indiferente quién sea el autor de la intimidación y, aunque provenga de un tercero, produce la anulación del negocio (cfr. art. 1268 CC). Precisamente en esto se diferencia del dolo.

> Siguiendo el mismo criterio que nuestro Código civil actual, el artículo 1299.5 de la PMDOC señala que «la violencia o intimidación harán anulable el contrato aunque se hayan empleado por un tercero».

También hay que tomar en consideración la posible invalidez de las promesas de recompensa hechas en momento de inminente peligro para la vida, pretendiendo obtener con ellas la ayuda ajena, por ejemplo, en los casos de incendio, naufragio, secuestro, etc. Un sector de la doctrina distingue según que la promesa haya sido espontánea o exigida por el salvador o mediador antes de prestar su ayuda, considerando que en el primer caso el negocio es válido, y, en cambio, en el segundo anulable. Tesis a la cual debe oponerse que el artículo 1268 del CC formula la regla de que un hecho ajeno a la otra parte del negocio puede intimidar al declarante y anular el negocio, y que a igual conclusión deberá llegarse cuando el hecho intimidante proceda de un tercero o bien de una fuerza natural.

---

55. Cfr. SSTS de 16 de diciembre de 1915 (JC 1915, 142) y 21 de junio de 1943 (RJ 1943, 732).
56. Cfr. STS de 18 de febrero de 1944 (RJ 1944, 295).
57. RJ 1950, 709.
58. RJ 1970, 1582.

En la doctrina francesa se ha estimado que la intimidación también anulará la obligación cuando la presión ejercida sobre la voluntad proceda de acontecimientos exteriores fortuitos. Díez-Picazo ha planteado la cuestión de cuál ha de ser el tratamiento jurídico de los contratos celebrados como consecuencia de un miedo espontáneo o de un miedo irracional, así como el de aquellos otros en los cuales el contratante se haya obligado merced a un estado de peligro real, pero en cuya creación no ha intervenido ninguna intervención ajena que pueda ser considerada como amenaza directa y enderezada a provocar la emisión del consentimiento. Por ejemplo, bajo el terror inspirado por un hecho revolucionario una persona vende a bajo precio sus bienes con la finalidad de huir. En rigor, dice este autor, estos supuestos no se encuentran previstos en nuestras leyes civiles; no obstante, recoge la opinión de Albaladejo de que si el otro contratante es consciente de dicho miedo, aprovechándose de ello para obtener unas condiciones injustas o abusivas, el contrato deberá ser calificado de inmoral, pudiendo ser anulado por esta causa[59].

A tenor del artículo 3.9 de los PCCI, «cualquiera de las partes puede dar por anulado un contrato cuando fue inducida a celebrarlo mediante una amenaza injustificada de la otra parte, la cual, tomando en consideración las circunstancias del caso, fue tan inminente y grave que le dejó otra alternativa razonable. En especial, una amenaza se considera injustificada si la acción u omisión con la que el promitente fue amenazado es intrínsecamente ilícita, o era ilícito emplear dicha amenaza como medio para obtener la celebración del contrato». Como se desprende de su tenor literal, no basta con que exista amenaza, sino que ésta debe ser inminente y grave, hasta el punto de que a la persona que la sufre no le quede otra alternativa razonable que celebrar el contrato con las cláusulas propuestas por la otra parte. La inminencia y gravedad de la amenaza deberán valorarse de acuerdo con las circunstancias concretas de cada caso.

La amenaza debe ser, además, injustificada.

> Según el comentario oficial del artículo 3.9 de los PCCI, «la segunda parte del presente artículo señala, a modo de ejemplo, dos supuestos de amenaza injustificada: el primero se refiere al caso de que la acción u omisión con la cual el promitente ha sido amenazado sea intrínsecamente ilícita (por ejemplo, una agresión física). El segundo se refiere, en cambio, a una situación en donde el hecho u omisión con el cual el promitente ha sido amenazado es intrínsecamente lícito, pero la finalidad con la cual se lleva a cabo es ilícita (por ejemplo, ejercer una acción judicial con el único propósito de que la otra parte celebre el contrato con las cláusulas propuestas)».

La amenaza no tiene que ser ejercida necesariamente contra una persona o sus bienes, sino que puede ir dirigida también, y por consiguiente afectar, a la reputación comercial de una empresa o a intereses puramente económicos[60].

3. Dolo

El Diccionario de la Real Academia Española dice que *dolo* significa engaño, fraude, simulación. En los actos y negocios jurídicos puede definirse como la conducta

---

59. Cfr. SSTS de 28 de octubre de 1947 (RJ 1947, 1209) y 4 de diciembre de 1948 (RJ 1948, 1431).
60. Cfr. artículo 4:108 de los PECL.

maliciosa de engañar a alguien o de incumplir una obligación contraída. Es decir, el dolo puede existir en dos momentos diferentes: en la formación y en la ejecución del contrato. En este momento se trata de estudiar el dolo que concurre en el momento de la formación del contrato.

Constituyen dolo, según el artículo 1269 del CC, las maquinaciones o palabras insidiosas mediante las cuales un contratante induce al otro a celebrar un contrato, que sin este influjo no habría hecho. Por consiguiente, dolo es igual a engaño sugerido a un contratante, haciéndole creer lo que no existe (_dolo positivo_) u ocultando la realidad (_dolo negativo_), siendo característico el empeño o intención de producir el engaño (_animus decipiendi_) para que la parte que lo sufre se decida a celebrar el contrato. Es decir, el concepto legal exige la concurrencia de dos requisitos: _a_) el empleo de maquinaciones engañosas, conducta insidiosa del agente que puede consistir tanto en una actuación positiva como en una abstención u omisión, pues, como dice la jurisprudencia, «el dolo como vicio del consentimiento contractual es comprensivo no sólo de la insidia directa e inductora de la conducta errónea del otro contratante, sino también de la reticencia dolosa del que calla o no advierte debidamente a la otra parte en contra del deber de informar que exige la buena fe»[61]; _b_) la inducción que tal comportamiento ejerce sobre la voluntad de la otra parte para determinarla a celebrar el negocio que de otra forma no hubiera realizado[62], no eliminando la existencia del dolo empleado por una de las partes la circunstancia de la ingenuidad o «buena fe» de la otra[63].

El artículo 1300.1 de la PMDOC dice que «hay dolo cuando uno de los contratantes induce al otro a prestar su consentimiento con palabras o maquinaciones insidiosas o mediante la ocultación maliciosa de alguna información que, teniendo en cuenta las circunstancias y conforme a la buena fe, debería haberle comunicado».

Ahora bien, no puede ignorarse que el artículo 1107 del CC contrapone la buena fe al dolo. Como dice la STS de 9 de marzo de 1962, «haciendo coincidir el dolo con la mala fe, para cuya existencia no hace falta la intención de perjudicar o dañar, bastando infringir de modo voluntario el deber jurídico que pesa sobre el deudor, a sabiendas, es decir, conscientemente, con la conciencia de que con el hecho propio realiza un acto antijurídico, que con su actividad ejecuta algo que está prohibido por el Ordenamiento jurídico y hace lo que no debe hacer, debiendo entenderse dolosamente queridos los resultados que, sin ser intencionalmente perseguidos, aparezcan como consecuencia necesaria de la acción»[64]. En este sentido, el Tribunal Supremo ha declarado que «el dolo no implica precisamente la intención deliberada de ocasionar perjuicios a la otra parte»[65], y que hay dolo del vendedor «aunque no tuviera conciencia de que con su silencio causa daño a la otra parte, y menos es necesario que el contratante doloso tenga intención de proporcionarse para sí o para un tercero ventaja o beneficios de carácter patrimonial»[66].

---

61. Cfr. SSTS de 28 de noviembre de 1989 (RJ 1989, 7914), 27 de septiembre de 1990 (RJ 1990, 6903) y 21 de julio de 1993 (RJ 1993, 5102).
62. Cfr. SSTS de 28 de noviembre de 1989 (RJ 1989, 7914) y 11 de junio de 2003 (RJ 2003, 5347).
63. Cfr. SSTS de 15 de julio de 1987 (RJ 1987, 5494) y 15 de junio de 1995 (RJ 1995, 5296).
64. RJ 1962, 1230.
65. Cfr. STS de 1 de octubre de 1986 (RJ 1986, 5229).
66. Cfr. STS de 30 de marzo de 1995.

Como dice la STS de 26 de octubre de 1981, «la noción del dolo carga su acento, en cualquiera de sus formas, en la conducta «insidiosa» (art. 1269 CC) del agente, en la maquinación o astucia, activa o pasiva, por acción o por omisión, del que induce al otro a contratar, no en el error inducido de éste, independientemente de que esta situación psicológica se dé o no en él, dadas las diferencias y consecuencias distintas entre los dos vicios del consentimiento, error y dolo»; y ello, «porque no se puede ni se debe premiar la mala fe ínsita en el dolo so pretexto de la confianza ajena, calificando a ésta de ingenuidad («simplicitas») como si el Derecho debiera ser más el protector de los astutos que el defensor de los confiados»[67]. En todo caso, la STS de 17 de febrero de 2010 recalca que «el dolo abarca y comprende no solo la insidia o maquinación indirecta sino también la reticencia del que calla o no advierte debidamente a la otra parte aprovechándose de ello de igual forma que no elimina la existencia del dolo empleado por una parte la circunstancia de la ingenuidad o buena fe de la otra»[68].

No constituyen dolo (o bien se le denomina *dolus bonus*) las exageradas alabanzas de una cosa para sugerir el ánimo de contratar sobre ella (a través de la propaganda y publicidad), siempre que éstas se produzcan dentro de los límites tolerados por la conciencia social y por los usos, o sea, cuando el destinatario de esas alabanzas exageradas o excesivas, dado el contexto en que tienen lugar, no deba ignorar su verdadero significado en el tráfico comercial. Este planteamiento se debe a que el engaño doloso, por su parte, tiene que suscitar sobre su víctima un error que influya decisivamente en la motivación de su voluntad jurídica, si bien esto no implica que pueda considerarse como *dolus bonus* cualquier tipo de publicidad o propaganda.

De hecho, el artículo 3 de la LGP califica de ilícita la publicidad engañosa, la cual se reputa también un acto de competencia desleal. Según el artículo 5.1 de la LCD, bajo la rúbrica de *Actos de engaño*, «se considera desleal por engañosa cualquier conducta que contenga información falsa o información que, aun siendo veraz, por su contenido o presentación induzca o pueda inducir a error a los destinatarios, siendo susceptible de alterar su comportamiento económico», siempre que incida sobre alguno de los siguientes aspectos: a) La existencia o la naturaleza del bien o servicio. b) Las características principales del bien o servicio, tales como su disponibilidad, sus beneficios, sus riesgos, su ejecución, su composición, sus accesorios, el procedimiento y la fecha de su fabricación o suministro, su entrega, su carácter apropiado, su utilización, su cantidad, sus especificaciones, su origen geográfico o comercial o los resultados que pueden esperarse de su utilización, o los resultados y características esenciales de las pruebas o controles efectuados al bien o servicio. c) La asistencia posventa al cliente y el tratamiento de las reclamaciones. d) El alcance de los compromisos del empresario o profesional, los motivos de la conducta comercial y la naturaleza de la operación comercial o el contrato, así como cualquier afirmación o símbolo que indique que el empresario o profesional o el bien o servicio son objeto de un patrocinio o una aprobación directa o indirecta. e) El precio o su modo de fijación, o la existencia de una ventaja específica con respecto al precio. f) La necesidad de un servicio o de una pieza, sustitución o reparación. g) La naturaleza, las características y los derechos del empresario o profesional o su agente, tales como su identidad y su solvencia, sus cualificaciones,

---

67. RJ 1981, 4001.
68. RJ 2010, 1284.

su situación, su aprobación, su afiliación o sus conexiones y sus derechos de propiedad industrial, comercial o intelectual, o los premios y distinciones que haya recibido. h) Los derechos legales o convencionales del consumidor o los riesgos que éste pueda correr».

El artículo 7.1 de la LCD también considera desleal «la omisión u ocultación de la información necesaria para que el destinatario adopte o pueda adoptar una decisión relativa a su comportamiento económico con el debido conocimiento de causa». Lo mismo debe afirmarse «si la información que se ofrece es poco clara, ininteligible, ambigua, no se ofrece en el momento adecuado, o no se da a conocer el propósito comercial de esa práctica, cuando no resulte evidente por el contexto». Según el párrafo 1.º del artículo 7.2 de la LCD, «para la determinación del carácter engañoso de los actos a que se refiere el apartado anterior, se atenderá al contexto fáctico en que se producen, teniendo en cuenta todas sus características y circunstancias y las limitaciones del medio de comunicación utilizado». En todo caso, cuando el medio de comunicación utilizado imponga limitaciones de espacio o de tiempo, para valorar la existencia de una omisión de información se tendrán en cuenta estas limitaciones y todas las medidas adoptadas por el empresario o profesional para transmitir la información necesaria por otros medios (art. 7.2, párr. 2.º LCD).

Sin embargo, no es preciso que el error así sugerido sea de aquella calidad esencial que por sí sola produzca la anulación del contrato, sino que es suficiente que el error originado mediante el engaño sea cualquier tipo de error, incluso aquél que recae sobre cualidades accidentales de la cosa objeto del contrato; de donde se infiere que el dolo sirve para dar una eficiencia al error accidental de la que éste carece por sí mismo. De ahí que, a diferencia de la violencia y de la intimidación (art. 1268 CC), el efecto invalidante del dolo sólo se produzca cuando el autor del mismo sea parte del negocio (art. 1269 CC) y no, en cambio, cuando el dolo provenga de un tercero extraño al contrato. Ahora bien, como señala Covián, si hubiere habido confabulación, complicidad o simple conocimiento de la maniobra causante del contrato por parte del favorecido, entonces él solo reúne todos los caracteres necesarios para ser tal y, por tanto, servirá de fundamento para la impugnación del contrato. Es decir, que el dolo del tercero sí resultaría relevante si dicho tercero estuviera en connivencia con uno de los contratantes (pues a éste le sería entonces imputable el dolo) o si ese contratante conociera el dolo del tercero y aprovechase para contratar. En este supuesto su conducta también sería dolosa, al omitir informar a la otra parte de la maquinación dolosa del tercero. No obstante, debe advertirse que la jurisprudencia suele negar la posibilidad de anular un contrato por dolo de un tercero, incluso en aquellos casos en que una de las partes conociera la situación y se aprovechara de ella en detrimento de la otra[69], aunque reconoce la posibilidad de que pueda dar lugar al resarcimiento del perjuicio causado por parte de quien urdió la maquinación[70].

Para que el dolo produzca la nulidad del contrato deberá ser grave (dolo *causante*) y referirse al tiempo de la celebración del contrato, requiriéndose, además, una cumplida prueba del mismo, ya que no puede presumirse[71]. Pero una cosa es que el dolo

---

69. Cfr. SSTS de 8 de marzo de 1929 (JC 1929, II-41), 2 de febrero de 1988 (RJ 1988, 588) y 13 de diciembre de 2000 (RJ 2000, 9333).
70. Cfr. STS de 13 de diciembre de 2000 (RJ 2000, 9333).
71. Cfr. SSTS de 18 de julio de 2000 (RJ 2000, 6811), 11 de junio de 2003 (RJ 2003, 5347) y las que citan.

no pueda presumirse nunca y otra distinta que, existiendo un enlace preciso y directo, según las reglas del criterio humano, no pueda admitirse la prueba de presunciones. Pues, según declara la STS de 8 de junio de 1995, lo único que ocurre es que «el ataque o la alteración de los hechos base ha de discurrir por el número 4 del artículo 1692 de la LEC[72] y el nexo lógico o deducción por su número 5, sin que pueda pedirse al Tribunal Supremo que emplee tal medio, ni mezclar el aspecto fáctico con el jurídico y que, en general, los vicios del consentimiento, como temas de hecho, requieren una cumplida prueba»[73].

Si el dolo es *incidental*, es decir, cuando en virtud del daño no se determina la celebración del contrato, que sin el dolo también se habría celebrado, sino que simplemente influye en alguna condición del mismo, sólo obliga al que lo empleó a indemnizar daños y perjuicios (art. 1270 CC). Por tanto, como señala Morales Moreno, el dolo incidental consiste en una manifestación de la llamada culpa *in contrahendo*, la cual genera responsabilidad extracontractual. Habitualmente, esos daños indemnizables consistirán en la mayor onerosidad de la prestación convenida, la cual ha sido producida por el dolo. Este sería el caso, por ejemplo, de la persona que tiene intención de comprar una vivienda, pero a consecuencia del dolo abona por ella un precio muy superior. Sin embargo, hay que reconocer que, desde una perspectiva psicológica, no hay razón que justifique la distinción entre la voluntad global de contratar y la voluntad concreta de hacerlo en determinadas condiciones.

> De acuerdo con el enfoque actual de doctrina y jurisprudencia, el artículo 1300.2 de la PMDOC señala que «para que haga anulable el contrato, el dolo deberá ser grave». Por su parte, el apartado 3 del artículo 1300 de la PMDOC indica que «el dolo incidental solo obliga al que lo empleó a indemnizar daños y perjuicios».

En los negocios unilaterales el dolo puede invocarlo la víctima, cualquiera que sea la persona que lo hubiere puesto en práctica; en cambio, en los negocios bilaterales (contratos), si ambas partes emplearon el dolo, se compensa y ninguno de los contratantes podrá solicitar la impugnación del contrato (art. 1270 CC). Es decir, en los contratos bilaterales, si una de las partes ha empleado el dolo, no puede invocar el de la otra, ya que su invocación está impedida por el dolo propio. Se trataría en este caso de una solución basada en la equidad. Obsérvese que esta regla, por la que se deniega la protección a ambas partes contratantes, es similar a la que se impone cuando la nulidad del contrato proviene de ser la causa ilícita o inmoral, común a ambos contratantes (arts. 1305, párr. 1.º y 1306, núm. 1.º, CC).

> De igual modo, el artículo 1300.2 de la PMDOC dice que «para que haga anulable el contrato, el dolo deberá (...) no haber sido empleado por las dos partes contratantes». Sin embargo, esta no es la solución que existe en otros ordenamientos, porque el artículo 254.1, párrafo 2.º, del Código civil portugués dispone que «la anulabilidad no está excluida por el hecho de ser el dolo bilateral».

El dolo, como vicio del consentimiento a efectos de solicitar la anulabilidad del contrato, tiene que hacerse valer por vía de acción, no de excepción. Por tanto, si lo

---

72. La correspondencia de este precepto en la vigente Ley de enjuiciamiento se encuentra en el artículo 477 de la LECiv.
73. RJ 1995, 4637.

alega el demandado, será preciso para poder apreciarlo que formule reconvención[74]. Cuestión diferente es que se utilice el dolo por vía de excepción (*exceptio doli*) como un simple medio de defensa frente a la acción de cumplimiento ejercitada por la otra parte. Así lo ha declarado nuestra jurisprudencia cuando afirma que resulta admisible alegar como excepción el vicio de consentimiento contractual enmarcado en el dolo, para desvirtuar la pretensión de la otra parte, «sin tratar más profundamente de dejar el contrato sin efecto y rechazar la indemnización correspondiente»[75].

En el ámbito de la *contratación internacional*, el artículo 3.2.5 de los PCCI señala que «una parte puede anular un contrato si fue inducida a celebrarlo mediante maniobras dolosas de la otra parte, incluyendo palabras o prácticas, o cuando dicha parte omitió dolosamente revelar circunstancias que deberían haber sido reveladas conforme a criterios comerciales razonables de lealtad negocial»[76]. La conducta dolosa consiste en crear una imagen falsa de la realidad con la intención de engañar al otro contratante, intención de engañar que es lo que lo diferencia del error provocado.

> Como indica el comentario oficial, «la distinción más importante entre el dolo y el error radica en la naturaleza y fin de las maniobras u ocultamientos de la parte que comete el dolo. La víctima del dolo se encuentra habilitada para anular el contrato en base a las manifestaciones "dolosas" o al ocultamiento de hechos relevantes. Dicha conducta es dolosa al pretender inducir a error a la otra parte para obtener, por ello, cierta ventaja en detrimento de dicha parte. El carácter reprochable de la conducta dolosa es razón suficiente para anular el contrato, sin necesidad de que concurran los requisitos adicionales establecidos en el artículo 3.2.2 para que el error se considere determinante».

BIBLIOGRAFÍA

Alonso Pérez, «El error sobre la causa», *Estudios en honor del prof. Castán Tobeñas*, T. III, Pamplona, 1969, p. 7; Badosa, «Incapacidad de consentir e incapacidad de contratar», *Centenario del Código civil*, Madrid, 1990, p. 191; Borda, «Observaciones a la teoría de los vicios del consentimiento y el error como causa de nulidad de los contratos», ADC, 1961, p. 925; Castro Jover, «Dolo negocial y reserva mental», PJ, 1987, p. 135; Clemente de Diego, *El silencio en el Derecho*, Madrid, 1925; Cossío, *El dolo en el Derecho civil*, Madrid, 1995; De Castro, «El autocontrato en el Derecho privado español», RGLJ, 1927, p. 334; íd., *El negocio jurídico*, Madrid, 1967; íd., «De nuevo sobre el error en el consentimiento», ADC, 1988, p. 403; Díaz Alabart, «La gravedad del dolo», AC, 1987-2, p. 2637; Díaz de Entresotos, *El autocontrato*, Madrid 1990; Díez-Picazo, «La intimidación en la jurisprudencia del Tribunal Supremo», ADC, 1979, p. 545; Fuenteseca, C., *El dolo recíproco*, Madrid, 2002; Gete-Alonso, *La nueva normativa en materia de capacidad de obrar de la persona*, Madrid, 1985; Gordillo, «Violencia viciante, violencia absoluta e inexistencia contractual», RDP, 1983, p. 214; íd., *Capacidad, incapacidades y estabilidad de los contratos*, Madrid, 1986; Jordano Fraga, *Falta absoluta de consentimiento. Interpretación e ineficacia contractuales*, Bolonia, 1988; Ladaria, *Legitimación y apariencia jurídica*,

---

74. Cfr. SSTS de 2 de noviembre de 2001 (RJ 2002, 229), 30 de septiembre de 2002 (RJ 2002, 8489), 16 de diciembre de 2005 (RJ 2006, 157) y 5 de abril de 2006 (RJ 2006, 5313).
75. Cfr. STS de 27 de noviembre de 1998 (RJ 1998, 9324).
76. Cfr. artículo 4:107 de los PECL.

Barcelona, 1952; LENEL, «El error *in substancia*», RDP, 1924, p. 97; MORALES MORENO, «El dolo como criterio de imputación de responsabilidad», ADC, 1982, p. 591; íd., *El error en los contratos*, Madrid, 1987; QUIÑONERO, «El dolo omisivo», RDP, 1979, p. 375; ROCA SASTRE, «Vicios de la voluntad», *Estudios de Derecho privado*, T. I, p. 23; ROJO AJURIA, *El dolo en los contratos*, Madrid, 1994; RUIZ-RICO RUIZ, *La representación en interés del representante*, Santander, 1985; TORRALBA, «La incapacidad contractual», *Estudios en honor del prof. J. Beltrán de Heredia*, Salamanca, 1984, p. 703; VERDA Y BEAMONTE, «Algunas reflexiones en torno a la excusabilidad y recognoscibilidad del error en los contratos», ADC, 1997, p. 1221.

Capítulo XXII
Los elementos esenciales del contrato (II)

I. EL OBJETO

1. Concepto

El segundo de los requisitos que, como necesarios para la existencia del contrato, exige nuestro Código civil es el *objeto,* pues, según el artículo 1261, debe concurrir «objeto cierto que sea materia del contrato». Más adelante, en el artículo 1271 del CC, se indica que pueden ser objeto de contrato todas las cosas, aun las futuras, que no están fuera del comercio de los hombres, y también todos los servicios que no sean contrarios a las leyes o a las buenas costumbres. E insiste, de nuevo, el legislador en el artículo 1272 del CC sobre la posibilidad de que las cosas y los servicios sean objeto de contrato.

> En la doctrina suiza, ENGEL define las buenas costumbres como aquellas nociones básicas, comunes a todas las personas sanas de la población y que equivalen al *minimum* de moralidad que debe ser observada en la vida social, aquí y ahora.

De acuerdo con estos preceptos, parece lógico afirmar que el objeto del contrato lo constituyen las cosas y los servicios a que el mismo se refiere. Y así se dirá que el objeto del contrato de compraventa es la cosa vendida y el precio que ha de pagarse por ella en dinero o signo que lo represente (art. 1445 CC), y el objeto del contrato de mandato es un servicio o un hacer que el mandatario se obliga a prestar por cuenta o encargo del mandante (art. 1709 CC). Esta opinión es la más común en la doctrina, pero no resulta satisfactoria. Obsérvese que, si se adopta este criterio, no se podrá afirmar que todos los contratos tienen un objeto, puesto que determinadas categorías contractuales no encajarían en esta idea. Por ejemplo, en el contrato de cesión de créditos y demás derechos incorporales, el objeto no es una cosa o un servicio, sino un crédito, un derecho o una acción (art. 1526 CC). Lo mismo sucede con el contrato de asunción de deuda, cuyo objeto es un deber jurídico.

Por consiguiente, si nuestro Derecho positivo admite y comprende categorías contractuales que no caben dentro del estricto campo del artículo 1271 del CC, como lo revelan los propios términos del artículo 1272 del CC, quiere decir que el objeto del contrato en general no puede ser limitado al estrecho ámbito de las cosas y servicios. De ahí que gran parte de la doctrina se haya pronunciado en este sentido, diciendo que el objeto del contrato es la realidad social acotada como base (DE CASTRO), la realidad sobre que el negocio versa, la materia de éste (ALBALADEJO), que obliga a admitir no sólo las cosas y servicios, sino también las energías naturales, las obras de creación o ingenio, etc.

Ahora bien, como la delimitación del ámbito del objeto por el sistema de enumeración siempre sería incompleto, la cuestión que se plantea es la de encontrar un concepto que comprenda toda esa realidad. BETTI lo identifica con la idea de interés, por lo que el objeto del contrato serán los intereses de las partes; pero como esta idea se presta a posible confusión, debe sustituirse, como propugna DÍEZ-PICAZO, por la de «*bien*», entendido como aquella realidad susceptible de utilidad o interés. La STS de 5 de junio de 1978 dice que «nuestro Ordenamiento jurídico-civil, aun dentro de la inseguridad terminológica que contiene en su normativa sobre el objeto (...), tiende a establecerlo como aquella realidad sobre la que el contrato incide y en relación a lo que recae el interés de las partes o la intención negocial o móvil esencial del contrato; es decir, el comportamiento a que el vínculo obligatorio sujeta al deudor y que tiene derecho a exigirle el acreedor, referido no al aspecto obligacional objetivo inmediato, o sea, a los derechos y obligaciones que se constituyen, sino al mediato, que puede consistir en un cosa propiamente dicha, bien de la naturaleza exterior o procedente del ingenio humano, o en un acto de una persona, integrador de la prestación»[1].

2. Requisitos

Los requisitos que, según el Código civil, debe reunir el objeto del contrato son los siguientes:

2.1. Posibilidad

Se sigue la regla romana *ad impossibilia nemo tenetur* o *impossibilium nulla obligatio est* (CELSO, D. 50.17.185). El objeto ha de ser real o *posible*, es decir, tiene que existir en el momento de la celebración del contrato (art. 1460 CC)[2], ya que en otro caso no existiría contrato o sería radicalmente nulo. Por ello, el artículo 1272 del CC dice que «no pueden ser objeto de contrato las cosas o servicios imposibles». La imposibilidad que da lugar a la falta de objeto es la originaria, absoluta o total, no la parcial, relativa o sobrevenida. La imposibilidad de los servicios debe entenderse tanto respecto de la actividad como de la inactividad.

También pueden ser objeto de contrato las cosas futuras, como expresamente lo autoriza el artículo 1271 del CC. En este caso son posibles dos modalidades: según que las partes subordinen el contrato a la circunstancia de que la cosa llegue a tener

---

1. RJ 1978, 2219. Cfr. también STS de 10 de octubre de 1997 (RJ 1997, 7069) y 20 de julio de 2006 (RJ 2006, 4734).
2. Cfr. STS de 22 de marzo de 1974.

existencia real (_emptio rei speratae_ o compra de cosa esperada), o bien que por parte de uno de los contratantes se asuma el riesgo de que la cosa futura no llegue a existir (_emptio spei_ o compraventa de esperanza). En ambos supuestos los contratantes adquieren la obligación de observar una conducta que posibilite o no impida que la cosa llegue a existir. En cambio, como excepción, el mismo artículo 1271 del CC, en su párrafo 2.º, prohíbe contratar sobre la herencia futura y sólo admite aquellos contratos cuyo objeto sea practicar entre vivos la división de un caudal conforme al artículo 1056 del CC[3]. Esta prohibición, que responde a la vieja preocupación de considerar dichos contratos inmorales y peligrosos, no tiene carácter absoluto, ya que además de la excepción expresamente consignada en el artículo 1271 del CC existen otras, por ejemplo, como sucede con la promesa de mejorar o no mejorar, que es un verdadero pacto sobre la sucesión futura, y que incluso puede ser irrevocable (arts. 826 y 827 CC). Por otra parte, es preciso matizar que la prohibición contenida en el artículo 1271 del CC se refiere única y exclusivamente a los contratos sobre la universalidad de una herencia, pero no al pacto sobre bienes conocidos y determinados pertenecientes al dominio del cedente a la fecha del mismo[4], o que hubieran de adquirirse por el título de heredero.

Pero, además de esta prohibición, en el Código civil se contienen otras disposiciones especiales para los casos de donación (el art. 625 CC prohíbe comprender en ella los bienes futuros), contrato de sociedad (los arts. 1672 y 1674, párr., 2.º CC prohíben la sociedad universal de bienes futuros) y usufructo (el art. 506, párr. 1.º, CC, que regula la hipótesis del usufructo sobre la totalidad de un patrimonio). También el artículo 43.3 de la LPI dice que «será nula la cesión de derechos de explotación respecto del conjunto de las obras que pueda crear el autor en el futuro».

2.2. Licitud

El objeto ha de ser _lícito_. Pero, como observa Díez-Picazo, las cosas no son por sí mismas lícitas o ilícitas, sino que lo lícito o ilícito es el comerciar con ellas. Por ello, la idea de licitud aplicada a las cosas se convierte en la de «carácter comerciable», en la posibilidad de que una cosa pueda ser objeto de una operación jurídica, es decir, de un contrato.

> Si bien las ermitas o capillas están sujetas, por razón del culto que en ellas se practique, a la jurisdicción eclesiástica, cosa distinta es la propiedad privada y territorial de las mismas; por lo que, dejando al margen dicha jurisdicción, nada se opone a que el dominio y propiedad corresponda a particulares que las levantaron y conservaron[5].

En cambio, la licitud de un servicio sí que se refiere directamente al juicio que merezca un comportamiento según la ley o la moral. De ahí que el Código civil establezca que «pueden ser objeto de contrato todas las cosas que no estén fuera del comercio de los hombres» (art. 1271, párr. 1.º, CC), y respecto de los servicios exija, para que puedan ser objeto de contrato, «que no sean contrarios a las leyes o a las

---

3. Sin embargo, los contratos sucesorios son admitidos por los Derechos civiles forales o especiales.
4. Cfr. SSTS de 8 de octubre de 1915 (JC 1915, III-28), 26 de octubre de 1926 (JC 1926, IV-67) y 16 de mayo de 1940 (RJ 1940, 416 bis).
5. Cfr. STS de 28 de diciembre de 1959 (RJ, 1959, 4804).

buenas costumbres» (art. 1271, párr. 3.º, CC). Un ejemplo de servicios ilícitos es el del arrendamiento de servicios hecho por toda la vida (art. 1583 CC).

Como cosas fuera del comercio, la doctrina y la jurisprudencia enumeran los siguientes: *a*) los bienes de dominio público (art. 339 CC); *b*) los bienes no susceptibles de apropiación; y *c*) los bienes o derechos que tienen carácter indisponible (el estado civil, los derechos de la personalidad, etc.). No obstante, se pueden celebrar contratos, sujetos a ciertas condiciones legales, sobre partes y órganos del cuerpo humano. Otro grupo de cosas lo constituyen aquellas cuyo comercio se encuentra prohibido (por ejemplo: las sustancias psicotrópicas, las armas, etc.). Respecto de las mismas podrá tratarse de algo sobre lo que no se puede contratar, por exceder de los límites de la autonomía privada (art. 1255 CC); o podrá considerarse que el contrato tiene causa ilícita; o que, simplemente, es un acto merecedor de sanciones penales o administrativas (DÍEZ-PICAZO, PUIG BRUTAU). En definitiva, las cosas pueden estar fuera del tráfico por su propia naturaleza o por determinación legal; pero, como advierte CASTÁN, conviene tener en cuenta que la noción de extracomercialidad es relativa, pues en muchos casos tiene que ser resuelta en relación con cada contrato.

2.3. *Determinabilidad*

El objeto ha de ser *determinado* o *susceptible de determinación*, es decir, como indica el artículo 1261 del CC, el objeto debe ser cierto. No obstante, con mayor precisión el artículo 1273 del CC aclara que «el objeto de todo contrato debe ser una cosa determinada en cuanto a su especie», si bien «la indeterminación en la cantidad no será obstáculo para la existencia del contrato, siempre que sea posible determinarla sin necesidad de nuevo convenio entre los contratantes»[6]. Hoy en día son muy corrientes las ventas que versan sobre cosas o productos que el vendedor se obliga a fabricar y entregar en un determinado plazo, o en las que el precio se fija según la cotización en bolsa o según tarifa vigente en determinada fecha.

De hecho, la STS de 7 de junio de 2011 señala que «la doctrina admite que la relativa indeterminación de alguno de los elementos del objeto del contrato no es obstáculo para su perfección siempre que exista consentimiento sobre elementos que sean "suficientes" para que pueda ejecutarse, y no rechaza la posibilidad de su determinación por una de las partes siempre que existan ciertos límites que pongan coto a su posible arbitrariedad». En el caso resuelto por la sentencia mencionada «no hay indeterminación del precio, porque el compromiso de la compañía abastecedora es el de mantener unos precios competitivos que se van fijando durante la vigencia del contrato por sucesivos acuerdos entre las partes. De aquí que tenga poco sentido anular un contrato por indeterminación del precio cuando resulta, de un lado, que el precio del producto suministrado, por la propia naturaleza del contrato, no puede ser el mismo durante toda su vigencia, y de otro, que la determinación del precio se ha producido, por definición, al emitir sus facturas la abastecedora sin objeción de la compradora». Por eso se concluye que «la obligación que contrae el proveedor, en contratos de larga duración sobre productos cuyos precios experimentan oscilaciones significativas, es que los precios sean competitivos, cualidad que en cada

---

6.   Cfr. SSTS de 28 de octubre de 1952 (RJ 1952, 2298), 22 de febrero de 1968 (RJ 1968, 1192), 10 de octubre de 1997 (RJ 1997, 7069) y 19 de mayo de 2008 (RJ 2008, 3091).

suministro puede exigir la otra parte contratante con base en el contrato, por lo que no hay indeterminación del precio sino determinación sucesiva durante la vigencia del contrato»[7].

Por lo que se refiere al modo de llevar a cabo la determinación ulterior, para evitar repeticiones, procede remitirse a lo expuesto al tratar del objeto de la obligación.

II. LA CAUSA

1. Concepto

La palabra «_causa_» significa el fin con el cual o por el cual se hace alguna cosa. Por consiguiente, referida al contrato, debe explicar el fin con qué o por qué se otorga el consentimiento en orden al objeto; es decir, la causa responde a la pregunta de por qué se celebra un contrato. Obsérvese que la consideración aislada de las prestaciones y facultades relativas a un objeto cierto, por ejemplo, la obligación de entregar una cosa, revela cuál es el objeto sobre que recae el negocio que las originó; pero, en cambio, no sirve para determinar la índole, tipo o especie de negocio en cuestión. En efecto, la misma obligación de entregar cierta cosa puede ser el contenido de una venta, de una permuta, de un arrendamiento, de comodato, de depósito, de pago, etc.

La indagación de la causa jurídica ha dado lugar a una abundante controversia en la doctrina. Como señala SANCHO REBULLIDA, «el concepto de causa ha sido una de las inversiones más pródigas de la doctrina civil; en relación con él, todo está oscuro y todo es discutido: desde su existencia como elemento independiente hasta su utilidad práctica; desde su referencia (el negocio jurídico, el contrato, la atribución patrimonial, la obligación) hasta su carácter subjetivo u objetivo; se discute su consistencia, su ámbito, su función, etc. Hay autores para quienes la causa, junto con la declaración de voluntad, son los dos únicos elementos esenciales del negocio jurídico; y hay tesis anticausalistas que niegan la existencia del elemento (separado del objeto y del consentimiento) y, por tanto, la utilidad del concepto».

2. La causa en el Código Civil

El tercer requisito que, como necesario, para la existencia del contrato exige el Código civil es la _causa;_ según el artículo 1261 del CC, debe concurrir «causa de la obligación que se establezca». Y lo define en el artículo 1274 del CC, diciendo que «en los contratos onerosos se entiende por causa, para cada parte contratante, la prestación o promesa de una cosa o servicio por la otra parte; en los remuneratorios, el servicio o beneficio que se remunera, y en los de pura beneficencia, la mera liberalidad del bienhechor».

El primer reproche que se hace a la regulación del Código civil es su contradicción terminológica, pues unas veces habla de causa del contrato (arts. 1275, 1276, 1277 CC y rúbrica que los precede) y otras de causa de la obligación (art. 1261 CC). Cuestión a la que se debe contestar diciendo que la causa a la que se refiere la ley es la del contrato y no la de la obligación, pues la causa (fuente o nacimiento) de ésta es el contrato.

---

7.   RJ 2011, 4398.

Pero tampoco está exento de críticas el concepto de causa contenido en el artículo 1274 del CC. Este precepto ha sido criticado por no formular una definición genérica y unitaria, sino referida a los diferentes tipos contractuales, que, además, es incompleta. Obsérvese que sólo dice cuál es la causa de los contratos gratuitos (a los que llama de beneficencia), pues respecto de los onerosos se refiere a la causa de cada una de las obligaciones de los contratantes. Aparte de no comprenderse bien la categoría de los que denomina remuneratorios, puesto que si la prestación o el servicio que se remunera es exigible se trata de un contrato oneroso; y si es un servicio o beneficio por el que la otra parte no puede pretender retribución, al remunerarlo se lleva a cabo una liberalidad. De ahí que un sector de la doctrina considere que se está refiriendo a la donación remuneratoria.

En cambio, lo que no plantea discusión es que en este artículo se recoge la concepción objetiva de la causa. En él se identifica la causa con el fin abstracto, típico y siempre el mismo para cada categoría de contratos, con independencia de la finalidad o propósitos subjetivos (móviles) que las partes puedan pretender al celebrar el contrato, y que se consideran irrelevantes[8]. Es decir, en la compraventa, la causa o finalidad típica es el cambio de una cosa por dinero; en el arrendamiento, el cambio de goce de una cosa por una merced; en la donación, enriquecer al donatario, etc. Dicho de otro modo, la causa determinará si el negocio es una compraventa, un arrendamiento o una donación. También el Tribunal Supremo ha seguido este criterio, distinguiendo entre la causa y el motivo o fin práctico que llevó a las partes a celebrar el contrato. En este sentido, la STS de 22 de febrero de 1940 dice que «la causa en el contrato de compraventa no es la razón primera o determinante de la voluntad o el fin u objeto que se persigue por encima o con independencia de los efectos propios de la convención, sino que lo es, para el vendedor, el precio estipulado, y para el comprador, la cosa a cuyo dominio aspira»[9].

Sin embargo, el Código civil da entrada también a los móviles o motivos a través del artículo 1275 del CC, al decir que los contratos con causa ilícita no producen efecto alguno, y que es ilícita la causa cuando se opone a las leyes o a la moral. Lo que obliga al Tribunal Supremo a decir que, «aun dadas las dificultades técnicas para delimitar el ámbito de la causa y del móvil que lleva a su celebración, hay casos en que una y otra se comprenden y es procedente aplicar la idea matriz que late en nuestro Ordenamiento jurídico al reputar ineficaz todo contrato que persigue un fin ilícito e inmoral, cualquiera que sea el medio empleado por los contratantes para lograr esa finalidad apreciada en su conjunto, por lo que en definitiva esa doctrina proclama el imperio de la teoría subjetiva de la causa individual, impulsiva y determinante, elevando por excepción el móvil a la categoría de verdadera causa en sentido jurídico, cuando imprime a la voluntad la dirección finalista e ilícita del negocio»[10].

Además, la jurisprudencia admite que «los móviles o motivos particulares puedan llegar a tener trascendencia jurídica, cuando se incorporan a la declaración de

8. Cfr. SSTS de 19 de noviembre de 1990 (RJ 1990, 8956), 8 de mayo de 1991 (RJ 1991, 3577), 8 de abril de 1992 (RJ 1992, 3023) y 28 de abril de 1993 (RJ 1993, 2952).
9. RJ, 1940, 102. Cfr. también SSTS de 16 de febrero de 1935 (RJ 1935, 462), 6 de diciembre de 1947 (RJ 1947, 1359) y 20 de enero de 1965 (RJ 1965, 160).
10. Cfr. SSTS de 24 de marzo de 1950 (RJ 1950, 711), 20 de enero de 1960 (RJ 1960, 895), 26 de abril 1962 (RJ 1962, 1709) y 1 de abril de 1982 (RJ 1982, 1930).

voluntad en forma de condición, modo, etc., viniendo a constituir parte de aquella a modo de causa impulsiva y determinante tanto de su licitud como de su ilicitud»; si bien exige que «deberán ser reconocidos por ambos contratantes y exteriorizados o al menos relevantes»[11].

Precisamente esta apertura legal y jurisprudencial, que toma en consideración los motivos o fines ilícitos, obliga, como advierten DÍEZ-PICAZO y GULLÓN, a preguntarse por qué no predicar que también los fines lícitos son causas negociales, y no solo el fin o móvil ilícito. Desde luego, parece claro que también los fines lícitos son causas negociales, pues no ofrece duda que cuando una persona compra, arrienda, dona o toma en préstamo lo está haciendo con una concreta finalidad práctica. Por consiguiente, integrar en la causa la finalidad de lograr un determinado resultado práctico es simplemente adecuarse a la realidad, al verdadero significado de la causa. Eso sí, como dicen los autores antes citados, el propósito, para que tenga relevancia, ha de ser común a las partes contratantes o, al menos, tiene que haber sido reconocido y no rechazado por la otra, que consiente en la celebración del negocio para alcanzarlo. Cuando no exista una finalidad específica, se deberá estimar que la causa se encuentra en el propósito de alcanzar el fin genérico del negocio.

> Este es el criterio por el que se ha decantado la Propuesta para la modernización del Derecho de obligaciones y contratos, pues su artículo 1238.3 dice que «el régimen jurídico aplicable a cada contrato es el que corresponde al conjunto de propósitos prácticos acordado por las partes, cualquiera que sea el nombre asignado o el tipo utilizado». En todo caso, añade el artículo 1238.4 de la PMDOC que «cuando un contrato contenga elementos de diversos contratos típicos, se aplicarán conjuntamente las disposiciones relativas a estos contratos en aquello que se adecue con la causa del contrato celebrado».

3. Requisitos de la causa

De los artículos 1275 y 1276 del CC se deduce que requisitos de la causa son los tres siguientes:

3.1. *Existencia*

La causa ha de existir. Los contratos sin causa no producen efecto alguno (art. 1275, párr. 1.º, CC), pero, aunque la causa no se exprese en el contrato, se presume que existe mientras el deudor no pruebe lo contrario (art. 1277 CC). De hecho, el Tribunal Supremo ha vinculado el reconocimiento de deuda con valor jurídico en el artículo 1277 del CC a una presunción de causa en el contrato, aunque ésta no se fije expresamente en el contrato[12]. Es decir, la presunción legal a favor de la existencia de la causa da lugar a la inversión de la carga probatoria en beneficio del acreedor[13], aunque no impide que el deudor acredite lo contrario por cualquiera de los medios

---

11. Cfr. SSTS de 8 de julio de 1977 (RJ 1977, 3499), 30 de septiembre de 1988 (RJ 1988, 6937), 21 de julio de 2003 (RJ 2003, 5850) y las que éstas citan.
12. Cfr. SSTS de 20 de noviembre de 1992 (RJ 1992, 9421), 11 de marzo de 1993 (RJ 1993, 1790), 27 de julio de 1994 (RJ 1994, 6573), 28 de septiembre de 1998 (RJ 1998, 7287) y 23 de diciembre de 1999 (RJ 1999, 9362), entre otras.
13. Cfr. SSTS de 14 de marzo de 1958 (RJ 1958, 1432) y 20 de enero de 1965 (RJ 1965, 160).

enunciados en el artículo 299 de la LEC, o por medio de meras presunciones que lleven al juzgador a la convicción de la falta de seriedad del contrato y de la ausencia en el mismo del tercer requisito del artículo 1261 del CC[14]. Como dice la STS de 1 de marzo de 2002, el artículo 1277 del CC sanciona una abstracción procesal que dispensa de probar a quien invoca la existencia del contrato y, con inversión o desplazamiento de la carga de la prueba, hace recaer el *onus* sobre quien la niega[15]. Sin embargo, sólo se trata de una presunción legal de naturaleza no *iuris et de iure*, sino *iuris tantum*, que, como tal, admite prueba en contrario, de modo que no puede considerarse infringida cuando el Tribunal de apelación la declara destruida tras valorar la prueba[16].

> Según el artículo 1238.1 de la PMDOC, son nulos los contratos sin causa. Pero el párrafo 1.º del artículo 1238.2 de la PMDOC añade que, aunque la causa no se exprese en el contrato, se presume que existe mientras no se pruebe lo contrario.

3.2. Licitud

La causa ha de ser lícita. Los contratos con causa ilícita no producen efecto alguno. Es ilícita la causa cuando se opone a las leyes o la moral (art. 1275 CC). Si bien se presume que es lícita la causa en tanto que el deudor no pruebe lo contrario (art. 1277 CC). Es decir, también aquí la prueba de la ilicitud de la causa atañe a quien impugne el contrato, encontrándose el acreedor amparado por una presunción legal que le dispensa de la carga de la prueba[17].

> El artículo 1238.1, párrafo 1.º, de la PMDOC determina que son nulos los contratos cuya causa sea contraria a la ley o a la moral. No obstante, añade el párrafo 1.º del artículo 1238.2 de la PMDOC que se presume que la causa es lícita mientras no se pruebe lo contrario».

El concepto de causa ilícita, tal y como la desenvuelve y aplica con gran amplitud y flexibilidad la doctrina moderna, permite cobijar no sólo las convenciones ilícitas por razón de su objeto o de su motivo (cuando este último puede y deba ser tomado en consideración, por estar integrado en el contenido del contrato); sino también otras muchas que no encerrando en sí ningún elemento de directa antijuridicidad son ilícitas por el matiz inmoral que reviste la operación en su conjunto, como sucede en aquellos casos en que se promete determinada retribución a una persona para que cumpla una obligación a la que ya está sujeta, jurídica o moralmente[18]. De hecho, en la jurisprudencia se encuentran múltiples ejemplos de causa ilícita[19]. Sin embargo, CLAVERÍA, aun con dudas, considera que existen casos límites entre la falta de causa y la causa ilícita que deberían ser subsumidos en la inexistencia de causa. Se refiere

---

14. Cfr. SSTS de 19 de diciembre de 1990 (RJ 1990, 10312), 18 de mayo de 1995 (RJ 1995, 3927) y 18 de octubre de 1997 (RJ 1997, 7270).
15. RJ 2002, 3281.
16. Cfr. STS de 23 de febrero de 2005 (RJ 2005, 1694).
17. Cfr. SSTS de 20 de enero de 1965 (RJ 1965, 160) y 19 de diciembre de 1990 (RJ 1990, 10312).
18. Cfr. SSTS de 2 de abril de 1941 (RJ 1941, 493) y 2 de diciembre de 1981 (RJ 1981, 5348), entre otras.
19. Cfr. SSTS de 12 de abril de 1946 (RJ 1946, 418), 24 de marzo de 1950 (RJ 1950, 711), 4 de abril de 1961 (RJ 1961, 1244) y 20 de diciembre de 1985 (RJ 1985, 6604).

a aquellos supuestos en los que se pacta una atribución patrimonial a cambio de una conducta o una abstención no ilegales en sí, pero que el ordenamiento no considera suficientes para justificar dicha atribución, al no concurrir tampoco ánimo de liberalidad ni ningún otro móvil digno de tutela legal. A tal efecto, cita los casos recogidos en las STS de 21 de febrero de 1924 (precio que se recibe por no denunciar a la novia relaciones sexuales anteriores del prometido)[20] y en la STS de 11 de diciembre de 1986 (transmisiones de inmuebles y dinero a cambio de no denunciar a la Administración infracciones fiscales)[21].

3.3. *Veracidad*

La causa ha de ser verdadera. La expresión de una causa falsa en los contratos dará lugar a la nulidad, si no se probase que estaban fundados en otra verdadera y lícita (art. 1276 CC).

> El artículo 1238.2, párrafo 2.º, de la PMDOC repite el tenor literal del artículo 1276 del CC.

Según el criterio predominante en la doctrina, falsedad de la causa es la disconformidad entre la que expresa el contrato y aquella que realmente existe y ha sido encubierta. Por ejemplo, la causa será falsa si declaro que me obligo a entregar una cantidad de dinero como precio de una mercancía, y en realidad me he comprometido por haber recibido anteriormente dicha cantidad en concepto de préstamo. Por consiguiente, en este sentido, la causa falsa constituye un supuesto de simulación relativa, que no entraña necesariamente la nulidad del contrato; es decir, al amparo de lo dispuesto en el artículo 1276 del CC se admite la validez de los negocios disimulados justificados por causa verdadera y lícita[22].

La falsedad de la causa propiamente dicha se confunde con la inexistencia de causa, y da lugar a la inexistencia o nulidad del contrato.

> A tenor del artículo 1238.1, párrafo 2.º, de la PMDOC, «ninguna de las partes a quien se impute en el mismo grado la torpeza de la causa podrá reclamar lo dado en virtud del contrato nulo».

En los *contratos internacionales* se prescinde del requisito de la causa, de modo que el solo acuerdo de las partes es suficiente para la celebración, modificación o extinción del contrato. En este sentido, el artículo 23 de la CISG dice que «el contrato se perfeccionará en el momento de surtir efecto la aceptación de la oferta conforme a lo dispuesto en la presente Convención». Por su parte, según el artículo 3.2 de los PCCI, «todo contrato queda celebrado, modificado o extinguido por el mero acuerdo de las partes, sin ningún otro requisito».

III. CONTRATOS CAUSALES Y ABSTRACTOS

Conforme a nuestro Derecho, los contratos tienen siempre una causa. Esta tajante afirmación se fundamenta en que en nuestro ordenamiento jurídico no cabe

---

20. JC 1924, I– 93.
21. RJ 1986, 7432.
22. Cfr. STS de 9 de mayo de 1988 (RJ 1988, 4048).

prescindir de lo imperativamente ordenado en los artículos 1261.3.º y 1275 del CC, en cuanto proclaman la necesidad de la causa para la existencia del contrato con la obligada consecuencia de que su falta será determinante de la ineficacia negocial[23]. Por ello, no puede afirmarse que el contrato causal es el que tiene causa y contrato abstracto el que no la tiene; y, como dice DE CASTRO, «el artículo 1255 del CC, que se aduce en favor de la validez del pacto abstracto (promesa o reconocimiento de deuda), no lo permite, ya que el mismo precepto expresamente limita la libertad de contratar, diciendo que los contratantes pueden establecer los pactos que tengan por conveniente, *siempre que no sean contrarios a las leyes*; y las normas legales, como se ha visto, dicen *que no hay contrato* si éste no tiene causa».

Sin embargo, algunos autores, sin negar la necesidad de la causa para la existencia del contrato, se plantean la posibilidad de la distinción entre contratos causales y contratos abstractos basándose en el artículo 1277 del CC, a cuyo tenor «aunque la causa no se exprese en el contrato, se presume que existe y es lícita mientras el deudor no pruebe lo contrario». Entienden que la abstracción se manifiesta en el hecho de que el contrato no exprese la causa (por ejemplo, «A» se compromete a pagar una determinada suma de dinero a «X», «A» reconoce deber una determinada cantidad de dinero a «X», sin hacer referencia al origen de la deuda), es decir, parten de la idea de que no puede existir un contrato sin causa; pero consideran causales los contratos que expresan la causa y abstractos aquellos otros que no la mencionan. En los primeros, de la existencia y licitud de la causa depende la validez y eficacia del contrato; en los segundos, el contrato es obligatorio y eficaz, y no puede el deudor alegar la inexistencia (*inexpresión*) de la causa para no cumplir. Ahora bien, como puede observarse, en realidad no se trata de verdaderos contratos abstractos sino de una abstracción permanente *formal* o *procesal* que presupone la necesidad de la causa, permitiendo que aquélla no se exprese; pues lo único que se pretende es invertir la carga de la prueba[24].

En este sentido, es significativa la STS de 28 de septiembre de 1998, que afirma que «el reconocimiento de deuda no crea obligación alguna, es un negocio jurídico unilateral por el que su autor declara o, lo que es lo mismo, reconoce la existencia de una deuda previamente constituida; contiene, pues, la voluntad negocial de asumir y fijar la relación obligatoria preexistente, se le aplica la presunción de existencia de causa del artículo 1277 del CC y el autor, autores o causahabiente en el presente caso, queda obligado a cumplir la obligación cuya deuda ha reconocido (...), a su vez, al reconocimiento de deuda se le atribuye una abstracción procesal, que dispensa de probar la obligación cuya deuda se ha reconocido»[25].

En nuestro Derecho, la abstracción opera respecto de algunos títulos-valores, siempre que el adquirente del mismo lo sea de buena fe. Es el caso del prestatario que para pagar su deuda acepta una letra de cambio, y el prestamista, librador de la cambial, la endosa a un tercero extraño al negocio. Como es sabido, llegado el día del vencimiento de la letra de cambio, si el tenedor de la misma exige el pago, el prestatario (aceptante de la letra) no podrá alegar la falta de causa o no haber recibido la cantidad de dinero consignada en la letra, sin perjuicio de que (fuera del juicio

---

23. Cfr. STS de 30 de junio de 1983 (RJ 1983, 3698).
24. Cfr. STS de 15 de febrero de 1989 (RJ 1989, 967).
25. RJ 1998, 7287. Cfr. STS de 18 de septiembre de 2006 (RJ 2006, 6362).

ejecutivo) pueda repetir contra con quien contrató con el (librador) (art. 33 LCCh). Por consiguiente, la obligación cambiaria _inter partes_ se manifiesta como una obligación causal (su abstracción es simplemente formal o procesal) y _frente a terceros_ como una obligación abstracta. Ahora bien, según advierte Paz Ares, esta abstracción no es material (que opera _ratione materiae_, por razón del negocio que se realiza sin expresar la causa), sino personal, que opera por razón de la clase de persona (tercero) a que afecta la relación obligatoria.

En consecuencia, como indica Amorós, debe señalarse que la presunción de causa expresada en el artículo 1277 del CC «se establece por conveniencias prácticas para facilitar la reclamación del acreedor, pero su vigencia presupone la existencia de un sistema causal. Si la causa no fuera necesaria, no tendría sentido la presunción como medio de prueba de la misma. Por eso no se puede justificar la figura del contrato abstracto partiendo de esa presunción, y es incompatible con el sistema causal en que la presunción actúa».

IV. LA FORMA

1. Introducción

Todo acto con significación en el orden del Derecho necesita una _forma_, puesto que no puede ser reconocido ningún efecto jurídico sin que se den en alguna manera los supuestos fundados en la misma naturaleza de las cosas. Así, en el contrato se presupone siempre el consentimiento de las partes, en lo cual hay en cierto modo una forma, por cuanto de este supuesto surge el tipo de configuración contractual.

Pero no es este sentido lato o general el que ahora nos interesa, pues la forma en su propia acepción va más allá de los supuestos dados en la relación jurídica. Efectivamente, que el consentimiento exista es un presupuesto ineludible de cualquier figura contractual, pero que este consentimiento se exprese en documento escrito, público o privado, haciéndolo o no objeto de inscripción en determinado registro para que aquél produzca sus efectos propios, o simplemente para asegurar la ejecución de los mismos, o meramente la prueba de su existencia, etc., son cuestiones relativas a la forma en su sentido estricto.

Es este concepto el que ahora nos interesa, la forma como medio exigido para la expresión de la declaración de voluntad contractual.

La forma puede ser _voluntaria,_ cuando por voluntad de las partes se utiliza o se exige un medio concreto y determinado para exteriorizar el acuerdo de voluntades; y _legal,_ cuando el medio de exteriorización lo impone la ley. Desde otra perspectiva, la forma puede ser _oral_ o _escrita_ o _documental_[26]. Y la forma legal (generalmente escrita) puede ser _privada_ o _pública,_ según que se exija o no la intervención de notario o funcionario público competente. Y, desde el punto de vista de sus efectos, se distingue entre forma _ad substantiam_ o _ad solemnitatem_ y forma _ad probationem_. La primera es un elemento constitutivo del contrato, el cual no existe sin dicha forma; la segunda es exigida como simple medio probatorio, excluyéndose la admisibilidad de una prueba diferente, pero, aunque no se observe, el contrato existe y es válido. Otras veces la

---

26. La firma es un elemento de la forma escrita.

forma no tiene carácter constitutivo ni probatorio, sino que se exige para que el negocio surta efectos frente a terceros, para que sea oponible a ellos (arts. 1230 y 1865 CC).

Nuestro Derecho positivo sigue el sistema espiritualista o de libertad de forma. El Código civil recoge el principio establecido en el Derecho histórico, concretamente en el Ordenamiento de Alcalá de 1340[27], pues dispone el artículo 1278 del CC que «los contratos serán obligatorios, cualquiera que sea la forma en que se hayan celebrado, siempre que en ellos concurran las condiciones esenciales para su validez»[28]. Por consiguiente, el concurso de la oferta y la aceptación sobre la cosa y la causa que ha de constituir el contrato (art. 1262 CC) son suficientes para la existencia y validez del mismo, sin que se exija una forma concreta, de modo que la forma sólo deberá ser considerada como requisito esencial del contrato en aquellos casos en que una norma expresamente la imponga[29]. Como dice ROCA SASTRE, debe entenderse que la forma es *ad solemnitatem*: *a)* cuando la disposición legal utilice la frase «bajo pena de nulidad»; *b)* cuando la disposición prohíba lo contrario; *c)* cuando la disposición esté redactada en términos imperativos o preceptivos y sin atenuaciones. No obstante, el propio autor reconoce que en el último supuesto es muy dudoso que la forma sea *ad solemnitatem* cuando la ley utiliza la fórmula «se harán por escrito» u otras similares.

Obviamente, la Propuesta para la modernización del Derecho de obligaciones y contratos sigue el criterio de libertad de forma al afirmar su artículo 1239, párrafo 1.º, que «los contratos se perfeccionan por el mero consentimiento, cualquiera que sea la forma en que se haya manifestado, salvo que por ley o por voluntad de las partes se exija para su validez que conste por escrito u otro requisito adicional». De hecho, el artículo 1240, párrafo 1.º, de la PMDOC añade que «habrán de constar para su validez en documento público los contratos para los que la ley así lo disponga expresamente.

El artículo II.-1:106(1) del DCFR señala que «un contrato o cualquier otro acto jurídico no necesita celebrarse, redactarse o probarse por escrito, ni está sujeto a ningún otro requisito de forma». Como dice el comentario oficial, el principio de libertad de forma «cuenta con una amplia aceptación entre los distintos ordenamientos jurídicos, al menos en lo que se refiere a los contratos comerciales. En el caso de los contratos internacionales resulta especialmente importante, ya que muchos de estos actos deben celebrarse o modificarse sin los retrasos que la adopción de determinados requisitos de forma implicaría».

Por otra parte, el artículo 1260 del CC dispone que «no se admitirá juramento en los contratos», añadiendo que «si se hiciese se tendrá por no puesto». Con esta disposición se pretende, según MANRESA, simplificar la forma de la contratación y, a la vez, procurar la libertad de los contratantes, impidiendo que sobre la conciencia de ellos pesara con el juramento la precisión de someterse a un convenio nulo. Si, no obstante, se incluye el juramento, este no producirá ningún efecto y, por tanto, no dará lugar a la nulidad del contrato.

---

27. En la ley única de su título 16 establece que «sea valedera la obligación o el contrato que fueren fechos en cualquier manera que parezca que alguno se quiso obligar a otro a facer contrato con él». Más tarde esto se expresó en la conocida máxima «de cualquier modo que el hombre quiera obligarse queda obligado».
28. Cfr. SSTS de 30 de septiembre de 1988 (RJ 1988, 6939) y 23 de noviembre de 1989 (RJ 1989, 7905).
29. Cfr. STS de 23 de noviembre de 1989 (RJ 1989, 7905).

No obstante, no puede ignorarse que en la actualidad existen numerosos ejemplos en nuestra legislación en que se exigen requisitos formales para la validez de ciertos contratos e, incluso, en que se determina con carácter obligatorio el contenido mínimo de los mismos. Este fenómeno, que se viene manifestando con nitidez en materia de protección de consumidores, ha llevado a la doctrina a hablar de un «renacimiento del formalismo». El fin que pretende este formalismo de nuevo cuño es intentar proteger el consentimiento del consumidor frente a los riesgos que la moderna contratación en masa le impone a la hora de actuar en el tráfico jurídico.

El sistema de la *contratación mercantil* se inspira, como el civil en el principio de libertad de forma[30], pues el artículo 51, párrafo 1.º, del CCom señala que «serán válidos y producirán obligación y acción en juicio los contratos mercantiles, cualesquiera que sean la forma y el idioma en que se celebren, la clase a que correspondan y a cantidad que tengan por objeto, con tal que conste su existencia por algunos de los medios que el Derecho civil tenga establecidos. Sin embargo, la declaración de testigos no será por sí sola bastante para probar la existencia de un contrato cuya cuantía exceda de 1.500 pesetas, a no concurrir con alguna otra prueba». Respecto de la correspondencia telegráfica, el párrafo siguiente matiza que sólo producirá obligación «entre los contratantes que hayan admitido este medio previamente y en contrato escrito, y siempre que los telegramas reúnan las condiciones o signos convencionales que previamente hayan establecido los contratantes, si así lo hubiesen pactado».

Sin embargo, a continuación, el Código de comercio establece una serie de excepciones que merman considerablemente la amplitud del mencionado principio de libertad de forma al decir su artículo 52 que «se exceptuarán de lo dispuesto en el artículo que precede: 1.º Los contratos que, con arreglo a este Código o a las Leyes especiales, deban reducirse a escritura o requieran formas o solemnidades necesarias para su eficacia. 2.º Los contratos celebrados en país extranjero en que la Ley exija escrituras, formas o solemnidades determinadas para su validez, aunque no las exija la Ley española. En uno y otro caso, los contratos que no llenen las circunstancias respectivamente queridas no producirán obligación ni acción en juicio». De acuerdo con la remisión del artículo 52.1.º del CCom, el propio Código exige forma escrita en los siguientes contratos: sociedad (art. 119 CCom); transporte (arts. 350, 353 y 354 CCom); fianza (art. 440 CCom); adquisición de buques (573 CCom); fletamento (arts. 652, 653 y 654 CCom), préstamo a la gruesa (art. 720 CCom); seguro marítimo (art. 737 CCom).

No obstante, ello no quiere decir los ejemplos citados puedan utilizarse para defender la tesis de que el Derecho mercantil se decante por el formalismo como criterio de validez de los contratos. Antes al contrario, si el párrafo final del artículo 52 del CCom no hace más que privar de obligación o acción en juicio, de eficacia en suma, a los contratos que no cumplan los requisitos forma exigidos por la ley, tendremos que admitir que allí donde la forma escrita no venga exigida como requisito necesario para la validez del contrato, cumplirá una mera función instrumental dirigida a la prueba y no a la existencia del contrato mismo. Constituirá, por tanto, un requisito *probationis causa*, que, de no ser cumplido voluntariamente por las partes, permitirá que puedan compelerse recíprocamente a llenarlo al amparo de lo dispuesto por el

---

30. Cfr. STS de 22 de febrero de 1972 (RJ 1972, 861).

artículo 1279 del CC, siempre que hayan intervenido el consentimiento y los demás requisitos esenciales del contrato (URÍA, MENÉNDEZ, VÉRGEZ).

En materia de *contratos internacionales*, el artículo 11 de la CISG señala que «el contrato de compraventa no tendrá que celebrarse ni probarse por escrito ni estará sujeto a ningún otro requisito de forma. Podrá probarse por cualquier medio, incluso por testigos». Sin embargo, frecuentemente las partes establecen de forma expresa la obligación de que se cumplan ciertos requisitos formales, por ejemplo, que la aceptación de una oferta tenga que efectuarse por escrito. En todo caso, según el artículo 13 de la CISG, «a los efectos de la presente Convención, la expresión «por escrito» comprende el telegrama y el télex». Con tenor casi idéntico al artículo 11 de la CISG, el artículo 1.2 de los PCCI establece el principio de que la perfección del contrato no requiere el cumplimiento de ningún requisito de forma[31]. Como dice el comentario oficial de los Principios, «este principio, que se encuentra en muchos ordenamientos jurídicos, cobra especial relieve en el contexto de las relaciones del comercio internacional, en las que gracias a los modernos medios de comunicación, suelen celebrarse con gran rapidez y prescindiendo de plasmación documental». De manera coherente con esta postura, el artículo 1.9(1) de los PCCI determina que «cuando sea necesaria una comunicación, ésta se hará por cualquier medio apropiado según las circunstancias».

Naturalmente, siempre cabe la posibilidad de que las partes acuerden que la celebración del contrato quedará supeditada al cumplimiento de una forma determinada, especialmente cuando se trate de operaciones de especial complejidad. Así parece reconocerlo el artículo 2.1.13 de los PCCI, según el cual «cuando en el curso de las negociaciones una de las partes insistiera en que el contrato no se entenderá celebrado sino una vez que (...) se celebre bajo una forma determinada, el contrato no se considerará celebrado mientras que no se cumplan tales requisitos».

> El comentario oficial de dicho artículo pone de manifiesto que con su tenor literal se está pensando en hipótesis en que las partes hubieran firmado un documento informal («contrato preliminar», «memorándum de entendimiento», «carta de intención» o expresiones similares) que contenga los términos deseados del contrato, pero estableciéndose al mismo tiempo la intención de firmar otro documento formal en el futuro. En algunos caso, las partes podrían considerar que su contrato ya ha sido perfeccionado y que la firma posterior de ese documento formal sólo constituye una confirmación de lo que se acordó anteriormente. En otros, si una o ambas partes expresan claramente su voluntad de no considerarse vinculadas por los términos del contrato a menos que se firme un documento formal, «no existirá contrato hasta dicho momento, aun cuando las partes hayan acordado sobre todos los aspectos relevantes de la operación».

También hay que advertir que no debe identificarse forma con documento, aunque así lo haya hecho el propio Código civil. El documento no es más que el material o soporte en el que se expresa la voluntad contractual: carta, escritura pública, etc.

Otro ejemplo es el que aparece en el artículo 23 de la LSSI, que, tras indicar en su apartado 1 que los contratos celebrados por vía electrónica producirán todos los efectos previstos por el ordenamiento jurídico, siempre que concurran el consentimiento y los demás requisitos necesarios para su validez, remacha en su apartado 3

---

31. Cfr. artículo 2:101(2) de los PECL.

que «siempre que la Ley exija que el contrato o cualquier información relacionada con el mismo conste por escrito, este requisito se entenderá satisfecho si el contrato o la información se contiene en un soporte electrónico».

Según el artículo 23.4, párrafo 2.º, de la LSSI, los contratos, negocios o actos jurídicos en los que la ley determine para su validez o para la producción de determinados efectos la forma documental pública, o que requieran por Ley la intervención de órganos jurisdiccionales, notarios, registradores de la propiedad y mercantiles o autoridades públicas, se regirán por su legislación específica.

La prueba de la celebración de un contrato por vía electrónica y la de las obligaciones que tienen su origen en él se sujetará a las reglas generales y, en su caso, a lo establecido en la legislación sobre firma electrónica (art. 24.1 LSSI). En todo caso, el soporte electrónico en que conste un contrato celebrado por vía electrónica será admisible en juicio como prueba documental (art. 24.2 LSSI).

Además, el artículo 25.1 de la LSSI permite que las partes pacten que un tercero de confianza archive las declaraciones de voluntad que integran los contratos electrónicos y que consigne la fecha y hora en que dichas comunicaciones han tenido lugar, si bien su intervención no podrá alterar ni sustituir las funciones que corresponde realizar a las personas facultadas con arreglo a Derecho para dar fe pública. En cualquier caso, el tercero deberá archivar en soporte informático las declaraciones que hubieran tenido lugar por vía telemática entre las partes por el tiempo estipulado que, en ningún caso, será inferior a cinco años (art. 25.2 LSSI).

2. La exigencia de forma según los artículos 1279 y 1280 del Código Civil

Después de haber proclamado el artículo 1278 del CC el principio general de «libertad de forma», el artículo 1279 dice que, «si la ley exigiere el otorgamiento de escritura u otra forma especial para hacer efectivas las obligaciones propias de un contrato, los contratantes podrán compelerse recíprocamente a llenar aquella forma desde que hubiese intervenido el consentimiento y demás requisitos necesarios para su validez». Pero, a renglón seguido, el artículo 1280 del CC dispone que «deberán constar en documento público» una serie de actos y negocios que enumera, añadiendo al final del precepto que «también deberán hacerse constar por escrito, aunque sea privado, los demás contratos en que la cuantía de las prestaciones de uno o de los dos contratantes exceda de 1.500 pesetas».

Aunque a primera vista pudiera parecer lo contrario, el artículo 1280 no impone la forma de los actos y negocios a que se refiere con valor imperativo o como requisito esencial para su validez, sino como un requisito a llenar por las partes una vez que el contrato reúna las condiciones de validez. Es decir, si bien este precepto exige una forma, el negocio será válido y podrán hacerse efectivas las obligaciones, así como adquirirse derechos, aunque no conste en escritura pública o documento privado. El artículo 1279 no es modificado por el artículo 1280, sino complementado[32], y lo que aquel precepto concede a las partes es la facultad de compelerse recíprocamente a la formalización de la escritura pública y aunque las mismas no se hubieran comprometido a ello[33].

---

32. Cfr. STS de 6 de octubre de 1965 (RJ 1965, 4358).
33. Cfr. SSTS de 30 de mayo de 1972 (RJ 1972, 2593) y 3 de octubre de 1988 (RJ 1988, 7380).

Por tanto, en materia de contratos, el principio establecido por nuestro Código civil es el de no solemnidad, y sus preceptos relativos a formas contractuales tienen una función simplemente probatoria, salvo que de los mismos se desprenda que la exigencia de forma se contempla como requisito de validez (por ejemplo, el artículo 1327 del CC respecto de las capitulaciones matrimoniales). Pero conviene aclarar que dichos preceptos no tienen un carácter *ad probationem*, en el sentido de que ésta sea la única prueba admitida para probar la existencia del contrato, pues, en nuestro Derecho, los actos y contratos pueden ser probados por otros medios, por testigos, confesión, etc. Por ello, ROCA SASTRE propone que los requisitos de forma del artículo 1280 del CC sean denominados de forma *ad utilitatem*.

2.1. Contratos (y otros actos) que han de constar en documento público

Según el artículo 1280 del CC, deben constar en *documento público*:

1.º Los actos y contratos que tengan por objeto la creación, transmisión, modificación o extinción de derechos reales sobre bienes inmuebles.

Dentro de tales actos y contratos de manera específica se exige la forma (sustancial) en los siguientes: hipoteca sobre inmuebles (art. 1875 CC), censo enfitéutico (arts. 1625 y 1628 CC), contrato de sociedad a la que se aportan bienes inmuebles o derechos reales (art. 1667 CC), derecho de superficie (art. 16 RH), y donación de inmuebles (art. 633 CC). La donación de cosa mueble puede hacerse verbalmente o por escrito, pero si es verbal requiere la entrega simultánea de la cosa donada, y faltando esta no surtirá efecto si no se hace por escrito y consta en la misma forma la aceptación (art. 632 CC).

2.º Los arrendamientos de bienes inmuebles por seis o más años, siempre que deban perjudicar a tercero (art. 1571 CC). En la actualidad, en esta norma deben considerarse comprendidos todos los arrendamientos de bienes inmuebles, sin que sea necesario que tengan una duración determinada para que sean inscribibles (art. 2.5.º LH y disp. adicional 2.ª LAU)[34].

En los arrendamientos rústicos y urbanos regulados por la legislación especial, no se requiere la inscripción para que sean oponibles al sucesor del arrendador y, en todo caso, habrá que estar a lo dispuesto en dicha normativa.

3.º Las capitulaciones matrimoniales y sus modificaciones. Según el artículo 1327 del CC, para su validez, las capitulaciones habrán de constar en escritura pública (forma *ad substantiam*). No obstante, para su oponibilidad frente a terceros, se requiere su publicación en el Registro civil y, en su caso, en el Registro de la propiedad (art. 1333 CC).

4.º La cesión, repudiación y renuncia de los derechos hereditarios o de los de la sociedad conyugal. Según el artículo 1008 del CC, «la repudiación de la herencia deberá hacerse en instrumento público o auténtico, o por escrito presentado ante el Juez competente para conocer de la testamentaria o del abintestato». Es decir, para la repudiación de la herencia, la forma tiene carácter constitutivo.

5.º El poder para contraer matrimonio, el general para pleitos y los especiales que deban presentarse en juicio; el poder para administrar bienes, y cualquier otro que

---

34. También los subarriendos, cesiones y subrogaciones.

tenga por objeto un acto redactado o que deba redactarse en escritura pública, o haya de perjudicar a tercero.

Aunque se incluya en este lugar, el apoderamiento no es un contrato entre poderdante y apoderado, sino un negocio jurídico unilateral. Y, como advierten Díez-Picazo/Gullón, «la exigencia de forma para los poderes en la contratación no la convierte en forma sustancial, sino que está sometida al régimen general del artículo 1279 del CC. El que contrata con el apoderado con poder defectuoso formalmente podrá exigir al poderdante su constatación en escritura pública, lo mismo que el propio representante si, en otro caso, se derivase alguna responsabilidad para él».

6.º La cesión de acciones o derechos procedentes de un acto consignado en escritura pública.

Además de estos casos, otras leyes han establecido exigencias de forma para ciertos actos; por ejemplo, hipoteca mobiliaria y prenda sin desplazamiento (cfr. art. 3 LHM), la constitución de un edificio en régimen de propiedad horizontal requiere el otorgamiento de escritura pública (art. 5 LPH y art. 8.4.º LH).

En los contratos de bienes con oferta de restitución del precio el artículo 4.2 de la LCBORP indica que «los contratos se formalizarán en escritura pública, la cual reflejará de forma clara y explícita, en un solo contrato que incluya todas las operaciones mercantiles: a) Todos los compromisos adquiridos por las partes. b) Los derechos y obligaciones de las partes en cada operación, incluyendo todos los elementos necesarios que determinen las condiciones del contrato. c) Las causas de nulidad conforme al artículo 6 de la Ley. d) Indicación expresa de que los bienes a través de los que se realiza la actividad no tienen garantizado ningún valor de mercado». Como dice el artículo 7 de las LCBORP, corresponde a la empresa o profesional la carga de probar el cumplimiento de la obligación mencionada. En manifiesta contradicción con lo que viene siendo habitual en el ámbito de la protección de los consumidores, el artículo 6 de la LCBORP impone la nulidad de los contratos que se celebren contraviniendo cualquiera de las disposiciones de esta ley, lo que obliga a incluir en dicha disposición la falta de formalización del contrato en escritura pública. Ello implica que estarán legitimados para el ejercicio de la correspondiente acción de nulidad el consumidor y las entidades a que se refiere el artículo 11 de la LEC.

En cuando a la cuestión de quién debe sufragar los gastos de otorgamiento de la escritura, así como de las copias, según artículo 4.3 de la LCBORP, «los gastos de otorgamiento de escritura y los de escritura de modificación, aclaración, subsanación y rectificación correrán por cuenta de la empresa o profesional, los de la primera copia por cuenta del consumidor y los de copias sucesivas por cuenta de quien las solicite. En cualquier caso el consumidor dispondrá de cinco días previos a la firma para consultar los términos de la escritura, incluida la constitución del aval o garantía análoga».

El artículo 1240, párrafo 2.º, de la PMDOC señala que en los demás casos en que la ley imponga que los contratos consten para su validez en documento público, «podrán los contratantes compelerse recíprocamente a llenar la forma de documento público u otra especial en cualquiera de los siguientes supuestos: 1.º Cuando la ley exija tal forma para que el contrato celebrado alcance determinados efectos y, en especial, cuando se trate de contratos que tengan por objeto la creación, transmisión, modificación o extinción de derechos reales sobre bienes inmuebles. 2.° Que esté así estipulado en el contrato».

2.2. *Contratos que han de constar por escrito, aunque sea privado*

Dispone el último párrafo del artículo 1280 del CC que «también deberán constar por escrito, aunque sea privado, los demás contratos en que la cuantía de las prestaciones de uno o de los dos contratantes exceda de 1.500 pesetas». Es obvio que, al no haberse actualizado esta cantidad, casi todos los contratos, al menos teóricamente, deberían constar en documento privado.

> Según el artículo 1240, párrafo 3.°, de la PMDOC, «también las partes podrán compelerse recíprocamente a que conste por escrito, aunque sea privado, el contrato celebrado cuando la cuantía de cualquiera de las prestaciones exceda de la cantidad de diez mil euros». El párrafo 4.° de dicho artículo 1240 indica que «serán de cargo de quien la exige los gastos de forma, salvo los casos en que el contrato o la ley establezca otra cosa». Cuando en un contrato que conste por escrito exista una cláusula que exija que cualquier modificación o extinción del mismo por mutuo acuerdo se haga por escrito, «no podrá modificarse ni extinguirse de otra forma», señala el artículo 1241 de la PMDOC, añadiendo que «no obstante, aquella de las partes que con su comportamiento en relación a la modificación o extinción del contrato haya generado en la otra una confianza legítima, no podrá invocar la citada cláusula».

En el *contrato de seguro*, según el artículo 5 de la LCS, el contrato y sus modificaciones o adiciones deberán formalizarse por escrito, «estando obligado el asegurador a entregar al asegurado la póliza o, al menos, el documento de cobertura provisional».

En las *ventas a plazos de bienes muebles*, el artículo 6.1 de la LVPBM señala que, para la validez de los contratos sometidos a la misma, «será preciso que consten por escrito», añadiendo que «se formalizarán en tantos ejemplares como partes intervengan, entregándose a cada una de ellas su correspondiente ejemplar debidamente firmado». Por consiguiente, se exige un doble requisito de forma: que se haga por escrito y en tantos ejemplares como partes intervengan. Tales contratos, además de los pactos y cláusulas que las partes libremente estipulen, contendrán con carácter obligatorio las circunstancias que menciona dicho precepto (art. 7 LVPBM).

En los *contratos a distancia*, el artículo 98.1 del TRLGDCU indica que «el empresario facilitará al consumidor y usuario, en la lengua utilizada en la propuesta de contratación o bien, en la lengua elegida para la contratación, y, al menos, en castellano, la información exigida en el artículo 97.1 o la pondrá a su disposición de forma acorde con las técnicas de comunicación a distancia utilizadas, en términos claros y comprensibles y deberá respetar, en particular, el principio de buena fe en las transacciones comerciales, así como los principios de protección de quienes sean incapaces de contratar. Siempre que dicha información se facilite en un soporte duradero deberá ser legible».

En los *contratos celebrados fuera del establecimiento mercantil*, el artículo 99.1 del TRLGDCU señala que «el empresario facilitará al consumidor y usuario la información exigida en el artículo 97.1 en papel o, si este está de acuerdo, en otro soporte duradero. Dicha información deberá ser legible y estar redactada al menos en castellano y en su caso, a petición de cualquiera de las partes, deberá redactarse también en cualquiera de las otras lenguas oficiales en el lugar de celebración del contrato y en términos claros y comprensibles». El empresario deberá facilitar al consumidor una copia del contrato firmado o su confirmación en papel o, si éste está de acuerdo, en un soporte duradero diferente, incluida, cuando proceda, la confirmación del previo consentimiento expreso del consumidor y del conocimiento por su parte de la pérdida del derecho de desistimiento a que se refiere el artículo 103, letra m. (art. 99.2 TRLGDCU).

En los _contratos de viaje combinado_, «deberán estar redactados en un lenguaje claro y comprensible y, si están por escrito, deberán ser legibles. En el momento de la celebración del contrato o posteriormente sin demora, el organizador o, en su caso, el minorista, proporcionará al viajero una copia del contrato o una confirmación del mismo en un soporte duradero. El viajero tendrá derecho a reclamar una copia del contrato en papel si este se ha celebrado en presencia física de ambas partes. En el caso de contratos celebrados fuera del establecimiento, el viajero deberá recibir una copia del contrato de viaje combinado o de su confirmación en soporte papel o, si está de acuerdo, en otro soporte duradero» (art. 155.1 TRLGDCU).

El contrato o su confirmación recogerá el contenido íntegro de lo acordado, incluida toda la información mencionada en el artículo 153.1, así como la información siguiente: a) Necesidades especiales del viajero aceptadas por el organizador. b) Indicación de que el organizador y el minorista son responsables de la correcta ejecución de todos los servicios de viaje incluidos en el contrato, de conformidad con el artículo 161, y están obligados a prestar asistencia si el viajero se halla en dificultades de conformidad con el artículo 163.2. c) El nombre de la entidad garante en caso de insolvencia, el nombre de la entidad garante del cumplimiento de la ejecución del contrato de viaje combinado, y los datos de contacto, incluida su dirección completa, en un documento resumen o certificado y, cuando proceda, el nombre de la autoridad competente designada a tal fin y sus datos de contacto. d) El nombre, dirección completa, número de teléfono, dirección de correo electrónico y, si ha lugar, número de fax del representante local del organizador y, en su caso, del minorista, de un punto de contacto o de otro servicio que permita al viajero, a su elección, ponerse en contacto con cualquiera de ellos rápidamente y comunicarse con ellos eficazmente, pedir asistencia cuando tenga dificultades o presentar una reclamación por cualquier falta de conformidad advertida durante la ejecución del viaje combinado. e) Indicación de que el viajero debe comunicar toda falta de conformidad advertida durante la ejecución del viaje combinado de conformidad con el artículo 161.2. f) En el caso de que viajen menores que no estén acompañados por un familiar u otro adulto autorizado, siempre que el viaje combinado incluya el alojamiento, información que permita el contacto directo con el menor o con la persona responsable del mismo en el lugar de estancia de este. g) Información sobre los procedimientos internos de tramitación de reclamaciones disponibles y sobre sistemas de resolución alternativa de litigios, de conformidad con la Ley de 2 de noviembre de 2017, de transposición al ordenamiento español de la Directiva de 21 de mayo de 2013 de resolución alternativa de litigios en materia de consumo, y si procede, sobre la entidad de resolución de litigios a la que esté adherida el empresario y sobre la plataforma a que se refiere el Reglamento de 21 de mayo de 2013 sobre resolución de litigios en línea en materia de consumo. h) Información de que el viajero tiene derecho a ceder el contrato a otro viajero, de conformidad con el artículo 157 (art. 155.2 TRLGDCU).

La información mencionada en los apartados 2 y 3 se proporcionará de forma clara, comprensible y destacada (art. 155.4 TRLGDCU).

En los *contratos de crédito al consumo*, «se harán constar por escrito en papel o en otro soporte duradero y se redactarán con una letra que resulte legible y con un contraste de impresión adecuado. Todas las partes contratantes recibirán un ejemplar del contrato de crédito» (art. 16.1 LCC). Además de las condiciones esenciales del contrato, el documento deberá especificar, de forma clara y concisa, los datos o menciones que a continuación especifica. Lo que se pretende conseguir con dicha exigencia es proporcionar al prestatario toda la información relevante relativa a la transacción que realiza (art. 16.2 LCC). En definitiva, es una consecuencia del deber de transparencia que se impone al prestamista como un mandato categórico que permite proteger los intereses económicos y jurídicos del consumidor, en este caso en el mercado del crédito.

A diferencia de la legislación de 1995, que limitaba el contenido del documento contractual, aparte de los ya citados elementos esenciales del contrato, a la indicación de la tasa anual equivalente, al importe, número y periodicidad o fechas de los pagos y a la relación de elementos que componen el coste total del crédito, remitiendo el resto de la información que pudiera incluirse a una norma reglamentaria posterior, el actual artículo 16.2 de la LCC parece que pretende conseguir un contenido omnicomprensivo, que se completa con lo dispuesto por los artículos 17-20 de la LCC.

En los *contratos de préstamo hipotecario*, «se formalizarán en papel o en otro soporte duradero. En caso de que estén garantizados con hipoteca constituida sobre un inmueble de uso residencial situado en territorio nacional, deberán formalizase en escritura pública, pudiendo adoptar el formato electrónico conforme a la legislación notarial. En ellos se harán constar, además de los elementos esenciales del contrato, los datos y los elementos que se determinen por el Gobierno mediante real decreto» (art. 22.1 LCCI). En la contratación de estos préstamos, el notario no autorizará la escritura pública si no se hubiere otorgado el acta prevista en el artículo 15.3, que se refiere al cumplimiento del principio de transparencia material. Tampoco los registradores de la propiedad, mercantiles y de bienes muebles no inscribirán ninguna escritura que se refiera a préstamos regulados por esta Ley en la que no conste la reseña del acta conforme al artículo 15.7 (art. 22.2 LCCI).

En los *contratos de multipropiedad*, «los contratos de aprovechamiento por turno de bienes de uso turístico, de producto vacacional de larga duración, de reventa o de intercambio, se formalizarán por escrito, en papel o en otro soporte duradero, y se redactarán, en un tamaño tipográfico y con un contraste de impresión adecuado que resulte fácilmente legible, en la lengua o en una de las lenguas del Estado miembro en que resida el consumidor o del que este sea nacional, a su elección, siempre que se trate de una lengua oficial de la Unión Europea. Si el consumidor es residente en España o el empresario ejerce aquí sus actividades, el contrato deberá redactarse además en castellano y, en su caso, a petición de cualquiera de las partes, podrá redactarse también en cualquiera de las otras lenguas españolas oficiales en el lugar de celebración del contrato» (art. 11.1 LCAT).

Por último, el artículo 63.2 del TRLGDCU señala que «salvo lo previsto legalmente en relación con los contratos que, por prescripción legal, deban formalizarse en escritura pública, la formalización del contrato será gratuita para el consumidor, cuando legal o reglamentariamente deba documentarse éste por escrito o en cualquier otro soporte de naturaleza duradera». De su tenor literal parece evidente que dicho apartado se refiere a la «formalización» del contrato, que será a cargo del empresario o profesional y, por consiguiente, «gratuita para el consumidor». Por el contrario, no está tan clara esta interpretación respecto de la copia o documento acreditativo con las condiciones esenciales de la operación del contrato ya celebrado o «formalizado», a que se refiere el artículo 63.1 del TRLGDCU. Como indica CÁMARA LAPUENTE, podría utilizarse como argumento a favor de la gratuidad del recibo justificante, de la copia del contrato o del documento justificativo del negocio el hecho de que son prestaciones accesorias de la prestación principal, cuyo deudor es el empresario (arg. *ex* art. 1258 CC). Asimismo, el hecho de que el artículo 89.3 del TRLGDCU declare que tendrán la consideración de cláusulas abusivas las que impongan al consumidor «los gastos de documentación y tramitación que por ley corresponda al empresario».

3. La obligación de documentar el contrato

Como se ha dicho, el artículo 1280 del CC no exige la forma como requisito para la perfección y validez del contrato, puesto que debe interpretarse que el contrato, por regla general, es válido cualquiera que sea la forma en que se haya celebrado (art. 1278 CC), y que, por tanto, las partes simplemente podrán compelerse recíprocamente a llenar aquella forma exigida por el artículo 1280 del CC (art. 1279 CC).

No obstante, es necesario efectuar algunas precisiones acerca de *la obligación de documentar el contrato:*

1.ª El artículo 1279 del CC no consigna una obligación, sino una facultad a favor de ambos contratantes, cual es la de exigir la una o la otra el otorgamiento de la forma prescrita.

2.ª El cumplimiento de las obligaciones derivadas del contrato no se encuentra supeditado al otorgamiento de la forma. Es evidente que la forma escrita no es la que da validez al contrato, pues precisamente por ser válida, con anterioridad, se otorga acción a los contratantes para compelerse recíprocamente a otorgarla[35]. Por consiguiente, el ejercicio de la acción para obligar al otorgamiento de la forma prescrita no tiene que preceder al de la derivada del contrato.

3.ª Si una de las partes ejercita la facultad que le concede el artículo 1279 del CC, el otro contratante viene obligado a realizar una prestación de hacer, que consiste en otorgar la escritura pública. Se trata de una obligación respecto de la cual es posible el cumplimiento forzoso en forma específica, pues doctrina y jurisprudencia coinciden en admitir la posibilidad de sustitución de la voluntad del deudor por la de la autoridad judicial, siempre que los elementos esenciales del negocio estuvieren perfectamente determinados y el consentimiento del deudor no tenga carácter personalísimo[36]. Nuestra legislación procesal civil en vigor sigue el mismo criterio, pues el artículo 708 de la LEC recoge la condena a la emisión de una declaración de voluntad cuando estuviesen predeterminados los elementos esenciales del negocio.

---

35. Cfr. STS de 29 de noviembre de 1997 (RJ 1997, 8432).
36. Cfr. STS de 1 de julio de 1950 (RJ 1950, 1187).

4.ª Esta facultad puede ejercitarse en tanto el contrato no haya sido consumado. Posteriormente, será de aplicación el plazo de quince años señalado en el artículo 1964 del CC para las acciones personales que no tienen término especial de prescripción.

5.ª Es nulo el pacto por el cual se releven las partes de la obligación de otorgar la escritura exigida por la ley, pues, según el artículo 1255 del CC, no cabe establecer pactos, cláusulas y condiciones contrarios a las leyes. En cambio, nada impide el pacto por el que se aplace el otorgamiento de la escritura.

6.ª En cuanto a la relación en que se encuentra el contrato documentado y el que previamente existía entre los contratantes, hay que distinguir según haya discordancia o no entre ambos. Si la escritura pública no es más que fiel reproducción (o fijación) del contrato originario, no hay un nuevo contrato, sino simple reproducción del que ya existía[37]. Si hay discordancia, habrá que pronunciarse en favor del último en el caso de que aquélla sea intencionada y así conste. Y, si la discordancia no es intencionada, habrá que considerar que hubo error. Aunque el error, como dicen DÍEZ-PICAZO y GULLÓN, es difícil que prospere, ya que pudo ser desvanecido con una elemental diligencia: cotejo entre ambos documentos, acudir a un asesoramiento, etc.[38]

En cambio, si la forma venía exigida, por la ley o por la voluntad de las partes, con carácter constitutivo, no ofrece duda que, aunque ambos documentos fueran exactamente iguales, habrá un nuevo y único contrato.

Según el artículo 1240 de la PMDOC, «habrán de constar para su validez en documento público los contratos para los que la ley así lo disponga expresamente. En los demás casos, podrán los contratantes compelerse recíprocamente a llenar la forma de documento público u otra especial en cualquiera de los siguientes supuestos: 1.º Cuando la ley exija tal forma para que el contrato celebrado alcance determinados efectos y, en especial, cuando se trate de contratos que tengan por objeto la creación, transmisión, modificación o extinción de derechos reales sobre bienes inmuebles. 2.º Que esté así estipulado en el contrato. También las partes podrán compelerse recíprocamente a que conste por escrito, aunque sea privado, el contrato celebrado cuando la cuantía de cualquiera de las prestaciones exceda de la cantidad mínima de diez mil euros. Serán de cargo de quien la exige los gastos de forma, salvo los casos en que el contrato o la ley establezca otra cosa». Por su parte, el artículo 1241 de la PMDOC señala que «un contrato que conste por escrito en el que exista una cláusula que exija que cualquier modificación o extinción del mismo por mutuo acuerdo se haga por escrito, no podrá modificarse ni extinguirse de otra forma. No obstante, aquella de las partes que con su comportamiento en relación a la modificación o extinción del contrato haya generado en la otra una confianza legítima, no podrá invocar la citada cláusula».

BIBLIOGRAFÍA

ALBALADEJO, «La causa», RDP, 1958, p. 315; AMORÓS, «Los antecedentes del Código civil respecto a la presunción de existencia de la causa», *Centenario del Código civil,*

---

37. Cfr. STS de 30 de noviembre de 1996 (RJ 1996, 8582).
38. Las SSTS de 22 de enero de 1970 (RJ 1970, 248) y de 25 de marzo de 1981 (RJ 1981, 1075) se pronuncian por la coexistencia de ambos documentos, al no haber encontrado diferencias antagónicas e incompatibles entre ellos.

T. I, Madrid, 1990, p. 101; Arjona Guajardo-Fajardo, _La causa y su operatividad en tema de atribuciones patrimoniales_, Sevilla, 1999; Atard Alonso, «La causa ilícita», RCDI, 1957, p. 641; De Castro, _El negocio jurídico_, Madrid, 1967; De la Cámara, «Meditaciones sobre la causa», RCDI, 1978, p. 367; Díez-Picazo, «El concepto de causa en el negocio jurídico», ADC, 1963, p. 283; íd., «Negocio abstracto y reconocimiento de deuda», ADC, 1966, p. 369; De los Mozos, «La causa en el negocio jurídico», RDN, 1961, p. 274; d'Ors, A., «Sobre la causa de los actos jurídicos», ADC, 1956, p. 578; Dualde, _Concepto de la causa de los contratos_, Barcelona, 1949; Gete-Alonso, _Estructura y función del tipo contractual_, Barcelona, 1979; íd., _El reconocimiento de deuda: aproximación a su configuración negocial_, Madrid, 1989; Giménez Arnau, «La forma del negocio jurídico», RCDI, 1943, p. 78; Gómez-Salvago, _La forma voluntaria del contrato_, Valencia, 1999; Jordano Barea, «La causa en el sistema del Código civil español», _Centenario del Código civil_, T. I, Madrid, 1990, p. 1041; Lacruz, «La causa en los contratos de garantía», RCDI, 1981, p. 709; Lalaguna, «La forma en los contratos», Estudios en homenaje al Prof. Lacruz, Vol. II, Barcelona, 1993, p. 1483; López Vilas, «Los llamados negocios jurídicos abstractos», RDP, 1965, p. 487; Morales Moreno, «El dolo como criterio de imputación de responsabilidad», ADC, 1982, p. 591; Ossorio Morales, «La doctrina de la _consideration_ en el Derecho contractual inglés», _en Estudios de Derecho privado_, Barcelona, 1942, p. 3; Marco Molina, _Reconocimiento documental y la novación modificativa del contrato_, Madrid, 1998; Porras Ibáñez, «El negocio jurídico y su causa», RDP, 1973, p. 603; Roca y Puig Brutau, «La causa en el negocio jurídico», _Estudios de Derecho privado_, T. I., p. 49; Saborido Sánchez, _La causa ilícita: delimitación y efectos_, Valencia, 2005; íd., «La pervivencia de la relevancia jurídica de los propósitos o intereses de las partes en el contrato», InDret, enero 2013; Sancho Rebullida, «Notas sobre la causa de la obligación», RGLJ, 1971, p. 663; San Julián Puig, _El objeto del contrato_, Pamplona, 1996; Santos Morón, _La forma de los contratos en el Código civil_, Madrid, 1996; Torralba Soriano, «Causa ilícita», ADC, 1966, p. 661; Traviesas, _La causa en los negocios jurídicos_, Madrid, 1919.

Preparación y perfección del contrato

I. FASES DE LA VIDA DEL CONTRATO

La existencia del contrato se desarrolla a través de varias etapas sucesivas. Como dice la STS de 18 de enero de 1964, «en la vida del contrato existen tres fases o momentos principales, que son la generación, la perfección y la consumación»[1]. Esta sentencia recoge lo que puede denominarse la doctrina «tradicional» o «clásica» en las fases de la vida del contrato.

La *fase de generación* o de gestación comprende los tratos, negociaciones o conversaciones preliminares, constituyendo el proceso interno de formación del contrato. Es un período preparatorio, que produce una serie de actos posteriores de que deberá surgir el consentimiento contractual. La *fase de perfección* supone la concurrencia de los elementos esenciales para la existencia del contrato, dando lugar a su nacimiento a la vida jurídica. La *fase de consumación* comprende el período de cumplimiento del contrato o, como dice Castán, la realización o efectividad de las prestaciones derivadas del contrato.

Así, por ejemplo, un contrato de compraventa se encuentra en la fase de generación cuando comprador y vendedor entablan conversaciones (tratos previos) para intentar llegar a un acuerdo. El contrato estará perfecto, cuando las partes cierran el trato, es decir, cuando muestran (a través del consentimiento) su conformidad acerca de la cosa y del precio, obligándose a entregar una y otro. Por último, el contrato quedará consumado, cuando se lleve a efecto la entrega de la cosa y del precio, respectivamente. No obstante, en la actualidad, muchos contratos ya no responden a este esquema racional de funcionamiento de manera que puede hablarse sólo de dos

---

1.   RJ 1964, 204.

fases: la relativa a las negociaciones previas o tratos preliminares, que ha adquirido enorme importancia práctica, especialmente en el tráfico empresarial o profesional, y la que tiene que ver con el cumplimiento propiamente dicho de los fines del contrato.

II. TRATOS PREVIOS

Es frecuente que el contrato se celebre de un modo rápido y sencillo, sin que haya discusión entre las partes, como ocurre cuando una persona se limita a aceptar la propuesta que otra le hace. Pero, en ocasiones, las partes, antes de decidirse a contratar, mantienen conversaciones o negociaciones, efectúan tanteos, intercambian propuestas, y el acuerdo contractual, si se produce, es el resultado de estos tratos previos.

En este sentido, la STS de 10 de octubre de 1980 distingue entre oferta de contrato y fase preparatoria o tratos previos, declarando que, «aun siendo frecuente que el proceso formativo del contrato se inicie con manifestaciones de voluntad, o mejor exploraciones, contenidas en tratos preliminares o, conversaciones previas que los interesados mantienen sin fuerza vinculante antes de decidirse a la celebración del negocio y mediante las cuáles se comunican sus respectivas aspiraciones, tal fase preparatoria es bien distinta de la oferta en cuanto declaración de voluntad de naturaleza recepticia, como tal dirigida al otro sujeto y emitida con un definitivo propósito de obligar si la aceptación se produce, surgiendo en consecuencia el consentimiento por la coincidencia de esas declaraciones en que la oferta y la aceptación consisten; de donde se sigue que encaminados los tratos preliminares a la formación de la primera (de la oferta), desaparecerán una vez cumplida su misión en el momento en que en el *iter* negocial se llegó a formular una propuesta final, con todas las notas de una verdadera oferta»[2].

Esta distinción es correcta, pero no es completa. Por eso, procede señalar que la fase preliminar o de tratos previos también puede surgir en virtud de una verdadera oferta que, al no aceptarse por el destinatario, sirve de inicio a la misma. Por otra parte, hay que tener en cuenta que las negociaciones entre las partes, aunque en principio no tienen fuerza jurídica alguna, pueden llegar a servir de elemento de interpretación del futuro contrato, en el caso de este llegue a celebrarse (art. 1280 CC)[3].

Los tratos previos terminan con la celebración del contrato a que iban encaminados o por el desistimiento de una o de ambas partes. Ahora bien, aunque los tratos previos no obligan a celebrar el contrato con vistas al cual se habían iniciado y pueden romperse, no puede desconocerse que la libertad de contratación se encuentra limitada por la necesidad de actuar conforme a la buena fe y con arreglo a la diligencia que comúnmente debe observarse en el tráfico, cuya infracción dará lugar a una responsabilidad precontractual.

No es casual que en las nuevas iniciativas que han surgido en los últimos años en materia de Derecho de obligaciones y contratos se dedique especial

---

2. RJ 1980, 3623.
3. Cfr. SSTS de 7 de noviembre de 1966 (RJ 1966, 5124) y 9 de febrero de 1981 (RJ 1981, 533), así como las que ésta cita.

atención a las negociaciones previas entre las partes, en sede de «formación del contrato», y antes de tratar de la oferta y la aceptación. Según el artículo 1245.1 de la PMDOC, «las partes son libres para entablar negociaciones dirigidas a la formación de un contrato, así como para abandonarlas o romperlas en cualquier momento». Es una declaración lógica, que entronca con el principio de libertad contractual.

Del mismo modo, el artículo II.-3:301(1) del DCFR dice que «todas la personas tiene libertad para negociar y no se deriva responsabilidad alguna por el hecho de no llegar a un acuerdo». En el comentario oficial a dicho artículo se afirma, con razón, que «una persona puede entablar negociaciones sin saber con certeza si se traducirán en la celebración de un contrato. Del mismo modo, una persona puede romper las negociaciones sin tener que justificarlo de ninguna manera. Los vendedores deberán aceptar, por lo general, que la gente examine sus mercancías y pregunte el precio y demás condiciones de venta sin que se comprometan a comprarlas. Lo mismo sucede con arrendadores y vendedores de viviendas que muestran los inmuebles». El artículo 1245.2 de la PMDOC señala que «en la negociación de los contratos, las partes deberán actuar de acuerdo con las exigencias de la buena fe». Por su parte, el artículo II.-3:301(2) del DCFR determina que «la persona que ha entrado en negociaciones tiene el deber de negociar de acuerdo con el principio de buena fe contractual y de no romper las negociaciones contraviniendo ese principio. Este deber no puede ser excluido o limitado por contrato». Se trata de un deber y no de una obligación. En palabras del comentario oficial, «no todos los remedios por incumplimiento se encontrarán disponibles; concretamente, no lo estarán el derecho al cumplimiento específico de una obligación, ya que no sería factible tratar de exigir el cumplimiento del deber de negociar respetando el principio de buena fe contractual. Tampoco cabe recurrir a la suspensión del cumplimiento o la resolución de las obligaciones recíprocas».

A tenor del artículo 1245.3 de la PMDOC, «si durante las negociaciones, una de las partes hubiera facilitado a la otra un información con carácter confidencial, el que la hubiera recibido sólo podrá revelarla o utilizarla en la medida que resulte del contenido del contrato que hubiera llegado a celebrarse». De lo que parece desprenderse que dicha información confidencial no podrá divulgarse durante las negociaciones, ni tampoco después de terminadas si tales negociaciones no hubieran concluido con la celebración del contrato proyectado.

Si se hubiere incumplido el deber de buena fe, el artículo 1245.4 de la PMDOC dice que «la parte que hubiera procedido con mala fe al entablar o interrumpir las negociaciones será responsable de los daños causados a la otra. En todo caso, se considerará contrario a la buena fe entrar en negociaciones o continuarlas sin intención de llegar a un acuerdo». El tenor literal del artículo 412-2, apartado 1, de la PCM es prácticamente el mismo. También el artículo II.-3:301(4) del DCFR se refiere al mismo supuesto, cuando afirma que «concretamente, es contrario al principio de buena fe contractual que una parte entable negociaciones o prosiga con ellas si no tiene intención alguna de llegar a un acuerdo con la otra parte». A tenor del artículo 1245.5 de la PMDOC, «la infracción de los deberes de que tratan los apartados anteriores dará lugar a la indemnización de daños y perjuicios. En el supuesto del apartado anterior (entablar o interrumpir negociaciones con mala fe), la indemnización consistirá en dejar a la otra parte en la situación que tendría si no hubiera iniciado las negociaciones». Asimismo, el artículo II.-3:301(3) del DCFR indica que «aquellas persona que incumpla este deber (de buena fe) responderá por cualesquiera daños ocasionados a la otra parte». En todo caso, la parte perjudicada por la interrupción de las negociaciones con mala fe sólo podrá obtener la devolución de los gastos en que incurrió como consecuencia de dichas negociaciones, así como la indemnización correspondiente por la pérdida de oportunidad de celebrar un contrato con una tercera persona distinta de aquélla con la que negociaba (interés negativo), pero no el beneficio que hubiera resultado de haberse celebrado el contrato original (interés positivo).

En el ámbito de los *contratos internacionales,* de acuerdo con el principio de libertad de contratación, el artículo 2.1.15(1) de los PCCI determina que «cualquiera de las partes es libre de entablar negociaciones y no incurre en responsabilidad en el supuesto de que éstas no culminen en acuerdo». No obstante, este derecho a iniciar negociaciones libremente (y a establecer los elementos a negociar) no es ilimitado, pues no puede contravenir los principios de buena fe y de lealtad negocial que también rigen en el comercio internacional.

El artículo 1.7(1) de los PCCI señala que «las partes deben actuar con buena fe y lealtad negocial en el comercio internacional»; a continuación se añade que «las partes no pueden excluir ni restringir la aplicación de este deber» (art. 1.7(2) PCCI).

Ello justifica que el párrafo 2.º del artículo 2.1.5 de los PCCI afirme que «la parte que ha negociado, o interrumpido las negociaciones, con mala fe será responsable por los daños causados a la otra parte». Según el artículo 2.1.15(3) de los PCCI, en especial, se considera mala fe el entrar en negociaciones o continuarlas con la intención de no llegar a un acuerdo[4].

III. LA OFERTA Y LA ACEPTACIÓN

El contrato se perfecciona por el mero consentimiento (cfr. art. 1258 CC), el cual se define por el artículo 1262 del CC diciendo que «se manifiesta por el concurso de la oferta y la aceptación sobre la cosa y la causa que han de constituir el contrato». Es decir, el contrato exige una reciprocidad de declaraciones de voluntad (oferta y aceptación), siendo cada una de las partes a la vez autora de una y destinataria de la otra. Como estos dos consentimientos que dan lugar a la celebración del contrato no se expresan simultáneamente, sino de manera sucesiva en el tiempo[5], es conveniente examinar su manifestación y efectos.

1. La oferta

1.1. Concepto y requisitos

La oferta o *pollicitatio,* término heredado del Derecho romano, es la expresión de la iniciativa contractual. Es una declaración de voluntad por medio de la cual una

---

4. Cfr. artículo 2:301 de los PECL, que reproduce lo dispuesto por el artículo 2.1.15 de los PCCI.
5. Cfr. STS de 2 de abril de 1941 (RJ 1941, 493).

persona propone a otra u otras la celebración de un contrato[6]. Se trata de una propuesta completa, precisa y definitiva que expresa la intención de celebrar un contrato en el caso de que la otra parte, a quien va dirigida, la acepte. Por consiguiente, si la oferta no es aceptada tal y como ha sido formulada, sino que la persona a quien va dirigida introduce cambios o modificaciones en la misma, se habrá generado una segunda oferta o «contraoferta»[7].

> Según la STS de 30 de mayo de 1996, «la doctrina científica y la jurisprudencia vienen exigiendo sin fisuras, que el concurso de la oferta y la aceptación, como requisitos indispensables para la perfección del contrato, han de contener todos los elementos necesarios para la existencia del mismo, y coincidir exactamente en sus términos, debiendo constar la voluntad de quedar obligados los contratantes, tanto por la oferta propuesta, como por la aceptación correlativa a la misma; no pudiendo entenderse esta perfecta concordancia cuando tanto una como otra se hacen de un modo impreciso, reservado, condicionado e incompleto, o cuando lo que se formula es una contra-oferta»[8].

De lo anterior se deduce que la propuesta debe contener los _requisitos_ siguientes:

1.º Ha de ser _expresa_. Es muy difícil imaginar una oferta tácita, normalmente siempre es expresa. Pero expresa no significa escrita, sino que debe ser clara, patente, especificada; es decir, la oferta no tiene que ser necesariamente escrita, sino que puede realizarse de palabra, e incluso mediante formas más simples, como la exposición de los objetos en el escaparate con indicación del precio de los mismos o el estacionamiento de un taxi en la parada correspondiente, etc.

2.º Ha de ser _completa_. Es decir, debe contener todos los elementos esenciales del negocio, de manera que para perfeccionarlo baste respuesta afirmativa de la otra parte (art. 1450 CC)[9].

> Un buen ejemplo de la concepción «clásica» de la oferta, que debe reunir todos los elementos esenciales del contrato, lo constituye la STS de 26 de marzo de 1993, cuando afirma que «los contratos se perfeccionan por el mero consentimiento, manifestado por el concurso de la oferta y la aceptación, que marca el final de iter formativo del contrato, el final de los actos preliminares al mismo, lo que requiere que la oferta contenga todos los elementos determinantes del objeto y la causa, para que la posterior aceptación determine el concurso respecto de ellos, sin introducir modificación alguna que requiriese un nuevo acuerdo»[10].

Por ello, no debe confundirse la oferta con la mera invitación a formularla (o invitación a contratar), como sucede con el envío de catálogos, listados de precios, etc., pues en estos casos falta la precisión necesaria sobre el objeto (por ejemplo, suele faltar la determinación de la cantidad de mercancías que puede servir el vendedor, y no cabe pensar que hubiera querido obligarse a suministrar todas las que le puedan solicitar, cuando sus existencias necesariamente tienen que ser

---

6. Cfr. STS de 2 de febrero de 1990 (RJ 1990, 652).
7. Cfr. STS de 14 de marzo de 1973 (RJ 1973, 981), que cita las SSTS de 22 de octubre de 1887 (JC1887, II-102) y 10 de octubre de 1962 (RJ 1962, 3792). Entre las más recientes, cfr. SSTS de 26 de febrero de 1994 (RJ 1994, 1198) y 24 de julio de 2006 (RJ 2006, 5592).
8. RJ 1996, 3864.
9. Cfr. STS de 2 de noviembre de 2010 (RJ 2010, 8016).
10. RJ 1993, 2395.

limitadas). Sin embargo, «cabe admitir que el proponente deje la determinación de alguno de los elementos del contrato al arbitrio del destinatario o de un tercero, en el primer caso será preciso, para que haya genuina oferta, que queden claramente deslindados los límites dentro de los cuales el arbitrio del aceptante pueda funcionar. La oferta con remisión al arbitrio de un tercero ha de ser considerada como una forma normal de determinación del contenido del contrato. La oferta del contrato, en tal caso, ha de ser aceptada con la propuesta de remisión al tercero» (DÍEZ-PICAZO).

Según el artículo 1246, párrafo 1.°, de la PMDOC, que repite casi literalmente el tenor del artículo 14.1, inciso 1.°, de la CISG, «la propuesta de celebrar un contrato dirigida a una o varias personas determinadas constituirá oferta siempre que precise los elementos necesarios del contrato o prevea la forma de determinarlos y revele la voluntad del oferente de obligarse». Ahora bien, el artículo 1277, párrafo 1.°, de la PMDOC determina que «no impedirá la perfección del contrato el hecho de que las partes no hayan expresado el precio ni fijado el modo para su determinación, siempre que sea inequívoca la voluntad común de tenerlo por concluido y que se entienda implícitamente convenido un precio generalmente practicado. Si la determinación del precio o la de otra circunstancia del contrato hubiese sido dejada a una de las partes, la declaración que ésta haga se integrará en el contrato siempre que, al efectuarla, se hubiera atenido a los criterios a los que las partes implícitamente se hubieran remitido o a los que resultaran del tipo de contrato o de los usos; y será revisable por los Tribunales cuando no se hubiesen observado tales criterios». Cuando la determinación del precio o la de otra circunstancia del contrato se haya dejado al arbitrio de un tercero y éste no quisiere o no pudiere hacerlo, dice el artículo 1277, párrafo 2.°, de la PMDOC que «los Tribunales podrán designar otra persona que le sustituya en tal cometido, siempre que la designación inicial no haya sido determinante de la celebración del contrato en tales condiciones. Si en la determinación del tercero hubiera una significativa falta de observancia de los criterios a los que hubiera debido atenerse, se estará a lo que los Tribunales decidan». Por último, cuando el precio u otra circunstancia del contrato hayan de ser determinados por referencia a un factor que al tiempo de la celebración del contrato hubiere dejado de existir o no fuere accesible a las partes, según el artículo 1277, párrafo 3.°, de la PMDOC «quedará sustituido por el equivalente o subsidiariamente por el que resulte más similar con las adaptaciones necesarias en este último caso».

Por su parte, el artículo II.-4:201(1) del DCFR dice que «una propuesta constituye una oferta contractual: (a) si su finalidad es dar lugar a la celebración de un contrato cuando la otra parte acepte; y (b) si contiene términos suficientemente precisos para la formalización de un contrato».

Los contenidos de las declaraciones públicas realizadas por el vendedor, es decir, no sólo la oferta propiamente dicha, sino también la publicidad y el etiquetado, tienen relevancia a efectos de integrar el contenido del contrato. Así lo pone de relieve el artículo 61.1 del TRLGDCU, que, bajo el epígrafe de «Integración de la oferta, promoción y publicidad en el contrato», dice «la oferta, promoción y publicidad de los bienes o servicios se ajustarán a su naturaleza, características, utilidad o finalidad y a las condiciones jurídicas o económicas de la contratación». Según el apartado 2 del artículo 61 del TRLGDCU, «el contenido de la oferta, promoción y publicidad, las prestaciones propias de cada bien o servicio, las condiciones jurídicas o económicas y garantías ofrecidas serán exigibles por los consumidores y usuarios, aun cuando no figuren expresamente en el contrato celebrado o en el documento o comprobante recibido y deberán tenerse en cuenta en la determinación del principio de conformidad del contrato».

En palabras de la STS de 23 de mayo de 2003, el precepto mencionado, que tiene su antecedente inmediato en el antiguo artículo 8.1 de la LGDCU de 1984, «es una norma moderna que responde a unos principios clásicos del Derecho. Estos son, en primer lugar, el principio de veracidad, no en el sentido de que la oferta, promoción y publicidad deben ser objetivos e imparciales, como si respondieran a una política de información y educación del público, sino que no pueden ser engañosos y llevar a error al particular; en segundo lugar, el principio de buena fe que proclama el artículo 1258 del Código civil y ha desarrollado profusamente la jurisprudencia, que impone a cada contratante que cumpla lo pactado y lo que deriva con un criterio lógico, de la buena fe: "sus derivaciones naturales", dice la STS de 26 de octubre de 1995[11], "cumplida efectividad", dice la STS de 17 de febrero de 1996[12] Aquella norma moderna, de la Ley de consumidores y usuarios, establece la integración del contrato basado en ambos principios aludidos, de lo que son precedentes las sentencias de 14 de junio de 1976[13] y 27 de enero de 1977[14]; el contrato queda complementado –integrado– con lo que el consumidor ha confiado por razón de la oferta, promoción y publicidad»[15].

Conviene destacar, sin embargo, que este planteamiento no implica que la publicidad utilizada por el empresario en su actividad económica permita necesariamente al consumidor exigir la celebración del contrato con el contenido expresado en dichas declaraciones publicitarias. De hecho, la vinculación contractual entre ellos solo podrá producirse en el caso de que esas declaraciones públicas tengan unos contenidos suficientemente concretos, susceptibles de generar la vinculación entre las partes. Es decir, cuando las declaraciones publicitarias puedan suscitar expectativas concretas en el consumidor (Morales Moreno).

> El artículo 1276 de la PMDOC dice que «quedarán insertadas en el contrato y tendrán valor vinculante las afirmaciones o declaraciones efectuadas por un profesional en la publicidad o en actividades de promoción de un producto o servicio, salvo que pruebe que la otra parte conoció o debió haber conocido que tal declaración o afirmación era incorrecta. No impedirá la aplicación de lo dispuesto en el párrafo anterior el hecho de que las afirmaciones o declaraciones provengan de un tercero, siempre que resultaran conocidas o cognoscibles para el contratante profesional, éste no hubiera excluido expresamente su aplicación al contrato y se refieran a un producto, que, según, el contrato celebrado, se encuentre en la cadena de producción o comercialización en la que profesional y tercero se encuentren insertos».

Esta equiparación entre información publicitaria e información contractual también se produce en los contratos de compraventa de bienes y de suministro de

---

11.   RJ 1995, 8349.
12.   RJ 1996, 1408.
13.   RJ 1976, 2753.
14.   RJ 1977, 121.
15.   RJ 2003, 5215.

contenidos o servicios digitales, ya que el artículo 115 ter del TRLGDCU, a propósito de los requisitos objetivos para la conformidad, se refiere en su apartado 1 al hecho de que los bienes y los contenidos o servicios digitales cumplan, entre otros requisitos, los especificados por la letra d), que alude a «presentar la cantidad y poseer las cualidades y otras características, en particular respecto de la durabilidad del bien, la accesibilidad y continuidad del contenido o servicio digital y la funcionalidad, compatibilidad y seguridad que presentan normalmente los bienes y los contenidos o servicios digitales del mismo tipo y que el consumidor o usuario pueda razonablemente esperar, dada la naturaleza de los mismos». A continuación, se indica que deberá tenerse en cuenta «cualquier declaración pública realizada por el empresario, o en su nombre, o por otras personas en fases previas de la cadena de transacciones, incluido el productor, especialmente en la publicidad o el etiquetado».

Sin embargo, el empresario no quedará obligado por tales declaraciones públicas, si demuestra alguno de los siguientes hechos: 1.º Que desconocía y no cabía razonablemente esperar que conociera la declaración en cuestión. 2.º Que, en el momento de la celebración del contrato, la declaración pública había sido corregida del mismo o similar modo en el que había sido realizada. 3.º Que la declaración pública no pudo influir en la decisión de adquirir el bien o el contenido o servicio digital (art. 115 ter, apartado 1, letra d), *in fine*, TRLGDCU).

En cualquier caso, el artículo 61.3 del TRLGDCU contiene una excepción a la integración publicitaria en el contrato al subrayar que «si el contrato celebrado contuviese cláusulas más beneficiosas, éstas prevalecerán sobre el contenido de la oferta, promoción o publicidad».

3.º Ha de ser inequívoca, es decir, *emitida con intención de concluir el contrato*. La STS de 28 de mayo de 1945 dice que «la declaración de voluntad por parte del oferente ha de manifestarse de modo que inequívocamente revele el propósito de vincularse contractualmente, con los correspondientes requisitos de consentimiento con capacidad, objeto y causa, y de forma tal que pueda quedar perfecto el contrato con la simple adhesión de la otra parte»[16]. Por eso no constituyen verdaderas ofertas las declaraciones hechas en broma, a modo de ejemplo, o que se encuentran supeditadas a la aprobación final del proponente, como sucede con aquellas que van acompañadas de la cláusula «sin compromiso», «salvo confirmación», etc.

Según el artículo 1246, párrafo 1.º, de la PMDOC, la propuesta de celebrar un contrato constituirá oferta siempre que «revele la voluntad del oferente de obligarse». El artículo II.-4:201(a) del DCFR señala que una propuesta constituye una oferta contractual «si su finalidad es dar lugar a la celebración de un contrato cuando la otra parte acepte».

4.º Ha de *ir dirigida a la persona con la cual el oferente desea concluir el contrato*, aunque también puede dirigirse a persona indeterminada o al público en general, como sucede, por ejemplo, con la promesa de recompensa.

El artículo 1246 de la PMDOC no alude al hecho de que la oferta se dirija a una o a varias personas determinadas. Por su parte, el comentario oficial del artículo

---

16. RJ 1945, 692.

II.-4:201 del DCFR, tras indicar que para que una propuesta pueda ser considerada una oferta debe demostrar una intención clara de que si se acepta resultará en un contrato y debe contener unos elementos suficientemente precisos, añade que «además, antes de que pueda hacerse efectiva, debe comunicarse a una o más personas concretas o darse a conocer al público. Lo anterior se desprende de las normas generales referentes a la celebración de actos jurídicos».

En el supuesto de _oferta al público_ o _ad incertam personam_, hoy tan generalizado, ésta debe reunir todos los elementos esenciales del negocio. De lo contrario se trataría de una invitación a contratar, como es el caso de los anuncios de viviendas o locales de negocio en los que no se contiene el precio. Aunque este es el planteamiento «clásico» o «tradicional» del Derecho de contratos, no puede obviarse que hoy en día existen invitaciones a contratar que contienen información muy completa relativa a las características de los productos y al precio, entre otros elementos a tener en cuenta. De hecho, el artículo 2, letra i), de la DPCD define la invitación a comprar como una «comunicación comercial que indica las características del producto y su precio de una manera adecuada al medio de la comunicación comercial utilizado y permite así al consumidor realizar una compra». Esta «invitación a comprar» es considerada una forma específica de publicidad que obliga a los empresarios (comerciantes en la terminología de la Directiva) a cumplir unos especiales deberes de información respecto de los consumidores.

Según el artículo 7.4 de la DPCD, «en los casos en que haya una invitación a comprar se considerará sustancial la información que figura a continuación, si no se desprende ya claramente del contexto: a) las características principales del producto, en la medida adecuada al medio utilizado y al producto; b) la dirección geográfica y la identidad del comerciante, tal como su nombre comercial y, en su caso, la dirección geográfica y la identidad del comerciante por cuya cuenta actúa; c) el precio, incluidos los impuestos, o en caso de que éste no pueda calcularse razonablemente de antemano por la naturaleza del producto, la forma en que se determina el precio, así como, cuando proceda, todos los gastos adicionales de transporte, entrega o postales o, cuando tales gastos no puedan ser calculados razonablemente de antemano, el hecho de que pueden existir dichos gastos adicionales; d) los procedimientos de pago, entrega y funcionamiento, y el sistema de tratamiento de las reclamaciones, si se apartan de las exigencias de la diligencia profesional; e) en el caso de los productos y transacciones que lleven aparejado un derecho de revocación o cancelación, la existencia de tal derecho».

Como dice la sentencia _Ving Sverige AB_, se trata de un número limitado de datos esenciales que el consumidor necesita «para poder tomar una decisión sobre una transacción con el debido conocimiento de causa»[17]. En consecuencia, al amparo del artículo 7.1 de la DPCD, será reputada engañosa «toda práctica comercial que, en su contexto fáctico, teniendo en cuenta todas sus características y circunstancias y las limitaciones del medio de comunicación, omita información sustancial que necesite el consumidor medio, según el contexto, para tomar una decisión sobre una transacción con el debido conocimiento de causa y que, en consecuencia, haga o pueda hacer que el consumidor medio tome una decisión sobre una transacción que de otro modo no hubiera tomado». Dicha práctica será, además, desleal de acuerdo con

---

17. STJUE de 12 de mayo de 2011, Ving Sverige AB, C-122/10, EU:C:2011:299, apartado 24.

lo dispuesto por el artículo 5.4 de la DPCD. En todo caso, la expresión «permite así al consumidor realizar una compra», que aparece en el artículo 2, letra i), de la DPCD, «debe interpretarse en el sentido de que existe una invitación a comprar desde el momento en que la información relativa al producto comercializado y a su precio es suficiente para que el consumidor pueda tomar una decisión sobre una transacción, sin que sea necesario que la comunicación comercial incluya también un medio concreto de adquisición del producto, o que aparezca en conexión con tal medio o con ocasión de él»[18].

Siguiendo el mismo criterio que el establecido por la Convención de Viena en su artículo 14.2, el artículo 1246, párrafo 2.º, de la PMDOC dice claramente que «la propuesta de contratar que se dirija a personas indeterminadas se considerará como simple invitación a presentar ofertas a menos que el proponente exprese lo contrario». A tenor del artículo II.-4:201(2) del DCFR, «la oferta puede ser pública o dirigirse a una o varias personas determinadas». Como se indica en el comentario oficial del artículo II.-4:201 del DCFR, «las propuestas que no se hagan a una o más personas determinadas (propuestas hechas al público) puede adoptar diversas formas: anuncios, pósteres, circulares, convocatorias de ofertas, subastas, etc. que por lo general se considerarán ofertas si muestran una intención de ser legalmente vinculantes en caso de ser captadas. Sin embargo, se presume que aquellas propuestas hechas en circunstancias en las que es probable que las características específicas de la otra parte sean importantes se consideren por lo general únicamente como invitaciones para presentar ofertas. Lo anterior será de aplicación a un anuncio de alquiler de una casa por un precio determinado. En cambio, un anuncio de una oferta de empleo dirigida a las personas que cumplan determinados requisitos no obliga al anunciante a contratar a un candidato que ofrezca sus servicios y satisfaga los requisitos. Los contratos de obra con frecuencia se celebran a partir de un concurso público. Normalmente los propietarios invitan a que se presenten ofertas».

En este contexto, según el artículo 9.1 de la LOCM, «La oferta pública de venta o la exposición de artículos en establecimientos comerciales constituye a su titular en la obligación de proceder a su venta a favor de los demandantes que cumplan las condiciones de adquisición, atendiendo, en el segundo caso, al orden temporal de las solicitudes. Quedan exceptuados de esta obligación los objetos sobre los que se advierta, expresamente, que no se encuentran a la venta o que, claramente, formen parte de la instalación o decorado». Los adverbios «expresamente» y «claramente», que utiliza la ley, ponen de manifiesto la intención del legislador de que el consumidor no pueda, de forma razonable, confiar que el objeto exhibido está a la venta. Por otra parte, los comerciantes no podrán limitar la cantidad de artículos que pueden ser adquiridos por cada comprador ni establecer precios más elevados o suprimir reducciones o incentivos para las compras que superen un determinado volumen. En el caso de que, en un establecimiento abierto al público, no se dispusiera de existencias suficientes para cubrir la demanda, se atenderá a la prioridad temporal en la solicitud (art. 9.2 LOCM).

Excepcionalmente, cuando existan circunstancias extraordinarias o de fuerza mayor que lo justifiquen, los establecimientos comerciales podrán suspender con carácter temporal la prohibición prevista en el apartado 2 de limitar la cantidad de

---

18. Sentencia *Ving Sverige AB*, apartado 33.

artículos que puedan ser adquiridos por cada comprador. Estas medidas deberán estar justificadas y se adoptarán de manera proporcionada cuando sea necesario para impedir el desabastecimiento y garantizar el acceso de los consumidores en condiciones equitativas (art. 9.3 LOCM).

Por otra parte, con el fin de proteger directamente a los consumidores, e indirectamente a los minoristas, el artículo 35 de la LOCM dice que «queda prohibido que, en la oferta al público de mercancías de cualquier clase, se invoque por el vendedor su condición de fabricante o mayorista, a menos que reúna las circunstancias siguientes: a) Que, en el primer caso, fabrique realmente la totalidad de los productos puestos a la venta y, en el segundo, realice sus operaciones de venta fundamentalmente a comerciantes minoristas. b) Que los precios ofertados sean los mismos que aplica a otros comerciantes, mayoristas o minoristas, según los casos».

En cualquier caso, como indica CARRASCO, el término «oferta» que utiliza el artículo 9 de la LOCM no posee un carácter propiamente jurídico sino que simplemente se refiere a la técnica de promoción de ventas que los empresarios utilizan en su actividad, de modo que quien promociona o anuncia bienes de esta manera actuaría deslealmente si atrajera a los clientes hasta el lugar de la oferta para luego negarse a cumplir. Teniendo en cuenta que dicho precepto no pretende regular la perfección del contrato sino simplemente la conducta comercial que se manifiesta a los consumidores, concluye este autor que para la Ley de ordenación del comercio minorista la promoción de bienes constituye una oferta contractual sometida a la condición de que se dispongan de existencias. De todo ello se desprende que no tiene demasiado sentido discutir si la mencionada conducta de promoción es una mera invitación a contratar o, por el contrario, alcanza la categoría de oferta propiamente dicha.

Este planteamiento de «oferta contractual sometida a la condición de que se dispongan de existencias» es el que aparece en el artículo II.-4:201(3) del DCFR cuando dice que «salvo que las circunstancias indiquen lo contrario, la propuesta realizada por un empresario a través de anuncios, por catálogo o mediante la exposición de mercancías, de proveer bienes o prestar un servicio a un precio determinado se entiende como una oferta por el precio indicado hasta que se agoten las existencias o el profesional no pueda continuar prestando el servicio»[19] No obstante, el comentario de este precepto indica que «la norma es de aplicación únicamente si las circunstancias no indican que la propuesta no pretende ser una oferta. El anuncio o cualquier otro método pueden tener otra intención distinta y derivarse de otras circunstancias diferentes. De este modo, si los bienes o servicios se ofrecen en condiciones de crédito, la empresa puede negarse a operar con personas con escasa capacidad crediticia». Termina diciendo que «aunque el modelo de "oferta y aceptación" se encuentra presente en la legislación de todos los Estados miembros, su aplicación específica difiere. Concretamente, algunos ordenamientos no consideran por lo general que una propuesta realizada por una empresa de

---

19. Cfr. artículo 2:201(3) de los PECL, según el cual, «la propuesta hecha por un profesional, en anuncios, por catálogo o mediante la exposición de mercancías, de suministrar bienes o servicios a un precio determinado, se entiende como oferta de vender o de suministrar al precio indicado hasta que se agoten las mercancías almacenadas o la capacidad del profesional de prestar el servicio».

proveer mercancías a un precio determinado o la exposición de las mercancías que comercializan con su precio correspondiente sea una oferta».

5.º Ha de *llegar al destinatario.*

El artículo 1247, párrafo 1.º, de la PMDOC señala que «la oferta tendrá efectividad cuando llegue al destinatario». A tenor del artículo 1257 de la PMDOC, «a los efectos de este Capítulo, para entender que una comunicación ha llegado a su destinatario, basta que haya llegado al lugar que tenga designado para ello, a su establecimiento o a su domicilio».

En los *contratos internacionales,* según el artículo 14.1 de la CISG, «la propuesta de celebrar un contrato, dirigida a una o varias personas determinadas, constituirá oferta si es suficientemente precisa e indica la intención del oferente de quedar obligado en caso de aceptación. Una propuesta es suficientemente precisa si indica las mercaderías y expresa o, tácitamente, señala la cantidad y el precio o prevé un medio para determinarlos». Este artículo distingue entre propuesta contractual y oferta propiamente dicha: la primera es una declaración de voluntad de llegar en lo sucesivo a establecer un contrato, que inicialmente sólo estaría determinado en alguno de sus elementos; la segunda, una propuesta «completa» o «suficientemente precisa», según la terminología de la Convención de Viena. De acuerdo con esta interpretación, la propuesta sería un género dentro del cual, como una especie particular, estaría la oferta, siempre que reúna determinados y muy estrictos requisitos.

Como dice Díez-Picazo, el artículo 14.1 de la CISG contempla las siguientes posibilidades, todas ellas lícitas y admisibles:

1.º Una determinación expresa de las mercaderías, de su cantidad y del precio, que debe comprender la especie monetaria en que deba ser pagado.

2.º Las mercaderías se encuentran designadas o identificadas expresamente, pero la cantidad aparece mencionada sólo de una manera tácita. En esta hipótesis, la determinación implícita de la cantidad de los objetos contratados tendrá que resultar de acuerdos de carácter general preexistentes entre las partes (acuerdos generales de adquisición toda la producción del vendedor o el compromiso de éste de satisfacer las necesidades periódicas de compra) o, en su caso, de los usos y de las prácticas también preexistentes entre los contratantes. En cuanto a la determinación implícita de los precios, podría suceder que las partes se remitieran a formas anteriores de proceder entre ellas, o también que el comprador indicase que acepta las tarifas o precios de catálogo del vendedor, o incluso que de la propia oferta o de prácticas anteriores resultase que el oferente no rechaza un precio fijado únicamente por la otra parte. En cualquier caso, habrá que tener en cuenta el principio de buena fe, el cual obligará a reducir el precio en los casos en que pueda ser notoriamente abusivo.

3.º En la propuesta sólo se establece el medio o el criterio para determinar las cantidades, tanto de las mercaderías como del precio. Este es un criterio que aparece recogido en nuestro Código civil en su artículo 1273 con carácter general para todos los contratos, y en materia de compraventa en los artículos 1447 y 1448 del CC (determinación del precio con referencia a otra cosa cierta; remisión de su señalamiento al arbitrio de persona determinada; fijación del precio mediante cotizaciones de bolsa o de mercado). En este caso, en que existen criterios de determinación del precio, la oferta está suficientemente definida.

En los *contratos internacionales*, el artículo 2.1.2 de los PCCI señala que toda propuesta de celebrar un contrato constituye una oferta, «si es suficientemente precisa e indica la intención del oferente de quedar vinculado en caso de aceptación». En el comentario oficial de este precepto se acentúa la importancia del elemento intencional del oferente, pues en él se afirma que la oferta podría ser suficientemente precisa incluso cuando elementos esenciales del contrato, tales como la descripción de las mercaderías o servicios a entregar o prestar, el precio que se pagará por ellos, el tiempo y lugar de cumplimiento, no estuviesen determinados. Por consiguiente, «todo depende de si el oferente al proponer la oferta y el destinatario al aceptarla tienen la intención de quedar vinculados por el contrato, como así también de que los elementos indeterminados dejen de serlo mediante una interpretación del sentido de las palabras utilizadas en el contrato conforme a los artículos 4.1 y siguientes, o mediante su integración conforme al artículo 4.8 o 5.1.2. La imprecisión también puede cubrirse mediante las prácticas comerciales establecidas entre las partes o por los usos, o en base a disposiciones específicas que se encuentran en los Principios».

También el artículo 2:201(1) de los PECL habla de «términos lo suficientemente precisos», cuando se refiere a la propuesta que posea las características de una oferta contractual.

Sin embargo, el artículo 2.1.14 de los PCCI contempla la posibilidad de celebrar un contrato con términos «abiertos», cuando afirma en su apartado 1 que «si las partes han tenido el propósito de celebrar un contrato, el hecho de que intencionalmente hayan dejado algún término sujeto a ulteriores negociaciones o a su determinación por un tercero no impedirá el perfeccionamiento del contrato». Según el comentario oficial, en este caso la intención de los contratantes podría inferirse de otras circunstancias, «tales como el carácter no esencial de los términos en cuestión, el grado de precisión del contrato en su conjunto, el hecho de que los términos que han quedado abiertos se refieran a materias que, dada su naturaleza, sólo pueden ser determinadas con posterioridad, el hecho de que el contrato ya haya sido cumplido en parte, etc.». Según el artículo 2.1.14(2) de los PCCI, «la existencia del contrato no se verá afectada por el hecho de que con posterioridad: (a) las partes no se pongan de acuerdo acerca de dicho término, o (b) el tercero no lo determine, siempre y cuando haya algún modo razonable para determinarlo, teniendo en cuenta las circunstancias y la común intención de las partes».

El artículo 14.2 de la CISG dice que toda propuesta no dirigida a una o varias personas determinadas será considerada como una simple invitación a hacer ofertas, a menos que la persona que haga la propuesta indique claramente lo contrario. Es decir, se presume la inexistencia de oferta, salvo que el proponente «indique claramente lo contrario». Lo que implica que del texto de la comunicación debe resultar con claridad, sin necesidad de interpretaciones complicadas, que existía en ella una oferta, siempre que además se cumplan los requisitos que contiene el apartado 1 del artículo 14 (DÍEZ-PICAZO). Se entiende que son personas determinadas tanto las personas físicas como las jurídicas, e incluso grupos que no posean personalidad jurídica (uniones mercantiles, sociedades irregulares, grupos de negocios). Estos grupos de personas serán considerados personas determinadas, tanto si la oferta se dirige exclusivamente a nombre de uno de ellos como si redirige al de todos (EÖRSI).

En materia de contratación electrónica existe idéntico criterio de delimitación al establecido por el artículo 14 de la CISG, pues el artículo 11 de la Convención de las Naciones Unidas sobre la utilización de las comunicaciones electrónicas en los contratos internacionales de 2005, no firmada por España, dispone que «toda propuesta de celebrar un contrato presentada por medio de una o más comunicaciones electrónicas que no vaya dirigida a una o varias partes determinadas, sino que sea generalmente accesible para toda parte que haga uso de sistemas de información, así como toda propuesta que haga uso de aplicaciones interactivas para hacer pedido a través de dichos sistemas, se considerará una invitación a presentar ofertas, salvo que indique claramente la intención de la parte que presenta la propuesta de quedar obligada por su oferta en caso de que sea aceptada».

El artículo 15.1 de la CISG determina que «la oferta surtirá efecto cuando llegue al destinatario». Según el artículo 14 de la CISG, «a los efectos de esta parte de la presente Convención, la oferta, la declaración de aceptación o cualquier otra manifestación de intención "llega" al destinatario cuando se le comunica verbalmente o se entrega por cualquier otro medio al destinatario personalmente, o en su establecimiento o dirección postal, o si no tiene establecimiento ni dirección postal, en su residencia habitual».

Mientras que los PCCI no contienen ninguna alusión a la oferta al público, el artículo 2:201(2) de los PECL dice que «la oferta puede dirigirse a una o varias personas determinadas o al público».

1.2. Forma

La oferta no requiere una forma especial o determinada, salvo cuando se trate de aquellos contratos para los que se exige una cierta forma. Así, por ejemplo, el artículo 633 del CC dice que, para que sea válida la donación de cosa inmueble, ha de hacerse en escritura pública.

En *contratos celebrados a distancia*, el empresario facilitará al consumidor, en la lengua utilizada en la propuesta de contratación o bien, en la lengua elegida para la contratación, y, al menos, en castellano, la información exigida en el artículo 97.1 o la pondrá a su disposición de forma acorde con las técnicas de comunicación a distancia utilizadas, en términos claros y comprensibles y deberá respetar, en particular, el principio de buena fe en las transacciones comerciales, así como los principios de protección de quienes sean incapaces de contratar. Siempre que dicha información se facilite en un soporte duradero deberá ser legible (art. 98.1 TRLGDCU).

Si un contrato a distancia que ha de ser celebrado por medios electrónicos implica obligaciones de pago para el consumidor, el empresario pondrá en conocimiento de éste de una manera clara y destacada, y justo antes de que efectúe el pedido, la información establecida en el artículo 97.1.a), e), p) y q). El empresario deberá velar por que el consumidor, al efectuar el pedido, confirme expresamente que es consciente de que el pedido implica una obligación de pago. Si la realización de un pedido se hace activando un botón o una función similar, estos deberán etiquetarse, de manera que sea fácilmente legible, únicamente con la expresión «pedido con obligación de pago» o una formulación análoga no ambigua que indique que la realización del pedido implica la obligación de realizar un pago al empresario. En caso contrario, el consumidor no quedará obligado por el contrato o pedido (art. 98.2 TRLGDCU).

En los *contratos celebrados fuera del establecimiento*, el artículo 99.1 del TRLGDCU obliga al empresario a facilitar al consumidor la información exigida en el artículo 97.1 en papel o, si este está de acuerdo, en otro soporte duradero. Dicha información deberá ser legible y estar redactada al menos en castellano y en su caso, a petición de cualquiera de las partes, deberá redactarse también en cualquiera de las otras lenguas oficiales en el lugar de celebración del contrato y en términos claros y comprensibles.

El empresario deberá facilitar al consumidor una copia del contrato firmado o la confirmación del mismo en papel o, si éste está de acuerdo, en un soporte duradero diferente, incluida, cuando proceda, la confirmación del previo consentimiento expreso del consumidor y usuario y del conocimiento por su parte de la pérdida del derecho de desistimiento a que se refiere el artículo 103.m) (art. 99.2 TRLGDCU). En caso de que un consumidor o usuario desee que la prestación de servicios o el suministro de agua, gas, electricidad –cuando no estén envasados para la venta en un volumen delimitado o en cantidades determinadas–, o de calefacción mediante sistemas urbanos, dé comienzo durante el plazo de desistimiento previsto en el artículo 104, y el contrato imponga al consumidor una obligación de pago, el empresario le exigirá que presente en un soporte duradero una solicitud expresa solicitando el comienzo del contrato, así como una declaración de que, una vez que el empresario haya ejecutado íntegramente el contrato, habrá perdido su derecho de desistimiento (art. 99.3 TRLGDCU). Corresponde al empresario probar el cumplimiento de las obligaciones a que este artículo se refiere. El empresario deberá adoptar las medidas adecuadas y eficaces que le permitan identificar inequívocamente al consumidor con el que celebra el contrato (art. 99.4 TRLGDCU).

En los *contratos de crédito al consumo*, el artículo 16.1 de la LCC exige que los contratos se hagan constar por escrito en papel o en otro soporte duradero y se redacten con una letra que resulte legible y con un contraste de impresión adecuado. Todas las partes contratantes recibirán un ejemplar del contrato de crédito. El apartado 2 de dicho artículo 16 de la LCC especifica los datos que el documento contractual deberá especificar, de forma clara y concisa, al margen de las condiciones esenciales del contrato. Se trata de un contenido obligatorio impuesto por le legislador.

En los *contratos de adquisición de multipropiedad*, según el artículo 11.1 de la LDAT, «los contratos de aprovechamiento por turno de bienes de uso turístico, de producto vacacional de larga duración, de reventa o de intercambio, se formalizarán por escrito, en papel o en otro soporte duradero, y se redactarán, en un tamaño tipográfico y con un contraste de impresión adecuado que resulte fácilmente legible, en la lengua o en una de las lenguas del Estado miembro en que resida el consumidor o del que este sea nacional, a su elección, siempre que se trate de una lengua oficial de la Unión Europea. Si el consumidor es residente en España o el empresario ejerce aquí sus actividades, el contrato deberá redactarse además en castellano y, en su caso, a petición de cualquiera de las partes, podrá redactarse también en cualquiera de las otras lenguas españolas oficiales en el lugar de celebración del contrato».

La información precontractual facilitada al consumidor, debidamente firmada por éste, formará parte integrante del contrato y no se alterará a menos que las partes dispongan expresamente lo contrario o cuando los cambios se deban a circunstancias anormales, imprevisibles y ajenas a la voluntad del empresario y cuyas consecuencias no se hubieran podido evitar pese a toda la diligencia empleada. Estos cambios se comunicarán al consumidor, en papel o en cualquier otro soporte duradero fácilmente accesible para él, antes de que se celebre el contrato y deberán constar explícitamente en éste (art. 11.2 LDAT). Además, en el contrato figurará la identidad, el domicilio y la firma de cada una de las partes, y la fecha y el lugar de celebración del contrato (art. 11.3 LDAT). Las cláusulas contractuales correspondientes al derecho de desistimiento y a la prohibición del pago de anticipos serán firmadas aparte por el consumidor. El contrato incluirá, asimismo, un formulario normalizado de desistimiento en documento aparte, según figura en el anexo V (art. 11.4 LDAT).

1.3. *Extinción*

La oferta se puede extinguir en los casos siguientes:

1.º Cuando *es rechazada o alterada* expresamente por el destinatario. La STS de 7 de junio de 1986 ha declarado que es doctrina científica comúnmente admitida que la oferta puede ser revocada mientras el contrato no se haya perfeccionado, haciendo constar de modo inequívoco y claro la coincidencia de oferta y aceptación, sin que sea suficiente la primera mientras el destinatario no la admita plenamente[20]; y sin que sea posible apreciar la existencia de aceptación cuando, como en el caso debatido, se formulan modificaciones o se altera la propuesta o se la somete a condición[21], a lo que equivalía contestar, como hizo la recurrente, no remitiendo las maquinas pedidas sino aplazando su entrega y colocando simplemente el pedido en turno de entregas, sin señalamiento de plazo y sin contar con el asentimiento de la peticionaria[22].

2.º Cuando *es revocada o retirada* por el oferente antes de la perfección del contrato. No obstante, si la retirada de la oferta es contraria a la buena fe, podrá generar culpa *in contrahendo* del oferente. La revocación es una declaración de voluntad recepticia, que como tal debe dirigirse al destinatario[23].

La STS de 3 de noviembre de 1993 declara que «el transcurso de seis años desde la formulación de la oferta y la naturaleza del negocio (urbanización de terrenos) explica y justifica la razonabilidad de la revocación y la extemporaneidad de la aceptación producida una vez que el recurrente supo que el ofertante daba por cancelada su oferta»[24].

Es eficaz y lícita la renuncia a revocar la oferta (art. 6.2 CC), que ha de ser clara y concluyente. Pues, como indican Díez-Picazo y Gullón, «no es bastante para darla por entendida el señalamiento de un plazo para la aceptación. En cambio, sí el compromiso de mantenerla durante cierto tiempo. Transcurrido sin aceptación, la oferta caduca sin necesidad de una manifestación de voluntad revocatoria».

---

20. Cfr. SSTS de 19 de junio de 1950 (RJ 1950, 1028) y 6 de marzo de 1969 (RJ 1969, 1175).
21. SSTS de 10 de octubre de 1962 (RJ 1962, 3792) y 14 de marzo de 1973 (RJ 1973, 981).
22. RJ 1986, 3296.
23. Cfr. STS de 17 de septiembre de 2013 (RJ 2013, 322699).
24. RJ 1993, 8963.

En ocasiones, es la ley la que establece la irrevocabilidad de la oferta en garantía de los destinatarios. Así, por ejemplo, el artículo 6 de la LCS dispone que «la proposición de seguro por el asegurador vinculará al proponente durante un plazo de quince días», mientras que el artículo 56.1 de la LOCM establece el carácter irrevocable de la oferta en pública subasta. Por su parte, el artículo 27.3 de la LSSI señala que «sin perjuicio de lo dispuesto en la legislación específica, las ofertas o propuestas de contratación realizadas por vía electrónica serán válidas durante el período que fije el oferente o, en su defecto, durante todo el tiempo que permanezcan accesibles a los destinatarios del servicio». En este último supuesto no se trata, sin embargo, de distinguir entre ofertas e invitaciones a hacer ofertas, sino únicamente de fijar un período supletorio de duración que es aplicable a unas y otras (DE MIGUEL ASENSIO).

El artículo 1247, párrafo 2.º, de la PMDOC indica que «aun cuando fuere irrevocable, la oferta podrá ser retirada siempre que la retirada llegue al destinatario antes o al mismo tiempo que la oferta». La oferta, será, sin embargo, irrevocable: 1.º Cuando el oferente le hubiere atribuido este carácter. 2.º Cuando en la oferta se haya fijado un plazo para la aceptación, a menos que el oferente se haya reservado expresamente la facultad de revocarla. 3.º Cuando el destinatario de la oferta hubiera podido confiar por las declaraciones o comportamientos del oferente en el carácter irrevocable de aquélla y hubiera realizado actos o negocios sobre la base de esta confianza (cfr. art. 1248 PMDOC).

Según el artículo II.-4:202(1) del DCFR, «las ofertas pueden revocarse si la revocación llega a su destinatario antes de que éste haya remitido su aceptación o, en los casos de aceptación derivada de una conducta, antes de que el contrato se haya celebrado». El apartado 3 del mismo artículo señala que «no obstante, la revocación de una oferta no surtirá efecto si: (a) la oferta indica que es irrevocable; (b) la oferta establece un plazo determinado para su aceptación; o (c) su destinatario tuviera motivos razonables para pensar que se trataba de una oferta irrevocable y hubiera actuado en consecuencia». En cualquier caso, según el artículo 4:202(4) del DCFR, «el apartado (3) no será de aplicación a una oferta si cualquiera de las reglas de los Libros II a IV otorgara derecho al oferente a desistir del contrato resultante de su aceptación. Las partes no podrán excluir la aplicación de la presente regla ni derogar o modificar sus efectos en perjuicio del oferente».

Cuando se trate de una oferta al público o *ad incertam personam*, la revocación deberá realizarse de la misma manera en que se hizo la oferta y deberá ser tan clara como ésta.

Según el artículo II.-4:202(2) del DCFR, «las ofertas públicas pueden revocarse por los mismos medios por los que fueron presentadas». Como dice el comentario oficial al artículo II.– 4:201:1 del DCFR, «si la oferta se ha publicado en un periódico, la publicación que anuncie la revocación deberá recibirse en el buzón del destinatario o encontrarse en los puntos de venta de prensa antes de que el destinatario envíe la aceptación».

A tenor del artículo 16.1 de la CISG, «la oferta podrá ser revocada hasta que se perfeccione el contrato si la revocación llega al destinatario antes que éste haya enviado la aceptación». Por su parte, aunque la oferta sea irrevocable, podrá ser retirada, dice el artículo 15.2 de la CISG, «si su retiro llega al destinatario antes o al mismo tiempo que la oferta». De todo ello se desprende que la Convención de Viena establece, como no podía ser de otra manera, un principio general de revocabilidad de la oferta, distinguiendo, al mismo tiempo, entre retirada de la oferta y revocación de la misma. La retirada es una declaración de voluntad del oferente contraria a la efectividad de la oferta, que se produce en el período que corre entre la emisión de la oferta y su llegada o recepción al destinatario. Por el contrario, la revocación es una declaración de voluntad que tiene lugar después de la llegada de la oferta a su destinatario, esto es en el período que media entre la recepción de la oferta y la perfección del contrato (DíEZ-PICAZO). La revocación a que se refiere el artículo 16.1 de la CISG tiene como límite que el destinatario de la oferta no haya enviado (emisión) la aceptación, con el fin de no otorgar al oferente una ventaja temporal que pueda ser considerada excesivamente larga.

En todo caso, el artículo 16.2 de la CISG establece que la oferta no podrá revocarse: *a*) Si indica, al señalar un plazo fijo para la aceptación o de otro modo, que es irrevocable; o *b*) si el destinatario podía razonablemente considerar que la oferta era irrevocable y ha actuado basándose en esa oferta. En esta segunda hipótesis se trata claramente de una aplicación del llamado principio de la confianza, que deriva de la regla de la buena fe. No se trata de una irrevocabilidad meramente tácita o derivada de actos concluyentes, sino de la existencia de una confianza, suscitada por el oferente en el destinatario, en la irrevocabilidad de la oferta que debe ser protegida (DíEZ-PICAZO).

En términos muy parecidos se expresan los artículos 2.1.3 (retirada de la oferta) y 2.1.4 (revocación de la oferta) de los PCCI[25].

3.° Cuando *transcurre el tiempo o plazo* establecido por el proponente para la aceptación. Si no se hubiere fijado plazo, deberá considerarse en vigor durante el tiempo necesario, atendida la naturaleza del contrato, según la buena fe o los usos, para que la persona a quien va dirigida manifieste su aceptación (cfr. art. 1258 CC)[26]. Como dice COCA PAYERAS, la concreta duración de la oferta dependerá de tres factores de previsión: el tiempo objetivamente previsible para la formación de voluntad aceptante o repudiante, la materia sobre la que verse la oferta (por ejemplo, si se trata de objetos perecederos) y el medio de comunicación que se hubiere utilizado. Es decir, habrá que atender a una serie de circunstancias que sólo podrán ser determinadas de acuerdo con las circunstancias de cada caso concreto[27].

4.° Cuando *se produce la muerte del oferente.* Como dice la STS de 23 de marzo de 1988, «no cabe que los efectos de la oferta sean transmisibles a sus causahabientes (los de oferente), a quienes sólo podría vincular (art. 1257 CC) de haberse perfeccionado en vida del *decuius*»[28]. No obstante, la oferta irrevocable vincula a los herederos del proponente, y también constituye una excepción el supuesto de que el oferente fuera un empresario y la propuesta se refiera al ámbito de actividades de la empresa.

---

25. Cfr. artículo 2:202 de los PECL.
26. SSTS de 22 de diciembre de 1956 (RJ 1956, 4135) y 3 de noviembre de 1993 (RJ 1993, 8963).
27. Cfr. STS 22 de diciembre de 1956 (RJ 1956, 4135).
28. RJ 1988, 2422.

La oferta realizada por una persona que, después de emitirla, pudiera precisar medidas de apoyo para el ejercicio de su capacidad jurídica no pierde su eficacia por esa circunstancia (art. 249, párr. 1.°, CC).

> Según el artículo 1255 de la PMDOC, «ni la oferta ni la aceptación pierden su eficacia por la muerte o por la incapacidad sobrevenida de una de las partes ni tampoco por la extinción de las facultades representativas de quien las hizo. Se exceptúan los casos en que resulte lo contrario de la naturaleza del negocio o de otras circunstancias».

1.4. *Las ofertas públicas de adquisición de valores*

Un caso significativo de ofertas públicas lo constituyen en la actualidad las denominadas OPAS. Se trata de ofertas públicas de adquisición de valores mobiliarios, normalmente de acciones representativas del capital de sociedades anónimas o derechos de suscripción preferente, obligaciones convertibles, etc.

La legislación del mercado de valores regula las ofertas públicas de adquisición obligatorias y las ofertas públicas de adquisición voluntarias. A tenor del artículo 128 del TRLMV, «quedará obligado a formular una oferta pública de adquisición por la totalidad de las acciones u otros valores que directa o indirectamente puedan dar derecho a su suscripción o adquisición y dirigida a todos sus titulares a un precio equitativo quien alcance el control de una sociedad cotizada, ya lo consiga: a) Mediante la adquisición de acciones u otros valores que confieran, directa o indirectamente, el derecho a la suscripción o adquisición de acciones con derechos de voto en dicha sociedad; b) Mediante pactos parasociales con otros titulares de valores; o c) Como consecuencia de los demás supuestos de naturaleza análoga que reglamentariamente se establezcan».

Por su parte, las ofertas públicas de adquisición de acciones, o de otros valores que confieran directa o indirectamente derechos de voto en una sociedad cotizada, formuladas de modo voluntario, deberán dirigirse a todos sus titulares, estarán sujetas a las mismas reglas de procedimiento que las ofertas obligatorias capítulo y podrán realizarse, en las condiciones que se establezcan reglamentariamente, por un número de valores inferior al total. La oferta obligatoria contemplada en el artículo 128 no será exigible cuando el control se haya adquirido tras una oferta voluntaria por la totalidad de los valores, dirigida a todos sus titulares y que haya cumplido todos los requisitos exigidos por la legislación (art. 137.1 TRLMV).

2. La aceptación

2.1. *Concepto y requisitos*

La aceptación es una declaración de querer celebrar el contrato tal y como había sido propuesto por el oferente. Es la respuesta afirmativa a una oferta. No es necesario que la aceptación contenga todos y cada uno de los puntos esenciales del contrato, simplemente se requiere que el aceptante conteste afirmativamente, por ejemplo, «sí», «acepto», «de acuerdo», asienta mediante algún gesto. Sin embargo, en ciertos casos, para evitar ambigüedades y disipar cualquier mal entendido, puede ser conveniente o aconsejable reproducir en la aceptación los mismos términos de la oferta.

La aceptación requiere los *requisitos* siguientes:

1.º Ha de *corresponder exactamente a la oferta*. Si se introdujeran modificaciones, no habría consentimiento sino disentimiento y, por tanto, no se perfeccionaría el contrato (art. 1262 CC). Una aceptación con modificaciones, alterando la propuesta o sometiéndola a condición es, en realidad, una contraoferta del destinatario[29] que deja sin efecto la oferta originariamente formulada[30]. Es lo que los anglosajones denominan la «regla del espejo» (*mirror-image rule*).

A tenor del artículo 1249 de la PMDOC, «toda oferta, aun cuando fuere irrevocable, queda ineficaz en el momento en que la comunicación rechazándola llegue al oferente». Por su parte, como indica el artículo 1251, párrafo 1.º, de la PMDOC, «la respuesta a una oferta que contenga adiciones, limitaciones o modificaciones de ésta, se considerará como rechazo de la oferta y constituirá contraoferta. No obstante, la respuesta que contenga adiciones o modificaciones que no alteren significativamente los términos de la oferta constituirá aceptación, salvo que el oferente hubiera exigido expresamente una aceptación pura y simple o manifieste sin demora su disconformidad». De hecho, según el apartado 2 del artículo 1251 de la PMDOC, «si se hubiera alcanzado entre comerciantes o profesionales en el ámbito de su común actividad un acuerdo aún no definitivamente documentado y una de las partes hubiera enviado a la otra en un tiempo razonable un escrito de confirmación que contenga adiciones o modificaciones que no alteren significativamente los términos del acuerdo, éstas se integrarán en el contrato, a menos que el destinatario manifieste sin demora justificada su disconformidad».

Asimismo, según el artículo II.-4:208(1) del DCFR, «una respuesta del destinatario que establezca o implique términos adicionales o diferentes que alteren en lo esencial los términos de la oferta, constituirá un rechazo de la oferta inicial y, a su vez, una nueva oferta». Sin embargo, el apartado 2 del mismo artículo II.-4:208 señala que «una respuesta clara de aceptación definitiva de una oferta, aun cuando establezca o implique términos adicionales o diferentes, se entenderá como aceptación válida en tanto esos cambios no alteren en lo esencial los términos de la oferta. En tal caso, los términos adicionales o diferentes pasan a formar parte del contrato». Parece evidente que el carácter esencial o no esencial de tales cambios sólo podrá determinarse en cada caso concreto, tal y como indica el comentario oficial de este precepto del DCFR, si bien «las modificaciones no se considerarán esenciales si no parece probable que afecten a la decisión del oferente sobre si celebrar el contrato e incluir según qué cláusulas». Por último, el artículo II.-4:208(3) del DCFR recalca que «no obstante, una respuesta de este tipo se considera un rechazo de la oferta si: (a) la oferta limita expresamente la aceptación a sus propios términos; (b) el oferente se opone sin excesiva demora a los términos adicionales o diferentes; o (c) el destinatario condiciona su aceptación a la aprobación por parte del oferente de los términos adicionales o diferentes, y el asentimiento no llega al destinatario en un plazo razonable».

De acuerdo con lo expuesto, puede afirmarse que en ambos textos se ha seguido el criterio establecido por el artículo 19 de la CISG.

---

29.   Cfr. SSTS de 14 de marzo de 1973 (RJ 1973, 981) y 7 de junio de 1986 (RJ 1986, 3296).
30.   Cfr. STS de 26 de marzo de 1993 (RJ 1993, 2395).

A tenor del artículo 19.1 de la CISG, «la respuesta a una oferta que pretenda ser una aceptación y que contenga adiciones, limitaciones u otras modificaciones, se considerará como rechazo de la oferta y constituirá una contraoferta». El apartado 2 del mismo artículo añade que «no obstante, la respuesta a una oferta que pretenda ser una aceptación y que contenga elementos adicionales o diferentes que no alteren sustancialmente los de la oferta constituirá aceptación a menos que el oferente, sin demora injustificada, objete verbalmente la discrepancia o envíe una comunicación en tal sentido. De no hacerlo así, los términos del contrato serán los dela oferta con las modificaciones contenidas en la aceptación»[31]. De lo expuesto se deduce que en la respuesta del destinatario de la oferta debe manifestarse una voluntad de vinculación y una voluntad contractual, lo que excluiría las respuestas que acepten sólo en principio la oferta o, que considerándola interesante, pretendan prolongar el período de negociaciones (Díez-Picazo).

A diferencia de lo dispuesto por la Propuesta para la modernización del Derecho de obligaciones y contratos y por el Borrador de Marco Común de Referencia, la Convención de Viena establece unos límites bastante estrictos a efectos de determinar qué se entiende por elementos adicionales o diferentes que alteren de manera sustancial los de la oferta, ya que el artículo 19.3 de la CISG dice que «se considerará que los elementos adicionales o diferentes relativos, en particular, al precio, a la calidad y la cantidad de las mercaderías, al lugar y la fecha de la entrega, al grado de responsabilidad de una parte con respecto a la otra o a la solución de las controversias alteran sustancialmente los elementos de la oferta». No obstante, estas desviaciones podrían no ser tales si ello resulta de las concretas circunstancias del caso, puesto que la norma del artículo 19.3 de la CISG cumple una función de interpretación de la voluntad de las partes. Por la misma razón, la alteración de otros elementos o circunstancias, que implicasen desviaciones de la oferta, podría tener el carácter de sustancial aunque dichos elementos no estén incluidos en el listado del artículo 19.3 de la CISG, como sería el caso, por ejemplo, de la existencia de garantía de pago del precio o las modalidades de documentación de la obligación de pago del precio (Díez-Picazo).

2.º Ha de ser *dirigida al proponente*. Puede ser expresa o tácita. Esta última es la que se manifiesta por actos concluyentes, es decir, cuando el sujeto no manifiesta de un modo directo su voluntad (generalmente mediante el lenguaje oral o escrito), sino que realiza una determinada conducta que, por presuponer necesariamente tal voluntad, es valorada por el ordenamiento jurídico como declaración[32].

> El comentario oficial al artículo II.-4:206(1) del DCFR señala que «la aceptación se puede realizar a través de una declaración expresa o mediante una conducta».

3.º Ha de ser hecha *con el propósito de concluir el contrato*.

> Según el artículo 1250, párrafo 1.º, de la PMDOC, «toda declaración o acto del destinatario que revele conformidad con la oferta constituirá aceptación; pero no el silencio o la inacción por sí solos». Con un tenor literal al del artículo

---

31. Prácticamente idéntico a lo dispuesto por el artículo 19 de la CISG, es el tenor literal del artículo 2.1.11 de los PCCI, que aparece bajo el epígrafe de «aceptación modificativa de la oferta».
32. Cfr. STS de 28 de febrero de 1990 (RJ 1990, 724).

18.1 de la CISG, el artículo 4:204(1) indica que «constituye aceptación cualquier declaración o conducta del destinatario de la oferta que indique asentimiento a la oferta». Como dice el comentario oficial de dicho precepto, «no es necesario que la aceptación se realice a través de los mismos medios que la oferta. Un oferta enviada mediante una carta puede aceptarse por correo electrónico o incluso verbalmente por teléfono». El apartado 2 del artículo II.-4:204del DCFR añade que «el silencio o la inactividad no constituyen por sí mismos aceptación».

A tenor del artículo 18.1 de la CISG, «toda declaración u otro acto del destinatario que indique asentimiento a una oferta constituirá aceptación. El silencio o la inacción, por sí solos, no constituirán aceptación».

4.º Ha de ser realizada *dentro del plazo.*

Según el artículo II.-4:206(1) del DCFR, «para que la aceptación de una oferta tenga efecto, el oferente deberá recibirla en el plazo dispuesto por él». El apartado 2 del mismo artículo dice que «si el oferente no hubiera dispuesto ningún plazo, deberá recibir la aceptación en un plazo razonable». Para determinar qué se entiende por «plazo razonable» el comentario oficial al artículo II.-4:206 del DCFR indica que «deberá prestarse debida consideración a las circunstancias en que se realiza la transacción. Un factor es la rapidez de los medios de comunicación utilizados por el oferente, y otro el tipo de contrato. Las ofertas que se refieren a la comercialización de productos básicos u otros artículos que se venden en un mercado fluctuante deberán aceptarse en un plazo breve, mientras que las relativas a la construcción de un edificio podrán ofrecer más tiempo para la reflexión. En los caso contemplados en los apartados (1) y (2), el oferente debe recibir la aceptación a tiempo. Por lo general se esperará que el destinatario utilice los mismos medios de comunicación que el oferente, si bien el plazo para la aceptación será el mismo. Si un destinatario recibe una oferta por correo postal y tarda bastante tiempo en considerarla, podrá emplear un medio de comunicación más rápido para aceptarla». En todo caso, como indica el artículo II.-4:206(3) del DCFR, «cuando una oferta se pueda aceptar mediante la realización de un acto y sin necesidad de comunicarlo al oferente, para que la aceptación sea efectiva, dicho acto debe llevarse a cabo dentro del plazo establecido por el oferente o, si el oferente no ha establecido ningún plazo, dentro de un margen de tiempo razonable».

En cuanto a la aceptación tardía, el artículo 1253, párrafo 1.º, de la PMDOC dice que «surtirá, sin embargo, efecto como aceptación si el oferente, sin demora, informa verbalmente de ello al destinatario o le envía una comunicación en tal sentido». Por su parte, a tenor del artículo II.-4:207(1) del DCFR, «una aceptación tardía será no obstante eficaz como aceptación cuando sin un retraso excesivo el oferente comunica al destinatario que ésta será tratada como una aceptación válida». Una vez hecha dicha comunicación sin demora excesiva, «el contrato se perfeccionará en el momento en que le oferente reciba la aceptación tardía, y el destinatario quedará obligado por la misma». Como continúa diciendo el comentario oficial al artículo I.-4:207 del DCFR, «no es necesario que la notificación sea un declaración de aceptación expresa. Una transferencia electrónica del dinero de la operación de compraventa, que llegará al destinatario con la misma rapidez que lo haría una notificación, bastará para que el contrato se perfeccione». En el supuesto de aceptación tardía debido a un retraso en la transmisión, el artículo II.-4:207(2) del DCFR señala que «cuando una carta u otra comunicación contenga una aceptación tardía y pueda demostrarse que se envió en tales circunstancias que, si la transmisión se hubiere producido de forma normal, hubiera llegada al oferente dentro del plazo establecido, se considerará una aceptación válida a menos que el oferente informe al destinatario sin excesiva demora que se tiene por extinguida la oferta». En este último caso, la carga de la prueba de que el envío se realizó a tiempo y que su recepción tardía se debió a un retraso inesperado en su transmisión recaerá sobre el aceptante.

En el ámbito de los _contratos internacionales_, la oferta debe ser aceptada dentro del plazo que hubiere fijado el oferente o, si no se hubiere fijado plazo, dentro del que sea razonable, habida cuenta de las circunstancias de la transacción y, en particular, de la rapidez de los medios de comunicación empleados por el oferente. Según el artículo 18.2 de la CISG, «la aceptación de la oferta surtirá efecto en el momento en que la indicación de sentimiento llegue al oferente. La aceptación no surtirá efecto si la indicación de asentimiento no llega la oferente dentro del plazo que ésta haya fijado o, si no se ha fijado plazo, dentro de un plazo razonable, habida cuenta de las circunstancias de la transacción y, en particular, de la rapidez de los medios de comunicación empleados por el oferente. La aceptación de las ofertas verbales tendrá que ser inmediata, a menos que de las circunstancias resulte otra cosa»[33]. El apartado 2 del mismo artículo añade que «no obstante, si en virtud de la oferta de prácticas que las partes hayan establecido entre ellas o de los usos, el destinatario puede indicar su asentimiento ejecutando un acto relativo, por ejemplo, a la expedición de las mercaderías o al pago del precio, sin comunicación al oferente, la aceptación surtirá efecto en el momento en que se ejecute ese acto, siempre que esa ejecución tenga lugar dentro del plazo establecido en el párrafo precedente».

La regulación es más detallada respecto del cómputo del plazo de las ofertas sujetas a plazo de aceptación, pues el artículo 20.1 de la CISG dispone que «el plazo de aceptación fijado por el oferente en un telegrama o en una carta comenzará a correr desde el momento en que el telegrama sea entregado para su expedición o desde la fecha de la carta o, si no se hubiere indicado ninguna, desde la fecha que figure en el sobre. El plazo de aceptación fijado por el oferente por teléfono, télex u otros medios de comunicación instantánea comenzará a correr desde el momento en que la oferta llegue al destinatario». Por su parte, según el apartado 2 del artículo 20 de la CISG, «los días feriados oficiales o no laborables no se excluirán del cómputo del plazo de aceptación. Sin embargo, si la comunicación de aceptación no pudiere ser entregada en la dirección del oferente el día del vencimiento del plazo, por ser ese día feriado oficial o no laborable en el lugar del establecimiento del oferente, el plazo se prorrogará hasta el primer día laborable siguiente»[34]. Lo dispuesto en este artículo 20 tiene carácter interpretativo, y al mismo tiempo dispositivo, ya que las partes pueden proceder de manera distinta al regular las situaciones que les afecten.

Mientras que para las ofertas realizadas por escrito y remitidas por un medio de comunicación que produce un intervalo temporal el artículo 20 de la CISG se inclina

---

33.   Cfr. artículo 2.1.7 de los PCCI y artículo 2:206 de los PECL.
34.   El artículo 2.1.8 de los PCCI tiene el mismo tenor literal.

por el tiempo de la emisión como momento de arranque del plazo (es el que se puede probar con una certeza razonable), el mismo precepto opta por el criterio de la recepción para los casos en que se utilicen en la transmisión de la oferta medios de comunicación instantáneos y sin intervalo temporal, citando expresamente el teléfono y el télex, aunque puede aplicarse a otros supuestos (DÍEZ-PICAZO). En cualquier caso, según el artículo 24 de la CISG, «la declaración de aceptación o cualquier otra manifestación de intención "llega" al destinatario cuando se le comunica verbalmente o se le entrega por cualquier otro medio al destinatario personalmente, o en su establecimiento o dirección postal, o si no tiene establecimiento no dirección postal, en su residencia habitual». Se reconoce así el criterio de la recepción o llegada como momento que atribuya efectividad a las declaraciones de voluntad emitidas en la fase de formación del contrato.

En cuanto a la denominada aceptación «tardía», el artículo 21.1 de la CISG dice que «surtirá, sin embargo, efecto como aceptación si el oferente, sin demora, informa verbalmente de ello al destinatario o le envía una comunicación en tal sentido»[35]. Por lo tanto, para que produzca efectos la aceptación tardía se requiere su aprobación por el oferente. Este acto no es una nueva aceptación de una contraoferta, sino un acto que hace efectiva la aceptación a pesar de su carácter tardío; lo que implica que el contrato no se habrá formado con la remisión o recepción de la declaración de conformidad o aprobación del oferente, sino con la llegada de la aceptación tardía. Dicha aprobación o conformidad reviste, por tanto, un cierto carácter retroactivo.

Si la aceptación se ha producido tardíamente, de manera que el aceptante ha perdido la posibilidad de concluir el contrato por defectos de los sistemas de comunicación que no le son imputables, el artículo 21.2 de la CISG señala que «si la carta u otra comunicación por escrito que contenga una aceptación tardía indica que ha sido enviada en circunstancias tales que si su transmisión hubiera sido normal habría llegado al oferente en el plazo debido, la aceptación tardía surtirá efecto como aceptación a menos que, sin demora, el oferente informe verbalmente al destinatario de que considera su oferta caducada o le envíe una comunicación en tal sentido»[36]. En este supuesto, la Convención de Viena se decanta por la protección del aceptante, a quien no le es imputable el retraso, por lo que considera formado el contrato salvo disconformidad del oferente. Aunque las causas del retraso pueden ser muy diferentes (error en el correo, huelgas, etc.), se requiere que resulte evidente al oferente la responsabilidad del medio de comunicación utilizado en el retraso de la aceptación (DÍEZ-PICAZO).

2.2. *Forma*

En cuanto a la forma, vale lo dicho respecto de la oferta. Es decir, no requiere una forma determinada, salvo que fuere exigida para el contrato o para la aceptación, bien por la ley o bien por la voluntad de las partes (art. 1255 CC).

En los *contratos por vía electrónica*, el artículo 28.1 de la LSSI determina que «el oferente está obligado a confirmar la recepción de la aceptación al que la hizo por alguno de los siguientes medios: a) el envío de un acuse de recibo por correo electrónico u

---

35. Cfr. artículos 2.1.9(1) de los PCCI y 2:207(1) de los PECL.
36. Cfr. artículos 2.1.9(2) de los PCCI y 2:207(2) de los PECL.

otro medio de comunicación electrónica equivalente a la dirección que el aceptante haya señalado, en el plazo de las veinticuatro horas siguientes a la recepción de la aceptación, o b) la confirmación, por un medio equivalente al utilizado en el procedimiento de contratación, de la aceptación recibida, tan pronto como el aceptante haya completado dicho procedimiento, siempre que la confirmación pueda ser archivada por su destinatario».

Se entenderá que se ha recibido la aceptación y su confirmación cuando las partes a que se dirijan puedan tener constancia de ello. En el caso de que la recepción de la aceptación se confirme mediante acuse de recibo, se presumirá que su destinatario puede tener la referida constancia desde que aquél haya sido almacenado en el servidor en que esté dada de alta su cuenta de correo electrónico, o en el dispositivo utilizado para la recepción de comunicaciones (art. 28.2 LSSI).

Como dice DE MIGUEL ASENSIO, esta segunda posibilidad de confirmación de la aceptación recibida facilita el cumplimiento de la obligación de confirmar la aceptación sin necesidad del envío de un mensaje de correo electrónico o equivalente. Al menos en los supuestos de contratación interactiva mediante páginas de Internet, en los que, por ejemplo, será suficiente con que la confirmación se muestre inmediatamente después de completar el proceso de contratación mediante una ventana en la pantalla cuya información pueda ser archivada por el aceptante. Por consiguiente, la obligación de que el oferente confirme al aceptante la recepción de la aceptación se impone con carácter general en la contratación por vía electrónica a los oferentes, salvo que concurra alguna de las dos situaciones a que se refiere el apartado 3 del artículo 28 de la LSSI, a cuyo tenor, «no será necesario confirmar la recepción de la aceptación de una oferta cuando: a) ambos contratantes así lo acuerden y ninguno de ellos tenga la consideración de consumidor, o b) el contrato se haya celebrado exclusivamente mediante intercambio de correo electrónico u otro tipo de comunicación electrónica equivalente, cuando estos medios no sean empleados con el exclusivo propósito de eludir el cumplimiento de tal obligación».

A diferencia de la Directiva sobre el comercio electrónico, en la que la obligación de acusar recibo de un pedido se impone a los prestadores de servicios de la sociedad de la información cuando el destinatario de un servicio efectúe su pedido por vía electrónica[37], en el ámbito del artículo 28 de la LSSI la obligación de confirmación va referida a la aceptación del contrato y recae sobre quien ocupa la posición de aceptante, que en función de cómo se configure la actividad de quien comercialice los productos o servicios, puede no ser un prestador de servicios de la sociedad de la información sino el destinatario de estos servicios. Este sería el caso, por ejemplo, del prestador de servicios que configura su actividad de modo que formula invitaciones a recibir ofertas, reservándose la facultad de aceptarlas o no (DE MIGUEL ASENSIO). Es por eso que el artículo 28.1, inciso último, de la LSSI dice que en los casos en que la obligación de confirmación corresponda a un destinatario de

---

37. Cfr. artículo 11 de la Directiva 2000/31/CE del Parlamento Europeo y del Consejo de 8 de junio de 2000 relativa a determinados aspectos jurídicos de los servicios de la sociedad de la información, en particular el comercio electrónico en el mercado interior (Directiva sobre el comercio electrónico).

servicios, el prestador facilitará el cumplimiento de dicha obligación poniendo a disposición del destinatario alguno de los dos medios admisibles para confirmar la recepción. Dicha obligación «será exigible tanto si la confirmación debiera dirigirse al propio prestador o a otro destinatario».

En cuanto al momento de recepción de la aceptación y su confirmación, según el artículo 28.2 de la LSSI es el momento en que la parte a la que se dirija pueda tener constancia de ello. Además, establece la presunción de que cuando la recepción de la aceptación se confirme mediante acuse de recibo, «su destinatario puede tener la referida constancia desde que aquél haya sido almacenado en el servidor en que esté dada de alta su cuenta de correo electrónico, o en el dispositivo utilizado para la recepción de comunicaciones».

2.3. Revocación

La aceptación puede ser revocada por quien la formuló, siempre que esta decisión llegue a conocimiento del oferente antes que la primera, por ejemplo: la aceptación hecha por carta y revocada mediante un telegrama que llega antes a poder del oferente.

> Siguiendo el mismo criterio que el contenido en el artículo 22 de la CISG, el artículo 1254 de la PMDOC dice que «la aceptación podrá ser retirada si la comunicación llega al oferente antes de que la aceptación haya surtido efecto o en ese momento».

De hecho, según el artículo 22 de la CISG, «la aceptación podrá ser retirada si su retiro llega al oferente antes que la aceptación haya surtido efecto o en ese momento»[38]. Es obvio que una vez formulada la aceptación y recibida por el oferente el contrato queda perfeccionado, por lo que ya no sería posible hablar de revocación sino de resolución del contrato.

IV. LA INFLUENCIA DE LAS PRÁCTICAS COMERCIALES DESLEALES EN LA FORMACIÓN DE LA VOLUNTAD DEL CONSUMIDOR

Tras la transposición en nuestro ordenamiento de la Directiva 2005/29/CE del Parlamento Europeo de 11 de mayo de 2005 y del Consejo relativa a las prácticas comerciales de las empresas en sus relaciones con los consumidores en el mercado interior[39], el artículo 19.1 de la LCD señala que «sin perjuicio de lo establecido en los artículos 19 y 20 del Texto Refundido de la Ley General para la Defensa de los Consumidores y Usuarios y otras leyes complementarias, únicamente tendrán la consideración de prácticas comerciales desleales con los consumidores y usuarios, las previstas en este capítulo y en los artículos 4, 5, 7 y 8 de esta Ley».

> El Tribunal de Justicia ha confirmado que la Directiva ha realizado una armonización completa de la materia, estableciendo reglas uniformes relativas a las prácticas comerciales desleales de las empresas en sus relaciones con los consumidores[40],

---

38. Cfr. art. 2.1.10 de los PCCI.
39. DO L 149, de 11 de junio de 2005, p. 22.
40. STJCE de 23 de abril de 2009, *VTB-VAB y Galatea*, C-261/07 y C-299/07, EU:C:2009:244, apartado 51.

de modo que los Estados miembros no pueden adoptar medidas más restrictivas que las definidas en la propia Directiva, «ni siquiera para garantizar un grado más elevado de protección de los consumidores»[41]. Así resulta de lo dispuesto por el artículo 4 de la Directiva, que afirma literalmente que «los Estados miembros no restringirán la libre prestación de servicios ni la libre circulación de mercancías por razones pertinentes al ámbito objeto de la aproximación que lleva a cabo esta Directiva»[42].

Por consiguiente, son *prácticas comerciales desleales*:

a) La *cláusula general de deslealtad* que aparece en el artículo 4 de la LCD, que constituye el tipo básico de práctica comercial desleal.

Según el artículo 4.1 de la LCD, «se reputa desleal todo comportamiento que resulte objetivamente contrario a las exigencias de la buena fe. En las relaciones con consumidores y usuarios se entenderá contrario a las exigencias de la buena fe el comportamiento de un empresario o profesional contrario a la diligencia profesional, entendida ésta como el nivel de competencia y cuidados especiales que cabe esperar de un empresario conforme a las prácticas honestas del mercado, que distorsione o pueda distorsionar de manera significativa el comportamiento económico del consumidor medio o del miembro medio del grupo destinatario de la práctica, si se trata de una práctica comercial dirigida a un grupo concreto de consumidores. A los efectos de esta Ley se entiende por comportamiento económico del consumidor o usuario toda decisión por la que éste opta por actuar o por abstenerse de hacerlo en relación con: a) La selección de una oferta u oferente. b) La contratación de un bien o servicio, así como, en su caso, de qué manera y en qué condiciones contratarlo. c) El pago del precio, total o parcial, o cualquier otra forma de pago. d) La conservación del bien o servicio. e) El ejercicio de los derechos contractuales en relación con los bienes y servicios. Igualmente, a los efectos de esta Ley se entiende por distorsionar de manera significativa el comportamiento económico del consumidor medio, utilizar una práctica comercial para mermar de manera apreciable su capacidad de adoptar una decisión con pleno conocimiento de causa, haciendo así que tome una decisión sobre su comportamiento económico que de otro modo no hubiera tomado».

Para la valoración de las conductas cuyos destinatarios sean consumidores, se tendrá en cuenta al consumidor medio (art. 4.2 LCD). Las prácticas comerciales que, dirigidas a los consumidores o usuarios en general, únicamente sean susceptibles de distorsionar de forma significativa, en un sentido que el empresario o profesional pueda prever razonablemente, el comportamiento económico de un grupo claramente identificable de consumidores o usuarios especialmente vulnerables a tales prácticas o al bien o servicio al que se refieran, por presentar una discapacidad, por tener afectada su capacidad de comprensión o por su edad o su credulidad, se evaluarán desde la perspectiva del miembro medio de ese grupo. Ello se entenderá, sin perjuicio de la práctica publicitaria habitual y legítima de efectuar afirmaciones exageradas o respecto de las que no se pretenda una interpretación literal (art. 4.3 LCD).

---

41. Sentencia *VTB-VAB y Galatea,* apartado 52.
42. STJCE de 14 de enero de 2010, *Plus Warenhandelsgesellschaft,* C-304/08, EU:C:2010:12, apartado 50.

b) Las *prácticas comerciales desleales,* que pueden ser prácticas engañosas (actos de engaño o prácticas engañosas por acción, a que se refiere el artículo 5 de la LCD, y omisiones engañosas o prácticas engañosas por omisión, contenidas en el artículo 7 de la LCD) y prácticas agresivas a que se refiere el artículo 8 de la LCD.

Prácticas engañosas (actos de engaño). El artículo 5.1 de la LCD señala que «se considera desleal por engañosa cualquier conducta que contenga información falsa o información que, aun siendo veraz, por su contenido o presentación induzca o pueda inducir a error a los destinatarios, siendo susceptible de alterar su comportamiento económico, siempre que incida sobre alguno de los siguientes aspectos: a) La existencia o la naturaleza del bien o servicio. b) Las características principales del bien o servicio, tales como su disponibilidad, sus beneficios, sus riesgos, su ejecución, su composición, sus accesorios, el procedimiento y la fecha de su fabricación o suministro, su entrega, su carácter apropiado, su utilización, su cantidad, sus especificaciones, su origen geográfico o comercial o los resultados que pueden esperarse de su utilización, o los resultados y características esenciales de las pruebas o controles efectuados al bien o servicio. c) La asistencia posventa al cliente y el tratamiento de las reclamaciones. d) El alcance de los compromisos del empresario o profesional, los motivos de la conducta comercial y la naturaleza de la operación comercial o el contrato, así como cualquier afirmación o símbolo que indique que el empresario o profesional o el bien o servicio son objeto de un patrocinio o una aprobación directa o indirecta. e) El precio o su modo de fijación, o la existencia de una ventaja específica con respecto al precio. f) La necesidad de un servicio o de una pieza, sustitución o reparación. g) La naturaleza, las características y los derechos del empresario o profesional o su agente, tales como su identidad y su solvencia, sus cualificaciones, su situación, su aprobación, su afiliación o sus conexiones y sus derechos de propiedad industrial, comercial o intelectual, o los premios y distinciones que haya recibido. h) Los derechos legales o convencionales del consumidor o los riesgos que éste pueda correr».

Cuando el empresario o profesional indique en una práctica comercial que está vinculado a un código de conducta, el incumplimiento de los compromisos asumidos en dicho código, se considera desleal, siempre que el compromiso sea firme y pueda ser verificado, y, en su contexto fáctico, esta conducta sea susceptible de distorsionar de manera significativa el comportamiento económico de sus destinatarios (art. 5.2 LCD).

Prácticas engañosas (omisiones engañosas). Según el artículo 7.1 de la LCD, «se considera desleal la omisión u ocultación de la información necesaria para que el destinatario adopte o pueda adoptar una decisión relativa a su comportamiento económico con el debido conocimiento de causa. Es también desleal si la información que se ofrece es poco clara, ininteligible, ambigua, no se ofrece en el momento adecuado, o no se da a conocer el propósito comercial de esa práctica, cuando no resulte evidente por el contexto». Para la determinación del carácter engañoso de los actos a que se refiere el apartado anterior, se atenderá al contexto fáctico en que se producen, teniendo en cuenta todas sus características y circunstancias y las limitaciones del medio de comunicación utilizado. Cuando el medio de comunicación utilizado imponga limitaciones de espacio o de tiempo, para valorar la existencia de una omisión de información se tendrán en cuenta estas limitaciones y todas las medidas adoptadas por el empresario o profesional para transmitir la información necesaria por otros medios (art. 7.2 LCD).

Prácticas agresivas. A tenor del artículo 8.1 de la LCD, «se considera desleal todo comportamiento que teniendo en cuenta sus características y circunstancias, sea susceptible de mermar de manera significativa, mediante acoso, coacción, incluido el uso de la fuerza, o influencia indebida, la libertad de elección o conducta del destinatario en relación al bien o servicio y, por consiguiente, afecte o pueda afectar a su comportamiento económico. A estos efectos, se considera influencia indebida la utilización de una posición de poder en relación con el destinatario de la práctica para ejercer presión, incluso sin usar fuerza física ni amenazar con su uso. 2. Para determinar si una conducta hace uso del acoso, la coacción o la influencia indebida se tendrán en cuenta: a) El momento y el lugar en que se produce, su naturaleza o su persistencia. b) El empleo de un lenguaje o un comportamiento amenazador o insultante. c) La explotación por parte del empresario o profesional de cualquier infortunio o circunstancia específicos lo suficientemente graves como para mermar la capacidad de discernimiento del destinatario, de los que aquél tenga conocimiento, para influir en su decisión con respecto al bien o servicio. d) Cualesquiera obstáculos no contractuales onerosos o desproporcionados impuestos por el empresario o profesional cuando la otra parte desee ejercitar derechos legales o contractuales, incluida cualquier forma de poner fin al contrato o de cambiar de bien o servicio o de suministrador. e) La comunicación de que se va a realizar cualquier acción que, legalmente, no pueda ejercerse». Parece obvio que algunas de las prácticas agresivas mencionadas en el artículo 8 de la LCD, en especial en las que se utilice la coacción, podrían tener por consecuencia que el consumidor aceptase celebrar el contrato por la amenaza de sufrir un mal inminente y grave en su persona o bienes; lo que conllevaría que su consentimiento estaría viciado por violencia o intimidación (arts. 1267 y 1268 CC). No obstante, eso no quiere decir que toda práctica agresiva del artículo 8 de la LCD implique necesariamente una intimidación de tal gravedad que constituya un vicio del consentimiento (M.J. MARÍN).

c) Las *prácticas comerciales que deben considerarse desleales en todo caso y en cualquier circunstancia,* tal y como dice el apartado 2 del artículo 19 de la LCD, y que están reguladas en los artículos 21-31 de la LCD. Son las siguientes: prácticas engañosas sobre códigos de conducta u otros distintivos de calidad (cfr. art. 21 LCD), prácticas señuelo y prácticas promocionales engañosas (cfr. 22 LCD), prácticas engañosas sobre la naturaleza y propiedades de los bienes o servicios, su disponibilidad y los servicios posventa (cfr. art. 23 LCD), prácticas de venta piramidal (cfr. art. 24 LCD), prácticas engañosas por confusión (cfr. art. 25 LCD), prácticas comerciales encubiertas (cfr. art. 26 LCD), otras prácticas engañosas (cfr. art 27 LCD), prácticas agresivas por coacción (cfr. art. 28 LCD), prácticas agresivas por acoso (cfr. art. 29 LCD), prácticas agresivas en relación con los menores (cfr. art. 30 LCD) y otras prácticas agresivas (cfr. art. 31 LCD).

d) Las prácticas comerciales desleales mencionadas en los artículos 19.4 y 20 del TRLGDCU.

Las disposiciones de carácter sectorial y específico sobre prácticas comerciales prevalecen en caso de conflicto sobre la legislación general aplicable a las prácticas comerciales desleales. Así se desprende del artículo 19.4 del TRLGDCU, a cuyo tenor, «las normas previstas en esta ley en materia de prácticas comerciales y las que regulan las prácticas comerciales en materia de medicamentos, etiquetado, presentación y publicidad de los productos, indicación de precios, aprovechamiento por turno de bienes inmuebles, crédito al consumo, comercialización a distancia de servicios financieros destinados a los consumidores y usuarios, comercio electrónico, inversión colectiva en valores mobiliarios, normas de conducta en materia de servicios de inversión, oferta pública o admisión de cotización de valores y seguros, incluida la mediación y cualesquiera otras normas que regulen aspectos concretos de las prácticas comerciales desleales previstos en normas comunitarias prevalecerán en caso de conflicto sobre la legislación de carácter general aplicable a las prácticas comerciales desleales. El incumplimiento de las disposiciones a que hace referencia este apartado será considerado en todo caso práctica desleal por engañosa, en iguales términos a lo dispuesto en el artículo 19.2 de la Ley 3/1991, de 10 de enero, de Competencia Desleal en relación con las prácticas engañosas reguladas en los artículos 20 a 27 de dicha ley».

Las prácticas comerciales que, de un modo adecuado al medio de comunicación utilizado, incluyan información sobre las características del bien o servicio y su precio, posibilitando que el consumidor tome una decisión sobre la contratación, y siempre que no pueda desprenderse claramente del contexto, deberán contener, al menos, la siguiente información: a) Nombre, razón social y domicilio completo del empresario responsable de la oferta comercial y, en su caso, nombre, razón social y dirección completa del empresario por cuya cuenta actúa. b) Las características esenciales del bien o servicio de una forma adecuada a su naturaleza y al medio de comunicación utilizado. c) El precio final completo, incluidos los impuestos, desglosando, en su caso, el importe de los incrementos o descuentos que sean de aplicación a la oferta y los gastos adicionales que se repercutan al consumidor o usuario. En el resto de los casos en que, debido a la naturaleza del bien o servicio, no pueda fijarse con exactitud el precio en la oferta comercial, deberá informarse sobre la base de cálculo que permita al consumidor o usuario comprobar el precio. Igualmente, cuando los gastos adicionales que se repercutan al consumidor no puedan ser calculados de antemano por razones objetivas, debe informarse del hecho de que existen dichos gastos adicionales y, si se conoce, su importe estimado. d) Los procedimientos de pago y los plazos de entrega y ejecución del contrato, cuando se aparten de las exigencias de la diligencia profesional, entendiendo por tal el nivel de competencia y cuidados especiales que cabe esperar de un empresario conforme a las prácticas honestas del mercado. e) En su caso, existencia del derecho de desistimiento. f) En el caso de bienes y servicios ofrecidos en mercados en línea, si el tercero que ofrece el bien o servicio tiene la condición de empresario o no, con arreglo a su declaración al proveedor del mercado en línea (art. 20.1 TRLGDCU).

A efectos del cumplimiento de lo previsto en el apartado anterior, y sin perjuicio de la normativa sectorial que en su caso resulte de aplicación, la información necesaria a incluir en la oferta comercial deberá facilitarse a los consumidores, principalmente cuando se trate de personas consumidoras vulnerables, en términos claros, comprensibles, veraces y en un formatos adecuados, accesibles y comprensibles, de forma que aseguren su adecuada comprensión y permitan la toma de decisiones óptimas para sus intereses (art. 20.2 TRLGDCU).

Las prácticas comerciales consistentes en ofrecer a los consumidores y usuarios la posibilidad de buscar bienes y servicios ofertados por distintos empresarios o consumidores sobre la base de una consulta en forma de palabra clave, expresión u otro tipo de dato introducido, independientemente de dónde se realicen las transacciones en último término, deberán contener, en una sección específica de la interfaz en línea que sea fácil y directamente accesible desde la página en la que se presenten los resultados de la búsqueda, la siguiente información: a) Información general relativa a los principales parámetros que determinan la clasificación de los bienes y servicios presentados al consumidor como resultado de la búsqueda. b) La importancia relativa de dichos parámetros frente a otros. El presente apartado no se aplicará a proveedores de motores de búsqueda en línea, tal como se definen en artículo 2.6 del Reglamento (UE) 2019/1150 del Parlamento Europeo y del Consejo, de 20 de junio de 2019, sobre el fomento de la equidad y la transparencia para los usuarios profesionales de servicios de intermediación en línea (art. 20.3 TRLGDCU). Las prácticas comerciales en las que un empresario facilite el acceso a las reseñas de los consumidores sobre bienes y servicios deberán contener información sobre el hecho de que el empresario garantice o no que dichas reseñas publicadas han sido efectuadas por consumidores y usuarios que han utilizado o adquirido realmente el bien o servicio. A tales efectos, el empresario deberá facilitar información clara a los consumidores sobre la manera en que se procesan las reseñas (art. 20.4 TRLGDCU). En todo caso, la carga de la prueba en relación con el cumplimiento de los requisitos de información establecidos en este artículo incumbirá al empresario (art. 20.5 TRLGDCU).

El incumplimiento de lo dispuesto en los apartados anteriores será considerado una práctica desleal por engañosa en el sentido del artículo 7 de la Ley 3/1991, de 10 de enero, de Competencia Desleal (art. 20.6 TRLGDCU).

El artículo 19.2 del TRLGDCU, señala que «se considerarán prácticas comerciales de los empresarios con los consumidores y usuarios todo acto, omisión, conducta, manifestación o comunicación comercial, incluida la publicidad y la comercialización, directamente relacionada con la promoción, la venta o el suministro de un bien o servicio a los consumidores y usuarios, con independencia de que sea realizada antes, durante o después de una operación comercial». Es decir, que la publicidad en general, los folletos informativos, los tablones de anuncios y la información precontractual obligatoria, o en su caso la ausencia de ella, tienen la consideración de prácticas comerciales.

Contra las prácticas comerciales desleales, incluida la publicidad ilícita, pueden ejercitarse las acciones que enumera el artículo 32.1 de la LCD, que son la acción declarativa de deslealtad, la acción de cesación de la conducta desleal o de prohibición de su reiteración futura (o de prohibición sin más), la acción de remoción de los efectos producidos por la conducta desleal, la acción de rectificación de las informaciones engañosas, incorrectas o falsas, la acción de resarcimiento de los daños y perjuicios ocasionados por la conducta desleal, si ha intervenido dolo o culpa del agente y la acción de enriquecimiento injusto, que sólo procederá cuando la conducta desleal lesione una posición jurídica amparada por un derecho de exclusiva u otra de análogo contenido económico.

En las sentencias estimatorias de las cuatro primeras acciones, el tribunal, si lo estima procedente, y con cargo al demandado, podrá acordar la publicación total o parcial de la sentencia o, cuando los efectos de la infracción puedan mantenerse a lo largo del tiempo, una declaración rectificadora (art. 32.2 LCD). A pesar de la amplia legitimación activa para el ejercicio de tales acciones que reconoce el artículo 33 de la LCD a favor de los particulares, parece evidente que ningún consumidor sensato tendrá la ocurrencia de dirigirse a un tribunal civil con el fin de ejercitar alguna de las acciones contenidas en el artículo 32.1 de la LCD, pues esas acciones no conceden a los consumidores engañados por la práctica comercial de que se trate remedios de naturaleza contractual. Simplemente, contemplan medidas de protección de los consumidores de naturaleza institucional o preventiva, pero no contractual (CARRASCO).

> Según el artículo 33.1 de la LCD, «cualquier persona física o jurídica que participe en el mercado, cuyos intereses económicos resulten directamente perjudicados o amenazados por la conducta desleal, está legitimada para el ejercicio de las acciones previstas en el artículo 32.1, 1.ª a 5.ª Frente a la publicidad ilícita está legitimada para el ejercicio de las acciones previstas en el artículo 32.1, 1.ª a 5.ª, cualquier persona física o jurídica que resulte afectada y, en general, quienes tengan un derecho subjetivo o un interés legítimo. La acción de resarcimiento de los daños y perjuicios ocasionados por la conducta desleal podrá ejercitarse, igualmente, por los legitimados conforme a lo previsto en el artículo 11.2 de la Ley 1/2000, de 7 de enero, de Enjuiciamiento Civil. La acción de enriquecimiento injusto sólo podrá ser ejercitada por el titular de la posición jurídica violada».

Por último, hay que poner de relieve la relación que existe entre prácticas comerciales desleales y cláusulas abusivas, pues el artículo 82.1 del TRLGDCU no sólo considera cláusulas abusivas las estipulaciones no negociadas individualmente, sino también las «prácticas» no consentidas expresamente, siempre que unas u otras, «en contra de las exigencias de la buena fe causen, en perjuicio del consumidor y usuario, un desequilibrio importante de los derechos y obligaciones de las partes que se deriven del contrato». Dichas prácticas las habrá realizado el empresario en la fase precontractual o inmediatamente antes de celebrar el contrato. De hecho, que una práctica comercial sea desleal es un elemento que el juez puede tener en consideración para basar su apreciación del carácter abusivo de una cláusula contractual, tal y como ha indicado la sentencia *Pereničová y Perenič*[43].

V. MOMENTO Y LUGAR DE PERFECCIÓN DEL CONTRATO

1. El contrato entre ausentes

La determinación del momento en que el contrato se perfecciona no plantea problemas cuando éste se celebra entre personas presentes. La cuestión se complica cuando las personas que han de consentir se encuentran ausentes, por ejemplo, una está en La Coruña y la otra en Madrid, o encontrándose en el mismo lugar no quieren reunirse y utilizan la correspondencia. El problema surge porque en el contrato entre ausentes el aceptante conoce inmediatamente el concurso de voluntades, mientras que el oferente no puede saberlo hasta el momento en que reciba la comunicación correspondiente. Por eso surge la pregunta: ¿la perfección del contrato se produce en

---

43. Sentencia TJUE de 15 de marzo de 2012, *Pereničová y Perenič*, C-453/10, EU:C:2012:144, apartado 43.

el momento mismo de la aceptación, aunque no tenga todavía conocimiento de ella el oferente, o es necesario que sea conocida por éste?

Existen dos teorías extremas que pretenden solucionar esta cuestión: una, denominada de la *emisión o declaración*, según la cual el contrato se perfecciona en el momento mismo en que la aceptación se declara; otra, llamada del *conocimiento*, que establece la perfección del contrato en el momento en que el oferente tiene noticia de la aceptación. Hay otras teorías intermedias, como la de la *expedición*, que considera que el momento de la perfección es aquél en que el aceptante se desprende de su declaración, remitiéndola al oferente; y la de la *recepción*, según la cual no es suficiente que el aceptante emita y expida su voluntad de aceptar, sino que es preciso que la aceptación llegue a poder del oferente, aunque por ausencia, enfermedad o cualquier otra causa este no adquiera conocimiento de la misma.

El Código civil español parece seguir la teoría del conocimiento, pues en su artículo 1262, párrafo 2.º, en su redacción original, disponía que «la aceptación hecha por carta no obliga al que hizo la oferta sino desde que llegó a su conocimiento». Criterio en el que insiste el artículo 623 del CC respecto del contrato de donación, pues, según este precepto, la donación se perfecciona desde que el donante conoce la aceptación del donatario.

Sin embargo, el texto del artículo 1262, párrafo 2.º, del CC era ambiguo y se prestaba a muy distintas interpretaciones. Obsérvese que, de seguirse la teoría del conocimiento y de acuerdo con la frase legal «desde que llegó a su conocimiento», podía entenderse que se necesitaba «tomar conocimiento» de la aceptación y que no es suficiente haberla recibido. Y, de admitirse esta interpretación, el momento de perfección del contrato estaría en manos del oferente, que arbitrariamente o de mala fe podría demorarlo a su conveniencia, pues sería suficiente con no abrir la carta o no leerla. Por esta razón, a todas luces injusta, algunos autores (PÉREZ GONZÁLEZ y ALGUER) opinaban que en los casos en que el oferente retrase de mala fe el conocimiento, no leyendo o no abriendo la carta recibida a pesar de poder hacerlo, no puede admitirse la solución que resulta de la aplicación rigurosa del sistema del conocimiento, debiendo en tales casos entenderse perfeccionado el contrato en el momento en que el oferente pudo tomar conocimiento de la aceptación recibida. Esta última interpretación, sin duda la más correcta, que para mitigar las consecuencias injustas que se derivarían de la demora en el conocimiento de la aceptación asume los criterios de la teoría de la recepción, es el resultado de la aplicación analógica de lo dispuesto en el artículo 1258 del CC, de entender que la buena fe no sólo debe estar vigente durante la vida del contrato (aplicándose al cumplimiento), sino también en la fase previa a su perfección.

Otra cuestión que se suscitaba era la referente a la posibilidad de que el aceptante pudiera o no revocar su decisión de aceptación, empleando un medio más rápido de comunicación. Nuestra opinión es claramente favorable a la revocación, por la simple razón de que si el oferente puede cambiar de opinión, después de haber hecho la propuesta, por qué no puede hacer lo mismo el aceptante, siempre que su revocación (es una declaración de voluntad recepticia) llegue antes a conocimiento de aquél que la aceptación. Pues, como dice PUIG BRUTAU, «si alguien cursa una oferta a una persona que se halla en un lugar distante y la primera noticia que recibe es que la oferta no interesa, deberá considerarse que el contrato no se ha formado y el oferente no habrá sufrido el menor quebranto, aunque el destinatario de la oferta, al rechazarla, revoque una aceptación de la que el oferente no tenía conocimiento en el momento de quedar revocada».

El Derecho suizo reconoce la posibilidad de revocar la oferta, si llega la revocación a poder del destinatario antes o al mismo tiempo que la aceptación, o si habiendo llegado posteriormente es comunicada la revocación antes de que el destinatario haya tomado conocimiento de la oferta (art. 9 CO).

El Tribunal Supremo ha interpretado el artículo 1262, párrafo 2.º, del CC conforme a la teoría del conocimiento[44], también lo ha hecho aplicando el criterio o teoría de la recepción e incluso el de la emisión[45].

Ahora bien, aunque el artículo 1262, párrafo 2.º, del CC únicamente se refería a la aceptación hecha por carta, la circunstancia que se debe tener en cuenta para fijar el momento de la perfección del contrato no es, como ya se indicó, la material ausencia de las partes, sino el medio o tipo de comunicación empleado. En consecuencia, habrá que considerar comprendidos todos aquellos otros medios de comunicación cuya utilización da lugar a la existencia de un intervalo apreciable entre la oferta y la aceptación. Es decir, debía admitirse el telégrafo como supuesto de contratación entre personas ausentes, pero no, en cambio, la oferta y la aceptación realizadas por teléfono[46], por radio, por télex o telefax o correo electrónico, que deberán entenderse hechas entre presentes.

El Derecho suizo reconoce la contratación telefónica, ya que en el artículo 4.2 del CO dice que «los contratos concertados por teléfono son considerados como hechos entre presentes, si las partes o sus representantes han estado personalmente en comunicación». A juicio de ENGEL, la televisión privada instantánea es comparable al teléfono.

A diferencia del Código civil, el artículo 54 del CCom parecía adoptar el sistema de la emisión o declaración de voluntad, ya que sitúa el momento de la perfección del contrato en el acto de contestación aceptando la propuesta o las condiciones con que ésta fuera modificada. Sin embargo, GÓMEZ CALLE entendía que quizás debía interpretarse que el Código de comercio se adscribe a la teoría de la expedición, porque el verbo «contestar», tratándose de «correspondencia» postal, designa comúnmente una acción compleja, que consiste en escribir la carta de respuesta y depositarla en el buzón u oficina de correos.

Esta problemática ha desaparecido con la promulgación de la Ley de servicios de la sociedad de la información, la cual ha modificado el artículo 1262 del CC y el artículo 54 del CCom con el fin de unificar el criterio en la contratación entre ausentes. El artículo 1262 del CC mantiene la redacción de su párrafo 1.º, mientras que el párrafo 2.º dispone que «hallándose en lugares distintos el que hizo la oferta y el que la aceptó, hay consentimiento desde que el oferente conoce la aceptación o desde

---

44. Cfr. SSTS de 16 de 22 de octubre de 1974 (RJ 1974, 3971) y 3 de mayo de 1978 (RJ 1978, 1638).
45. Cfr. SSTS de 28 de mayo de 1976 (RJ 1976, 2366) y 29 de septiembre de 1981 (RJ 1981, 3247).
46. Cfr. STS de 3 de enero de 1948 (RJ 1948, 11).

que, habiéndosela remitido el aceptante, no pueda ignorarla sin faltar a la buena fe». Por su parte, el artículo 54 del CCom reproduce literalmente el contenido del artículo 1262, párrafo 2.º, del CC. Como puede observarse, esta norma sigue el criterio anterior de tomar en consideración la teoría del conocimiento, eso sí, atemperada con la interpretación que había hecho la doctrina al tomar en consideración el criterio de la teoría de la recepción por aplicación del principio de la buena fe. En cambio, en el caso de los «contratos celebrados mediante dispositivos automáticos» (deberán entenderse incluidos los medios electrónicos), se dispone que «hay consentimiento desde que se manifiesta la aceptación», es decir, se adelanta el momento de la perfección del contrato (art. 1262, párr. 3.º, CC y art. 54, párr. 2.º, CCom).

Por su parte, el artículo 51, párrafo 2.º, del CCom dispone que «la correspondencia telegráfica sólo producirá obligación entre los contratantes que hayan admitido este medio previamente y en contrato escrito, y siempre que los telegramas reúnan las condiciones o signos convencionales que previamente hayan establecido los contratantes, sí así lo hubiesen pactado». Si bien este precepto legal no es de aplicación a la contratación por télex y telefax, en la que, como advierte VICENT CHULIÁ, el uso del comercio considera o presume que quien marca el distintivo o contraseña asignada a cada usuario, utilizando a tal efecto su terminal, es el mismo titular o persona de su íntima confianza, de quien responde de forma objetiva o vicaria; es decir, como si se tratara de su firma.

Según el artículo II.-4:205(1) del DCFR, «si es necesario que el destinatario de la oferta envíe su aceptación, se entenderá que el contrato se celebra en el momento de su recepción por parte del oferente». La norma general, dice el Comentario oficial, «es que una vez que la aceptación se ha enviado, el oferente ya no podrá revocar la oferta. No obstante, la aceptación pasa a ser vinculante para el destinatario cuando el oferente la recibe. El destinatario no puede revocar la aceptación, con lo que el contrato se perfecciona. Esta norma refleja la que parece ser la consecuencia práctica de la inmensa mayoría de las legislaciones, si bien algunas abordan la cuestión de manera diferente y consideran que el contrato se celebra cuando se envía una aceptación por correo postal o de forma similar, aunque con determinadas excepciones con unos resultados muy similares a los de la norma del apartado (1)». El apartado 2 del artículo II.-4:205 del DCFR señala que «cuando la aceptación de una oferta se deriva de la conducta del destinatario, se entenderá que el contrato se celebra en el momento en que el oferente tenga noticia de dicha conducta». Es evidente que el hecho de que la conducta suponga una aceptación de la oferta dependerá de las circunstancias de cada caso. A tenor del artículo 4:205(3) del DCFR, «si, en virtud de la oferta, de las prácticas establecidas entre las partes o de una costumbre determinada, el destinatario puede aceptar la oferta mediante la realización de un acto y sin necesidad de comunicarlo al oferente, el contrato se celebra cuando el destinatario comienza a realizar dicho acto». Como dice el Comentario oficial, la aceptación será efectiva en el momento en que se lleva a cabo el acto, incluso en el caso de que el oferente tenga conocimiento de este hecho transcurrido el plazo para la aceptación. Sin embargo, «el destinatario no puede revocar el cumplimiento de obligaciones que vinculan a las partes en virtud de lo establecido en el apartado (3) y sólo se aplica a los actos que constituyen cumplimientos reales y no a aquellos que son de preparación para estos. Por ejemplo, si tras consultar la oferta el destinatario solicita a un banco un crédito en efectivo que le permita disponer de liquidez, este acto no se podrá considerar el inicio de un cumplimiento según lo dispuesto en el apartado (3)».

En los *contratos internacionales*, como ya se ha indicado anteriormente, el artículo 24 de la CISG se decanta por el criterio de la recepción o llegada para reputar efectivas las declaraciones de voluntad emitidas en la fase de formación del contrato. Es este el criterio más acorde con las reglas de la buena fe y de la autorresponsabilidad que deben regir el proceso de la formación del contrato, además de favorecer la propia conclusión del contrato (Díez-Picazo).

2. Lugar de perfección del contrato

La contratación entre personas ausentes o distantes no solo plantea la cuestión de la necesidad de fijar el momento de la perfección del contrato, sino también el del lugar en que éste debe considerarse celebrado: ¿en aquél en que se hizo la oferta o, por el contrario, donde tuvo lugar la aceptación?

Su importancia viene determinada por una doble circunstancia práctica:

a) El lugar de celebración del contrato es el punto de conexión al efecto de determinar la competencia territorial del Juez que ha de conocer del posible litigio que se suscite sobre dicho contrato.

b) El lugar de celebración del contrato sirve también para determinar la legislación o los usos del tráfico aplicables.

Para el caso en que se encuentren en lugares distintos el que hizo la oferta y el que la aceptó, el inciso final del párrafo 2.º del artículo 1262 del CC establece que «el contrato, en tal caso, se presume celebrado en el lugar en que se hizo la oferta». Parece evidente que este criterio deberá aplicarse a todos aquellos contratos en los que los contratantes no se encuentren presentes. Y, como se trata de una presunción, únicamente regirá en el supuesto de que las partes no hubiesen establecido otra cosa, señalando que el contrato se deba considerar celebrado en lugar distinto.

En los contratos celebrados por vía electrónica en los que intervenga como parte un consumidor se presumirán celebrados en el lugar en que éste tenga su residencia habitual; en cambio, en los contratos electrónicos entre empresarios o profesionales, en defecto de pacto entre las partes, se presumirán celebrados en el lugar en que esté establecido el prestador del servicio (art. 29 LSSI).

> Según el artículo 1258 de la PMDOC, «el contrato se presume celebrado en el lugar en que se hizo la oferta. Los contratos a distancia en que intervenga un consumidor se entenderán celebrados en el lugar donde éste tenga su residencia habitual».

3. Oferta y aceptación en la contratación mediante subasta o concurso

En el contrato mediante subasta la perfección se produce con el mejor postor. Pero la cuestión que se plantea es la de determinar si la oferta era el anuncio de la subasta o éste no es más que una invitación a contratar (a hacer ofertas) y constituyen ofertas cada una de las posturas de los licitadores concurrentes, siendo la adjudicación hecha por el subastador la aceptación.

En este último sentido se pronuncia la STS de 21 de abril de 1975, al decir que «el perfeccionamiento de la enajenación judicial forzosa no se produce sino por el concurso de la oferta y la aceptación definitiva sobre la cosa y el precio, debiendo advertirse, en cuanto a la oferta, que está constituida no por los anuncios de la subasta, los que no representan más que una *provocatio ad oferendum*, sino por cada postura de los licitadores, y, en cuanto a la aceptación definitiva, que corresponde otorgar al órgano jurisdiccional en vista de la mejor postura, habiendo de entenderse que no existe tal aceptación cuando anunciada aquella puja al público, así como el nombre del mejor postor, el Juez suspende la aprobación del remate y no adjudica la cosa al mejor licitador» (arts. 1503 y 1506 LEC de 1881)[47].

Y para que la mejor postura del licitador no necesite de posterior aceptación del subastador, como dice ALBALADEJO, «es suficiente: 1.º Que aquél no pueda denegar la adjudicación al mejor postor. 2.º Construir cada postura como declaración de voluntad que vale para el caso de que no se haga postura mayor; entonces, a falta de ésta, la última postura (aceptación del licitador) cierra el contrato por sí sola (y el subastador no es que haya de aceptarla, es decir, no tiene la facultad de conceder o denegar la adjudicación, sino que ha de constatar solamente que, dentro del tiempo y forma hábiles, no hubo otras postura mayor».

Debe tenerse en cuenta que la contratación por *concurso* es semejante a la contratación por subasta, y que el anuncio del concurso plantea el mismo problema de interpretación que el de la subasta, pero el sistema de uno y otra no es igual, ya que en el primero no hay fase licitación sino de presentación de propuestas. Por otra parte en el concurso no sólo se atiende a la mejor postura económica, sino que también se valoran determinadas condiciones personales del concursante, como la solvencia, especialización, etc.

Según el artículo 56.1 de la LOCM, la venta en pública subasta consiste «en ofrecer, pública e irrevocablemente, la venta de un bien a favor de quien ofrezca, mediante el sistema de pujas y dentro del plazo concedido al efecto, el precio más alto por encima de un mínimo, ya se fije éste inicialmente o mediante ofertas descendentes realizadas en el curso del propio acto». Como señala GÓMEZ PÉREZ, del tenor literal de este precepto se desprende que nuestro legislador ha tenido fundamentalmente en cuenta las subastas de viva voz, ya se trate de las dirigidas a la adjudicación de un bien tras una sucesión de pujas ascendentes por encima de un mínimo de salida («subasta inglesa»), ya sean las que comienzan con un máximo de salida, que va descendiendo, adjudicándose a la primera puja que se produzca en los sucesivos precios («subasta holandesa»).

La oferta, dice el artículo 58.1, párrafo 1.º, de la LOCM, «deberá contener una descripción veraz de los objetos que salen a la misma, con identificación de si sus calidades son ciertas o, simplemente, supuestas o adveradas por determinado experto». Además, cuando se trate de objetos de arte o de valor, deberá hacerse constar expresamente si se trata de una imitación o de un artículo que, aunque aparentemente precioso, no lo es en realidad; y si se oferta la venta de un objeto acompañado del nombre o de las iniciales de un determinado autor o precisando que aparece firmado por el mismo, se considerará que se vende como original de dicho autor, a menos que consten con claridad las oportunas advertencias (art. 58 2 LOCM).

---

47. RJ 1975, 1820.

En el Código civil no se hace referencia al concurso, pero sí a la subasta en diversos preceptos (cfr. arts. 615, 821, 1048, 1062, 1459, 1489, 1493 y 1872 CC).

El artículo 1260.2 de la PMDOC señala que «en las subastas y concursos convocados para celebrar un contrato, sólo se entenderá éste celebrado cuando haya recaído la aprobación o adjudicación del convocante, salvo que otra cosa se establezca expresamente en la convocatoria o resulte de los usos. La inobservancia por éste de las reglas de la convocatoria o su posterior modificación podrá dar lugar a la indemnización a que se refiere el segundo inciso del apartado 5 del artículo 1245».

VI. CULPA *IN CONTRAHENDO*

La responsabilidad precontractual, también llamada culpa *in contrahendo*, surge como consecuencia de la violación de los deberes de conducta derivados de la buena fe durante el período de negociación de un contrato, por parte de quienes se encuentran realizando este tipo de negociaciones (o tratos preliminares).

La figura de la culpa *in contrahendo*, cuya construcción teórica fue iniciada por RUDOLPH VON IHERING en la segunda mitad del siglo XIX, se encuentra reflejada en algunos preceptos de los Códigos civiles alemán, suizo y, más ampliamente, italiano y portugués. En cambio, ni en el Código civil español, ni en la versión original de su modelo francés, se hace referencia expresa a esta figura. No obstante, sí puede hablarse de un reconocimiento implícito de culpa in *contrahendo*, si se toman en consideración las conexiones de la fase precontractual con figuras clásicas como el *falsus procurator* o los vicios del consentimiento.

Tras la reforma de su Derecho de obligaciones y contratos, los artículos 1112, 1112-1 y 1112-2 del CCF el régimen jurídico aplicable a las partes que inician negociaciones precontractuales. Lo mismo hay que decir respecto de los artículos 5.15-5.17 del CCB.

Como indica GARCÍA RUBIO, los *supuestos-tipo* de responsabilidad precontractual son tres:

a) La ruptura injustificada de las negociaciones precontractuales, en el que cabe incluir la negativa a llenar la forma legalmente exigible o la retirada de la oferta.

b) La celebración de un contrato inválido, bien por existir un vicio del consentimiento, bien por ilicitud o imposibilidad del objeto, bien por haber sido celebrado por un *falsus procurator*.

c) La celebración de un contrato válido, en el que ha incurrido un vicio del consentimiento (error, dolo) que no ha ocasionado la anulabilidad contractual.

La primera hipótesis, la ruptura injustificada de las negociaciones precontractuales, tiene que ver con el hecho de que la libertad de contratar y de no contratar, que es un axioma fundamental del Derecho de contratos, debe ineludiblemente atemperarse con la circunstancia de que la iniciativa, el desarrollo y la ruptura de las negociaciones precontractuales deben satisfacer las exigencias del principio de buena fe. Así lo explicita, de forma literal, el artículo 1112, párrafo 1.º, del CCF[48].

---

48. En términos casi idénticos se expresa el artículo 5.15 del CCB.

El artículo 1245.1 de la PMDOC señala que «las partes son libres para entablar negociaciones dirigidas a la formación de un contrato, así como para abandonarlas o romperlas en cualquier momento». El apartado 2 del artículo 1245 de la PMDOC añade que «en la negociación de los contratos, las partes deberán actuar de acuerdo con las exigencias de la buena fe».

De hecho, en palabras de la STS de 15 de octubre de 2011, «quienes intervienen en los llamados tratos previos han de acomodar su comportamiento a la buena fe, esto es, al modelo de conducta admisible en la situación de que se trate. La buena fe opera como un imperativo que condiciona y, al fin, limita aquella libertad. Por ello, cuando el participante en los tratos preliminares (...) los abandona o les pone fin con infracción de la buena fe, al haber creado en la otra parte una razonable confianza en la celebración del contrato, incurre en responsabilidad por el daño producido en adecuada relación de causalidad»[49].

Una concreción del principio de buena fe en el ámbito de las negociaciones precontractuales se manifiesta en el deber de suministrar información. Es cierto que, como regla general, cada una de las partes tiene la obligación de buscar por sí misma toda la información relativa al contrato que pretenden celebrar, debiendo al mismo tiempo dar respuesta solo a las peticiones expresas de información de la otra parte. Sin embargo, no puede obviarse que siempre existirá un mínimo de información que deberán suministrarse las partes con el fin de evitar que el consentimiento de una de ellas puede verse afectado por error o por dolo.

De hecho, el artículo 5.16 del CCB impone a las partes de forma expresa la obligación de proporcionarse, durante las negociaciones precontractuales, las informaciones que la ley, la buena fe y los usos le impongan, «habida cuenta de la calidad de las partes, de sus expectativas razonables y del objeto del contrato».

En cambio, en el supuesto de que una de las partes hubiera suministrado a la otra una información de carácter confidencial, la que la hubiera recibido estará constreñida tanto desde el punto de vista de su divulgación como de su utilización.

Según el artículo 1245.3 de la PMDOC, «si durante las negociaciones, una de las partes hubiera facilitado a la otra una información con carácter confidencial, el que la hubiera recibido sólo podrá revelarla o utilizarla en la medida que resulte del contenido del contrato que hubiera llegado a celebrarse».

El *régimen jurídico* aplicable a todos los supuestos de responsabilidad precontractual que han mencionado no resulta homogéneo, por cuanto su remisión genérica a los artículos 1101 y ss. del CC o, por el contrario, a los artículos 1902 y ss. del CC, no llega a ser posible. Esta dificultad explica que la mencionada STS de 15 de octubre de 2011 se refiera a un *tertium genus* «como consecuencia de la extensión del deber de buena fe a los momentos preparatorios de la celebración de los contratos». En los puntos en que aún se dan diferencias notables entre ambos regímenes (carga de la prueba, responsabilidad del principal por hecho de sus auxiliares, plazo de prescripción, la medida del resarcimiento o cláusulas limitativas de la responsabilidad) parece que lo más acertado es la atención al caso concreto y la huida de calificaciones aprioristicas (contractuales o extracontractuales) que no sirven

---

49. RJ 2011, 7400. Cfr. SSTS de 26 de octubre de 1981 (RJ 1981, 4001), 16 de mayo de 1988 (RJ 1988, 8978) y 19 de julio de 1994 (RJ 1994, 6698).

para resolver los problemas prácticos planteados por las negociaciones frustradas o el contrato viciado.

En todo caso, parece evidente que quien hubiera actuado de mala fe a la hora de iniciar negociaciones encaminadas a la celebración de un posible contrato o, posteriormente, al interrumpirlas sin justificación deberá responder de los daños causados a la otra parte.

En estos términos se expresa el artículo 1245.4 de la PMDOC, cuando afirma que «la parte que hubiera procedido con mala fe al entablar o interrumpir las negociaciones será responsable de los daños causados a la otra. En todo caso, se considera contrario a la buena fe entrar en negociaciones o continuarlas sin intención de llegar a un acuerdo».

Esa responsabilidad por los daños causados se concreta, por regla general, en el resarcimiento de los daños y perjuicios en la medida del llamado interés negativo o interés de la confianza, que debe poner al perjudicado en la misma situación patrimonial que estaría si las negociaciones preliminares frustradas o el negocio en el que intervino la culpa *in contrahendo* no se hubiesen llegado a celebrar[50], y en el que tiene entrada tanto el daño emergente o gastos inútiles realizados, como el lucro cesante o frustración de ganancias. No obstante, en este segundo caso, como el lucro dejado de obtener debe ser probado, corresponderá al perjudicado acreditar que se trataba de una ganancia que era previsible según el curso razonable de los hechos. No hay, en cambio, posibilidad de resarcir al perjudicado el denominado interés positivo o de cumplimiento, esto es, los incrementos patrimoniales que se hubiesen percibido en la hipótesis de que el contrato hubiera sido perfeccionado y cumplido de forma correcta.

Según el artículo 1245.5 de la PMDOC, «la infracción de los deberes de que tratan los apartados anteriores dará lugar a la indemnización de daños y perjuicios. En el supuesto del apartado anterior, la indemnización consistirá en dejar a la otra parte en la situación que tendría si no hubiera iniciado las negociaciones».

BIBLIOGRAFÍA

ALONSO PÉREZ, «La responsabilidad precontractual», RCDI, 1971, p. 589; ARRILLAGA, «Valor de las ofertas hechas a personas indeterminadas», RDM, 1952, p. 7; ASÚA GONZÁLEZ, *La culpa «in contrahendo» (Tratamiento en el Derecho alemán y presencia en otros Ordenamientos*, Bilbao, 1989; CACHÓN BLANCO, «Las ofertas públicas de valores negociables», AC, 1997, p. 865; CUADRADO PÉREZ, *Oferta, aceptación y conclusión del contrato*, Bolonia, 2003; DE MIGUEL ASENSIO, *Derecho privado de Internet*, 4.ª ed., Cizur Menor (Navarra), 2011; DURANY PICH, «Sobre la necesidad de que la aceptación coincida en todo con la oferta: el espejo roto», ADC, 1992, p. 1011; GALLART, «El problema de la fuerza vinculante de la oferta», RJC, 1959. p. 656; íd., «El momento de perfección del contrato entre ausentes», RJC, 1960, p. 290; GARCÍA DE ENTERRÍA, J., *La Opa obligatoria*, Madrid, 1996; GARCÍA RUBIO, *La responsabilidad precontractual en el Derecho español*, Madrid, 1991; GARCÍA RUBIO/OTERO CRESPO,

---

50. Cfr. STS de 16 de diciembre de 1999 (RJ 1999, 8978).

«La responsabilidad precontractual en el Derecho contractual europeo», InDret, 2/2010; Gómez Calle, _Los deberes precontractuales de información_, Madrid, 1994; Lalaguna, «Sobre la perfección de los contratos en el Código civil», _Centenario del Código civil_, T. II, Madrid, 1990, p. 1071; Lobato de Blas, «Consideraciones sobre el concepto de tratos preliminares», RGLJ, 1976, p. 541; Llobet i Aguado, _Deber de información en la formación de los contratos_, Madrid, 1996; Manzanares, «La responsabilidad precontractual en la hipótesis de ruptura injustificada de las negociaciones preliminares», ADC, 1984, p. 687; íd., «La naturaleza de la responsabilidad precontractual o culpa _in contrahendo_», ADC, 1985, p. 971; Morales Moreno, «Declaraciones públicas y vinculación contractual (reflexiones sobre una propuesta de Directiva)», ADC, 1999, p. 265, Pertíñez Vilches, «Información precontractual obligatoria, error, prácticas comerciales desleales» en AA VV (dir. Carrasco Perera), _Tratado de la compraventa. Homenaje al profesor Rodrigo Bercovitz_, T. I, Cizur Menor (Navarra), 2013, p. 379; Moreno Quesada, _La oferta de contrato_, Barcelona, 1963; Rogel Vide, «Momento y lugar de la perfección del contrato», La Ley, 1982, p. 1253; Rodriguez Guitián, _La muerte del oferente como causa de la extinción de la oferta contractual_, Madrid, 2003; Rovira y Palomar, «Problemas de la contratación entre personas distantes», ADC, 1958, p. 147.

Las condiciones generales de la contratación

I. INTRODUCCIÓN

Con gracia y agudeza, Royo Martínez describía hace ya mucho tiempo la situación de la contratación moderna en los siguientes términos. «Con las grandes empresas de transportes y de electricidad, con las poderosas entidades bancarias y compañías de seguros, por no citar sino los supuestos de mayor relieve, y, sobre todo, con sus monopolios de hecho o con la eliminación de la competencia entre ellas a través de convenios normativos, cárteles y *trusts,* surge un tipo de contratación que pudiéramos llamar *deshumanizada,* una contratación de cola y mostrador o ventanilla, de formulario impreso y de fichero, en la que ya no hay "parroquianos", sino números y siglas; una contratación en la que no se discute, porque el contrato está ya redactado y no hay sino firmarlo».

Como dice la STS de 8 de septiembre de 2014, «la contratación bajo condiciones generales, por su naturaleza y función, tiene una marcada finalidad de configurar su ámbito contractual y, con ello, de incidir en un importante sector del tráfico patrimonial, de forma que conceptualmente debe precisarse que dicha práctica negocial constituye un auténtico modo de contratar claramente diferenciado del paradigma del contrato por negociación regulado por nuestro Código Civil, con un régimen y presupuesto causal propio y específico que hace descansar su eficacia última, no tanto en la estructura negocial del consentimiento del adherente, como en el cumplimiento por el predisponente de unos especiales deberes de configuración contractual en orden al equilibrio prestacional y a la comprensibilidad real de la reglamentación predispuesta, en sí misma considerada»[1].

---

1. RJ 2014, 260897. Cfr. STSS de 18 de junio de 2012 (RJ 2012, 8857), 10 de marzo, 11 de marzo y 7 de abril de 2014 (RJ 2014, 1467, 2114 y 2184).

1. Concepto y características

El artículo 1.1 de la LCGC define las condiciones generales como «las cláusulas predispuestas cuya incorporación al contrato sea impuesta por una de las partes, con independencia de la autoría material de las mismas, de su apariencia externa, de su extensión y de cualesquiera otras circunstancias, habiendo sido redactadas con la finalidad de ser incorporadas a una pluralidad de contratos». En cambio, el Texto Refundido de la Ley General para la Defensa de los Consumidores y Usuarios no contiene una definición de condiciones generales de la contratación, sino que alude únicamente a las «cláusulas no negociadas individualmente», con la misma expresión que utiliza el artículo 3.1 de la Directiva de cláusulas abusivas. Las cláusulas no negociadas individualmente se diferencian de las condiciones generales en el sentido de que esas cláusulas no han sido necesariamente redactadas para aplicarse a una pluralidad de contratos.

El artículo 1261.1 de la PMDOC establece que «son condiciones generales las cláusulas preparadas por una de las partes para su uso general y repetido en los contratos y, de hecho, utilizadas en ellos sin haber sido negociadas individualmente».

De forma similar, el artículo II.-1:109 del DCFR define las condiciones generales de la contratación como «aquellas cláusulas que han sido formuladas previamente para varias transacciones con diferentes partes, y que no han sido individualmente negociadas per las partes». Una cláusula predispuesta por una de las partes no ha sido negociada individualmente, «si la otra parte no ha podido influir en su contenido, en particular, porque ha sido redactada previamente, sea o no parte de una condición general» (art. II.-1:110(1) DCFR).

Con un carácter más exhaustivo, PAZOS define las condiciones generales de la contratación como el conjunto de cláusulas mediante las cuales una persona, que normalmente reúne la condición de empresario y que no tiene por qué ser quien las ha redactado efectivamente, configura el contenido contractual básico de una pluralidad, determinada o indeterminada, de negocios jurídicos patrimoniales futuros, imponiendo tales cláusulas de modo que, como regla general, no aceptará una modificación de las mismas por la contraparte.

Esta definición recoge las cuatro características fundamentales de las condiciones generales, que son la contractualidad, la predisposición, la imposición y la generalidad.

a) Contractualidad. El carácter contractual de las condiciones generales deriva del hecho de que formulación responde al deseo del predisponente de incorporarlas a un contrato. Es decir, las condiciones generales son declaraciones del empresario que surgen con la intención de adquirir fuerza de ley entre las partes y constituir el contenido del contrato.

b) Predisposición. La predisposición aparece reconocida de forma expresa en el artículo 1 de la LCGC, cuando habla de «cláusulas predispuestas». Implica que la concepción de las cláusulas contractuales tiene siempre lugar de manera anticipada, lo que explica que no es una característica exclusiva de la contratación con condiciones generales. De hecho, en cualquier contrato de adhesión, aunque sea individual, existe la predisposición. Sin embargo, en el ámbito específico de las condiciones generales este requisito debe relacionarse con el de la generalidad, pues la noción de predisposición está formada por dos elementos: la anticipación en la formulación de cláusulas contractuales y la finalidad a la cual sirve la anticipación, que se corresponde con la pretensión de aplicación general de las cláusulas predispuestas

> El artículo II.-1:110(1) del DCFR señala que «se considera que una cláusula predispuesta por una de las partes no ha sido negociada individualmente, si la otra parte no ha podido influir en su contenido, en particular, porque ha sido redactada previamente, sea o no parte de una condición general».

La predisposición no exige que la persona que elabore las condiciones generales sea quien las utilice después en su actividad empresarial, como señala el artículo 1.1 de la LCGC.

> En un contrato concluido entre un empresario y un consumidor las cláusulas redactadas por una tercera persona «se considera que han sido predispuestas por el empresario, a menos que las haya incorporado el consumidor» (cfr. art. II.-1:110(5) DCFR). En este último supuesto resulta evidente que las cláusulas introducidas por un tercero (por ejemplo, un notario, un abogado u otro profesional del Derecho) están igualmente sujetas a los mecanismos de control establecidos por la Directiva de cláusulas abusivas, pues su artículo 3.2, del que trae causa el mencionado apartado 5 del artículo II.-1:110 del DCFR, simplemente se refiere a las cláusulas que hubieran sido redactadas previamente y en las que el consumidor no hubiera podido influir sobre su contenido.

c) Imposición. La imposición es el elemento que más se tiene en cuenta cuando se habla de «contrato de adhesión», contenga o no condiciones generales. La idea de adhesión toma en consideración al destinatario de la oferta, cuando se refiere a la aceptación total de un contenido contractual que ha sido expresado por el oferente. Por su parte, la idea de imposición parte justamente de la posición de este último para indicar que, como regla general, el predisponente no está dispuesto a contratar si no se aplican al negocio todas y cada una de las condiciones que él mismo ha formulado. Por esta razón, se ha descrito la adhesión como la imposibilidad de discutir las condiciones predispuestas, de modo que el adherente deberá decidir entre aceptarlas y celebrar el contrato o rechazarlas y renunciar al acuerdo.

Según el artículo 1 de la LCGC, las condiciones generales son cláusulas predispuestas cuya incorporación al contrato se impone por una de las partes.

d) Generalidad. La predisposición y la imposición son características comunes a todo contrato de adhesión. Sin embargo, cuando se habla de condiciones generales de la contratación, debe añadirse otro elemento, cual es el de la generalidad. Esta nota es lo que verdaderamente diferencia un simple contrato de adhesión de un contrato de adhesión integrado por condiciones generales. En los contratos con condiciones generales se predisponen un conjunto de cláusulas con la finalidad de que queden incorporadas a una pluralidad de contratos que pueda celebrar el predisponente en el desarrollo de su actividad económica. Así, el artículo 1.1 de la LCGC indica que las condiciones generales son cláusulas predispuestas «con la finalidad de ser incorporadas a una pluralidad de contratos».

2. Funciones de las condiciones generales

Son las siguientes:

1.ª *La reducción de costes en la formación del contrato.* En la actualidad, cada vez se celebran más contratos, que proporciona más bienes y servicios a los particulares. De hecho, el frenético ritmo de los intercambios económicos se explica, entre otros motivos, por el ahorro en los costes de transacción (ahorro de tiempo, de medios y de actividad), pues si las empresas tuvieran que negociar individualmente los contratos con sus potenciales clientes no podrían lograr un volumen de negocio tan elevado. Asimismo, si los particulares negociasen de forma individual en cada transacción en que estuvieran interesados, el número de contratos que podrían celebrar sería mucho menor, reduciéndose ostensiblemente. el número de bienes o servicios que podrían conseguir.

La predisposición simplifica la contratación, permitiendo ahorrar tiempo a todas las partes contratantes.

2.ª *Facilitar la actividad personal de la empresa.* El aumento del tamaño de las empresas y la mayor complejidad de los bienes y servicios que se demandan en el mercado explican que, con el fin de satisfacer esa demanda, resulte imprescindible la división del trabajo y la especialización. En este contexto, las condiciones generales permiten que todos los trabajadores puedan explicar con mayor facilidad el contenido de la oferta, centrándose en los aspectos más relevantes de la transacción. Simultáneamente, el empresario controla las condiciones ofrecidas por sus agentes. De esta manera, los trabajadores de la empresa pueden llevar a cabo su labor de manera más rápida y eficiente, ya que no precisan tener conocimientos técnicos exhaustivos sobre el negocio jurídico que proponen, y no es preciso, además, que su labor esté controlada permanentemente por un superior.

3.ª *Cálculo anticipado de costes.* Se manifiesta en que el uso de condiciones generales permite a las empresas calcular de manera anticipada y aproximada cualquier hecho que pueda representar un coste para la misma, contribuyendo a su necesaria planificación económica. De hecho, difícilmente podría llevarse a cabo una actividad empresarial si no hubiese una previsión aproximada de los riesgos asumidos.

4.ª *Generar seguridad jurídica.* El uso de las condiciones generales, en la medida en que tienen por finalidad su aplicación a una pluralidad de contratos que el empresario pueda celebrar, suponen la previsibilidad de las consecuencias jurídicas derivadas de una transacción concreta. En general, permiten colmar lagunas que pueda haber en las leyes, ya que éstas toman en consideración supuestos típicos que pueden no responder a la realidad de un momento concreto o de un sector económico en su conjunto; así como ofrecer una regulación detallada de la relación contractual. Incluso pueden cumplir una función de prevención de litigios.

Sin embargo, estas pretendidas funciones deber ser sometidas a matices, ya que las condiciones generales presentan a menudo problemas de identificación, legibilidad, comprensibilidad e incluso accesibilidad. En muchas ocasiones, la claridad y la corrección del contenido de las condiciones generales brillan por su ausencia y, en consecuencia, no pueden esgrimirse como un paradigma de la seguridad jurídica que se acaba de mencionar.

3. Fundamento de validez de las condiciones generales

La *posición normativista*, que supone la consideración de las condiciones generales como fuente del Derecho. Bajo la formulación general de «posición normativista» o «teoría anticontractual» se engloban diferentes opiniones que se caracterizan todas ellas por atribuir a las condiciones generales el poder de crear Derecho objetivo. Esta postura normativista se fundamenta en la idea de que los contratos de adhesión no son verdaderos contratos al no existir una voluntad contractual única entre las partes, sino más bien una voluntad unilateral que se impone a una colectividad indeterminada. Teniendo en cuenta que quien acepta unas cláusulas contractuales prerredactadas simplemente se adhiere a ellas, desde este punto de vista las condiciones generales supondrían una operación más «reglamentaria» que contractual en la que el predisponente estaría llevando cabo un acto unilateral de forma análoga al legislador.

La *posición contractualista* es, probablemente, la que mejor explica la naturaleza jurídica de las condiciones generales, puesto que el poder que tienen los individuos para autorregularse se ejerce única y exclusivamente mediante el ejercicio de la autonomía de la voluntad, de la que forma parte la libertad para contratar. Esta postura parte de la idea de que el hecho de que el contenido negocial haya sido elaborado exclusivamente por una sola de las partes no obsta para que la adhesión actúe como la aceptación de una oferta, prestándose así el consentimiento que origina un vínculo contractual[2]. A pesar de ello, hay que poner de relieve que la adhesión no puede equipararse sin más a la aceptación y al consentimiento propios de los contratos negociados. Supone una «modalización» del consentimiento contractual.

La *posición de la eficacia declarativa de las condiciones generales*, que defiende ALFARO, que elaboró su teoría tras estudiar los mecanismos de control de contenido que había adoptado el Derecho alemán en su Ley de condiciones generales de la contratación de 1976, así como la evolución jurisprudencial de ese control. Según esta postura, la eficacia de las condiciones generales vendría dada no por la adhesión como declaración del consentimiento, sino en la medida en que llegue a incorporar el contenido de regulación de una norma que pueda reclamar validez por sí misma de acuerdo con las fuentes ordinarias del Derecho, esto es, la ley, la costumbre y los principios generales del Derecho. Esto implica reconocer la validez de las condiciones generales seleccionadas específicamente por el adherente, así como las que recojan la regulación legal del tipo contractual correspondiente al negocio celebrado o la configuración usual del contrato, si es que ese contrato era de naturaleza atípica, y las que prevean una regulación «conforme con» o «derivada de» la buena fe.

La adhesión valdría entonces como una declaración de conocimiento de que existen condiciones generales, autorizando al predisponente para que pueda predisponer condiciones generales cuyo contenido sea equivalente a la regulación del Derecho dispositivo.

En todo caso, la fuerza vinculante de las condiciones generales de la contratación proviene de la adhesión, del consentimiento del adherente. Su naturaleza jurídica es, por tanto, contractual. Ahora bien, de la misma forma que el artículo 1255 del CC sirve de límite a lo que los contratantes pueden pactar en un contrato negociado, el control de contenido supone un límite al poder económico de las personas, predisponentes y

---

2. Cfr. SSTS de 30 de mayo de 1998 (RJ 1998, 4076) y 21 de marzo de 2003 (RJ 2003, 2762).

adherentes, que actúan en el tráfico económico a través de la contratación estandarizada (proponiéndola o aceptándola). La clave reside en que, bajo la figura del control de contenido, se ha ido produciendo una creciente restricción del poder económico de las personas. Como señala PAZOS, la regulación jurídica ha venido proliferando cada vez más, de modo que a las normas legales dispositivas se les ha atribuido un valor que va más allá de una regulación en defecto de pacto, reconociéndoles un carácter de regulación modelo o justa. En este contexto, principios generales como el de equilibrio contractual y el de buena fe ven incrementadas sus implicaciones.

II. EL CONTROL DE LAS CONDICIONES GENERALES

El control de las condiciones generales de la contratación alude al triple control de incorporación, de contenido y de transparencia.

Para que una cláusula predispuesta no negociada individualmente sea válida y produzca efectos debe superar: el *control de incorporación o información* de las cláusulas (también denominado de transparencia formal o documental), que hace referencia a la posibilidad de conocimiento de la existencia de la cláusula; el *control de transparencia sustantiva o compresión real por el consumidor,* que se refiere al funcionamiento de la cláusula en relación con sus elementos esenciales y, eventualmente, el *control de contenido o equilibrio de las prestaciones,* que alude al funcionamiento de la cláusula respecto a sus elementos accesorios.

La STS (Pleno) de 9 mayo de 2013, a propósito de un contrato de préstamo hipotecario con cláusula suelo, ha declarado que existe un doble control o filtro de transparencia en los contratos celebrados con consumidores. Por una parte, un primer control de incorporación basado en la concreción, claridad, sencillez, accesibilidad y legibilidad (arts. 5 y 7 LCGC y art. 80.1, letras a) y b)TRLGDCU) establecido por los requisitos de transparencia propios de la Ley de condiciones generales, que es insuficiente «para eludir el control de abusividad de una cláusula no negociada individualmente, aunque describa o se refiera a la definición del objeto principal del contrato, si no es transparente». Además, un específico control de transparencia propio de los contratos con consumidores establecido en el Texto Refundido para las cláusulas no negociadas, el cual incluye «el control de comprensibilidad real de su importancia en el desarrollo razonable del contrato»[3].

1. El control de incorporación

El control de incorporación de las condiciones generales se refiere a los requisitos de inclusión que establecen los artículos 5 y 7 de la LCGC, tanto para los contratos celebrados entre empresarios como en los concluidos entre un empresario y un consumidor.

1.1. *Requisitos de incorporación*

Con el fin de acreditar que el adherente tuvo ocasión real de conocer las condiciones generales al tiempo de la celebración del contrato, el artículo 7 de la LCGC dice que «no quedarán incorporadas al contrato las siguientes condiciones generales:

---

3. RJ 2013, 3088.

a) Las que el adherente no haya tenido oportunidad real de conocer de manera completa al tiempo de la celebración del contrato o cuando no hayan sido firmadas, cuando sea necesario, en los términos resultantes del artículo 5.

b) Las que sean ilegibles, ambiguas, oscuras e incomprensibles, salvo, en cuanto a estas últimas, que hubieren sido expresamente aceptadas por escrito por el adherente y se ajusten a la normativa específica que discipline en su ámbito la necesaria transparencia de las cláusulas contenidas en el contrato».

> Las condiciones generales pasarán a formar parte del contrato cuando se acepte por el adherente su incorporación al mismo y sea firmado por todos los contratantes. Todo contrato deberá hacer referencia a las condiciones generales incorporadas. No podrá entenderse que ha habido aceptación de la incorporación de las condiciones generales al contrato cuando el predisponente no haya informado expresamente al adherente acerca de su existencia y no le haya facilitado un ejemplar de las mismas (art. 5.1 LCGC).

A ese precepto debe añadirse que, cuando se trate de un contrato con condiciones generales entre un empresario y un consumidor, incluidos los que promuevan las Administraciones públicas y las entidades y empresas de ellas dependientes, ´las cláusulas deberán cumplir el requisito de «accesibilidad y legibilidad, de forma que permita al consumidor y usuario el conocimiento previo a la celebración del contrato sobre su existencia y contenido. En ningún caso se entenderá cumplido este requisito si el tamaño de la letra del contrato fuese inferior a los 2.5 milímetros, el espacio entre líneas fuese inferior a los 1.15 milímetros o el insuficiente contraste con el fondo hiciese dificultosa la lectura» (art. 80.1, letra b) TRLGDCU).

Este filtro negativo debe aplicarse en primer lugar. Si se supera, se aplicará un segundo filtro que establece el artículo 5.5 de la LCGC cuando señala que «la redacción de las cláusulas generales deberá ajustarse a los criterios de transparencia, claridad, concreción y sencillez». Se hace así referencia a la comprensibilidad gramatical y semántica de la cláusula (Martínez Espín) con la finalidad de comprobar que la adhesión se ha realizado con unas garantías mínimas de cognoscibilidad por parte del adherente[4]. En los contratos con consumidores también deberán cumplir el requisito de «concreción, claridad y sencillez en la redacción, con posibilidad de comprensión directa, sin reenvíos a textos o documentos que no se faciliten previa o simultáneamente a la conclusión del contrato, y a los que, en todo caso, deberá hacerse referencia expresa en el documento contractual» (art. 80.1, letra a), TRLGDCU).

1.2. Efectos

La declaración judicial de no incorporación no determinará la ineficacia total del contrato. El efecto de la nulidad es que las partes deberán restituirse mutuamente las recíprocas prestaciones que hubiesen sido materia del contrato conforme a lo dispuesto por el artículo 1303 del CC.

2. El control de contenido

El control de contenido, o de abusividad, tiene por objeto examinar la adecuación de las condiciones generales y las cláusulas predispuestas incorporadas al contrato

---

4.   Cfr. SSTS de 28 de mayo de 2018 (RJ 2018, 2281) y 25 de enero de 2019 (RJ 2019, 137).

2.1. La cláusula general de abusividad

El artículo 82.1 del TRLGDCU señala que «se considerarán cláusulas abusivas todas aquellas estipulaciones no negociadas individualmente y todas aquellas prácticas no consentidas expresamente que, en contra de las exigencias de la buena fe causen, en perjuicio del consumidor y usuario, un desequilibrio importante de los derechos y obligaciones de las partes que se deriven del contrato»[5]. Por su parte, el artículo 82.3 del TRLGDCU añade que «el carácter abusivo de una cláusula se apreciará teniendo en cuenta la naturaleza de los bienes o servicios objeto del contrato y considerando todas las circunstancias concurrentes en el momento de su celebración, así como todas las demás cláusulas del contrato o de otro del que éste dependa»[6].

> Según el artículo 1261.1, párrafo 1.º, de la PMDOC, «las cláusulas no negociadas individualmente serán nulas por abusivas cuando causen, en contra de las exigencias de la buena fe, un desequilibrio significativo en los derechos y obligaciones de las partes que deriven del contrato».

> El Borrador de Marco Común de Referencia contiene una triple cláusula de abusividad según se trate de contrato celebrados entre empresarios y consumidores (art. II.-9:403 DCFR), de contratos celebrados entre no empresarios (art. II.-9:404 DCFR) y de contratos celebrados entre empresarios (art. II.-9:405 DCFR). Cuando se trate de contratos concluidos entre empresarios y consumidores, el artículo II.-9:403 del DCFR dice que una cláusula que no haya sido negociada individualmente será abusiva «si ha sido aportada por el empresario y causa un perjuicio significativo al consumidor en contra de las exigencias de la buena fe contractual». En el supuesto de un contrato celebrado entre empresarios, el artículo II.-9:404 del DCFR señala que una cláusula incluida en el contrato será abusiva «solo si forma de las condiciones generales de la contratación aportadas por una de las partes y resulta naturaleza que su aplicación se aparta manifiestamente de las buenas prácticas comerciales en contra de las exigencias de la buena fe contractual»[7].

En cualquier caso, debe tenerse en cuenta que, como indica el artículo 4.2 de la Directiva de cláusulas abusivas, «la apreciación del carácter abusivo de las cláusulas no se referirá a la definición del objeto principal del contrato ni a la adecuación entre precio y retribución, por una parte, ni a los servicios o bienes que hayan de proporcionarse como contrapartida, por otra, siempre que dichas cláusulas se redacten de manera clara y comprensible». Esto implica que las cláusulas predispuestas que se refieran al objeto principal del contrato (por ejemplo, el tipo de interés del préstamo) están sometidas al control de incorporación, pero no al de contenido. El motivo es que no puede realizarse un control judicial de los precios («los jueces no son comisarios de precios»), ya que su fijación corresponde al mercado. Pero, si esas cláusulas no se redactaron «de manera clara y comprensible», entonces podrá acudirse al control de transparencia material.

Por lo que respecta al *equilibrio contractual*, el control de contenido consiste en llevar a cabo una ponderación de los derechos y de las obligaciones que asumen las partes, de manera que esa ponderación no produzca como resultado que una de

---

5. Cfr. artículo 3.1 de la Directiva de cláusulas abusivas.
6. Cfr. artículo 4.1 de la Directiva de cláusulas abusivas.
7. Cfr. artículo 4:110(1) de los PECL y artículo 83.1 del CESL.

las partes se encuentre por encima de la otra de manera significativa o importante (Mazeaud).

> Como explica Carballo Fidalgo, se trata de «ponderar la medida en que tales derechos y obligaciones se ajustan a los intereses de uno y otro contratante, a fin de expulsar de la reglamentación negocial el clausulado que aleja de modo importante al consumidor del objetivo buscado al contratar».

Sin embargo, eso no quiere decir que este proceso consista en poner en un lado de la balanza los derechos y obligaciones de una de las partes, en el otro los derechos y obligaciones de la otra parte, y evaluar a continuación en qué medida la balanza se encuentra en un equilibrio aproximado. El desequilibrio no se comprueba comparando los derechos y obligaciones de las partes entre sí, como parece indicar el tenor literal del artículo 82.1 del TRLGDCU[8], sino que una cláusula predispuesta será considerada abusiva cuando suponga una desviación importante, en perjuicio del consumidor, con respecto a los derechos y obligaciones que se establecen en la regulación de un modelo de referencia, como es el caso del Derecho dispositivo.

Esta postura ha recibido el respaldo del Tribunal de Justicia, pues la sentencia *Aziz* señala que «tal como como la Abogado General indicó en el punto 71 de sus conclusiones, para determinar si una cláusula causa en detrimento del consumidor un «desequilibrio importante» entre los derechos y las obligaciones de las partes que se derivan del contrato, deben tenerse en cuenta, en particular, las normas aplicables en Derecho nacional cuando no exista un acuerdo de las partes en ese sentido. Mediante un análisis comparativo de ese tipo, el juez nacional podrá valorar si –y, en su caso, en qué medida– el contrato deja al consumidor en una situación jurídica menos favorable que la prevista por el Derecho nacional vigente. Asimismo, resulta pertinente a estos efectos examinar la situación jurídica en que se encuentra ese consumidor a la vista de los medios de que dispone con arreglo a la normativa nacional para que cese el uso de cláusulas abusivas»[9].

Hay que recordar que el Tribunal de Justicia de la Unión Europea es competente para interpretar el Derecho europeo, de acuerdo con el artículo 267 del TFUE. Eso significa que, como ha declarado la sentencia *Freiburger Kommunalbauten*, el tribunal «puede interpretar los criterios generales utilizados por el legislador comunitario para definir el concepto de cláusula abusiva», pero que, «por el contrario, no puede pronunciarse sobre la aplicación de estos criterios generales a una cláusula particular que debe ser examinada en función de las circunstancias propias del caso concreto». Es decir, es el tribunal nacional quien debe determinar si una cláusula concreta responde a los criterios que conducen a su calificación como «abusiva»[10]. Esta jurisprudencia está hoy consolidada[11]. No obstante, en ocasiones el Tribunal de Justicia ha sido más claro en su respuesta, manifestando, que a él le corresponde tanto la interpretación del concepto de «cláusula abusiva» utilizado en la Directiva de cláusulas

---

8. Cfr. art. 3.1 de la Directiva de cláusulas abusivas.
9. Cfr. STJUE de 14 de marzo de 2013, *Aziz*, C-415/11, EU:C:2013:164, apartado 68.
10. Cfr. STJCE de 1 de abril de 2004, *Freiburger Kommunalbauten*, C-237/02, EU:C:2004:209, apartado 22.
11. Cfr. STJCE de 4 de junio de 2009, *Pannon, GSM*, C-243/08, EU:C:2009:350, apartados 42 y 43 y STJUE de 27 de febrero de 2014, *Pohotovost'*, C-470/12, EU:C:2014:101, apartado 60.

abusivas, como proporcionar los criterios que el juez nacional puede o debe aplicar al examinar una cláusula contractual[12].

El Borrador del Marco Común de Referencia ha optado por prescindir del criterio del «desequilibrio significativo» y reemplazarlo por el de «causar un perjuicio significativo al consumidor», precisamente para conseguir una mayor exactitud. Como dice el comentario oficial del artículo II.-9:403 del DCFR, utilizar la expresión «causar un perjuicio» debería ser un aspecto que deje claro que uno de los elementos clave en el control de abusividad es la comparación entre la cláusula contractual analizada y las normas que serían de aplicación si dicha cláusula no se hubiera incluido. Que el Derecho dispositivo sea la referencia es también lo que sucede en el artículo 83 del CESL.

Además de referirse al desequilibrio significativo en detrimento del consumidor, resulta obligado mencionar el segundo elemento de la cláusula general de abusividad, que es la *contravención del principio de buena fe*. El artículo 82 del TRLGDCU no dice simplemente que se consideran abusivas las cláusulas que causen, en perjuicio del consumidor, un desequilibrio importante entre los derechos y las obligaciones de las partes. Este efecto debe producirse «en contra de las exigencias de la buena fe», aspecto que en la Directiva de cláusulas abusivas se había expresado inicialmente como «pese a las exigencias de la buena fe», y que hoy en día se recoge como «contrariamente a las exigencias de la buena fe». La STS (Pleno) de 9 de mayo de 2013 ha manifestado que las exigencias de la buena fe no se limitan a la vertiente subjetiva de esta figura, sino que se vinculan «sobre el comportamiento que el consumidor medio puede esperar de quien lealmente compite en el mercado y que las condiciones que impone son aceptables en un mercado libre y abastecido»[13]. La posición del Tribunal Supremo, que tiene su fundamento en el considerando 16 de la Directiva de cláusulas abusivas y en la sentencia *Aziz*[14], ha sido reiterada por la STS (Pleno) de 3 de junio de 2016[15] y por las SSTS de 18 y 30 de enero de 2017[16].

El considerando 16 de la Directiva de cláusulas abusivas contiene tres declaraciones diferentes sobre la buena fe. En primer lugar, dice que la apreciación del carácter abusivo de las cláusulas «necesita completarse mediante una evaluación global de los distintos intereses en juego», y que «en esto consiste la exigencia de buena fe». En segundo lugar, enuncia tres factores a los que hay que prestar atención a la hora de apreciar la buena fe: la fuerza de las respectivas posiciones de negociación de las partes, si el consumidor se ha visto inducido de alguna forma a prestar su consentimiento a la cláusula, y si los bienes o servicios se han suministrado petición especial del consumidor. Por último, afirma que los empresarios pueden cumplir con las exigencias de la buena fe tratando «de manera leal y equitativa» con el consumidor, cuyos intereses legítimos «debe tener en cuenta»

2.2. La lista de cláusulas abusivas

La lista de cláusulas abusivas que existe en Derecho español puede describirse como el conjunto de supuestos previstos en los artículos 85 a 90 del TRLGDCU a

---

12. Cfr. STJCE de 1 de abril de 2004, VB *Penzugyi Lízing*, C-137/08, EU:C:2004:659, apartados 43 y 44 y STJUE de 26 de abril de 2012, *Invitel*, C-472/10, ECLI:EU:C:2012:242, apartado 22.
13. RJ 2013, 3088.a
14. Cfr. STJUE de 14 de marzo de 2013, *Aziz*, C-415/11, EU:C:2013:164, apartado 69.
15. RJ 2016, 2306.
16. RJ 2017, 922 y 371.

los que el legislador atribuye el carácter de abusivos «en cualquier circunstancia». Siguiendo el modelo instaurado por la Directiva de cláusulas abusivas, es una lista que complementa la cláusula general de abusividad del artículo 82.1 del TRLGCU y, como tal complemento debe ser considerada como una lista meramente indicativa o ejemplificativa que ayuda a concretar el concepto de cláusula abusiva, pero sin ninguna pretensión de abarcar acaparar con carácter exhaustivo todas las hipótesis que pudieran existir de cláusulas abusivas. Así se infiere del artículo 82.4 del TRLGDCU, según el cual, en todo caso son abusivas las cláusulas contempladas en los arts. 85 a 90; lo cual obviamente no excluye la posibilidad de que otro tipo de cláusulas lo sean, de conformidad la cláusula general del artículo 82.1 del TRLGDCU. Los supuestos de cláusulas abusivas de la lista están agrupados en seis artículos distintos: cláusulas abusivas por vincular el contrato a la voluntad del empresario (art. 85 TRLGDCU); cláusulas abusivas por limitar los derechos básicos del consumidor y usuario (art. 86 TRLGDCU); cláusulas abusivas por falta de reciprocidad (art. 87 TRLGDCU); cláusulas abusivas sobre garantías (art, 88 TRLGDCU); cláusulas abusivas que afectan al perfeccionamiento y ejecución del contrato (art. 89 TRLGDCU) y cláusulas abusivas sobre competencia y derecho aplicable (art. 90 TRLGDCU).

En cuanto a la *naturaleza de la lista*, de acuerdo con el tenor literal del artículo 82.4 del TRLGDCU, parece que la intención del legislador ha sido la de redactar una serie de supuestos de cláusulas que son abusivas en todo caso y sin posibilidad de valoración alguna, al emplear la expresión «en todo caso son abusivas». Sin embargo, la formulación de las hipótesis de cláusulas abusivas de la lista, en la que abundan expresiones como «plazo excesivamente largo o insuficientemente determinado», «motivos válidos especificados en el contrato», «exclusión de forma inadecuada», «indemnización desproporcionadamente alta», etc., que en sí mismos implican una necesidad de ponderación, parece poner de manifiesto que algunos de los supuestos en ella contemplados no se pueden aplicar automáticamente sin una previa valoración de las circunstancias concurrentes en el contrato concreto, de la naturaleza del bien o servicio objeto del contrato y de otros pactos o estipulaciones del contrato (PERTÍÑEZ VÍLCHEZ).

Esta postura implica que se podrían distinguir dos listas, en función de que los supuestos de cláusulas abusivas descritos fueran de aplicación automática a todas las cláusulas que pudieran subsumirse en ellos, sin valoración de las circunstancias, o, por el contrario, admitieran una valoración conforme a las circunstancias del artículo 82.3 del TRLGDCU. La primera lista, llamada lista negra, se puede considerar una proyección del Derecho imperativo sobre las cláusulas no negociadas. La segunda lista, denominada lista gris, está integrada por una serie de supuestos que describen hipótesis de cláusulas que se presumen abusivas, pero que podrían no serlo, de acuerdo con las circunstancias concurrentes en el momento de la celebración del contrato, con la naturaleza del bien o servicio que constituyan su objeto o con otros pactos o estipulaciones que se hubieran incluido en él.

Mientras que el Borrador de Marco Común de Referencia solo incluye una lista de cláusulas abusivas (lista gris), la Propuesta de Reglamento relativa a una normativa común de compraventa europea se ha decantado por dos listas de cláusulas (lista negra y lista gris).

2.3. Efectos

Las cláusulas abusivas son nulas de pleno derecho, en virtud de lo dispuesto por los artículos 8.1 y 9.2 de la LCGC y por el artículo 83 del TRLGDCU. Las consecuencias de esa nulidad se estudian en materia de ineficacia del contrato.

3. El control de transparencia y sus consecuencias

Como ya se ha indicado, las cláusulas predispuestas que se refieran al objeto principal del contrato están sometidas al control de incorporación, pero no al control de contenido. Sin embargo, apoyándose en el tenor literal del artículo 4.2 de la Directiva de cláusulas abusivas, la STS (Pleno) de 9 de mayo de 2013 considera que esas cláusulas están sujetas a un control de transparencia material, que implica poder adquirir el conocimiento real de los compromisos económicos y jurídicos efectivamente asumidos por el adherente a través de una adecuada y completa información precontractual. Por tanto, para superar el control de transparencia material, se requiere que la cláusula en cuestión haya sido facilitada y explicada al consumidor con una mínima antelación de la celebración del contrato, «ya que la transparencia de las cláusulas no negociadas, en contratos suscritos con consumidores, incluye el control de comprensibilidad de su importancia en el desarrollo razonable del contrato»[17].

Si la cláusula predispuesta supera el control de transparencia material, será válida. Si no lo supera, esa cláusula no será directamente nula, sino que deberá someterse a control de contenido y, a continuación, podrá (o no) ser considerada abusiva[18]. En esta última hipótesis, la consecuencia será la nulidad de pleno derecho de la cláusula discutida al amparo de lo dispuesto por el artículo 83 del TRLGDCU. Hasta el momento, el Tribunal Supremo ha aplicado este control de transparencia a diversas cláusulas incluidas en los contratos de préstamo hipotecario, como por ejemplo a la cláusula suelo, a la cláusula de opción multidivisa y al índice IRPH.

Con el fin de asegurar la transparencia de las cláusulas de los préstamos hipotecarios, el artículo 14 de la LCCI obliga al prestamista, intermediario de crédito o su representante, antes de contratar, a entregar al consumidor la información que a continuación detalla y a suministrarle toda la información que fiera necesaria. Además, el prestatario habrá de comparecer ante el notario por él elegido a efectos de obtener presencialmente el asesoramiento que precise sobre el préstamo que pretende celebrar (art. 15 LCCI).

III. LA INTERPRETACIÓN DE LAS CONDICIONES GENERALES

1. La regla de la prevalencia de las condiciones particulares sobre las generales

El artículo 6.1 de la LCGDC dice que «cuando exista contradicción entre las condiciones generales y las condiciones particulares específicamente previstas para ese contrato, prevalecerán éstas sobre aquéllas, salvo que las condiciones generales resulten

---

17. RJ 2013, 3088. Cfr. STJUE de 26 de enero de 2017, *Banco Primus*, C-421/14, EU:C:2014:60, apartados 62 y 64.
18. Cfr. STS (Pleno) de 9 de mayo de 2013 (RJ 2013, 3088), STS (Pleno) de 9 de marzo de 2017 (RJ 2017, 977) y SSTS (Pleno) de 12 de noviembre de 2020 (RJ 2020, 4567 y 4601).

más beneficiosas para el adherente que las condiciones particulares». La prevalencia de las condiciones particulares sobre las generales es un criterio que pretende resolver la ambigüedad «extrínseca» de una cláusula contractual, esto es, de aquélla cuya falta de claridad resulta de ponerla en relación con otras cláusulas del contrato. Se trata así de intentar solventar casos de contradicción, incompatibilidad u «oposición semántica» entre cláusulas contractuales. En cualquier caso, se exige como condición previa que las diferentes condiciones generales irreconciliables hayan superado los requisitos de incorporación, pues de lo contrario no habrá contradicción alguna que deba ser salvada. La contradicción entre condiciones generales y particulares no tiene que ser «abierta» o «frontal», siendo suficiente que la primera de ellas altere el régimen de derechos y obligaciones resultante de la segunda.

Sin embargo, las dos dimensiones del artículo 6.1 de la LCGC no merecen la misma opinión. La prevalencia de las condiciones particulares sobre las generales merece un juicio positivo, no pudiéndose decir lo mismo a propósito de su limitación a través del criterio de la condición más beneficiosa. Las condiciones generales son prerredactadas con la finalidad de ser impuestas en una pluralidad de contratos, pero eso no obsta para que, si la situación lo aconseja, algunas de ellas sean excluidas o modificadas. Por lo tanto, constando el hecho de que las partes han decidido apartarse de lo que eran las condiciones generales, lo cual significa que el predisponente ha renunciado a las cláusulas que él mismo había elaborado de antemano, no hay motivo para permanecer vinculado a ellas y darles prevalencia. De hecho, otorgar prevalencia a la cláusula prerredactada frente a la cláusula particular,cuando la primera sea más favorable para el adherente, tiene como fundamento, bien sancionar al predisponente y ejercer una función preventiva, bien mejorar la situación del contratante sin poder de negociación, o quizás una conjunción de ambas. La intención de favorecer al adherente no es una justificación que pueda considerarse satisfactoria para dar prevalencia a las cláusulas generales sobre las particulares, cuando las primeras sean más favorables al adherente que las segundas. Esta regla implica prescindir de las eventuales declaraciones de voluntad, haciendo primar un contenido contractual contrario al concretamente consentido (PAZOS CASTRO).

2. La regla de la interpretación más favorable al adherente

Según el artículo 6.2 de la LCGC, «las dudas en la interpretación de las condiciones generales oscuras se resolverán a favor del adherente. En los contratos con consumidores esta norma de interpretación solo será aplicable cuando se ejerciten acciones individuales». Es esta una aplicación concreta en materia de condiciones generales de la denominada regla _contra proferentem_, que aparece en el artículo 1288 del CC. En palabras del Tribunal Supremo, es una «norma de interpretación universalmente aceptada» en el seno de los contratos de adhesión[19].

La previsión expresa de esta regla en las normas aplicables a los contratos de adhesión se justifica desde el punto de vista de su efecto disuasorio, puesto que con ellas se remarca el hecho de que la falta de claridad imputable al predisponente de una cláusula redundará en su perjuicio. Por tanto, es un incentivo para redactar las cláusulas

---

19. Cfr. SSTS de 22 de febrero de 1985 (RJ 1985, 742) y 15 de noviembre de 1989 (RJ 1989, 7881).

predispuestas de manera clara, lo cual implica también reducir el coste que supone para los consumidores obtener información sobre los clausulados que se les presentan. En esta dinámica, más que interpretar, puesto que no se pretende identificar la intención común de las partes, la regla *contra proferentem* es, más bien, una regla de valor fundada en el principio de autorresponsabilidad. Al acreedor le corresponde probar todas las disposiciones contractuales que le favorezcan, por lo que debe asumir todas las consecuencias que se deriven de no haberse explicado mejor.

La finalidad perseguida mediante la regla *contra proferentem* se consigue a través de dos mecanismos diferentes, que, en la práctica, actuarán de la misma manera. El primer mecanismo es la regla *contra proferentem* propiamente dicha, es decir, en caso de duda, la interpretación de una cláusula no negociada debe ser en perjuicio de quien la ha propuesto. El segundo mecanismo es una interpretación en favor del consumidor, esto es, cuando una cláusula no negociada es ambigua, se opta por la interpretación que más pueda beneficiar al consumidor.

IV. LAS ACCIONES COLECTIVAS DE CESACIÓN, RETRACTACIÓN Y DECLARATIVA DE CONDICIONES GENERALES

Los artículos 12 a 20 de la LCGC regulan las acciones colectivas declarativas, de cesación y de retractación (si bien, los arts. 14, 15, 18 y 20 fueron derogados por la disp. derogatoria única 2.15 de la LEC), mediante las que se pretende respectivamente: *a)* obtener una sentencia que reconozca que una cláusula es una condición general; *b)* la eliminación de las condiciones generales nulas utilizadas por el demandado para un determinado tipo de contrato y *c)* la prohibición de utilizarlas en el futuro y el cese de la recomendación de utilizar esas cláusulas.

Están *legitimados* para el ejercicio de estas acciones, según el artículo 16 de la LCGC, no solo las entidades que tengan estatutariamente encomendada la tutela de los intereses de los consumidores (asociaciones de consumidores que reúnan los requisitos establecidos en el Texto Refundido de la Ley General para la Defensa de los Consumidores y Usuarios o, en su caso, en la legislación autonómica, y entidades de otros Estados miembros de la Unión Europea constituidas para la protección de los intereses de los consumidores incluidas en la lista publicada a tal fin en el Diario Oficial de las Comunidades Europeas), sino también los órganos públicos de las distintas administraciones a los que competa la tutela de los consumidores, como el Ministerio Fiscal, por la consideración de orden público que tiene la normativa de protección de los consumidores de acuerdo con el artículo 51 de la CE y, además, las asociaciones y corporaciones de empresarios y colegios profesionales, por el interés de los propios colectivos profesionales en la limpieza del mercado.

De las tres acciones colectivas contempladas en el artículo 12 de la LCGC, la de mayor relevancia frente al empleo de cláusulas abusivas en contratos con consumidores es la acción de cesación[20].

En cualquier caso, debe ponerse de relieve que el objeto de la acción de cesación no es una condición general contenida en un contrato concreto, sino una condición general valorada en abstracto, que utiliza un profesional para un determinado

---

20. Cfr. Artículo 54 del TRLGDCU.

tipo de contratos. Por tanto, esto implica que en una acción de cesación no se pueden tener en cuenta las circunstancias concretas o individuales de cada caso, sino solo aquellas circunstancias objetivas presentes en una pluralidad de contratos del mismo tipo, como la naturaleza de los bienes o servicios objeto del contrato. En consecuencia, la cesación de una cláusula debería limitarse exclusivamente a los supuestos de cláusulas abusivas que lo fueran con independencia de las circunstancias de cada caso concreto, bien porque por su contenido resulten siempre intrínsecamente abusivas (las cláusulas que forman parte de la denominada lista negra), bien porque su carácter abusivo dependa de unas circunstancias típicas u objetivas que pudieran ser valoradas en abstracto, por comunes a un conjunto significativo de casos idénticos.

No obstante, en nuestra jurisprudencia las acciones de cesación que han resultado más relevantes son las que han tenido por objeto una cláusula suelo, cuya validez depende del análisis de su transparencia material, lo que obliga a analizar las circunstancias individuales de cada caso concreto.

Desde el punto de vista de sus *efectos*, la acción de cesación tiene un carácter esencialmente inhibitorio, mediante el cual se pretende conseguir un pronunciamiento de condena de no hacer al predisponente con relevancia hacia el futuro. La acción carece de transcendencia anulatoria sobre las cláusulas del mismo tipo incluidas en contratos ya celebrados. Sin embargo, el artículo 12.2 de la LCGC y el artículo 53.3 del TRLGDCU permiten que se pueda acumular con carácter accesorio a la acción de cesación las pretensiones de nulidad de tales cláusulas en los contratos en los que se incluyan, así como la de restitución de las cantidades indebidamente cobradas en virtud de ellas. Se plantea entonces la cuestión de si las sentencias que resuelven acciones de cesación de cláusulas abusivas a las que se hayan acumulado las pretensiones de nulidad y de restitución tienen un efecto de cosa juzgada respecto a los consumidores no litigantes en ese procedimiento, que pueda proyectarse sobre eventuales acciones posteriores individuales de nulidad dirigidas contra la misma entidad.

En este sentido, el artículo 222.3 de la LEC indica que, en el plano subjetivo, la cosa juzgada afectará, además de a las partes y a sus herederos y causahabientes, «a los sujetos, no litigantes, titulares de los derechos que fundamenten la legitimación de las partes conforme a lo previsto en el artículo 11 de esta Ley», supuesto que engloba a los consumidores afectados por una cláusula abusiva respecto de la que se haya ejercitado una acción de cesación (arts. 11.1 y 4.LEC). Sin embargo, teniendo en cuenta que el objeto de una acción de cesación es una cláusula valorada en abstracto, es posible que no exista la identidad objetiva requerida por el artículo 222.1 de la LEC entre una acción colectiva de cesación y una acción individual de nulidad posterior en la que se hayan introducido por las partes circunstancias individuales del caso concreto no previstas en la acción de cesación.

En consecuencia, el predisponente o el consumidor pueden desvincularse del fallo de una sentencia que resuelve una acción colectiva de cesación, reabriendo el debate sobre la nulidad de la cláusula en un procedimiento individual, siempre que introduzcan en el objeto de este procedimiento circunstancias individuales del caso concreto no tenidas en cuenta por la sentencia que condenó a la cesación y declaró la nulidad de la cláusula en abstracto. En esta hipótesis, la sentencia dictada en el procedimiento colectivo produciría sobre el procedimiento individual posterior solo un efecto de cosa juzgada positiva (art. 222.4 LEC), que obligaría al juzgador a tener en cuenta la decisión precedente sobre el carácter abusivo de la cláusula con arreglo a las circunstancias típicas u objetivas valoradas en abstracto, pero que le permitiría dictar una sentencia en sentido diferente si las circunstancias individuales del caso lo justifican. En cambio, si ninguna circunstancia individual del caso concreto fuese invocada por las partes en el procedimiento posterior, la sentencia que resolvió la acción colectiva produciría sobre el procedimiento individual un pleno efecto de cosa juzgada negativa (art. 222.1 LEC).

Por eso se equivocó la STS de 24 de febrero de 2017, declarando sin más, y prescindiendo de lo dispuesto en el artículo 222.3 de la LEC, que las sentencias que resuelven acciones colectivas de cesación no produce un efecto de cosa juzgada respecto de los consumidores no litigantes[21].

De manera más matizada, la STS de 8 de junio de 2017 ha declarado que, cuando exista una sentencia hubiera declarado abusiva una cláusula por el ejercicio de una acción de cesación, en los litigios posteriores en los que se ejercite una acción individual respecto de la misma entidad condenada, «la regla general sea que el juez aprecie el carácter abusivo de la cláusula por las razones expresadas en aquella sentencia. El juez solo podrá resolver en un sentido diferente, esto es, solo podrá negar el carácter abusivo de la cláusula, cuando consten en el litigio circunstancias excepcionales referidas al perfil del cliente o a la información suministrada por el banco predisponente en ese caso concreto, que se aparten significativamente de lo que puede considerarse el estándar medio y justifiquen que las razones por las que se estimó la abusividad de la cláusula en la sentencia que resolvió la acción colectiva no sean de aplicación en ese litigio sobre acción individual». Es decir, como dice PERTÍÑEZ VÍLCHEZ, aun cuando no exista la identidad objetiva entre ambos procedimientos por haberse introducido en el procedimiento individual circunstancias individuales del caso concreto, la sentencia que resuelve la acción colectiva de cesación produce sobre el procedimiento individual posterior, al menos, el referido efecto de cosa juzgada positiva del artículo 222.4 LEC, que conllevará la declaración de nulidad de la cláusula, salvo que aquellas circunstancias motiven un juicio en sentido contrario[22].

Ahora bien, incluso admitiendo el efecto de cosa juzgada positiva o el carácter presuntivo de la nulidad (o de la validez) de una cláusula declarada en una acción colectiva de cesación, la verdad es que la nulidad declarada en la sentencia que resuelve una acción de cesación tiene una mera eficacia provisional o claudicante, sujeta a revisión en un procedimiento individual. Ello probablemente sea la consecuencia natural de abrir la acción de cesación a cláusulas, como la cláusula suelo, cuya nulidad no pueda predicarse en abstracto, sino que dependa de las circunstancias individuales del caso concreto.

V. EL REGISTRO DE CONDICIONES GENERALES

El artículo 11.1 de la LCGC prevé la creación de un Registro de Condiciones Generales de la Contratación, aprobado por el RD 1828/1999, de 3 de diciembre.

---

21. RJ 2017, 602.
22. RJ 2017, 2509.

En dicho Registro podrán inscribirse las cláusulas contractuales que tengan el carácter de condiciones generales de la contratación con arreglo a lo dispuesto en la Ley, a cuyo efecto se presentarán para su depósito, por duplicado, los ejemplares, tipo o modelos en que se contengan, a instancia de cualquier interesado, conforme a lo establecido en el apartado 8 del presente artículo. Por tanto, en principio, la inscripción de las condiciones generales es potestativa para el predisponente. Sin embargo, los formularios de los préstamos y créditos hipotecarios comprendidos en el ámbito de aplicación de la Ley de los Contratos de Crédito Inmobiliario deberán depositarse obligatoriamente por el prestamista en el Registro antes de empezar su comercialización. Adicionalmente, el Gobierno, a propuesta conjunta del Ministerio de Justicia y del Departamento ministerial correspondiente, podrá imponer la inscripción obligatoria en el Registro de las condiciones generales en determinados sectores específicos de la contratación (art. 11.2 LCGC).

> Según el artículo 1 del RRCGC, «el Registro de Condiciones Generales de la Contratación es un Registro de trascendencia jurídica en el tráfico privado, dependiente del Estado, que tiene por objeto la publicidad de las condiciones generales de la contratación y de las resoluciones judiciales que puedan afectar a su eficacia, en los términos previstos por la Ley 7/1998, de 13 de abril, sobre Condiciones Generales de la Contratación, y este Reglamento».

Además de la función de publicidad propia de todos los asientos del Registro de condiciones generales, la inscripción produce el efecto previsto en el artículo 19 de la LCGC, en virtud del cual, «desde el depósito de las condiciones generales se iniciará un plazo prescriptivo para el ejercicio de las acciones colectivas de cesación y retractación».

El artículo 11.2 de la LCGC legitima para el depósito de las condiciones generales en el Registro a cualquiera de los interesados a los que se refiere el artículo 11.8 de la LCGC, esto es, además del predisponente, a cualquier adherente y a las entidades para ejercer la acción colectiva, si consta la autorización en tal sentido del predisponente.

Obligatoriamente habrán de remitirse al Registro de Condiciones Generales las sentencias firmes dictadas en acciones colectivas o individuales por las que se declare la nulidad, cesación o retractación en la utilización de condiciones generales abusivas.

BIBLIOGRAFÍA

AAVV (coord. R. BERCOVITZ), _Comentarios a la Ley de condiciones generales de la contratación_, Pamplona, 1999; íd., (MENÉNDEZ/DÍEZ-PICAZO), _Comentarios a la Ley sobre condiciones generales de la contratación_, Madrid, 2002; ALBIEZ DOHRMANN, _La protección jurídica de los empresarios en la contratación con condiciones generales_, Cizur Menor (Navarra), 2009; ALFARO, _Las condiciones generales de la contratación_, Madrid, 1991; CÁMARA LAPUENTE, _El control de las cláusulas abusivas sobre elementos esenciales del contrato_, Cizur Menor (Navarra), 2006; CARBALLO FIDALGO, _La protección del consumidor frente a las cláusulas no negociadas individualmente. Disciplina legal y tratamiento jurisprudencias de las cláusulas abusivas_, Barcelona, 2013; DE CASTRO, _Las condiciones generales de los contratos y la eficacia de las leyes_, 2.ª ed., Madrid, 1985; GARCÍA AMIGO,

Condiciones generales de los contratos, Madrid, 1969; MATO PACÍN, *Cláusulas abusivas y empresario adherente*, Madrid, 2017; MARTÍNEZ ESPÍN, *El control de transparencia de condiciones generales en los contratos de préstamo hipotecario*, Cizur Menor (Navarra), 2020; PAZOS CASTRO, *El control de las cláusulas abusivas en los contratos con consumidores*, Cizur Menor (Navarra), 2017; PERTÍÑEZ VÍLCHEZ, *Las cláusulas abusivas por un defecto de transparencia*, Cizur Menor (Navarra), 2004; ROYO MARTÍNEZ, «Contratos de adhesión», ADC, 1949, p. 54.

Capítulo XXV

Eficacia del contrato

I. EFECTOS DEL CONTRATO ENTRE LAS PARTES

1. La relatividad del contrato

Conforme al antiguo axioma *res inter alios acta aliis, neque nocet neque prodest* («lo convenido entre las partes, no puede ni perjudicar ni beneficiar a los terceros») el inciso primero del artículo 1257 del CC proclama que «los contratos solo producen efecto entre las partes que los otorgan y sus herederos».

> Del mismo modo, según el artículo 1244 de la PMDOC, «los contratos solo producen efecto entre las partes que los otorgan y sus herederos, salvo que del propio contrato o la ley resulte otra cosa».

Son partes del contrato sus autores, es decir, aquellas personas que los otorgan; y, si el contrato ha sido concluido por medio de representante, es parte el representado (o *dominus negotii*). La referencia a los herederos hay que entenderla en el sentido de que los contratos sólo producen efectos entre las partes, produciendo únicamente efectos para los herederos cuando los primeros faltan. Pues, por razones de seguridad jurídica, el artículo 661 del CC dispone que «los herederos suceden al difunto por el hecho sólo de su muerte en todos sus derechos y obligaciones» (transmisibles; cfr. art. 659 CC). Pero cabe advertir que el contrato puede producir efectos para los legatarios, cuando toda la herencia haya sido distribuida en legados (art. 891 CC).

No obstante, por excepción, el contrato no produce efectos para los herederos cuando los derechos y obligaciones que proceden del mismo son intransmisibles por su naturaleza (han sido contraídos *intuitu personae*), por pacto (por ejemplo, se ha convenido que, muerto uno de los contratantes, las relaciones obligatorias no se transmitirán a los herederos del acreedor o del deudor), o por disposición de la ley (como sucede en el caso de los derechos de uso y habitación, que el art. 525 CC declara intransmisibles) (cfr. art. 1257 CC). Y tampoco produce efectos vinculantes en perjuicio de los herederos de los contratantes, cuando éstos hayan aceptado la herencia a beneficio de inventario (art. 1023 CC).

También produce el contrato efectos respecto a terceros cuando su naturaleza lo permita o la ley lo indique.

Como dice la STS de 25 de abril de 1975, «se proclama en nuestro sistema *el principio de la relatividad de los contratos* o, más exactamente, de sus efectos, que no son sino las obligaciones que de ellos nacen, con lo que se quiere significar que, a diferencia de lo que ocurre con los derechos reales, cuya eficacia es frente a todos, *erga omnes*, aquí es meramente relativa como relativas son las obligaciones con sujetos concretos, específicos y determinados (…); y si bien es cierto que la regla no es absoluta, puesto que el mismo artículo 1257 en su párrafo segundo permite las estipulaciones en favor de terceros, y como después se dirá existen casos en que pueden repercutir los efectos obligacionales en persona que no intervino en la celebración del pacto, no lo es menos que son excepcionales y que, en cuanto derogatorios de lo que es modo normal y general de suceder, deben analizarse con suma cautela y criterio restrictivo»[1].

2. La irrevocabilidad del contrato

2.1. *La regulación del Código civil y sus excepciones*

Una vez perfeccionado el contrato, las obligaciones que de él nacen tienen «fuerza de ley» entre las partes, y deben cumplirse a tenor del mismo (art. 1091 CC). Por eso, el artículo 1256 del CC dispone que ni la validez ni el cumplimiento del contrato pueden dejarse al arbitrio de uno de los contratantes. Es decir, ninguno de los contratantes puede, por su sola voluntad, dejar sin efecto el vínculo contractual, salvo que se haga en virtud de un nuevo acuerdo (*mutuo disenso*) entre las partes.

Como afirma la STS de 18 de julio de 2012, lógica consecuencia de la fuerza obligatoria del contrato «es que, como regla, los contratantes no puedan desvincularse unilateralmente de lo pactado, siendo preciso para derogar la ley privada entre las partes un nuevo acuerdo o contrario consenso, dejando sin efecto lo estipulado»[2].

Sin embargo, este «principio de irrevocabilidad» tiene diversas *excepciones* que derivan bien de la propia naturaleza del contrato, bien del tipo de relación obligatoria que por el mismo fue creada:

a) Según la naturaleza del contrato, entre otros, son casos de desistimiento unilateral los siguientes:

1.º La revocación por causa de ingratitud o por superveniencia o supervivencia de hijos en las donaciones (arts. 644 y 648 CC).

2.º El contrato de mandato puede acabar, entre otras causas, por revocación del mandante o por renuncia del mandatario (arts. 1732 y 1733 CC).

Según la STS de 15 de noviembre de 2010, «en este tipo de contratos no existe condición alguna (excepto que se haya pactado la irrevocabilidad del mandato) para

---

1.   RJ 1975, 2095.
2.   RJ 2012, 9332.

que el mandante o comitente efectúen la revocación, ya que mandato y comisión son contratos "factio ut des" (la relación contractual es de resultado) e "intuitu personae" (basado en la confianza), características presentes en el de corretaje, distribución o agencia inmobiliaria (...). En la comisión, aun cuando se haya fijado un plazo de duración, cabe la revocación unilateral del contrato, siempre que ésta obedezca a justa causa»[3]. Ahora bien, como recalca la STS de 21 de mayo de 2008, aunque la revocación es uno de los medios de extinguir el mandato, «sin embargo, cuando para él se ha establecido un plazo de duración, evidentemente en interés común de ambas partes contratantes, aunque la facultad de revocación subsiste, si se impone antes de la expiración del plazo, sin haberse demostrado que mediase justa causa dimanante del cumplimiento de lo pactado por parte del mandatario, y que la sentencia recurrida no reconoce como existente, entonces el mandante debe indemnizar a aquél de los daños y perjuicios que con la extemporánea revocación le ocasione»[4].

3.º En el contrato de obra, el dueño de la obra (o arrendatario) puede desistir del contrato en cualquier momento, indemnizando al contratista de todos sus gastos, trabajos y utilidad que pudiera obtener de ella (art. 1594 CC).

Por otra parte, como dice la STS de 4 de noviembre de 2008, de acuerdo con lo dispuesto por el artículo 1597 del CC, «la acción de los subcontratistas contra el comitente sólo alcanza hasta lo que éste adeude al contratista (...) al contener a su vez el artículo 1597 del Código Civil precisamente una excepción al principio de relatividad de los contratos establecido en el artículo 1257 del mismo Cuerpo legal»[5].

4.º En el contrato de sociedad, el artículo 1700.4.º del CC admite la disolución por voluntad de cualquiera de los socios, con sujeción a lo dispuesto en los artículos 1705 y 1707 del CC.

5.º En el contrato de depósito, el artículo 1775, párrafo 1.º, del CC dice que «el depósito debe ser restituido al depositante cuando lo reclame, aunque en el contrato se haya dado un plazo o tiempo determinado para la devolución».

6.º En el contrato de arrendamiento de vivienda, el artículo 11 de la LAU indica que «el arrendatario podrá desistir del contrato de arrendamiento, una vez que hayan transcurrido al menos seis meses, siempre que se lo comunique al arrendador con una antelación mínima de treinta días. Las partes podrán pactar en el contrato que, para el caso de desistimiento, deba el arrendatario indemnizar al arrendador con una cantidad equivalente a una mensualidad de la renta en vigor por cada año del contrato que reste por cumplir. Los períodos de tiempo inferiores al año darán lugar a la parte proporcional de la indemnización».

b) Según el tipo de relación contractual creada, cabe citar la facultad de pedir la resolución en los contratos bilaterales, que se concede a cada uno de los contratantes cuando el otro no cumpliere con lo que le incumbe (cfr. art. 1124 CC).

2.2. *El derecho de desistimiento en los contratos celebrados con consumidores*

Con carácter general, el artículo 10.1 de la LOCM dispone que «cuando en el ejercicio de un derecho previamente reconocido se proceda a la devolución de un

---

3. RJ 2010, 8874.
4. RJ 2008, 4144.
5. RJ 2008, 6928.

producto, el comprador no tendrá obligación de indemnizar al vendedor por el desgaste o deterioro del mismo debido exclusivamente a su prueba para tomar una decisión sobre su adquisición definitiva sin alterar las condiciones del producto en el momento de la entrega. Se prohíbe al vendedor exigir anticipo de pago o prestación de garantías, incluso la aceptación de efectos que garanticen un eventual resarcimiento en su favor para el caso de que se devuelva la mercancía». El apartado 2 del mismo artículo añade que «caso de no haberse fijado el plazo, dentro del cual el comprador podrá desistir del contrato, aquél será de siete días».

Sin embargo, son los artículos 68-79 del TRLGDCU los que contienen lo que podría denominarse «teoría general» del derecho de desistimiento en los contratos celebrados entre empresarios y consumidores. Según el artículo 68.1 del TRLGDCU, «el derecho de desistimiento de un contrato es la facultad del consumidor y usuario de dejar sin efecto el contrato celebrado, notificándoselo así a la otra parte contratante en el plazo establecido para el ejercicio de ese derecho, sin necesidad de justificar su decisión y sin penalización de ninguna clase. Serán nulas de pleno derecho las cláusulas que impongan al consumidor y usuario una penalización por el ejercicio de su derecho de desistimiento».

El derecho de desistimiento es un derecho potestativo, no personalísimo, cuyo ejercicio exige una declaración de voluntad, unilateral y receptivo que tiene carácter temporal.

En principio, el consumidor tendrá derecho a desistir del contrato en los supuestos previstos legal o reglamentariamente, pero también «cuando así se le reconozca en la oferta, promoción, publicidad o en el propio contrato» (art. 68.2 TRLGDCU). El apartado 3 del artículo 68 del TRLGDCU señala que «el derecho de desistimiento atribuido legalmente al consumidor y usuario se regirá en primer término por las disposiciones legales que lo establezcan en cada caso y en su defecto por lo dispuesto en este Título». Lo implica que en algunos supuestos habrá que estar a lo dispuesto por las reglas concretas que la propia Ley de consumidores, o, en su caso, otras leyes especiales contienen, mientras que en otras hipótesis serán aplicables las reglas de los artículos 68 y ss. del TRLGDCU.

> También el Capítulo V del Libro II del Borrador de Marco Común de Referencia contiene una regulación general del derecho de desistimiento, pues el artículo II.-5:101(1) dice que «las disposiciones de la presente Sección serán de aplicación cuando, en virtud de las reglas recogidas en los Libros II a IV (relativos, respectivamente, a «Contratos y otros actos jurídicos», «Obligaciones y derechos» y «Contratos específicos y derechos y obligaciones derivados de ellos», una parte tenga derecho a desistir de un contrato dentro de un plazo determinado». Se trata de un conjunto de reglas de aplicación a todos los derechos individuales de desistimiento, pero, a diferencia de la legislación especial española sobre consumidores, «las disposiciones de esta sección han sido redactadas como normas del derecho contractual general aplicable a todas las partes de los contratos, incluidas las empresas, aunque su principal campo de aplicación son las relaciones contractuales con los consumidores», en palabras de su comentario oficial. El apartado 2 del artículo 5:101 del DCFR se refiere a su carácter jurídicamente vinculante al afirmar que «las partes no podrán excluir la aplicación de las reglas del presente Capítulo ni derogar o modificar sus efectos en perjuicio de la parte legitimada para el ejercicio del derecho». *A contrario sensu*, dicho precepto no prohíbe ninguna modificación que suponga

una ventaja para la parte protegida, pues, como dice su comentario oficial, «de este modo, se permite a las partes contractuales facilitar el ejercicio del desistimiento y ampliar sus efectos desvinculándose de las normas del presente capítulo, en la medida en que tenga un resultado beneficioso para la parte que goza del derecho. Las partes pueden también acordar que una de ellas tenga derecho a desistir del contrato incluso en el caso de que no esté previsto por las reglas modelo».

Como recalca el comentario oficial, «el desistimiento pone fin a las obligaciones contractuales sin necesidad de que existan motivos concretos, siempre que se hayan satisfecho los requisitos relativos al derecho y su ejecución, tales como el cumplimiento de los plazos».

El artículo 69.1 del TRLGDCU impone al empresario la *obligación de informar* al consumidor y usuario «por escrito en el documento contractual, de manera clara, comprensible y precisa, del derecho de desistir del contrato y de los requisitos y consecuencias de su ejercicio, incluidas las modalidades de restitución del bien o servicio recibido. Deberá entregarle, además, un documento de desistimiento, identificado claramente como tal, que exprese el nombre y dirección de la persona a quien debe enviarse y los datos de identificación del contrato y de los contratantes a que se refiere». Corresponde al empresario la carga de probar el cumplimiento de dicha obligación de información, tal y como indica el artículo 69.2 del TRLGDCU.

Según el artículo II.-5:104 del DCFR, «una información adecuada acerca del derecho de desistimiento requiere que éste se presente a la parte legitimada de forma apropiada, y que la información comprenda, de forma textual, en soporte duradero, y en lenguaje claro y comprensible, lo relativo al plazo y forma de ejercicio del derecho, así como el nombre y dirección de la persona a la que haya de comunicarse el desistimiento». Como dice el comentario oficial, «en caso de que la otra parte no facilite información adecuada según lo especificado en el presente artículo, será de aplicación el plazo de desistimiento de un año recogido en el apartado (3) del Artículo 5:103 (Plazo de desistimiento) del Libro II. Además, la parte que ejerce el derecho no deberá responder por ninguna merma del valor provocada por el uso normal de las mercancías recibidas en virtud del contrato ver el apartado (4) del Artículo 5:105 (Efectos del desistimiento) del Libro II), y en algunos casos podrá incluso reclamar una indemnización por daños y perjuicios tal y como contempla el apartado (2) del Artículo 3:109 (Remedios en caso de incumplimiento del deber de información) del Libro II».

El *ejercicio del derecho de desistimiento*, señala el artículo 70 del TRLGDCU, no estará sujeto a formalidad alguna, «bastando que se acredite en cualquier forma admitida en derecho. En todo caso, se considerará válidamente ejercitado mediante el envío del documento de desistimiento o mediante la devolución de los productos recibidos».

El artículo II.-5:102(1) del DCFR indica que «el derecho de desistimiento se ejercita mediante notificación a la otra parte. No es necesario alegar ningún motivo». En virtud de lo dispuesto por el artículo I.-1:109(2) del DCFR, puede realizarse por cualquier medio adecuado a las circunstancias; surtiendo efecto desde que el destinatario la recibe (cfr. art. I.-1:109(3) DCFR). Es evidente que la exigencia de requisitos de forma para ejercitar el desistimiento, de los que prescinde de forma consciente el Borrador de Marco Común de Referencia, tiene argumentos tanto a favor como en contra. En palabras del comentario oficial, «los requisitos sobre la forma pueden proporcionar un mayor grado de seguridad, lo cual beneficiará a ambas partes y podría incluso ayudar al titular del derecho que lo ha ejercido a tiempo. Sin embargo, el incumplimiento de los requisitos de forma puede determinar también la pérdida del derecho. Además, la exigencia de que la notificación se realice por escrito no sería una prueba fiable para la parte que puede ejercer el derecho. Para que un requisito de forma tenga valor probatorio tan solo las cartas certificadas cumplirían esta función».

Por otra parte, a tenor del artículo II.-5:102(2) del DCFR, «la devolución del objeto del contrato se considerará una notificación de desistimiento del mismo, salvo que de las circunstancias se deduzca lo contrario». Se entiende por «devolución», dice el comentario oficial, la remisión al proveedor del objeto del contrato (que en este caso, y por lo general, se trata de mercancías) de modo que determine el titular del derecho, por ejemplo, entregándolas en persona o enviándolas por correo postal.

En cuanto al *plazo para su ejercicio*, el artículo 71.1 del TRLGDCU dice que «el consumidor y usuario dispondrá de un plazo mínimo de catorce días naturales para ejercer el derecho de desistimiento». No obstante, la ley distingue a continuación entre dos hipótesis. La primera, consistente en que el empresario haya cumplido con el deber de información y documentación establecido en el artículo 69.1, en cuyo caso «el plazo a que se refiere el apartado anterior se computará desde la recepción del bien objeto del contrato o desde la celebración de éste si el objeto del contrato fuera la prestación de servicios» (art. 71.2 TRLGDCU). La segunda se refiere al supuesto en que el empresario no hubiera cumplido con el deber de información y documentación sobre el derecho de desistimiento, lo que tendrá como consecuencia que «el plazo para su ejercicio finalizará doce meses después de la fecha de expiración del período de desistimiento inicial, a contar desde que se entregó el bien contratado o se hubiera celebrado el contrato, si el objeto de éste fuera de prestación de servicios. Si el deber de información y documentación se cumple durante el citado plazo de doce meses, el plazo legalmente previsto para el ejercicio del derecho de desistimiento empezará a contar desde ese momento» (art. 71.3 TRLGDCU). En cualquier caso, como señala el apartado 4 del artículo 71 del TRLGDCU, «para determinar la observancia del plazo para desistir se tendrá en cuenta la fecha de expedición de la declaración de desistimiento».

El artículo II.-5:103(1) del DCFR señala que «el derecho de desistimiento podrá ejercitarse en cualquier momento entre la celebración del contrato y la finalización del plazo de desistimiento». El plazo de desistimiento terminará catorce días después de concluir los siguientes tiempos: (a) el tiempo de celebración del contrato; (b) el tiempo en que la parte legitimada recibe de la otra parte información adecuada sobre el derecho de desistimiento; o (c) si el objeto del contrato es la entrega de bienes, el tiempo en que éstos se reciben (cfr. art. art. II.-5:103(2) DCFR). Según el apartado 3 del artículo II.-5:103 del DCFR, «el plazo de desistimiento finalizará, a más tardar, un año después del momento de celebración del contrato». Se considerará que la notificación de desistimiento se ha realizado dentro de plazo si se envía antes del fin del plazo de desistimiento (cfr. art. II.-5:103(4) DCFR).

La *prueba del ejercicio del derecho de desistimiento*, conforme a lo dispuesto por el Capítulo II del TRLGDCU, corresponde al consumidor y usuario (art. 72 TRLGDCU).

En cuanto a los *gastos* vinculados al derecho de desistimiento, en coherencia con el carácter gratuito del mismo, el artículo 73 del TRLGDCU indica que el ejercicio del derecho «no implicará gasto alguno para el consumidor y usuario. A estos efectos se considerará lugar de cumplimiento el lugar donde el consumidor y usuario haya recibido la prestación».

Las *consecuencias del ejercicio del derecho de desistimiento* aparecen recogidas en el artículo 74.1 del TRLGDCU, según el cual, «ejercido el derecho de desistimiento, las partes deberán restituirse recíprocamente las prestaciones de acuerdo con lo dispuesto en los artículos 1303 y 1308 del Código Civil». El consumidor no tendrá que reembolsar cantidad alguna por la disminución del valor del bien, que sea consecuencia de su uso conforme a lo pactado o a su naturaleza, o por el uso del servicio (art. 74.2 TRLGDCU). El consumidor tendrá derecho al reembolso de los gastos necesarios y útiles que hubiere realizado en el bien (art. 74.3 TRLGDCU).

> En primer lugar, el artículo II.-5:105(1) del DCFR determina que «el desistimiento del contrato pondrá fin a la relación contractual y a las obligaciones de las partes en virtud del contrato». Por tanto, las partes quedan liberadas del cumplimiento de sus obligaciones desde el momento en que la notificación del desistimiento llega al destinatario conforme a lo dispuesto por el artículo I.-1:109(3) del DCFR.

Si resultare imposible devolver la prestación objeto del contrato por parte del consumidor y usuario por pérdida, destrucción u otra causa, el artículo 75.1 del TRLGDCU dice que tales circunstancias no le privarán de la posibilidad de ejercer el derecho de desistimiento. En estos casos, continúa dicho precepto, «cuando la imposibilidad de devolución le sea imputable, el consumidor y usuario responderá del valor de mercado que hubiera tenido la prestación en el momento del ejercicio del derecho de desistimiento, salvo que dicho valor fuera superior al precio de adquisición, en cuyo caso responderá de éste». A tenor del apartado 2 del artículo 75 del TRLGDCU, «cuando el empresario hubiera incumplido el deber de información y documentación sobre el derecho de desistimiento, la imposibilidad de devolución sólo será imputable al consumidor y usuario cuando éste hubiera omitido la diligencia que le es exigible en sus propios asuntos».

En cuanto a la *devolución de sumas percibidas por el empresario,* según el artículo 76 del TRLGDCU «cuando el consumidor y usuario haya ejercido el derecho de desistimiento, el empresario estará obligado a devolver las sumas abonadas por el consumidor y usuario sin retención de gastos. La devolución de estas sumas deberá efectuarse sin demoras indebidas y, en cualquier caso, antes de que hayan transcurrido 14 días naturales desde la fecha en que haya sido informado de la decisión de desistimiento del contrato por el consumidor y usuario. Transcurrido dicho plazo sin que el consumidor y usuario haya recuperado la suma adeudada, tendrá derecho a reclamarla duplicada, sin perjuicio de que además se le indemnicen los daños y perjuicios que se le hayan causado en lo que excedan de dicha cantidad. Corresponde al empresario la carga de la prueba sobre el cumplimiento del plazo».

Respecto de los *efectos del ejercicio del derecho de desistimiento en los contratos complementarios,* el artículo 76 bis.1 del TRLGDCU señala que «sin perjuicio de lo dispuesto en el artículo 29 de la Ley 16/2011, de 24 de junio, de contratos de crédito al consumo, el ejercicio, por parte del consumidor y usuario de su derecho de desistimiento conforme a las disposiciones de esta ley, tendrá por efecto la extinción automática y sin coste alguno para el consumidor y usuario de todo contrato complementario, excepto en aquellos casos en que sean complementarios de contratos celebrados a distancia o fuera del establecimiento en los que, sin perjuicio de su extinción automática, el consumidor y usuario deberá asumir los costes previstos en los artículos 107.2 y 108 de esta norma».

Cuando se haya ejercitado el derecho de desistimiento sobre el contrato principal, añade el artículo 76 bis.2, párrafo 1.º, del TRLGDCU que «las partes deberán restituirse recíprocamente las prestaciones recibidas en virtud del contrato complementario, sin ninguna demora indebida y, en cualquier caso, antes de que hayan transcurrido 14 días naturales desde la fecha en que el consumidor y usuario haya informado al empresario de su decisión de desistir del contrato principal». No obstante, en el supuesto de que el empresario no reintegre todas las cantidades abonadas en virtud del contrato complementario en el plazo señalado, el consumidor y usuario podrá reclamar que se le pague el doble de la suma adeudada, sin perjuicio a su derecho de ser indemnizado por los daños y perjuicios sufridos en lo que excedan de dicha cantidad (art. 76 bis.2, párr. 2.º, TRLGDCU). El consumidor y usuario tendrá derecho al reembolso de los gastos necesarios y útiles que hubiera realizado en el bien (art. 76 bis.2, párr. 3.º, TRLGDCU).

En la hipótesis de que al consumidor le sea imposible devolver la prestación objeto del contrato complementario por pérdida, destrucción u otra causa que le sea imputable, el artículo 76 bis.3 del TRLGDCU señala que «responderá del valor de mercado que hubiera tenido la prestación en el momento del ejercicio del derecho de desistimiento, salvo que dicho valor fuera superior al precio de adquisición, en cuyo caso responderá de éste». Cuando el empresario hubiera incumplido el deber de información y documentación sobre el derecho de desistimiento del contrato principal, la imposibilidad de devolución sólo será imputable al consumidor y usuario cuando éste hubiera omitido la diligencia que le es exigible en sus propios asuntos (art. 76 bis.4 TRLGDCU). Lo dispuesto en los apartados anteriores será también de aplicación a los contratos complementarios de otros celebrados a distancia o fuera del establecimiento, regulados en el título III del libro II de esta ley (art. 76 bis.5 TRLGDCU).

El *desistimiento de un contrato vinculado a financiación* a favor del consumidor y usuario aparece en el artículo 77 del TRLGDCU, a cuyo tenor, «cuando se ejercite el derecho de desistimiento en los contratos celebrados entre un empresario y un consumidor y usuario, incluidos los contratos a distancia y los celebrados fuera del establecimiento mercantil del empresario, y el precio a abonar por el consumidor y usuario haya sido total o parcialmente financiado mediante un crédito concedido por el empresario contratante o por parte de un tercero, previo acuerdo de éste con el empresario contratante, el ejercicio del derecho de desistimiento implicará al tempo la resolución del crédito sin penalización alguna para el consumidor y usuario».

Según el artículo II.-5:106(1) del DCFR, «si un consumidor ejerce su derecho de desistimiento de un contrato de suministro de bienes, otros activos o servicios por parte de un empresario, los efectos del desistimiento se extenderán a cualquier contrato vinculado». De acuerdo con este precepto, que tiene su origen en una disposición de la Directiva de venta a distancia de 1997, que para que dos contratos se consideren vinculados «la relación entre ambos debe ser lo suficientemente cercana como para justificar que el desistimiento de uno implique una serie de consecuencias jurídicas para el otro, como sucede cuando dos contratos conforman una unidad económica desde un punto de vista objetivo». Es evidente, como dice el comentario oficial, que «a la hora de determinar si los contratos conforman una unidad económica se valora la existencia de un vínculo económico estrecho desde el punto de vista comercial y no meramente jurídico. Este concepto deja cierto margen al juez o la autoridad competente que deben decidir, con base en factores objetivos y atendiendo a las circunstancias concretas de cada caso, si los contratos están vinculados. Se considerará que es así cuando ambos contratos tengan una relación tal que uno no se hubiera podido celebrar sin el otro, o cuando uno de ellos solo tenga razón de ser en tanto que existe el otro». Si bien la mayoría de los contratos vinculados consistirán en contratos de crédito para la financiación de otros de compraventa, «no cabe excluir otros como los de mantenimiento (...) o los de seguros».

El apartado 2 del artículo II.-5:106 del DCFR contiene una enumeración no exhaustiva de todas aquellas situaciones en las que un contrato de crédito forma un contrato vinculado con otro cuando afirma que «en los casos en los que un contrato se financie parcial o exclusivamente a través de un contrato de crédito, ambos constituyen contratos conexos, en particular: (a) si la empresa que suministra los bienes, otros activos o servicios financia el cumplimiento del consumidor; (b) si un tercero que financia el cumplimiento del consumidor utiliza los servicios que presta el empresario para elaborar o celebrar un contrato de crédito; (c) si el contrato de crédito se refiere a bienes, otros activos o servicios determinados que deben ser financiados con el mismo, y si la conexión entre ambos contratos fue propuesta por el suministrador de los bienes, otros activos o servicios o por la fuente crediticia; o (d) si existe un vínculo económico similar». Como consecuencia de la remisión que el apartado 3 del artículo II.-5:106 del DCFR hace al artículo II.-5:105 del DCFR (Efectos del desistimiento), el desistimiento produce la extinción de las obligaciones adquiridas en virtud del contrato vinculado y la devolución por las dos partes de lo recibido en virtud del contrato vinculado. Parece, en cambio, razonable que el desistimiento no produzca efectos respecto de los contratos de crédito que financien contratos para el suministro de bienes, otros activos o servicios cuyo precio esté sujeto a fluctuaciones del mercado financiero que el proveedor no pueda controlar, en virtud de lo dispuesto por el artículo II.– 5:106(4) del DCFR.

En cualquier caso, como indica el artículo 78 del TRLGDCU, «la falta de ejercicio del derecho de desistimiento en el plazo fijado no será obstáculo para el posterior ejercicio de las acciones de nulidad o resolución del contrato cuando procedan conforme a derecho», en buena lógica con el carácter propio que posee tal derecho en favor del consumidor.

Según el artículo 79, párrafo 1.º, del TRLGDCU, «a falta de previsiones específicas en la oferta, promoción, publicidad o en el propio contrato el derecho de desistimiento reconocido contractualmente, éste se ajustará a lo previsto en este título». El consumidor y usuario que ejercite el derecho de desistimiento contractualmente reconocido no tendrá en ningún caso obligación de indemnizar por el desgaste o deterioro del bien o por el uso del servicio debido exclusivamente a su prueba para tomar una decisión sobre su adquisición definitiva (art. 79, párr. 2.º, TRLGDCU). En ningún caso podrá el empresario exigir anticipo de pago o prestación de garantías, incluso la aceptación de efectos que garanticen un eventual resarcimiento en su favor para el caso de que se ejercite el derecho de desistimiento (art. 79, párr. 3.º, TRLGDCU).

Sin embargo, el apartado 2 de dicho artículo 10 de la LCDSFC contiene una larga lista de contratos que están excluidos del ejercicio del derecho de desistimiento.

3. La inalterabilidad del contrato y la aparición sobrevenida de circunstancias exorbitantes

De acuerdo con lo expuesto, los contratantes pueden establecer los pactos, cláusulas y condiciones que tengan por conveniente, siempre que no sean contrarias a las leyes, a la moral y al orden público (art. 1255 CC). Por consiguiente, también pueden prever las contingencias futuras, estableciendo las medidas que consideren oportunas en previsión de aquéllas. Ahora bien, una vez concluido el contrato, las obligaciones que de él surgen deben ser cumplidas como si de una ley se tratara (art. 1091 CC), sin que sea posible modificar el contenido o sustraerse al cumplimiento de la ley del contrato (art. 1256 CC). De ahí el principio de la fuerza obligatoria del contrato, expresado en el axioma *pacta sunt servanda*, también conocido como «de la incondicionada fidelidad al contrato».

Este principio de la *inalterabilidad* del contrato, que viene exigido por evidentes razones de seguridad jurídica, ha sido atenuado por razones de equidad; pues, aunque es cierto que contratar es prever y que al hacerlo se asume un riesgo, también lo es que no sería justo y tampoco equitativo mantener rígidamente el citado principio cuando sobrevienen circunstancias extraordinarias que no pudieron tenerse en cuenta en el momento de la celebración del contrato. No obstante, admitido esto, se plantea el problema de determinar cuándo ha de entrar en juego la excepción a la regla general de la inalterabilidad del contrato y qué remedios cabe utilizar.

Son muchas las teorías que se han formulado tratando de fundamentar y justificar la posibilidad de resolución o revisión del contrato:

a) Teoría de la cláusula «rebus sic stantibus». Su origen se encuentra en la práctica forense medieval, según la cual todo contrato cuya eficacia se proyecta en el futuro hay que considerarlo celebrado con la condición implícita de que la situación o las cosas deben mantenerse como estaban; por ello, si sobrevenía un cambio importante que convertía el contrato en excesivamente oneroso para una de las partes, podía pedirse la revisión o resolución del mismo. Esta cláusula, que se estimaba sobreentendida, cayó en el olvido de los codificadores y de la doctrina, pero cobra vigencia en las primeras décadas del siglo XX, a partir de la Primera Guerra Mundial, si bien es modalizada de muy distintas maneras por la doctrina.

b) Teoría de la presuposición. Esta teoría, formulada por WINDSCHEID, Se basa en la voluntad o intención de las partes, ya que se considera que la modificación del contrato es posible deducirla como «presupuesto» por la voluntad de las partes, a través de la interpretación de sus declaraciones de voluntad.

c) Teoría de la base del negocio. Patrocinada por OERTMANN, estima que la desaparición de la base del negocio permitiría al contratante perjudicado solicitar la resolución contractual. Según LARENZ, por base del negocio se debe entender «la representación mental de una de las partes en el momento de la conclusión del negocio jurídico, conocida en su totalidad y no rechazada por la otra parte, o la común representación de las diversas partes sobre la existencia o aparición de ciertas circunstancias, en las que se basa la voluntad negocial».

d) Teoría del riesgo imprevisible. Recoge argumentos de las anteriores y considera esencial la imprevisibilidad de los acontecimientos y circunstancias que obligan a revisar el contrato. Según BADENES, con el nombre de «riesgo imprevisible» se designan «los mecanismos correctivos o fórmulas ideadas para evitar los abusos que supondría mantener inflexiblemente la obligación contraída por el deudor cuando circunstancias extraordinarias que no pudieron racionalmente preverse gangrenan el acto jurídico, convirtiendo la obligación en excesivamente onerosa».

Con unos u otros fundamentos se han formulado otras teorías, como la del vicio del consentimiento, la de la equivalencia de las prestaciones, la de la lesión, la del abuso del derecho, etc.; pero, en realidad, no son satisfactorias, por no poder abarcar todos los supuestos de hecho que se presentan. Sin embargo, como dice PUIG BRUTAU, «el estudio de los conflictos que se presentan lleva al convencimiento de que son dos los principales supuestos de aplicación de todas las doctrinas que puedan idearse, y que son la destrucción de la relación de equivalencia entre las prestaciones y la imposibilidad sobrevenida de alcanzar el fin del contrato».

Ahora bien, como advierte ESPÍN, hay dos puntos de partida diferentes en torno al problema de la alteración de las circunstancias, según exista un derecho de resolución y revisibilidad reconocido por la ley o, a falta de un texto legal permisivo, sea eventualmente concedido por los tribunales, discutiéndose su fundamento doctrinal. La primera vía es la que ha seguido el Código civil italiano de 1942 en sus artículos 1467-1469.

En cambio, en nuestro país, al no haber experimentado el Código civil dicho proceso de recepción, la doctrina ha propugnado criterios opuestos. Mientras un amplio sector ha defendido la excesiva onerosidad como causa resolutoria, basándose en «los principios de la buena fe y de la reciprocidad no sólo formularia y aparente, sino económica y real de las obligaciones en los contratos bilaterales», o en «la teoría de la causa o equivalencia de las prestaciones y los principios de la buena fe y de equidad» (PÉREZ GONZÁLEZ y ALGUER, ROCA SASTRE y PUIG BRUTAU, entre otros), algunos autores se han mostrado contrarios, por considerar que «es misión del legislador, no del juez ni de la doctrina, por el peligro que entraña para el comercio jurídico y para la seguridad del tráfico» (CANDIL, BELTRÁN DE HEREDIA). En nuestra opinión, debería establecerse por vía legislativa un sistema general de revisión contractual. De lo contrario, conceder por vía judicial la revisión o la resolución de un contrato por el hecho de que hubieran cambiado las circunstancias que existían en el momento de su celebración, y que se tuvieron en cuenta entonces, equivaldrá en la mayoría de los casos a una decisión basada en la equidad y no en la mera aplicación del Derecho positivo.

De hecho, se decanta por esta postura el artículo 1213 de la PMDOC, al afirmar que «si las circunstancias que sirvieron de base al contrato hubieren cambiado de forma extraordinaria e imprevisible durante su ejecución de manera que ésta se haya hecho excesivamente onerosa para una de las partes o se haya frustrado el fin del contrato, el contratante al que, atendidas las circunstancias del caso y especialmente la distribución contractual o legal de riesgos, no le sea razonablemente exigible que permanezca sujeto al contrato, podrá pretender su revisión, y si ésta no es posible o no puede imponerse a una de las partes, podrá aquél pedir su resolución La pretensión de resolución sólo podrá ser estimada cuando no quepa obtener de la propuesta o propuestas de revisión ofrecidas por cada una de las partes una solución que restaure la reciprocidad de intereses del contrato».

El artículo 416-1(1) de la PCM señala que «en caso de excesiva onerosidad sobrevenida, la parte perjudicada no podrá suspender el cumplimiento de las obligaciones asumidas, pero tendrá derecho a solicitar sin demora la renegociación del contrato, expresando las razones en que se funde. Si no se alcanzara un acuerdo entre las partes dentro de un plazo razonable, cualquiera de ellas podrá exigir la adaptación del contrato para restablecer el equilibrio de las prestaciones o la extinción del mismo en una fecha determinada en los términos que al efecto señale». El apartado 2 del artículo 416-1 de la PCM considera que existe onerosidad sobrevenida «cuando, con posterioridad a la perfección del contrato, ocurran o sean conocidos sucesos que alteren fundamentalmente el equilibrio de las prestaciones, siempre que esos sucesos no hubieran podido preverse por la parte a la que perjudiquen, escapen al control de la misma y ésta no hubiera asumido el riesgo de tales sucesos».

Según el artículo III.-1:110(1) del DCFR, «toda obligación debe cumplirse aun cuando el cumplimiento de la misma resulte más oneroso como consecuencia de un aumento en los costes de la ejecución o por una disminución del valor de la contraprestación que se recibe».

El Tribunal Supremo se ha enfrentado a esta cuestión en numerosas ocasiones y, después de algunas vacilaciones[6], a partir de la STS de 13 de junio de 1944, se pronuncia a favor de la revisión del contrato por alteración de las circunstancias en que se celebró[7]. En general, esta postura se funda en la doctrina de la llamada «cláusula *rebus sic stantibus*», aunque también se alude a la teoría de la quiebra o desaparición de la base del negocio, como a la de la equivalencia de las prestaciones o de la equidad al amparo del artículo 3.2 del CC[8]. Pero en casi todas las sentencias se advierte que la cláusula «debe ser aplicada de modo cauteloso[9], lo que da lugar a que sean contados los casos en que se permite el funcionamiento o aplicación de la misma, baste observar que en la STS de 15 de marzo de 1972[10] se rechaza la revisión del canon de arriendo de una mina pactado en 1881, argumentando que «en los contratos conmutativos (…) las partes asumen al celebrarlos un riesgo que es consustancial con el tráfico jurídico».

Precisamente, este criterio jurisprudencial restrictivo se manifiesta en la exigencia de unos presupuestos o *requisitos para su aplicación,* y que son los siguientes:

1.º Que se trate de un contrato de tracto sucesivo, o que esté referido a un momento futuro (como sucede en las obligaciones aplazadas), aunque, en principio,

---

6. En las SSTS de 14 de diciembre de 1940 (RJ 1940, 1135) y 15 de mayo de 1941 (RJ 1941, 632) se limita a establecer la hipótesis de su admisión.
7. RJ 1944, 893 bis. Cfr. SSTS de 6 de junio de 1959 (RJ 1959, 3026), 31 de marzo de 1960 (RJ 1960, 1261), 27 de junio de 1984 (RJ 1984, 3438) y 17 de mayo de 1986 (RJ 1986, 2725).
8. Cfr. STS de 6 de octubre de 1987 (RJ 1987, 6720).
9. Cfr. SSTS de 13 de junio de 1944 (RJ 1944, 893 bis) y 31 de marzo de 1960 (RJ 1960, 1261), entre otras.
10. RJ 1972, 1252.

no es necesario que el contrato sea oneroso, ni que dé lugar a obligaciones bilaterales, o que sea conmutativo.

Sin embargo, LACRUZ opina que «también en los contratos que previenen una prestación instantánea y no aplazada puede plantearse su modificación, cuando se retrase el cumplimiento y sobrevengan entre tanto circunstancias imprevisibles y suficientes». Suele ponerse como ejemplo el de los desfiles, procesiones y otros eventos públicos, cuando se alquila un balcón, silla o lugar para presenciarlos y unos días después de celebrado el contrato éste se suspende (por enfermedad, mal tiempo, etc.).

2.º Que entre las circunstancias existentes en el momento de cumplimiento del contrato y las concurrentes al celebrarlo se haya producido una alteración extraordinaria.

3.º Que, como consecuencia de dicha alteración, resulte una desproporción exorbitante y fuera de todo cálculo entre las prestaciones convenidas, que derrumbe el contrato por aniquilamiento del equilibrio de las prestaciones.

4.º Que ello acontezca por sobreveniencia de circunstancias radicalmente imprevisibles. En este sentido, no es admisible, a efectos de aplicación de la cláusula, que queden al margen de los cálculos de una entidad dedicada a la construcción las posibles alteraciones que durante la ejecución de una obra puedan experimentar los precios de jornales y materiales[11].

5.º Que se carezca de otro medio para subsanar el referirlo desequilibrio patrimonial producido.

6.º Que exista petición de parte interesada[12].

Por lo que se refiere a los _efectos,_ también se pone de manifiesto el criterio restrictivo de la jurisprudencia, pues en ella se advierte que «no son rescisorios, resolutorios o extintivos del contrato, otorgándole solamente los _modificativos_ del mismo, encaminados a compensar el desequilibrio de las prestaciones»[13]. Sin embargo, sentencias posteriores, aunque no admiten el efecto resolutorio, tampoco lo rechazan; así, por ejemplo, la STS de 28 de enero de 1970 casa la de instancia por haber declarado la resolución del contrato en lugar de la revisión, y dice que «el efecto resolutorio ha de quedar limitado en su aplicación a aquellos casos en que no sea posible restablecer el equilibrio jurídico de otra forma»[14].

A pesar de lo expuesto, recientemente la jurisprudencia ha vuelto a pronunciarse sobre esta cuestión. Así, el primer cambio relevante se ha producido con las SSTS de 17 y 18 de enero de 2013, que han considerado por primera vez la crisis económica como un hecho notorio a la hora de tener en cuenta la cláusula _rebus,_ si bien este cambio no afectó a los contratantes profesionales[15]. Poco después, en un giro sorprendente, las SSTS de 30 junio y 15 octubre de 2014 han aplicado la cláusula a dos contratos celebrados entre empresarios, por considerar que en ambos supuestos concurrían los requisitos exigibles a esos efectos[16]. Sin embrago, las SSTS de 11 y 19 diciembre

---

11. Cfr. STS de 27 de enero de 1981 (RJ 1981, 114).
12. Cfr. STS de 10 de diciembre de 1990 (RJ 1990, 9927).
13. Cfr. SSTS de 17 de mayo de 1957 (RJ 1957, 2164) y 6 de junio de 1959 (RJ 1959, 3026).
14. RJ 1970, 503.
15. RJ 2013, 1819 y 1604.
16. RJ 2014, 3526 y 6129.

de 2014 han dado un paso atrás, declarando que la cláusula *rebus* no es aplicable a supuestos en que la parte perjudicada por la alteración sobrevenida de las circunstancias sea empresario que contrata en el ejercicio de su actividad profesional[17].

En la legislación especial, el artículo 43 de la LAR recoge un supuesto de revisión contractual en el que se aplica la doctrina de la cláusula *rebus sic stantibus* y la teoría de la base del negocio, pues según dicho precepto, «cualquiera de las partes podrá solicitar revisión extraordinaria de la renta o participación por haber cambiado las circunstancias que influyeron en su determinación, dando lugar a una lesión superior al quince por ciento de la renta justa»; y «si se accede a la revisión extraordinaria a solicitud del arrendador, el arrendatario podrá optar por la cesación de la relación arrendaticia».

En los *contratos internacionales,* de acuerdo con el principio de la fuerza obligatoria del contrato, éste debe ser cumplido en sus propios términos siempre que sea posible y al margen de que alguna de las partes sufra pérdidas tan importantes que pudiera no interesarle dicho cumplimiento. Así se expresa el artículo 6.2.1 de los PCCI, cuando dice que «salvo lo dispuesto en esta sección con relación a la "excesiva onerosidad" (*hardship*), las partes continuarán obligadas a cumplir sus obligaciones a pesar de que dicho cumplimiento se haya vuelto más oneroso para una de ellas». Pero, como se desprende del tenor literal del precepto citado, el carácter obligatorio del contrato no tiene, sin embargo, carácter absoluto.

> Como afirma con razón el comentario oficial de los Principios, «el fenómeno de la excesiva onerosidad sobreviviente ha sido contemplado en diversos sistemas jurídicos bajo diversas figuras tales como "frustración de la finalidad del contrato", *Wegfall der Geschäftsgrundlage, imprévision, eccesiva onerosità sopravvenuta,* etc. Sin embargo, se ha escogido la expresión "excesiva onerosidad" (*hardship*) por ser ampliamente reconocida como parte integrante de los usos del comercio internacional, lo que se confirma por la frecuencia con la que se incluyen en los contratos internacionales las llamadas "cláusulas *hardship*"».

Según el artículo 6.2.2 de los PCCI, «se presenta una caso de "excesiva onerosidad" (*hardship*) cuando ocurren sucesos que alteran fundamentalmente el equilibrio del contrato, ya sea por el incremento en el costo de la prestación a cargo de una de las partes, o bien por una disminución del valor de la prestación a cargo de la otra, y además, cuando: *a*) dichos sucesos ocurren o son conocidos por la parte en desventaja después de la celebración del contrato; *b*) dichos sucesos no pudieron ser razonablemente previstos por la parte en desventaja en el momento de celebrarse el contrato; *c*) dichos sucesos escapan al control de la parte en desventaja; y *d*) la parte en desventaja no asumió el riesgo de tales sucesos». De esta definición se infiere que la excesiva onerosidad existirá siempre que el equilibrio de las prestaciones se haya alterado de una manera fundamental y, al mismo tiempo, cuando los acontecimientos que causaron dicha alteración cumplan con los requisitos que describen los apartados del artículo 6.2.2 de los PCCI. En todo caso, la excesiva onerosidad sólo es relevante respecto a prestaciones pendientes de cumplimiento, y, aunque el artículo 6.2.2 de los PCCI no excluye de forma expresa que se aplique a otra clase de contratos, suele tener importancia en los contratos de larga duración. Si concurrieran conjuntamente los conceptos de excesiva onerosidad y de fuerza mayor, la parte perjudicada por

---

17. RJ 2014, 6374 y 6624.

los sucesos extraordinarios podría decidir qué recurso utilizar para defender mejor sus intereses: si alegase fuerza mayor, podría verse eximida de cumplir la prestación, mientras que si invocase la excesiva onerosidad, en principio habría que entender que lo hace con la intención de renegociar los elementos del contrato, manteniéndolo en vigor y adaptando las cláusulas del contrato a las nuevas circunstancias.

En los casos de excesiva onerosidad, el artículo 6.2.3(1) de los PCCI indica que «la parte en desventaja puede solicitar la renegociación del contrato. Tal solicitud deberá formularla sin demora justificada, con indicación de los fundamentos en que se basa». La solicitud de renegociación no autoriza en sí misma a la parte en desventaja a suspender el cumplimiento de sus obligaciones (art. 6.2.3(2) PCCI). En caso de no llegarse a un acuerdo en un plazo prudencial, cualquiera de las partes podrá acudir a un tribunal (art. 6.2.3(3) PCCI). Como afirma el comentario oficial de los Principios, dicha situación podría darse, bien porque la parte que no ha sido perjudicada por el cambio de circunstancias ha decidido ignorar la solicitud de renegociación, o bien porque las renegociaciones no prosperaron a pesar de la buena fe de ambas partes. Entonces, según el artículo 6.2.3(4) de los PCCI, «si el tribunal determina que se presenta una situación de "excesiva onerosidad" (*hardship*), y siempre que lo considere razonable, podrá: *a*) dar por terminado el contrato en una fecha determinada y en los términos que al efecto determine, o *b*) adaptar el contrato, con el fin de restablecer su equilibrio». No obstante, si las circunstancias son tales que ni la terminación ni la adaptación del contrato resulten apropiadas, la única solución factible consistiría en ordenar a las partes que reanuden las negociaciones entre ellas con la intención de llegar a un acuerdo acerca de la adaptación del contrato, o bien convalidar los términos del contrato originalmente pactado.

II. EFECTOS DEL CONTRATO RESPECTO A TERCEROS

En el Derecho romano clásico un contrato en favor de tercero era nulo. Sin embargo, en el Derecho justinianeo se fue atenuando gradualmente este rigor, admitiéndose la obligatoriedad del mismo entre los contratantes cuando el estipulante tuviera un interés en que la prestación en favor del tercero fuera cumplida.

Tercero es aquél que no es parte en el contrato; por lo que, en principio, puede afirmarse que sobre él no incide ni le afecta la situación creada en virtud del mismo. Por eso se suele decir que el contrato es *res inter alios acta*, como lo proclama el inciso primero del artículo 1257 del CC, al declarar que sólo produce efecto entre las partes que lo otorgan y, en su caso, sus herederos (arts. 659 y 661 CC). Sin embargo, este principio de «relatividad del contrato» no es tan absoluto como a primera vista pudiera parecer y, por tanto, exige alguna matización en cuanto a su alcance; pues es lo cierto que las consecuencias de un contrato pueden repercutir «indirectamente» en quien no haya intervenido como parte en su celebración. Es lo que IHERING denominó «efectos reflejos» del negocio jurídico en relación con terceras personas, y que afectan a la situación jurídica y patrimonial de las mismas, tanto en su beneficio como en su perjuicio. De ahí que SAVATIER se refiera a la crisis del principio de relatividad de los contratos, en cuanto éstos son, a fin de cuentas, un fenómeno social, que como tal afecta directa o indirectamente a toda la vida de la sociedad.

Por consiguiente, la eficacia directa del contrato alcanza exclusivamente a las partes que lo otorgaron, y sólo excepcionalmente, como más adelante se verá (contratos en favor de tercero, etc.), puede incidir y afectar a terceros, siempre que exista una norma jurídica que lo disponga y en la medida en que lo determine. Pero, además, existe una eficacia indirecta o refleja en relación con los terceros, que pueden verse afectados por la situación jurídica creada por el contrato; como ejemplos de la misma se pueden citar los siguientes:

a) Como es sabido, el deudor responde del cumplimiento de sus obligaciones con todos sus bienes presentes y futuros (art. 1911 CC); es decir, el patrimonio del deudor es una garantía para sus acreedores. Por ello, cualquier disminución de dicho patrimonio puede perjudicar a los acreedores y por esta razón se concede a los mismos la posibilidad de impugnar los contratos que su deudor hubiere concluido en fraude de su derecho, y respecto de los cuáles son terceros (art. 1111 CC).

b) Otro caso es el del *adiectus solutionis gratia*, es decir, cuando las partes intervinientes en un contrato designan a una persona (tercero) como autorizada para recibir la prestación, pero sin que ésta tenga derecho a exigirla al deudor, que nace y persiste en el contratante acreedor[18].

c) O el supuesto de doble venta de una misma cosa (art. 1473 CC), en el que uno de los compradores resultará afectado por el contrato en que no ha sido parte.

1. Contrato en favor de tercero

El artículo 1257 del CC, después de consignar en su primer párrafo el principio de la relatividad de los efectos de los contratos, establece en el párrafo segundo una importante excepción, al decir que «si el contrato contuviere alguna estipulación en favor de un tercero, éste podrá exigir su cumplimiento, siempre que hubiese hecho saber su aceptación al obligado antes de que haya sido aquella revocada»[19]. Es decir, también el tercero puede ser destinatario de los efectos del contrato, siempre que lo consienta, declarando su voluntad de aceptarlos, ya que nadie adquiere un derecho contra su voluntad[20].

Como puede observarse, el Código civil se refiere a la posibilidad de que las partes intervinientes en un contrato puedan estipular que una de ellas deba realizar *una prestación* en favor o provecho de un tercero ajeno al mismo (contrato «con estipulación en favor de tercero»); pero tampoco existe inconveniente en admitir la posibilidad de que *todo el contrato* se haya celebrado en favor de un tercero (contrato «en favor de tercero»), como así lo ha reconocido la jurisprudencia[21].

En un principio, algunos autores (Manresa, Valverde) consideraron que el contrato, además de alguna estipulación en provecho de tercero, debía contener

---

18. Cfr. SSTS de 9 de diciembre de 1940 (RJ 1940, 1131) y 13 de diciembre de 1984 (RJ 1984, 6111).
19. Cfr. artículo 5.2.1 de los PCCI.
20. En cambio, en el Derecho alemán no se exige la aceptación, y el tercero adquiere inmediatamente el derecho, salvo que renuncie.
21. Cfr. SSTS de 9 de diciembre de 1940 (RJ 1940, 1131), 11 de noviembre de 1950 (RJ 1950, 1543) y 17 de febrero de 1977 (RJ 1977, 369), entre otras muchas.

estipulaciones a favor de las partes, por estimar que si únicamente contenía lo estipulado en favor de tercero sería de aplicación el artículo 1259 del CC, relativo al contrato celebrado en nombre de otro. Este mismo criterio se recogió en las SSTS de 9 de mayo de 1932[22] y 11 de noviembre de 1950[23].

Como ejemplos de contratos en favor de tercero se pueden citar los siguientes: el seguro de vida (arts. 83-99 de la LCS), la renta vitalicia constituida a favor de persona distinta de la que contrata (art. 1803 CC), el depósito con pacto de restitución a la persona designada en el contrato (art. 1766 CC), el contrato de transporte y las donaciones modales (arts. 619 _in fine_ y 641 CC).

Lo que caracteriza al contrato en favor de tercero, y que lo diferencia de la figura del _adiectus solutionis gratia_, es que el tercero adquiere el derecho estipulado, o, según declara la STS de 9 de diciembre de 1940, «es el titular del derecho hacia él derivado»[24]. Como dice la STS de 26 de abril de 1993, «la estipulación en provecho de tercero supone una relación contractual en la que el acreedor deriva la prestación del deudor hacia otra persona que no ha intervenido en el contrato; y para fijar su naturaleza específica es preciso deslindar su esfera de acción, aislándola de otras figuras similares, diferenciándose el régimen jurídico de la prestación a tercera persona según ésta venga autorizada solamente para recibir la prestación o adquiera además el derecho estipulado; diferenciación que se traduce en que, en el primer caso, el tercero es únicamente destinatario de la prestación, sin la facultad de exigir su cumplimiento al deudor, que nace y persiste en el contratante acreedor, mientras que en el caso del verdadero contrato en favor de tercero, éste es el titular del derecho hacia él derivado»[25].

También hay que distinguir el contrato en favor del tercero del realizado en «nombre» o «por cuenta» de otro, pues en el primer caso el contrato se considera celebrado entre las personas intervinientes, mientras que en el segundo se entiende concluido en representación de otro o, al menos, en nombre de otro aunque no se tenga su representación. A este último supuesto se refiere el artículo 1259 del CC, a cuyo tenor «el contrato celebrado a nombre de otro por quien no tenga su autorización o representación legal será nulo, a no ser que lo ratifique la persona a cuyo nombre se otorgue antes de ser revocado por la otra parte contratante».

1.1. Sujetos

En el contrato en favor de tercero existen tres sujetos: los dos contratantes que celebran el negocio y el tercero al que beneficia, a los que se dan los nombres de estipulante, promitente y beneficiario. _Estipulante_ (o promisario) es el contratante que propone y se hace prometer el cumplimiento de la prestación; _promitente_ es el contratante que se obliga a realizar la prestación en favor del tercero, y _beneficiario_ (o tercero) es aquél a cuyo favor se hace la prestación. No es necesario que este último esté individualizado en el momento de la conclusión del contrato, pues, como dice la STS de 10 de diciembre de 1956, es suficiente con su determinabilidad, es decir, que

---

22. RJ 1932, 1046.
23. RJ 1950, 1543.
24. RJ 1940. Cfr. SSTS de 13 de diciembre de 1984 (RJ 1984, 6111) y 6 de febrero de 1989 (RJ 1989, 670).
25. RJ 1993, 2943.

existan en la disposición contractual elementos suficientes para poder determinarlo con posterioridad de cualquier modo que sea (por ejemplo, el *nasciturus*), incluso por ulterior decisión del estipulante, si así se hubiese convenido[26]. La STS de 1 de julio de 1977 declara que no es preciso que el tercero exista en el momento de celebración del negocio (se trataba de una persona jurídica en vías de constitución)[27]. No hay inconveniente en que sea beneficiario del contrato el heredero o el causahabiente del promitente, pues, como advierte DÍEZ-PICAZO, la prestación no la recibe en virtud del fenómeno de sucesión a título universal o particular, sino directamente en virtud del contrato, por ejemplo: seguro de vida en que se designa como beneficiarios a los herederos del asegurado.

Estipulante y promitente han de tener capacidad general para contratar y, además, la requerida para el tipo o clase de contrato que celebren. En cambio, al beneficiario o tercero, como no interviene en la celebración del contrato, no se le exige capacidad para contratar, sino que únicamente ha de tener la capacidad de obrar para la aceptación. Si la tuviera limitada, podrán emitir dicha declaración de voluntad sus representantes legales.

1.2. Adquisición del tercero y su aceptación

En la doctrina se discute acerca de la naturaleza del derecho que nace en favor del tercero, así como sobre el significado que debe atribuirse a su aceptación. La mayor parte de los autores estiman que el contrato es perfecto desde que lo celebran las partes contratantes, de modo que desde este momento el beneficiario o tercero es titular del derecho con independencia de su declaración de voluntad o aceptación. Aunque el artículo 1257, párrafo 2.º, del CC habla de aceptación del tercero, no es en el sentido de hacer depender de ésta la adquisición o titularidad del derecho respecto del tercero, sino en el de hacerlo definitivo e irrevocable para el estipulante por efecto de la aceptación. En esta línea se manifiesta la STS de 9 de diciembre de 1940, en la que se dice que «en el verdadero contrato a favor de tercero, éste es el titular del derecho hacia él derivado, y lo es en potencia desde el mismo momento de la celebración del contrato hasta que, cumplida la condición suspensiva de la aceptación, adquiere de una manera definitiva e irrevocable el concepto de acreedor único, asistido de la correspondiente acción para apremiar al deudor»[28]. Sin embargo, algunos autores (BONET, ROCA SASTRE, ALBALADEJO) consideran que la aceptación del tercero constituye una *condictio iuris*, un requisito o presupuesto legal para la adquisición del derecho por el tercero, criterio que ha sido confirmado por la jurisprudencia[29].

La aceptación del beneficiario o tercero es una declaración de voluntad unilateral y recepticia que, como ordena el párrafo 2.º del artículo 1257 del CC, debe dirigirse al promitente (u obligado) para que la obligación de éste no pueda ser revocada. Esta declaración no tiene que ajustarse a una forma predeterminada[30] y puede ser

---

26. RJ 1956, 4126.
27. RJ 1977, 3253.
28. RJ 1940, 1131.
29. Cfr. SSTS de 10 de diciembre de 1956 (RJ 1956, 4126), 28 de junio de 1961 (RJ 1961, 3017), 9 de abril de 1985 (RJ 1985, 1687) y 6 de marzo de 1989 (RJ 1989, 1998).
30. Cfr. STS de 20 de febrero de 1915 (JC 1915, I-87).

expresa o tácita[31]. En todo caso, debe ser notificada[32], y «no determinándose en el artículo 1257, párrafo 2.º, medio específico alguno por el que el tercero haga saber su aceptación al obligado, si éste sabía por actos de aquél la aceptación de lo estipulado a su favor, es exigible su cumplimiento»[33].

Si el beneficiario o tercero fallece sin haber llegado a aceptar, podrán hacerlo sus herederos en su condición de sucesores en un derecho que ya había sido adquirido por su causante. No obstante, como dice CARBALLO FIDALGO, deben considerarse exceptuados de dicha regla el caso de los beneficiarios sucesivos, que adquieren el derecho con prioridad a los herederos del primer llamado, y también el supuesto en que el estipulante haya querido favorecer únicamente a la persona designada.

1.3. Efectos

Para determinar los efectos hay que distinguir y examinar cada una de las relaciones jurídicas que surgen del contrato en favor de tercero, y que son las siguientes:

a) La relación entre estipulante y promitente, también llamada «relación de cobertura», que es la derivada del contrato. En su virtud, los contratantes pueden exigirse todo aquello a que vienen obligados en función del contrato; de ahí, precisamente, que el estipulante tenga derecho a exigir del promitente el cumplimiento de la prestación en favor del tercero, derecho que no se enerva por el hecho de la aceptación de éste[34].

Antes de la aceptación del tercero, estipulante y promitente pueden, de común acuerdo, dejar sin efecto el contrato (mutuo disenso) o resolver la relación obligatoria en caso de incumplimiento; si bien, después de la aceptación del tercero, la relación obligatoria deviene irrevocable. Como dicen los anotadores de ENNECERUS, «la virtualidad del derecho del tercero se subordina, no sólo a su aceptación y conocimiento de la misma por el obligado, sino a la subsistencia del acuerdo entre promitente y promisario (antes de que haya sido aquélla revocada), con lo cual se evidencia que la aceptación no añade eficacia a la estipulación a favor del tercero, sino que se limita a recogerla con el alcance que tenga, o sea con las objeciones que broten de los vicios, de la naturaleza o del contenido del contrato».

b) La relación entre estipulante y beneficiario o tercero, también llamada «relación de *valuta*». Es la que ha inducido al estipulante a celebrar el contrato en favor del tercero, actuando como causa de la atribución patrimonial que el tercero recibe, y puede tener causas diversas: el estipulante puede haber querido hacer una liberalidad (*causa donandi*), o cumplir una obligación preexistente de la que es deudor (*causa solvendi*), o bien recibir del tercero una contraprestación, por ejemplo, el dinero que ha de pagar el promitente es un préstamo que el estipulante concede al tercero (*causa credendi*).

Como dice ROCA SASTRE, esta relación queda fuera del ámbito propio del contrato o estipulación en favor de tercero, es decir, es irrelevante para el promitente, aunque afectará a las consecuencias a que dé lugar el contrato entre estipulante y beneficiario.

---

31. Cfr. STS de 6 de marzo de 1989 (RJ 21989, 1998).
32. Cfr. STS de 28 de junio de 1958.
33. Cfr. STS de 13 de julio de 1954 (RJ 1954, 2018).
34. Cfr. STS de 8 de octubre de 1984 (RJ 1984, 4765).

Por ello, cuando no exista causa de la atribución patrimonial del beneficiario o haya desaparecido sobrevenidamente la que tenía, el estipulante dispone de una acción de enriquecimiento injustificado, «salvo que deba jugar el principio de irrepetibilidad en los casos de causa ilícita o torpe» (Díez-Picazo).

c) La relación entre promitente y tercero. En virtud de la misma el beneficiario o tercero (acreedor) puede exigir del promitente el cumplimiento de la prestación estipulada a su favor, «siempre que hubiese hecho saber su aceptación al obligado antes de que haya sido aquélla revocada» (art. 1257, párr. 2.º, CC). Puede interrumpir la prescripción, constituir en mora a su deudor, etc., es decir, puede ejercitar todas las encaminadas a la defensa y satisfacción de su derecho.

El promitente podrá oponer al tercero las excepciones objetivas derivadas del contrato (nulidad, anulabilidad). También podrá oponer las derivadas de relaciones distintas y vigentes entre ellos (por ejemplo, compensación). En cambio, no podrá alegar aquellas que se deriven de la relación entre estipulante y promitente.

Efecto peculiar de este contrato es que el derecho adquirido por el tercero se encuentra sustraído a la acción de los acreedores y legitimarios del estipulante, los cuales únicamente podrán ejercitar sus pretensiones respecto a lo que éste dio al promitente con ocasión del contrato. Así, en el artículo 88 de la LCS se dispone que «la prestación del asegurador deberá ser entregada al beneficiario, en cumplimiento del contrato, aun contra las reclamaciones de los herederos legítimos (en realidad, legitimarios) y acreedores de cualquier clase del tomador del seguro. Unos y otros podrán, sin embargo, exigir al beneficiario el reembolso del importe de las primas abonadas por el contratante en fraude de sus derechos».

1.4. Extinción

En la extinción del contrato en favor de tercero, además de las causas generales, tienen especial relieve la revocación por parte del estipulante y la renuncia del tercero.

El tercero puede exigir el cumplimiento de la prestación establecida en su favor, siempre que hubiese hecho saber su aceptación al obligado (promitente) antes que aquélla (la estipulación) haya sido revocada. Obsérvese que el artículo 1257, párrafo 2.º, del CC no exige, aunque hubiera sido lo lógico, que la notificación de la aceptación se haga al estipulante; sin embargo, la STS de 11 de noviembre de 1950 exige que el tercero «haga saber su aceptación *al que estipuló en su favor*»[35].

Podrá revocar el estipulante, pero no el promitente, a no ser que se hubiese pactado la revocación conjunta por ambos contratantes (art. 1256 CC). El poder de revocación se transmite a los herederos del estipulante (art. 1257, párr. 1.º, CC). La revocación es una declaración de voluntad recepticia que debe notificarse al promitente, a fin de evitar que éste realice la prestación en favor del tercero.

También se extingue el derecho del tercero por efecto de su renuncia. Ahora bien, tanto en el caso de la revocación como en el de la renuncia, se plantea el problema del destino de la prestación que el promitente debería haber realizado en favor del

---

35. RJ 1950, 1543.

tercero. A cuyo efecto hay que distinguir según que el contrato fuera oneroso o gratuito: en el primer caso, el estipulante deberá ser destinatario de la prestación o de otro modo se produciría un enriquecimiento injustificado para el promitente; en el segundo, el promitente debe quedar liberado, pues la revocación o renuncia no tiene por qué incidir en el ánimo de liberalidad.

El artículo 1294 de la PMDOC señala que «en el contrato a favor de tercero o que contenga estipulación en beneficio de un tercero, éste, salvo que otra cosa se haya pactado, adquiere el derecho frente al promitente por la sola celebración del contrato; pero el estipulante podrá revocar el derecho del beneficiario mientras éste no haya hecho saber su aceptación a cualquiera de los contratantes. Si hubiere revocación, o el tercero renunciare, corresponderá el derecho al estipulante y se entenderá que el tercero nunca lo adquirió. No será necesario que el tercero quede identificado en el momento de la celebración del contrato, pero deben establecerse los criterios para su determinación pudiendo reservarse tal designación al estipulante. El promitente puede oponer al tercero cualquiera de las excepciones derivadas del contrato. Pero no puede oponer las que deriven de otras relaciones con el estipulante».

El artículo II.-9:301(1) del DCFR dice que «en virtud de lo dispuesto en un contrato, las partes pueden conferir un derecho u otro beneficio a un tercero. No será necesario que el tercero exista o sea identificado al tiempo de concluirse el contrato»[36]. Como dice el comentario oficial, «el presente artículo no cubre los casos en los que la persona que recibe el compromiso contractual actúa como representante o representante legal del "tercero", ya que el tercero es en realidad la otra parte contractual. Tampoco se refiere al caso en que un fiduciario o consignatario celebra, en calidad de tal, un contrato en favor de un beneficiario basándose en el fideicomiso o trust. En este caso, el acuerdo entre las partes contratantes conferirá un derecho o beneficio al beneficiario o consignatario. La relación de éstos con el beneficiario sería indirecta y se regiría por la norma aplicable al fideicomiso o trust». Según el apartado 2 del artículo II.-9:301 del DCFR, «la naturaleza y el contenido del derecho o beneficio otorgado al tercero están determinados por el contrato y quedan sujetos a las condiciones o demás limitaciones estipuladas en el contrato». Por consiguiente, será la intención de las partes contratantes, expresada implícita o explícitamente en el contrato, la que determine si al tercero le corresponde un derecho cuyo cumplimiento podrá reclamar frente a una de ellas. El apartado 3 del artículo II.-9:301 del DCFR señala que «el beneficio conferido podrá consistir en una exclusión o una limitación de la responsabilidad del tercero respecto de una de las partes del contrato».

A tenor del artículo II.-9:302 del DCFR, «cuando, en virtud del contrato, una de las partes deba cumplir una obligación respecto a un tercero, salvo que en el contrato exista una estipulación en contrario: (a) el tercero tendrá los mismos derechos a exigir el cumplimiento, así como los mismos remedios en caso de incumplimiento que los que tendría si la parte contratante estuviera obligada por una promesa unilateral vinculante en favor del tercero; y (b) la parte contratante podrá hacer valer contra el tercero todas las excepciones que pudiera invocar contra la otra parte del contrato». Como indica el comentario oficial, «el tercero dispondrá del mismo derecho reclamar el cumplimiento de las obligaciones y los

---

36. Cfr. artículo 6:110(1) de los PECL.

mismos recursos en caso de incumplimiento que si la parte contratante debiera cumplir una serie de obligaciones en virtud de una promesa unilateral. Esto significa que un tribunal podrá determinar que se cumplan las obligaciones a favor del tercero, con sujeción a las excepciones habituales, o que se le indemnice por daños en caso de incumplimiento injustificado».

Respecto de la *renuncia* del beneficio, el artículo II.-9:303(1) del DCFR dice que «el tercero podrá renunciar al derecho o beneficio mediante notificación a cualquiera de las partes contratantes, siempre que lo efectúe sin excesiva demora desde que se le notificó el derecho o beneficio y ante de haberlo aceptado implícita o explícitamente. Producida la renuncia, se considera que el derecho o el beneficio no han sido nunca atribuidos al tercero»[37]. Si bien resulta obvio que nadie puede ser obligado a aceptar un derecho o un beneficio, no lo es menos que el tercero que quiera renunciar a cualquiera de ellos deberá hacerlo lo antes posible («sin excesiva demora», dice el texto legal). Lo contrario, disfrutar de un derecho o de un beneficio durante un período largo de tiempo y renunciar después con efecto retroactivo implicaría una conducta contraria al principio de buena fe. La *revocación* aparece recogida en el artículo II.-9:303(2) del DCFR, cuando afirma que «las partes contratantes podrán revocar o modificar la cláusula contractual que confiere el derecho o el beneficio, siempre que sea antes de que una de las partes haya notificado al tercero la concesión del mismo. El contrato determinará si es posible revocar o modificar el derecho o beneficio, en qué circunstancias podrá hacerse y por parte de quién»[38]. Como indica el comentario oficial, «la legislación ha tenido que reconciliar a este respecto dos doctrinas jurídicas. En primer lugar, las partes contratantes pueden modificar las condiciones y resolver la relación contractual que existe entre ellas en cualquier momento y de común acuerdo. En segundo lugar, un derecho es algo en lo que el titular del mismo puede confiar, por lo que una vez conferido, debería surtir el efecto previsto, pudiendo establecer el contrato que sea revocable o modificable. No obstante, si el derecho se confiere sin estas excepciones, únicamente el titular deberá tener control sobre el mismo». Por último, según el apartado 3 del artículo II.-9:303 del DCFR, «incluso si el derecho o el beneficio conferidos resultan, en virtud del contrato, revocables o susceptibles de modificación, el derecho de revocar o modificar se pierde si las partes, o la parte que tiene el derecho de revocar o modificar, conducen al tercero a confiar en que no era revocable o susceptible de modificación y si el tercero razonablemente ha actuado en consecuencia». Se trata de respetar así el principio de buena fe contractual como consecuencia de la conducta «razonable» del tercero.

En los *contratos internacionales* también se reconoce el contrato en favor de tercero, «estipulación de favor de terceros» de acuerdo con la versión española de los Principios Unidroit. El artículo 5.2.1(1) de los PCCI señala que «las partes (el "promitente" y el "estipulante") pueden otorgar por acuerdo expreso o tácito un derecho a un tercero (el "beneficiario")». El apartado 2 del artículo 5.2.1 añade que «la existencia y el contenido del derecho del beneficiario respecto del promitente se determinan conforme al acuerdo de las partes y se encuentran sujetos a las condiciones y limitaciones previstas en dicho acuerdo». En palabras del comentario oficial, «el promitente y el estipulante tienen amplios poderes para delimitar los derechos creados a favor del beneficiario. En este contexto, el término "derechos" debe interpretarse de

---

37. Cfr. artículo 6:110(2) de los PECL.
38. Cfr. artículo 6:110(3) de los PECL.

manera flexible. En el contexto del principio, un tercero beneficiario tiene a su disposición una gran gama de remedios contractuales, incluso el derecho al cumplimiento y al resarcimiento de daños y perjuicios».

El artículo 5.2.3 de los PCCI indica que «el otorgamiento de derechos al beneficiario incluye el de invocar una cláusula en el contrato que excluya o limite la responsabilidad del beneficiario». Para entender esta disposición, es necesario aludir al comentario oficial que afirma que «son muy frecuentes las disposiciones convencionales que limitan o excluyen la responsabilidad de quien no es parte en el contrato, particularmente en los contratos de transporte, donde frecuentemente forman parte de un modelo preestablecido de aseguración. El ejemplo probablemente más común es el de la llamada "Cláusula Himalaya", que es una cláusula frecuentemente incluida en los certificados de embarque»[39].

> El objeto de la llamada cláusula «Himalaya» es la protección de los agentes y subcontratistas y demás dependientes del porteador, que de otra forma se verían expuestos a una responsabilidad indirecta, en cuanto al daño o pérdida que se produjesen en las mercancías que estuvieren bajo su custodia. De esta manera, el armador que quiera proteger a su capitán, tripulación o contratistas independientes (estibadores empleados en la carga y descarga) hará una mención expresa de exclusión de responsabilidad de dichas personas en el contrato de fletamento y, en particular, en el conocimiento de embarque. La cláusula utilizada comúnmente con esa finalidad es la llamada «cláusula Himalaya»; que tiene su origen en el caso _Adler v. Dickson_ de 1954, que implicó una demanda de lesiones personales que se produjeron a bordo del SS Himalaya (buque británico de transporte de pasajeros entre Reino Unido y Australia). En el billete de pasaje del buque se incluía una cláusula de exoneración de responsabilidad.

Según el artículo 5.2.2 de los PCCI, «el beneficiario debe estar identificado en el contrato con suficiente certeza pero no necesita existir cuando se celebre el contrato». Si no se conoce la identidad del tercero en el momento de la celebración del contrato, deberá establecerse un mecanismo que permita conocer su identidad en el momento de la ejecución del contrato. Tal mecanismo, dice el comentario oficial, «puede prever que las partes, o una de ellas, podrán identificar a beneficiario en un momento sucesivo, o escoger una definición de beneficiario tal que su identidad será determinada por circunstancias posteriores». Como también sucede en los sistemas nacionales, cabe modificar o revocar los derechos otorgados por el contrato al beneficiario, «mientras éste no los hay aceptado o no hay actuado razonablemente de conformidad con ellos», a tenor del artículo 5.2.5 de los PCCI. Por último, tal y como indica el artículo 5.2.4 de los PCCI, «el promitente puede oponer al beneficiario toda excepción que el promitente pueda oponer al estipulante».

2. El contrato a cargo de tercero

El contrato _a cargo de tercero_, también llamado «promesa de hecho ajeno», es aquél en el que una de las partes, en nombre propio, promete a la otra la prestación que debe cumplir una tercera persona extraña al contrato. Para que el tercero resulte

---

39. El término «certificado de embarque» debe interpretarse como «conocimiento de embarque».

afectado por el contrato es necesario su consentimiento, que puede haberlo dado antes de la conclusión del contrato, en cuyo caso queda obligado desde el mismo momento en que el contrato se perfecciona, o con posterioridad, quedando obligado a partir del instante en que consiente.

El Código civil francés admite la estipulación por un tercero prometiendo el hecho que recae sobre él, y quedando en consecuencia el promitente obligado a indemnizar si dicho tercero rehúsa el cumplimiento (art. 1120). También lo hace el Código civil italiano de 1942, según el cual «el que ha prometido la obligación o el hecho de un tercero está obligado a indemnizar al otro contratante si el tercero rehúsa obligarse o no cumple el hecho prometido» (art. 1381). Esta misma orientación es seguida en Derecho suizo (art. 111 CO).

Nuestro Código civil no siguió en este punto al francés y no lo regula, si bien cabe admitir la figura a la vista de lo dispuesto por los artículos 1255, 1257 y 1259 del propio texto legal. En cambio, en Derecho civil navarro, la ley 524 del FN, bajo el epígrafe *estipulaciones a cargo de tercero*, dispone que «las estipulaciones a cargo de tercero no obligan a éste si no es heredero del promitente, ni al mismo promitente; pero en los contratos puede una de las partes obligarse a que un tercero realice una prestación, y responderá de ella por el incumplimiento del tercero. Cuando el tercero acepte la obligación estipulada a su cargo, quedará personalmente obligado en concepto de promitente».

El efecto característico de este tipo de contratos es que, si el tercero no quiere aceptar la promesa, el promitente queda obligado a indemnizar a la otra parte (promisorio) los daños y perjuicios en los términos que resulten del propio contrato y de las circunstancias concurrentes. Es decir, se trata de una obligación de resultado que, dirigida a la obtención del hecho el tercero, tiene como garantía la indemnización del promitente frente al promisorio (GULLÓN). Por consiguiente, la obligación del promitente se extingue cuando el tercero consiente en cumplir respecto del promisario. El promitente, según advierten DÍEZ-PICAZO y GULLÓN, salvo estipulación en contrario, no es fiador del tercero, ya que, después de haberse obligado con el promisario, no responde de cumplir su obligación.

3. Contrato a favor de persona por designar

Si bien la STS de 18 de diciembre de 1964 considera contrato en favor de tercero el contrato a favor de persona por designar[40], este último es aquel contrato, por regla general de compraventa, opción o promesa de venta, en el que uno de los contratantes estipula para un tercero, con la reserva de designarlo en un momento posterior y dentro de cierto término establecido de común acuerdo (o, en su caso, por la autoridad judicial, a tenor de lo que para las obligaciones a plazo establece el artículo 1128 del CC). Pero, si falta la designación o no se hace en los términos acordados, el negocio permanece concluido y el estipulante quedará definitivamente obligado respecto del promitente.

Por consiguiente, el estipulante deberá designar al tercero en los términos acordados y notificárselo al promitente; y el tercero habrá de aceptar la designación, salvo

---

40. RJ 1964, 5894.

que el estipulante hubiera celebrado el contrato teniendo ya un poder de representación de aquél, callando de momento su identidad.

El artículo 453.1 del Código civil portugués establece que la comunicación se hará en el plazo convenido, y, a falta de acuerdo, dentro de los cinco días posteriores a la celebración del contrato. GALVÃO TELLES critica dicho plazo por considerarlo demasiado reducido.

Tanto estipulante como promitente deberán tener en el momento de celebrar el contrato la capacidad requerida para el mismo; en cambio, bastará que el tercero tenga dicha capacidad en el momento de la aceptación.

Las causas del origen de esta figura son muy variadas: ocultación de la categoría o riqueza personales para evitar altos precios, eludir el pago de un segundo tributo o impuesto, especulación de terrenos, etc. Se refiere a esta figura, desde la perspectiva de la práctica notarial, VALLET DE GOYTISOLO, examinando el supuesto de un documento privado de compraventa en que el comprador conviene con el vendedor que la escritura pública se otorgará a su nombre o bien de la persona que designe, atribuyendo a dicha escritura el valor de tradición a efectos de adquisición del dominio (art. 1462 CC). En opinión de este autor, existirá una sola transmisión de propiedad, directamente del vendedor a la persona designada por el comprador; por lo que, si hubiere habido tradición o entrega al comprador con anterioridad al otorgamiento de la escritura pública, éste habrá adquirido el dominio y, aunque el vendedor escriture después a favor de la persona designada, habrá doble venta.

La ley 514 del FN, bajo el epígrafe *contrato con facultad de subrogación*, regula esta figura y dispone que «puede concertarse un contrato con facultad, para cualquiera de las partes, de designar posteriormente la persona que deba subrogarse en sus derechos y obligaciones. El otro contratante, en cualquier momento, podrá requerir a quien esté facultado para que haga la designación dentro del plazo máximo de año y día, a contar del requerimiento, a no ser que en el contrato, o por ley, se hubiere establecido otro término. La declaración que designe la persona deberá notificarse a la otra parte dentro del plazo. Hecha la notificación, la persona designada se subroga en los derechos y asume las obligaciones de la parte que le designó, con efecto desde el momento de la celebración del contrato. Si dentro del plazo no se notificara la designación de persona, el contrato producirá todos sus efectos entre las partes que lo celebraron.». Como puede observarse, no se establece exigencia especial de forma, ni para el requerimiento de designación, ni para la notificación a la otra parte de la persona designada, por lo que tanto uno como otra serán válidos cualquiera que fuere la forma elegida, sin perjuicio de que deba probarse en caso de disputa.

También regulan esta modalidad contractual el Código civil italiano (arts. 1401-1405) y el Código civil portugués (arts. 452-456). En la doctrina de estos países se ha intentado explicar la naturaleza jurídica de esta figura como una modalidad especial de representación (BARASSI dice que el titular del contrato estaría representado «de modo anónimo»), o como una categoría de los contratos en favor de tercero. Pero la teoría que goza de mayor predicamento es aquella que considera la cláusula «de persona a designar» como una *condición* del contrato de *efecto resolutorio*, en cuanto a la titularidad del interviniente, y de *efecto suspensivo*, respecto de la adquisición de la persona designada. Según CARIOTA FERRARA, el contrato a favor de persona por designar tiene, en cuanto a una de sus partes, dos sujetos en alternativa.

Una aplicación legal del denominado «contrato a favor de persona por designar» lo constituye, dice el Tribunal Supremo, «la adjudicación de una cosa en subasta judicial *a calidad de ceder el remate a un tercero*», que «consiste en que uno de los contratantes, llamado estipulante, se reserva la facultad de designar, dentro de un plazo determinado, a una tercera persona para que ocupe su lugar en la relación contractual; y que, para su plena efectividad, requiere ineludiblemente que la designación de dicha tercera persona (que en ningún caso puede relegarse a tiempo indefinido o *sine die*) se haga dentro del plazo estipulado para ello por las partes o del expresamente señalado por la ley (cuando dicha figura o modalidad contractual se encuentre legalmente regulada), de tal modo que, transcurrido el expresado plazo (convencional o legal) sin realizar la designación (*electio*) de dicha tercera persona, el estipulante queda como único contratante y como definitivo obligado»[41].

A tenor del artículo 1295 de la PMDOC, «en el contrato, una de las partes se puede reservar la facultad de designar la persona que haya de convertirse en definitivo contratante. La designación ha de hacerse mediante comunicación a la otra parte dentro del plazo convenido o, a falta de pacto, en un plazo razonable y, en uno y otro caso, antes del comienzo de la ejecución de las prestaciones contractuales. La designación no produce efecto si no se acompaña la aceptación de la persona designada o el poder de representación otorgado por ésta. La designación y aceptación de la persona designada o el poder de representación habrán de revestir al menos la misma forma que las partes hayan utilizado para el contrato. Si la designación no hubiera sido válidamente hecha dentro del plazo establecido, el contrato producirá definitivamente sus efectos entre los que lo celebraron».

4. Contrato en daño de tercero

Otra excepción al principio de la «relatividad del contrato» es el denominado contrato en daño de tercero[42]. Se trata de aquel contrato que causa un daño jurídico a un tercero que no ha sido parte en el mismo, bien sea esta consecuencia querida por ambos contratantes o solo por uno de ellos. Como dice GULLÓN, el daño se producirá por violación de una relación jurídica preexistente que ligaba al tercero con los contratantes o con uno de ellos, o por la violación de otro derecho del tercero, esté o no perfectamente tutelado. Por consiguiente, no se puede incluir dentro de esta categoría al contrato productor de perjuicios de «mero hecho» o de situaciones desfavorables para los terceros.

El caso más común es el del contrato que infringe un pacto o convenio de exclusiva; es decir, cuando el concedente de la exclusiva contrata dentro del ámbito reservado al concesionario o exclusivista con una tercera persona[43]. No obstante, a modo de ejemplo, puede citarse algún otro supuesto, como el arrendamiento concertado por el usufructuario en condiciones notoriamente gravosas para el nudo propietario, o el negocio celebrado por el heredero aparente.

---

41. Cfr. STS de 18 de febrero de 1994 (RJ 1994, 1098).
42. Cfr. STS de 16 de diciembre de 2004 (RJ 2004, **).
43. Cfr. SSTS de 23 de marzo de 1921 (JC 1921, I-585**) y 29 de octubre de 1955 (RJ 1955, 3090).

En cuanto a la responsabilidad de quienes contrataron en daño de tercero es preciso distinguir:

a) El que había contratado previamente con el tercero y con posterioridad es parte en el segundo contrato productor del daño vendrá obligado a indemnizar por incumplimiento contractual.

b) El que contrató con éste, si tenía conocimiento de la relación jurídica preexistente o de la violación del derecho del tercero, también deberá responder, pero no por incumplimiento contractual, puesto que no fue parte en el primer contrato, sino en virtud de lo dispuesto en el artículo 1902 del CC. En este supuesto la responsabilidad de ambas partes tendrá el carácter de solidaria. En este sentido, la STS de 29 de octubre de 1955 declara que «el pacto de exclusiva despliega su eficacia sólo en las relaciones de los contratantes, no pudiendo ser opuesto a terceros, respecto a los cuales son válidas la ventas concluidas violando el pacto, correspondiendo indudablemente al comprador una acción de indemnización de daños y perjuicios contra el vendedor, si éste, vendiendo a otros, ha descuidado dar a conocer la prohibición consiguiente a la precedente venta con exclusiva de revender las mercancías en una determinada zona, o contra el tercer adquirente, que, a pesar de que le ha sido manifestada la prohibición, ha revendido las mercancías en la zona reservada al primer comprador, no pudiendo estimarse que el vendedor que ha cumplido la obligación de comunicar a los sucesivos adquirentes el pacto de exclusiva, contenido en una venta precedente, asume la responsabilidad de la violación de la prohibición por el tercero, puesto que ha hecho cuanto podía»[44].

c) Pero, además, si hubo intención de causar el daño o simple conocimiento de que se lesionaba el derecho de un tercero, será posible la impugnación del contrato productor del daño por ilicitud de la causa (nulidad absoluta).

Se ha planteado la cuestión de si el tercero podrá ejercitar o no una acción declarativa, mediante la cual pretenda únicamente la fijación de la situación jurídica que pueda quedar perjudicada por la acción de los contratantes. CARIOTA FERRARA admite dicha acción y, en nuestra doctrina, DÍEZ-PICAZO considera que este criterio es «plenamente viable, al menos como medida provisional, en todos los casos en que puede hablarse de un daño futuro o razonablemente temido»; agregando que «se tratará de una medida preparatoria de las posteriores acciones de resarcimiento si el daño temido no llega a ser evitado».

BIBLIOGRAFÍA

BADENES, *El riesgo imprevisible* (*influencia de la alteración de las circunstancias en la relación obligacional*), Barcelona, 1946; CANDIL, *La cláusula «rebus sic stantibus»*, Madrid, 1948; CARBALLO FIDALGO, «El contrato en favor de tercero», AC, 2000-4, p. 1697; CECCHINI ROSELL, *La cláusula «por sí o por persona que se designará»*, Valencia, 2000; DE BUEN, «La estipulación en provecho de tercero», RGLJ, 1923, p. 193; DE CASTRO, «Contrato por persona a designar», ADC, 1953, p. 1369; GARCÍA AMIGO, «En torno a los llamados contratos en daño de tercero», RDN, 1958, p. 111; LÓPEZ RICHART, *Los contratos a favor de tercero*, Madrid, 2001; MARTIN BERNAL, *La estipulación en*

---

44. RJ 1955, 3090.

favor de tercero, Madrid, 1985; Muñiz Espada, «Naturaleza jurídica del llamado contrato para persona a designar», *RCDI*, 1999, p. 1971; Navarro Michel, *El contrato para persona a designar. Nuevas perspectivas*, Madrid, 2004; Pacchioni, *Los contratos en favor de tercero*, trad. de Osset, Madrid, 1948; Ragel Sánchez, *Protección del tercero frente a la actuación jurídica ajena: la inoponibilidad*, Valencia, 1994; Roca Sastre/Puig Brutau, «Estipulaciones en favor de tercero», *Estudios de Derecho privado*, t. I, p. 210; íd., «El problema de la alteración de las circunstancias», *Estudios*, cit. t. I, p. 233; Rodriguez González, *El principio de relatividad de los contratos en el Derecho español*, Madrid, 2000; Royo Martínez, «Contratos de adhesión», *ADC*, 1949, p. 54; Salvador Coderch, «Alteración de circunstancias en el art. 1213 de la Propuesta de Modernización del Código Civil en materia de Obligaciones y Contratos», InDret, 2009; Serrano y Serrano, *El contrato a favor de persona por designar hasta la primera mitad del siglo XIX*, discurso de apertura del curso 1956/57, Valladolid, 1956; Vallet de Goytisolo, «Contrato de compraventa a favor de persona a determinar», AAMN, t. VIII, p. 559.

Capítulo XXVI

Interpretación del contrato

SUMARIO: I. INTERPRETACIÓN Y FIGURAS AFINES. II. MÉTODO INTERPRETATIVO. III. NORMAS DE INTERPRETACIÓN: SU CARÁCTER Y CONSECUENCIAS. IV. EXAMEN DE LAS REGLAS DEL CÓDIGO CIVIL. 1. *Interpretación subjetiva*. 2. *Interpretación objetiva*. V. EL CRITERIO DE LA BUENA FE. VI. INTERPRETACIÓN AUTÉNTICA. VII. NORMAS INTERPRETATIVAS. BIBLIOGRAFÍA.

I. INTERPRETACIÓN Y FIGURAS AFINES

La palabra interpretar significa explicar o declarar el sentido de un texto falto de claridad; por consiguiente, interpretar un contrato es determinar su exacto sentido y alcance. Pero si se quiere precisar un poco más, como el contrato es el resultado de las voluntades coincidentes y contrapuestas de las partes que lo celebran, hay que decir que *interpretar un contrato* es indagar el sentido y alcance que debe atribuirse al consentimiento contractual o común intención de las partes, que ha sido exteriorizada a través de las respectivas declaraciones de voluntad[1]. Según determina la STS de 20 de febrero de 1984, la interpretación de los contratos no es sino revelar o sacar afuera la verdadera intención de las partes, que es la determinante de los efectos del contrato[2]. Desde esta perspectiva, la interpretación debe respetar la intersubjetividad del contrato.

Ahora bien, no debe confundirse la interpretación con la calificación jurídica del contrato, ni tampoco con la prueba del mismo. La prueba de la existencia del contrato, en el caso de que fuere necesaria, es siempre previa a la interpretación[3] y se rige por reglas distintas: una cosa es interpretar un hecho para integrarlo en el supuesto de hecho de una norma y otra diferente la interpretación, *quaestio iuris*, del acto o contrato resultante[4]. Como indica ESPÍN, es posible que no se dude sobre la existencia del contrato y, en cambio, exista duda sobre su interpretación. Y la interpretación precede a la calificación o determinación de la naturaleza jurídica del contrato, que permite conocer qué normas o reglas le serán aplicables.

---

1. Cfr. SSTS de 9 de mayo y 19 de diciembre de 1986 (RJ 1986, 2671 y 7750) y 24 de septiembre de 2003 (RJ 2003, 7000).
2. RJ 1984, 694.
3. Cfr. SSTS de 6 de diciembre de 1983 (RJ 1983, 6921) y 29 de marzo de 1984 (RJ 1984, 1470).
4. Cfr. STS de 6 de diciembre de 1983 (RJ 1983, 6921).

Por eso la jurisprudencia ha establecido que «los contratos son lo que son y no lo que digan las partes contratantes, indicando con ello que tienen una realidad y consiguiente alcance jurídico tal como existen de hecho, al margen de las calificaciones que los intervinientes les hayan atribuido o quieran atribuirles después»[5]; o, como dice la STS de 25 de abril de 1985, «los Jueces y Tribunales de instancia tienen potestad para calificar los actos y contratos que se someten a su consideración, sin vinculación a las definiciones jurídicas de las partes, siempre, claro está, que se respete la causa de pedir y que su calificación no incida en flagrante error jurídico o conclusión absurda o irrazonable»[6]. Es más, ni siquiera la fe pública (notarial o mercantil) puede amparar la verdadera calificación que haya de corresponder al contrato celebrado entre las partes en el respectivo documento público[7]. Por ello, puede afirmarse que los derechos de los contratantes no derivan de la calificación jurídica que se dé al contrato adscribiéndolo a un determinado tipo contractual, sino de su propio contenido, es decir, de lo que las partes pactaron contrayendo obligaciones que deben ser cumplidas siempre que no sean contrarias a las leyes, a la moral ni al orden público. Es ésta una doctrina común a la esfera de los Derechos civil, mercantil, laboral y administrativo[8].

La STS de 29 de abril de 1953 separa los conceptos de interpretación y calificación, y dice que «los términos *interpretación* y *calificación*, referidos a un documento de índole contractual, representan el ejercicio de funciones que tienden, respectivamente, a determinar la primera cuáles fueran las obligaciones queridas contraer con sus manifestaciones de voluntad por los contratantes, y la segunda la naturaleza y clase de contrato, conforme a su contenido obligacional»[9]. Sin embargo, a veces, interpretación y calificación se interrelacionan y no resulta fácil aislar y separar de manera radical ambas funciones. En este sentido, como ha dicho la STS de 24 de octubre de 1963, «la determinación de la naturaleza jurídica de un contrato (calificación) implica la interpretación integral del mismo; aparte de que la propia naturaleza y finalidad u objeto del negocio es o puede ser un elemento que ayude a resolver las dudas en la interpretación de los términos o expresiones utilizados en aquél, como se deduce del artículo 1286 del CC, cuando dispone que las palabras que puedan tener distintas acepciones serán en tendidas en aquella que sea más conforme a la naturaleza y objeto del contrato»[10].

Aunque también suele confundirse, tampoco tiene que ver la interpretación con la integración del contrato. La integración consiste en completar las lagunas del contrato, lo no previsto por las partes, mediante las normas dispositivas y de acuerdo con lo dispuesto en la norma integradora contenida en el artículo 1258 del CC, a cuyo tenor «los contratos (...) obligan no sólo al cumplimiento de lo expresamente

---

5. Cfr. STS de 31 de mayo de 1966 (RJ 1966, 3820), 20 de junio de 1977 (RJ 1977, 6921), 30 de septiembre de 1985 (RJ 1985, 4482), 7 de noviembre de 1995 (RJ 1995, 8357) y 18 de diciembre de 2006 (RJ 2006, 9169), entre otras.
6. RJ 1985, 1811. Cfr. también SSTS de 22 de diciembre de 1995 (RJ 1995, 9206) y 18 de diciembre de 2006 (RJ 2006, 9169).
7. Cfr. STS de 10 de mayo de 1995 (RJ 1995, 4225).
8. Cfr. STS de 18 diciembre de 1982, Social (RJ 1982, 7845).
9. RJ 1953, 1624. Cfr. SSTS de 18 de febrero de 1997 (RJ 1997, 1004) y 26 de abril de 2005 (RJ 2005, 3768).
10. RJ 1963, 4196.

pactado, sino también a todas las consecuencias que, según su naturaleza, sean conformes a la buena fe, al uso y a la ley». Por todo ello, debe quedar claro que la extensión o restricción de los efectos del contrato no es una cuestión de interpretación, sino de eficacia contractual.

II. MÉTODO INTERPRETATIVO

Se discute por la doctrina cuál es el método o criterio con el que ha de actuar el intérprete, y, por consiguiente, sobre el verdadero alcance de la interpretación.

Para resolver esta cuestión se formulan, con matizaciones, dos tipos de interpretación. La tendencia *subjetiva* o voluntarista, según la cual la misión del intérprete consiste en indagar la voluntad interna o intención de las partes, la voluntad real. A esta teoría se le achaca la dificultad en que se encuentra el intérprete para investigar la voluntad común, ya que la intención de cada uno de los contratantes es distinta y contraria, además de desconocer la realidad social del acuerdo. Por ello surge la teoría *objetiva* o declaracionista, que prescinde de las intenciones y no pretende investigar cuál fue la voluntad real de las partes, sino que para buscar el sentido de las declaraciones acude al significado que éstas tengan de acuerdo con los usos y la equidad, es decir, al modo como son entendidas por la generalidad de las gentes en el comercio jurídico. A esta concepción objetiva se le reprocha enjuiciar por lo externo del contrato, con el peligro de sacrificar la verdadera intención de los contratantes.

Ahora bien, ante esta dualidad de criterios, ¿qué camino seguir?, ¿cuál de estos dos sentidos debe atribuirse a la declaración contractual? La doctrina predominante (DE CASTRO, JORDANO BAREA, entre otros) opta por una *tercera vía* (ecléctica), por entender que la interpretación del contrato debe regirse no sólo por el principio de la voluntad, sino también por los de la autorresponsabilidad del declarante y de la confianza del destinatario de la declaración, principios ambos derivados de la buena fe en sentido objetivo. Es decir, la interpretación del contrato debe tener en cuenta la común intención de las partes objetivada en el acuerdo.

Es significativa, en este sentido, la STS de 23 de mayo de 1935, según la cual «en el Código civil patrio puede admitirse, como regla general, la de que es preferente la voluntad real a la voluntad declarada, pues así se infiere no sólo de las tradiciones constantes de nuestro Derecho, sino además de las normas contenidas en los artículos 1265 y 673, relativos a la nulidad de los contratos y de los testamentos por vicios del consentimiento, y aun de la que establecen los artículos 1281 y 675 a propósito de la interpretación de esos respectivos actos jurídicos, siquiera haya de ser atenuado el rigor de ese principio con una serie de restricciones, que implican parciales desviaciones hacia la teoría llamada de la declaración y entre las cuales, de conformidad con la opinión científica más generalizada, figuran como fundamentales las siguientes: 1.ª Que la divergencia ha de ser probada por quien la afirme, ya que si no se prueba el Derecho considerará la voluntad declarada como coincidente con la voluntad real. 2.ª Que cuando la disconformidad sea imputable al declarante por ser maliciosa o por haber podido ser evitada con el empleo de una mayor diligencia, existiendo a la vez buena fe en la otra parte, se ha de atribuir pleno efecto a la declaración, en virtud de los principios de responsabilidad y protección de la «bona fides» y de la seguridad del comercio jurídico, que se oponen a que pueda ser tutelada la intención real cuando es viciosa, ya que puede ser alegada la ineficacia del negocio por la parte misma que es culpable de haberla producido»[11].

III. NORMAS DE INTERPRETACIÓN: SU CARÁCTER Y CONSECUENCIAS

¿Deben los Códigos formular reglas de interpretación de los contratos? Existen diversos criterios legales al respecto. Mientras que hay Códigos que no establecen reglas de interpretación de los contratos, como, por ejemplo, el Código suizo de las obligaciones, dejando esta materia en manos de la doctrina y del buen criterio judicial, otros, aunque siguen este criterio, formulan algún principio general. Éste es el caso del Derecho alemán, en que el § 157 del BGB dispone que «los contratos han de interpretarse como exige la buena fe y la intención de las partes, determinadas según los usos del tráfico». Nuestro Código civil, en cambio, influido por su modelo francés, consigna una serie de reglas en sus artículos 1281 a 1289, que son aplicables a todos los actos jurídicos.

Las reglas contenidas en el Código civil no tienen carácter admonitivo u orientador, sin contenido jurídico positivo, como afirmó una doctrina ya superada, sino que son verdaderas normas jurídicas y, como tales, vinculantes para el intérprete[12]. Por eso, una reiterada jurisprudencia declara que el proceso interpretativo es complejo, sin otros límites que las pautas legales y aquéllas que derivan de los principios generales del Derecho, por lo que, finalmente, lo que es relevante es si este proceso, reservado a la potestad de los tribunales de instancia, es un proceso lógico y no atentatorio a la ley[13]; reconociendo, por tanto, la posibilidad de casar la sentencia que infrinja los cánones interpretativos contenidos en los artículos 1281 a 1289 del CC[14]. Sin embargo, en la práctica suele prevalecer la exégesis interpretativa realizada por el juzgador de instancia, ya que ésta interpretación ha de ser mantenida en casación salvo que devenga ilógica, absurda, desorbitada o arbitraria[15], y el Tribunal Supremo casi nunca estima que esto ocurra.

De hecho, como dice la STS de 1 de febrero de 2010, «la interpretación del contrato corresponde a los Tribunales de instancia, no a esta Sala de casación, que se ha de limitar a realizar un control de legalidad»[16]. En el mismo sentido, la STS de 19 de diciembre de 2013 afirma que el hecho de que las preceptos del Código civil y del Código de comercio relativos a la interpretación contengan verdaderas normas jurídicas de las que deba hacer uso el intérprete, «es la razón por la que la infracción de las mismas abre el acceso a la casación por la vía que permite el artículo 477.1 de la LECiv, de modo que el control de la interpretación es, en este extraordinario recurso, sólo de legalidad (SSTS de 18 de octubre de 2010, 7 y 13 de marzo de 2012, 7 de marzo de 2013 y 12 de junio de 2013). De tal forma

---

11. RJ 1935, 1124. Cfr. SSTS de 27 de octubre de 1951 (RJ 1951, 2354), 13 de mayo de 1952 (RJ 1952, 1502) y 1 de diciembre de 1959 (RJ 1959, 4776).
12. Cfr. STS de 19 de diciembre de 2013 (RJ 2013, 7888).
13. Cfr. STS de 8 de julio de 1988 (RJ 1988, 5586).
14. Cfr. STS de 17 de junio de 1986 (RJ 1986, 3570), entre otras muchas.
15. Cfr. SSTS de 26 de febrero de 1973 (RJ 1973, 540), 17 de junio de 1986 (RJ 1986, 3570), 7 de julio de 1988 (RJ 1988, 5580), 18 de junio y 17 de noviembre de 2004 (RJ 2004, 3631 y 7239), 4 de mayo, 19 de febrero y 8 de octubre de 2007 (RJ 2007, 2820, 2793 y 6470), 12 de junio de 2009 (RJ 2009, 3388) y 8 de febrero de 2010 (RJ 2010, 395).
16. RJ 2010, 419.

que la interpretación de los contratos corresponde al tribunal de instancia y no puede ser revisada en casación en tanto no se haya producido una vulneración de la normativa que debe ser tenida en cuenta en la interpretación de los contratos; y que quede fuera del ámbito del recurso toda interpretación que resulte respetuosa con los imperativos que disciplinan la labor del intérprete, aunque no sea la única admisible (STS de 12 de junio de 2013)»[17].

También es doctrina jurisprudencial que no cabe alegar como motivo de casación la infracción heterogénea de preceptos, sino que debe indicarse cuál ha sido concretamente infringido, es decir, no cabe alegar varias infracciones que contemplan elementos distintos de la interpretación[18].

En palabras de la STS de 14 de mayo de 2014, la interpretación de los contratos realizada por los tribunales de instancia ha de prevalecer y no puede ser revisada en casación «salvo cuando sea contraria a alguna de las normas legales que regula la interpretación de los contratos o se demuestre su carácter manifiestamente ilógico, irracional o arbitrario. Incluso en el supuesto de que el motivo del recurso se base en la infracción de las normas que regulan la interpretación de los contratos, también ha declarado esta sala que no se pueden considerar infringidas dichas normas legales cuando, lejos de combatirse una labor interpretativa abiertamente contraria a lo dispuesto en ellas o al derecho a la tutela judicial, el recurrente se limita a justificar el desacierto de la apreciación realizada por el tribunal de instancia, con exclusivo propósito de sustituir una hipotética interpretación dudosa por sus propias conclusiones al respecto. En consecuencia, el único objeto de discusión a través del recurso de casación sobre la interpretación contractual, no se refiere a lo oportuno o conveniente, sino la ilegalidad, arbitrariedad o contradicción del raciocinio lógico. Por ello salvo en estos casos, prevalecerá el criterio del tribunal de instancia aunque la interpretación contenida en la sentencia no sea la única posible, o pudiera caber alguna duda razonable acerca de su acierto o sobre su absoluta exactitud»[19].

Por otra parte, si se quiere efectuar un juicio crítico acerca del criterio adoptado por nuestro Código civil, procede traer a colación la opinión de CANO MATA. Según este autor, tan absurdo e inadmisible es el arbitrio judicial sin fronteras como el rígido legalismo que algunos han propugnado y defienden en la actualidad; pues los preceptos del Código civil combinan armónicamente ambas tendencias a través de unos artículos lo suficientemente amplios y prudentes como para permitir una limitada discrecionalidad judicial, pero dentro de unos principios vinculantes para el intérprete, siendo de criticar sólo la poca amplitud concedida al arbitrio judicial.

IV. EXAMEN DE LAS REGLAS DEL CÓDIGO CIVIL

Las normas del Código civil sobre interpretación de los contratos, siguiendo a DE CASTRO, pueden clasificarse del modo siguiente:

_a)_ Las que reflejan la llamada _interpretación subjetiva,_ en las que destaca la concepción espiritualista del negocio, como es el caso de los artículos 1281-1283 del CC.

---

17. RJ 2013 7888.
18. Cfr. STS de 27 de junio de 2002 (RJ 2002, 5503) y las que cita.
19. RJ 2014, 2732.

b) Las que responden a la denominada *interpretación objetiva,* y que son reglas de buen sentido y prudencia, aunque también imperativas y vinculantes para el intérprete, como ocurre con las contenidas en los artículos 1284-1289 del CC.

> Hay autores que rechazan esta clasificación. Por ejemplo, JORDANO BAREA considera que el artículo 1284 se encuentra al margen de la misma y que el artículo 1285 es una norma de interpretación subjetiva; mientras que VATTIER FUENZALIDA opina que los artículos 1283-1285 contienen normas de interpretación objetiva, y que los artículos 1286-1289 son de interpretación integradora.

1. Interpretación subjetiva

Según el artículo 1281, párrafo 1.º, del CC «si los términos de un contrato son claros y no dejan duda sobre la intención de los contratantes se estará al sentido literal de sus cláusulas». Conforme a esta regla, el intérprete ha de indagar la verdadera voluntad de los contratantes, pues el sentido claro, preciso y no dudoso de los términos utilizados sirve para establecer la intención de las partes. Por esta razón, la STS de 17 de junio de 1970 advierte que «los contratos se ejecutarán y cumplirán según los términos en que fueron hechos o redactados, sin tergiversar con interpretaciones arbitrarias el sentido propio y usual de las palabras dichas o escritas, lo que equivale a imponer la primacía del texto contractual, cuando el mismo se basta para regular la relación jurídica contemplada»[20]. Porque es doctrina jurisprudencial que «las normas o reglas interpretativas contenidas en los artículos 1281 a 1289 del CC constituyen un conjunto o cuerpo subordinado y complementario entre sí, de las cuales tiene rango preferencial y prioritario la correspondiente al primer párrafo del artículo 1281 del CC; de tal manera que, si la claridad de los términos de un contrato no dejan duda sobre la intención de las partes, no cabe la posibilidad de que entren en juego las restantes reglas contenidas en los artículos siguientes, que vienen a funcionar con el carácter de subsidiarias respecto de la que preconiza la interpretación literal»[21].

En relación con esta norma, la jurisprudencia ha utilizado el falso axioma *in claris non fit interpretatio,* declarando que «en lo que aparece claro en su sentido, intención y expresión es innecesaria la interpretación»[22]. Sin embargo, con mejor criterio, en otros fallos dice que «si bien la primera regla interpretativa que fija el artículo 1281 es la del sentido gramatical de las cláusulas contractuales, ello no excluye la interpretación, sino que la presupone; pues el afirmar que una cláusula es clara implica una valoración de las palabras y de la congruencia que guardan con la voluntad»[23]. Y, según la STS de 15 de noviembre de 1980, «para que procediera de modo automático o al menos con escasísimas dudas la aplicación del artículo 1281 del CC, sería preciso que tanto la expresión escrita de las cláusulas contractuales como los actos de realización o cumplimiento del programa contractual fueran absolutamente inequívocos, llanos y sin ninguna contradicción entre unos y otros, es decir, no susceptibles de

---

20. RJ 1970, 3117. Cfr. STS de 20 de diciembre de 1988 (RJ 1988, 9739).
21. Cfr. SSTS de 20 de febrero de 1999 (RJ 1999, 1347), 11 de julio de 2000 (RJ 2000, 6015), 30 de septiembre de 2003 (RJ 2003, 6849) y las que citan.
22. Cfr. SSTS de 19 de enero de 1925 (JC 1925, I-36) y 30 de marzo de 1953 (RJ 1953, 916), entre otras.
23. Cfr. SSTS de 26 de noviembre de 1962 (RJ 1962, 4684), 24 de junio de 1964 (RJ 1964, 3684) y 1 de marzo de 1971 (RJ 1971, 1197).

provocar dudas, reservas de significado o, como ahora se dice, no admitir la posibilidad de diversas lecturas, con distintas posibilidades de realización práctica»[24]. Por consiguiente, el tenor literal de un contrato debe imperar en tanto en cuanto se deba presumir que expresa la verdadera intención de los contratantes.

Asimismo, la legislación mercantil otorga preferencia a la interpretación literal, pues el artículo 57 del CCom especifica que los contratos de comercio se interpretarán «según los términos en que fueren hechos y redactados, sin tergiversar con interpretaciones arbitrarias el sentido recto, propio y usual de las palabras dichas o escritas».

Pero, «si las palabras parecieran contrarias a la intención evidente de los contratantes, prevalecerá ésta sobre aquéllas», en palabras del artículo 1281, párrafo 2.º, del CC. En este caso, se establece la superioridad del elemento intencional sobre las palabras. Ahora bien, este precepto se refiere a la «intención evidente de los contratantes» en plural, «porque en la interpretación de todo negocio jurídico lo que importa y ha de esclarecerse no es lo que quiso una de las partes (pues ello equivaldría a dejar al arbitrio de uno de los contratantes la validez y el cumplimiento del contrato, lo que prohíbe el artículo 1256 del CC), sino lo que quisieron y declararon las dos, o sea, que el fin de la averiguación que las reglas interpretativas se proponen es determinar la intención común o voluntad contractual»[25]. En este caso, dice la STS de 12 de junio de 2009, se trata del criterio subjetivo de la intención de los contratantes, «el cual ha de prevalecer sobre el sentido literal o gramatical de las palabras expresadas tan sólo cuando los términos empelados no sean claros y parezcan contrarios a aquélla»[26].

Dando prevalencia al elemento intencional, el artículo 1278 de la PMDOC determina que «los contratos se interpretarán según la intención común de las partes la cual prevalecerá sobre el sentido literal de las palabras. Si uno de los contratantes hubiere entendido el contrato o alguna de sus partes en un determinado sentido que el otro, en el momento de su conclusión, no podía ignorar, el contrato se entenderá en el sentido que le dio aquél. Cuando el contrato no puede interpretarse de acuerdo con lo que disponen los párrafos anteriores, se le dará el sentido objetivo que personas de similar condición que los contratantes le hubieran dado en las mismas circunstancias». También se sigue este criterio, como no podía ser de otra manera, en el ámbito mercantil, pues el artículo 414-1 de la PCM dice que «el contrato mercantil debe interpretarse conforme a la intención común de las partes. Para determinar esta intención común se tendrán en cuenta todas las circunstancias y, en particular, los términos del contrato, las negociaciones previas, las prácticas entre los contratantes, la conducta de éstos después de celebrado el contrato, la naturaleza y finalidad del mismo y los usos y el sentido comúnmente dado a los términos y expresiones en el respectivo sector de actividad económica».

De igual modo, el artículo II.-8:101(1) del DCFR señala que «los contratos se interpretarán de conformidad con la intención común de las partes, incluso cuando ésta no coincida con el significado literal de las palabras utilizadas». Esta búsqueda de la intención común está en consonancia con los criterios establecidos en la mayoría de los ordenamientos europeos, lo cual, en palabras del comentario

24. RJ 1980, 4138. Cfr. STS de 17 de junio de 1985 (RJ 1985, 3277).
25. Cfr. STS de 11 de mayo de 1954 (RJ 1954, 1985).
26. RJ 2009, 3388.

oficial, «es algo normal habida cuenta que un contrato es, a fin de cuentas, algo creado por las partes, por lo que el intérprete deberá respetar sus intenciones, tanto implícitas como explícitas, incluso cuando se expresen de forma ambigua o poco clara». Como una consecuencia del principio según el cual la intención de las partes debe prevalecer sobre lo estipulado en el contrato, el apartado 2 del mismo artículo II.-8:101 especifica que «si una parte quiso dar un sentido determinado al contrato o a una cláusula o término del mismo y en el momento de la celebración del acuerdo la otra parte conocía o es razonable suponer que conocía esta intención, el contrato deberá interpretarse en el sentido dado por la primera». Cuando no resulte posible determinar la intención común de las partes y no corresponda aplicar el apartado (2), se tendrá en cuenta en cuenta lo dispuesto por el artículo II.-8:101(3) del DCFR, a cuyo tenor, «el contrato se interpretará de la forma que normalmente lo haría una persona razonable: (a) si no se puede determinar la intención de las partes de acuerdo con lo dispuesto en los dos apartados anteriores: o (b) si la cuestión surge respecto a una persona que no es parte del contrato o que por ley no tiene mejor derecho que si lo fuera, y que razonablemente de buena fe confió en el significado aparente del contrato». En este último supuesto se trata de utilizar un método objetivo en la tarea de interpretar el contrato, pues, como dice el comentario oficial, «obviamente, una persona razonable tendría en cuenta las circunstancias objetivas en las que se celebró el contrato y la condición de las partes que lo suscribieron». Por otra parte, «el ámbito de aplicación de esta disposición es muy general, ya que en la práctica resulta bastante frecuente que las partes no tengan una intención común acerca de las expresiones empleadas en el contrato Sin embrago, hay que tener en cuenta que la interpretación objetiva no permite a un juez anular un contrato en contra de la intención común de las partes».

Y, para descubrir esa intención común de los contratantes, el artículo 1282 del CC dice que «deberá atenderse principalmente a los actos de éstos, coetáneos y posteriores al contrato»; sin que quepa excluir los «actos anteriores», como lo demuestra el adverbio «principalmente» que dicho precepto emplea[27]. Precisamente, como indica CLEMENTE DE DIEGO, en los actos preparatorios del contrato puede encontrarse el mejor indicio de la voluntad de los interesados, tanto más desapasionado e imparcial cuanto que no estará influido por el prejuicio de preparar una determinada interpretación del contrato, como puede suceder en los coetáneos y posteriores.

En este sentido, es doctrina jurisprudencial que el artículo 1282 del CC «no excluye los actos anteriores ni las demás circunstancias que puedan contribuir a la acertada investigación de la voluntad de los otorgantes; siendo indudable que entre estos elementos podrá tener relevancia la conexión que el acto o negocio guarde con otros que le hayan servido de antecedente o base legal, siempre que la parte contra la cual se esgrima esta norma interpretativa haya tenido o deba tener oportuno conocimiento de ellos»[28]. Pero, como dice la STS de 11 de octubre de 1984, si bien la norma de interpretación contenida en el artículo 1282 del CC no excluye tomar en consideración los actos anteriores de las partes, tampoco impone su prevalencia sobre la conducta coetánea y posterior ni, mucho menos, sobre los textos convenidos en los que el laudo se apoya. Por ello, en cualquier caso, los actos de los

---

27. Cfr. SSTS de 9 de diciembre de 1944 (RJ 1944, 1280), 28 de abril de 1964 (RJ 1964, 2147), 21 de febrero de 1986 (RJ 1986, 839) y 8 de marzo de 1995 (RJ 1995, 2154).
28. Cfr. SSTS de 20 de febrero de 1940 (RJ 1940, 101), 14 de enero de 1964 (RJ 1964, 155), 21 de febrero de 1974 (RJ 1974, 924) y 28 de septiembre de 1995 (RJ 1995, 6454).

contratantes que han de servir para averiguar la voluntad verdadera han de ser clara e inequívocamente acreditativos de ser ésta otra distinta de la declarada[29]. Como este precepto es complementario del anterior, en el cual se prevé únicamente un contrato escrito, la jurisprudencia, atendiendo a su tenor literal, ha declarado que los artículos 1281 y 1282 del CC no son aplicables a los contratos verbales, al no existir un texto escrito[30]. Sin embargo, a nuestro juicio, nada impide que para interpretar un contrato verbal se atienda a la conducta de las partes anterior, coetánea o posterior a la celebración del contrato.

También complemento y consecuencia de los artículos 1281 y 1282 del CC, y sobre todo de lo dispuesto en el primero de ellos, es la regla contenida en el artículo 1283 del CC, que ordena investigar los propósitos negociales, recalcando que «cualquiera que sea la generalidad de los términos de un contrato, no deberán entenderse comprendidos en él cosas distintas y casos diferentes de aquellos sobre que los interesados sé propusieron contratar». La inteligencia de la palabra _cosas,_ como equivalente del objeto contractual, no suscita dudas; pero no ocurre lo mismo con el concepto de los _casos,_ que equivalen, según especifica MANRESA, «a los supuestos u ocasiones en que hayan de producirse las consecuencias convenidas en el contrato, los efectos de éste». Y no cabe entender que la enumeración de los casos deba tener por fuerza carácter limitativo, pues pudo hacerse con propósito explicativo, desde el momento que, como dice LÓPEZ Y LÓPEZ, el único criterio aceptable es estar a la voluntad efectiva de los interesados.

A pesar del carácter subjetivo que tiene la regla contenida en el artículo 1283 del CC, la jurisprudencia, como advierte dicho autor, utiliza en su aplicación criterios interpretativos auxiliares de carácter objetivo. Así, por ejemplo, cuando interpreta con respecto a fórmulas negociales concebidas con amplitud el alcance de una renuncia, declara que ésta ha de ser necesariamente expresa[31]; o cuando dice que «el concepto de gastos de inscripción no comprende el pago del arbitrio de plusvalía, pues su pago no constituye presupuesto ni requisito para el acceso registral»[32].

El artículo 1283 del CC prohíbe la aplicación analógica del contrato a supuestos que no han sido tenidos en cuenta por las partes. No, en cambio, la interpretación extensiva; es decir, es posible que la interpretación revele que las simples palabras utilizadas por los contratantes expresan menos de lo que ellos realmente deseaban alcanzar.

Según el artículo 1279 de la PMDOC, «para interpretar el contrato se tendrán en cuenta: 1. Las circunstancias concurrentes en el momento de su conclusión, así como los actos de los contratantes, anteriores, coetáneos o posteriores. 2. La naturaleza y el objeto del contrato. 3. La interpretación que las partes hubieran ya dado a cláusulas análogas y las prácticas establecidas entre ellas. 4. Los usos de los negocios. 5. Las exigencias de la buena fe».

El artículo II.-8:102(1) del DFCR señala que «en la interpretación del contrato se atenderá en especial a lo siguiente: (a) las circunstancias en las que el acuerdo

---

29. RJ 1984, 4773.
30. Cfr. SSTS de 20 de enero de 1964 (RJ 1964, 355), 17 de junio de 1981 y 8 de noviembre de 1983 (RJ 1983, 6068).
31. Cfr. STS de 15 de abril de 1959 (RJ 1959, 1954).
32. Cfr. STS de 14 de abril de 1973 (RJ 1973, 1787).

se celebró, incluidas las negociaciones preliminares; (b) la conducta de las partes, incluida la subsiguiente a la celebración del contrato; (c) la interpretación que las partes han dado a otras cláusulas o términos idénticos o similares a los del contrato y a las prácticas establecidas entre ellas; (d) el sentido que habitualmente se confiere a dichas cláusulas y expresiones en el sector y a la interpretación que se les haya podido dar previamente; (e) la naturaleza y objeto del contrato; (f) los usos; y (g) la buena fe contractual». De esta manera, se ofrece al intérprete una enumeración no exhaustiva de las cuestiones que pueden resultar relevantes a la hora de determinar la intención común de las partes o el significado razonable del acuerdo. Por el contra, el artículo II.-8:102(2) dice que «si una persona no es parte del contrato, o por ley no tiene mejor derecho que si lo fuera (por ejemplo, un cesionario), y ha confiado razonablemente y de buena fe en el significado aparente de contrato, deberán tenerse en cuenta las circunstancias mencionadas en los subapartados (a), (b) y (c) anteriores, si bien únicamente en la medida en que esta persona conocía o era razonable esperar que conociese tales circunstancias». Cuando existan terceros y se opte por una interpretación objetiva, el comentario oficial recalca que «no sería razonable apelar a circunstancias como la negociación o la conducta posterior de las partes, a menos que el tercero las conociese o fuera razonable suponer que las conocía».

En los *contratos internacionales* también aparece reconocido el criterio subjetivo de interpretación, como pone de manifiesto el artículo 8.1 de la CISG, según el cual, «a los efectos de la presente Convención, las declaraciones y otros actos de una parte deberán interpretarse conforme a su intención cuando la otra parte haya conocido o no haya podido ignorar cuál era esa intención». De su tenor literal se desprende que todos los actos relativos a la preparación, celebración o ejecución del contrato constituyen el objeto de las normas de interpretación en materia de compraventa internacional. Así, el apartado 3 del mismo artículo declara que «para determinar la intención de una parte o el sentido que habría dado una persona razonable deberán tenerse debidamente en cuenta todas las circunstancias pertinentes del caso, en particular las negociaciones, cualesquiera prácticas que las partes hubieran establecido entre ellas, los usos y el comportamiento ulterior de las partes». Se trata de una lista, no exhaustiva, de circunstancias que pueden tenerse en cuenta para la interpretación, de marcado carácter subjetivo, excepto por lo que hace referencia a los usos, los cuales se mencionan en el artículo 9 de la CISG.

Si el párrafo precedente no fuera aplicable, el artículo 8.2 de la CISG señala que «las declaraciones y otros actos de una parte deberán interpretarse conforme al sentido que les habría dado en igual situación una persona razonable de la misma condición que la otra parte». Se trata, en este caso, de una norma de interpretación objetiva consistente en el denominado estándar «de la razonabilidad», bien conocido en el ámbito jurídico del Derecho angloamericano. Este criterio de interpretación no alude a una «persona razonable» en abstracto, sino, como dice su tenor literal, «de la misma condición que la otra parte»; lo que obliga a tener en cuenta su nivel cultural, formación, el conocimiento de anteriores pactos y negociaciones entre las partes, la información sobre los mercados y sus fluctuaciones o la comprensión de términos acuñados en diccionarios o textos legales comerciales.

Por su parte, el artículo 4.1(1) de los PCCI señala que «el contrato debe interpretarse conforme a la intención común de las partes». Si dicha intención no puede establecerse, el contrato se interpretará conforme al significado que le habrían dado en circunstancias similares personas razonables de la misma condición que las partes (art. 4.1(2) PCCI).

> Según el comentario oficial, «el criterio para determinar qué debe entenderse por "razonabilidad" no es general y abstracto, sino que se refiere al entendimiento que cabe esperar de una persona, por ejemplo, con los mismos conocimientos de idioma, experiencia técnica o en los negocios que la de las partes en el contrato».

> También el artículo 5:101(1), de los PECL dice que los contratos se interpretarán conforme a la intención común de las partes, añadiendo, «incluso cuando dicha interpretación no coincida con el tenor literal de las palabras utilizadas».

Por lo que se refiere a la interpretación de los actos unilaterales de cada una de las partes, también debe atenderse a su intención, «siempre que la otra la haya conocido o no la haya podido ignorar» (art. 4.2(1) PCCI)[33]. No obstante, si esto no fuera aplicable, tales declaraciones o conductas «deberán interpretarse conforme al sentido que les daría una persona sensata de la misma condición, colocada en las mismas circunstancias» (art. 4.2(2) PCCI)[34]. Para la aplicación de lo dispuesto por los artículo 4.1 y 4.2, el artículo 4.3 de los PCCI indica que deberán tomarse en consideración todas las circunstancias, incluso: _a)_ las negociaciones previas entre las partes; _b)_ las prácticas que ellas hayan establecido entre sí; _c)_ la conducta observada por las partes luego de celebrarse el contrato; _d)_ la naturaleza y finalidad del contrato; _e)_ el sentido comúnmente dado a los términos y expresiones en el respectivo ramo comercial, y _f)_ los usos[35].

2. Interpretación objetiva

Para el caso de que no se logre averiguar la común intención de las partes mediante la interpretación subjetiva, el Código establece otros criterios de indagación objetiva, que son los siguientes:

_a)_ Según el artículo 1284 del CC, «si alguna cláusula de los contratos admitiere diversos sentidos, deberá entenderse en el más adecuado para que produzca efecto». En esta regla se contiene un elemento lógico de interpretación, proclamándose el principio de la conservación del contrato, porque, como afirma GARCÍA GOYENA, debe presumirse que las partes se propusieron hacer una cosa efectiva, no ilusoria o impracticable. Por ello se excluyen aquellas interpretaciones que hagan las cláusulas baldías, inútiles o ilusorias[36], pues, como señala la STS de 10 de marzo de 1920, la interpretación de todo contrato debe conducir a evitar su ineficacia, porque racionalmente ha de presumiese en sus otorgantes el propósito de que tenga efectividad[37]. Pero, según advierte PUIG BRUTAU, «si la duda consistiere en tener que resolver entre que lo convenido tenga un efecto máximo o solamente un efecto mínimo, parece razonable que la duda quede resuelta a favor del efecto mínimo; es decir, no es razonable que la solución de una duda consista en sustituirla por un efecto máximo, pues

---

33. Cfr. artículo 5:101(2) de los PECL.
34. Cfr. artículo 5:101(3) de los PECL.
35. Cfr. artículo 5:102 de los PECL.
36. Cfr. SSTS de 18 de abril de 1941 (RJ 1941, 504) y 30 de mayo de 1991 (RJ 1991, 3947).
37. JC 1920, I-92. Cfr. STS de 15 de diciembre de 1987 (RJ 1987, 9507).

con ello existiría la posibilidad de que, si la interpretación fuese errónea, se produjese el máximo error».

No obstante, según señala MANRESA, hay que «evitar dos interpretaciones erróneas que pueden hacerse del texto legal. No significa éste que siempre haya de suponerse eficaz toda cláusula, pues cuando no tenga otra interpretación que su inutilidad, ineficaz será. La ley exige que haya duda, y la resuelve en favor de la eficacia; no ampara estipulaciones manifiestamente ociosas, imposibles o viciadas. En segundo lugar, debe tenerse muy en cuenta que el artículo 1284 no es aplicable a las dudas que se promuevan entre diferentes explicaciones de una cláusula, que conduzcan todas a atribuir efectos a éstas, si bien en grado diferente. Entonces ni por analogía puede invocarse este precepto para defender el acierto de la solución que produzca efecto más importante, y lejos de ser así, la interpretación extensiva vendría a ser opuesta al artículo 1283, sin poder legitimarse en éste»[38].

Si la ambigüedad es predicable del contrato en su conjunto, aunque la norma se refiera a «alguna cláusula», también será de aplicación el artículo 1284 del CC, pues, como dice LÓPEZ Y LÓPEZ, no se puede desconocer que «la interpretación del contrato debe venir presidida por lo que se ha llamado el canon de la totalidad, que, entre otras manifestaciones asume la muy concreta de legitimar la aplicación de las reglas legales de interpretación a la entera expresión del contrato».

> Según el artículo 1280.1, párrafo 2.º, de la PMDOC, «la interpretación de acuerdo con la cual las cláusulas de un contrato sean lícitas y produzcan efecto deberá preferirse a aquéllas que las haga ilícitas o las prive de efectividad».
>
> El artículo II.-8:106 señala que «toda interpretación favorable a la licitud o a la eficacia de las cláusulas del contrato será preferida frente a la interpretación contraria». Como dice el comentario oficial, «las partes se deberán considerar personas juiciosas cuya intención es que el contrato resulte plenamente eficaz (*magis ut res valeat quam pereat*). Por lo tanto, si una condición resulta ambigua y se pudiera interpretar de forma que resultará inválida o válida, deberá prevalecer esta última interpretación (*favor negotii*)».

A tenor del artículo 4.5 de los PCCI, «las cláusulas de un contrato se interpretarán en el sentido de que todas produzcan algún efecto, antes que privar de efectos a algunas de ellas». Este criterio obedece a la idea de que los contratantes son personas sensatas que introducen los términos en que aparece redactado el contrato con la finalidad de que este último tenga eficacia. En el mismo sentido, el artículo 5:106 de los PECL dispone que «toda interpretación favorable a la licitud o a la eficacia de los términos del contrato tendrá preferencia frente a las interpretaciones que se las nieguen».

b) El artículo 1285 del CC señala que «las cláusulas de los contratos deberán interpretarse las unas por las otras, atribuyendo a las dudosas el sentido que resulte del conjunto de todas». Con esta regla se ordena el análisis sistemático del contrato, por considerar que éste constituye un conjunto orgánico y no una mera suma de cláusulas[39]; ya que la intención, que es el espíritu del contrato, es indivisible, no pudiendo

---

38. Cfr. STS de 28 de noviembre de 1975 (RJ 1975, 4239).
39. Cfr. STS de 9 de octubre de 1981 (RJ 1981, 3592).

encontrarse en una cláusula aislada de las demás, sino en el todo orgánico que constituye[40].

El artículo 1280.1, párrafo 1.º, de la PMDOC contiene, prácticamente, el mismo tenor literal que el actual artículo 1285 del CC.

Del mismo modo, el artículo II.-8:105 del DCFR determina que «las cláusulas y los términos de un contrato deben interpretarse a la luz del contrato en su conjunto». Como dice su comentario oficial, «parece razonable dar por supuesto que las partes pretenden expresarse de forma coherente, por lo que es necesario interpretar el contrato en su conjunto y no aislar ni descontextualizar las cláusulas. Cabe presumir que la terminología será coherente y que, en principio, un mismo término o expresión no tendrá distintos significados dependiendo de la parte del contrato donde se halle. Este deberá interpretarse de forma que resulte coherente y las cláusulas no se contradigan entre sí».

En caso de discrepancia entre cláusulas generales y especiales, opina CANO MATA que debe darse valor preferente a estas últimas, por la preferencia de lo especial o particular sobre lo general, pues lo especial lo que hace es alterar o aclarar lo convenido en términos generales. No obstante, habrá de tenerse en cuenta que «el carácter *general* o *especial* de una cláusula no depende de la denominación que se la dé en el contrato, sino del propio contenido de ellas; y, en su virtud será cláusula *especial* la que contemple alguna circunstancia no prevista en las cláusulas generales o que, por razones especiales, reglamente de diverso modo algún aspecto de lo prevenido en la cláusula general, constituyendo una excepción limitada o de carácter parcial a lo estatuido en aquélla»[41].

En materia de condiciones generales, el artículo 6.1 de la LCGC dice que «cuando exista contradicción entre las condiciones generales y las condiciones particulares específicamente previstas para ese contrato, prevalecerán éstas sobre aquéllas, salvo que las condiciones generales resulten más beneficiosas para el adherente que las condiciones particulares».

El artículo II.-8:104 del DCFR señala que «las cláusulas negociadas individualmente por ambas partes tienen preferencia sobre las que no lo han sido». Según el comentario oficial, «si en un contrato no negociable por cualquier motivo (por tratarse de un contrato tipo o por otra razón) existe una cláusula que, de manera excepcional, ha sido negociada expresamente, parece razonable suponer que representará la intención común de las partes, salvo indicación en contra (…). La preferencia otorgada a las condiciones negociadas se aplica también a las modificaciones realizadas en los contratos impresos, independientemente de que estén escritas a mano, a máquina o selladas, etc. La presunción de que la modificación se ha negociado admite prueba en contra».

Este criterio también existe en los contratos internacionales, ya que el artículo 4.4 de los PCCI dice que «las cláusulas y expresiones se interpretarán en función del contrato en su conjunto o de la disposición en la cual se encuentren»[42].

---

40. Cfr. SSTS de 30 de noviembre de 1964 (RJ 1964, 5556) y 28 de julio de 1990 (RJ 1990, 6185).
41. Cfr. sentencias de 24 de octubre de 1963 (RJ 1963, 4196) y 19 de noviembre de 1965 (RJ 1965, 5164).
42. Cfr. artículo 5:105 de los PECL.

c) El artículo 1286 del CC señala que «las palabras que puedan tener distintas acepciones serán entendidas en aquella que sea más conforme a la naturaleza y objeto del contrato». Como dice MANRESA, en las reglas anteriores la duda se refería a la intención de los contratantes, y en este precepto se refiere a las palabras, ordenándose que para determinar la acepción o significado se atienda al más conforme a la naturaleza y objeto del contrato. La «naturaleza» significa aquí el tipo de contrato (por ejemplo, compraventa, mutuo, arrendamiento), y el «objeto del contrato» supone el propósito o fin perseguido por los contratantes.

La STS de 27 de octubre de 1903 declara que, cuando los vocablos empleados por las partes tienen una significación vulgar y otra jurídica, deben interpretarse por los Tribunales en sentido jurídico, a menos de resultar claramente que se usaron en otro sentido distinto[43]. Señala la STS de 22 de mayo de 1981 que tanto en el lenguaje coloquial del tráfico como en el técnico cuando es utilizado el vocablo «impuesto», sin más especificación, se hace en sentido lato, para abarcar también los «impuestos municipales» y entre ellos los arbitrios, como especie dentro del género[44].

La STS de 21 de diciembre de 1895 se refiere a la interpretación de la palabra «dar» en un contrato de arrendamiento de obras[45]; la de 4 de abril de 1899 a la de la preposiciones «por» y «para» en un supuesto de pensión[46]; la de 6 de abril de 1915 a la de la expresión «anticipo reintegrable»[47]; la de 14 de enero de 1928 a la de la palabra «hacia»[48]; la de 18 de marzo de 1929 a la de la palabra «marcos»[49]; la de 27 de febrero de 1942 a la de la palabra «ocasión» en un contrato de seguro[50]; la de 20 de diciembre de 1945 a la de la palabra «divergencias» en una cláusula contractual[51], etc.

El artículo 1281 de la PMDOC se refiere a la cuestión del contrato que ha sido redactado en varias lenguas, indicando que «cuando existan versiones de un contrato en diferentes lenguas y ninguna de ellas haya sido declarada preferente, en caso de discrepancia, se adoptará para la interpretación la versión original». En cambio, el artículo 414-2 de la PCM hace prevalecer inicialmente la versión pactada entre las partes, «y, en defecto de pacto o si e hubiere pactado que todas las versiones tengan el mismo valor, aquella en la cual el contrato hubiera sido redactado originariamente».

Siguiendo el mismo criterio, el artículo II.-8:107 del DCFR señala que «en caso de discrepancia entre las versiones de un contrato redactado en dos o más idiomas, y cuando ninguna de ellas revista el carácter de versión oficial, tendrá preferencia la interpretación más acorde con la versión en que se redactó originalmente el contrato». Como dice el comentario oficial, «en ocasiones, los contratos se redactan en más de un idioma, y pueden surgir divergencias entre las distintas versiones. Una de las soluciones que las partes pueden adoptar es dotar de carácter oficial a una de las versiones y hacer que prevalezca sobre las demás. En caso de que no exista

---

43. JC 1903, II-94.
44. RJ 1981, 2085.
45. JC 1895, II-123.
46. JC 1889, II-5.
47. JC 1915, II-7.
48. JC 1928, I-56.
49. JC 1929, II-93.
50. RJ 1942, 314.
51. RJ 1945, 1302.

ninguna previsión al respecto y no resulte posible solucionar las divergencias de otra forma (por ejemplo, corrigiendo los errores de traducción obvios de una de las versiones), el presente artículo ofrece una solución razonable al disponer que la versión original tendrá carácter de versión oficial, ya que parece más probable que recoja la intención común de las partes». Ahora bien, cuando el contrato especifique que todas las versiones tienen carácter oficial, «se respetará la voluntad de las partes y se recurrirá a las normas generales acerca de la interpretación. No basta con limitarse a hacer prevalecer una de las versiones, sino que deberá decidirse qué versión refleja mejor la intención común de las partes, y en caso de que esto no resultara posible, lo que entendería una persona razonable».

A tenor del artículo 4.7 de los PCCI «en caso de discrepancia entre varias versiones idiomáticas del mismo contrato, todas con la misma jerarquía, se preferirá la interpretación acorde con la versión en el idioma en el cual el contrato fue redactado originalmente»[52]. Tal y como se afirma en el comentario oficial de este precepto, los contratos internacionales suelen redactarse en dos o más versiones lingüísticas, que pueden diferir en puntos específicos, si bien a veces las partes indican de forma expresa cuál es la versión que debe prevalecer. No obstante, si todas las versiones poseen la misma autenticidad y jerarquía, entonces se aplicará la regla que contiene el artículo 4.7; salvo que las partes hayan celebrado el contrato mediante la utilización de instrumentos internacionales ampliamente conocidos, como los INCOTERMS o las *Prácticas y costumbres uniformes en créditos documentarios*. En este caso, si existieran discrepancias entre las diferentes versiones usadas por las partes, «es preferible referirse a aquella versión idiomática que resulte ser la más clara, aunque no sea una de las versiones utilizadas por las partes».

d) Según el artículo 1287 del CC, «el uso o la costumbre del país se tendrán en cuenta para interpretar las ambigüedades de los contratos, supliendo en éstos la omisión de cláusulas que de ordinario suelen establecerse. Esta norma se encuentra en estrecha relación con lo dispuesto en el artículo 1258 del CC, según el cual «los contratos (…) obligan no sólo al cumplimiento de lo expresamente pactado, sino también a todas las consecuencias que, según su naturaleza, sean conformes a la buena fe, al uso y a la ley».

Este uso puede tener una doble función: de interpretación de las ambigüedades del texto contractual, y de integración, colmando las lagunas o vacíos de la declaración negocial.

¿Cuál es *el país* a que se refiere el Código? o ¿o cuál es el *lugar* cuyo uso o costumbre se aplica? La doctrina más generalizada hace equivalente «país» y «lugar», pero no por ello se resuelve el problema; pues, ante la variedad de elementos que intervienen en el contrato, la dificultad reside en que pueden ser distintos el lugar de residencia de los contratantes, en el que se encuentra el objeto del contrato, el de celebración del mismo y el de su cumplimiento o ejecución. Para resolver la cuestión cabe acudir a la aplicación analógica de la norma de conflicto sobre obligaciones contractuales contenida en el artículo 10.5 del CC, si bien, como advierte LÓPEZ Y LÓPEZ, no ha lugar al criterio de la sumisión expresa y, por la especificidad del supuesto, tampoco a una costumbre local común (análoga a la «ley nacional común») a las partes. Por consiguiente, en primer lugar, la residencia habitual común, y, en su defecto, el lugar

---

52. Cfr. artículo 5:107 de los PECL.

de celebración del contrato; en los contratos relativos a bienes inmuebles, el uso o costumbre del lugar donde estén sitos y, en los referentes a bienes muebles corporales realizados en establecimientos mercantiles, el uso o costumbre del lugar en que éstos radiquen.

Aunque se utilice la expresión «el uso o la costumbre», estos usos interpretativos no son costumbre en el sentido expresado en el artículo 1.3 del CC.

e) El artículo 1288 del CC dice que «la interpretación de las cláusulas oscuras de un contrato no deberá favorecer a la parte que hubiese ocasionado la oscuridad». Esta es la regla de interpretación *contra proferentem* o *contra stipulatorem*[53], acogida como aplicación concreta del básico principio de la buena fe en la interpretación negocial, en virtud de la cual ambas partes se encuentran vinculadas por un deber de recíproca lealtad. Su aplicación requiere no sólo la redacción unilateral del contrato, sino principalmente oscuridad en la cláusula cuyo sentido se cuestiona[54], para cuya determinación puede ser decisivo ponderar las negociaciones o tratos previos. Pero conviene tener en cuenta que la redacción del contrato por una sola de las partes no presupone necesariamente desequilibrio contractual[55].

El artículo 1280.2 de la PMDOC tiene el mismo tenor literal que el actual artículo 1288 del CC.

Según el artículo II.-8:103(1) del DCFR, «cuando existan dudas acerca del significado de una cláusula no negociada individualmente, tendrá preferencia la interpretación contraria a los intereses de la parte que la ha propuesto». Como dice el comentario oficial, la norma no sólo se aplica al autor de las cláusulas, «sino también a cualquier persona que proporcione cláusulas ya redactadas, por ejemplo, cuando las cláusulas hayan sido elaboradas por un tercero, por ejemplo, por el colegio profesional al que pertenece la parte que las emplea» El apartado 2 del mismo artículo II.-8:103 señala que «en caso de duda sobre el significado de alguna cláusula incluida mediante la clara influencia de una de las partes, tendrá preferencia la interpretación contraria a los intereses de ésta». Este apartado es una ampliación de la norma a los casos en los que la aceptación de una cláusula, aunque se haya negociado expresamente, responde a la fuerte influencia de una de las partes. «En estos casos se preferirá también la interpretación contraria a los intereses de la parte dominante. Este principio es de aplicación no sólo en los contratos celebrados entre empresas y consumidores, sino también por ejemplo, a los relativos a las garantías personales, en los que el acreedor ha podido ejercer una fuerte influencia sobre el garante no profesional». En cualquier caso, las reglas contenidas en el artículo II.-8:103 del DCFR sólo serán de aplicación cuando el significado de una cláusula sea dudoso.

Como advierte LÓPEZ Y LOPEZ, no debe interpretarse el verbo «ocasionar» como sinónimo de «redactar», pues el mero hecho de redactar la cláusula o el contrato no

---

53. Dice la STS de 23 de enero de 2003 que «el artículo 1288 del CC no entra en juego cuando una cláusula contractual ha de ser interpretada, sino cuando, una vez utilizados los criterios legales hermenéuticos y, por supuesto y primordialmente, las reglas de la lógica, no es unívoco el resultado obtenido, sino que origina varios con análogo grado de credibilidad» (RJ 2003, 567). Cfr. también la STS de 27 de septiembre de 1996 (RJ 1996, 6644).
54. Cfr. SSTS de 13 de diciembre de 1986 (RJ 1986, 7439) y 24 de junio de 2002 (RJ 2002, 5263).
55. Cfr. STS de 26 de abril de 2004 (RJ 2004, 2714).

es decisivo si se hizo bajo la inspiración o los criterios del otro contratante. Y considera este autor que ocasionar la oscuridad hay que interpretarlo en el sentido de toda intervención que en relación de causa-efecto determine la oscuridad.

No es necesario que la oscuridad haya sido ocasionada intencionadamente, sino que basta la mera culpa o negligencia. Sin embargo, si hubiera intervenido dolo, procederá la anulación del contrato si éste es grave, y la indemnización de daños y perjuicios si fue meramente incidental (cfr. arts. 1269, 1270 y 1300 y ss. CC). Este criterio de interpretación es de aplicación siempre que las cláusulas han sido obra de una sola de las partes; por lo que, principalmente, opera respecto de los contratos de adhesión y de las condiciones generales de la contratación, supuestos en los que el contrato o las condiciones generales han sido redactadas unilateralmente por uno de los contratantes, habiéndose limitado el otro a adherirse[56].

En materia de condiciones generales, la regla *contra proferentem* aparece recogida en el artículo 6.2 de la LCGC, que indica que «las dudas en la interpretación de las condiciones generales oscuras se resolverán a favor del adherente».

> La regla se aplica al caso en que ambas partes utilicen formularios de condiciones generales, pero no cuando las dos partes proponen y acuerdan la utilización de un mismo formulario, a veces redactado por un tercero (cámara de comercio, asociación de empresarios de un determinado sector, etc.). En este caso, la oscuridad es imputable a ambos contratantes.

Asimismo, respecto de las cláusulas no negociadas individualmente, el artículo 80.2 del TRLGDCU señala que «cuando se ejerciten acciones individuales, en caso de duda sobre el sentido de una cláusula prevalecerá la interpretación más favorable al consumidor».

También en los *contratos internacionales* se aplica esta regla, pues, según el artículo 4.6 de los PCCI, «si las cláusulas de un contrato dictadas por una de las partes no son claras, se preferirá la interpretación que perjudique a dicha parte»[57]. Al margen de que lo dispuesto por este artículo tenga en cuenta las circunstancias del caso concreto, el comentario oficial afirma, con razón, que «cuanto menos las cláusulas del contrato en cuestión hayan sido materia de negociación entre las partes, mayor la justificación para interpretarlas en contra de la parte que las incluyó en el contrato».

En opinión de JORDANO BAREA, «no hay que descartar que, cuando la redacción oscura haya sido hecha con propósito doloso (no con mera culpa o negligencia), las normas sobre el dolo (arts. 1269 y 1.300 y ss. CC) se superpongan al artículo 1288 del CC, pudiendo provocar entonces la anulación del contrato si el dolo es grave (art. 1270, párr. 1.º, CC) y la indemnización de daños y perjuicios si es meramente incidental (art. 1270, párr. 2.º, CC)». Si bien reconoce que «en la mayoría de las ocasiones el criterio del artículo 1288 del CC bastará para solucionar el conflicto de intereses».

f) Según el artículo 1289, párrafo 1.º, del CC, «cuando absolutamente fuere imposible resolver las dudas por las reglas establecidas en los artículos precedentes, si aquéllas recaen sobre circunstancias accidentales del contrato, y éste fuere

---

56. Cfr. SSTS de 13 de diciembre de 1934 (RJ 1934, 2180), 4 de mayo de 1961 (RJ 1961, 1858) y 13 de abril de 1984 (RJ 1984, 1961).
57. Cfr. artículo 5:103 de los PECL.

gratuito, se resolverán en favor de la menor transmisión de derechos e intereses. Si el contrato fuere oneroso, la duda se resolverá en favor de la mayor reciprocidad de intereses».

En cambio, el artículo 59 del CCom dispone que «si se originaren dudas que no puedan resolverse con arreglo a lo establecido en el artículo 2 de este Código, se decidirá la cuestión a favor del deudor». Según el artículo 2 del CCom, «los actos de comercio, sean o no comerciantes los que los ejecuten, y estén o no especificados en este Código, se regirán por las disposiciones contenidas en él: en su defecto, por los usos del comercio observados generalmente en cada plaza; y a falta de ambas reglas, por las del Derecho común».

A tenor del artículo 1289, párrafo 2.º, del CC, «si las dudas de cuya resolución se trata en este artículo recayesen sobre el objeto principal del contrato, de suerte que no pueda venirse en conocimiento de cuál fue la intención o voluntad de los contratantes, el contrato será nulo». Se trata de una norma final o de cierre en materia de interpretación (objetiva) contractual, de carácter subsidiario[58]; ya que, según previene el primer párrafo del artículo 1289 del CC, su aplicación queda reservada al supuesto de que no solamente surjan dudas sobre la interpretación, sino que además fuese imposible resolverlas mediante las reglas contenidas en los artículos anteriores[59].

Como puede observarse, este precepto responde a criterios de estricta justicia conmutativa y, en consecuencia, otorga diverso tratamiento al caso de que las dudas recaigan sobre circunstancias accidentales del contrato (condición, término o modo), de aquel otro en que se refieran a elementos esenciales del mismo (objeto y causa).

Sin embargo, RAGEL SÁNCHEZ dice que «por *circunstancias accidentales* no debemos entender los llamados elementos accidentales del contrato, puesto que la condición y el término se convierten en determinantes cuando se introducen»; de igual modo opina que el párrafo 1.º del artículo 1289 del CC «se refiere a las obligaciones accesorias, cuando se duda si se incluyen o no entre las prestaciones a realizar».

En el *primer supuesto,* se considera más conforme a la naturaleza de un contrato gratuito la menor transmisión de derechos e intereses (*favor debitoris*), porque lo normal no es desprenderse de los derechos que nos pertenecen sin retribución o contrapartida. En cambio, parece más adecuado a la naturaleza y objeto del contrato oneroso que la duda se resuelva en favor de la mayor transmisión de intereses (mayor conmutatividad), ya que cada contratante espera recibir tanto como se propone entregar[60]. Ahora bien, como dice MANRESA, conviene advertir que la mayor reciprocidad de intereses se debe entender dentro de la menor extensión de ambas obligaciones, si acerca de esto hubiere también duda. En *el segundo caso,* de que las dudas recaigan sobre elementos esenciales (objeto y causa), de modo que no pueda saberse cuál fue la voluntad de los contratantes (consentimiento), se ordena tajantemente decretar la nulidad del contrato; y no ofrece duda que se trata de una nulidad absoluta o radical,

---

58. Cfr. SSTS de 13 de marzo de 1952 (RJ 1952, 498), 27 de mayo de 1955 (RJ 1955, 1711) y 20 de enero de 1990 (RJ 1990, 17).

59. Cfr. SSTS de 29 de noviembre de 1989 (RJ 1989, 7922), 20 de enero de 1990 (RJ 1990, 17), 19 de julio de 1991 (RJ 1991, 5403) y 15 de octubre de 1993 (RJ 1993, 7325).

60. Cfr., entre otras, SSTS de 10 de febrero de 1950 (RJ 1950, 194) y 8 de junio de 1972 (RJ 1972, 2607).

o si se prefiere, inexistencia, sin que sea posible la confirmación, ya que la norma contenida en el segundo párrafo del artículo 1289 del CC no es más que una mera ratificación de lo dispuesto en el artículo 1261, también del CC.

Dice la STS de 15 de marzo de 1941 que «el principio de que debe restringirse lo odioso y ampliarse lo favorable (...) es más aplicable a la interpretación de las leyes que a la de los contratos, en que por la contraposición de intereses es natural que lo favorable para una parte sea odioso para la otra, y aun admitido que en este caso deba entenderse por odioso lo que es desfavorable al deudor, tal principio de derecho sólo puede ser aplicado a falta de ley exactamente aplicable, que de existir es norma preferente, como lo es en este caso este artículo al resolver las dudas según la mayor reciprocidad de intereses, o sea la menor renuncia de derechos»[61].

V. EL CRITERIO DE LA BUENA FE

La buena fe, en sentido objetivo, es un criterio de conducta a la que ha de adaptarse el comportamiento jurídico de los hombres.

Señala LARENZ que «el principio de la _buena fe_ significa que cada uno debe guardar _fidelidad a_ la palabra dada y no defraudar la confianza o abusar de ella, ya que ésta forma la base indispensable de todas las relaciones humanas; supone el conducirse como cabía esperar de cuantos con pensamiento honrado intervienen en el tráfico como contratantes o participando en él en virtud de otros vínculos jurídicos».

> Según DANZ, las palabras «buena fe» significan confianza, seguridad y honorabilidad basadas en ella, por lo que se refiere sobre todo al cumplimiento de la palabra dada; y especialmente la palabra «fe», fidelidad, quiere decir que una de las partes se entrega confiadamente a la conducta leal de la otra en el cumplimiento de sus obligaciones, fiando en que ésta no la engañará.

Este principio permite un juicio valorativo y, por tanto, tener en cuenta las especiales circunstancias del caso concreto. Pero dicho juicio no se obtiene a través del criterio subjetivo del juzgador, sino que es el resultado de haber ponderado si la conducta de la persona se ajusta a las reglas admitidas como demostrativas de la honestidad.

En nuestro Derecho, ¿hay que tener en cuenta la buena fe para interpretar los contratos? La respuesta debe ser afirmativa, los contratos deben ser ejecutados conforme a la buena fe. Es cierto que el capítulo IV del título II del libro IV del Código civil, en el que se contienen las reglas relativas a la interpretación, no consigna un precepto que expresamente imponga la buena fe como criterio de interpretación en materia contractual. Sin embargo, no es posible cuestionar que los contratos deban interpretarse de acuerdo con la buena fe, y no porque existan preceptos, como los artículos 7.1 y 1258 del CC y el artículo 57 del CCom, en los que cabría fundamentar dicha afirmación, sino porque la buena fe constituye un principio general del Derecho, y que, como tal, posee carácter informador del Ordenamiento jurídico (art. 1.4 CC). Por ello, puede decirse que la buena fe preside toda la vida del contrato, desde que éste se inicia con los tanteos o tratos preliminares hasta su completa ejecución o cumplimiento, incluida la tarea interpretativa.

---

61.   RJ 1941, 313.

A diferencia de nuestro Código, el Código civil italiano establece expresamente en su artículo 1366 que «el contrato debe ser interpretado según la buena fe». Por su parte, el artículo 1375 del Código civil de Québec dispone que la buena fe debe gobernar la conducta de las partes tanto en el momento del nacimiento de la obligación como en el de su ejecución o extinción.

En este sentido, la STS de 4 de febrero de 1972 declara que el criterio de la buena fe, expresado en el artículo 1258 del CC, «de tutela de la buena fe y de condena a la mala, integra un principio general y supremo imperante no sólo en el ámbito del Derecho, sino que forma parte entrañable de nuestro auténtico espíritu nacional y que, dentro de la esfera contractual de aquél ámbito, manifiesta su vigor tanto en la fase de consumación del contrato como en la previa de la interpretación de las concordes declaraciones de voluntad de las partes»[62].

Tampoco ofrece duda que se trata de una buena fe *objetiva,* ajustada a los criterios éticos de la realidad social existente: de lealtad, probidad, corrección, confianza y autorresponsabilidad. Es decir, la buena fe que debe presidir la interpretación contractual es aquella que impone desviaciones al principio de la voluntad, que resulta limitado por los de la autorresponsabilidad y de la confianza[63]. Como dice la STS de 22 de marzo de 1994, «la buena fe contractual, en sentido objetivo, consiste en dar al contrato cumplida y debida efectividad para la realización del fin propuesto, lo que exige comportamientos justos, adecuados y reales de los interesados»[64]; y con arreglo a este criterio el Tribunal Supremo fija el alcance de las obligaciones de las partes y establece los deberes accesorios del deber principal de prestación. Por ejemplo, la STS de 27 de enero de 1977 declara que, «siendo muy parco el contrato privado suscrito por las partes en elementos descriptivos, es lógico que el adquirente de piso se atenga a lo prometido en los folletos de propaganda (...), al creerlos, con todo fundamento, vinculantes para la empresa»[65]. Por su parte, la STS de 23 de marzo de 1988 considera que el contrato de transporte (telesilla y telesquí) que Baqueira Beret S.A. celebra con los usuarios de las pistas de nieve, para tener acceso a las mismas y practicar el deporte del esquí, incluye la obligación accesoria, impuesta por el uso, de informarles puntual y verazmente del estado de dichas pistas[66]. También ha declarado el Tribunal supremo que la buena fe no necesita ser probada, sino que corresponde la prueba a quien sostenga su inexistencia[67].

Por consiguiente, como indica JORDANO BAREA, el principio de la buena fe domina *todas* las normas de la interpretación contractual y por ello las torna en normas *imperativas,* incluidas las de interpretación objetiva. De ahí que, como dice este autor, una interpretación exclusivamente guiada por el principio de la voluntad no podría contradecir este fundamental principio informador de nuestro Ordenamiento jurídico.

---

62. RJ 1972, 392. Cfr. STS de 5 de enero de 1980 (RJ 1980, 19).
63. Cfr. SSTS de 24 de junio de 1969 (RJ 1969, 3663), 4 de febrero de 1972 (RJ 1972, 392), 22 de febrero de 1979 (RJ 1979, 523) y 21 de octubre de 1988 (RJ 1988, 7595).
64. RJ 1994, 2564. Cfr. SSTS de 11 de diciembre de 1987 (RJ 1987, 9422), 21 de noviembre de 2003 (RJ 2003, 8085) y las que citan.
65. RJ 1977, 121.
66. RJ 1988, 2226.
67. Cfr. STS de 23 de enero de 2006 (RJ 2006, 256) y las que cita.

Por otra parte, una aplicación concreta del principio de la buena fe en materia de interpretación contractual se contiene en el artículo 1288 del CC, cual es la denominada por la doctrina *interpretatio contra stipulatorem*. En este precepto, al decir que «la interpretación de las cláusulas oscuras no deberá favorecer a la parte que hubiese ocasionado la oscuridad», se sanciona a aquel contratante que dio lugar a la oscuridad, pero a la vez se favorece a la otra parte. Es decir, se advierte que la declaración de voluntad del primero habrá de ser interpretada con arreglo a la buena fe, y, por consiguiente, el principio de la voluntad resulta limitado por los de autorresponsabilidad y confianza. Como anteriormente se indicó, esta *interpretatio contra stipulatorem* constantemente es aplicada por la jurisprudencia en la interpretación de los contratos de adhesión y de las condiciones generales de la contratación, cuando el negocio ha sido confeccionado unilateralmente por una de las partes, habiéndose limitado la otra a adherirse al mismo.

La ley 488 del FN menciona de manera expresa la buena fe como criterio interpretativo, cuando afirma que «las obligaciones deberán interpretarse conforme a la voluntad declarada que las creó, al uso y a la buena fe».

En los *contratos internacionales* el principio de buena fe en sentido objetivo, posee asimismo especial relevancia, como pone de manifiesto el artículo 7.1 de la CISG, cuando señala que «en la interpretación de la presente Convención se tendrán en cuenta su carácter internacional y la necesidad de promover la uniformidad en su aplicación y de asegurar la observancia de la buena fe en el comercio internacional». Como puede observarse, la buena fe aparece referida al proceso de negociación entre las partes con carácter general. Lo mismo puede decirse de lo dispuesto por el artículo 1.7(1) de los PCCI, a cuyo tenor «las partes deben actuar con buena fe y lealtad negocial en el comercio internacional»[68].

Por otro lado, en materia de integración del contrato, el artículo 4.8(1) de los PCCI dice que cuando las partes no se hayan puesto de acuerdo acerca de una disposición importante para la determinación de sus derechos y obligaciones, «se considerará integrada al contrato aquella disposición que resulte más apropiada a las circunstancias». Según el artículo 4.8(2) de los PCCI., para determinar cuál es la disposición más apropiada, se tendrán en cuenta, entre otros factores, los siguientes: *a)* la intención de las partes; *b)* la naturaleza y finalidad del contrato; *c)* la buena fe y lealtad negocial; *d)* el sentido común.

En materia de «interpretación y desarrollo» del Borrador de Marco Común de Referencia, el artículo I.-1:102(3) del DCFR dice que «en su interpretación y desarrollo debe tenerse en cuenta la necesidad de promover: (…) (b) la buena fe contractual». Esta buena fe contractual aparece regulada en el artículo I.-1:103 del DCFR, cuyo apartado 1 señala que «la expresión "buena fe contractual" define un standard de conducta caracterizado por la honestidad, la transparencia y la consideración de los intereses de la otra parte de la transacción o de la relación en cuestión». Como indica su comentario oficial, «la expresión "buena fe contractual"».

Según el apartado 2 del artículo I.-1:103 del DCFR, «en particular, es contrario a la buena fe contractual que un aparte actúe de forma incoherente con una previa

---

68. Cfr. artículo 1:201 de los PECL.

declaración o conducta suya, en detrimento de la parte que había depositado razonablemente su confianza en tal declaración o conducta».

VI. INTERPRETACIÓN AUTÉNTICA

Se llama interpretación *auténtica* a la realizada por los propios contratantes. Es decir, cuando éstos, mediante una declaración de voluntad (común) expresa, establecen el verdadero sentido y alcance que haya de atribuirse a sus anteriores declaraciones contenidas en el contrato objeto de interpretación o bien en alguna de sus cláusulas. En este supuesto, un sector de la doctrina habla de la existencia de dos negocios jurídicos: uno, el interpretado; y otro, el interpretativo o de *fijación,* con eficacia declarativa, a través del cual las partes han procedido a eliminar o aclarar las posibles dudas o discrepancias futuras. Pero, como dice la STS de 20 de diciembre de 2002, mediante un negocio de fijación «no se trata de dar exclusivamente una mayor certeza probatoria, sino que se pretende la exclusión de pretensiones que surgen o pueden surgir de una relación jurídica previa, por lo que tiene un alcance mucho mayor que la mera reproducción de un negocio en un documento»[69].

Ahora bien, según advierte ALBALADEJO, en realidad «es inexacto que los sujetos del negocio puedan (aunque haya acuerdo entre ellos) atribuir el sentido que quieran a sus declaraciones», dándoles uno distinto del originario. Únicamente ocurre que, cuando la ley no disponga otra cosa, y salvo los intereses de terceros, que hubiesen confiado en el sentido normal que la declaración tenía en el tráfico jurídico, al poder *modificar* el negocio, pueden llevar a cabo una *llamada interpretación* que realmente cambie el sentido de sus declaraciones anteriores.

También se considera como interpretación auténtica la realizada por los propios contratantes sin declaración formal, a través de su comportamiento en orden a la ejecución o cumplimiento del contrato (en realidad, actos posteriores), siempre que los actos fueren comunes a ambas partes o que, si hubiesen sido llevados a cabo por una sola, la otra los haya aceptado. En este sentido, la STS de 30 de noviembre de 1987 dice que «la actora había fijado de manera clara y precisa en el hecho tercero de su demanda los servicios que había de prestar a las demandadas a virtud de lo convenido con las mismas»; y, por consiguiente, declara que «no cabe hacer otra interpretación que la *auténtica* que se deriva de lo que la repetida parte actora expresó, al haber sido aceptada tal interpretación por las entidades demandadas»[70]. Ahora bien, una cosa es que los actos realizados unilateralmente por una de las partes, sin que la otra los haya aceptado, no deban ser reconocidos o valorados como una interpretación auténtica, y otra muy distinta que carezcan de toda eficacia a efectos de la interpretación. Como advierte DÍEZ-PICAZO, «no puede excluirse la vinculación de quien de este modo expreso su propia interpretación, pues parece que sostener después una interpretación distinta sería contrario a la regla que impide *venire contra factum proprium*».

Esta regla, que es una exigencia de la buena fe, «precisa para su aplicación la observancia de un comportamiento (hechos, actos) con plena conciencia de crear, definir, fijar, modificar, extinguir o esclarecer una determinada situación jurídica, para lo cual es insoslayable el carácter concluyente e indubitado, con

---

69. RJ 2002, 10752.
70. RJ 1987, 8706.

plena significación inequívoca, de tal modo que entre la conducta anterior y la pretensión actual exista una incompatibilidad o contradicción, en el sentido que, de buena fe, hubiera de atribuirse a la conducta anterior; y esta doctrina no es de aplicación cuando la significación de los precedentes fácticos que se invocan tiene carácter ambiguo e inconcreto, o carecen de la trascendencia que se pretende para producir el cambio jurídico»[71].

En cambio, no cabe hablar de interpretación auténtica cuando las partes encomiendan a un tercero la resolución de las dudas o indeterminaciones que suscita el contrato. En este caso, el tercero cumpliría la función de un árbitro o de un arbitrador. A juicio de Díez-Picazo, «habrá arbitraje si el problema interpretativo es premisa para la resolución de un litigio y habrá arbitrio o función de arbitrador cuando el litigio no exista».

VII. NORMAS INTERPRETATIVAS

Hay que distinguir las normas de interpretación de las interpretativas. Normas de interpretación son las reglas o criterios que han de presidir la interpretación y que se encuentran contenidas en los artículos 1281 a 1289 del CC; es decir, las que establecen cómo ha de llevarse a cabo la investigación del sentido y alcance de la voluntad común de los contratantes. En cambio, son *normas interpretativas* aquellas otras que fijan el sentido y alcance que ha de darse a determinadas palabras, actos o disposiciones de las partes; es decir, se trata de normas en las que el legislador ordena el sentido que tienen determinadas declaraciones o expresiones.

Ejemplo de norma interpretativa es el artículo 346 del CC, en el que se dice que debe entenderse por «cosas o bienes inmuebles» o por «cosas o bienes muebles» cuando se usen estas expresiones en el contrato, salvo cuando del contexto del mismo resulte claramente lo contrario (art. 347 CC).

BIBLIOGRAFÍA

Albaladejo, *La forma y la interpretación del negocio jurídico,* ed. separada de la *Revista de la Universidad de Oviedo,* 1958; Alfaro, «La interpretación de las condiciones generales de los contratos», RDM, 1987, p. 7; Betti, *La interpretación de la ley y de los actos jurídicos,* trad. de J.L. de los Mozos, Madrid, 1975; Cano Mata, «La interpretación de los contratos civiles», ADC, 1971, p. 193; Clemente de Diego, *Sobre la interpretación de los contratos,* Madrid, 1944; Danz, *La interpretación de los negocios jurídicos,* trad. esp., 3.ª ed., con notas de Bonet Ramón, Madrid 1955; De Castro, «Naturaleza de las reglas para la interpretación de la ley», ADC, 1977, p. 809; De los Mozos, *El principio de la buena fe (Sus aplicaciones prácticas en el Derecho civil español),* Barcelona, 1965; García Amigo, «Integración del negocio jurídico», AAMN, 1983, p. 76; González Palomino, «Negocio jurídico y documento», Valencia, 1950; Hernández Gil, «Interpretación de contratos. Comentario a sentencia», RGLJ, 1946, p. 571; Jordano Barea, *La interpretación de los contratos,* Academia Sevillana del Notariado, Madrid, 1988, p. 163; Lasarte, «Sobre la integración

---

71. Cfr. SSTS de 28 de enero y 9 de mayo de 2000 (RJ 2000, 455 y 3194), 8 de marzo de 2006 (RJ 2006, 5707) y las que citan.

del contrato: la buena fe en la contratación», *RDP*, 1980, p. 51; LÓPEZ Y LÓPEZ, *Comentarios al Código civil y Compilaciones forales*, T. XVII,Vol. 2.º, 2.ª ed., Madrid, 1995; MIQUEL, J., «La interpretación de los contratos: vinculación entre teoría y práctica», RJC, 1981, p. 789; SERRANO FERNÁNDEZ, *Estudio de Derecho comparado sobre la interpretación de los contratos*, Valencia, 2005; TRAVIESAS, «Los negocios jurídicos y su interpretación», RDP, 1925, p. 33; VATTIER FUENZALIDA, «La interpretación integradora del contrato en el Código civil», ADC, 1987, p. 495.

La representación en los contratos

I. LA REPRESENTACIÓN EN GENERAL

La representación tiene una importancia práctica indiscutible, ya que potencia de
manera extraordinaria las posibilidades de actuación de las personas. Las relaciones
entre ellas se ven estimuladas desde el punto de vista jurídico y económico. Mientras
que la representación voluntaria permite utilizar la habilidad ajena para los propios
negocios, la representación legal es el medio adecuado para hacer efectiva la capacidad de las personas que la tienen limitada. Lo hecho por el representante afecta a
la esfera jurídica del representado, que será responsable de esa actuación ajena. En
cambio, para el representante la representación implica una situación de poder sobre
el ámbito personal y patrimonial de otra persona, pero que debe ejercitarlo en interés
del representado y no en el suyo propio. Indudablemente, la idea de representación,
en su vertiente voluntaria, presupone una especial confianza que debe existir entre
representado y representante. En la representación legal la idoneidad del representante se constituye en un referente básico a la hora de designar la persona más adecuada para desempeñar el cargo.

La representación puede clasificarse con arreglo a diversos criterios. Por su *origen*,
se distingue entre representación voluntaria y representación legal. La representación
voluntaria nace por voluntad del representado, la cual puede plasmarse, por ejemplo,
a través de un mandato o del contrato de servicios. También de manera independiente a través del negocio de apoderamiento. Por el contrario, el origen de la representación legal no se encuentra en la autonomía de la voluntad, sino que se basa en
una disposición de la ley, que es la que establece su régimen jurídico. Este es el caso
de las instituciones de protección de los menores e incapacitados (patria potestad,

tutela, etc.). Se habla también de representación necesaria para identificarla, bien con la actuación de los representantes de las personas jurídicas (la doctrina moderna utiliza el calificativo de órganos), bien con la necesidad de que los litigantes comparezcan en juicio por medio de procurador legalmente habilitado (art. 3 LEC de 1881 y art. 23 de la LEC).

Por la *manera de funcionar*, que determina su diferente eficacia, se distingue entre representación directa o abierta y representación indirecta u oculta. En la representación voluntaria o directa, que se ejerce *alieno nomine*, el representante actúa en nombre y por cuenta del representado. En este caso, la actuación en nombre ajeno debe ser patente para quienes contraten con el representante, que se plasma en la denominada *contemplatio domini*. El tercero que se relacione con el representante ha de saber la condición de aquél, que no actúa por sí y para sí, sino por cuenta del representado[1]. En la representación indirecta, ejercida *proprio nomine*, el representante obra en su propio nombre, pero en interés y por cuenta del representado. En esta supuesto no se exterioriza la condición de representante al celebrar el negocio con el tercero[2].

En todo caso, conviene advertir que estas distinciones tienen carácter general y orientador, lo que implica que habrá que tener en cuenta además la circunstancia de que la representación tiene una finalidad instrumental que se aplica a las más diversas instituciones, cada una de las cuales puede darle un matiz diferente (DE CASTRO).

II. LA REPRESENTACIÓN VOLUNTARIA. EL APODERAMIENTO

1. Concepto y características

La representación voluntaria consiste en una declaración unilateral de voluntad en virtud de la cual una persona (representado) autoriza a otra (representante) para que celebre en su nombre uno o varios negocios jurídicos, los cuales producirán sus efectos de forma directa e inmediata en la esfera jurídica del primero, nunca en la del representante[3]. Esa autorización implica la concesión de un poder de representación, que legitima la actuación del representante; en caso contrario, si no existiera un poder previo, su actuación sólo sería válida cuando el *dominus* la ratifique.

> Según el artículo 1282, párrafo 1.º, de la PMDOC, «todos los contratos que una persona pueda realizar por sí misma pueden celebrarse también por representación, salvo aquéllos en que la ley considere personalísimo el consentimiento contractual»[4]. En cambio, si de lo que se trata es simplemente de transmitir o comunicar a otra persona una declaración de voluntad «enteramente formada», el que realice esa función no será un representante, sino un *nuntius*. (arg. *ex* art. 1282, párr. 2.º, PMDOC). La STS de 30 de mayo de 1978 define al *nuntius* o mensajero como aquella persona que «no emite una declaración de voluntad, sino simplemente la transmite, limitándose a comunicar a otra persona la voluntad ajena, lo que en definitiva significa que no ejercita un acto jurídico y sí, que está simplemente a su servicio, equivalente a que en vez de ejecutar, que es la base fundamentadora del representante, entre algo ya ejecutado o realizado, a virtud de que en el actuar

---

1. Cfr. artículo 3:102(1) de los PECL.
2. Cfr. artículo 3:102(2) de los PECL.
3. Cfr. artículo 3:202 de los PECL.
4. Cfr. artículo 3:202 de los PECL.

del «nuncio» o mensajero la ejecución del acto y su eficacia discrepan en el tiempo y por el contrario la actividad del representante coincide en él»[5]. Es obvio que la representación voluntaria tiene como consecuencia, en principio, que los negocios jurídicos celebrados por el representante con los terceros producirán de manera directa e inmediata sus efectos en la esfera jurídica del representado, pues, como dice el artículo 1288, párrafo 1.º, de la PMDOC, «los actos de un representante que actúa dentro de sus facultades representativas y en nombre del representado, vinculan directamente a éste y a aquél con quien el representante hubiere contratado». En cuanto a las normas de aplicación a la relación entre representante y representado, dicha relación «se rige por las normas de esta Capítulo, por aquéllas que les sean aplicables según su naturaleza y subsidiariamente por las establecidas en este Código para el contrato de mandato», en palabras del artículo 1283, párrafo 1.º, de la PMDOC.

El artículo II.-6:101(1) del DCFR dice que el capítulo 6 relativo a la representación «se aplica a las relaciones externas creadas por actos de representación, es decir a las relaciones entre (a) el principal y el tercero; y (b) el representante y el tercero». Además, el apartado 2 del mismo artículo indica que se aplica también «a las situaciones en las que una persona actúa como representante sin serlo realmente». En cambio, no se aplica a las relaciones internas entre el representante y el principal, tal y como señala el artículo II.-6:101(3) del DCFR. Un representante es la persona con legitimación para afectar directamente la posición jurídica de otra persona, el principal, en relación con un tercero, mediante su actuación en interés del principal (cfr. art. II.-6:102(1) DCFR).

El apoderamiento es un negocio jurídico unilateral y recepticio, cuya amplitud depende de la voluntad e intereses del poderdante. Es *unilateral*, porque el otorgamiento del poder se hace exclusivamente mediante la declaración de voluntad del poderdante y, además, los efectos jurídicos de dicha declaración de voluntad afectan a la esfera jurídica de una sola persona, la del mismo poderdante. Es *recepticio*, porque la declaración de voluntad en que consiste el apoderamiento ha de ser conocida para producir efectos por su destinatario natural, que es el apoderado. Dicho conocimiento es un requisito de eficacia, y no de existencia, del negocio de apoderamiento. Es un negocio esencialmente *revocable*, que depende de la voluntad libérrima del poderdante. Como dice la STS de 30 de julio de 2001, «el apoderamiento en general (concepto formal) tiene naturaleza atípica y participa del mandato y representación voluntaria, con más afinidades a esta figura jurídica, conformando acto jurídico por medio del cual el principal concede voluntariamente al apoderado poder y facultades de representación para llevar a cabo las funciones y actividades que constituyen el objeto del encargo, proyectándose en lo externo en cuanto relaciona y liga la representado con los terceros, siempre que el apoderado-representante actúe dentro de los límites del poder»[6].

El artículo 1284, párrafo 1.º, de la PMDOC indica que «la declaración unilateral de concesión de un poder de representación produce su efecto si ha llegado al apoderado o a la persona con quien éste haya de contratar».

---

5. RJ 1978, 1953. Cfr. SSTS de 31 de diciembre de 1998 (RJ 1998, 9772), 28 de mayo de 1999 (RJ 1999,4585) y 20 de marzo de 2012 (RJ 2012, 5120).
6. RJ 2001, 8430. Cfr. SSTS de 24 de febrero de 1995 (RJ 1995, 1135) y 24 de junio de 2011 (RJ 2011, 5833).

El artículo II.-6:102 del DCFR distingue, en sus apartados 2 y 3, entre la legitimación del representante, que es la facultad de afectar la posición jurídica del principal y el poder del representante, el cual procede del otorgamiento o mantenimiento de la legitimación. Por su parte, el artículo II.– 6:103(2) del DCFR señala que «el poder del principal puede ser expreso o tácito». Como dice el comentario oficial, «no existe ningún requisito de forma para otorgar legitimación explícitamente. Es importante que esta sea la norma general, ya que en la vida diaria se dan una gran cantidad de situaciones informales en las que, por ejemplo, un particular solicita a otro la compra de un producto o la celebración en su interés de algún tipo de contrato de prestación de un servicio, como, por ejemplo, la limpieza en seco de una prenda de ropa o el revelado de unas fotografías. Sin embargo, en situaciones más formales, el hecho de que la legitimación se otorgue por escrito se considerará esencial para la protección de todas las partes implicadas. Frecuentemente, aunque no necesariamente, el apoderamiento del representante se comunicará a los demás por el principal».

Asimismo, cabe la posibilidad de que el representado nombre a varios representantes para que celebren en su nombre uno o varios negocios jurídicos. Dicho nombramiento plural puede obedecer a la intención del representado de repartir la carga de trabajo o simplemente a asegurarse de que si un representante no puede actuar lo hará el otro.

Según el artículo 1283, párrafo 2.º, de la PMDOC, «salvo que el representado hubiera dispuesto otra cosa, cuando una persona hubiera designado al mismo tiempo o en un solo documento varios representantes, sólo valdrá lo que todos hagan de consuno, o lo que haga uno de ellos autorizado por los demás». Está claro que cabe la actuación independiente de los representantes, si lo hubiera dispuesto de esta manera el representado en actos separados entre sí en el tiempo o en documentos diferentes.

Cambiando el enfoque que sigue la Propuesta para la modernización del Derecho de obligaciones y contratos, el artículo II.-6:110 del DCFR señala que «cuando más de un representante tenga legitimación para actuar por cuenta del mismo principal, cada uno de ellos puede actuar por separado». El hecho de que los representantes puedan actuar por separado, salvo disposición en contra, se debe, según el comentario oficial, que «existen numerosas situaciones en las que la exigencia de que ambos representantes actuaran de manera conjunta resultaría restrictiva, y aquellos principales que deseen optar por este requisito como salvaguarda contra las prácticas abusivas pueden hacerlo con facilidad».

Se debe al pandectismo alemán la nítida distinción entre mandato y poder, lo cual implica que pueda existir apoderamiento sin mandato y mandato sin poder (no representativos). Mientras que el mandato es un contrato que crea la obligación para el mandatario de cumplir el encargo del mandante, el poder de representación legitima al apoderado para actuar frente a terceros en nombre del poderdante. Esta es la es la tesis que ha venido sosteniendo nuestra jurisprudencia, ya que la STS de 22 de mayo de 1942, declaró que «con general aceptación, el Derecho científico distingue actualmente los conceptos jurídicos mandato y representación, y hace observar que las diferencias esenciales entre ambos ni siquiera se borran por completo en el mandato representativo; porque el mandato afecta a la relación material de carácter interno entre mandante y mandatario, y el apoderamiento, concepto formal, trasciende a lo externo y tiene como efecto ligar al representado con los terceros, siempre que el representante actúe dentro del poder que se le haya conferido; y aunque de ordinario los poderes van ligados a una relación jurídica de mandato, no es esencial esta coincidencia ni son idénticos los principios y normas a que ha de ajustarse el poder y la relación jurídica obligatoria que origine el otorgamiento»[7].

Sin embargo, hay que poner de relieve que algunos autores discrepan de la clásica distinción entre poder y mandato en el sentido de que el poder concedido voluntariamente se integra siempre dentro del contenido de un mandato o de otro contrato de gestión, y no cabe negocio autónomo dirigido a conferir tal poder. Por consiguiente, la expresión «poder de representación», cuando se refiere a la voluntaria, sólo puede significar aquella parte del contenido del contrato de gestión integrada por las facultades de representación del gestor; y la expresión «apoderamiento» sólo puede entenderse como acto con independencia meramente documental en la que se inserta aquella parte del contenido del contrato de gestión relativa a tales facultades de representación (GONZÁLEZ ENRÍQUEZ).

En cualquier caso, la consideración de que los efectos del apoderamiento derivan del negocio de concesión del poder, al margen de la relación subyacente que lo determina (abstracción del apoderamiento), no puede ocultar el hecho que el apoderamiento tiene una causa típica, hacer un poder de representación para que el apoderado pueda celebrar negocios jurídicos. En este sentido, entre poderdante y apoderado el apoderamiento tiene carácter causal y, al mismo tiempo, se vincula a la relación subyacente. En cambio, respecto de los terceros que contraten con el apoderado, la cuestión es distinta. Ellos no tienen por qué conocer las relaciones entre poderdante y apoderado, pudiendo confiar exclusivamente en la existencia externa del negocio de apoderamiento con su contenido. Ahora bien, la situación es distinta, según se trate o no de terceros de buena fe. Mientras que para un tercero de buena fe el apoderamiento surtirá sus efectos al margen de las vicisitudes que puedan afectar a la relación subyacente, para quien no revista esa condición la relación subyacente influirá en la en la eficacia del apoderamiento. Buena fe significa, en sentido positivo, confianza en el apoderamiento y, en sentido negativo, desconocimiento de que las vicisitudes de la relación subyacente modifican de alguna manera el poder de representación. No obstante, la buena fe no es simplemente el hecho psicológico del conocimiento o desconocimiento, sino que debe valorarse una actitud que es marcadamente ética. Si bien es cierto que en principio el tercero que contrata con el apoderado puede confiar en el tenor formal del apoderamiento y no tiene por qué investigar la relación subyacente, en determinadas circunstancias la buena fe podría exigir que esa investigación se llevase cabo (DÍEZ-PICAZO/GULLÓN).

En los *contratos internacionales*, el denominado «apoderamiento de representantes» aparece regulado en la Sección 2 del Capítulo 2 de los Principios Unidroit. El artículo 2.21(1) de los PCCI dice que «esta sección regula la facultad de una persona ("el representante") para afectar las relaciones jurídicas de otra persona ("el representado") por o con respecto a un contrato con un tercero, ya sea que el representante actúe en su nombre o en el del representado»

---

7. RJ 1942, 634. Cfr. SSTS de 1 de diciembre de 1944 (RJ 1944, 1272) y 21 de marzo de 1946 (RJ 1946, 272).

Como indica el comentario oficial, «la presente Sección trata únicamente de los representantes que tiene poder para celebrar los contratos a nombre de su representado, por lo que quedan fuera de esta Sección: los intermediarios cuya tarea sea la de presentar a dos partes con el fin de que entre ellas celebren el contrato (*v.gr.*, agentes inmobiliarios) o de promover contratos en nombre de un representado, pero sin tener el poder de celebrarlos (como pudiera ser el caso de algunos agentes comerciales)».

El apartado 2 del artículo 2.2.1 de los PCCI añade que «esta Sección sólo regula las relaciones entre el representado o el representante, por un lado, y el tercero por el otro». Se trata, por tanto, de regular únicamente las llamadas «relaciones externas» entre el representado o representante por una parte y el tercero por otra, sin ocuparse de las llamadas «relaciones internas» entre representado y representante. En palabras del comentario oficial, «los derechos y las obligaciones entre representante y representado se regulan por el contrato y el derecho aplicable, el cual puede incorporar reglas imperativas destinadas a proteger al representante en aquellos tipos específicos de representación que se conocen como "agencia comercial"». La figura de la representación voluntaria aparece recogida, bajo el erróneo epígrafe de «representación aparente» (pésima traducción del original inglés «Agency disclosed»), en el artículo 2.2.3(1) de los PCCI, al afirmar que «cuando un representante actúa en el ámbito de su representación y el tercero sabía o debiera haber sabido que el representante estaba actuando como tal, los actos del representante afectan directamente las relaciones jurídicas entre el representado y el tercero, sin generar relación jurídica alguna entre el representante y el tercero».

Según el comentario oficial, «para el establecimiento de una relación directa entre el representado y el tercero es suficiente que el representante actúe dentro del ámbito de su poder y que los terceros sepan o debieran haber sabido que este último actúa en representación de otra persona. En cambio, por lo general el representante no necesariamente debe actuar en nombre del representado (…). En la práctica, sin embargo, pueden existir casos donde sea en beneficio del propio representante indicar expresamente la identidad de la persona a nombre de quien actúa. Así, cada vez que el contrato exija la firma de las partes, se aconseja que el representante no firme simplemente en su nombre, sino que añada un texto tal como "por representación de" (y se añada el nombre del representado) con el fin de que no se le considere personalmente responsable del cumplimiento del contrato».

2. Requisitos necesarios para otorgar el negocio de apoderamiento

2.1. *Capacidad*

La capacidad necesaria para otorgar el poder de representación debe ponerse en relación con la requerida por la ley para celebrar el negocio que constituya el objeto del poder. Del mismo modo, si se requiriesen determinados complementos de capacidad para la conclusión del negocio, también éstos serían exigibles a la hora de otorgar el poder a favor de persona distinta del *dominus*. En caso contrario, se correría el riesgo de una disociación entre capacidad para apoderar y capacidad para actuar en el tráfico jurídico que podría producir el inconveniente de que la persona legitimada para otorgar el poder no lo estuviese para celebrar el negocio con vistas al cual pretende apoderar. Respecto a la cuestión de si el representante ha de tener plena capacidad de obrar, el artículo 1716 del CC permite al menor emancipado ser mandatario, de cuyo tenor se desprende que puede ser representante cualquier persona, aunque no tenga capacidad plena (por ejemplo, el menor emancipado).

> El artículo 121-5 de la PCM señala que «los auxiliares del empresario deben tener capacidad para obligarse y cumplir cuantos otros requisitos adicionales exija la ley para el desempeño de las funciones encomendadas y no estar sujetos a prohibición o incompatibilidad para su ejercicio».

2.2. *Forma*

Si bien en materia de forma del negocio de apoderamiento no existe una norma específica al respecto, a propósito del mandato el artículo 1710 del CC indica que dicho contrato puede ser expreso y tácito, y que el expreso puede darse por instrumento público y aun de palabra. Por consiguiente, de acuerdo con lo que es la regla general en nuestro Derecho de obligaciones, al negocio de apoderamiento se aplicará el principio espiritualista de la libertad de forma. Esto implica que, en principio, cabe el apoderamiento verbal en los términos previstos para el mandato en el artículo 1710 del CC[8]. No obstante, hay que tener en cuenta que según el artículo 1280.5.º del CC deberán constar en documento público el poder para contraer matrimonio; el poder general para pleitos; los poderes especiales que deben presentarse en juicio; el poder para administrar bienes, entendiéndose por tal el poder general para administrar toda clase de bienes del poderdante; el poder que tenga por objeto un acto redactado o que deba redactarse en escritura pública, o que haya de perjudicar a tercero. La falta de documento público tendrá como consecuencia que el representante no podrá acreditar de otro modo su condición ante los terceros, que estarían facultados para alegar que no les consta la existencia del poder.

> Según la STS de 27 de noviembre de 2012, «el mandato tácito, admitido por el artículo 1710 del CC, se deduce de hechos concluyentes del mandante, esto es, actitudes o comportamientos que, interpretados en un contexto relacional determinado, revelan inequívocamente la voluntad de dar vida a un contrato de mandato»[9].

> De acuerdo con el criterio establecido por nuestra jurisprudencia, el artículo 1284, párrafo 2.º, de la PMDOC dice que «el apoderamiento puede ser tácito, siempre que resulte de actos concluyentes del poderdante»[10].

Por otra parte, lo dispuesto en el artículo anterior se complementa con la regla contenida en el artículo 1279 del CC, a cuyo tenor «si la ley exigiere el otorgamiento de escritura u otra forma especial para hacer efectivas las obligaciones propias de un contrato, los contratantes podrán compelerse recíprocamente a llenar aquella forma desde que hubiese intervenido el consentimiento y demás requisitos necesarios para su validez». De esta manera, el tercero que hubiera contratado con el apoderado podría exigir al *dominus* el otorgamiento de una escritura de poder en el caso de que la plena eficacia de aquel contrato lo exigiese.

---

8.   Cfr. STS 17 de septiembre de 2010 (RJ 2010, 8865).
9.   RJ 2013, 1548.
10. Cfr. artículo 3:201(1) de los PECL.

Por otra parte, es preciso destacar el hecho de que la inscripción de poderes de representación no afecta a la validez de los actos o contratos realizados, ni supone tampoco un defecto de capacidad en el poderdante o en el apoderado. Al margen, como es obvio, de los efectos que pueden derivar de la publicidad registral a que se refiere el artículo 20 del CCom[11].

Según el artículo 1285 de la PMDOC, «deberán constar en documento público el poder para contraer matrimonio, el general para pleitos y los especiales que deban presentarse en juicio. Las formas exigidas para la validez del negocio representativo serán exigibles igualmente para la validez del poder que al efecto se utilice. Los poderes de representación otorgados por un empresario e inscritos en el Registro Mercantil se reputarán exactos a favor de los terceros de buena fe».

En los *contratos internacionales*, el artículo 2.2.2(1) de los PCCI dice que «el otorgamiento de facultades por el representado al representante puede ser expreso o tácito».

Como señala su comentario oficial, «el caso más habitual donde se otorga un poder expreso es el mandato, pero el representado puede también conferir el poder para ser representado mediante una declaración oral o una comunicación escrita, o en el caso de una sociedad, por una resolución del consejo de administración. El otorgamiento por escrito de un poder expreso goza de la ventaja de constituir una prueba clara de su existencia y del alcance del poder de representación para todas las partas interesadas (representado, representante y terceros). Un poder tácito o implícito existe siempre que la intención del representado de conferir un poder pueda ser inferida del comportamiento del representado (por ejemplo, la atribución de representación para una particular tarea) o de otras circunstancias del mismo tipo (por ejemplo, los términos de la autorización expresa, una manera de actuar particular entre las dos partes o un uso comercial general)».

2.3. *Contenido y límites*

La extensión y los límites del apoderamiento son los criterios de los que depende la vinculación a la esfera del representado de los actos realizados por el representante. Si éste actúa con independencia de tales criterios, se entiende que lo hace al margen del poder de representación, es decir, como si nunca hubiera sido apoderado. En este sentido, el artículo 1714 del CC determina que el mandatario no puede traspasar los límites del mandato. Ahora bien, como dice la STS de 8 de marzo de 2012, «para que el mandatario pueda ser acusado de haber traspasado los límites del poder se requiere, obviamente, que éste los tenga, tal como han encargado de establecer sentencias antiguas de esta Sala (…), que señalan que la determinación de cuáles son los límites del poder es una cuestión de interpretación de la voluntad de los otorgantes. Pero en todo caso, se requiere ineludiblemente que el mandato los haya establecido (…)»[12].

La STS de 27 de enero de 2000 señala que «se produce un uso incorrecto del mandato en el supuesto de extralimitación en el ejercicio del mismo, conforme al artículo 1714, pues la facultades concedidas a los mandatarios para realizar

---

11. Cfr. STS de 27 de enero de 1997 (RJ 1997, 157).
12. RJ 2012, 5002. Cfr. SSTS 30 de mayo de 1978 (RJ 1978, 1953) y 10 de mayo de 1989.

negocios jurídicos por cuenta de la mandante tienen su origen en al conforme declaración de voluntad que proviene del mismo, a la que deben acomodarse y ajustarse, lo que no autoriza al mandatario a excederse para llevar a cabo negocios con terceros que no eran los previstos, no queridos y por tanto autorizados por quien otorgó el poder. El exceso del mandato repercute en las relaciones creadas por consecuencia del ejercicio abusivo, en el sentido de que el mandante puede considerarse ajenos a los mismos, los que carecen de validez y eficacia frente al principal, por no conformarse a su voluntad, respondiendo entonces del mandatario personalmente de las obligaciones que vino a contraer (art. 1101 y 1718 del CC). La extralimitación o no, ha de determinarse atendiendo no de manera automática y sumisa a la literalidad del poder, sino principalmente a la intención y voluntad del otorgante en orden a la finalidad para la que lo dispensó y en relación a las circunstancias concurrentes»[13].

Desde el punto de vista de la extensión del poder, puede distinguirse entre poderes generales y especiales. Mientras que los primeros comprenden todos los negocios del representado, los segundos sólo uno o más negocios determinados (cfr. art. 1712 CC). El apoderamiento concebido en términos generales no comprende más que los actos de administración, mientras que para transigir, enajenar, hipotecar o ejecutar cualquier otro acto de riguroso dominio, se necesita mandato expreso. La facultad de transigir no autoriza para comprometer en árbitros o amigables componedores (cfr. art. 1713 CC). Pero para averiguar la extensión del apoderamiento habrá que estar principalmente a la voluntad del poderdante, de acuerdo con la amplia variedad que puede existir de poderes de representación: generales o especiales, e incluso especialísimos; expresos, tácitos y concebidos en términos generales; revocables e irrevocables; singulares o colectivos; _in rem propriam_ o _in rem alienam_; solemnes o no solemnes (BADENAS CARPIO).

La STS de 26 de noviembre de 2010 señala que «la jurisprudencia tiene reiteradamente declarado que para transigir es necesario un mandato especial, pues así debe entenderse la exigencia de mandato expreso que se contiene en el artículo 1713 del Código Civil. Mandato especial, según las sentencias de esta Sala, es aquél que contiene una designación concreta del objeto para el cual se confiere, pues no basta una referencia general al tipo de actos para el cual se confiere. El grado de concreción necesario en la designación del objeto del mandato depende del carácter y circunstancias de aquél. Así, la jurisprudencia tiene declarado que cuando el mandato tiene por objeto actos de disposición es menester que se designen específicamente los bienes sobre los cuales el mandatario puede ejercitar dichas facultades, y no es suficiente con referirse genéricamente al patrimonio o a los bienes del mandante. En el caso del mandato para transigir es necesario que se especifique con precisión el conflicto al que se refiere la transacción en términos objetivos y subjetivos, distinguiéndolo de cualquier otro, y los aspectos jurídicos o de hecho sobre los que se autoriza a transigir. No es necesario, sin embargo, que se establezcan los términos en los cuales ha de tener lugar la negociación o la transacción ni que se especifiquen límites máximos o mínimos para llevarla a cabo, puesto que esta exigencia haría en muchos casos ineficaz el mandato o colocaría al mandante en una situación desfavorable frente a la parte con la que mantiene un litigio, dado que la transacción comporta en sí misma una negociación entre las partes partiendo de una situación

---

13.   RJ 2000, 125.

de incertidumbre que haga posible obtener ventajas mediante la realización de recíprocas concesiones»[14].

A la distinción entre mandato tácito y mandato aparente se refiere la STS de 27 de noviembre de 2012, que define al mandato tácito como aquél que se deduce de hechos concluyentes del mandante, esto es, «actitudes o comportamientos que, interpretados en un contexto relacional determinado, revelan inequívocamente la voluntad de dar vida a un contrato de mandato[15]. Apreciar la existencia de un mandato tácito es una cuestión de hecho, cuyo conocimiento queda reservado a los tribunales de instancia[16].

En todo caso, no entran dentro del ámbito de la representación la formación del testamento, acto personalísimo, que no puede dejarse al arbitrio de un tercero ni hacerse por medio de comisario o mandatario (art. 670 CC); ni tampoco los actos que afectan a la condición de los bienes de la personalidad, al estado civil y los derechos de familia. Sin embargo, sí que podría intervenir una persona en lugar de otra, para transmitir como *nuntius* una declaración de voluntad, siempre que no sea imprescindible la presencia física del interesado. Este es el caso del matrimonio por apoderado, a quien se haya concedido poder especial en forma auténtica, requiriéndose necesariamente la asistencia personal del otro contrayente. En el poder se determinará la persona con quien ha de celebrarse el matrimonio, con expresión de las circunstancias personales precisas para establecer su identidad (art. 55 CC).

Según el artículo 1286, párrafo 1.º, de la PMDOC, «se requerirá la concesión expresa de facultades para realizar negocios gratuitos, así como para los que impongan al representado prestaciones personales y para transigir, enajenar, gravar o realizar cualquiera otro acto de disposición o de riguroso dominio». El párrafo 2.º del mismo artículo añade que «la facultad de transigir no autoriza para celebrar convenios arbitrales, ni para designar árbitros» En cuanto a los contratos celebrados por el factor de un establecimiento o empresa fabril o comercial, el artículo 1286, párrafo 3.º, de la PMDOC determina que «cuando notoriamente pertenezca a una empresa o sociedad conocidas, se entenderán hechos por cuenta del propietario de dicha empresa o sociedad, aun cuando el factor no lo haya expresado al tiempo de celebrarlos, o se alegue abuso de confianza, transgresión de facultades o apropiación por el factor de los efectos objeto del contrato, siempre que estos contratos recaigan sobre objetos comprendidos en el giro o tráfico del establecimiento, o si, aun siendo de otra naturaleza, resultare que el factor obró por orden de su comitente, o que éste aprobó su gestión en términos expresos o por hechos positivos».

En los *contratos internacionales*, el artículo 2.2.2(2) de los PCCI determina que «el representante tiene facultad para realizar todos los actos necesarios, según las circunstancias, para lograr los objetivos por los que el apoderamiento fue conferido». Por consiguiente, si bien en primera instancia el representante deberá atenerse en su actuación al contenido del poder otorgado, se le habilita a ir más allá («realizar todos los actos necesarios») para el cumplimiento de su misión, a menos que expresamente se hubiere limitado el alcance del poder cuando éste fue otorgado, tal y como indica el comentario oficial.

---

14. RJ 2011, 1315.
15. RJ 2013, 1548.
16. Cfr. SSTS de 29 de diciembre de 2006 (RJ 2006, 273) y 30 de marzo de 2007 (RJ 2007, 1759).

3. El ejercicio del poder de representación

Aunque es cierto que la concesión de un poder de representación implica una relación de confianza entre poderdante y apoderado, que atribuye a la relación representativa un acentuado carácter personal, no lo es menos que superar la intransferibilidad de esa confianza resulta imprescindible para asegurar la virtualidad de la propia representación. De otro modo, cualquier impedimento que afecte a la persona del representante paralizaría de inmediato la gestión de los intereses del representado con el perjuicio que ello podría causar. Obtener la autorización del _dominus_ para la sustitución no siempre es fácil con la rapidez y urgencia que en ocasiones se requiere. Por otra parte, hay gestiones que pueden ser realizadas indistintamente por cualquier persona.

3.1. Sustitución del representante

En sede de mandato, los artículos 1721 y 1722 del CC se refieren a la sustitución del mandatario, siendo aplicables a la relación representativa. De acuerdo con lo dispuesto por el artículo 1721 del CC, es posible la sustitución del representante, salvo prohibición del representado, aludiendo también dicho precepto a los supuestos en los que el representante será responsable de la gestión del sustituto o se declare la invalidez de lo realizado por él. Pueden distinguirse los siguientes supuestos:

1.º Cuando al representante se le ha prohibido la sustitución, lo hecho por el sustituto será nulo, pues nula era la sustitución (art. 1721, párrafo último, CC).

2.º Cuando el representante no ha sido autorizado expresamente para sustituir, se entiende que no se le ha facultado para ello, pero que tampoco se le ha prohibido. En consecuencia, de acuerdo con el principio general contenido en el artículo 1721, párrafo 1.º, del CC, la sustitución es válida, aunque el representante responde de la gestión del sustituto (art. 1721.1.º CC). Además, el representado podrá dirigir su acción contra el sustituto (art. 1722 CC).

3.º Cuando el representante ha sido autorizado para sustituir, pero sin designar la persona, y el nombrado era notoriamente incapaz o insolvente, se producen los mismos efectos que en el párrafo anterior (art. 1721.2.º CC).

De lo expuesto se desprende que el representante no responderá de la gestión del sustituto, si fue autorizado expresamente para sustituir sin designación de personas y el sustituto era capaz o solvente cuando lo nombró. Tampoco si la autorización designa a la persona que puede sustituir al representante. En ambos supuestos el riesgo recae sobre el representado que autoriza la sustitución; pero, en cualquier caso, deberá incorporarse a ella el poder originario de quien otorga la sustitución[17].

> Según la STS de 17 de noviembre de 2007, «del régimen establecido en los artículos 1721 y 1722 del Código Civil cabe extraer los siguientes supuestos: 1.º) Que el mandante hubiere dado facultad al mandatario para nombrar sustituto. En este caso el responsable, en caso de sustitución en el mandato, será el propio sustituto, aunque también responderá, junto a él, el mandatario cuando no se designó la persona del sustituto y el nombrado era notoriamente incapaz o insolvente; 2.º) Que el mandante, sin dar expresamente facultad al mandatario para

---

17. Cfr. STS de 30 de diciembre de 1991 (RJ 1991, 9612).

operar la sustitución en el mandato tampoco lo hubiera prohibido; supuesto en el que el mandatario y sustituto responderán ante el mandante conjuntamente; y 3.º) Que le mandante haya prohibido expresamente cualquier sustitución en el mandato; supuesto en el que lo hecho por el sustituto será nulo y en el que el mandante carece de toda acción contar el sustituto (...). En el caso presente es claro que existía una expresa prohibición por el mandante acerca de la sustitución del mandato en otra persona, y al tratarse de un mandato de gestión resulta igualmente acreditado que la actuación de la demandad (...) tuvo lugar como simple auxiliar del mandatario (...), pues efectivamente no se trató de una sustitución y ni siquiera delegación del mandato, sino de una mera ayuda en su desempeño por parte de dicha demandad mediante una colaboración puramente material o técnica, sin entrar, desde el punto de vista jurídico en relación con terceras personas»[18].

En esta materia, nuestro Tribunal Supremo distingue entre la sustitución por vía de transferencia, en la que el representante que sustituye queda fuera de la relación de apoderamiento, ocupando su puesto otra persona, y la sustitución por vía de delegación, en la que el representante, dentro del ámbito de las facultades que le han sido atribuidas, otorga un poder para actuar a otra persona con el fin de que ejercite todas o algunas de dichas facultades, sin quedar él fuera de la inicial relación de apoderamiento. En esta segunda hipótesis se trataría de un subapoderamiento, un nuevo poder que deriva del anterior y depende de sus mismas vicisitudes. Mientras que la sustitución por vía de transferencia la hace el representante en nombre del representado y con su autorización, la sustitución por vía de delegación la hace en su propio nombre[19]. No obstante, tanto en la sustitución propiamente dicha como en el subapoderamiento, el representante tiene que otorgar un poder al sustituto para que represente al *dominus* y no a él. En el caso del subapoderamiento, el representante será responsable de los perjuicios que al *dominus* cause la actuación del subrepresentante (Díez-Picazo/Gullón).

El artículo 1287 de la PMDOC señala que «todo representante a quien el representado no se lo haya prohibido puede designar sustituto o subapoderado para actividades de las que no sea razonable esperar que el representante tenga que realizarlas por sí mismo; pero no obstante, responderá de la gestión del sustituto o del subapoderado cuando no se le dio facultad para nombrarlo. Si se le dio esta facultad sin designar la persona, responderá el representante si incurrió en culpa en la elección»[20].

En los *contratos internacionales*, el artículo 2.2.8 de los PCCI indica que «un representante tiene la facultad implícita para designar un sub-representante a fin de realizar actos que no cabe razonablemente esperar que el representante realice personalmente. Las disposiciones de esta Sección se aplican a la sub-representación». Esto implica que los actos y negocios llevados a cabo por un representante sustituto, nombrado de forma legítima por el representante, vincularán al representado con los terceros que contraten con el sustituto, a condición de que dichos actos y negocios se realicen dentro de los límites del poder conferido al representante y del segundo poder otorgado a favor del representante sustituto, que puede ser más limitado.

---

18. RJ 2008, 1547.
19. Cfr. STS de 14 de diciembre de 1943 (RJ 1943, 1313).
20. Cfr. artículo 3:206 de los PECL.

Como explica el comentario oficial, «la cuestión de saber si el representante está o no autorizado a designar uno o más representantes sustitutos depende de los términos del poder que se le otorgó. Así, el representado puede excluir expresamente la designación de representantes sustitutos o someterla a la condición de su previa autorización. Si no se dice nada respecto a la posibilidad de designar representantes sustitutos y si los términos del poder otorgado no resultan incompatibles con tal posibilidad, el representante tiene el derecho en virtud del presente artículo, de designar representantes sustitutos. La sola limitación es que el representante no puede encomendar al o los representantes sustitutos tareas que se entiendan que razonablemente debieran ser ejecutadas por el representante mismo. Es el caso en particular de actos que requieran la experiencia personal del representante».

3.2. El abuso del poder de representación

El abuso del poder de representación implica que el representante se extralimita del contenido intrínseco de su apoderamiento. Habiendo sido otorgado un poder a su favor, lo utiliza para cumplir fines distintos de los pretendidos por el representado. Como resulta obvio, esta situación plantea el problema de la validez de lo actuado frente a terceros. La necesidad de proteger el interés de los terceros de buena fe que contrataron con el representante justifica, en principio, que se repute válida esa actuación, sin perjuicio de las responsabilidades que puedan exigirse en la relación representante-representado. De hecho, el representante deberá resarcir al *dominus* de los daños y perjuicios que su comportamiento le hubiere ocasionado, pues el representante no puede traspasar los límites del poder que se le ha conferido, aunque los respete desde un punto de vista meramente formal (art. 1714 CC). Sin embargo, también cabe exigir un deber de diligencia a los terceros que contrataron con el representante, de manera que se reputará ineficaz lo acordado entre ellos en los supuestos en que los terceros hubieran conocido o debido conocer el carácter abusivo de los negocios celebrados por el representante. Por ejemplo, cuando el propio tercero resulte beneficiario directo del comportamiento del representante.

3.3. El autocontrato

El autocontrato, o contrato de alguien consigo mismo, surge cuando una persona puede vincular con su actuación a más de un patrimonio, creando relaciones jurídicas entre ellos a través de las facultades que a dicha persona le han sido conferidas. Aunque es evidente que no puede celebrarse un verdadero contrato consigo mismo, con esta figura se quiere aludir a supuestos que pueden darse fácilmente en la vida real: el representante que, encargado de enajenar un bien, lo compra para sí o que, debiendo vender y comprar, respectivamente, por encargo de dos mandantes, vende a uno el bien del otro. En ambos casos, el representante pone en relación su propia actividad con la de quien o quienes le han encomendado realizar una determinada gestión.

Si bien nuestro ordenamiento no regula el autocontrato, eso no quiere decir que no existan algunos preceptos que se refieren a hipótesis que podrían englobarse bajo esa denominación. Tal es el caso, por ejemplo, del artículo 1459 del CC, que, en materia de compraventa, dice que no podrán adquirir por compra, aunque sea en subasta pública o judicial, por sí ni por persona alguna intermedia, los que desempeñen algún cargo tutelar, los bienes de la persona o personas que estén bajo su guarda o protección (núm. 1) y los mandatarios, los bienes de cuya administración o enajenación estuviesen encargados (núm. 2). La prohibición se explica como consecuencia del conflicto de intereses planteado entre los propios de las personas encargadas de velar por los asuntos de otras y los de éstas, que han confiado en la independencia y rectitud de los primeros. De forma parecida, el artículo 267, párrafo 1.º, del CCom prohíbe al comisionista comprar para sí o para otro lo que se le haya mandado vender, y vender lo que se le haya encargado comprar, sin licencia del comitente.

Ahora bien, lo que se ha expuesto no evita plantearse la cuestión de si podrían darse casos en los que resultase admisible la figura del autocontrato. La doctrina y la jurisprudencia han contestado afirmativamente a esta pregunta, matizando que sería entonces necesario que se hubiera concedido la correspondiente autorización por el *dominus* o, por lo menos, que pudiera presumirse dicha autorización al no existir conflicto de intereses entre representante y representado y resultar la autocontratación en beneficio del representado. Como dice la STS de 5 de noviembre de 1956, las normas prohibitivas de la autocontratación tienen «la finalidad de prevenir toda colisión de intereses que ponga en riesgo la imparcialidad o rectitud del autocontratante, pero sin que en la hipótesis contraria haya razón legal suficiente para negar eficacia al autocontrato como una forma lícita o simplificadora del comercio jurídico»[21].

Cuando falte la mencionada autorización, el autocontrato resultará ineficaz por tratarse de un supuesto de actuación a nombre de otro sin poder, a que se refiere el artículo 1259 del CC, que lo sanciona de nulo, «a no ser que lo ratifique la persona a cuyo nombre se otorgue antes de ser revocado por la otra parte contratante».

En los *contratos internacionales*, el artículo 2.2.7(1) de los PCCI señala que «si un contrato celebrado por un representante lo involucra en un conflicto de intereses con el representado, del que el tercero sabía o debiera haber sabido, el representado puede anular el contrato. El derecho a la anulación se somete a los Artículos 3.2.9 y 3.2.11 a 3.2.15».

> Como indica el comentario oficial, «los casos más frecuentes de potenciales conflictos de intereses son aquellos donde el representante actúa para dos representados y aquellos en que el representante celebra el contrato con sí mismo o con una sociedad donde él tenga un interés. Sin embargo, en la práctica, aun en esos casos, el conflicto de intereses puede no existir. Por ejemplo, que el representante actúe para dos representados puede ser conforme a los usos en un sector de comercio relevante o el representado pudiera haberle otorgado el representante un mandato tan especial y limitado que no le deje margen de discrecionalidad».

Sin embargo, el representado no puede anular el contrato (a) si ha consentido que el representante se involucre e el conflicto de intereses, o lo sabía o debiera haberlo sabido; o (b) si el representante ha revelado el conflicto de intereses al representado y éste nada ha objetado en un plazo razonable (art. 2.2.7(2) PCCI).

---

21. RJ 1956, 3430.

3.4. El representante sin poder

Bajo el término de «representante sin poder», también denominado _falsus_ o _fictus procurator_, se engloban diversos supuestos que tienen todos en común la característica de crear una apariencia de representación en favor de la actuación de una persona con los terceros con quienes contrata. La falta de poder puede deberse a que nunca se tuvo realmente, o a que estaba ya extinguido en el momento de desempeñar su actividad el representante. Incluso se producirían los mismos efectos cuando el poder de representación sí que existe, pero el acto o actos realizados exceden de los límites de dicho poder. En cualquier caso, los actos que lleve a cabo un representante sin poder resultarían ineficaces por falta de legitimación de uno de los sujetos intervinientes, aunque sería posible la ratificación de lo actuado por el representante. Mientras no se produjese aquélla, el acto o negocio celebrado se encontraría en estado de suspensión, subordinado a una _conditio iuris_[22]. Producida, en cambio, la ratificación, todo lo actuado sería válido y eficaz desde el principio (la fecha de la conclusión del negocio por el _falsus procurator_), como si el representante hubiera tenido un poder suficiente para desarrollar su actividad. Porque, como señala la STS de 9 de octubre de 2008, si bien en la representación sin poder no hay el elemento del consentimiento porque el falso representante no emite su declaración de voluntad sino que lo hace en nombre de otro, y éste, el pseudorepresentado, tampoco la emite porque nunca dio poder de representación siendo un negocio jurídico inexistente, cuando se da la ratificación se completa con el consentimiento aquel negocio jurídico que, de inexistente (o nulo) pasa a ser existente, válido y eficaz[23].

> Según el artículo 1288, párrafo 2.º, de la PMDOC, «los actos de quien actúa en nombre de otro careciendo de poderes de representación o traspasando sus límites no vinculan al así representado y al tercero a menos que los ratifique aquél en cuyo nombre se hubiera actuado»[24]. Al supuesto en que el representado hubiera generado confusión a propósito de las facultades de su representante se refiere el artículo 1289 de la PMDOC, a cuyo tenor, «cuando las declaraciones o el comportamiento del representado hubieran permitido al tercero creer que el representante se encontraba investido de un poder de representación suficiente para el acto llevado a cabo, pero después se suscitara duda razonable acerca de la existencia del mismo o de su extensión, el tercero podrá pedir al representado su confirmación o ratificación. El silencio del representado, tras el referido requerimiento, equivale a la confirmación o ratificación»[25].

Por otra parte, la doctrina también se ha planteado la cuestión de si resulta posible distinguir la llamada representación aparente de la figura del representante sin poder. Como dicen DÍEZ-PICAZO/GULLÓN), el _falsus procurator_ es un supuesto especial de la hipótesis de la ausencia de poder de representación, no habiendo participado en absoluto el _dominus_ en la actividad de aquél ni por tanto habiéndole prestado apoyo. Por el contrario, la apariencia de poder de representación puede ser debida al comportamiento del _dominus negotii_, cuando con sus actos ha contribuido a crear la apariencia en la que han podido confiar razonablemente los terceros.

---

22. Cfr. STS de 23 de octubre de 1980 (RJ 1980, 3635).
23. RJ 2008, 5684. Cfr. STS de 4 de marzo de 2013 (RJ 2013, 3083).
24. Cfr. artículo 3:204(1) de los PECL.
25. Cfr. artículo 3:208 de los PECL.

En este contexto, según la STS de 27 de noviembre de 2012, «el mandato aparente ocurre cuando el mandante aparente, con su comportamiento, genera en el tercero con quien se relaciona la convicción de la existencia del mandato, corroborado por la actitud del mandatario que actúa frente al tercero bajo esta apariencia de representación. En el primer caso existe un verdadero mandato, en el segundo, aunque no existe, la apariencia generada frente al tercero de buena fe provoca que no pueda verse perjudicado por la ausencia de poder de representación. Y cuestión distinta es que un contrato celebrado en nombre de otro sin ostentar la representación para ello, pueda ser ratificado por aquél a nombre de quien contrató, y que esta ratificación pueda ser, no sólo expresa, sino también tácita, con el consiguiente efecto de validar el negocio (art. 1259 CC). Lógicamente, el apoderamiento tácito, por tratarse de un verdadero mandato, no necesita de ratificación alguna, mientras que la ratificación posterior de un apoderamiento aparente subsana el defecto de apoderamiento y el tercero que contrató fiado por esta apariencia de poder no necesita invocar su condición de buena fe para eludir las consecuencias de la falta de representación (…). La jurisprudencia hace tiempo que se hizo eco de la doctrina que entendía que debía ser mantenido en su contrato quien lo realizó de buena fe con un representante aparente (…). Para su apreciación, se exige que el tercero haya fundado su creencia de buena fe no en meros indicios sino en la consistencia de una situación objetiva, de tal significación o fuerza reveladora que el haberla tomado como expresión de la realidad no puede imputársele como negligencia descalificadora. En este sentido, en la STS de 14 de abril de 2008, nos referíamos a que la confianza del tercero en la existencia del poder fuera razonable y no debida a su negligencia»[26].

Como ejemplo de la representación aparente cabe mencionar lo dispuesto por el artículo 13.3 de la LAR, que, a propósito de la resolución del derecho del arrendador, reconoce una duración de cinco años a los arrendamientos de vivienda ajena que el arrendatario haya concertado de buena fe con la persona que aparezca como propietario de la finca en el Registro de la Propiedad, o que parezca serlo en virtud de un estado de cosas cuya creación sea imputable al verdadero propietario.

Siguiendo el criterio ya establecido por nuestra jurisprudencia, el artículo 1284, párrafo 3.º, de la PMDOC señala que «La persona que con sus declaraciones o su comportamiento haya suscitado en otro la razonable y fundada confianza de que una persona era representante suyo, no puede después pretender la inexistencia del poder»[27].

A la representación aparente se refiere el artículo II.-6:103(3) del DCFR cuando afirma que «cuando una persona causa en un tercero la creencia razonable y de buena fe que la misma ha autorizado a un representante para realizar ciertos actos, se considera como un principal que de esa forma autorizó al aparente representante». Como dice el comentario oficial, «un representante con este tipo de legitimación podrá vincular al representado de la misma manera que si éste le hubiera conferido expresamente. Esta norma ha sido diseñada para proteger a los terceros que hayan confiado razonablemente y de buena fe en hechos que transmitieran la impresión de que el principal había conferido realmente ese derecho. Pero es también importante

---

26. RJ 2013, 1548. Cfr. SSTS de 24 de noviembre de 1989 (RJ 1989, 7903), 27 de septiembre de 1995 (RJ 1995, 6453), 18 de marzo de 1999 (RJ 1999, 1858), 14 de abril de 2008 (RJ 2008, 2945) y 20 de noviembre de 2013 (RJ 2014, 272).
27. Cfr. artículo 3:301(3) de los PECL.

tener en cuenta que puede existir una contradicción con el interés del representado de no verse obligado por la actuación del representante». Por eso se exige que el representado aparente haya hecho creer al tercero razonablemente y de buena fe que había conferido legitimación «para llevar a cabo las operaciones pertinentes».

En los _contratos internacionales_, los Principios Unidroit se refieren tanto a la figura del representante que actúa sin poder o lo excede (_falsus procurator_) como a la del representante aparente. En la primera hipótesis, se aplica lo dispuesto por el artículo 2.2.5(1) de los PCCI, que afirma que «cuando un representante actúa sin poder o lo excede, sus actos no afectan las relaciones jurídicas entre el representado y el tercero». El representante que actúa sin poder o se excede en sus facultades «es responsable, a falta de ratificación por el representado, de la indemnización que coloque al tercero en la misma situación e que se hubiera encontrado si el representante hubiera actuado con poder y sin excederlo», tal y como señala el artículo 2.2.6(1) de los PCCI. Sin embargo, el apartado 2 del artículo 2.2.6 de los PCCI añade que «el representante no es responsable si el tercero sabía o debiera haber sabido que el representante no tenía poder o estaba excediéndolo».

Afirma con razón el comentario oficial que «al establecer que el falso representante será responsable de los daños y perjuicios que se originen a terceros y que tal compensación deberá ser tal que coloque a tercero en la misma posición que si el representante hubiera actuado con poder, deja en claro que a responsabilidad del falso representante no se limita al llamado "interés de confianza" o "interés negativo", sino que se extiende a los que se conoce como "expectativa" o "interés positivo". En otras palabras, el tercero puede recuperar la ganancia que hubiera obtenido si el contrato celebrado con el falso representante hubiera sido válido».

Al representante aparente se refiere el artículo 2.2.5(2) de los PCCI, según el cual, «cuando el representado genera en el tercero la convicción razonable que el representante tiene facultad para actuar por cuenta del representado y que el representante está actuando en el ámbito de ese poder, el representado no puede invocar contra el tercero la falta de poder del representante»[28].

A propósito de ello, el comentario oficial indica que «la representación aparente, que constituye una aplicación del principio general de buena fe (véase el Artículo 1.7) y de la prohibición del comportamiento contradictorio (véase el Artículo 1.8) es particularmente importante cuando el representado no es una persona física sino un ente colectivo. Al tratarse de una sociedad o de cualquier otra persona jurídica, un tercero puede tener dificultad para determinar si las personas que actúan en la organización tiene poder real para actuar, de manera que podría preferir, cuando sea posible, confiar en el poder aparente. En estos casos, el tercero sólo tiene que demostrar que era razonable para él creer que la persona que pretendía representar a la organización tenía poder para ello, y que esta creencia razonable se forjó en razón del comportamiento de quienes realmente contaban con los poderes para representar a la organización (consejo de administración, directores, socios, etc.). La cuestión de saber si esta creencia era razonable o no para el tercero dependerá de las circunstancias del caso (el lugar dentro de la jerarquía de la organización que tenía la persona que hizo la aparente representación, el tipo de operación, el consentimiento de los directores de la organización en el pasado, etc.)».

---

28.   Cfr. artículo 3:201(3) de los PECL.

4. La ratificación

4.1. Concepto, naturaleza y clases

La ratificación consiste en la aprobación prestada por el principal a lo actuado por otra persona no autorizada al efecto, bien porque carecía de poder para vincular con su gestión al *dominus*, bien porque aun disponiendo de él traspasó los límites de su autorización. La aceptación *a posteriori* del negocio concertado por el tercero tiene la virtualidad de transmitir sus efectos al *dominus*, quien, de lo contrario, no se vería vinculado por dicho negocio. Por consiguiente, la ratificación es *a posteriori* lo mismo que la concesión del poder de representación es *a priori* (DÍEZ-PICAZO).

> Según la STS de 17 de noviembre de 2010, un contrato celebrado por quien no ostenta la representación con la que dice actuar es un negocio jurídico incompleto «cuya efectividad depende de la ratificación por el dueño del negocio jurídico, que puede o no aceptarlo expresa o tácitamente»[29].

El artículo 1259, párrafo 2.º, del CC señala que «el contrato celebrado a nombre de otro por quien no tenga su autorización o representación legal será nulo, a no ser que lo ratifique la persona a cuyo nombre se otorgue antes de ser revocado por la parte contratante». Como puede verse, este precepto no aporta una solución clara al problema de la naturaleza del negocio celebrado por el representante sin poder o más allá de sus límites y pendiente de ratificación por el principal. Por una parte, afirma que dicho negocio es nulo. Por otra, reconoce que el tercero puede revocarlo, lo cual parece contradictorio con esa sanción de nulidad. Además, la facultad de revocación que se reconoce al tercero implicaría que, de no ejercitarla, el negocio podría producir algunos efectos. Ante este panorama, no resulta fácil dar una respuesta coherente acerca de **qué sanción es realmente la que corresponde** a un negocio celebrado en las circunstancias a que se refiere el artículo 1259, párrafo 2.º, del CC.

Rechazada la idea de que se trate de una nulidad en sentido estricto[30], la postura de reputarlo anulable tampoco parece la más adecuada. La anulabilidad es un tipo de ineficacia en la que existe una persona especialmente legitimada para impugnar un negocio en algunos supuestos previstos por el Ordenamiento. Ejercitada esa impugnación, el negocio anulable deja de producir efectos, volviéndose a la situación anterior a su celebración. En caso contrario, transcurrido un plazo determinado, el negocio devendría firme y definitivo sin posibilidad de impugnación. Esto no obstante, en el caso del artículo 1259, párrafo 1.º, del CC no sólo no se atribuye ningún poder especial de impugnación a la persona en cuyo nombre se ha celebrado el negocio por quien no tiene su autorización o representación legal, sino que, de ejercitarse una facultad semejante, no se vería afectada la eficacia del negocio celebrado entre representante y tercero. Ante este panorama, DÍEZ-PICAZO considera que podría calificarse de «ineficacia relativa» e «irrelevancia» la sanción que merece el acto del representante sin poder o más allá de sus límites, para de esta manera poner de relieve que el negocio no produce efectos en la esfera jurídica del *dominus*, aunque pueda producirlos con relación a otras personas (representante, terceros). La responsabilidad del representante podría interpretarse entonces como una obligación de asumir, y, por tanto, cumplir, el negocio celebrado sin poder, o también como una obligación de

---

29. RJ 2010, 9163.
30. Cfr. STS de 23 de diciembre de 2011 (RJ 2012, 1895).

indemnizar los daños y perjuicios que su comportamiento hubiera causado al tercero que confió en él. En este sentido, el artículo 1725 del CC declara que el mandatario que obre en concepto de tal no es personalmente responsable personalmente a la parte con quien contrata sino cuando se obliga a ello expresamente o traspasa los límites del mandato sin darle conocimiento suficiente de sus poderes.

> El artículo 1290 de la PMDOC determina que «a falta de ratificación, quien hubiera actuado como representante sin poder suficiente, estará obligado a abonar al tercero la indemnización que le restablezca en la situación en que se hubiera encontrado si aquél hubiera actuado con poder, a menos que el tercero hubiera conocido o debido conocer sus defectos»[31].

La ratificación puede ser *expresa* o *tácita*, como declara explícitamente el artículo 1727, párrafo 2.º, del CC, cuando afirma que «en lo que el mandatario se haya excedido, no queda obligado el mandante sino cuando lo ratifica expresa o tácitamente». Si bien es verdad que este precepto sólo se refiere a la hipótesis de que el mandatario se exceda de los límites del mandato, no hay inconveniente en extender su *ratio* a todos los supuestos de ratificación, con independencia de cuál sea el motivo concreto que requiera la aprobación del *dominus* (falta de poder para actuar, por ejemplo).

La ratificación expresa es la declaración aprobatoria por parte del *dominus* del negocio concluido en su nombre por el gestor oficioso y requiere, para la mayoría de la doctrina, que se cumplan los mismos requisitos de forma que legalmente sean necesarios para el negocio a ratificar. Díez-Picazo, en cambio, defiende la tesis de que si la ratificación suple *a posteriori* la previa inexistencia del poder, no hay por qué aplicarle los requisitos de forma del negocio principal, sino sólo los requisitos de forma del poder. La ratificación tácita deriva del comportamiento del *dominus*, que mediante hechos concluyentes acepta de forma inequívoca lo realizado por el representante. En palabras del artículo 1893, párrafo 1.º, del CC, «aunque no hubiese ratificado expresamente la gestión ajena, el dueño de bienes o negocios que aprovecha las ventajas de la misma será responsable de las obligaciones contraídas en su interés, e indemnizará al gestor los gastos necesarios y útiles que hubiese hecho y los perjuicios que hubiese sufrido en el desempeño de su cargo».

> A tenor del artículo 1288, párrafo 3.º, de la PMDOC, «la ratificación puede ser expresa o resultar de actos concluyentes. Se entiende que hay ratificación si el representado aprovecha las ventajas derivadas de las obligaciones contraídas en su interés».

4.2. Requisitos

La ratificación debe ser realizada, obviamente, por el *dominus*, en cuyo nombre ha actuado el representante, por lo que necesitará poseer la capacidad de obrar necesaria para celebrar el negocio jurídico que ratifica. Sin embargo, si el representado tuviese su capacidad de obrar limitada, entonces la ratificación exigiría que se complementase su capacidad de acuerdo con las circunstancias que en cada caso concurran. Cuando el *dominus* estuviese incapacitado, su representante legal sería el responsable de ratificar el negocio. El representante del *dominus* podrá también ratificar los actos del representante que actuó sin poder o con un poder insuficiente.

---

31.   Cfr. artículo 3:204(2) de los PECL.

Teniendo en cuenta que la ratificación supone una declaración de voluntad por la que el principal aprueba lo realizado por otra persona que no estaba legitimada para actuar de esa manera, dicha declaración debe ser *total, pura y simple*, sin que puedan introducirse en ella nuevos elementos. De forma análoga a lo que sucede en materia de oferta y aceptación, si la ratificación fuese parcial, estuviese sometida a condición o el principal le hubiera añadido nuevos elementos o formulado reservas, el tercero podría considerar la declaración, no como una ratificación, sino como una nueva oferta, que él podría aceptar o rechazar.

La declaración de voluntad en que consiste la ratificación debe ser *voluntaria y libre*, sin que pueda existir vicio del consentimiento, que justificaría su impugnación y, por ende, la del propio negocio ratificado.

La ratificación debe efectuarse de manera *tempestiva*. Cuando el representante y el tercero hubieren acordado un plazo para que el *dominus* la realice, sólo será eficaz si recae dentro de dicho plazo. Si no se hubiera indicado expresamente un plazo, la ratificación debe hacerse en un lapso de tiempo razonable según las circunstancias que concurran en cada caso (Díez-Picazo).

La ratificación es un negocio jurídico unilateral de carácter *recepticio*, lo que implica que debe llegar a conocimiento del tercero que contrató con el representante para producir efectos. De lo contrario, éste podría revocar el acto o negocio concertado (art. 1259, párr. 2.º, CC).

> Según el artículo 1288, párrafo 5.º, de la PMDOC, «mientras no se produzca la ratificación del negocio, el tercero tiene la facultad de revocarlo, mediante comunicación al representado, siempre que en el momento de su celebración no hubiera conocido ni debido conocer la falta o deficiencia del poder».

4.3. *Eficacia retroactiva de la ratificación*

La doctrina y la jurisprudencia están de acuerdo en estimar que la ratificación del negocio celebrado sin poder o con poder insuficiente produce todos sus efectos desde el momento en que fue realizado por el representante. Es lo que se denomina retroactividad de la ratificación. Sin embargo, esto no quiere decir que la mencionada eficacia retroactiva tenga carácter absoluto, pues vendrá limitada por la posible colisión con derechos adquiridos de buena fe por terceras personas, ajenas al negocio celebrado, en el período inmediatamente anterior a la ratificación. En esta hipótesis podría incluirse a los acreedores que hubieran realizado actos de ejecución sobre los bienes del *dominus*.

> El artículo 1288, párrafo 4.º, de la PMDOC señala que «la ratificación tiene efecto retroactivo, sin perjuicio de los derechos que, entre tanto, otras personas hayan adquirido».

En el ámbito de los *contratos internacionales* también se reconoce el principio según el cual el negocio que no debiera tener efectos frente al representado porque se realizó por quien no tenía poder para actuar, o por quien se excedió en sus facultades, puede ser vinculante para el representado si éste lo ratifica posteriormente. Así, el artículo 2.2.9(1) de los PCCI dice que «un acto por un representante que actúa sin poder o excediéndolo puede ser ratificado por el representado. Con la ratificación el acto produce iguales efectos que si hubiese sido realizado desde un comienzo con apoderamiento». Aunque el representado puede ratificar en todo momento, el apartado 2 del artículo 2.2.9 de los PCCI añade que «el tercero puede, mediante notificación al representado, otorgarle un plazo razonable para la ratificación. Si el representado no ratifica el acto en ese plazo, no podrá hacerlo después». Hecha la ratificación, deberá ser notificada al tercero.

A tenor del artículo 2.2.9(3) de los PCCI, «si, al momento de actuar el representante, el tercero no sabía ni debiera haber sabido la falta de apoderamiento, éste puede, en cualquier momento previo a la ratificación, notificarle al representado su rechazo a quedar vinculado por una ratificación». La razón para reconocer ese derecho al tercero de buena fe es, en opinión del comentario oficial, «impedir que el representado especule indebidamente y decida ratificar o no el acto en función de la evolución del mercado».

5. La extinción del poder

En esta materia, ante la falta de normas en nuestro Derecho sobre el negocio de apoderamiento, la doctrina acude a lo dispuesto en los artículos 1732-1739 del CC, que se refieren a los modos de acabarse el mandato. Dichos preceptos regulan las causas específicas o peculiares de extinción del mandato sin carácter limitativo. Por tanto, también habrá que tener en cuenta los modos generales de extinción, como por ejemplo la realización del encargo en el que consistía el objeto del mandato o el vencimiento del plazo que se hubiere fijado para la actuación del mandante.

5.1. *Revocación*

Según el artículo 1732.1.º del CC, el mandato se acaba por su revocación, pues el mandante puede revocar el mandato a su voluntad, y compeler al mandatario a la devolución del documento en que conste el mandato (cfr. art. 1733 CC). Al igual que en el caso del apoderamiento, la revocación es un negocio jurídico unilateral de carácter recepticio. Consiste en una declaración de voluntad del *dominus* para dejar sin efecto, en todo o en parte, las facultades de representación atribuidas al apoderado o representante. La revocación parcial se producirá cuando el *dominus* limite la extensión del poder originariamente otorgado, restringiendo o incluso suprimiendo alguna de las facultades conferidas. El carácter recepticio del negocio jurídico de revocación del poder se manifiesta en el hecho de que el destinatario de la declaración de voluntad es el representante, tal y como se desprende implícitamente de lo dispuesto en nuestro Código (arts. 1735 y 1738 CC). A lo que hay que añadir que, como dice el artículo 1734 del CC, «cuando el mandato se haya dado para contratar con determinadas personas, su revocación no puede perjudicar a éstas si no se les ha hecho saber». Lógicamente, el conocimiento de la revocación del poder tendrá como consecuencia que el representado no quede vinculado en lo sucesivo por los actos de su representante, produciéndose así la extinción de la relación representativa que vinculaba a las dos partes.

El artículo 1293.1 *a*) de la PMDOC establece que el poder de representación se extingue por su revocación[32]. Por su parte, según el apartado 2 de dicho artí-

---

32. Cfr. artículo 3:209(1)(a) de los PECL.

culo 1293.2, «si en un poder especial se establece su irrevocabilidad por haber sido conferido para el cumplimiento de una obligación del representado con el representante o con un tercero, no podrá ser revocado sin consentimiento del acreedor, salvo que exista justa causa».

Según el artículo 121-11, apartado 1, de la PCM, «el poder podrá ser revocado en cualquier momento. La revocación surte efectos para el apoderado desde que se le notifica». En cualquier caso, como dice el apartado 2 del mismo artículo, «si el apoderamiento estuviere inscrito en el Registro mercantil, la revocación sólo será oponible a terceros a partir del momento en que se produzcan los efectos de la inscripción. La inscripción de la revocación podrá practicarse sin necesidad de acreditar la notificación al interesado y aunque el poder no se hubiere inscrito».

La revocación puede realizarse en forma expresa, mediante la declaración de voluntad del *dominus* con el fin de dejar sin efecto la representación, o tácita, derivada de hechos concluyentes. En este sentido, el artículo 1735 del CC señala que «el nombramiento de nuevo mandatario para el mismo negocio produce la revocación del mandato anterior desde el día en que se hizo saber al que lo había recibido, salvo lo dispuesto en el artículo que precede». También tendrá lugar la revocación tácita cuando el representado realice personalmente el acto o negocio para el que previamente había conferido el poder al representante. Sin embargo, a la hora de valorar si el nombramiento de un nuevo representante o, en su caso, la propia actuación del *dominus*, producen la revocación del apoderamiento anterior, habrá que tener en cuenta la extensión del poder inicialmente otorgado y el ámbito de la nueva representación conferida (o de la gestión efectuada personalmente por el *dominus*).

Como dicen DÍEZ-PICAZO/GULLÓN, el efecto de la revocación no sólo se conseguirá con su notificación, sino también mediante la prueba de que sus destinatarios la conocieron o pudieron conocerla empleando la diligencia que las circunstancias del caso concreto exigían, cuya prueba recaerá sobre el representado que alegue no estar vinculado por los actos del que fue su representante. Producida la revocación en cualquiera de las formas que se han indicado, el representado podrá compeler al representante a que le devuelva el documento en que conste la revocación. Aunque el artículo 1733 del CC se refiere a la revocación expresa, parece razonable extender la facultad que se atribuye al representado a todos los casos de representación, pues la finalidad de la norma es proteger el interés de los terceros, evitando la apariencia de representación que podría causar la posesión del documento de apoderamiento.

5.2. La renuncia del representante

El artículo 1732.2.º del CC señala que el mandato se acaba por la renuncia del mandatario. Aplicada esta causa a la extinción de la representación, debe ser puesta en conocimiento del representado, produciendo efectos aunque le perjudique. Ahora bien, en este caso el renunciante tendrá que indemnizar dichos perjuicios, a menos que funde su renuncia en la imposibilidad de continuar desempeñando la representación «sin grave detrimento suyo» (art. 1735 CC). En virtud del principio de buena fe el representante no podrá abandonar de forma inmediata el negocio del *dominus*, sino que debe continuar su gestión, aunque hubiera renunciado con justa causa, hasta que el representado haya podido tomar las disposiciones necesarias (art. 1737 CC). Pero la buena fe se aplica también a la actuación del *dominus*, por lo que éste no podrá demorar injustificadamente tales medidas, impidiendo en definitiva la renuncia del representante.

El artículo 1293.1 b) de la PMDOC reconoce como modo de extinción del poder de representación la renuncia del representante.

5.3. Muerte, declaración de prodigalidad, concurso o insolvencia del representante o representado. Incapacitación sobrevenida

El mandato se acaba por muerte, declaración de prodigalidad, concurso del mandante o del mandatario (art. 1732.3.° CC). El mandato se extinguirá, también, por la incapacitación sobrevenida del mandante a no ser que en el mismo se hubiera dispuesto su continuación o el mandato se hubiera dado para el caso de incapacidad del mandante, apreciada conforme a lo dispuesto por éste. En estos casos, el mandato podrá terminar por resolución judicial dictada al constituirse el organismo tutelar o posteriormente a instancia del tutor (art. 1732, párr. 2.°, CC).

En caso de fallecimiento el artículo 1739 del CC determina, cuando la extinción del mandato se produzca por la muerte del mandatario, que sus herederos lo pongan en conocimiento del mandante y provean entretanto a lo que las circunstancias exijan en interés de éste. Parece razonable extender esta previsión a otros supuestos en que la terminación del mandato se deba a causas diferentes (DÍEZ-PICAZO/GULLÓN).

A tenor del artículo 1293.1 c) de la PMDOC, el poder de representación se extingue «por muerte, incapacitación o declaración de prodigalidad del representante»[33]. La letra d) de dicho artículo 1293 añade como causa de extinción la muerte del representado, «salvo que el poder hubiera sido otorgado en el ámbito de la actividad empresarial del poderdante. También se extinguirá el poder por incapacitación o declaración de prodigalidad del representado, salvo que el poder se refiera a actos que conforme a la sentencia de incapacitación o que declare la prodigalidad pueda realizar por sí solo y a salvo las excepciones contenidas en el párrafo segundo del artículo 1732 de este Código».

En caso de insolvencia patrimonial del representante o del representado, la declaración de concurso necesario impide al deudor la administración de sus bienes, pues, según el artículo 106.2 del TRLC, «el concursado tendrá suspendido el ejercicio de las facultades de administración y disposición sobre la masa activa. La administración concursal sustituirá al deudor en el ejercicio de esas facultades». El artículo 107.1 del TRLC añade que «el ámbito de la intervención y de la suspensión estará limitado a los bienes y derechos integrados o que se integren en la masa activa, a la asunción, modificación o extinción de obligaciones de carácter patrimonial relacionadas con esos bienes o derechos y, en su caso, al ejercicio de las facultades que correspondan al deudor en la sociedad o comunidad conyugal».

El artículo 1293.1 e) de la PMDOC indica que el poder de representación se extingue por la declaración de concurso del representante, o por la del representado cuando éste sea suspendido en el ejercicio de las facultades de administración y disposición sobre su patrimonio[34].

---

33. Cfr. artículo 3:209(1)(c) de los PECL.
34. Cfr. artículo 3:209(1)(c) y (d) de los PECL.

En cualquier caso, las causas de extinción que se han expuesto tienen efectos *ex nunc*, dejando en vigor las relaciones jurídicas establecidas con anterioridad a la producción de la causa extintiva de que se trate.

5.4. *La extinción de la representación y los terceros*

A tenor del artículo 1738 del CC, «lo hecho por el mandatario, ignorando la muerte del mandante u otra cualquiera de las causas que hacen cesar el mandato, es válido y surtirá todos sus efectos respecto a los terceros que hayan contratado con él de buena fe». Este precepto supone una excepción al principio según el cual nadie puede contratar a nombre de otra persona sin estar autorizado por ella o sin haberle sido atribuida su representación legal (art. 1259 CC). Supone un reconocimiento de la equidad, que protege tanto al representante que desconoce la extinción de la relación representativa como a los terceros de buena fe que hubieran contratado con él. Respecto del representante, se protege de esta manera la confianza de su vinculación con el *dominus*, de modo que la buena fe o ignorancia no culpable de aquél acerca de la cesación de la relación representativa le permitirá reclamar el reembolso de los gastos efectuados en el desarrollo de su gestión ya formalmente extinguida (art. 1728 CC). Por otra parte, en cuanto a los terceros, el artículo 1738 del CC implica el reconocimiento del principio de protección de la apariencia jurídica. Los terceros que hubieran confiado en los poderes del representante se ven así protegidos en sus intereses al no hacerles nuestro Derecho responsables de su desconocimiento de las vicisitudes que hubiera experimentado la representación. En este mismo sentido, ya el artículo 1734 del CC dispone que la revocación del mandato que se haya dado para contratar con determinados terceros no afecta a éstos si el representado no les notifica dicha revocación, siendo entonces válido, frente al *dominus*, lo acordado entre el representante y los terceros.

Sin embargo, como señala GORDILLO, la buena fe de los terceros es buena fe en sentido subjetivo, lo que implica que deba tenerse en cuenta una normal y razonable diligencia por parte de los terceros que desconocen, de forma no culpable, la extinción de la representación y confían por tanto en la aparente subsistencia de la misma. Además, la buena fe debe descansar en una base objetiva de apariencia que justifique el comportamiento de los terceros, que no efectuaron más comprobaciones que las propias derivadas de la apariencia del representante. A diferencia de lo que sucede con el representante, cuya buena fe no se presume, existe una presunción general de buena fe de los terceros.

Según el artículo 1293.3, párrafo 1.º, de la PMDOC, «la extinción del poder no es oponible al tercero que no la conociera ni hubiera debido conocerla en el momento de celebrar el contrato, a no ser que se haya comunicado o hecho pública por los mismos medios por los que se comunicó o se hizo público su otorgamiento»[35]. El párrafo 2.º del artículo 1293.3 de la PMDOC añade que «en todo caso, la extinción del poder será oponible al tercero que sea adquirente a título gratuito y al tercero que solo hubiera tenido conocimiento del mismo a través de la mera declaración del representante». No obstante la extinción del poder de representación, el artículo 1293.4 de la PMDOC autoriza al representante «para llevar

---

35. Cfr. artículo 3:209(2) de los PECL.

a cabo los actos que no puedan ser diferidos sin perjuicio del representado o sus herederos»[36].

En los contratos _internacionales_, el artículo 2.2.10(1) de los PCCI señala que «la extinción del poder no es efectiva en relación a un tercero a menos que éste la conozca o debiera haberla conocido».

Como indica el comentario oficial del artículo 2.2.10 de los PCCI, «existen varios motivos para dar por terminados los poderes del representante: la revocación por parte del representado, la renuncia del representado, la consumación del acto o actos para el cual o los cuales el poder fue otorgado, la pérdida de capacidad, la quiebra, la muerte o cesación de existencia del representante o del representado, etc. Qué puede fundar la extinción del poder y el modo en que opera dicha extinción entre el representante y el representado no entran en el campo de aplicación del presente artículo y deben ser determinados de acuerdo con el derecho aplicable (por ejemplo, el derecho que regule las relaciones internas entre el representante y el representado, el derecho que regule el estatus jurídico o la personalidad, el derecho que regule la quiebra, etc.) que puede variar considerablemente de un país a otro».

A pesar de todo ello, la extinción del poder no surtirá efectos frente a un tercero, a menos que éste la conozca o debiera haberla conocido. En otras palabras, continúa el comentario oficial, «aun cuando el poder del representante hay sido terminado por una razón o por otra, los actos del representante continúan afectando la relación jurídica entre el representado y los terceros durante todo el tiempo que el tercero no sepa o no debiera haber sabido que el representante ya no tenía poder. La situación es evidentemente clara cuando el representado o el representante notifican al tercero la terminación del poder. En ausencia de tal notificación, dependerá de las circunstancias del caso determinar si el tercero debería haber sabido de la terminación».

III. EL PODER IRREVOCABLE

A pesar de que la revocabilidad del poder es uno de los medios legales que permiten su extinción (art. 1732.1.º CC), no existe ninguna norma que prohíba al poderdante renunciar a dicha facultad. Si bien doctrina y jurisprudencia admiten la irrevocabilidad del poder, al mismo tiempo matizan las circunstancias que deben ser tenidas en cuenta para aceptar esta excepción al régimen general de extinción del poder. En este sentido, el Tribunal Supremo exige una causa específica que lo justifique a través de la existencia de otro contrato en el que estén interesados, no sólo el representado, sino también el representante o terceras personas. En palabras de la STS de 24 de diciembre de 1993, «la irrevocabilidad del mandato, no obstante su normal esencia revocable, es admisible cuando así se hubiere pactado expresamente con una finalidad concreta que responda a exigencias de cumplimiento de otro contrato en el que están interesados, no sólo el mandante o representado, sino el mandatario o terceras personas, es decir, cuando el mandato es, en definitiva, mero instrumento formal de una relación jurídica subyacente bilateral o plurilateral que le sirve de causa o razón de ser y cuya ejecución o cumplimiento exige o aconseja la irrevocabilidad para evitar

---

36. Cfr. artículo 3:209(3) de los PECL.

la frustración del fin perseguido por dicho contrato subyacente por la voluntad de los interesados»[37].

Se distinguen dos tipos de irrevocabilidad, real y obligatoria. La *real* se basa en la relación causal o subyacente que ha motivado el otorgamiento del poder y tiene carácter absoluto, lo que implica que el representado no puede revocarlo. Es, en definitiva, una verdadera y auténtica irrevocabilidad. En la *obligatoria*, en cambio, el poderdante puede revocar el poder, pero, si lo hace, deberá indemnizar los daños y perjuicios que ello cause a la persona con la que se comprometió a no revocar. Se ha afirmado que la irrevocabilidad real conviene en todos los casos en que la concesión del poder asegura o garantiza la satisfacción del interés del representante, como medio de evitar la frustración de la relación que le vincula al representado. Por el contrario, en todos los casos en que dicho interés no está ligado a una relación subyacente que justifique la irrevocabilidad real, por ser simplemente un pacto establecido entre representado y representante, se tratará solamente de irrevocabilidad obligatoria (DÍEZ-PICAZO/ GULLÓN).

> El artículo 1293.2 de la PMDOC señala que «si en un poder especial se establece su irrevocabilidad por haber sido conferido para el cumplimiento de una obligación del representado con el representante o con un tercero, no podrá ser revocado sin consentimiento del acreedor, salvo que exista justa causa».

IV. LA REPRESENTACIÓN INDIRECTA

La representación indirecta, también llamada oculta y mediata, es aquella en la que el representante actúa por cuenta del representado, pero en su propio nombre (*agere in nomine proprio*). De esta manera, su condición de representante no entra en consideración al celebrar el negocio con el tercero (DE CASTRO). La cuestión principal en esta materia se ha centrado tradicionalmente por parte de la doctrina en discutir si la representación indirecta posee o no auténtica eficacia representativa. Los autores que niegan tal posibilidad (teoría restrictiva de la representación) consideran que el negocio realizado por el representante que actúa en su propio nombre es suyo frente al tercero y frente al representado, por lo que adquiere los derechos o asume las obligaciones que se deriven de dicho negocio. Por tanto, si consistiese en una adquisición de bienes, el representante vendría después obligado a transmitirlos al representado para cumplir así la relación interna que le vincula con él.

La representación indirecta aparece regulada en los artículos 1717 del CC y 246 del CCom, bajo la idea de que el mandato lleva consigo la representación. Según el artículo 1717 del CC, «cuando el mandatario obra en su propio nombre, el mandante no tiene acción contra las personas con quienes el mandatario ha contratado, ni éstas tampoco contra el mandante. En este caso el mandatario es el obligado directamente a favor de la persona con quien ha contratado, como si el asunto fuera personal suyo. Exceptúase el caso en que se trate de cosas propias del mandante. Lo dispuesto en

---

37. RJ 1993, 10149. Cfr. SSTS de 20 de abril de 1981 (RJ 1981, 1658), 31 de octubre de 1987 (RJ 1987, 7492), 27 de abril de 1989 (RJ 1989, 3269), 1 de junio de 1991 (RJ 1991, 4405), 26 de noviembre de 1991 (RJ 1991, 8508), 11 de mayo de 1993 (RJ 1993, 3539), 19 de noviembre de 1994 (RJ 1994, 8537), 30 de enero de 1999 (RJ 1999, 331) y 3 de septiembre de 2007 (RJ 2007, 4709).

este artículo se entiende sin perjuicio de las acciones entre mandante y mandatario». Por su parte, el artículo 246 del CCom señala que «cuando el comisionista contrate en nombre propio, no tendrá necesidad de declarar quién sea el comitente, y quedará obligado de un modo directo, como si el negocio fuese suyo, con las personas con quienes contratare, las cuales no tendrán acción contra el comitente, ni éste contra aquéllas, quedando a salvo siempre las que respectivamente correspondan al comitente y al comisionista entre sí». Interpretado literalmente el artículo 1717 del CC, no hay ningún tipo de conexión entre las relaciones mandante-mandatario (representado-representante) de una parte, y las relaciones mandatario-terceros de otra. De acuerdo con esta postura, si el encargo o mandato tuviese por finalidad adquirir la propiedad de un bien, el representante se convertiría en propietario del mismo. El representado sólo podría ejercitar una acción meramente personal para obligarle a transmitirle la propiedad con el evidente riesgo de cómo hacerla efectiva cuando el bien hubiese sido enajenado a un tercero. Además, en caso de insolvencia del representante ni siquiera sería posible utilizar la vía indemnizatoria.

Del tenor del artículo 1717 del CC se desprende que este precepto no se ocupa de la cuestión de la transmisión de la propiedad, sino de las acciones que surgen entre el mandatario que obra en su propio nombre y el tercero que contratado con él. A juicio de Díez-Picazo y Gullón, la idea que debe presidir la interpretación de dicho precepto es que lo relevante en materia de representación es el actuar por cuenta o encargo de otro, y no también en su nombre, produciéndose de esta manera los efectos también en la esfera jurídica del representado. Existirá una disociación entre titularidad formal y material del bien, pues externamente el representante es el propietario del mismo con todas las consecuencias. El reconocimiento de la propiedad del representado, en la relación representante-representado, vendría dado por lo dispuesto en el artículo 1720 del CC, según el cual, «todo mandatario está obligado a dar cuenta de sus operaciones y a abonar al mandante cuanto haya recibido en virtud del mandato, aun cuando lo recibido no se debiera al segundo»; aunque frente al tercero con quien contrató el representante será el único vinculado. Esta es la doctrina del Tribunal Supremo, para quien lo adquirido por una persona que actúa en su propio nombre, pero habiendo indicios suficientes que permiten presumir que lo hace en interés y por cuenta de otra persona, se considera que ha pasado directamente al patrimonio de esta última la propiedad y posesión de lo adquirido[38].

Por último, la referencia que hace el artículo 1717 del CC a que se exceptúa de lo dispuesto en el propio artículo el caso «en que se trate de cosas propias del mandante», ha sido interpretada en el sentido de que el tercero tendría acción contra el representante, si bien no por ello quedaría vinculado automáticamente por lo hecho por su representante (De Castro).

> La Propuesta para la modernización del Derecho de obligaciones y contratos recoge expresamente en su articulado la denominada «representación indirecta». Según el artículo 1292, párrafo 1.º, de la PMDOC, «cuando el representante haya actuado por cuenta del representado pero no en nombre de éste, el representante y el tercero quedan obligados por el contrato y de éste sólo nacen obligaciones entre el representado y el tercero en los supuestos a que se refieren los párrafos

---

38. Cfr. SSTS de 11 de junio y 22 de noviembre de 1965 (RJ 1965, 3817 y 5410), 31 de octubre y 26 de noviembre de 1970 (RJ 1970, 4521 y 4905).

siguientes»[39]. En primer lugar, si el representante resultare insolvente o incurriere o fuere manifiesto que incurrirá en un incumplimiento esencial frente al representado, el párrafo 2.º del artículo 1292 de la PMDOC dice que «éste podrá ejercitar frente al tercero los derechos adquiridos por el representante en virtud del contrato celebrado por su cuenta, sin perjuicio de que el tercero pueda oponerle las excepciones que tuviese contra el representante». Si en cambio fuese el representante el que resultare insolvente o incurriere o fuere manifiesto que incurrirá en un incumplimiento esencial frente al tercero con quien contrató, el tercero «podrá ejercitar contra el representado los derechos adquiridos frente al representante, sin perjuicio de que el representado pueda oponerle las excepciones que hubiera podido alegar el representante» en palabras del artículo 1292, párrafo 3.º, de la PMDOC. En ambos supuestos, señala el párrafo 4.º del artículo 1292 de la PMDOC, «el representante, a petición del interesado en ejercitar los derechos aludidos, deberá comunicar el nombre y domicilio del tercero o del representado». En cualquier caso, según el artículo 1292, párrafo 5.º, de la PMDOC, «el ejercicio de los derechos a que se refieren los citados dos párrafos sólo es posible si previamente se ha notificado el propósito de hacerlo al representante y, según los casos, al tercero o al representado. Tras la recepción de la referida notificación, ni el tercero ni el representado están facultados para liberarse de sus obligaciones pagando al representante».

El artículo VII.-4:102 del DCFR señala que «cuando un representante realiza un acto jurídico por cuenta del principal de modo que el que resulta parte en el acto jurídico es el representante y no el principal, el enriquecimiento o desventaja que resulten del acto jurídico, o del cumplimiento de las obligaciones derivadas de éste, deberán considerarse como enriquecimiento o desventaja del representante».

En los *contratos internacionales*, la representación indirecta aparece contenida en el artículo 2.2.34(2) de los PCCI, a cuyo tenor, «los actos del representante sólo afectan las relaciones entre el representante y el tercero, cuando con el consentimiento del representado, el representante asume la posición de parte». Este sería el caso, dice el comentario oficial, de un representado que, deseando permanecer en el anonimato, «instruye a su representante para actuar en calidad de lo que se suele llamar "comisionista", es decir, para negociar con terceros en su propio nombre sin establecer ninguna relación directa entre el representado y los terceros. Éste es también el caso cuando los terceros dejan claro que no pretenden contratar con alguien diverso del representante y éste, con el consentimiento del representado, acepta que solamente él, y no el representado, quedará vinculado por el contrato. En ambos casos se concluirá de los términos del acuerdo entre representante y representado que, una vez que el representante haya adquirido los derechos en virtud de contrato celebrado con el tercero, éstos serán cedidos al representado».

También podrías mencionarse el supuesto a que se refiere el artículo 2.2.4(1), que, bajo el epígrafe de «representación oculta», dice que «cuando un representante actúa en el ámbito de su representación y el tercero no sabía ni debiera haber sabido que el representante estaba actuando como tal, los actos del representante afectan solamente las relaciones entre el representante y el tercero». De manera excepcional, cuando tal representante, al contratar con un tercero por cuenta de una empresa, se comporta como dueño de ella, el tercero, al descubrir la identidad del verdadero

---

39. Cfr. artículo 3:301(1) de los PECL.

titular de la misma, podrá ejercitar también contra este último las acciones que tenga en contra del representante (art. 2.2.4(2) PCCI).

BIBLIOGRAFÍA

ALBALADEJO, «La representación», ADC, 1958, p.767; CANO MARTÍNEZ DE VELASCO, _El poder irrevocable_, Barcelona, 1998; BADENAS CARPIO, _Apoderamiento y representación voluntaria_, Pamplona 1998; DE CASTRO, _Temas de Derecho civil_, Madrid, 1972; íd., «El autocontrato en el Derecho privado español», RGLJ, 1927, pp. 151 y 334; DÍEZ-PICAZO, _La representación en el Derecho privado_, Madrid, 1979; DE LA CÁMARA, «La revocación del mandato y del poder», AAMN, T. IV, 1948, p. 551; DIÉGUEZ OLIVA, «La representación indirecta en la Propuesta de Modernización del Código Civil en materia de obligaciones y contratos. Problemas registrales y sustantivos en la jurisprudencia del TS de la DGRN» en AA VV (dir. BOSCH CAPDEVILA), _Nuevas perspectivas del Derecho contractual_, Barcelona, 2012, pp. 525-537; GARCÍA CANTERO, «Notas sobre representación legal en el Derecho de familia», _Libro-Homenaje al Prof. Roca Juan_, Murcia, 1989, p. 289; GORDILLO, _La representación aparente_, Universidad de Sevilla, 1978; HUPKA, _La representación voluntaria en los negocios jurídicos_, trad. esp., Madrid, 1930; JORDANO BAREA, «Mandato para adquirir y titularidad fiduciaria», ADC, 1983, p.1435; LINARES NOCI, _Poder y mandato. Problemas sobre su irrevocabilidad_, Madrid, 1991; MACÍA MORILLO, «La extinción del poder de representación por concurso en el nuevo Derecho de los contratos» en AA VV (dir. BOSCH CAPDEVILA), _Nuevas perspectivas del Derecho contractual_, Barcelona, 2012, p. 563; MONSERRAT VALERO, _El mandato y el apoderamiento irrevocables_, Zaragoza, 1982; NÚÑEZ LAGOS, «Mandatario sin poder», RDP, 1946, p. 609; íd., «La ratificación», RDN, 1954, p. 215; RIVERO HERNÁNDEZ, «Naturaleza y situación del contrato del _falsus procurator_», ADC, 1976, p. 1047; RUIZ-RICO RUIZ, J.J., _La representación en interés del representante_, Santander, 1985; TRAVIESAS, «La representación voluntaria», _RDP_, 1922, p. 123; íd., «La representación y otras figuras afines», RDP, 1923, p. 33.

Ineficacia del contrato

I. INTRODUCCIÓN

El término *ineficacia* hace referencia a todos los supuestos en que un contrato no produce efectos o deja de producir aquellos que le son propios según su naturaleza, si bien puede originar otros diferentes, como indemnización de daños y perjuicios. Ahora bien, como la ineficacia del contrato responde a causas diversas, dando origen a distintas categorías, y como éstas no tienen el mismo tratamiento, es preciso distinguir sus diferentes tipos, examinándolos por separado.

Las *causas* generales de ineficacia del contrato, atendiendo al instante en que esta se produce, se pueden clasificar del modo siguiente:

1. Ineficacia inicial

Hay una sola categoría de ineficacia inicial: la *nulidad absoluta* o carencia total e inicial de efectos jurídicos desde el momento mismo de la celebración del contrato (*quod nullum est nullum effectum producit*). Un contrato estará afectado de nulidad absoluta cuando exista un precepto legal que lo imponga expresamente, falte algún elemento esencial para la formación del negocio, o la materia, objeto o finalidad de éste impliquen un fraude a la ley, sean atentatorios a la moral o supongan daño o peligro para el orden público[1].

No obstante, un sector de la doctrina española, influido por la francesa, ha introducido en nuestro país la figura de la *inexistencia* como distinta y contrapuesta a la de la nulidad, por considerar que dicho concepto refleja mejor el supuesto de falta de alguno de los elementos esenciales del contrato, y porque al mismo se refiere el artículo 1261 del CC, al decir que *no hay contrato* sin la concurrencia de los requisitos

---

1.   Cfr. STS de 10 de noviembre de 1964 (RJ 1964, 5073).

siguientes: consentimiento de los contratantes, objeto cierto que sea materia del contrato y causa de la obligación que se establezca.

En Francia, la teoría de la «inexistencia» del contrato había surgido por una necesidad práctica. En el Derecho de este país, la doctrina anterior al Código había proclamado el carácter taxativo de las causas de nulidad (*pas de nullité sans texte*), por lo que al publicarse el Código civil y observar que el legislador había olvidado sancionar con la nulidad determinados supuestos, en los que concurrían defectos graves que la exigían en virtud de su propio significado y finalidad, se ve obligada a salvar esta omisión advirtiendo que en esos casos había algo más que nulidad. Se trataba de la «inexistencia» del negocio, y el caso más llamativo se refería a una hipótesis entonces de todo punto inviable, como era la relativa al matrimonio de dos personas del mismo sexo. En este contexto, procede advertir que también el Derecho canónico distinguía entre *matrimonium nullum* y *matrimonium non existens*.

En la actualidad, en nuestra doctrina la categoría de la «inexistencia» goza de poco predicamento, ya que los autores más relevantes niegan o ignoran esta categoría o bien la incluyen dentro de la nulidad absoluta. Desde luego, el propio término «inexistencia» es criticable, pues, como dice DE BUEN, parece imposible pensar que exista un contrato inexistente, aunque cabe justificarlo por el hecho de que un acto puede tener una cierta apariencia jurídica externa, sin tener existencia real en el terreno del Derecho. Pero, en realidad, el rechazo de la teoría se produce por dos razones: en primer término, la propia esterilidad del concepto, puesto que la sanción por inexistencia es la misma que la que se decreta para los casos de nulidad absoluta; y, en segundo lugar, porque no es necesaria en nuestro Derecho, ya que no es preciso que la nulidad esté taxativamente establecida por la ley, sino que es suficiente que la exija su significado y finalidad[2].

No puede negarse que nuestra jurisprudencia utiliza constantemente el término «inexistencia», especialmente en los casos de simulación, pero lo cierto es que no saca especiales consecuencias de la distinción. Por ejemplo, la STS de 20 de diciembre de 1985 dice que el contrato es inexistente y a continuación habla de declaración de nulidad[3].

2. Ineficacia sobrevenida

1.ª *Anulabilidad* o nulidad relativa. El contrato reúne todos los requisitos esenciales y produce efectos desde el mismo instante de su celebración, pero se encuentra afectado por algún vicio que lo invalida con arreglo a la ley, aunque no exista lesión para ninguno de los contratantes, por lo que puede ser anulado (cfr. art. 1300 CC). Por ejemplo, el contrato ha sido celebrado por un menor o incapaz o la declaración de voluntad está viciada por error, dolo, violencia o intimidación. En cualquiera de estos casos, para proteger al contratante menor, incapaz o cuyo consentimiento está viciado, la ley le otorga la posibilidad de solicitar la anulación.

2.ª *Rescisión*. El contrato es perfecto y no adolece de vicio, pero, en virtud del perjuicio o lesión que causa a una de las partes o a un tercero, la ley concede acción para

---

2.   Cfr. STS de 10 de noviembre de 1964 (RJ 1964, 5073).
3.   RJ 1985, 6604.

hacer cesar sus efectos. Como dice DE CASTRO, es un «remedio in _extremis_ arbitrado para evitarle al protegido un perjuicio resultante del juego normal de la ley, pero que se estima especialmente injusto».

3.ª _Resolución._ Es otra forma de dejar sin efecto un contrato, a la que caracteriza la causa que la determina: el cumplimiento de una condición resolutoria. Como es sabido, puede someterse el contrato a una condición resolutoria, en cuyo caso, si la condición se cumple, deja de producir efectos y se resuelve. Igual sucede en el supuesto de las obligaciones recíprocas, en las que la facultad de resolverlas se entiende implícita «para el caso de que uno de los obligados no cumpliere lo que le incumbe», pudiendo el perjudicado «escoger entre exigir el cumplimiento o la resolución de la obligación, con el resarcimiento de daños y abono de intereses en ambos casos» (art. 1124 CC).

4.ª _Revocación._ Se trata de una forma especial de ineficacia de ciertos contratos, en los que en atención a su naturaleza la ley autoriza a una de las partes dejarlo sin efecto por su sola voluntad, por ejemplo, la revocación de las donaciones (arts. 644 y ss. CC).

Por último, hay que advertir que, por razones sistemáticas, únicamente se van a examinar aquí los casos de nulidad, anulabilidad y rescisión, pues los demás supuestos de ineficacia se estudian en otros lugares; concretamente, la resolución al examinar los efectos de las obligaciones recíprocas, y la revocación a propósito del contrato de donación.

3. Inoponibilidad

Inoponibilidad es la ineficacia de un acto o negocio respecto de terceros. Se diferencia de la nulidad tanto por sus causas como por sus efectos. Por sus causas, pues la nulidad sanciona el no respetar las condiciones o requisitos legales a que se encuentra sometida la formación de un acto o negocio, por ejemplo, existencia de vicios del consentimiento, causa ilícita, ausencia de objeto materia del negocio, etc. En cambio, la inoponibilidad afecta a un acto o negocio jurídico realizado conforme a Derecho, pero que produce un perjuicio ilegítimo a tercero, por ejemplo, cuando dicho negocio o contrato no accedió al Registro de la propiedad. Por sus efectos, ya que la imperfección del acto o negocio inoponible no afecta a las relaciones entre las partes, sino a los terceros o a ciertos terceros, que pueden ignorarlo.

Es un caso paradigmático el supuesto de doble venta: «A» vende a «B», que no inscribe en el Registro de la propiedad, y posteriormente vende el mismo inmueble a «C», que ignora la venta anterior y procede a inscribir en el Registro. La venta entre «A» y «B» es válida, ya que la inscripción no es un requisito de validez de la venta; sin embargo, dicha venta es inoponible a «C», cuyo título inscrito sí puede ser opuesto a «B» y, desde luego, a «A». Es decir, en el conflicto surgido entre «B» y «C» gana este último, pues «B» no puede oponerle su título (cfr. arts. 1473, párr. 2.º, CC y 32 LH).

II. NULIDAD ABSOLUTA

1. Idea general y causas

El contrato nulo no produce efectos jurídicos propios. Se trata de un negocio que es ineficaz desde el mismo instante de su celebración, es decir, por el solo hecho de existir el defecto (originario) que da lugar a la nulidad. Como la carencia de efectos es originaria, total y el negocio no puede ser confirmado, se suele calificar la nulidad de *absoluta* o *radical.*

Las *causas* de nulidad absoluta son, principalmente, las siguientes:

a) La infracción de lo dispuesto en una norma imperativa o prohibitiva (art. 6.3 CC), o la contravención de un principio moral o de orden público (art. 1255 CC).

La ley imperativa puede establecer expresamente la nulidad, en cuyo caso se dice que ésta es *textual.* Sin embargo, no es preciso que la sanción de nulidad sea ordenada de modo expreso y textual, sino que puede inferirse mediante una interpretación flexible, en la que habrá de rechazarse tanto la interpretación extensiva como el uso de la analogía, debiendo atenderse tanto a la finalidad perseguida por la norma como a la que tiene el contrato que la contradice[4]. La sanción en caso de nulidad *virtual* se encuentra establecida con carácter general en el artículo 6.3 del CC; y, como dice Espín, «en este supuesto la norma se integrará de dos preceptos, uno el que contiene la prohibición o disposición imperativa, otro el que conmina con la sanción de nulidad» (art. 6.3. CC).

La jurisprudencia ha delimitado el preciso alcance de la sanción de nulidad consignada en el artículo 6.3 del CC, clasificando los actos contrarios a la ley en tres distintos grupos:

1.°) Aquellos cuya nulidad se funda en un precepto específico y terminante de la ley que así lo imponga, siendo obvio que la nulidad ha de decretarse entonces, incluso de oficio. A tal efecto, la STS de 22 de julio de 1997 dice que «los juzgadores han de actuar con extrema prudencia y criterio flexible, debiendo de tener en cuenta las circunstancias concurrentes, móviles, efectos previsibles y trascendencia intensa cuando se trata de declarar la nulidad plena y atender a si se da precepto específico legal que imponga dicha sanción civil *per se*»[5] Esta misma sentencia declara que «la sanción de nulidad no se reputa aplicable a supuestos de vulneración de normas administrativas»[6], afirmación que debe ser matizada en el sentido de que sí será aplicable cuando la propia norma (administrativa) establezca la nulidad, y también si así se deduce de la misma.

2.°) Actos contrarios a la ley, en los que la ley misma disponga a pesar de ello su validez, debiendo en este caso reconocerse validez a tales actos *contra legem.*

3.°) Actos que contraríen o falten a algún precepto legal, sin que éste formule declaración alguna expresa sobre su nulidad o validez, en cuyo caso el juzgador deberá extremar su prudencia en uso de una facultad hasta cierto punto discrecional, analizando para ello la índole y finalidad del precepto legal contrariado y la naturaleza, móviles, circunstancias y efectos previsibles de los actos realizados, para concluir declarando válido el acto, pese a la infracción legal, si la levedad del caso así lo permite o aconseja, y sancionándolo con la nulidad si median trascendentales

---

4.   Cfr. SSTS de 8 de abril de 1958 (RJ 1958, 1467), 4 de febrero de 1960 (RJ 1960, 460) y 28 de julio de 1986 (RJ 1986, 4621).
5.   RJ 1997, 5807. Cfr. SSTS de 7 de febrero de 1984 (RJ 1984, 580) y 4 de diciembre y 17 de octubre de 1987 (RJ 1987, 7293).
6.   Cfr. SSTS de 17 de octubre de 1987 (RJ 1987, 7293) y 26 de abril de 1995 (RJ 1995, 3257).

razones que patentizan el acto como gravemente contrario a la ley, la moral o el orden público[7].

b) La falta de alguno de los elementos o requisitos consignados en el artículo 1261 del CC (consentimiento, objeto y causa) o de la forma en aquellos contratos en que ésta se exige *ad substantiam* (por ejemplo, en la hipoteca, art. 1875 CC).

2. La acción de nulidad

En principio, la acción de nulidad no es necesario ejercitarla, pues el defecto del negocio es originario y, por tanto, éste no produce o no debe producir efecto alguno[8]. No obstante, como puede existir una apariencia de realidad o eficacia, en ocasiones es preciso destruir dicha apariencia si constituye un obstáculo para el ejercicio de un derecho y, para ello, ejercitar la acción de nulidad. Pero, en estos casos, no se pide al Juez que anule o resuelva la situación existente, sino que *declare* en la sentencia la ineficacia que afectaba al contrato desde el momento mismo de su celebración. Es decir, se trata de una acción declarativa y, por consiguiente, la sentencia será también declarativa de una realidad jurídica existente[9]. Por ello, como dice DE CASTRO, dicha sentencia «bastará para oponerse a una pretensión basada en ese negocio nulo; pero, en otros casos, cuando se trate, por ejemplo, de reclamar la entrega o restitución de lo obtenido con base en un título nulo, será necesario el ejercicio de otra acción (por ejemplo, reivindicatoria, restitutoria)».

Además, la nulidad absoluta opera *ipso iure* o de pleno derecho; es decir, si el juez conoce la nulidad deberá apreciarla y declararla «de oficio», aunque no haya sido solicitada tal declaración por ninguna de las partes[10].

La acción de nulidad puede ser ejercitada por cualquier persona que tenga interés legítimo en ello, es decir, podrá ser ejercitada tanto por las partes intervinientes en el contrato como por los terceros perjudicados[11].

Respecto de la legitimación pasiva, la demanda habrá de dirigirse contra todos los interesados o afectados por la declaración de nulidad, ya que nadie puede ser condenado sin ser oído[12], a no ser que la violación de un precepto legal fuera clara y patente[13]. Sin embargo, según la STS de 26 de mayo de 2004, «no es menos cierto que (la doctrina del litisconsorcio pasivo necesario) únicamente ha de entrar en juego y producir sus efectos con respecto a aquellas personas que verdaderamente hubieran

---

7. Cfr. SSTS de 28 de julio de 1986 (RJ 1986, 4621), 17 de octubre de 1987 (RJ 1987, 7293) y 29 de octubre de 1990 (RJ 1990, 8265).
8. La STS de 30 de noviembre de 1909 declaró que de la inexistencia no se pueden derivar más consecuencias jurídicas que las que necesariamente se derivan de esta misma inexistencia (JC 1909, IV-73).
9. Cfr. SSTS de 3 de enero de 1947 (RJ 1947, 5) y 22 de septiembre de 1989 (RJ 1989, 6351).
10. Cfr. SSTS de 29 de marzo de 1932 (RJ 1932, 976), 29 de octubre de 1949 (RJ 1949, 1240), 14 de marzo de 1983 (RJ 1983, 1475) y 22 de mayo de 2006 (RJ 2006, 5825).
11. Cfr. SSTS de 31 de octubre de 1934, 12 de abril de 1955 (RJ 1955, 1128), 4 de enero de 1957, 22 de septiembre de 1989 (RJ 1989, 6351) y 21 de noviembre de 1997 (RJ 1997, 8095).
12. Cfr. STS de 7 de marzo de 1972 (RJ 1972, 1088).
13. Cfr. STS de 5 de abril de 1986 (RJ 1986, 1794).

tenido intervención en la relación contractual o jurídica objeto del litigio (…), pues los que no fueron parte en el contrato carecen de interés legítimo sobre las obligaciones que constituyen su objeto, puesto que nada tienen que defender y, consiguientemente, no hay razón alguna para llamarlas obligatoriamente al proceso, en el que puede recaer pronunciamiento condenatorio que les afecte de modo directo, para lo cual habría de seguirse nuevo litigo y con diferentes partes»[14]. A su vez, la STS de 10 de octubre de 2000 dice que «la doctrina jurisprudencial de la Sala 1.ª ha sido y es contraria a extender la exigencia de ser demandados en una litis a aquellas personas que puedan recibir tan sólo efectos reflejos de la resolución que se dicte en el proceso»[15].

La acción de nulidad es imprescriptible[16]. La razón es obvia, pues, como se ha dicho, el objeto de esta acción no es cambiar una situación jurídica o de hecho, sino declarar la ineficacia del contrato[17]. Por tanto, el no ejercicio de la acción de nulidad no supone confirmación tácita, de manera que el efecto vivificante de los contratos nulos sólo puede conseguirse a través de su ratificación. La naturaleza de esta última no es suplir deficiencias sobre elementos contractuales, sino constituir un nuevo negocio jurídico, aunque lo sea con el carácter de no independiente del que ha sido ratificado[18]. Sin embargo, la falta de ejercicio de la acción puede haber dado lugar a una situación jurídica inatacable, ya que en virtud de un título nulo puede adquirirse la posesión, y en función de ésta es posible adquirir un derecho real sobre la cosa por usucapión extraordinaria, la cual no requiere título ni buena fe (arts. 1955, párr. 2.º, y 1959 del CC)[19].

3. Efectos

De un contrato radicalmente nulo no se deriva ningún efecto. Sin embargo, se puede haber dado cumplimiento al contrato nulo, y es por eso que la declaración de nulidad de un contrato lleva consigo la necesidad de que todas las cosas objeto del mismo vuelvan al estado que tenían al tiempo de celebrarse[20]. Pero esta obligación de restitución de las prestaciones como consecuencia de la nulidad de un contrato no deriva del mismo sino de la ley que las impone, son por tanto obligaciones legales y no contractuales[21]. De ahí que haya de aplicarse lo dispuesto en el artículo 1303 del CC, a cuyo tenor «declarada la nulidad de una obligación los contratantes deben restituirse recíprocamente las cosas que hubiesen sido materia del contrato, con sus frutos, y el precio con los intereses»[22]. Es decir, se trata de conseguir que las partes vuelvan a tener la misma situación personal y patrimonial anterior al efecto invalidante[23]. Y,

---

14. RJ 2004, 3975.
15. RJ 2000, 7717.
16. Cfr. STS de 21 de enero de 2003 (RJ 2003, 563).
17. Cfr. SSTS de 19 de diciembre de 1951 (RJ 1951, 2777) y 20 de diciembre de 1975.
18. Cfr. STS de 8 de marzo de 1989 (RJ 1989, 2026).
19. Cfr. STS de 27 de febrero de 1964 (RJ 1964, 1152).
20. Cfr. SSTS de 28 de mayo de 1914 (JC 1914, II-81), 11 de diciembre de 1940 (RJ 1940, 1132) y 22 de septiembre de 1989 (RJ 1989, 6351).
21. Cfr. STS de 20 de junio de 2001 (RJ 2001, 4346) y las que cita.
22. Cfr. SSTS de 7 de enero de 1964 (RJ 1964, 118) y 22 de noviembre de 1983 (RJ 1983, 6492).
23. Cfr. SSTS de 13 de diciembre de 2005 (RJ 2005, 328) y 22 de mayo de 2006 (RJ 2006, 5825).

aunque esta norma parece ideada para la compraventa, nada obsta a su aplicación a otros tipos contractuales[24].

Si la devolución fuere imposible por haberse perdido la cosa, se restituirán los frutos percibidos y el valor que tenía aquélla cuando se perdió, con los intereses desde la misma fecha (art. 1307 CC). Como consecuencia de la reciprocidad de la restitución, proclamada en el art. 1303 CC, el artículo 1308 del CC dispone que «mientras uno de los contratantes no realice la devolución de aquello a que en virtud de la declaración de nulidad esté obligado, no puede el otro ser compelido a cumplir por su parte lo que le incumba».

En cuanto al problema de determinar cuándo la nulidad de un acto o negocio deba trascender a otro posterior que con él se relacione o que en el mismo se apoye, si bien no cabe sentar reglas generales y la decisión haya de quedar encomendada al criterio del juzgador, la STS de 10 de noviembre de 1964 declara que «éste debe pronunciarse en sentido afirmativo no sólo cuando exista precepto específico que imponga la nulidad del acto posterior, sino cuando éste presuponga, para su validez, la circunstancia de un determinado estado o condición de alguno de los participantes, que intentó adquiriese mediante el acto nulo precedente, o cuando el acto posterior persiga el mismo fin de defraudar la ley o de atentar a la moral o al orden público; o sea que, presidiendo a ambos actos una *unidad intencional,* sea el anterior causa eficiente del posterior, que así se ofrece como la consecuencia o culminación del propósito perseguido»[25].

4. Efectos especiales de la nulidad por ilicitud de la causa o del objeto

La regla general que impone la obligación de restitución de lo recibido en virtud de un contrato nulo tiene las excepciones a que se refieren los artículos 1305 y 1306 del CC.

Para el caso de que *la nulidad provenga de ser ilícita la causa u objeto del contrato,* el artículo 1305 del CC dispone lo siguiente:

1.º Si el hecho constituye un delito o falta común a ambos contratantes, carecerán de toda acción entre sí, y se procederá contra ellos, dándose, además, a las cosas o precio que hubiesen sido materia del contrato, la aplicación prevenida en el Código penal respecto a los efectos o instrumentos del delito o falta (arts. 127 y 128 del CP).

2.º La disposición anterior es aplicable al caso en que sólo hubiere delito o falta de parte de uno de los contratantes; pero el no culpado podrá reclamar lo que hubiese dado y no estará obligado a cumplir lo que hubiera prometido.

En el supuesto de que *el hecho en que consiste la causa torpe no constituyere delito ni falta,* se observarán las reglas siguientes:

1.ª Cuando la culpa esté de parte de ambos contratantes, ninguno de ellos podrá repetir lo que hubiera dado en virtud del contrato, ni reclamar el cumplimiento de lo que el otro hubiere ofrecido.

2.ª Cuando esté de parte de un solo contratante, no podrá éste repetir lo que hubiese dado a virtud del contrato, ni pedir el cumplimiento de lo que se le hubiera

---

24. Cfr. SSTS de enero de 1964 (RJ 1964, 118), 22 de noviembre de 1983 (RJ 1983, 6492) y 6 de julio de 2005 (RJ 2005, 9532).
25. RJ 1964, 5073.

ofrecido. El otro, que fuera extraño a la causa torpe, podrá reclamar lo que hubiera dado, sin obligación de cumplir lo que hubiera ofrecido (art. 1306 CC).

Esta excepción al deber de restitución tiene su fundamento en el principio *nemo auditur suam turpitudinem allegans*, que priva de legitimación al demandante, incluso en la causa torpe, para proceder a la anulación de los actos que llevó a cabo con la finalidad ilícita[26]. Sin embargo, la aplicación de la regla 1.ª del artículo 1306 del CC conduce a un resultado injusto cuando la culpa es de ambos contratantes y sólo uno de ellos ha realizado su prestación, pues el otro contratante se enriquece sin causa a costa del primero. De ahí que la jurisprudencia declare inaplicable esta regla cuando sólo uno de los contratantes entregó al otro[27], supuesto en el que se habrá de aplicar lo dispuesto en el artículo 1303 del CC.

5. Conversión del contrato nulo

Se dice que hay conversión cuando el fin y los efectos perseguidos por la voluntad contractual mediante el contrato nulo son mantenidos bajo otra figura contractual, siempre que en aquél concurrieran todos los requisitos necesarios para la validez de ésta.

Se trata de una conversión material o sustancial, pues el contrato se transforma o convierte en un tipo contractual diferente.

Un sector doctrinal opina que el fundamento de la conversión se encuentra en el «principio de la conservación» del negocio jurídico. Sin embargo, tal opinión es inexacta; pues, como advierte ALBALADEJO, «la conservación sería el *permanecer* del negocio, mientras que la *conversión* es el *cambiar* del mismo, el pasar a constituir *otro* negocio con los materiales (elementos y requisitos) que se reunieron para formar infructuosamente el primero». Es decir, hay *favor voluntatis* y *no favor negotii*: la conversión se funda en la apreciación de que el interés de los contratantes se centra en el fin práctico (por regla general, económico), más que en los medios jurídicos empleados para alcanzarlo; por consiguiente, es un problema de investigación de la voluntad de los contratantes, de averiguar si éstos, de haber previsto la ineficacia, habrían querido otro negocio a través del cual se lograse la misma finalidad: si con el segundo negocio se logra el mismo fin práctico se presume que las partes habrían querido su validez.

Falta en nuestro ordenamiento jurídico un precepto general que haga referencia expresa a la conversión del negocio jurídico; sin embargo, encuentra su fundamento en el artículo 1258 del CC, pues la conversión es una consecuencia de la buena fe y del respeto de la voluntad o intención de los contratantes (art. 1281 CC). Además, tanto en el Código civil como en el Código de comercio hay preceptos en los que se establecen casos concretos de conversión (por ejemplo, arts. 597 y 715 CC y arts. 450, 463, 466, 719 y 729 CCom).

> En cambio, otros Códigos civiles, como el BGB (§ 140), el Código civil italiano (art. 1424) y el Código civil portugués (art. 293) admiten formalmente la conversión y establecen sus requisitos.

---

26. Cfr. STS de 11 de diciembre de 1957 (RJ 1957, 5073).
27. Cfr. STS de 10 de julio de 1902 (JC 1902, II-18) y 7 de febrero y 17 de octubre de 1959 (RJ 1959, 463 y 3679).

6. La nulidad parcial

Puede ocurrir que sólo alguna de las disposiciones (pactos, cláusulas o estipulaciones) de un contrato sea nula. En tal caso se plantea la cuestión de determinar si la nulidad de parte del negocio afecta a la totalidad y éste debe considerarse nulo, o si, por el contrario, es posible eliminar las cláusulas o estipulaciones nulas y mantener la validez de la parte restante del negocio.

Nuestro Código civil no contiene un precepto general que se refiera a la nulidad parcial del contrato, pero implícitamente adopta el criterio general favorable a la misma, del que hace aplicación en diferentes preceptos (por ejemplo, en los artículos 641, párrafo 2.°; 1155 y 1608 CC, entre otros). Así lo reconoce la jurisprudencia[28], que ha aplicado este principio a casos no previstos en la ley[29]. No obstante, deberá declararse la nulidad total cuando se acredite que los contratantes no habrían querido el negocio sin el pacto o cláusulas nulas[30].

> En cambio, el Código civil italiano (art. 1149) sí que la regula, estableciendo que la nulidad parcial de un contrato o de alguna de sus cláusulas sólo da lugar a la nulidad de la totalidad del contrato si se deduce que los contratantes no lo habrían concluido sin la parte de su contenido afectada por la nulidad. También lo hace el artículo 20.2 del CO, indicando que si el contrato no está viciado más que en alguna de sus cláusulas, solo esas cláusulas estarán afectadas de nulidad, salvo que se deduzca que el contrato no habría sido concluido sin ellas.

> También se inclina por una postura similar el artículo 1309 de la PMDOC, según el cual, «la nulidad de alguna estipulación sólo comportará la de todo el contrato cuando por aquélla quede esencialmente frustrada la causa según los criterios de la buena fe. No obstante, subsistirá el contrato sin aquella estipulación cuando sea ésta la consecuencia que se derive de la ley imperativa infringida. Si la anulación afectase solamente a alguna estipulación o a alguno de los contratantes, se aplicarán los criterios establecidos en el párrafo anterior».

En algunos supuestos la ley establece imperativamente los efectos de la nulidad parcial, sustituyendo la voluntad de los contratantes, como sucede, por ejemplo, en las obligaciones recíprocas, respecto de las cuales los artículos 1132, párrafo 2.°, y 1134 del CC establecen que, en caso de imposibilidad (originaria) o ilicitud de algunas de las prestaciones, sólo se puede elegir entre las restantes.

III. ANULABILIDAD

1. Idea general y causas

El contrato anulable es aquél en el que concurren todos los requisitos necesarios para su validez y produce efectos, pero se encuentra afectado por algún vicio o defecto susceptible de producir su ineficacia si fuere impugnado. A esta forma de ineficacia se refiere el artículo 1300 del CC, al decir que «los contratos en que concurran los

---

28. Cfr. SSTS de 30 de octubre de 1944 (RJ 1944, 1180) y 7 de noviembre de 1967.
29. Cfr. SSTS de 30 de marzo de 1950 (RJ 1950, 573), 7 de junio de 1960 (RJ 1960, 2082), 8 de enero de 1968 y 24 de noviembre de 1983 (RJ 1983, 6499).
30. Cfr. SSTS de 17 de octubre de 1987 (RJ 1987, 7293), de 16 de mayo de 2000 (RJ 2000, 5082) y las que ésta cita.

requisitos que expresa el artículo 1261 pueden ser anulados, aunque no haya lesión para los contratantes, siempre que adolezcan de alguno de los vicios que los invalidan con arreglo a la ley».

A diferencia del contrato nulo, que es ineficaz desde el principio, el contrato anulable produce efectos desde el mismo momento de su celebración, si bien puede ser anulado si el titular del interés protegido ejercita la acción de impugnación dentro del plazo legal; es decir, la anulabilidad (o nulidad relativa) es una forma de ineficacia que no es inmediata, sino sobrevenida. La anulación de los efectos del contrato tiene carácter retroactivo (*ex tunc*). También a diferencia del contrato nulo, que no es susceptible de convalidación, el contrato anulable puede ser convalidado, bien mediante confirmación expresa o tácita por los interesados en hacer valer la anulación, o bien por caducidad, dejando transcurrir el plazo de ejercicio de la acción de impugnación.

Las causas o supuestos de anulabilidad del contrato son los siguientes:

a) Falta de capacidad de obrar plena en uno de los contratantes, siempre que no implique falta de consentimiento. Concretamente: 1) por no haber alcanzado la mayoría de edad o no haber sido emancipado (art. 1263 CC); 2) por no haber obtenido el menor emancipado el consentimiento de las personas que han de prestárselo en los casos previstos en el artículo 323 del CC; 3) por no haber obtenido el cónyuge menor el consentimiento del otro, si fuere mayor, para disponer de ciertos bienes comunes, y si éste es también menor, además, el de los padres o tutores de ambos (art. 324 CC). 4) Por faltarle al representante legal el complemento de capacidad consistente en la autorización judicial (arts. 166, párrafo 1.º, CC)[31].

A este último supuesto se refiere la STS de 22 de abril de 2010 cuando afirma que «la actuación del representante legal sin la autorización judicial no implica que falte el consentimiento, (…) sino que se ha dado éste, es decir, la concurrencia de las declaraciones de voluntad de vendedor y comprador, aunque aquél actuaba en nombre y representación de sus hijos menores de edad, como titular de la patria potestad, sin la preceptiva autorización judicial. Pero sí hubo consentimiento contractual, presupuesto esencial del contrato conforme al artículo 1261.1.º del Código Civil, aunque el de la parte vendedora adolecía de la falta de autorización judicial. Esta falta, como se ha dicho, no da lugar a la nulidad radical del contrato sino a que éste es anulable y si los contratantes representados (por representación legal) no han accionado interesando la anulación en el plazo de cuatro años que establece el artículo 1301 del Código Civil, se produce la confirmación por disposición de la Ley, llamada prescripción sanatoria, por el transcurso del plazo de caducidad lo que podría ejercitarse aquella acción de anulación»[32].

b) Falta del consentimiento del otro cónyuge, cuando este consentimiento fuere necesario, como sucede respecto de los actos de gestión o disposición sobre bienes gananciales (arts. 1322 y 1377 CC) o sobre la vivienda y mobiliario familiar (art. 1320 CC).

c) Vicios del consentimiento. Según el artículo 1265 del CC, el consentimiento prestado por error, violencia, intimidación o dolo anula el contrato. El error obstativo y la violencia pueden encerrar ausencia total de consentimiento.

---

31. Cfr. STS de 3 de marzo de 2006 (RJ 2006, 5772).
32. RJ 2010, 2380.

En cualquier caso, mediante la anulabilidad, se pretende proteger un interés individual, el de uno de los contratantes o el del cónyuge.

En los *contratos internacionales* el contrato podrá ser anulado por error (arts. 3.5 y 3.6 PCCI), dolo (art. 3.8 PCCI), amenazas (art. 3.9 PCCI) y por excesiva desproporción (art. 3.10 PCCI). En cualquier caso, a propósito del error, el artículo 3.7 de los PCCI determina que «la parte equivocada no puede dar por anulado el contrato invocando error, si los hechos en los que basa su pretensión le otorgan o le podrían haber otorgado derechos y acciones por incumplimiento del contrato», precepto que debe ponerse en relación con el artículo 7.1.1 de los PCCI, según el cual incumplimiento es la falta de ejecución por una de las partes de cualquiera de sus obligaciones contractuales, e incluye tanto el cumplimiento defectuoso como el cumplimiento tardío.

De mismo modo, a tenor del artículo 3.13(1) de los PCCI, si una de las partes se encuentra facultada para dar por anulado el contrato por causa de error, pero la otra parte declara quererlo ejecutar o cumple el contrato en los términos previstos por la parte facultada para darlo por anulado, el contrato se considerará celebrado en dichos términos. En tal caso, la parte interesada en cumplirlo deberá declarar inmediatamente que desea cumplir, o bien deberá cumplirlo tan pronto como sea informada de la manera en que la parte facultada para dar por anulado el contrato lo ha entendido y antes de que ella proceda a obrar de conformidad con la comunicación de anulación. La facultad de dar por anulado el contrato, dice el artículo 3.13(2) de los PCCI, se extingue a consecuencia de dicha declaración o cumplimiento, y cualquier otra comunicación de anulación hecha con anterioridad no tendrá valor alguno.

La posibilidad de anular por una de las partes el contrato o alguna de sus cláusulas en los casos de excesiva desproporción de las prestaciones, que no ha sido reconocida hasta ahora por nuestro ordenamiento, aparece en el artículo 3.10(1) de los PCCI, según el cual deben tenerse en cuenta, entre otros, los siguientes factores: *a*) que la otra parte se haya aprovechado injustificadamente de la dependencia, aflicción económica o necesidades apremiantes de la impugnante, o de su falta de previsión, ignorancia, inexperiencia o falta de habilidad en la negociación; y *b*) la naturaleza y finalidad del contrato.

> El comentario oficial de los Principios pone los siguientes ejemplos: una cláusula de un contrato que establezca un plazo demasiado breve para comunicar defectos en las mercaderías o en los servicios podrá ser considerada una ventaja excesiva para el vendedor o prestador de servicios dependiendo de la especie de mercaderías o servicios de que se trate; de la misma manera, la comisión cobrada por un agente comercial, establecida sobre la base de un porcentaje del precio de las mercaderías vendidas o servicios prestados, podría justificarse por la contribución sustancial prestada por dicho agente para celebrar las operaciones, o porque el valor de las mercaderías o servicios no es muy alto, pero podría significar una ventaja excesiva a favor de dicho agente si su participación en dichas operaciones ha sido insignificante, o si el valor de las mercaderías o servicios llegara a ser extremadamente elevado.

No obstante, el artículo 3.10(2) de los PCCI permite que, a petición de la parte legitimada para dar por anulado el contrato, «el tribunal podrá adaptar el contrato o la cláusula en cuestión, a fin de ajustarlos a criterios comerciales razonables de lealtad negocial». Asimismo, a tenor del artículo 3.10(3) de los PCCI, «el tribunal también podrá adaptar el contrato o la cláusula, a petición de la parte que recibió una comunicación de darlo por anulado, siempre y cuando dicha parte le haga saber su decisión a la otra inmediatamente, y, en todo caso, antes de que ésta obre de conformidad con su voluntad de dar por anulado el contrato. Se aplicarán, por consiguiente, las previsiones del artículo 3.13(2)».

Por otra parte, cuando un tercero ha participado o interferido en las negociaciones y el motivo de la anulación es imputable, en un sentido o en otro, a dicho tercero, se distinguen las dos situaciones siguientes: cuando el dolo, la amenaza, fuerza o intimidación, la excesiva desproporción o el error sean imputables o sean conocidos o deban ser conocidos por un tercero de cuyos actos es responsable la otra parte, el contrato podrá ser anulado bajo las mismas condiciones que si dichas anomalías hubieran sido obra suya (cfr. art. 3.11(1) PCCI); cuando sean imputables a un tercero de cuyos actos no es responsable la otra parte, el contrato podrá ser dado por anulado si dicha parte conoció o debió conocer el dolo, la amenaza, fuerza o intimidación, o la excesiva desproporción, o bien si e el momento de darlo por anulado dicha parte no había actuado todavía de conformidad con lo dispuesto en el contrato (cfr. art. 3.11(2) PCCI).

2. La acción de anulabilidad

La acción de anulabilidad es *constitutiva,* pues mediante su ejercicio se pretende provocar un cambio en la situación jurídica válidamente creada y destruir los efectos jurídicos que ésta había producido. Según otros autores, la sentencia que decreta la anulación se limita a declarar la nulidad del negocio que se encontraba latente o en estado de pendencia desde su constitución.

Están legitimados (activamente) para ejercitar la acción de anulabilidad de los contratos los obligados principal o subsidiariamente en virtud de ellos. Sin embargo, las personas capaces no podrán alegar la incapacidad de aquellas con quienes contrataron, ni los que causaron la intimidación o violencia, o emplearon el dolo o produjeron el error podrán fundar su acción en estos vicios del contrato (cfr. art. 1302 CC).

> La persona legitimada para ejercitar la acción de anulabilidad, si fuere demandada, no debe limitarse a oponer la anulabilidad, sino que deberá formular reconvención de conformidad con lo dispuesto por el art. 406.1 de la LEC.

El contratante menor de edad no podrá ejercitar por sí mismo la acción hasta que haya alcanzado la mayoría de edad o haya salido de la tutela o guarda. Mientras tanto, el contrato podrá ser impugnado por sus representantes legales.

> Según el artículo 1297.1 de la PMDOC, «los contratos celebrados por personas que carezcan de la capacidad de obrar necesaria podrán ser anulados por sus representantes legales, por aquéllos a quienes les corresponda prestar su asistencia o por ellas mismas cuando adquieran dicha capacidad o por sus herederos». Además, el apartado 2 del mismo artículo señala que «podrán ser anulados los contratos celebrados por quienes por cualquier causa, aunque sea transitoria, carezcan de la capacidad para entender su alcance o para querer sus consecuencias».

Los contratos realizados por un cónyuge sin el consentimiento del otro cuando la ley lo requiera, solo podrán ser anulados a instancia del cónyuge cuyo consentimiento se haya omitido o de sus herederos (art. 1322 CC).

La legitimación pasiva corresponde a todas las personas que hubiesen sido parte en el contrato o que del mismo deriven derechos u obligaciones.

En los *contratos internacionales*, el artículo 3.14 de los PCCI señala que «el derecho de dar por anulado el contrato se ejerce mediante una comunicación a la otra parte», sin que resulte necesaria la intervención judicial. Al no establecerse ningún requisito específico sobre la forma o el contenido de la mencionada comunicación de anulación, «se hará por cualquier medio apropiado según las circunstancias» (art. 1.9(1) PCCI). No es necesario que la comunicación utilice la palabra «anulación», ni tampoco que exprese los motivos de la misma, aunque por razones de claridad pueda resultar aconsejable indicar los motivos de la anulación.

> El comentario oficial de los Principios destaca que «en los supuestos de dolo o excesiva desproporción la parte que decide dar por anulado el contrato puede dar por sentado que la otra ya conoce dichos motivos».

La comunicación surte efectos cuando llega a su destinatario (art. 1.9(2) PCCI).

3. Plazo de ejercicio

La acción de anulabilidad sólo durará cuatro años (art. 1301 CC). Este plazo es de caducidad, no de prescripción, por lo que no admite interrupción. Sin embargo, la jurisprudencia no es unánime sobre este punto[33].

> Desde un punto de vista literal, puede fácilmente observarse que el artículo 1301 del CC sólo dice que la acción «durará» cuatro años, sin ninguna alusión al concepto de prescripción. Por otra parte, como dice Díez-Picazo, desde el punto de vista de una jurisprudencia de intereses la caducidad se justifica por la existencia «de un interés general en una clara y pronta definición de la situación jurídica, por exigirlo así la seguridad jurídica y el tráfico». Esta es la postura por la que se ha decantado el artículo 1304 de la PMDOC al afirmar que «la acción de anulación caducará a los dos años».

Este tiempo empezará a correr:

a) En los casos de intimidación o violencia, desde el día en que éstas hubiesen cesado (art. 1301, párr. 3.°, CC).

También sigue este criterio el artículo 1304 de la PMDOC.

b) En los de error o dolo, desde la consumación del contrato (art. 1301, párr. 4.°, CC)[34]. El contrato se considera consumado cuando se han realizado todas las obligaciones que de él dimanan[35].

---

33. Por ejemplo, la STS de 1 de febrero de 2002 (RJ 2002, 1586) declara que dicho plazo es de prescripción, y no de caducidad.
34. La «falsedad de la causa», a la que indebidamente también se refiere el artículo 1301, párrafo 4.°, del CC, es un supuesto de nulidad absoluta.
35. Cfr. STS de 11 de julio de 1984 (RJ 1984, 3939) y las que cita. Más recientemente, cfr. STS de 18 de julio de 2006 (RJ 2006, 4949).

Según el artículo 1304 de la PMDOC, el plazo de caducidad de dos años de la acción de anulación empezará a correr «desde que el legitimado para anular el contrato hubiese conocido o debido conocer la causa de la anulabilidad».

No obstante, como señala la STS de 11 de junio de 2003, esto no implica que «la acción nazca a partir del momento de la consumación del contrato, sino que la misma no podrá ejercitarse hasta que no transcurra el plazo de cuatro años desde la consumación del contrato que establece el artículo 1301 del CC»[36]. Debe entenderse por consumación del contrato, dice la STS de 6 de septiembre de 2006, «la total ejecución de las prestaciones a cargo de ambas partes»[37].

En palabras de la STS de 11 de junio de 2003, «dispone el art. 1301 del Código Civil que en los casos de error, o dolo, o falsedad de la causa, el plazo de cuatro años, empezará a correr, desde la consumación del contrato, norma a la que estarse de acuerdo con el art. 1969 del citado Código. En orden a cuándo se produce la consumación del contrato, dice la STS de 11 de julio de 1984 que "es de tener en cuenta que aunque ciertamente el cómputo para el posible ejercicio de la acción de nulidad del contrato de compraventa, con más precisión por anulabilidad, pretendida por intimidación, dolo o error se produce a partir de la consumación del contrato, o sea, hasta la realización de todas las obligaciones (sentencias, entre otras, de 24 de junio de 1897 y 20 de febrero de 1928"[38], y la STS de 27 de marzo de 1989 precisa que "el art. 1301 del Código Civil señala que en los casos de error o dolo la acción de nulidad del contrato empezará a correr desde la consumación del contrato"[39]. Este momento de la "consumación" no puede confundirse con el de la perfección del contrato, sino que sólo tiene lugar, como acertadamente entendieron ambas sentencias de instancia, cuando están completamente cumplidas las prestaciones de ambas partes, criterio que se manifiesta igualmente en la STS de 5 de mayo de 1983 cuando dice, "en el supuesto de entender que no obstante la entrega de la cosa por los vendedores el contrato de 8 de junio de 1955, al aplazarse en parte el pago del precio, no se había consumado en la integridad de los vínculos obligacionales que generó…"[40]. Así en supuestos concretos de contratos de tracto sucesivo se ha manifestado la jurisprudencia de esta Sala; la STS de 24 de junio de 1897 afirmó que "el término para impugnar el consentimiento prestado por error en liquidaciones parciales de un préstamo no empieza a correr hasta que aquél ha sido satisfecho por completo", y la STS de 20 de febrero de 1928 dijo que "la acción para pedir la nulidad por dolo de u contrato de sociedad no comienza a contarse hasta la consumación del contrato, o sea hasta que transcurra el plazo durante el cual se concertó". Tal doctrina jurisprudencial ha de entenderse en el sentido, no que la acción nazca a partir del momento de la consumación del contrato, sino que la misma no podrá ejercitarse hasta que no transcurra el plazo de cuatro años desde la consumación del contrato que establece el art– 1301 del Código Civil. Entender que la acción sólo podría ejercitarse "desde" la consumación del contrato, llevaría a la conclusión jurídicamente ilógica de que hasta ese momento no pudiera ejercitarse por error, dolo o falsedad en la causa, en los contratos de tracto sucesivo, con prestaciones periódicas, durante la vigencia del contrato, concretamente, en un

---

36.   RJ 2003, 5347.
37.   RJ 2006, 8008.
38.   RJ 1984, 3939.
39.   RJ 1989, 2201.
40.   RJ 1983, 2669.

contrato de renta vitalicia como son los traídos a debate, hasta el fallecimiento de la beneficiaria de la renta. Ejercitada, por tanto, la acción en vida de la beneficiaria de las rentas pactadas, estaba viva la acción en el momento de su ejercicio al no haberse consumado aún los contratos».

c) Cuando la acción se refiera a los contratos celebrados por personas con discapacidad prescindiendo de las medidas de apoyo previstas cuando fueran precisas, desde la celebración del contrato (art, 1302, pár. 4.º, CC).

d) Cuando la acción se refiera a los contratos celebrados por los menores o incapacitados, desde que alcanzan la mayoría de edad o salieren de la tutela (art. 1301, párr. 5.º, CC).

El artículo 1304 de la PMDOC determina que, sin perjuicio de la legitimación que se concede en el artículo 1297 de este Código a sus representantes legales y a quienes corresponda prestar su asistencia, «desde que adquieran o recuperen la capacidad necesaria, y en su defecto desde su muerte».

e) Si la acción se dirigiese a invalidar actos o contratos realizados por uno de los cónyuges sin consentimiento del otro, cuando este consentimiento fuere necesario, desde el día de la disolución de la sociedad conyugal o del matrimonio, salvo que antes hubiese tenido conocimiento suficiente de dicho acto o contrato (art. 1301, párr. 6.º, CC).

También este es el criterio establecido en el artículo 1304 de la PMDOC con el mismo tenor literal del artículo 1301, párrafo 6.º, del CC.

Es decir, alternativamente, desde la disolución de la sociedad de gananciales o desde la disolución del matrimonio (art. 85 CC).

Por su parte, el Proyecto de Marco Común de Referencia se aparta del criterio establecido en nuestro Código civil, y reiterado en la Propuesta para la modernización del Derecho de obligaciones y contratos, de fijar un plazo concreto de anulación del contrato; pues el artículo II.-7:210 del DCFR se limita a indicar que «la notificación de la anulación conforme a la presente Sección se realizará dentro de un plazo razonable, teniendo en cuenta las circunstancias». A diferencia de lo dispuesto por el artículo 1301 del CC, el mencionado artículo II.-7:201 del DCFR no distingue un *dies a quo* diferente según se trate de intimidación o violencia de una parte, o de error o dolo de otra, sino que la parte afectada deberá realizar la notificación a partir del momento en que «conozca o razonablemente se pueda esperar que conozca los hechos que fundamentan dicha anulación, o bien desde el momento en que se encuentre en situación de actuar libremente». Tras esta última expresión, «desde el momento en que se encuentre en situación de actuar libremente», debe interpretarse que se refiere a la cesación de la coacción, las amenazas o la influencia de la otra parte.

También se extinguirá la acción de nulidad de los contratos cuando la cosa objeto de éstos se hubiese perdido por dolo o culpa del que pudiera ejercitar aquélla. Si la causa de la acción fuere la incapacidad de algunos de los contratantes, la pérdida de la cosa no será obstáculo para que la acción prevalezca, a menos que hubiese ocurrido por dolo o culpa del reclamante después de haber adquirido la capacidad (art. 1314 CC).

El tenor literal del artículo 1314 del CC aparece repetido en el artículo 1308 de la PMDOC.

Hasta la promulgación de la vigente Ley de enjuiciamiento civil, se había dicho que la anulabilidad no sólo podía ser alegada por medio de acción, sino también por vía de excepción. Excepción que no estaría sujeta al plazo de caducidad de cuatro años, ya que sería injusto privar de este medio de defensa al interesado por no haber impugnado el contrato antes de que la parte no legitimada reclamase su cumplimiento. De hecho, la doctrina y jurisprudencia francesas aplican la regla *quae temporalia sunt ad agendum perpetua sunt ad excipiendum.* Es decir, siguen el criterio de la perpetuidad de la excepción. Sin embargo, este criterio ha entrado en crisis a partir de la entrada en vigor de la vigente Ley de enjuiciamiento civil, pues el carácter constitutivo de la acción de anulabilidad impide su alegación como excepción, salvo a través de la reconvención[41]. Por tanto, cuando ejercite la acción el demandado, dicha acción se encontrará sujeta al plazo de caducidad de cuatro años (arts. 406 y 408 LEC).

Bien distinto es el criterio que recoge el artículo 1305 de la PMDOC, pues, tras afirmar en su párrafo 1.º que «la facultad de anulación podrá ejercitarse extrajudicialmente, dentro del plazo de caducidad (de dos años), mediante comunicación dirigida a la otra parte con expresión de las razones en que se funde», el párrafo 2.º del mismo artículo añade que «también podrá oponerse excepción frente a la demanda de cumplimiento y en este caso no será de aplicación el plazo previsto en el artículo anterior».

Según el artículo II.-7:209 del DCFR, «la anulación con forme a la presente Sección se efectuará mediante notificación a la otra parte», lo que implica que se reconoce de manera expresa el derecho a anular el contrato sin necesidad de sentencia judicial. Conforme a lo dispuesto en otras normas del Borrador de marco común de referencia, se aplicará el principio de recepción, es decir, la notificación no surtirá efecto a menos que la otra parte reciba la notificación (cfr. art. I.-1:109(3) DCFR). Además, no se exige ninguna forma específica, ya que puede realizarse «por cualquier medio adecuado a las circunstancias» (cfr. art. I.-1:109(2) DCFR). El comentario oficial indica que «en contextos más informales, no será necesario que consten por escrito ni que respeten la terminología jurídica. Con frecuencia, el requisito de buena fe contractual exigirá que la notificación incluya alguna referencia, aunque sea en lenguaje coloquial, a los motivos de la anulación, a menos que sean obvios para la parte receptora. Cuando las declaraciones o la conducta de una parte indiquen de forma inequívoca que, debido a los hechos que motivaron la anulación, no cabe considerar que sigue vinculada por el contrato, podrá considerarse una notificación de anulación si se ha dado a conocer a la otra parte».

En los *contratos internacionales,* el artículo 3.15(1) de los PCCI señala que «la comunicación de dar por anulado el contrato debe realizarse dentro de un plazo razonable, teniendo en cuenta las circunstancias, después de que la parte impugnante conoció o no podría ignorar los hechos o pudo obrar libremente». Por otra parte, cuando una cláusula del contrato pueda ser dado por anulada, en virtud del artículo 3.10 (excesiva desproporción), el plazo para comunicar la anulación empezará a correr a partir del momento en que dicha cláusula sea invocada por la otra parte (cfr. art. 3.15(2) PCCI).

---

41. Cfr. SSTS de 2 de noviembre de 2001 (RJ 2001, 229) y 5 de diciembre de 2006 (RJ 2007, 230).

4. Efectos

Ejercitada la acción de anulabilidad y dictada sentencia (constitutiva), se extinguen retroactivamente (*ex tunc*) los efectos del contrato impugnado.

Si el contrato no se había consumado, resultan nulas todas las obligaciones nacidas del mismo y, por tanto, las partes quedan libres.

En caso de haberse realizado las prestaciones, con la anulación surge el deber de restituirse recíprocamente las cosas que hubiesen sido materia del contrato, con sus frutos, y el precio con los intereses (art. 1303 CC) o su equivalente económico (cfr. art. 1307 CC), de la misma manera que cuando el contrato es nulo radicalmente.

> El artículo 1306, párrafo 1.º de la PMDOC señala que «declarado nulo o anulado un contrato los contratantes deberán restituirse recíprocamente las prestaciones que hubieran recibido en virtud del mismo. Si la devolución en especie no es posible deberá restituirse su valor». A tenor del párrafo 2.º del mismo artículo, «mientras uno de los contratantes no realice la devolución de aquello a que esté obligado, no puede el otro ser compelido a cumplir por su parte lo que le incumba».

Sin embargo, existen dos excepciones. La primera es que no son de aplicación los artículos 1305 y 1306 del CC. La segunda consiste en que, cuando la nulidad proceda de la incapacidad de uno de los contratantes, no está obligado el incapaz a restituir sino en cuanto se enriqueció con la cosa o precio que recibiera (art. 1304 CC). Según Manresa, el enriquecimiento a que se refiere este precepto «no supone un aumento material y duradero de fortuna, y sí un empleo beneficioso y prudente por el incapaz de aquello que recibió». Por su parte, el Tribunal Supremo tiene declarado que el enriquecimiento consiste «no en la mera entrega de cierta cantidad en préstamo a un menor, sin intervención de su tutor y sin que se justifique su inversión, y sí en acreditarse cumplidamente por el que afirma el enriquecimiento que la suma recibida por el menor ha producido *aumento o beneficio* en su patrimonio[42].

> También el artículo 1306, párrafo 3.º de la PMDOC dice que «cuando la anulación proceda de la incapacidad de uno de los contratantes, no estará obligado el incapaz a restituir sino en cuanto se hubiere enriquecido con la prestación recibida».

La prueba de que el menor o incapacitado se enriqueció corresponde a la persona capaz que lo alega[43].

Si el negocio anulado era dispositivo, se tiene por no hecha la disposición, y el enajenante recobra el derecho enajenado, estimándose que nunca salió de su patrimonio; asimismo, quedan sin efecto los actos dispositivos realizados por el adquirente antes de la anulación. Sin embargo, se exceptúa de esta regla el caso de que se trate de un tercer adquirente de buena fe (art. 464 CC y art. 34 LH).

En los *contratos internacionales*, el artículo 3.2.13 de los PCCI señala que «si la causa de anulación afecta sólo a algunas cláusulas del contrato, los efectos de la anulación se limitarán a dichas cláusulas, a menos que, teniendo en cuenta las circunstancias, no sea razonable conservar la validez del resto del contrato».

---

42. Cfr. SSTS de 22 de octubre de 1894 (JC 1894, II-69) y 9 de febrero de 1949 (RJ 1949, 99).
43. Cfr. STS de 9 de febrero de 1949 (RJ 1949, 99).

La anulación tiene efectos retroactivos (art. 3.2.14 PCCI). El artículo 3.2.15(1) de los PCCI dice que «en caso de anulación, cualquiera de las partes puede reclamar la restitución de lo entregado conforme al contrato o a la parte del contrato que haya sido anulada, siempre que dicha parte restituya al mismo tiempo lo que recibió en base al contrato o a la parte del contrato que fue anulada». Si no es posible o apropiada la restitución en especie, procederá una compensación en dinero, siempre que sea razonable (art. 3.2.15(2) PCCI). Quien recibió el beneficio del cumplimiento no está obligado a la compensación en dinero si la imposibilidad de la restitución es especie es imputable a la otra parte (art. 3.2.15(2) PCCI). Puede exigirse una compensación por los gastos que fueren razonablemente necesarios para proteger o conservar lo recibido (art. 3.2.15(4) PCCI).

En todo caso, según el artículo 3.2.16 de los PCCI, «independientemente de que el contrato sea o no anulado, la parte que conoció o debía haber conocido la causa de anulación habrá de resarcir a la otra los daños y perjuicios causados, colocándola en la misma situación en que se encontraría de no haber celebrado el contrato».

5. La confirmación

La confirmación es una declaración unilateral de voluntad de la persona legitimada para ejercitar la acción de anulabilidad (art. 1312 CC), mediante la cual ratifica (confirma) el negocio, admitiendo su validez (art. 1309 CC).

Ahora bien, como este mismo efecto también se produce por el transcurso del plazo de ejercicio de la acción de anulabilidad (cuatro años), suele afirmarse que la confirmación es «renuncia al derecho de obtener la declaración de nulidad»[44]. Pero, como advierte ALBALADEJO, es preciso señalar que la declaración de confirmación «puede revestir dos aspectos. Uno positivo: se quiere mantener el negocio (que era impugnable). Otro negativo: se renuncia al derecho a impugnarlo. Ambos son el anverso y el reverso de una misma cosa; pues quien quiere la validez definitivamente no puede dejar de renunciar a impugnar, ni quien renuncia a impugnar puede querer la invalidez. Por eso la confirmación puede realizarse bien declarando mantener el negocio, bien renunciando a la acción de impugnación».

Son confirmables los negocios anulables; es decir, aquellos que reúnan los requisitos expresados en el artículo 1261 del CC: consentimiento, objeto y causa (cfr. art. 1310 CC)[45]. La acción de anulabilidad se extingue en el mismo momento en que el contrato ha sido confirmado (art. 1309 CC). Únicamente se encuentra legitimado para llevar a cabo la confirmación el que lo está para ejercitar la acción de anulabilidad, como así lo acredita el artículo 1312 del CC, al disponer que «la confirmación no necesita del concurso de aquel de los contratantes a quien no correspondiese ejercitar la acción de nulidad».

La confirmación puede ser *expresa o tácita*. Se entenderá que hay confirmación tácita cuando, con conocimiento de la causa de nulidad y habiendo ésta cesado, el que tuviese derecho a invocarla ejecutase un acto que suponga necesariamente la voluntad de renunciarlo (art. 1311 CC). Hay confirmación tácita, según la jurisprudencia,

---

44. Cfr. STS de 28 de abril de 1977 (RJ 1977, 1697).
45. Cfr. SSTS de 4 de enero de 1947 (RJ 1947, 8) y 10 de marzo de 1951 (RJ 1951, 994).

cuando el que podía impugnar el negocio dispone de los bienes adquiridos[46], o se aprovecha de sus consecuencias[47], o acepta sin protesta ni reserva los dos últimos plazos del precio convenido en el negocio anulable[48]. La confirmación expresa es una manifestación o declaración de voluntad, por virtud de acto unilateral (art. 1312 CC), que no se encuentra sometida a forma especial alguna.

CLAVERÍA considera que son exigibles los mismos requisitos de forma del contrato que es objeto de confirmación.

En cuanto a la capacidad, se requiere la que fuere necesaria para celebrar el contrato que es objeto de confirmación.

Tanto la confirmación expresa como la tácita requieren que el confirmante tenga conocimiento de la causa de nulidad y que ésta haya cesado (art. 1311 CC). Es completamente lógica la exigencia de que haya cesado la causa que en el momento de la celebración del negocio daba lugar a la anulación, pues de lo contrario el negocio confirmatorio estaría también viciado por la misma causa que afectó al confirmado[49].

La confirmación purifica el contrato de los vicios de que adoleciera desde el momento de su celebración (art. 1313 CC), por lo que el negocio anulable se convierte en definitivamente válido. Lo cual no quiere decir, como opinan un sector de la doctrina y alguna jurisprudencia, que la confirmación tenga efecto retroactivo, pues el negocio estaba produciendo efectos desde el principio y, por tanto, no lo necesita; únicamente ocurre que los efectos ya producidos dejan de estar amenazados de destrucción.

> Según el artículo 1307 de la PMDOC, «la facultad de anulación queda extinguida si quien puede ejercitarla, con conocimiento de la causa de anulabilidad y habiendo ésta cesado, confirma el contrato expresa o tácitamente. Se entenderá que hay confirmación tácita cuando ejecutase un acto que implique necesariamente la voluntad de renunciar a dicha facultad. La confirmación no necesita el concurso de aquel de los contratantes a quien no correspondiese ejercitar la facultad de anular. La confirmación purifica el contrato de los vicios de que adoleciera, desde el momento de la celebración de éste».

No cabe confundir la figura de la ratificación del artículo 1259 del CC con la de la confirmación del artículo 1310 del CC:

Primero, porque en el supuesto del artículo 1259 del CC, que es de inexistencia, no existe contrato, por falta del concurso del consentimiento, hasta tanto que la misma ratificación no aporta el de la persona a cuyo nombre se contrató, mientras que en la confirmación el contrato existe, conforme a lo preceptuado en el artículo 1310, por darse en él todos los requisitos esenciales para su validez.

Segundo, porque, en los contratos ratificables, la parte que contrata en su propio nombre tiene la posibilidad de separarse del convenio, revocando su consentimiento antes de que se produzca la ratificación por lo mismo que, hasta ese instante al no haberse producido la concurrencia de las dos voluntades, no existe vínculo

---

46.   Cfr. SSTS de 3 de julio de 1923 (JC 1923, III-7) y 21 de mayo de 1940 (RJ 1940, 421).
47.   Cfr. STS de 10 de marzo de 1956 (RJ 1956, 1910).
48.   Cfr. STS de 25 de junio de 1908 (JC 1908, II-105).
49.   Cfr. STS de 6 de noviembre de 1948 (RJ 1948, 1264).

obligatorio alguno; en tanto que los contratos confirmables tienen virtualidad desde que se perfeccionan, no pudiendo ser denunciados por la parte cuyo consentimiento no estaba viciado mientras no sean impugnados por la única que podría hacerlo, al amparo del artículo 1302, la cual, por disponer de la acción de anulabilidad, únicamente podría confirmarlos, sin precisar del concurso de la otra, a tenor de lo establecido en los artículos 1309 y 1310 del CC.

Tercero, porque, en cuanto al contenido jurídico de ambas instituciones, la confirmación ha de tener forzosamente efecto retroactivo, no sólo por imperio de lo expresado en el artículo 1313 del CC, sino también porque es lógico que así sea, desde el momento en que la confirmación no afecta para nada a la perfección del contrato, sino a la purificación de los vicios de que adolecía. Por el contrario, en la ratificación, además de no existir precepto en que explícitamente se señale su retroactividad, aunque en principio deba ésta inferirse de los términos en que está concebido el artículo 1259 del CC, cabe que el interés de tercero, por derechos adquiridos en el ínterin, impida tal retroacción.

Finalmente, hay que añadir que la confirmación se refiere a negocios jurídicos cuyo vicio no ha impedido la existencia, y por ello tiende sólo a sanarlos, en tanto que la ratificación refleja negocios jurídicos que, frente al ratificante, nunca han existido[50]. Tampoco puede confundirse con el reconocimiento de derechos, pues mediante la confirmación se trata de subsanar un vicio de nulidad para lograr la validez del negocio y, en cambio, con el reconocimiento se pretenden subsanar insuficiencias probatorias.

En los *contratos internacionales* el artículo 3.2.9 de los PCCI dice que «la anulación del contrato queda excluida si la parte facultada para anularlo lo confirma de una manera expresa o tácita una vez que ha comenzado a correr el plazo para notificar la anulación»[51]. La confirmación puede ser, naturalmente, expresa o tácita. Sin embargo, como pone de relieve el comentario oficial de los Principios, «para que se presente un supuesto de confirmación tácita, no basta, por ejemplo, con que la parte legitimada para anular el contrato entable una demanda por incumplimiento frente a la otra parte. Sólo podrá presumirse la confirmación del contrato cuando la otra parte haya tenido conocimiento de la demanda o cuando haya prosperado la acción. También existirá confirmación si la parte facultada para dar por anulado el contrato continúa cumpliéndolo sin reservarse el derecho de darlo por anulado».

IV. RESCISIÓN

1. Idea general y causas

Se trata de una forma de ineficacia sobrevenida mediante la cual se pretende reparar la *lesión* o perjuicio pecuniario sufrido por uno de los contratantes (o persona perjudicada) como consecuencia del contrato. Es un remedio jurídico que, como dice MUCIUS SCAEVOLA, «se dirige a hacer ineficaz un contrato válidamente celebrado

---

50. Cfr. SSTS de 14 de diciembre de 1940 (RJ 1940, 1135), 7 de julio de 1944 (RJ 1944, 908) y 25 de junio de 1946 (RJ 1946, 838).
51. Cfr. artículo 4:114 de los PECL.

y obligatorio en condiciones normales, a causa de accidentes externos, mediante los que se ocasiona un perjuicio económico a alguno de los contratantes o sus acreedores». Por consiguiente, la rescisión supone un contrato inicialmente válido[52] y una lesión o perjuicio económico para alguien.

Es un remedio _excepcional y subsidiario_. El artículo 1290 del CC dice que «los contratos válidamente celebrados pueden rescindirse en los casos establecidos por la ley»; mientras que el artículo 1294 del CC declara que «la acción de rescisión es subsidiaria. No podrá ejercitarse sino cuando el perjudicado carezca de todo otro recurso legal para obtener la reparación del perjuicio»[53], y la prueba de esta circunstancia corresponde al actor. Sin embargo, la propia doctrina jurisprudencial ha flexibilizado la aplicación de la exigencia, declarando que «no es preciso una persecución real de todos y cada uno de los bienes con resultado infructuoso, ni obtener en un juicio previo la declaración de insolvencia, como tampoco es preciso que el deudor se coloque en situación de insolvencia total, ya que basta que los bienes no sean suficientes para satisfacer a sus acreedores, por haberse disminuido las posibilidades económicas efectivas o producido una notable disminución patrimonial que impide al acreedor percibir su crédito o que el reintegro del mismo le sea sumamente dificultoso»[54].

La distinción entre la rescisión y la anulabilidad ha sido certeramente establecida por el Tribunal Supremo. Según la STS de 17 de abril de 1943, «las acciones de nulidad y rescisión, aun presididas por la nota común de ser medios que tienden a la ineficacia del negocio jurídico, son inconfundibles, especialmente por ofrecer un contenido de sustantividad propia con caracteres bien manifiestos, entre los que, sin pretensión agotadora, cabe señalar: _a)_ Su distinto origen, en cuanto la nulidad absoluta o relativa parte de la carencia o vicio sustancial, respectivamente, de los requisitos esenciales del acto o contrato, y la rescisión presupone que la relación jurídica ha sido válidamente constituida, si bien concurren en ella determinadas circunstancias, en general, un agravio jurídico económico, que obstan a su eficacia según revelan los artículos 1290 y 1300 en relación, por lo que a particiones se refiere, con el 1073 y con el 1081 del Código civil. _b)_ Su distinta naturaleza, puesto que la nulidad es acción principal y la rescisión es subsidiaria, sólo utilizable a falta de otro recurso legal para obtener la reparación del perjuicio (arts. 1294 y concordantes del mismo texto legal). _c)_ Los distintos efectos que producen, ya que la nulidad invalida siempre el acto o contrato, mientras que la rescisión es a veces compatible con la subsistencia total o parcial del nexo creado, y sus consecuencias o no afectan a todos los interesados o se traducen en una indemnización que compensa la lesión inferida, según proclama el artículo 1077, entre otros, del Código civil»[55].

Por lo que se refiere a las _causas_ de rescisión, dice el artículo 1291 del CC que son rescindibles:

1.º Los contratos que pudieren celebrar los tutores sin autorización judicial, siempre que las personas a quienes representan hayan sufrido lesión en más de la cuarta

---

52. Cfr. SSTS de 31 de marzo de 1959 (RJ 1959, 1527) y 20 de febrero de 1989 (RJ 1989, 1210).
53. Cfr. SSTS de 14 de febrero de 1963 (RJ 1963, 1072) y 25 de enero de 1989 (RJ 1989, 124).
54. Cfr. STS de 30 de enero de 2004 (RJ 2004, 440) y las que cita.
55. RJ 1943, 418.

parte del valor de las cosas que hubiesen sido objeto de aquéllos. En la práctica, esta causa tendrá escasa efectividad; pues, si examinamos los artículos 271 y 272 del CC, son pocos y de escasa importancia los supuestos en que el tutor puede contratar en nombre de su pupilo sin autorización judicial.

2.º Los celebrados en representación de los ausentes, siempre que éstos hayan sufrido la lesión a que se refiere el numero anterior. De acuerdo con lo dispuesto en el artículo 1296 del CC, igualmente en este caso ha de tratarse de contratos que el representante del ausente haya celebrado sin autorización judicial. También esta causa tendrá escasa trascendencia, ya que el representante del ausente necesita la autorización judicial en los mismos casos que el tutor (art.185 CC), y aquellos que tengan la posesión temporal de los bienes del ausente no podrán venderlos, gravarlos, hipotecarlos o darlos en prenda, sino en caso de necesidad o utilidad evidente, reconocida y declarada por el Juez, quien, al autorizar dichos actos, determinará el empleo de la cantidad obtenida (art. 186, párr. 3.º, CC).

En este supuesto y en el anterior la rescisión del contrato se produce por perjuicio económico. La lesión es el perjuicio económico que sufre una de las partes cuando concluye un contrato bilateral oneroso como consecuencia de la evidente desproporción de las prestaciones que se intercambian. Si bien dicha desproporción puede estar determinada legalmente en una cantidad aritmética o dejarse su apreciación a los Tribunales en cada caso concreto, nuestro Código civil la fija en la cuarta parte del valor de las cosas objeto de intercambio. En ambos casos, la desproporción o desigualdad de valor de las cosas debe existir en el momento de la celebración del contrato.

La rescisión por esta causa tiene carácter excepcional, pues el artículo 1293 del CC dice que «ningún contrato se rescindirá por lesión fuera de los casos mencionados en los números 1.º y 2.º del artículo 1291». MANRESA lo justifica, pues considera que la lesión «es un absurdo económico, porque niega las variaciones enormes del precio, empeñándose en fijar sus oscilaciones alrededor de un justo límite, imposible de determinar»; y que «en el orden jurídico, aparte de que este debe acomodarse a las exigencias económicas en una materia que indudablemente tiene ese carácter, permitiendo o no que se rescindieran los contratos por unos céntimos de diferencia, ponía en tela de juicio la fuerza de los convenios, haciéndola depender de pruebas tan peligrosas como la de testigos y la pericial». También señala las incongruencias o desigualdades a que daba lugar, ya que se limitaba al vendedor de bienes inmuebles, excluyendo los demás contratos conmutativos, la propiedad mueble y al comprador que abona un alto precio.

No obstante, a pesar de la rotunda afirmación del artículo 1293 del CC, el artículo 1074 del CC establece como causa de la rescisión de la partición hereditaria la lesión en más de la cuarta parte, atendido el valor de las cosas cuando fueron adjudicadas. Es más, esta rescisión se aplica también a otros negocios particionales, como la división de la cosa común (art. 406 CC), la disolución de la sociedad de gananciales (art. 1410 CC) y la liquidación de la sociedad civil (art. 1708 CC).

> Son rescindibles los contratos que, sin autorización judicial, pudieren celebrar los tutores o los representantes de los ausentes si las personas a quienes representan han sufrido lesión en más de la cuarta parte del valor de las cosas que hubiesen sido objeto de aquéllos (art. 1310.1.1.º PMDOC).

3.º Los celebrados en fraude de acreedores, cuando éstos no puedan de otro modo cobrar lo que se les deba.

Se refiere este precepto a la acción revocatoria o pauliana a que alude el último inciso del artículo 1111 del CC. Es decir, «se exige que a los acreedores no les resulte por otro medio posible el reintegro de la deuda, lo que supone la realidad de la existencia del crédito y la celebración por el deudor con posterioridad de actos de disposición patrimonial que atenten directa y frontalmente a dicho crédito, al que de este modo se le vacía de todo contenido en cuanto a su real percepción, en un actuar defraudatorio concebido y ejecutado con el indudable propósito de causar perjuicios y daños constatados al acreedor; debiendo darse también la concurrencia de que los bienes perseguidos no hayan pasado a tercero de buena fe»[56]. Tanto la determinación de la insolvencia como la presencia o la ausencia de fraude son cuestiones de hecho y como tales de apreciación por el Tribunal de instancia[57]. En cualquier caso, dice la STS de 7 de septiembre de 2012, «la moderna configuración de la acción tiende a invertir el arquetipo tradicional recibido, delimitado en torno a una concepción extremadamente subjetiva del fraude, así como a una aplicación excepcional de su recurso, por el de un concepto operativo del mismo que tiende a objetivar la responsabilidad derivada bajo el protagonismo del *eventus damni* como presupuesto impulsor del ejercicio de la acción rescisoria. Sin duda, este giro doctrinal ha requerido de un claro cambio en la significación tradicional que venía caracterizando a la noción de fraude de acreedores. En este sentido, puede afirmarse que la determinación de su concepto en la articulación de la acción ya no responde a una aplicación autónoma y directa en el terreno subjetivo de la culpabilidad de los comportamientos implicados, particularmente de las conductas dolosas, ni tan siquiera a la heterogeneidad derivada del recurso auxiliar a otras fuentes de integración tales como su referencia a un abstracto principio de justicia, o a la aplicación interpretativa del criterio de equidad, sino que su concreción se realiza desde los principales deberes que sustentan la efectividad del derecho de crédito y su respectiva incidencia en el marco de la constatación del resultado lesivo inferido al acreedor»[58].

Son rescindibles los contratos y demás actos jurídicos patrimoniales celebrados en fraude de acreedores, cuando éstos no puedan cobrar lo que se les deba (art. 1310.1.2.º PMDOC). El artículo 1310.2 de la PMDOC indica que «a los efectos de lo dispuesto en el número 2.º del apartado anterior, son fraudulentos los actos dispositivos a título gratuito; los pagos hechos en estado de insolvencia por cuenta de obligaciones a cuyo cumplimiento no podía ser compelido el deudor al tiempo de hacerlos y los actos a título oneroso en los que éste y el otro contratante hayan conocido o debido conocer el perjuicio causado. Las disposiciones onerosas en las que, en detrimento del patrimonio del deudor, haya un notable y manifiesto desequilibrio entre el valor de las prestaciones, serán tenidas por gratuitas en la medida del enriquecimiento del otro contratante. Se presume el fraude de acreedores en las disposiciones onerosas a favor de personas especialmente relacionadas

---

56. Cfr. SSTS de 27 de marzo de 1992 (RJ 1992, 2337), 28 de noviembre de 1994 (RJ 1994, 8630) y 24 de diciembre de 1996 (RJ 1996, 9375).
57. Cfr. SSTS de 25 de octubre y 14 de diciembre de 1993 (RJ 1993, 7957 y 9885), 16 de junio de 1999 (RJ 1999, 4475) y 27 de abril de 2000 (RJ 2000, 3381).
58. RJ 2013, 2265.

con el deudor, en las realizadas por éste en una situación de insolvencia notoria y en las enajenaciones a título oneroso hechas después de haberse pronunciado contra él sentencia condenatoria en cualquier instancia o expedido mandamiento de embargo de bienes».

4.º Los contratos que se refieran a cosas litigiosas, cuando hubiesen sido celebrados por el demandado sin conocimiento y aprobación de las partes litigantes o de la Autoridad judicial competente.

> Son rescindibles los contratos que se refieran a cosas litigiosas, cuando hubiesen sido celebrados por el demandado sin conocimiento y aprobación de las partes litigantes o de la autoridad judicial competente. Se tendrá por litigiosa una cosa desde que se presenta la demanda (art. 1310.1.3.º PMDOC).

Se trata de evitar que devengan ilusorios los efectos de la sentencia[59]; sin embargo, son mucho más efectivas las medidas cautelares específicas a que se refiere el artículo 727 de la LEC: el embargo preventivo de bienes, la intervención o administración judicial de bienes productivos, el depósito de cosa mueble, la formación de inventarios, la anotación preventiva de demanda (art. 42.1.º LH), etc.

La cosa se considera litigiosa desde la fecha del emplazamiento para contestar a la demanda[60].

5.º Cualesquiera otros en que especialmente lo determine la ley. El artículo 1292 del CC añade que «son también rescindibles los pagos hechos en estado de insolvencia por cuenta de obligaciones a cuyo cumplimiento no podía ser compelido el deudor al tiempo de hacerlos». Además, los artículos 1073 a 1081 del CC regulan la rescisión de las particiones hereditarias. Sin embargo, como advierten DÍEZ-PICAZO y GULLÓN, «el Código civil utiliza en numerosas ocasiones la terminología de rescisión para denominar acciones que tienden a destruir la eficacia de actos o negocios jurídicos por causas distintas de la lesión económica (arts. 645, 1454, 1469, 1556, 1595, 1652, 1818 CC, etc.).

> Son rescindibles cualesquiera otros (contratos) que especialmente determine la ley (art. 1310.1.4.º PMDOC).

2. La acción de rescisión

La rescisión no es inmediata, sino que tiene que pronunciarla el Juez. Por consiguiente, para que se declare la ineficacia del contrato hay que ejercitar la acción rescisoria y la sentencia que la decrete tendrá carácter constitutivo.

La legitimación activa corresponde a las personas directamente interesadas en ejercitar la acción y a las que la ley protege. En los casos de los números 1.º, 2.º y 4.º del artículo 1291 del CC al pupilo, al ausente y al demandante, y en el supuesto del número 3.º del citado precepto estará legitimado el acreedor defraudado.

En los casos de los números 1.º y 2.º del artículo 1291 del CC, la acción ha de ejercitarse contra los que hubieren celebrado el contrato con el tutor o el

---

59. Cfr. STS de 9 de abril de 1999 (RJ 1999, 2662).
60. Cfr. SSTS de 25 de enero de 1913 (JC 1913, I-37) y 15 de febrero de 1965 (RJ 1965, 875).

representante del ausente, y también contra éstos mismos al efecto de su posible responsabilidad. En el supuesto de fraude habrá que dirigirse contra los que fueron parte en el contrato fraudulento y, en su caso, contra los terceros que hubieren adquirido a título gratuito las cosas enajenadas y subadquirentes que adquirieron a título oneroso de mala fe.

La acción de rescisión dura cuatro años. Para las personas sujetas a tutela y para los ausentes, los cuatro años no empezarán hasta que haya cesado la incapacidad de los primeros o sea conocido el domicilio de los segundos (art. 1299 CC).

> Según el artículo 1312 de la PMDOC, «la acción de rescisión caduca a los dos años, y este tiempo empezará a correr: Para las personas sujetas a tutela y para los ausentes, desde que haya cesado la incapacidad o la ausencia (…)».

Respecto de la rescisión por fraude de acreedores, no dice nada el Código civil, por lo que será de aplicación la regla general contenida en el artículo 1969, y se contará desde el día en que pudo ejercitarse[61]. Pero, aunque la acción pueda ejercitarse desde el acto fraudulento, si se oculta por no inscribirse en el Registro de la propiedad, el _dies a quo_ es el de la inscripción en el Registro, salvo que se acredite que la víctima del fraude conoció con anterioridad de modo cabal y completo el acto impugnable[62]. Es cierto que el artículo 37 de la LH señala como _dies a quo_ el de la enajenación fraudulenta, pero no se puede desconocer que este precepto es protector exclusivamente del tercero hipotecario; lo que implica que no puede extenderse a supuestos en los que no exista esa figura[63]. En el caso de los contratos que se refieran a cosas litigiosas, como dice MORENO QUESADA, el tiempo comenzará a correr desde que finalizó el pleito con declaración favorable a la parte demandante, pues sólo a partir de este momento pudo ejercitar eficazmente su derecho.

El plazo es de caducidad, y por ello no es susceptible de interrupción[64].

> La acción de rescisión caduca a los dos años, y este tiempo empezará a correr, en los casos diferentes a los de las personas sujetas a tutela y a los ausentes, «desde que hubiera resultado conocido o se hubiera debido conocer el acto fraudulento o lesivo» (art. 1312 PMDOC).

3. Efectos

La rescisión obliga a la devolución de las cosas que fueron objeto del contrato con sus frutos[65], y del precio con sus intereses; en consecuencia, sólo podrá llevarse a efecto cuando el que la haya pretendido pueda devolver aquello a que por su parte estuviese obligado. Tampoco tendrá lugar la rescisión cuando las cosas objeto del contrato se hallaren legalmente en poder de terceras personas que no hubiesen

---

61. Cfr. SSTS de 16 de febrero de 1993 (RJ 1993, 774), 1 de diciembre de 1997 (RJ 1997, 8772) y 30 de mayo de 2003 (RJ 2003, 5324).
62. Cfr. SSTS de 4 de septiembre de 1995 (RJ 1995, 5490), 8 de marzo de 2003 (RJ 2003, 2564) y 31 de enero de 2006 (RJ 2006, 363).
63. Cfr. SST de 27 de enero de 2004 (RJ 2004, 46) y 31 de enero de 2006 (RJ 2006, 363).
64. Cfr. SSTS de 8 de julio de 1992 (RJ 1992, 6267) y 1 de diciembre de 1997 (RJ 1997, 8772).
65. Respecto de los frutos, serán de aplicación los artículos 451 y 452 del CC.

procedido de mala fe. En este caso podrá reclamarse la indemnización de daños y perjuicios al causante de la lesión (art. 1295 CC).

Según el artículo 1313 de la PMDOC, «en los supuestos del número 1.º del artículo 1310.1, la rescisión obliga a la devolución de las cosas que fueron objeto del contrato con sus frutos, y del precio con sus intereses; en consecuencia, sólo podrá llevarse a efecto cuando el que la haya pretendido pueda devolver aquello a que por su parte estuviese obligado. Tampoco tendrá lugar la rescisión cuando las cosas, objeto del contrato, se hallaren legalmente en poder de terceras personas que hubiesen adquirido a título oneroso y hubiesen procedido de buena fe. En este caso podrá reclamarse la indemnización de perjuicios al causante de la lesión».

Es posible evitar la rescisión indemnizando el perjuicio causado (art. 1077, párr. 1.º, CC, por razón de analogía).

El artículo 1311 de la PMDOC señala que «el demandado puede evitar la rescisión indemnizando el perjuicio producido, salvo en el supuesto del número 3.º del artículo 1310.1. La acción de rescisión no podrá ejercitarse si el perjudicado dispone de otro medio apropiado para obtener la reparación del perjuicio».

BIBLIOGRAFÍA

AA VV (coord. DELGADO ECHEVERRÍA), *Las nulidades de los contratos: un sistema en evolución*, Cizur Menor (Navarra), 2007; ABRIL CAMPOY, *La rescisión del contrato por lesión. Enfoque doctrinal y jurisprudencial*, Valencia, 2003; ÁLVAREZ VIGARAY, «Introducción al estudio de la inoponibilidad», *Libro-homenaje a Vallet de Goytisolo*, T. I, Madrid, 1988, p. 81; ÁLVAREZ VIGARAY/AYMERICH DE RENTERÍA, *La rescisión por lesión en el Derecho civil español, común y foral*, Granada, 1989; BONET CORREA, «Los actos contrarios a las normas y sus sanciones», ADC, 1976, p. 309; CERDÁ OLMEDO, «*Nemo auditor propiam turpitudinem allegans*», RDP, 1980, p. 1187; CLAVERÍA, *La confirmación del contrato anulable*, Bolonia, 1977; DE LOS MOZOS, *La conversión del negocio jurídico*, Barcelona, 1959; íd., «La inexistencia del negocio jurídico», RGLJ, 1960, p. 463; íd., «De nuevo sobre la conversión del negocio jurídico», RDP, 2001, p. 545; DELGADO ECHEVERRÍA, «La anulabilidad», ADC, 1976, p. 1021; DELGADO ECHEVERRÍA/PARRA LUCÁN, *Las nulidades de los contratos*, Madrid, 2005; DÍEZ-PICAZO, «Eficacia e ineficacia del negocio jurídico», ADC, 1961, pg. 806; íd., «La anulabilidad de los contratos», *Estudios en homenaje al Prof. Lacruz*, Vol. I, Barcelona, 1992, p. 457; DÍEZ SOTO, *La conversión del contrato nulo*, Barcelona, 1994; ESPÍN, «La nulidad en el Derecho civil», *Libro-homenaje a Royo Villanova*, Madrid, 1977, p. 231; íd., «Algunos aspectos de la rescisión por causa de lesión», RDP, 1988, p. 211; GÓMEZ ACEBO, «Revisión del concepto de lesión; su estructura técnica», RDP, 1950, p. 493; GÓMEZ DE LA ESCALERA, *La nulidad parcial del contrato*, Madrid, 1995; GORDILLO CAÑAS, «La nulidad parcial del contrato con precio ilegal», ADC, 1975, p. 101; íd., «Violencia viciante, violencia absoluta e inexistencia contractual», RDP, 1983, p. 214; íd., «Precio ilegal: ¿Un salto atrás en la jurisprudencia civil del Tribunal Supremo?», ADC, 1993, p. 893; GULLÓN, «La confirmación», ADC, 1960, p. 1195, JEREZ DELGADO, *La anulación del contrato*, Cizur Menor (Navarra), 2011; LÓPEZ BELTRÁN DE HEREDIA, *La nulidad contractual. Consecuencias*, Valencia, 1995; LÓPEZ FRÍAS, «Clases de nulidad parcial del contrato en Derecho español», ADC, 1990, p. 851; MARTÍN PÉREZ, *La rescisión del contrato*, Barcelona, 1995; MONTAÑANA, *La* rescisión por lesión (*Origen, evolución histórica y recepción en Derecho moderno*), Valencia, 1999; Orduña Moreno, *La acción rescisoria por fraude de acreedores en la jurisprudencia del Tribunal Supremo,* 2.ª ed., Barcelona, 1992; Pasquau Liaño, *Nulidad y anulabilidad del contrato,* Madrid, 1996; Ragel Sánchez, *Protección del tercero frente a la actuación jurídica ajena: La inoponibilidad,* Valencia, 1994; Serrano Alonso, *La confirmación de los negocios jurídicos,* Madrid, 1976; Toldrá Roca, *La anulabilidad por causa de incapacidad,* Valencia, 2006; Torres Perea, *Presupuestos de la acción rescisoria,* Valencia 2001; Vallet de Goytisolo, «Donación, condición y conversión jurídica», ADC, 1952, p. 1204.

Capítulo XXIX
Anomalías contractuales

I. INTRODUCCIÓN

Es relativamente frecuente que se utilice un determinado tipo contractual para conseguir un resultado diferente al que es propio del mismo, o para alcanzar efectos menores o más débiles, o con el propósito de eludir la normativa de otro contrato. Por ejemplo, con intención de liberalidad, se vende una casa a cambio de un precio muy inferior al real; o el prestamista exige al prestatario que, en garantía del préstamo, le transmita la propiedad de un bien inmueble, comprometiéndose a devolverlo cuando se le restituya el capital prestado y los intereses; o el dueño de un piso o local, para evitar el retracto arrendaticio, en lugar de venderlo lo aporta a una sociedad, etc. En todos estos casos, suministrados por experiencia del tráfico jurídico, en los que se pretende obtener un resultado que no se corresponde con el normal del tipo o medio utilizado, se habla de contratos *anómalos* o irregulares.

Las principales anomalías contractuales, que han adquirido una cierta tipificación social, son los llamados contratos *simulados, fiduciarios, indirectos* y *en fraude*. Pero, como indica De Castro, con estas expresiones, que no se excluyen entre sí (un mismo negocio puede ser calificado cumulativamente de simulado, fiduciario y fraudulento), no se trata de aludir a verdaderos tipos contractuales, ya que en ellos no se atiende a una finalidad específica y regulada como tal por el Derecho, sino que son deformaciones que pueden afectar a los más variados tipos de negocios.

La utilización de los denominados contratos anómalos no es, en principio y *per se*, ilegal o ilícita; por contrario, es perfectamente admisible en tanto no se infrinjan normas imperativas o prohibitivas (art. 6.3 CC), ni se traspasen los límites que el artículo 1255 del CC impone a la autonomía de la voluntad. Es decir, como advierte De Castro, «su empleo no sirve para impedir el control judicial sobre el fin práctico que se pretenda conseguir con el negocio (calificación de la causa concreta), ni para dejar de lado el principio general de la buena fe».

II. CONTRATO SIMULADO

1. Concepto y requisitos

La simulación es una deliberada (no errónea) declaración discordante para producir la apariencia de un negocio. Más concretamente, el *contrato simulado* es aquél acuerdo de voluntades encaminado a producir con fin de engaño u ocultación la apariencia de un negocio[1]. La simulación contractual es un vicio de la declaración de voluntad por el cual ambas partes, de común acuerdo y con el fin de obtener un resultado frente a terceros, que puede ser lícito o ilícito, dan a entender una manifestación de voluntad distinta de su interno querer[2]. Como dice la STS de 23 de septiembre de 1989, la simulación contractual se produce cuando no existe la causa que nominalmente expresa el contrato, por responder éste a otra finalidad jurídica distinta, sin que se oponga a la apreciación de la simulación el que el contrato haya sido documentado ante fedatario público[3], pues, como tiene declarada la jurisprudencia del Tribunal Supremo, «la eficacia de los contratos otorgados ante Notario no alcanza a la verdad intrínseca de las declaraciones de los contratantes, ni a la intención o propósito que oculten o disimulen, porque esto escapa a la apreciación notarial»[4]. Y, aunque pueda parecer un caso de reserva mental en cuanto hay una voluntad de los contratantes deliberadamente contraria a lo que se declara, la diferencia entre ambas figuras es esencial, mientras que este supuesto se caracteriza por la ignorancia del destinatario acerca de la íntima reserva, en el contrato simulado ambas partes conocen y convienen en el disimulo del negocio. Es decir, en el contrato simulado hay acuerdo de las partes.

Los *requisitos* del contrato simulado, según FERRARA, son los siguientes:

1.º Declaración deliberadamente disconforme con la voluntad.

2.º Acuerdo entre las partes, también llamado «acuerdo simulatorio».

3.º Fin de engaño u ocultación del negocio a terceras personas. Pero, como antes se ha indicado, no es necesario que dicho fin sea ilícito o fraudulento, ya que no debe confundirse la intención de engañar con la intención de dañar, porque la simulación puede tener una finalidad lícita, como, por ejemplo, sustraer a la curiosidad o indiscreción de los demás la naturaleza de un acto o negocio jurídico. No obstante, debe reconocerse que, en la mayoría de los casos, la simulación se dirige a defraudar a los terceros o a ocultar una violación legal.

2. Clases

La simulación puede ser *absoluta* o *relativa*. En el contrato simulado existe un convenio entre ambas partes, bien para no crear negocio alguno o bien para producir otro distinto del que se manifiesta. En el primer caso no existe nada, pues, aunque se simula celebrar un contrato, la intención de las partes es no concluir negocio alguno y que subsista la realidad jurídica anterior (simulación absoluta). En el segundo

---

1. Cfr. STS de 19 de diciembre de 1951 (RJ 1951, 2777).
2. Cfr. STS de 30 de septiembre de 1989 (RJ 1989, 6394).
3. RJ 1989, 6352.
4. Cfr. SSTS de 2 de junio de 1983 (RJ 1983, 3286), 24 de febrero de 1986 (RJ 1986, 850) y 1 de julio, 5 y 10 de noviembre de 1988 (RJ 1988, 5550, 8418 y 8431).

supuesto existe una simulación relativa, porque se finge celebrar un negocio (simulado) para ocultar otro diferente realmente querido (negocio disimulado)[5]. El negocio simulado no existe, pero el negocio que es disimulado bajo aquél es válido[6].

El Código civil no regula los contratos simulados bajo esta denominación, pero se refiere a ellos al tratar del tema de la causa. Obsérvese que, según el artículo 1276 del CC, «la expresión de una causa falsa en los contratos dará lugar a la nulidad, si no se probase que estaban fundados en otra verdadera y lícita». Por consiguiente, conforme a este precepto, contrato simulado es aquél que tiene una causa falsa, fingida, mediante la cual se crea una apariencia de contrato que no existe en la realidad; por eso, demostrada la falsedad de la causa, el contrato será radicalmente nulo y se destruirá la apariencia creada (simulación absoluta), a no ser que se pruebe la existencia encubierta de otro contrato fundado en una causa verdadera y lícita (simulación relativa).

En todo caso, habrá de probarse la falsedad de la causa por parte de quien la alega, ya que el artículo 1277 del CC establece la presunción de su existencia y licitud en tanto no se demuestre lo contrario, a cuyo efecto se podrá utilizar cualquier medio de prueba, incluso las presunciones de hecho (arts. 385 y 386 LEC); pues, por regla general, ante la dificultad de prueba directa del acuerdo simulatorio, por el natural empeño que ponen los contratantes en hacer desaparecer todos los vestigios de la simulación y por aparentar que el contrato es cierto y efectivo reflejo de la realidad, su existencia habrá de ser deducida, averiguada y constatada acudiendo a indicios y presunciones que lleven al juzgador a la apreciación de su realidad[7]. Efectivamente, la simulación o, mejor, falsedad, puede afectar a los sujetos del negocio, al objeto o a la causa[8], pero solo cuando afecta a la naturaleza o causa del contrato se habla de contrato simulado en sentido técnico legal, de acuerdo con lo dispuesto en el artículo 1276 del CC[9].

3. Efectos

3.1. Entre las partes

En la simulación absoluta no se produce ningún efecto por la falta de consentimiento (art. 1261 CC), si bien el contrato deberá ser destruido y eliminado lo que era falso y aparente mediante el ejercicio de la oportuna acción de nulidad, si fuere necesario. Como dice DE LA CÁMARA, si el resultado perseguido por la simulación «consiste simplemente en crear una mera apariencia formal, de suerte que no se ha querido que la declaración surta efectos jurídicos, no sólo falta la causa, sino que falta la voluntad negocial».

---

5. Cfr. SSTS de 24 de noviembre de 1956 (RJ 1956, 90) y 13 de febrero de 1958 (RJ 1958, 590).
6. Cfr. STS de 27 de enero de 2012 (RJ 2012, 3658).
7. Cfr. SSTS de 16 de septiembre de 1988 (RJ 1988, 6689), 23 de enero y 13 de diciembre de 1989 (RJ 1989, 115 y 8828), 15 de noviembre de 1993 (RJ 1993, 8911), 14 de junio de 1997 (RJ 1997, 4658), 22 de marzo de 2001 (RJ 2001, 4750) y 13 de febrero de 2006 (RJ 2006, 551).
8. Cfr. STS de 12 de julio de 1941 (RJ 1941, 912).
9. Cfr. STS de 22 de marzo de 2001 (RJ 2001, 4750).

Según la STS de 23 de mayo de 1956, se producen los efectos siguientes: «*primero,* que, si el contrato es inexistente, no produce efecto alguno y, por lo tanto, no liga a los contratantes a su cumplimiento; *segundo,* que tal nulidad total no se rige por las prescripciones de los artículos 1300 y siguientes del Código civil, que se refieren a los contratos anulables; *tercero,* que, en consecuencia, no limita a los contratantes obligados el derecho a la impugnación; *cuarto,* que, por el contrario, sin llegar al extremo de ser pública la impugnación según doctrinalmente pudiera sostenerse, la reiterada doctrina de casación reconoce puede ejercitarla quien tenga interés en ella; y *quinto,* que éste es indiscutible en el heredero de la vendedora, privado de la herencia por simulación, interesado en establecer la verdad jurídica para poder entrar en su disfrute (...)»[10].

También ha declarado la jurisprudencia que el contrato simulado no es susceptible de confirmación expresa o tácita[11], ni adquiere eficacia por haberse otorgado en forma solemne[12].

En la simulación *relativa,* el contrato simulado es nulo entre las partes contratantes, pero es válido entre las mismas el contrato disimulado; pues, como advierten DÍEZ-PICAZO y GULLÓN, «autorizar la impugnación (del disimulado) sería tanto como permitir la vulneración de la doctrina de los propios actos, según la cual nadie puede ir contra sus propios actos». Sin embargo, como indica DE CASTRO, el negocio simulado habrá de ser tenido en cuenta para conocer datos que tal vez no consten en el contrato disimulado (por ejemplo, fecha, condiciones, etc.). Ahora bien, para que se pueda decretar la validez del contrato disimulado es necesario que éste reúna los requisitos que exige la ley, por lo que deberá probarse que existía otra causa verdadera y lícita[13], así como el cumplimiento de la forma solemne, en el caso de que fuere exigida[14].

3.2. *Frente a terceros de buena fe*

Los contratantes no pueden alegar la simulación frente al tercero de buena fe[15]; en cambio, los terceros tienen una doble posibilidad, cual es desconocer la simulación por haber confiado en la apariencia creada o bien impugnarla, si es que lesiona sus derechos.

Como puede observarse, respecto de los terceros de buena fe opera el principio de la confianza, pues se protege al tercero de buena fe que adquirió fiado en la apariencia de la titularidad del transmitente. Por eso, el artículo 1230 del CC establece que «los documentos privados hechos para alterar lo pactado en escritura pública no producen efectos contra tercero»; y, en el supuesto de que el contradocumento constase en escritura pública, se habrá de tener en cuenta que, de acuerdo con lo dispuesto

---

10. RJ 1956, 2435. Cfr. SSTS de 8 de mayo de 1957 (RJ 1957, 1966) y 13 de febrero de 1958 (RJ 1958, 590).
11. Cfr. SSTS de 12 de abril de 1944 (RJ 1944, 535) y 19 de enero de 1950 (RJ 1950, 29).
12. Cfr. SSTS de 15 de febrero de 1944 (RJ 1944, 294), 8 de mayo de 1957 (RJ 1957, 1966) y 13 de febrero de 1958 (RJ 1958, 590).
13. Cfr. SSTS de 25 de mayo de 1944 (RJ 1944, 800), 15 de enero de 1959 (RJ 1959, 1044) y 10 de octubre de 1961 (RJ 1961, 3293).
14. Cfr. SSTS de 29 de octubre de 1956 (RJ 1956, 3421) y 6 de octubre de 1977 (RJ 1977, 3713).
15. Cfr. SSTS de 27 de octubre de 1951 (RJ 1951, 2354), 29 de enero de 1965 (RJ 1965, 260) y 16 de mayo de 1967 (RJ 1967, 2420).

en el artículo 1219 del CC, solo producirá aquélla efecto contra tercero cuando su contenido hubiere sido anotado en el Registro público competente o al margen de la escritura matriz y del traslado o copia en cuya virtud hubiera procedido el tercero.

4. Ejercicio de la acción

El ejercicio de la acción de simulación «tiene por objeto comprobar, en la vía judicial, la verdadera realidad jurídica oculta bajo una falsa apariencia, a fin de preparar el camino a ulteriores acciones que, en esa falsa apariencia, encontraban incertidumbre u obstáculos», y compete a quien tenga interés en hacer desaparecer la ficción creada por el acto simulado, y, por tanto, corresponde lo mismo a los propios simulantes que a los terceros. Como dice la STS de 31 de mayo de 1963, «cuando el simulante impugna el negocio aparente no va contra sus propios actos, sino que lo que con la impugnacción pretende es que se patentice la divergencia entre la voluntad real y su manifestación, o sea, que se pretende que prevalezca la voluntad real, no la declarada que no era querida»[16].

El heredero voluntario puede impugnar el negocio simulado absolutamente realizado por su causante, pero no el simulado relativamente, por no asistir este derecho a su causante[17]. En cambio, el heredero forzoso o legitimario tiene legitimación activa tanto para impugnar el negocio simulado absolutamente como el disimulado celebrado por su causante que mengüe su cuota legitimaria[18].

También se encuentran legitimados activamente los terceros que, ostentando un derecho jurídicamente protegido, resulten afectados por el contrato simulado que haya podido otorgarse en su perjuicio[19].

Respecto a la legitimación pasiva, la acción de simulación ha de dirigirse contra todos los que fueron parte en el negocio y sus causahabientes, pues a todos afecta la declaración que se haga en el fallo[20].

La acción que pretende la nulidad absoluta o declaración de inexistencia del negocio aparente es imprescriptible[21].

> Según la STS de 18 de marzo de 2008, la acción para pedir la declaración de nulidad del contrato simulado no está sujeta en su ejercicio a plazo de caducidad o de prescripción alguno, pues lo que no existe no puede pasar a tener realidad jurídica por el transcurso del tiempo[22].

En cambio, a la simulación relativa, respecto del negocio verdadero y disimulado, le afecta la prescripción extintiva de los artículos 1961 y 1964 del CC, pues, como dice la STS de 21 de octubre de 1963, «dotado el negocio disimulado de existencia legal, es decir, con actividad funcional en el orden jurídico, le alcanzan las normas de la

---

16. RJ 1963, 3592.
17. Cfr. SSTS de 3 de abril de 1962 (RJ 1962, 1847), 30 de mayo de 1968 (RJ 1968, 3742) y 8 de febrero de 1972 (RJ 1972, 623).
18. Cfr. SSTS de 28 de enero de 1966 (RJ 1966, 3672) y 16 de abril de 1973 (RJ 1973, 1792).
19. Cfr. STS de 3 de abril de 1962 (RJ 1962, 6).
20. Cfr. STS de 24 de noviembre de 1956 (RJ 1957, 90).
21. Cfr. SSTS de 14 de mayo de 1929 (JC 1929, III-31) y 10 de abril de 1933 (RJ 1933, 1613).
22. RJ 2008, 3054.

prescripción extintiva cuya noción o motivo radica en poner término a una situación de incertidumbre, dando garantía al derecho constituido no afectado de vicio de invalidez o nulidad»[23].

Por último, conviene traer de nuevo a colación que la jurisprudencia ha declarado que son grandes las dificultades que encierra la prueba plena de la simulación de los contratos, por el natural empeño que ponen los contratantes en hacer desaparecer todos los vestigios de la simulación y por aparentar que el contrato es cierto y efectivo reflejo de la realidad; lo que obliga, en la totalidad de los casos, a deducir la simulación de la prueba indirecta de las presunciones[24]. Es más, la STS de 4 de octubre de 2004 dice que «cuando se impugna por el presunto vendedor un contrato de compraventa por inexistencia de precio, alegando su simulación, ciertamente que le corresponde la prueba contraria a la presunción legal del artículo 1277 del CC, que ha de recaer necesariamente sobre la no recepción de aquel precio como indicio más relevante. Pero se trata de la prueba de un hecho negativo, que por sí misma es difícil en grado sumo que pueda llevarse a cabo, y es, por el contrario, al presunto comprador muy fácil la prueba del hecho positivo de haber pagado el precio. Por ello, debe recaer en este caso la prueba contra la presunción legal en el que tiene todas las facilidades probatorias, a fin de evitar la indefensión del que pretende la declaración de simulación»[25]. En tal orden de cosas, el Tribunal Supremo ha tomado en consideración, entre otros aspectos fácticos, la existencia de «causa simulandi» (tratar de sustraer el bien a una ejecución), relación de parentesco próximo entre los intervinientes en la operación, precio irrisorio, carencia de prueba de pago del precio, falta de capacidad económica del adquirente, etc.[26]

III. CONTRATO FIDUCIARIO

1. Concepto y clases

El contrato *fiduciario* es aquél en el que una persona (*fiduciante*) transmite a otra (*fiduciario*) un derecho (por regla general, de propiedad o de crédito), sin que exista una causa que justifique la adquisición definitiva, obligándose el adquirente a emplearlo en la forma prevista y reintegrárselo al transmitente o a un tercero cuando se produzcan determinadas circunstancias[27].

El ejemplo típico lo constituye la llamada «transmisión o venta en garantía», en la que el prestamista exige al prestatario que, en garantía del préstamo, le transmita la propiedad de una finca, comprometiéndose a devolverla cuando se le restituya el capital prestado y los intereses[28].

En Derecho mercantil, es negocio fiduciario el endoso pleno de una letra de cambio al simple efecto de su cobro por el endosatario y posterior entrega de su importe

---

23. RJ 1963, 4154.
24. Cfr. SSTS de 13 de octubre de 1987 (RJ 1987, 9985) y 22 de marzo de 2001 (RJ 2001, 4750).
25. RJ 2004, 6064.
26. Cfr. SSTS de 29 de diciembre de 2000 (RJ 2000, 714), 25 de septiembre de 2003 (RJ 2003, 7004) y 11 de febrero de 2005 (RJ 2005, 1918).
27. Cfr. SSTS de 2 de diciembre de 1996 (RJ 1996, 8784), 4 de julio de 1998 (RJ 1998, 5413), 7 de junio de 2002 (RJ 2002, 4375) y las que ésta cita.
28. Cfr. STS de 8 de marzo de 1963 (RJ 1963, 1628) y 5 de julio de 1993 (RJ 1993, 5794).

al primero, o bien con finalidad de garantía. En Derecho de sucesiones, existe un ejemplo relativamente frecuente, cual es que en la partición hereditaria se adjudiquen a uno o varios coherederos bienes de la herencia con el encargo de que con ellos paguen las deudas de la sucesión. Como puede observarse, se trata de un negocio jurídico basado en la confianza (*fiducia*), en el que se utiliza un determinado tipo contractual con el propósito de conseguir efectos menores o más débiles, por lo que resulta desproporcionado el medio jurídico empleado[29].

No ofrece duda que el contrato fiduciario guarda semejanza con el simulado; pues, como en la simulación absoluta, las partes no quieren el negocio aparente, e igual que en la simulación relativa se quiere el que está oculto. No obstante, el negocio fiduciario está muy lejos de ser un supuesto de simulación absoluta, ya que las diferencias básicas entre uno y otro son claras: *a*) el negocio simulado es un negocio ficticio, no real, mientras que el fiduciario es un negocio serio, real, existente y querido por las partes con todas sus consecuencias jurídicas, aun sirviendo a una finalidad económica distinta de la normal; *b*) el simulado es un negocio simple, mientras que el otro es complejo, al resultar de la combinación de dos negocios distintos; y *c*) el simulado es absolutamente nulo, sin llevar consigo transferencia alguna de derecho, y el fiduciario es válido[30].

Aunque la jurisprudencia niega la identificación del negocio fiduciario con el simulado relativamente, la diferenciación es mucho más difícil, de ahí que algunos autores los identifiquen. Sin embargo, DÍEZ-PICAZO y GULLÓN encuentran la separación en el criterio de BETTI, para quien «en el negocio simulado relativamente es posible detectar una incompatibilidad entre las causas (así, la compraventa que encubre donación tiene causas opuestas), mientras que en el negocio fiduciario la causa del que pudiéramos llamar aparente (transmisión de la propiedad) coexiste perfectamente con la del escondido o disimulado en el pacto de fiducia». En definitiva, la separación o acercamiento entre ambas figuras va a depender de la construcción que se haga del negocio fiduciario, como se verá al tratar de los efectos: si se sigue la teoría «del doble efecto», el distanciamiento es bastante claro; pero, si se acepta como más coherente con nuestro sistema la de la «titularidad fiduciaria», la confusión es evidente.

Por otra parte, el Tribunal Supremo también ha tratado de diferenciar el negocio fiduciario de otras figuras afines. Concretamente, la STS de 17 de febrero de 2005 dice que la Sala 1.ª ya ha aludido en diversas ocasiones al negocio jurídico de «puesta a nombre de otro» en sentido estricto (*nomen commodat*), refiriéndose a su designio de «conseguir una finalidad económica muy limitada con instrucciones reservadas del verdadero propietario, cual es la ocultación de la titularidad real para salvar el patrimonio de las responsabilidades en que se halla implicado, figura que tiene unos perfiles semejantes con los negocios fiduciarios, pero con unas improntas específicas, y con concomitancias con figuras afines como la de interposición de personas»; añadiendo que «entre estas figura, a no dudarlo, el denominado "testaferro" (del italiano

---

29. Cfr. STS de 10 de diciembre de 1992 (RJ 1992, 10135).
30. Cfr. SSTS de 28 de diciembre de 1955 (RJ 1956, 240), 22 de mayo de 1956 (RJ 1956, 2433), 28 de octubre de 1988 (RJ 1988, 7746), 7 de junio de 2002 (RJ 2002, 4875) y 17 de septiembre de 2002 (RJ 2002, 8558). Acerca de la diferencia entre negocio fiduciario y contrato simulado cfr. STS de 7 de julio de 1955 (RJ 1955, 2298).

"testa ferro", cabeza de hierro), en cuanto se trata de una persona que figura con su nombre en un contrato o como propietario de cierta cosa, en vez del interesado o dueño verdadero, que queda oculto»[31].

Los contratos fiduciarios se utilizan con finalidades prácticas muy variadas; no obstante, se pueden clasificar en dos grupos o categorías: la fiducia *cum amico* y la fiducia *cum creditore*. La primera, fiducia *cum amico*, es aquella que se basa en una relación de mandato o en un poder de representación, celebrándose en beneficio o provecho del fiduciante. Por ejemplo, al proclamarse en 1931 la segunda República en España, muchas órdenes y congregaciones religiosas, pusieron sus bienes a nombre de terceras personas para que los conservasen y administrasen y, más tarde, cuando las circunstancias políticas cambiasen, se los restituyesen[32] (Leyes de 11 de julio de 1941 y 1 de enero de 1942, y el Decreto-ley de 28 de junio de 1962, con arreglo a las cuales no ofrece duda que el fiduciante no había dejado de ser propietario de la cosa confiada y puesta a nombre del amigo). La segunda, fiducia *cum creditore*, es la que se concluye en provecho del fiduciario, y su ejemplo más corriente es el de la transmisión o venta en garantía[33].

A este supuesto se refiere la ley 466 del FN, cuando afirma que «por la fiducia de garantía se transmite al acreedor la propiedad de una cosa o la titularidad de un derecho mediante una forma eficaz frente a tercero. Cumplida la obligación garantizada, el transmitente podrá exigir del fiduciario la retransmisión de la propiedad o del derecho cedido; el fiduciario, en su caso, deberá restituir y responder con arreglo a lo establecido para el acreedor pignoraticio en la ley 470. No obstante, si así se hubiere pactado, podrá el acreedor, en caso de mora del deudor, adquirir irrevocablemente la propiedad de la cosa o la titularidad del derecho, y quedará extinguida la obligación garantizada». Como puede observarse, admite la validez del pacto comisorio, prohibido en el sistema del Código civil.

2. Efectos

La cuestión de la eficacia del contrato fiduciario no es pacífica, sino que se encuentra totalmente mediatizada por la configuración que se otorgue a este negocio.

a) Según la teoría «del doble efecto», cuyo creador fue REGELSBERGER, ampliamente difundida y desarrollada en Italia por FERRARA, «el negocio fiduciario es una forma compleja que resulta de la unión de dos negocios de índole y efectos diferentes, colocados en oposición recíproca. Consta: Primero, de un *contrato real positivo*, la transferencia de la propiedad o del crédito, que se realiza de modo perfecto e irrevocable. Segundo, de un *contrato obligatorio negativo*, la obligación del fiduciario de usar tan sólo en una cierta forma el derecho adquirido, para restituirlo después al transferente o a un tercero».

En palabras de FERRARA, «este segundo contrato tiende a reservar al que otorga la fe una cierta influencia sobre la cosa transmitida en cuanto puede imponer al fiduciario que use tan sólo de su posición jurídica para fines determinados, y obligarlo a la restitución del derecho o de la equivalencia obtenida y, en caso de violación, obtener el resarcimiento del daño; esta influencia, sin embargo, es puramente indirecta, por

---

31. RJ 2005, 1413.
32. Cfr. SSTS de 21 de marzo de 1995 (RJ 1995, 2051) y 24 de marzo de 1997 (RJ 1997, 2477).
33. Cfr. STS de 19 de mayo de 1989 (RJ 1989, 3780).

cuanto no la limita ni subordina (el traspaso de la propiedad o del crédito subsiste puro e incondicionado), sino que trata de proteger indirectamente al favorecido, por medio de una obligación personal del fiduciario. Así pues, el transmitente, una vez despojado definitivamente de su derecho, no puede reclamar ya, no puede volverlo a tomar de manos del fiduciario o de los terceros, y tiene tan sólo un crédito para la restitución. Los dos negocios, el real y el obligatorio, marchan paralelos entre sí y quedan en cierto modo independientes, aun cuando el segundo presente un constreñimiento a no abusar de la eficacia del primero».

Esto es lo que ocurre en los Derechos alemán y suizo, en los que se admite el negocio abstracto y, por lo tanto, pueden realizarse atribuciones patrimoniales sin necesidad de que concurra una finalidad económica que justifique la adquisición. Pues, como advierte VON THUR, «el que, por las razones que sean, se decide a traspasar a otro su propiedad o cederle un crédito, saliéndose del camino normal, que es el de la pignoración o el mandato, tiene que cargar con los riesgos que se derivan de esta situación jurídica creada por él».

Se ha señalado el grave inconveniente que esta teoría presenta para nuestro Derecho, en el que no se admite la figura del contrato abstracto ni tampoco la transmisión consensual del dominio, ya que se exige la causa y la entrega de la cosa. No obstante, nuestra jurisprudencia en muchas ocasiones ha aplicado esta teoría «del doble efecto»[34].

b) Otra teoría es aquella que considera que el contrato fiduciario es un solo negocio, aunque de naturaleza compleja, en el que hay una única causa (causa *fiduciae*). Esta causa se fundamenta en el artículo 1274 del CC, que considera como causa en los contratos onerosos «la prestación o promesa de una cosa o servicio por la otra parte», y consiste en el juego de la atribución patrimonial frente a la promesa obligacional del fiduciario de usar la cosa conforme a lo pactado y de restituirla al fiduciante o a un tercero[35]. Y se suele citar como ejemplo el de la venta en garantía de un préstamo, en el que la transmisión del dominio de la finca tiene como causa para el transmitente la obtención del préstamo.

Ahora bien, no ofrece duda que la *causa fiduciae* tampoco resulta adecuada para transmitir la propiedad plena y definitiva de la cosa, y que no encaja en lo dispuesto en el artículo 1274 del CC. Desde luego, ofrece pocas dudas que no se trata de una causa gratuita; y, si se considera como causa onerosa, cabe preguntarse por la reciprocidad que debe ser característica del contrato con este tipo de causa, ya que, como dice DE CASTRO, es evidente que el fiduciante no ha recibido nada a cambio de lo que ha dado, pues las obligaciones que asume el fiduciario no es posible valorarlas como contraprestación.

Además, ambas teorías dan lugar a la misma consecuencia: el fiduciario ostentará una titularidad dominical de la cosa *erga omnes,* incluso frente al propio fiduciante. Por consiguiente, el fiduciario, en caso de incumplimiento, será responsable de los daños y perjuicios frente al fiduciante, pero éste no podrá ejercitar la acción reivindicatoria, para recuperar la cosa.

---

34. Cfr. SSTS de 8 de marzo de 1963 (RJ 1963, 1628), 18 de febrero de 1965 (RJ 1965, 882) y 23 de mayo de 1980 (RJ 1980, 1958), entre otras.
35. Cfr. STS de 2 de junio de 1982 (RJ 1982, 3402).

c) Para salvar este inconveniente, la doctrina propone limitar la eficacia transmisiva del negocio y entender que el fiduciario recibe una *propiedad formal*, mientras que el fiduciante retiene la *propiedad material* (poder de goce), distinguiéndose correlativamente una relación interna entre fiduciante y fiduciario y otra externa entre fiduciario y los terceros. Esta construcción permite al fiduciario (como propietario formal) ejercitar su titularidad dominical frente a todos, menos frente al fiduciante (que conserva la propiedad material), el cual podría reivindicarla del fiduciario alegando su cualidad de verdadero dueño de la cosa. En algunas ocasiones el Tribunal Supremo, después de describir el negocio fiduciario conforme a la teoría «del doble efecto», concluye afirmando que el contrato fiduciario no transmite la propiedad plena y definitiva de la cosa, sino solamente la propiedad formal, reteniendo el fiduciante la propiedad material, si bien se reconoce el efecto transmisivo pleno respecto de terceros adquirentes de buena fe[36].

d) La tesis de DE CASTRO. Este autor considera, acertadamente, que los efectos de las dos primeras teorías no responden a lo que es la verdadera voluntad de las partes, puesto que es obvio que el fiduciante no quiere una transmisión plena y definitiva de la propiedad al fiduciario, y precisamente, según el sistema espiritualista que rige en nuestro Ordenamiento, hay que atenerse a la verdadera voluntad de las partes.

En cuanto a la variante de la teoría «del doble efecto», según la cual el fiduciante retiene la propiedad material, entregando al fiduciario la propiedad formal, DE CASTRO señala los reproches que se la han dirigido y, además de preferir llamar a la propiedad formal del fiduciario «titularidad fiduciaria», opina que la condición jurídica del fiduciario «no se puede basar en lo que aparece como negocio transmisor (la venta simulada), sino que descansa únicamente en el pacto fiduciario subyacente (mandato o garantía de préstamo disimulado). Con ello, dice este autor, no se niega la posible trascendencia real de la titularidad fiduciaria; esto es, la que pueda resultar de dos distintas fuentes. Como en todo negocio simulado, los actos dispositivos que realice el fiduciario como titular dominical serán plenamente eficaces en favor del tercero de buena fe por título oneroso en virtud de la responsabilidad del fiduciario al haber creado tal situación. Además, los pactos fiduciarios pueden otorgar ciertos poderes al fiduciario respecto o en la cosa confiada. La representación no manifestada, la autorización implícita o explícita pueden llevar consigo la atribución de poderes de administración y disposición. La entrega de la cosa al fiduciario con finalidad de garantía puede, aunque sea discutible, originar un privilegio real en favor de quien conjuntamente es acreedor y fiduciario»

Por consiguiente, se produce una identificación del negocio fiduciario con el simulado; pero la diferencia se encuentra, según DE CASTRO, en el hecho de que el falso dueño en el negocio simulado carece de todo poder verdadero sobre la cosa, mientras que en el negocio fiduciario el fiduciario tiene el poder sobre la cosa que se derive del pacto de fiducia (conservación y administración, en garantía, hasta que el transmitente pague la deuda).

---

36. Cfr. SSTS de 8 de marzo de 1963 (RJ 1963, 1628), 31 de octubre de 2003 (RJ 2003, 7977) y 8 de mayo de 2006 (RJ 2006, 2841). Acerca de la diferencia entre propiedad formal y propiedad material cfr. SSTS de 19 de mayo de 1982 (RJ 1982, 2580) y 19 de mayo de 1989 (RJ 1989, 3780).

IV. CONTRATO INDIRECTO

Contrato _indirecto_ es aquél en que se utiliza una determinada figura contractual típica con el deliberado propósito de alcanzar un fin distinto del que es propio y característico de la misma.

Son ejemplos comunes de negocio indirecto los siguientes:

_a_) Las denominadas «donaciones indirectas», como es el caso de la compraventa con precio amistoso o en condiciones sumamente favorables para una de las partes contratantes al haberse señalado un precio muy inferior, o muy superior, al valor real de la cosa que se intercambia, y conseguir así el efecto de la donación.

_b_) Las llamadas «sociedades de favor», en las que figuran personas «de paja» (parientes, amigos, etc.), constituyéndose con la finalidad de liberar al dueño del capital aportado de la responsabilidad patrimonial universal (art. 1911 CC).

_c_) El nombramiento de _procurator in rem suam_, en el que se emplea la figura del mandato en beneficio del mandatario y no del mandante, normalmente acompañado de un pacto de irrevocabilidad y de la exención de la obligación de rendir cuentas. Por ejemplo, se encarga al mandatario el cobro de una deuda para imputar su importe a la que el mandante (deudor) tenía con aquél, y de este modo se evita tener que acudir a la cesión de créditos.

Algunos autores distinguen entre efectos _directos_ o propios del contrato que se utiliza e _indirectos_ o característicos de otro contrato, pero que también se pretenden conseguir. Los primeros son los que corresponden a la _causa_ del contrato empleado, y los segundos a los _motivos_ o intención final de los contratantes. Ahora bien, como dice ALBALADEJO, «lo mismo que el fin típico del negocio, el fin llamado _indirecto_ se alcanza _indirectamente_ mediante el negocio utilizado. Así pues, el término _indirecto_, lo mismo aplicado a _negocio_ que a fin, es convencional, y sólo significa que el fin se ha perseguido a través de un negocio con el que normalmente no se obtiene, (por ejemplo, a través de la compraventa, en lugar de a través de donación)».

No cabe confundir el contrato indirecto con el simulado, pues en aquél no se finge u oculta como en éste; y tampoco es posible equivocarlo con el contrato fiduciario, desde el momento en que en éste se persigue un fin único, mientras que en el indirecto el fin es doble.

Al contrato indirecto, en principio, habrán de aplicarse las normas propias del negocio o tipo utilizado; pero, sin olvidar que este negocio no puede servir para evitar la posibilidad de aplicación del fraude a la ley (art. 6.4 CC). Por ello, como advierte LACRUZ, «el empleo nominal, por los contratantes, de un tipo cuyas consecuencias estructurales se eluden o minimizan no es proporcionado a inspirar confianza, y recomienda examinar si la alteración sufrida por los elementos del contrato típico adoptado, intencionadamente predispuesta por las partes para alcanzar el resultado secundario, permite eludir alguna norma imperativa de los contratos que naturalmente producen ese otro efecto secundario, en cuyo caso debe aplicarse la norma en cuestión».

V. CONTRATO EN FRAUDE DE LEY

El contrato _en fraude de ley_ es una manifestación especial del fraude a la ley. Como señala DE CASTRO, «consiste en utilizar un tipo de negocio o procedimiento negocial con el que se busca evitar las normas dictadas para regular otro negocio; aquel, precisamente, cuya regulación es la que corresponde al resultado que se pretende conseguir con la actividad puesta en práctica».

Se pueden utilizar dos caminos diferentes: *a)* ocultar el negocio prohibido bajo la apariencia de otro; *b)* protegerse en normas establecidas con otra finalidad (ley de *cobertura*) para evitar los preceptos que regulan otro negocio (ley *defraudada*) cuyo resultado es el que se pretende conseguir. Son casos típicos los siguientes: exclusión de prohibiciones de donar bienes simulando el acto traslativo a través de la compraventa; el de prohibición de préstamos usurarios, eludido mediante la utilización de la compraventa con pacto de retro, en la que se conviene para la recuperación de la cosa vendida un precio que comprende tanto el capital efectivamente prestado como los intereses que se hubiesen establecido.

La jurisprudencia civil se refiere a los actos o negocios en fraude de ley como «ataque solapado a las normas, precisamente para burlarlas con apariencias externas de legalidad, hasta escrupulosas»[37], pues se trata de escapar de un mandato legal apoyándose en las mismas leyes. El carácter general del fraude a la ley ha sido reconocido por la STC de 26 de marzo de 1987, en la que se afirma que «es una categoría jurídica que despliega idénticos efectos invalidantes en todos los sectores del ordenamiento jurídico»[38].

Por el contrario, la STC de 27 de junio de 1984 ha declarado que no cabe el fraude de ley en el ámbito penal[39].

Los requisitos que debe reunir el acto o negocio para ser considerado en fraude de ley los especifica la STS de 13 de junio de 1959 al declarar que, habiendo sido señalados por la doctrina, son los siguientes: «1.º Acto o actos que contrarían la finalidad práctica de la Ley defraudada, suponiendo su violación efectiva, entendiendo los autores que el acto "in fraudem legis" será nulo siempre que la Ley, según recta interpretación, quisiera evitar la realización del resultado práctico obtenido, pero no si sólo quisiera prohibir el medio elegido para la realización del resultado. 2.º Que la Ley en que se ampara el acto o actos (Ley de cobertura) no tenga el fin de protegerlos, aunque puedan incluirse, por su materia, en la clase de los regulados por ello, por no constituir el supuesto normal o ser medio de vulnerar abiertamente otras Leyes, o perjudicar a tercero, no siendo necesario que la persona que realiza el acto o actos en fraude tenga la intención de burlar la Ley, ni consiguientemente la prueba de la misma, porque el fin único de la doctrina del fraude es la defensa del cumplimiento de las Leyes, no la represión del concierto o intención maliciosa, del que se encargan otras instituciones». Esta sentencia afirma, a continuación, que la nulidad de pleno derecho de los actos en fraude de ley «debe ser declarada de oficio por ser materia de orden público, con la consecuencia de deshacer la apariencia de protección jurídica que amparaba»[40].

Más recientemente la STS de 29 de julio de 1996 ha declarado que «el fraude de ley, que es sinónimo de daño o perjuicio conseguido mediante un medio o mecanismo

---

37. Cfr. STS de 10 de octubre de 1962 (RJ 1962, 3634).
38. RTC 1987, 37.
39. RTC 1984, 75.
40. RJ 1959, 3031. Cfr. STS de 6 de febrero 1957 (RJ 1957, 387).

utilizado a tal fin, valiendo tanto como subterfugio o ardid, con infracción de deberes jurídicos generales que se imponen a las personas, implica, en el fondo, un acto «contra legem», por eludir las reglas del derecho, pero sin un enfrentamiento frontal sino, al revés, buscando unas aparentes normas de cobertura o una cobertura indirecta, respetando la letra de la norma, pero infringiendo su espíritu, de forma que el "fraus alterius o fraus homini" implica, con carácter general, un "fraus legis", requiere como elemento esencial, una serie de actos que, pese a su apariencia de legalidad, violen el contenido ético de los preceptos en que se amparan, ya se tenga o no conciencia de burlar la ley (…); con lo que se ha de ver si concurre o se halla ausente el presupuesto del denunciado fraude, que no es otro que el logro de un resultado prohibido por el ordenamiento jurídico»[41]. Esta postura ha sido reiterada por la STS de 21 de diciembre de 2000[42].

En definitiva, como dice García Rubio, el fraude a la ley se caracteriza por implicar la vulneración indirecta u oblicua de una norma imperativa o prohibitiva. La estructura del fraude consistiría en una conducta que es conforme con una norma (llamada norma de cobertura), pero que produce un resultado contrario a otra u otras normas imperativas (llamada norma eludible o soslayable) o al ordenamiento jurídico en su conjunto. Es, por tanto, admisible, que lo defraudado no sea una norma concreta, sino el conjunto del ordenamiento.

Nuestro ordenamiento contiene una declaración expresa de condena del fraude de ley, al afirmar el artículo 6.4 del CC que «los actos realizados al amparo del texto de una norma que persigan un resultado prohibido por el ordenamiento jurídico, o contrario a él, se considerarán ejecutados en fraude de ley y no impedirán la debida aplicación de la norma que se hubiere tratado de eludir». A pesar de su dicción literal, la figura del fraude no se limita a los negocios jurídicos, aunque es en ese campo en el que tiene su origen y asimismo su ámbito de aplicación más extenso.

Si bien una parte de la doctrina considera que el artículo 6.4 del CC acoge la concepción subjetiva del fraude de ley, lo cual exige que exista la intención de alcanzar el resultado fraudulento, la opinión mayoritaria acepta una concepción objetiva el fraude, que atiende al resultado alcanzado y no a la intencionalidad de hacerlo. Esta segunda postura parece más ajustada a la función última del fraude de ley, que no persigue tanto sancionar comportamientos como servir a la coherencia del ordenamiento jurídico en su conjunto (García Rubio). Esta es, también, la opinión de nuestra jurisprudencia, que acepta la concepción objetiva del fraude que atiende al resultado alcanzado, esto es, el «efecto práctico pernicioso» a que alude la STS de 9 de septiembre de 1998[43], y no a la intencionalidad de realizarlo.

El artículo 6.4 del CC no prevé una sanción para el acto fraudulento, limitándose a salvaguardar la aplicación de la norma «que se hubiere tratado de eludir». Si lo vulnerado no fuera una norma concreta, entonces los efectos del fraude habrán de ser los

---

41. RJ 1996, 6057. Cfr. SSTS de 1 de abril de 1965 (RJ 1965, 2111), 2 mayo de 1984 (RJ 1984, 2392), 1 febrero de 1990 (RJ 1990, 649), 20 junio de 1991 (RJ 1991, 4526) y 17 marzo de 1992 (RJ 1992, 2199).
42. RJ 2000, 1169.
43. RJ 1998, 6608.

derivados de la aplicación del principio o principios vulnerados. Teniendo en cuenta que dicho precepto no se refiere a la validez o invalidez del acto fraudulento, si se considera que ese acto es un tipo de acto contra ley se aplicaría entonces el artículo 6.3 del CC y, en consecuencia, el acto fraudulento será nulo, «salvo que se prevea un efecto distinto para el caso de contravención» (GARCÍA RUBIO).

Por último, en diversas leyes anteriores a la modificación del Título Preliminar del Código civil también se hacía, o se sigue haciendo, explícita condena del contrato en fraude de ley. Así, por ejemplo:

En materia de *usura*, el artículo 9 de la LU señala que «lo dispuesto por esta Ley se aplicará a toda operación sustancialmente equivalente a un préstamo de dinero, cualesquiera que sean la forma que revista el contrato y la garantía que para su cumplimiento se haya ofrecido».

En contratos de *arrendamiento urbanos*, el artículo 9, párrafo 2.º, de la LAU de 1964 disponía que «los Jueces y Tribunales rechazarán las pretensiones que impliquen manifiesto abuso o ejercicio anormal de un derecho o constituyan un medio para eludir la aplicación de una norma imperativa, que deberá prevalecer en todos los casos frente al fraude de la Ley».

En *venta a plazos de bienes muebles*, el artículo 18 de la LVPBM de 1965 establecía que «se tendrán por no puestos los pactos, cláusulas y condiciones de los contratos regulados en la presente ley que fueren contrarios a sus preceptos o se dirijan a eludir su cumplimiento».

Sin embargo, ante la existencia de la formulación general del artículo 6.4 del CC, se consideró superflua, por redundante, esta condena expresa. De ahí que, con buen criterio, la vigente Ley de arrendamientos urbanos haya procedido a su eliminación. En cambio, la Ley de venta a plazos de bienes muebles en vigor reproduce innecesariamente en su artículo 14 el mismo texto de la Ley derogada. Por su parte, la Ley de usura tampoco ha sido objeto de modificación en esta materia.

BIBLIOGRAFÍA

ALBALADEJO, *La simulación*, Madrid, 2005; BELTRÁN DE HEREDIA, J., «Concepto del fraude civil», AAMN, T. XVI, Madrid, 1968, p. 177; CÁMARA LAPUENTE, *La fiducia sucesoria secreta*, Madrid, 1996; CÁRCABA FERNÁNDEZ, *La simulación en los negocios jurídicos*, Barcelona, 1986; DE ÁNGEL YAGÜEZ, «Problemas que suscita la venta en garantía», RCDI, 1973, p. 47; DE CASTRO, *El negocio jurídico*, Madrid, 1967 (reimpresión, Madrid, 1985); íd., «La simulación y los requisitos de la donación de inmuebles (comentario a la sentencia de 23 de junio de 1953)», ADC, 1953, p. 1003; íd., «El negocio fiduciario. Estudio crítico a la teoría del doble efecto», RDN, 1966, p. 7; FERRARA, *La simulación de los negocios jurídicos*, trad. ATARD y de DE LA PUENTE, Madrid, 1931; FUENTESECA, *El negocio fiduciario en la jurisprudencia del Tribunal Supremo*, Barcelona, 1997; GARRIGUES, *Negocios fiduciarios en Derecho mercantil*, Madrid, 1955; GITRAMA, *La corrección del automatismo jurídico mediante la condena del fraude a la ley y el abuso del derecho*, Valencia, 1975; JORDANO BAREA, «Sobre el negocio fiduciario», ADC, 1950, p. 129; íd., «Propiedad fiduciaria y negocio fiduciario», *ADC*, 1950, p. 1258; íd., «Actualidad de la fiducia *cum creditore*», RDN, 1957, pg. 125; íd., «Mandato para adquirir y titularidad fiduciaria», ADC, 1983, p. 1435; Navarro Fernández, *El fraude de ley*, Madrid, 1988; Ortega Pardo, «Donaciones indirectas», ADC, 1949, p. 918; Rubino, *El negocio jurídico indirecto*, trad. Rodríguez Arias, Madrid, 1953; Vallet de Goytisolo, «Las donaciones de bienes inmuebles disimuladas según la jurisprudencia del Tribunal Supremo», ADC, 1972, p. 669; Verdera, «Algunos aspectos de la simulación», ADC, 1950, p. 22.

Capítulo XXX
El precontrato

I. EL PRECONTRATO

1. Concepto y función

La figura del precontrato es moderna. La expresión *precontrato* es la traducción de la palabra alemana *Vorvertrag,* que fue introducida, así como su concepto, por THOL en su *Tratado de Derecho mercantil* publicado en 1854, si bien algunos autores citan como antecedente de la misma en el *pactum de contrahendo* del Derecho romano (KASER).

La formación conceptual de la categoría del precontrato, también llamado contrato preliminar o promesa de contrato, así como su admisibilidad y utilidad, ha sido muy discutida por la doctrina. Por ello es necesario referirse a las teorías fundamentales acerca del concepto y función del precontrato, a través de las cuales se explica su estructura y su significado negocial.

a) Teoría tradicional (CLEMENTE DE DIEGO, VALVERDE, CASTÁN). Según esta teoría, el precontrato es un contrato por el que las partes se obligan a celebrar en el futuro otro contrato previamente determinado y que actualmente no se quiere o no se puede celebrar. El efecto del precontrato es crear una obligación de contratar a cargo de una de las partes o de ambas; es decir, del precontrato nace una obligación de hacer, de carácter personalísimo, la de prestar las declaraciones de voluntad (o nuevo consentimiento contractual) encaminada a producir un nuevo contrato.

Esta teoría ha sido objeto de abundantes críticas. Fundamentalmente, se ha alegado que, si el contrato posterior no es más que cumplimiento de lo dispuesto en el precontrato, se crea un *circuitus inutilis,* ¿para qué reiterar un nuevo consentimiento contractual que ya había sido prestado? Y, si en el precontrato no había más que un compromiso de emitir en el futuro una declaración de voluntad, en el supuesto de que uno de los obligados no emita la nueva declaración de voluntad, como ésta es incoercible, no se podría exigir el cumplimiento forzoso en forma específica, siendo sólo posible la indemnización de daños y perjuicios.

Esta teoría, denominada «tradicional», parece ser por la que se decanta la jurisprudencia, ya que la STS de 13 de octubre de 2005 dice que «el llamado precontrato, contrato preliminar o preparatorio, o "pactum de contrahendo" bilateral de compraventa tiene por objeto constituir un contrato y exige como nota característica que en él se halle prefigurada una relación jurídica con sus elementos básicos y todos los requisitos que las partes deben desarrollar y desenvolver en un momento posterior (...)[1], cuya efectividad o puesta en vigor se deja a voluntad de ambas partes contratantes. Supone, por tanto, el final de los tratos preliminares y no una fase de ellos (...)[2], en los que las partes, a partir de acuerdos vinculantes, tratan de configurar esos elementos esenciales del contrato, que no existen jurídicamente hasta ese momento y que sin ellos no sólo no sería posible cumplimentar de forma obligatoria lo que todavía no existe, sino que permitiría a los interesados desistir de estos contratos, sin más secuelas que las que pudieran resultar de la aplicación del artículo 1902 del Código civil caso de abrupta e injustificada separación de la fase prenegocial (...)[3]. No obsta a esta calificación que no hayan quedado determinados los elementos instrumentales o complementarios del mismo, cuando es perfectamente posible hacerlo en un momento posterior». La STS de 8 de febrero de 2010 repite, literalmente, el contenido de la de 13 de octubre de 2005[4].

En cualquier caso, la STS de 5 de febrero de 2013 se refiere al precontrato como un organizador de contratos futuros, pues «de esta forma el citado precontrato dota de unidad jurídica al entramado contractual realizado garantizando la finalidad del mismo mediante el juego de estipulaciones orientadas a esta finalidad»[5].

b) Teoría de la base del contrato. Ante las objeciones que se formulan a la teoría tradicional, ROCA SASTRE desarrolla la idea de DEGENKOLB de que el precontrato da lugar a una obligación dirigida a la *cooperación* para la celebración del contrato principal, afirmando que por medio del precontrato las partes sientan las líneas básicas del futuro contrato y contraen la obligación de desenvolverlas o desarrollarlas en el momento oportuno, a fin de que este último quede en definitiva completo y concluso[6].

Pero también esta teoría presenta graves inconvenientes. Obsérvese que, si con la referencia a las líneas básicas se quiere aludir a los elementos esenciales del futuro contrato, hay una clara coincidencia con la teoría tradicional. Y, si a lo que se quiere hacer referencia es a algunos extremos del contrato que se desarrollarán posteriormente, por ejemplo: decidir el plazo o plazos en que habrá de pagarse el precio, si se somete o no la venta a una condición, o si el vendedor responderá o no por evicción y vicios ocultos, etc., «parece difícil, como indica DE CASTRO, pensar que haya un precontrato; habrá sólo tratos preliminares que, a lo más, pueden originar responsabilidad extracontractual; el llamado desarrollo será acuerdo sobre el contenido total del contrato y, por lo tanto, el único eficaz». En opinión de DÍEZ-PICAZO, el precontrato entendido «como desarrollo de una ley de bases» se asemeja más a lo que

---

1. Cfr. SSTS de 23 de diciembre de 1995 (RJ 1995, 9396) y 16 de julio de 2003 (RJ 2003, 5144).
2. Cfr. STS de 3 de junio de 1988 (RJ 1988, 3715).
3. Cfr. SSTS de 26 de febrero y 19 de julio de 1994 (RJ 1994, 1198 y 6698) y 16 de diciembre de 1999 (RJ 1999, 8978).
4. RJ 2010, 395.
5. RJ 2013, 928.
6. Cfr. STS de 13 de diciembre de 1989 (RJ 1989, 8824).

él denomina «acuerdos de intenciones» o «contratos rectores de la fase de negociación», en los cuales las partes establecen el perfil del contrato y se obligan a negociar, pero conservando su libertad en cuanto a la decisión final.

c) Teoría del «iter» negocial. Esta teoría, formulada por DE CASTRO, es la que explica satisfactoriamente el precontrato como figura jurídica independiente. Según este autor, que prefiere la denominación de «promesa de contrato», se trata de «un convenio por el que las partes crean en favor de una de ellas (onerosa o gratuitamente), o de cada una de ellas, la facultad de exigir la eficacia inmediata (*ex nunc*) de un contrato por ellas proyectado.

Es decir, «la promesa de contrato es sólo una etapa preparatoria de un *iter* negocial, y como tal debe ser valorada. En la relación jurídica, que puede desembocar en la relación contractual definitiva, hay que distinguir dos momentos: Primero, promesa de contrato, en la que se conviene el contrato proyectado y se crea la facultad de exigirlo, que funciona con cierta independencia, en cuanto tiene su propia causa. Segundo, la exigencia de cumplimiento de la promesa, que origina la vigencia del contrato que fuera proyectado. Distinción que no debe olvidar la íntima y necesaria conexión de toda la relación negocial, manifestada respecto a la promesa en que su objeto peculiar, el que le da su especial significado, es el proyectado contrato, y respecto a la relación originada al cumplirse la promesa, en la relación que ésta originó es el fundamento de la relación contractual definitiva».

Por consiguiente, conforme a esta construcción, el cumplimiento del contrato proyectado es susceptible de ser exigido sin necesidad de nuevo acuerdo de las partes, el cual se puede lograr mediante el cumplimiento forzoso en forma específica.

El reconocimiento legal del precontrato no se cuestiona. Se acepta su validez al amparo del principio de libertad de contratación consagrado en el artículo 1255 del CC, rigiéndose por las normas comunes de las obligaciones y contratos. El Código civil sólo regula de manera específica la promesa de comprar o vender (art. 1451) y las de prenda e hipoteca (art. 1862).

> El Código civil italiano se refiere tanto a la ejecución como a la forma del contrato preliminar. Respecto de la primera, el artículo 2932 dispone que «si el que se ha obligado a concluir un contrato no cumple la obligación, la otra parte, si es posible y no se ha excluido en el título, puede obtener una sentencia que produzca los efectos del contrato no concluido». En cuanto a la segunda, el artículo 1351 establece que «el contrato preliminar es nulo si no se hace en la misma forma que la ley prescriba para el contrato definitivo».

La jurisprudencia, aunque, como dice PUIG BRUTAU, ha simulado una línea de continuidad, es vacilante y contradictoria; pues unas veces afirma que el precontrato sólo crea la obligación de celebrar un futuro contrato, mientras que en otras ha sostenido que no solamente obliga al cumplimiento de la promesa, sino también al del contrato definitivo.

En el primer sentido, las SSTS de 11 de noviembre de 1943, 15 de marzo de 1945, entre otras[7]. Concretamente, la STS de 16 de octubre de 1965 dice que «el precontrato o contrato preliminar, aunque no recogido expresamente en nuestro Derecho,

---

7.   RJ 1943, 1170 y RJ 1945, 440.

positivo, ha tenido acogida tanto por la doctrina científica como por la jurispruden-cia, cuya especialidad consiste en que a lo que las partes se comprometen es a celebrar un futuro contrato sobre las líneas del primero, que por ello mismo fue calificado de auténtica ley de bases del siguiente, pero cuya fuerza vinculante debe quedar atempe-rada a la que se deriva de su propia esencia, consistente en "obligarse a obligarse", de suyo difícilmente coercible, por lo que la sanción en caso de incumplimiento queda reducida a la indemnización de daños y perjuicios»[8].

En el segundo sentido, la STS de 5 de octubre de 1961 declara que «el precon-trato o promesa de contrato no cabe duda que origina una obligación para las partes contratantes, la de desenvolver o complementar las bases sentadas en el precontrato, desarrollando la actividad precisa para ello, y el incumplimiento de tal obligación puede suplirla el Juez si es requerido para ello, siempre y cuando esa actividad que hay que desplegar sea fungible o sustituible y siempre que en el precontrato se hayan establecido las bases fundamentales del contrato futuro»[9]. Por su parte, la STS de 28 de junio de 1974 dice que «en torno a la interpretación del artículo 1451 del CC es doctrina del Tribunal Supremo, sobre todo a partir de la sentencia de 1 julio de 1950, seguida en línea de principio por las de 27 de febrero de 1954, 2 de febrero de 1959 y 5 de octubre de 1961, resumida y concretada en la de 7 de febrero de 1966 y reiterada en las de 1 de junio de 1966 y 11 de noviembre de 1969, que cuando en el contrato preliminar han quedado determinados de manera total y completa los elementos y circunstancias de la prometida compraventa y consta de un modo indu-bitado en aquel contrato la decidida voluntad de las partes de llegar a celebrar una auténtica compraventa, la resistencia de una de ellas a concluir ésta no da lugar sim-plemente a la correspondiente indemnización de daños y perjuicios, sino que faculta a la otra para exigir el cumplimiento no sólo de la promesa, sino también del contrato definitivo»[10].

Esta última dirección jurisprudencial pone de manifiesto la existencia de dos supuestos diferentes: uno, aquél en que en el precontrato han quedado determi-nados todos los elementos esenciales del contrato definitivo; y otro, aquél en que alguno de tales elementos haya quedado indeterminado. En el primer caso, no será necesaria la prestación de un segundo consentimiento para exigir el cumpli-miento de lo convenido, incluso en forma específica; en el segundo, en cambio, es imprescindible la prestación de un nuevo consentimiento, y, como se trata de una obligación de hacer de carácter personalísimo, su falta no puede ser suplida por la Autoridad judicial. Y es que, realmente, el precontrato puede cumplir perfecta-mente estas dos funciones.

Por ello, aunque se acepte con carácter general la teoría de DE CASTRO sobre el precontrato «no se puede, como dice RIVERO, considerar tal formulación concep-tual como válida para todos los casos», pues «no todos los precontratos responden a un mismo propósito y voluntad de las partes: unas veces las partes al celebrar el

---

8. RJ 1965, 4468. En esta línea, cfr. STS de 26 de mayo de 1976 (RJ 1976, 2366). Por el con-trario, en el caso resuelto por la STS de 22 de febrero de 1975 (RJ 1975, 721) las partes no pretenden proyectar un nuevo concierto de voluntades, sino que lo concluyen. Hay, pues, contrato y no precontrato.
9. RJ 1961, 3284.
10. RJ 1974, 338. Cfr. SSTS de 26 de mayo de 1976 (RJ 1976, 2366) y 30 de diciembre de 1980 (RJ 1980, 5100).

precontrato querrán el contrato definitivo, del que habrán dejado establecidos todos y cada uno de sus elementos esenciales, pero en otras ocasiones solamente querrán prometer un contrato cuya efectividad futura no dejan totalmente establecida, previniendo que dicha promesa quede incumplida». De ahí que tenga razón este autor cuando dice que «ambos esquemas son igualmente lícitos o protegidos. Y cabe distinguir, al menos, esas dos funciones: la de la promesa de contrato futuro con voluntad actual infungible, y la del contrato preparatorio con voluntad definitivamente comprometida, y en su caso, fungible».

2. Clases

El precontrato puede ser _unilateral o bilateral,_ según que una sola de las partes tenga derecho a exigir la eficacia del contrato proyectado o ambas gocen de dicha facultad. El caso más frecuente de precontrato unilateral lo constituye la promesa unilateral de venta, también llamada «contrato de opción», si bien pueden constituirse otros tipos de promesa unilateral: de arrendamiento, de mutuo, etc. Como ejemplo de precontrato bilateral cabe citar la promesa bilateral de compra y venta.

3. Requisitos

El precontrato, dada su naturaleza contractual, debe reunir los requisitos esenciales y comunes a que se refiere el artículo 1261 del CC, y además la determinación del contenido del contrato proyectado y el plazo en que éste se ha de poner en vigor.

En cuanto a la _capacidad,_ algunos autores opinan que es suficiente la capacidad general para contratar, por considerar que, de exigirse la capacidad especial requerida para el contrato proyectado, el precontrato perdería su utilidad práctica. Tesis que no es admisible, pues permitiría eludir todas las disposiciones sobre capacidad especial y prohibiciones de contratar, por lo que hay que estimar que las partes han de tener para celebrar el precontrato la misma capacidad exigida para el contrato proyectado.

En cuanto al _objeto,_ no ofrece duda que lo constituye el contrato proyectado o definitivo, del que habrán de constar sus elementos esenciales, si bien no es imprescindible que se encuentren determinados aquellos extremos que están regulados por normas de carácter dispositivo.

En cuanto a la _causa,_ distinta de la del contrato proyectado, hay que distinguir según que el precontrato sea bilateral o unilateral: en el primer supuesto, la causa jurídica viene representada por la recíproca concesión que se hacen las partes de poder solicitar el cumplimiento del contrato proyectado, o de exigirse mutuamente la colaboración necesaria para completarlo; en el segundo caso, también existirá una causa propia, que podrá ser onerosa (cuando el promisario pague un precio o prima) o gratuita (con base en la liberalidad).

En cuanto a la _forma,_ rige el principio de libertad, pero será exigible la forma especial para el precontrato cuando ésta fuere requerida como constitutiva del contrato proyectado o definitivo.

4. Efectos

El efecto a que da lugar el precontrato es que una de las partes (si es unilateral) o cada una de ellas (si es bilateral) pueden pedir el cumplimiento del contrato proyectado. Cumplimiento que puede llevarse a cabo de mutuo acuerdo o, si se hubiesen determinado todos los elementos esenciales y circunstancias relativas al mismo, exigirse coactivamente en forma específica, siempre que se trate de una prestación o actividad sustituible y no personalísima[11]. En cambio, cuando no se hubiesen establecido todos los elementos esenciales del contrato proyectado o futuro y se requiera para ello una actividad o colaboración posterior de las partes, en caso de incumplimiento, no será posible solicitar la ejecución coactiva en forma específica, pues la obligación de hacer es personalísima y, como tal, incoercible, por lo que la negativa se resolverá en indemnización de daños y perjuicios basada en culpa *in contrahendo*[12].

El tiempo durante el cual las partes resultan obligadas se habrá señalado en el precontrato, el cual opera como un plazo de caducidad[13]. Si no se hubiese fijado plazo, lo establecerá el Juez según se deduzca de las cláusulas del precontrato y de acuerdo con lo dispuesto en el artículo 1128 del CC[14]. En el caso, improbable, de que las cláusulas del precontrato revelen que no se quería establecer un plazo, la acción para exigir el cumplimiento prescribirá en el de quince años (art. 1964 CC).

> El artículo 1189 de la PMDOC señala que «si la obligación consistiera en emitir una declaración de voluntad, podrá el acreedor exigir la realización de su derecho conforme a lo establecido en la Ley de Enjuiciamiento Civil, pero si se hubiese pactado una pena para el caso de incumplimiento sólo podrá exigirse la efectividad de ésta, salvo pacto en contrario».

5. La emisión de una declaración de voluntad conforme a la Ley de enjuiciamiento civil

El artículo 708.1 de la LEC señala que «cuando una resolución judicial o arbitral firme condene a emitir una declaración de voluntad, transcurrido el plazo de veinte días que establece el artículo 548 sin que haya sido emitida por el ejecutado, el Tribunal competente, por medio de auto, resolverá tener por emitida la declaración de voluntad, si estuviesen predeterminados los elementos esenciales del negocio. Emitida la declaración, el ejecutante podrá pedir que el secretario judicial responsable de la ejecución libre, con testimonio del auto, mandamiento de anotación o inscripción en el Registro o Registros que correspondan, según el contenido y objeto de la declaración de voluntad. Lo anterior se entenderá sin perjuicio de la observancia de las normas civiles y mercantiles sobre forma y documentación de actos y negocios jurídicos».

El apartado 2 del artículo 708 de la LEC añade que «si, en los casos del apartado anterior, no estuviesen predeterminados algunos elementos no esenciales del negocio o contrato sobre el que deba recaer la declaración de voluntad, el tribunal, oídas las partes, los determinará en la propia resolución en que tenga por emitida

---

11. Cfr. STS de 1 de julio de 1950 (RJ 1950, 1187) y artículo de la 708 LECiv.
12. Cfr. STS de 24 de mayo de 1980 (RJ 1980, 1963).
13. Cfr. STS de 23 de mayo de 1952 (RJ 1952, 1502).
14. Cfr. SSTS de 23 de mayo de 1952 (RJ 1952, 1502) y 5 de mayo de 1978 (RJ 1978, 1643).

la declaración, conforme a lo que sea usual en el mercado o en el tráfico jurídico. Cuando la indeterminación afectase a elementos esenciales del negocio o contrato sobre el que debiere recaer la declaración de voluntad, si ésta no se emitiere por el condenado, procederá la ejecución por los daños y perjuicios causados al ejecutante, que se liquidarán con arreglo a los artículos 712 y siguientes».

Como indica García Rubio, este precepto distingue, básicamente, dos tipos de situaciones: el precontrato en sentido propio, es decir, aquel negocio jurídico autónomo que ya contiene los elementos esenciales del negocio principal (art. 708.1 y 2, párr. 1.°, LEC) y precontrato en un sentido impropio, por faltar en él la autonomía negocial suficiente, al no estar determinados, ni ser determinables, los elementos esenciales del negocio principal (art. 708.2, párr. 2.°, LEC).

II. LA PROMESA DE VENDER O COMPRAR

Según el artículo 1451 del CC, «la promesa de vender o comprar, habiendo conformidad en la cosa y en el precio, dará derecho a los contratantes para reclamar recíprocamente el cumplimiento del contrato. Siempre que no pueda cumplirse la promesa de compra y venta, regirá para vendedor y comprador, según los casos, lo dispuesto acerca de las obligaciones y contratos en el presente libro».

Algunos autores dicen que este precepto, tal y como está redactado, confunde o identifica la promesa de venta con la compraventa misma (cfr. art. 1450 CC). Sin embargo, en nuestra opinión, es bastante claro que esta norma se refiere sólo a las llamadas promesas unilaterales, como así se deduce de su propio tenor literal: «promesa de vender o comprar». Y, por otra parte, también resulta obvio que somete a un régimen distinto a la promesa de vender o comprar del que es aplicable a la compraventa definitiva, como lo pone de manifiesto en su párrafo segundo, al decir que «regirá (…) lo dispuesto acerca de las obligaciones y contratos».

Por consiguiente, la cuestión que se plantea es la de determinar si la promesa bilateral de compra y venta deberá regirse por las mismas normas que son de aplicación a las promesas unilaterales o, por el contrario, se habrá de equiparar, a un contrato perfecto de compraventa y su normativa es la que le corresponde. El criterio doctrinal predominante es el de distinguir como supuestos diferentes la promesa bilateral de compra y venta del contrato de compraventa. Y su distinción se reduce a un simple problema de interpretación de la voluntad de las partes; es decir, de averiguar si lo realmente querido por las partes era establecer un contrato definitivo, cuyas obligaciones son inmediatamente exigibles (contrato de compraventa), o simplemente pretendían quedar vinculadas contractualmente de modo inmediato, pero retrasando hasta un momento posterior la entrada en vigor del contrato proyectado, al llegar el cual podría pedirse el cumplimiento por cualquiera de los contratantes (promesa de vender y comprar).

Tiene razón Díez-Picazo cuando advierte que «es menester fijar la atención sobre el uso y el abuso que en nuestra práctica jurídica, se hace de las expresiones «compromiso de venta», «promesa de venta», y otras afines, sin duda por olvidar que el contrato de compraventa es consensual y que su formalización en escritura pública, incluso cuando lo vendido son cosas inmuebles, no afecta a la perfección o validez del contrato y no tiene otro alcance que el que se deduce de la aplicación de los artículos

1278 y 1279 del CC; y, además, recordar que la calificación de un negocio contractual no es la que las partes le asignen, sino la que se desprenda de su interno contenido y de la función que se trate de desarrollar. Por todo ello, cuando las partes otorgan primero un documento privado y difieren para un momento posterior la formalización del documento público o cuando manifiestan su consentimiento para aplazar o someter a una condición suspensiva el cumplimiento de la obligación de entregar la cosa o de la obligación de pagar el precio o de ambas a la vez, habrá un contrato de compraventa. En cambio, se producirá una promesa de venta cuando las partes declaren, cualquiera que sea la forma en que lo hagan, su voluntad de quedar ya ligadas contractualmente, pero difiriendo, la entrada en vigor del contrato para un momento posterior y atribuyendo a cada una de ellas la facultad de exigirlo así». Este criterio es el contenido en la jurisprudencia al interpretar el artículo 1451 del CC.

De hecho, la STS de 10 de marzo de 1986 dice «que, en orden a la distinción entre el contrato de compraventa y la simple promesa de venta, ha declarado la sentencia de 24 de mayo de 1980 que si ciertamente en estas situaciones jurídicas, cuya especialidad consiste en que a lo que las partes se comprometen es a celebrar un futuro contrato sobre las líneas del primero, que por ello mismo puede calificarse de auténtica ley de bases del siguiente y cuya fuerza vinculante queda atemperada a la que deriva de su propia esencia consistente en "obligarse a obligarse", por consecuencia de la normativa sancionada por dicho párrafo primero del artículo 1451 del CC, no sigue nuestro Ordenamiento jurídico, según tiene proclamado esta Sala en sentencia de 7 de febrero de 1966, el principio de equivalencia a la compraventa, acogido en el artículo 1589 del CC francés, inspirador en muchos aspectos del Código civil español, que, con base en la regla antigua *pactum de vendendo est venditio*, proclamó que la promesa de venta equivale a la venta siempre que exista consentimiento recíproco de las dos partes sobre la cosa y el precio ("la promesa de vente vaut vente lorsqu'il y a consentement réciproque des deux parties sur la chose et sur le prix"), por entender que las dos partes han contraído obligaciones que son en esencia idénticamente iguales a las que asumen el comprador y el vendedor dado el carácter de contrato sinalagmático que tiene la compraventa, pero cuya apreciación viene jurisprudencialmente rechazada, y de ello son exponente, entre otras, las sentencias de este Tribunal de 11 de noviembre de 1943, 28 de marzo de 1944, 15 de marzo de 1945, 26 de octubre de 1946, 1 de julio de 1950, 5 de octubre de 1961 y 26 de marzo de 1965, pues, aparte que en el aspecto histórico, constatado concretamente en los *Motivos y Comentarios* redactados por la presidencia de la Comisión elaboradora del Proyecto del Código civil español de 1851, determinante de una interpretación moralmente auténtica de su espíritu y disposiciones, ya se cuidó de resaltar alguna importante diferencia que separa en todo caso la promesa de vender y la venta misma, la interpretación lógica exige que la voluntad de los contratantes sea respetada, distinguiendo el contrato definitivo de compraventa de la mera promesa de compraventa, aplicando al primero las reglas de este específico contrato y a la segunda simplemente las normas generales relativas a las obligaciones y contratos, descartando en consecuencia el criterio de equiparación entre ambas figuras jurídicas, es sobre la base, requerida por las sentencias de esta Sala de 11 de noviembre de 1943 y 25 de marzo de 1957, de que se pruebe que los contratantes al pretender vender y comprar quisieron excluir los efectos de la compra actual»[15].

---

15. RJ 1986, 1167.

III. CONTRATO DE OPCIÓN

1. Concepto y caracteres

El contrato de opción es un convenio en virtud del cual una de las partes (*concedente*) atribuye a la otra (*optante*), por un período de tiempo y en determinadas condiciones, la facultad de decidir unilateralmente sobre la celebración de un contrato. Por consiguiente, es el concedente el que queda unilateralmente vinculado hasta tanto decida el optante[16]; ya que, según declara la STS de 18 de mayo de 1995, «la comunicación en plazo que el optante efectuó al oferente opera en el sentido de participarle su consentimiento de perfeccionar la compraventa convenida, que de esta manera consuma la opción y completa el contrato, obligando al concedente desde este momento, pues el negocio se última definitivamente, adquiere condición de plena vinculación, y sin perjuicio de la cooperación consiguiente por parte del vendedor para el otorgamiento de la correspondiente escritura notarial, que constituye formalidad posterior y refleja públicamente la venta ya existente»[17]. De ahí que la STS de 15 de diciembre de 1997 diga que el contrato de opción de compra se puede definir «como aquella compraventa conclusa que no necesita actividad posterior de las partes para desarrollar las bases contenidas en el acuerdo, bastando la voluntad del optante para que el contrato de compraventa quede firme, perfecto y en estado de ejecución obligatoria para el cedente, sin necesidad de más actuaciones»[18].

Se trata de un precontrato o promesa unilateral. Díez-Picazo opina que «no hay inconveniente insuperable para admitir la existencia de una promesa bilateral u opción bilateral», añadiendo que, «con ello, la identificación entre promesa y contrato de opción sería total y absoluta». Sin embargo, Puig Brutau habla de «contrato con pacto de opción» porque considera, siguiendo a Roca Sastre, que «lo que se denomina contrato de opción no es más que un simple pacto de cláusula de opción, acoplado a un contrato perfecto o a un contrato de promesa o precontrato. Según este autor, «no hay un contrato que sólo sea de opción, sino la posibilidad de optar en relación al contrato que se ha tenido en cuenta como resultado de la negociación». En este sentido se manifiesta la STS de 16 de abril de 1979, que declaró que el derecho de opción a una compraventa surge «no de un contrato autónomo, sino de un pacto o cláusula inscrita en un contrato de aquella naturaleza transmisiva»[19]. En cambio, la jurisprudencia más reciente considera que se trata de un contrato autónomo y atípico, sin perjuicio de reconocer que también puede ir incorporado a otro contrato[20].

> Según la STS de 17 de junio de 2008, «en el precontrato unilateral sólo una parte viene obligada a poner en vigor el contrato y la otra tiene derecho a exigírselo, como ocurre en el contrato de opción de compra. En la opción, una parte atribuye a otra un derecho que permite a esta última decidir. Dentro de un determinado período de tiempo y unilateralmente, la puesta en vigor del contrato. Por

---

16. Cfr. STS de 8 de marzo de 1991 (RJ 1991, 2204).
17. RJ 1995, 3929.
18. RJ 1997, 8976.
19. RJ 1979, 1401.
20. Cfr. SSTS de 17 de mayo de 1993 (RJ 1993, 3801), 15 de diciembre de 1997 (RJ 1997, 8976) y 17 de septiembre de 2010 (RJ 2010, 8865).

tanto, si se ejercita la opción de compra, aparece la compraventa; pero ésta no nace si, al ejercitar la opción en el plazo previsto, queda caducada»[21].

El contrato de opción puede ser *oneroso* o *gratuito*, según se fije o no precio por el derecho de opción. Es oneroso cuando, a cambio del derecho de opción, el optante se compromete a pagar una cantidad de dinero al concedente, y que éste tiene derecho a percibir tanto si el contrato proyectado se lleva a efecto como si no se ejercita aquél derecho. El precio o prima que se pacta a cambio de la concesión de la facultad de optar, si ésta se ejercita, puede operar a cuenta del precio del contrato proyectado o con independencia del mismo, es decir, a mayores. Si el concedente no recibe nada a cambio de la concesión del derecho de opción, el contrato es gratuito[22].

Cumple este contrato una importante y frecuente *función* jurídica, en cuanto permite al optante una tranquila reflexión sobre la conveniencia o no de celebrar el contrato proyectado e incluso contratar con terceras personas sobre el bien que es objeto del derecho de opción. También ha sido utilizado, con cierta frecuencia, para evitar la prórroga forzosa de los arrendamientos.

El Código civil no lo regula de modo específico, por lo que serán de aplicación las disposiciones sobre obligaciones y contratos contenidas en el Libro IV. Si bien el artículo 14 del RH establece que «será inscribible el contrato de opción de compra o el pacto o estipulación expresa que lo determine en algún otro contrato inscribible, siempre que, además de las circunstancias necesarias para la inscripción, reúna las siguientes: 1.ª Convenio expreso de las partes para que se inscriba. 2.ª Precio estipulado para la adquisición de la finca y, en su caso, el que se hubiere convenido para conceder la opción. 3.ª Plazo para el ejercicio de la opción, que no podrá exceder de cuatro años».

El precio de la finca, para el caso de ejercicio del derecho de opción, debe estar perfectamente determinado[23].

Ahora bien, el derecho de opción no pierde su naturaleza personal (u obligacional) por el hecho de permitirse su inscripción en el artículo 14 del RH, pues ello sólo representa el reconocimiento de su aspecto registral en el caso de que acceda al Registro de la propiedad[24]. Por consiguiente, con la inscripción y por efecto de la publicidad registral, el derecho de opción se impone *erga omnes*, de suerte que su existencia afectará o perjudicará a todo adquirente posterior a la inscripción del mismo, pero sin que tal inscripción opere el cierre del Registro[25]. Es decir, el derecho de opción de compra inscrito en el Registro de la propiedad no confiere a su titular derecho dominical alguno que impida posteriores enajenaciones del inmueble, sin perjuicio de que el titular del derecho de opción pueda exigir de todo propietario del inmueble afectado, sea el concedente, sean posteriores adquirentes del mismo, la venta de la cosa afectada[26].

---

21. RJ 2008, 4251.
22. Cfr. SSTS de 4 de diciembre de 1953 (RJ 1953, 3156) y 14 de abril de 1956 (RJ 1956, 1564).
23. Cfr. RDGRN de 14 de febrero de 2003 (RJ 2003, 2608).
24. Cfr. STS de 6 de noviembre de 1989 (RJ 1989, 7851). Con independencia de la posibilidad de inscripción, la ley 460 del Fuero Nuevo de Navarra permite atribuir a la opción carácter real.
25. Cfr. RDGRN de 4 de septiembre de 1992 (RJ 1992, 7228).
26. Cfr. STS de 9 de junio de 1990 (RJ 1990, 4748) y RDGRN de 30 de enero de 2006 (RJ 2006, 631).

2. Efectos

Los efectos característicos del contrato de opción son los siguientes:

a) Pendiente el ejercicio del derecho de opción, al concedente le está vedado cualquier acto o contrato que pueda frustrar el derecho del optante[27]. El incumplimiento de esta obligación dará lugar a la correspondiente indemnización de daños y perjuicios, sin que los terceros resulten afectados por el ejercicio de la opción, a no ser que éstos conozcan la existencia de este derecho, en cuyo caso también serán responsables de los daños y perjuicios causados.

No obstante, si se trata de una opción de compra de bienes inmuebles y fue inscrita en el Registro de la propiedad (art. 14 RH), el optante tiene derecho a exigir del tercero o terceros adquirentes la puesta en vigor del contrato proyectado. Es decir, en este caso, el beneficiario de la opción tiene derecho a exigir de todos la puesta en vigor del contrato proyectado, pues el tercer adquirente se subroga en la misma posición jurídica del primitivo propietario concedente del derecho de opción de compra; de ahí que pueda hablarse de la eficacia real del derecho de opción de compra sobre bienes inmuebles inscritos en el Registro de la Propiedad.

El optante tiene la obligación de abonar al concedente el precio o prima de la opción, si éste se hubiese estipulado, así como el derecho a ejercitar la opción.

b) Ejercitado el derecho de opción por el optante, dentro del plazo señalado, se consuma (y se agota) el contrato de opción de compra, a la vez que se perfecciona el contrato de compraventa. Y, como dice Roca Sastre, «concluso el contrato, si el concedente lo otorga voluntariamente, o si, en caso de resistencia, el Juez condena a estimarlo concluido, este contrato definitivo surte efectos a partir de su fecha, y no con retroacción a la fecha del contrato de opción (...). Esto es interesante a los efectos de los frutos de la cosa en cuestión y a los riesgos de la misma, así como para determinar la fecha fiscal en que se devenga el impuesto correspondiente»[28].

3. Forma y plazo de ejercicio

La declaración de voluntad del optante es unilateral y recepticia y, aunque no se encuentra sujeta a forma expresa, es aconsejable que se haga constar la notificación al concedente de modo fehaciente, pero bien entendido que lo que con la notificación se pretende es tan sólo el conocimiento del concedente, y no su conformidad con la declaración del optante[29]; pues, como determina la STS de 20 de abril de 2001, el conocimiento, acto receptivo, es indispensable para poder actuar, pues no se puede reaccionar frente a lo desconocido o ignorado, pero no equivale al consentimiento, acto valorativo de manifestación expresa o tácita de la voluntad[30]. La STS de 16 de abril de 1979 reconoce que el carácter receptivo de la declaración del optante es compatible con la comprobación del ejercicio de

---

27. Cfr. STS de 13 de febrero de 1997 (RJ 1997, 944).
28. Cfr. STS de 14 de noviembre de 2002 (RJ 2002, 9919) y las que cita.
29. Cfr. SSTS de 16 de abril y 12 de julio de 1979 (RJ 1979 1401, y 2951) y 29 de septiembre de 1981 (RJ 1981, 3247).
30. RJ 2001, 6886.

la opción mediante la prueba de presunciones[31]. Tanto la doctrina como la jurisprudencia y la Dirección General de los Registros y del Notariado han admitido la inscribibilidad y eficacia del pacto de ejercicio unilateral de la opción, sin que sea necesaria la intervención del concedente del derecho. Ahora bien, como dice la RDGRN de 20 de mayo de 2005, la innecesaridad del consentimiento del concedente se encuentra supeditada al exacto cumplimiento de los requisitos inscritos** para la inscripción a favor del optante[32].

Se considera como un requisito esencial del derecho de opción su sometimiento a un plazo de ejercicio, que es de caducidad[33]. Las partes son libres para la determinación del plazo, pero si no lo hubieren establecido, habrá que estar a lo dispuesto en el artículo 1128 del CC y lo fijarán los Tribunales. Según se ha expuesto, para la inscripción del pacto de opción de compra es necesario que se determine el plazo de ejercicio, que no podrá exceder de cuatro años; y «en el arriendo con opción de compra la duración de la opción podrá alcanzar la totalidad del plazo de aquél, pero caducará necesariamente en caso de prórroga, tácita o legal, del contrato de arrendamiento». Ahora bien, este límite de cuatro años, señalado en el artículo 14 del RH, es prorrogable en virtud de la libertad de pacto sancionada en el artículo 1255 del CC y, también, por aplicación analógica de lo dispuesto en el artículo 400, párrafo 2.º, del CC. Pues bien, como dice la RDGRN de 30 de septiembre de 1987, la única limitación es que, en ningún caso, la prórroga podrá hacerse valer contra terceros adquirentes de buena fe que hayan registrado sus respectivos derechos con anterioridad a la consignación registral de dicha modificación[34].

4. Transmisión del derecho de opción

El derecho de opción, ¿es transmisible a un tercero? No se plantea ningún problema en la llamada opción mediadora, en la que el concedente ha consentido expresamente en que el optante pueda transmitir su derecho a un tercero dentro del término o plazo de la opción. Tampoco plantea cuestión el caso de que el derecho haya sido concedido al optante en atención a sus cualidades personales, ya que, como dice Puig Brutau, la cesión no será admisible.

En cambio, si la transmisibilidad no ha sido prevista o estipulada, la transmisión queda sujeta a las reglas relativas a la cesión de contratos; pues, como advierte Díez-Picazo, lo que se transmite no es pura y simplemente un derecho, sino la compleja posición jurídica que resulta del contrato de opción y del contrato que mediante éste se prepara.

En caso de fallecimiento del optante, el derecho de opción no se extingue, sino que se transmite a sus herederos[35].

---

31. RJ 1979, 1401.
32. RJ 2005, 5378.
33. Cfr. SSTS de 27 de mayo de 1967 (RJ 1967, 2803), 15 de octubre de 1993 (RJ 1993, 7325) y 15 de junio de 2004 (RJ 2004, 3850), 22 de diciembre de 2005 (RJ 2005, 1217) y 17 de septiembre de 2010 (RJ 2010, 8865).
34. RJ 1987, 6579.
35. Cfr. STS de 12 de julio de 1956 (RJ 1956, 2483).

5. Extinción

El derecho de opción se extingue: por su ejercicio, por el transcurso del plazo sin ejercicio o por renuncia[36].

BIBLIOGRAFÍA

ALGUER, «Ensayos varios sobre temas fundamentales del Derecho civil (IV. Los pre-contratos)», RJC, 1931, p.112; íd., «Para la crítica del concepto de precontrato», RDP, 1935 y 1936, pp. 321 y 1; BONET RAMÓN, «La promesa bilateral de compra-venta en el Derecho español», *RDP*, 1944, p. 49; CALVILLO, «Promesa bilateral de comprar y vender: efectos que produce su incumplimiento», RGLJ, 1951, p. 580; DE CASTRO, «La promesa de contrato», *ADC*, 1950, pg. 1133; GONZÁLEZ, J., «El llamado derecho de opción», RCDI, 1932, p. 188; GONZÁLEZ ENRÍQUEZ, «Naturaleza y efectos de la promesa de venta», ADC, 1950, p. 1383; íd., «La obligación de contratar», RDEA, 1959, p. 665; LALAGUNA, «La función negocial de la promesa de venta», *Estudios en honor del prof. Castán Tobeñas*, T. II, Pamplona, p. 303; LEÑA FERNÁNDEZ, «Algunas cuestiones prácticas en torno a la opción de compra», Academia Sevillana del Notariado, T. IV, Madrid, 1991, p. 41; MEZQUITA, «El pacto de opción y el derecho que origina», RCDI, 1951, p. 73; MORO LEDESMA, «El precontrato», RCDI, 1934, p. 1; OSSORIO GALLARDO, *El contrato de opción*, Madrid, 1915; ROCA SASTRE, «Contrato de promesa», en *Estudios de Derecho privado*, T. I, 1948, p. 323; ROMÁN GARCÍA, *El precontrato. Estudio dogmático y jurisprudencial*, Madrid, 1983; SÁNCHEZ VELASCO, «Contrato de promesa y promesa de contrato», AAMN, T. VI, 1952, p. 491; SERRANO ALONSO, «Notas sobre el derecho de opción», RDP, 1979, p. 1131; TALMA CHARLES, *El contrato de opción*, Barcelona, 1996; TORRES LANA, *Contrato y derecho de opción*, 2.ª ed., Madrid, 1987; YSÀS SOLANES, «El derecho de opción», ADC, 1989, p. 1250.

---

36. Cfr. STS de 14 de enero de 1964 (RJ 1964, 155).

Cuasicontratos

I. ORIGEN HISTÓRICO Y JUSTIFICACIÓN

La expresión cuasicontratos tiene un origen histórico. Como es sabido, el jurisconsulto GAYO distinguió en sus *Instituciones* (3.88) entre el contrato y el delito como fuentes de las obligaciones, si bien el mismo GAYO, en otra obra (*Res cottidianae*), añadió un tercer grupo de fuentes, al que denominó «varias figuras de causas» (D.44.7.1 pr.). Su pretensión no era otra que completar y cerrar el catálogo de fuentes de las obligaciones, pues no se trataba de una categoría propia y, además, comprendía casos muy heterogéneos. Precisamente, al referirse a estos casos, los juriconsultos romanos solían resaltar que en ellos la obligación se desarrollaba con cierta similitud a como se desenvolvía la que emanaba de un contrato y la que procedía de un delito. Esta afinidad había sido puesta de manifiesto por el propio GAYO, al decir de quien había obtenido un pago indebido que se encontraba obligado a devolverlo, a semejanza del que hubiere recibido un préstamo (*quasi ex mutui datione*). De ahí que JUSTINIANO, al reproducir la clasificación gayana (I.3.13) distinga las obligaciones *ex delicto* y las obligaciones *ex contractu*, de manera que las que no entraban en ninguno de dichos conceptos las dividió en *quasi ex delicto* y *quasi ex contractu*, según la mayor semejanza con uno u otro grupo. Bajo el término *quasi ex contractu* se agruparon, a su vez, hechos de contenido muy diverso como la gestión de negocios ajenos, el pago indebido, la indivisión o *communio incidens*, la tutela y los legados. Pero JUSTINIANO tampoco pretendió crear o establecer un concepto jurídico o una institución denominada *cuasicontratos*, sino que simplemente reconoció que las obligaciones producidas por ciertos hechos guardaban semejanza con los contratos o con los delitos: la gestión de negocios sin mandato y este contrato, el pago de lo indebido y el mutuo, la *communio incidens* y el contrato de sociedad, etc.

Ahora bien, más tarde, la clasificación justinianea sufrió una importante transformación, obra de los comentaristas, iniciada en la Paráfrasis griega de las *Instituciones* (ARIAS RAMOS), al ser sustituidas las expresiones originales *quasi ex contractu* y *quasi ex delicto* por las de *ex quasi contractu* y *ex quasi delicto*. En opinión de algunos autores, esta transposición de palabras fue debida a un simple error del copista, aunque según otros se pretendía consolidar unas nuevas categorías jurídicas. En cualquier caso, ahí se encuentra el nacimiento de los *cuasicontratos* como entidad sustantiva e independiente.

Esta clasificación cuatripartita de las fuentes de las obligaciones (*ex contractu, ex quasi contractu, ex delito, ex quasi delicto*), del contrato, como de un contrato, del delito, como de un delito, fue comúnmente aceptada y, a pesar de la fuerte crítica a que se la sometió por la Escuela racionalista del Derecho natural (GROCIO), posteriormente fue adoptada por POTHIER, que se limitó a añadir una quinta categoría: la ley. Y así aparecieron cinco fuentes de las obligaciones, si bien POTHIER redujo las figuras cuasicontractuales (la gestión de negocios ajenos, el pago de lo indebido y la aceptación de herencia). El Código civil francés recogió esta clasificación pentapartita y, por tanto, los cuasicontratos como fuente de obligaciones. El mismo criterio siguieron el Código civil italiano de 1865 y, posteriormente, el Código civil español (art. 1089 CC).

Este curioso origen, al que se ha calificado de error histórico, explica las dificultades con que ha tropezado la doctrina científica cuando ha tratado de justificar la noción del *cuasicontrato* como categoría autónoma.

En la doctrina antigua, algunos autores consideraron que lo que daba lugar al cuasicontrato era el consentimiento *tácito*, indicando que, así como los contratos se perfeccionaban por el consentimiento expreso, los cuasicontratos se perfeccionan por el consentimiento tácito. Sin embargo, esta apreciación era inexacta, pues en realidad no hay diferencia en que las personas expresen el consentimiento de una u otra forma, y, por consiguiente, si existe consentimiento, aunque sea tácito, existirá contrato. En la misma inexactitud incurren aquellos otros autores que defienden la tesis del consentimiento *presunto*, al introducir mediante una ficción el elemento característico de todo contrato.

Otra doctrina, con criterio más lógico y racional, ha fundado la obligatoriedad del cuasicontrato en la equidad y en ciertos principios de justicia, que prohíben que quien recibe lo que no le es debido lo retenga para sí, o que quien ha gestionado los negocios de otra persona y efectuado gastos por esta circunstancia no pueda exigir la correspondiente indemnización. Éste es el fundamento que a las obligaciones no derivadas de un contrato, sino de un hecho personal lícito o ilícito, daba GARCÍA GOYENA en su obra *Comentarios al Proyecto de Código civil de 1851*, pues, según dicho autor, tales obligaciones «(...) están fundadas en los grandes principios de moral, tan profundamente grabados en el corazón de todos los hombres, que es necesario hacer a otros lo que quisiéramos que ellos hicieran por nosotros en iguales circunstancias, y que estamos obligados a reparar los agravios y daños que hayamos creado». Y el mismo criterio se encuentra recogido en la base 21 de la Ley de Bases de 11 de mayo de 1888, a cuyo tenor, «se mantendrá el concepto de los cuasicontratos, determinando las responsabilidades que puedan surgir de los distintos hechos voluntarios que les den causa, conforme a los altos principios de justicia en que descansa la doctrina del antiguo Derecho, unánimemente seguido por los modernos Códigos, y se fijarán los efectos de la culpa y negligencia, que no constituyan delito ni falta, aun respecto de aquellos bajo cuyo cuidado y dependencia estuvieren los culpables o negligentes, siempre que sobrevenga perjuicio a tercera persona».

> DÍAZ PAIRÓ opina que no puede decirse que las obligaciones nacidas de los cuasicontratos se basen en principios de justicia y de equidad, «porque no sólo esa afirmación adolece de vaguedad, sino porque para que tales principios tengan relieve jurídico precisan de reconocimiento legislativo».

La doctrina moderna, en general, niega que el cuasicontrato constituya una categoría autónoma y unitaria de fuente obligatoria, y considera que es la ley la fuente de las obligaciones que se derivan de las figuras que bajo este nombre se enumeran. Esta orientación es la seguida por el Código civil italiano de 1942, que prescinde de la figura del cuasicontrato y regula como obligaciones legales las derivadas de la gestión de negocios ajenos, el pago de lo indebido y el enriquecimiento sin causa (arts. 2028 a 2042). Un criterio similar adopta el Fuero Nuevo de Navarra, que omite toda referencia al cuasicontrato, regulando la gestión de negocios con el mandato y el pago indebido como uno de los supuestos del enriquecimiento sin causa (leyes 508 y ss.).

Por su parte, el Tribunal Supremo declaró hace ya mucho tiempo que si bien en el terreno doctrinal puede discutirse la naturaleza del cuasicontrato y su fundamento, al haber escuelas que niegan esta concepción jurídica o la consideran ilícita o inmoral, y otras que la admiten como derivada de actos ilícitos y voluntarios o como consecuencia de la equidad natural, del consentimiento presunto o tácito, o de los axiomas de Derecho natural, es lo cierto que para el juzgador no puede haber otro criterio que el aceptado por el legislador, y nuestro Código civil, atento a los fundamentos y elementos doctrinales, a pesar de no tener obligación de definir las instituciones, por excepción hizo lo contrario en el artículo 1887 al definir el cuasicontrato[1].

II. DEFINICIÓN SEGÚN EL CÓDIGO CIVIL

Según el artículo 1887 del CC, «son cuasicontratos los hechos lícitos y puramente voluntarios, de los que resulta obligado su autor para con un tercero y a veces una obligación recíproca entre los interesados».

La «licitud» del hecho diferencia a esta fuente de obligaciones de aquella otra en que por haber intervenido culpa o negligencia en el acto u omisión obliga a reparar el daño causado (arts. 1089 y 1902 CC). La expresión «puramente voluntarios», referida a los hechos, significa, como dice ALBALADEJO, que, siendo un hecho voluntario (acto), no consiste en un acuerdo de voluntades (contrato).

Según advierte GULLÓN, «el cuasicontrato no genera una obligación _recíproca_ entre los interesados en el sentido del artículo 1124 del CC. Si observamos las normas de los artículos 1895-1901 del CC sobre el cobro de lo indebido, veremos que está ausente de ellas toda idea de reciprocidad. El _tradens_ deviene acreedor unilateral del _accipiens_ que ha cobrado lo que no se le debía. Por ello, es exacta la observación de NÚÑEZ LAGOS de que _obligación recíproca_ es una frase sin significado técnico, indicativa de que no sólo puede resultar obligado el autor del hecho, sino, _respectivamente_, cualquiera de los interesados. Esto es claro en la regulación del cuasicontrato de gestión de negocios

---

1. Cfr. STS de 26 de noviembre de 1926 (JC 1926, IV-131).

ajenos sin mandato. El gestor y el *dominus* están obligados entre sí, pero sin que entre esas obligaciones medie el vínculo de correspectividad, de reciprocidad».

Ahora bien, la definición legal se revela poco útil, pues caracteriza a los cuasicontratos por dos notas negativas, cuales son que el hecho no consista en un acuerdo de voluntades y que no constituya un delito, además de no establecer para este hecho un régimen genérico. Pues, como dice RUGGIERO, «si al hablar de hechos se pretende excluir el acuerdo contractual y al añadir lícito se pretende apartar el delito, sólo se da a entender que se trata de un hecho al que el Ordenamiento jurídico asocia como efecto el generar una obligación». Sin embargo, LACRUZ descubre una posible utilidad a la categoría del cuasicontrato, como es la de enmendar, con otro, un error de la ley. Según este autor, «el artículo 1089 del CC describe las fuentes de las obligaciones estableciendo, al parecer, un *numerus clausus*: la ley, los contratos, los cuasicontratos y los actos ilícitos. El artículo 1090 del CC, por su parte, restringe el concepto de las obligaciones legales a las expresamente determinadas por el Código u otras leyes, sin que pueda extenderse más allá, pues éstas "no se presumen". Y entonces la categoría del cuasicontrato se nos presenta como el único medio de hacer entrar en el campo del Derecho, a través de la enumeración cerrada del artículo 1089 del CC, aquellas obligaciones que proceden no de la ley, sino de principios generales del Derecho, y singularmente la de restituir el enriquecimiento injusto. Pues, si ésta no es una obligación legal, habrá de ser cuasicontractual». No obstante, dudando de la consistencia de esta argumentación, propone otra interpretación que considera más probable: «La enumeración del artículo 1089 del CC es ejemplificativa, y viene completada con los principios generales del Derecho, los cuales tienen virtualidad para añadir nuevas fuentes de obligaciones distintas de las enunciadas en aquel precepto».

III. CLASES DE CUASICONTRATOS

El Código civil, después de formular el concepto o idea del cuasicontrato, regula como tipos específicos la gestión de negocios ajenos y el cobro de lo indebido (arts. 1888-1901 CC).

Pero la jurisprudencia ha reconocido la existencia de cuasicontratos atípicos. En este sentido, la STS de 8 de enero de 1909 declaró que la permanencia de un enfermo en casa ajena, donde murió, no habiendo existido un verdadero contrato de arrendamiento de servicios, pues faltaba la determinación del precio cierto que por ello hubiera de percibirse, entraña un contrato innominado de los definidos genéricamente en el artículo 1.887, que permite al dueño de la casa reintegrarse de los gastos, daños y perjuicios[2].

Sin embargo, el Tribunal Supremo advierte de que «ningún criterio de acertada hermenéutica, ni mucho menos de buena política jurídica, tolera se de una extensión desmesurada de la noción del cuasicontrato innominado, que conduzca a la consecuencia absurda de que todos los actos voluntarios y lícitos no constitutivos de una convención puedan llegar a ser estimados como productores de vínculo de obligación, siendo así que la más elemental apreciación sistemática e histórica de la disciplina de nuestro Derecho de obligaciones enseña bien a las claras que el

---

2.   Cfr. SSTS de 8 de enero de 1909 (JC 1909, I-11) y 21 de junio de 1945 (RJ 1945, 863).

concepto de cuasicontrato está en el fondo referido a aquellos hechos a los que, por razón de su naturaleza, liga el Ordenamiento jurídico el nacimiento de una obligación, la que guarda analogía, más o menos próxima, con determinadas obligaciones contractuales»[3].

Lo que no ofrece duda es que, como dice GULLÓN, «es errónea toda doctrina que pretenda circunscribir los cuasicontratos atípicos a los actos que tengan analogía con las figuras que el Código civil perfila y regula como cuasicontratos (concretamente, analogía con la gestión de negocios y con el cobro de lo indebido). Errónea, porque está en contradicción con los términos generales en que se pronuncia el artículo 1887 del CC al definir el cuasicontrato. Además es inútil, porque los supuestos reales que no guarden semejanza con los cuasicontratos tipificados (y, como tales, regulados) por el Código civil no carecen de normativa (acuñada jurisprudencialmente): las reglas del enriquecimiento injusto (...). Que esos supuestos se llamen o no técnicamente cuasicontratos es un problema meramente terminológico. El conflicto de intereses que plantean está resuelto con la susodicha normativa del enriquecimiento injusto».

IV. LA GESTIÓN DE NEGOCIOS AJENOS

1. Concepto y requisitos

Aunque en un principio y como regla general nadie puede inmiscuirse en los asuntos ajenos, desde antiguo se hizo excepción cuando la gestión se lleva a cabo en interés de la persona a quien afecta. Se produce esta situación, a la que se denomina _gestión de negocios ajenos,_ cuando una persona cuida o administra bienes o realiza cualquier gestión a favor de otra, con la idea de beneficiarla o evitarle un perjuicio, sin que haya recibido un mandato de ésta y sin que exista obligación legal que le faculte para intervenir. Aquel a cuyo favor se actúa es llamado dueño del negocio (_dominus negotii_), y el que opera en beneficio del mismo recibe el nombre de gestor.

La diferencia con la obligación legal es clara, en ésta el que actúa lo hace por imperativo legal, mientras que en la gestión de negocios ajenos no existe obligatoriedad, el gestor actúa voluntaria y espontáneamente.

Es evidente la semejanza de la gestión de negocios con el contrato de mandato, pero le falta lo que es de esencia de éste: el acuerdo de voluntades. Por eso, si el dueño del negocio ratifica los actos del gestor, como advierte el artículo 1892 del CC, se producen los efectos del mandato expreso. En este sentido, la STS de 9 de abril de 1957 declara que, concebida la gestión de negocios como una obligación real que nace _ex negotio gestio,_ y fundada no sobre un consentimiento presunto, sino sobre el hecho mismo de gestionar negocios de otro, según los requisitos previstos por la ley, no puede establecerse en cuanto a sus efectos ninguna ecuación jurídica perfecta con el mandato, porque el punto de origen de las respectivas obligaciones es opuesto esencialmente, por ser en la gestión el hecho de actuar _utiliter_ y _diligenter,_ y en el contrato la voluntad contractual de las partes, si bien los hechos y deberes del gestor y del gestionado serán los del mandato cuando el dueño ratifica la gestión, ya que _ratihabitio mandato equiparatur_[4].

---

3.   Cfr. STS de 21 de junio de 1945 (RJ 1945, 863).
4.   RJ 1957, 2498.

Mediante la regulación legal de esta figura se pretenden conciliar los intereses de cada una de las personas implicadas en esta situación: que el gestor no resulte perjudicado por las consecuencias que se deriven de su intervención espontánea y bien intencionada y, a su vez, que el dueño del negocio pueda reaccionar contra aquellas intromisiones que sean innecesarias, dolosas o perjudiciales a sus intereses.

Los *requisitos* necesarios para que exista gestión de negocios ajenos son los siguientes:

1.º Que se trate de un acto o actos puramente voluntarios y lícitos.

Se reputa voluntario todo acto, bien sea jurídico o material, que no haya sido realizado en cumplimiento de un mandato ni de una disposición legal (arts. 1887 y 1888 CC)[5]. Respecto de la licitud, el Tribunal Supremo ha declarado que es condición esencial para la existencia del cuasicontrato de negocios ajenos la realización de actos no reprobados por la ley[6], y que la gestión no pueda nunca nacer de un acto de usurpación[7]. En este sentido, nada impide que la actuación del gestor obedezca al cumplimiento de deberes de amistad, piedad, solidaridad, etc. y, como dice GULLÓN, «tampoco excluye la gestión de negocios ajenos el que el gestor esté ligado por una relación jurídica con el *dominus,* siempre y cuando los actos que realice no tengan ninguna relación con aquel vínculo».

Según la STS de 18 de mayo de 1946, la intervención del gestor oficioso en la esfera negocial ajena es esencialmente voluntaria[8]. La STS de 25 de junio de 1992 añade que «el tercero que paga por otro, en su nombre y por su cuenta se constituye en gestor oficioso de los negocios de este deudor y opera en forma extintiva de las obligaciones, pero a tal actividad no se la puede dar, salvo pacto expreso, carácter permanencial, pudiendo cesar en la misma y máxime antes el riesgo de presentársele dificultades para obtener del solvens los reembolsos de las cantidades satisfechas, que de esta manera anticipa y satisface»[9].

2.º Que el gestor tenga intención de obrar para otro, sin ninguna obligación (*animus negotia aliena gerendi*). Ha de proceder por su propia y desinteresada voluntad y movido por el buen deseo de evitar daños y perjuicios que al dueño del negocio pueda producir el abandono de sus cosas y, según expresión de las Partidas, no llevar a cabo estas oficiosidades por «codicia de ganar». Ahora bien, desinterés no significa *animus donandi,* sino que el gestor no se inspira en su propio interés patrimonial; no obstante, tiene en su ánimo que los gastos y las obligaciones inherentes a la gestión deben, en definitiva, recaer en el administrado (SANTOS BRIZ). Por consiguiente, si el gestor realiza el negocio en su beneficio (*animus depraedandi*) o con intención de liberalidad (*animus donandi*), o creyendo que el asunto es propio, no cabe hablar de gestión de negocios ajenos, aunque de dicha actuación se deriven determinadas consecuencias[10]. No obstante, entendemos que el interés conjunto del gestor y del dueño no debe excluir la gestión de negocios, pues, como señala G. GARCÍA VALDECASAS,

---

5. Cfr. SSTS de 21 de enero de 1986 y 16 de julio de 1990 (RJ 1990, 5883).
6. Cfr. STS de 18 de enero de 1908 (JC 1908, I-16).
7. Cfr. STS de 20 de febrero de 1932 (RJ 1932, 917).
8. RJ 1946, 692.
9. RJ 1992, 5474.
10. Cfr. SSTS de 28 de diciembre de 1908 (JC 1908, III-154), 15 de junio de 1925 (JC 1925, III-31) y 2 de febrero de 1954 (RJ 1954, 322).

la esencia de la gestión de negocios ajenos es que el gestor ejercita una actividad de sustitución del dueño del negocio.

Es el caso del copropietario que actúa en interés de la comunidad, efectuando pagos con el fin de evitar subastas y ejecuciones. La STS de 22 de febrero de 1994 dice que esta actuación, «aparte de encontrar justificación en el condominio existente, permite comprenderla dentro de la gestión de negocios ajenos sin mandato, máxime cuando no cabe olvidar el propósito de actuar en beneficio de la comunidad»[11].

3.º Que no exista aprobación expresa o tácita, ni tampoco oposición por parte del dueño del negocio. Si éste conoce y no se opone, pudiendo hacerlo, a la actividad del gestor, la relación será de mandato tácito. Si se opone, el gestor que actúe no podrá utilizar la acción de gestión de negocios, pero sí la acción *in rem verso* para obtener el reembolso de los gastos que hubieren redundado en provecho del dueño del negocio.

4.º Que se gestione un negocio lícito con una finalidad también lícita (art. 1887 CC)[12].

5.º Que el asunto o negocio que se gestiona no tenga carácter personalísimo, es decir, de los que no admiten sustitución. La STS de 21 de enero de 1986 señala que «la gestión no puede recaer sobre aquellos actos que el *dominus negotii* tenga que ejercitar personalmente».

6.º Que el acto de gestión sea realizado *utiliter coeptum*. Es decir, oportunamente emprendido en vista de indicios o señales que hacían evidente su conveniencia, y diligentemente realizado, aunque el resultado final no se consiga (art. 1893, párr. 2.º, CC). Según la STS de 27 de abril de 1945, esta exigencia «no lleva implícita necesariamente la idea de lucro o ganancia que haya de producir la gestión, pues es suficiente la actuación del gestor con la diligencia de un buen padre de familia para que quede vinculado el legítimo dueño, tanto si ratifica expresamente la gestión ajena, como si se aprovecha de sus resultados»[13]. De ahí que la utilidad y la oportunidad de la intervención del gestor deba ponderarse respecto del momento en que se realiza el acto y no *a posteriori* según sus resultados: puede ocurrir que un acto que en principio debía considerarse útil y oportuno, en virtud de circunstancias posteriores, no haya reportado provecho alguno al dueño. El ejemplo clásico es el de las reparaciones hechas sobre un bien que, a continuación, es destruido por un incendio.

En palabras de la STS de 9 de marzo de 2006, «aclara lo expuesto la declaración de la Sentencia del Tribunal Supremo de 2 de febrero de 1954[14], en el sentido de que son de nuestro Derecho las características del "cuasicontrato" de gestión de negocios que los actos que se realicen con esa finalidad respecto a bienes que estén de hecho abandonados, lo sean espontáneamente, y sin mandato ni conocimiento del dueño de los mismos, obrando, por lo tanto, sin autorización expresa ni tácita y sin su oposición, con desinteresada voluntad, pero sin el propósito de realizar un acto de mera liberalidad, y no siendo admisible tampoco, como ha declarado nuestra jurisprudencia, que se haga por codicia de ganancia. Y la Sentencia de 27

---

11. RJ 1954, 1252.
12. Cfr. STS de 26 de abril de 1956 (RJ 1956, 1948).
13. RJ 1945, 685.
14. RJ 1954, 322.

de abril de 1945[15] declara que si bien la doctrina clásica apreció el "animus aliena gerendi" como característica primordial de la actuación del intruso, es de tener en cuenta que en el proceso histórico de la gestión sin mandato, siempre difusa en sus línea delimitativas, adquiere auge en el orden científico el parecer de quienes, prescindiendo del elemento subjetivo aplican al tratamiento y efectos propios de la gestión oficiosa, con criterio objetivo, a la mera actuación sin mandato en negocios ajeno "re ipsa", acompañada del "utiliter gestium", y este requisito no lleva implícita necesariamente la idea de lucro o ganancia que haya de producir la gestión, pues es suficiente la actuación del gestor con la diligencia de un buen padre de familia para que quede vinculado el legítimo dueño, tanto si ratifica expresamente la gestión ajena, como si se aprovecha de sus resultados»[16].

El Código civil no se pronuncia acerca de la capacidad de los sujetos que intervienen en la gestión de negocios, por lo que deberá ser exigida la capacidad para contratar. Esto no obstante, según advierte Santos Briz, puede ocurrir que la actuación de un menos o incapacitado integre objetivamente una gestión de negocios, en cuyo caso y para evitar enriquecimiento injusto, el *dominus* resultará obligado.

El artículo V.-1:101(1) del DCFR dice que «el presente Libro será de aplicación cuando una persona (el gestor) actúe, principalmente, con la intención de beneficiar a otra (el dueño del negocio), y: (a) el gestor tenga un motivo razonable para actuar; o (b) el dueño del negocio apruebe el acto sin una demora injustificada que pudiera perjudicar al gestor». De lo expuesto se desprende que se requiere una intención predominante de beneficiar a otro (elemento subjetivo) y un motivo razonable (elemento objetivo), en ausencia del visto bueno del interesado. En cambio, como dice el comentario oficial, «la aprobación del interesado convierte una intervención originalmente irrazonable (y, por lo tanto, injustificada) en una gestión de negocios ajenos justificada. La aprobación puede realizarse mediante la manifestación explícita o implícita unilateral por parte del interesado de que las relaciones jurídicas con el gestor con respecto a la intervención están regidas por las reglas de la gestión de negocios ajenos. En otras palabras, que los derechos y deberes jurídicos entre las partes son los mismos que si hubiese habido desde el principio un motivo razonable para actuar». El apartado 2 del mismo artículo V.-1:101 recalca que «el gestor no tiene un motivo razonable para actuar si éste: (a) tiene una oportunidad razonable de averiguar la voluntad del dueño del negocio pero no lo hace; o (b) conoce o es razonable suponer que conoce que la gestión va en contra de los intereses del dueño del negocio». Se intenta de esta manera que se respeten los intereses del dueño del negocio, el cual no desea ninguna interferencia. No obstante, el comentario oficial matiza que «hay situaciones excepcionales en las que el gestor actúa con motivo razonable aunque el interesado haya manifestado su desacuerdo con respecto a la intervención. Dejando a un lado los casos en los que el interesado se comporta de mala fe, contradiciendo lo dicho anteriormente (de manera que, en realidad, lo expresado no representa sus deseos), se trata en general de situaciones en las que el gestor actúa en beneficio de un interesado cuyos deseos no tendría en cuenta un gestor que actuase de manera responsable y con el debido cuidado. Eso no se considera una falta de respeto al derecho de otro a actuar de acuerdo con su voluntad, sino que se considera que los deseos de una persona que, debido a una discapacidad mental, a la influencia de

---

15. RJ 1945, 685.
16. RJ 2006, 1071.

las drogas o del alcohol, o a que sea menor de edad, no se expresan correctamente frente a un gestor razonable y no se oponen fundamentalmente a un agestión justificada de negocios ajenos».

Aunque se cumplan las condiciones del artículo V.-1:101 del DCFR, el artículo V.-1:103 determina que no se aplicarán las reglas sobre gestión de negocios ajenos «cuando el gestor: (a) esté autorizado para actuar mediante una obligación contractual o de otro tipo con el dueño del negocio.; (b) esté autorizado, por cualquier otro documento que no sea este Libro, a actuar con independencia del consentimiento del dueño del negocio; o (c) esté sujeto a la obligación de actuar frente a un tercero». Por otra parte, el artículo V.-1:102 del DCFR regula una situación especial en materia de gestión de negocios ajenos, pues se refiere al cumplimiento de deberes de otra persona que los haya descuidado, a pesar de que su cumplimiento sea necesario y urgente en pro del interés prioritario. Según su tenor literal, «cuando un gestor actúe para cumplir un deber de otra persona, cuyo cumplimiento es debido, urgente y necesario por ser un asunto de interés público prioritario y actúe con la intención de favorecer a la persona beneficiaria del cumplimiento del deber, la persona en cuyo favor se cumpla el deber por parte del gestor será el dueño del negocio en el sentido del presente Libro». Es evidente que la cuestión acerca de las circunstancias que podrían generar un caso de interés público prioritario, dice el comentario oficial, «no puede responderse de una vez por todas y tal vez ni siquiera sea la misma para todas las jurisdicciones europeas (...). No obstante, un presupuesto mínimo para que sea de interés público es que el cumplimiento del deber no beneficie a una sola persona. Los casos más típicos se refieren a los deberes, basados en la regulación de la responsabilidad extracontractual por daños y perjuicios, de garantizar la seguridad en general, mientras que el cumplimiento de las obligaciones contractuales difícilmente llegará a ser de interés público».

2. Objeto de la gestión

Según el artículo 1888 del CC, el objeto de la gestión lo constituyen «los negocios de otro». Pero aquí la palabra «negocios» debe entenderse en su sentido más amplio, pues, como dice la STS de 16 de octubre de 1978, la gestión comprende «los actos jurídicos, los puramente económicos y aun los simplemente materiales»[17], por ejemplo, intentar apagar un incendio, realizar pagos, adquisición o enajenación de cosas o derechos sobre ellas, etc. Por lo tanto, la expresión «negocios» debe considerarse como sinónima de «asuntos».

La STS de 16 de octubre de 1978 entiende el vocablo gestión «en el amplio sentido de manejo, administración, disposición o posesión, pues comprende los actos jurídicos, los puramente económicos y aun los simplemente materiales, según se desprende de los concretos supuestos que la jurisprudencia ha contemplado»[18].

Estos actos deben referirse a bienes o negocios ajenos. Es decir, deben afectar al patrimonio de otra persona, careciendo de trascendencia el error en que pueda

---

17. RJ 1978, 3076.
18. RJ 1978, 3076. Cfr. SSTS de 12 de junio de 1957 (RJ 1957, 2205), 22 de mayo y 10 de octubre de 1959 (RJ 1959, 2465 y 3669), 7 de octubre de 1961 (RJ 1961, 3593), 10 de mayo de 1962 (RJ 1962, 2237), 16 de abril de 1964 (RJ 1964, 2115), 14 de mayo y 7 de octubre de 1965 (RJ 1965, 4363) y 28 de diciembre de 1967 (RJ 1967, 5207).

haber incurrido el gestor sobre la persona dueña de ese patrimonio: si yo me decido a realizar tales actos pensando que los bienes corresponden a mi amigo Julio aunque en realidad sean de otra persona distinta, se producen todas las consecuencias de la gestión de negocios. Por otra parte, no es necesario que el bien o negocio pertenezca a otro en el momento de realizarse la gestión, ya que ésta puede consistir precisamente en crear esa relación de pertenencia ajena (Díaz Pairó).

Como se ha indicado, el artículo V.-1:101 del DCFR caracteriza la gestión de negocios ajenos como un «actuar» en beneficio de otra persona (el dueño del negocio). En palabras del comentario oficial, «no se matiza el tipo de acto requerido, de donde se deduce que cualquier tipo de acto puede ser considerado como gestión de negocios ajenos; servicios como ofrecer cosas (o dinero) para su uso o para saldar una deuda ajena. La amplitud del ámbito de aplicación abarca actos con efectos legales y actos que no hacen más que cambiar una situación. La gestión de negocios puede consistir en la celebración de un contrato o en la notificación para resolver una relación jurídica, y también puede tratarse de realizar una reparación, hacer una llamada de teléfono, cuidar de una propiedad, hacer una advertencia, apartar un vehículo, podar los árboles que dan a una vía pública, alimentar (o, en caso de emergencia, sacrificar) animales, etcétera. Todos estos "actos" entran dentro del significado de ese término».

3. Efectos

La gestión de negocios ajenos, aunque no tiene carácter bilateral, genera obligaciones tanto a cargo del gestor como del dueño del negocio.

3.1. *Obligaciones y responsabilidad del gestor*

a) *Continuación y conclusión del negocio*

Según el artículo 1888 del CC, «el que se encarga voluntariamente de la agencia o administración de los negocios de otro, sin mandato de éste, está obligado a continuar su gestión hasta el término del asunto y sus incidencias, o a requerir al interesado para que le sustituya en la gestión, si se hallase en estado de poder hacerlo por sí». Efectivamente, nadie puede ser obligado a intervenir en asuntos ajenos, pero iniciada una gestión es lógico que se obligue a continuarla, pues de otro modo se impediría el fin de la misma, e incluso se podrían producir mayores perjuicios de aquellos que, en principio, se trataron de evitar. Como dice Lacruz, la norma tiene una doble finalidad: por una parte evitar el perjuicio que acarrearía al *dominus* una interrupción arbitraria de la gestión, y por otra desanimar las intromisiones demasiado fáciles en los asuntos ajenos, haciendo gravosa la gestión.

El gestor no se libera de esta obligación simplemente con requerir al dueño del negocio (art. 1888 CC), sino en el momento en que sea sustituido por éste o se niegue a hacerse cargo de la gestión hallándose en estado de poder hacerlo por sí o designando a otra persona en su lugar. Pérez González y Alguer opinan que, si, dada la naturaleza de la gestión emprendida, el posible éxito de ésta dependiese de la habilidad o preparación del gestor, el *dominus* carente de aquélla puede negarse a sustituir al gestor, pero ello equivaldría a una ratificación (art. 1892 CC) que convertiría al gestor en un verdadero mandatario.

En caso de fallecimiento del titular de los intereses gestionados, esta obligación se extiende hasta el momento en que el sucesor o herederos hayan podido hacerse cargo del asunto gestionado. Y si el que ha fallecido es el gestor, por analogía con lo dispuesto en el artículo 1739 del CC, sus herederos deberán ponerlo en conocimiento del *dominus* y proveer entretanto a lo que las circunstancias exijan en interés de éste.

b) *Rendición de cuentas y entrega*

Aunque el Código civil no lo dice expresamente, no ofrece duda que el gestor está obligado a rendir cuentas de su gestión al dueño del negocio, pues sólo así se podrá saber si ha cumplido con las demás obligaciones y deberes que le competen[19].

> La STS de 16 de octubre de 1978 insiste en la rendición de cuentas del gestor, «asentada en el principio general de que allí donde hay gestión de negocios ajenos surge la consiguiente obligación de ofrecer el resultado contable»[20]. Según la STS de 16 de diciembre de 1985, la rendición de cuentas debe abarcar «entre otros eventuales conceptos tanto los rendimientos de los valores entregados como los gastos realizados por el acreedor para la conservación de la cosa»[21].

Asimismo, al término de la gestión, el gestor debe restituir al dueño del negocio todas las cosas, con los accesorios e intereses producidos[22].

Según el artículo V.-2:103(1) del DCFR, «tras la gestión, el gestor deberá informar y rendir cuentas al dueño del negocio sin demora injustificada, así como entregar cualquier cosa obtenida a través de la gestión». Como dice el comentario oficial, «la obligación de entregar al interesado cualquier cosa adquirida como resultado de la intervención es, en la práctica, la obligación más importante del gestor. Todos los ordenamientos jurídicos de la Unión Europea la reconocen y se deriva de la naturaleza de la gestión de negocios ajenos como intervención en un asunto ajeno con la intención beneficiar a otro. Una de sus características es que el gestor ni se enriquezca ni se vea perjudicado. El gestor actúa en nombre ajeno y, como regla general, su situación económica no debe verse alterada, ni positiva ni negativamente. Así pues, la obligación de entregar todos los frutos de la intervención tiene como contrapartida la demanda de indemnización por los gestos en los que se ha incurrido de acuerdo con el Artículo 3:101 (derecho a compensación o reembolso) de este libro».

c) *Responsabilidad por actos propios*

A tenor del artículo 1889 del CC, «el gestor oficioso debe desempeñar su encargo con la diligencia de un buen padre de familia (nivel de diligencia medio), e indemnizar los perjuicios que por su culpa o negligencia se irroguen al dueño de los bienes o negocios que gestione. Los Tribunales, sin embargo, podrán moderar la importancia de la indemnización según las circunstancias del caso».

> La STS de 10 de noviembre de 2010 dice que «para que haya lugar a indemnizar los perjuicios irrogados al dueño del negocio es precisa la concurrencia de los

---

19. Cfr. SSTS de 17 de marzo de 1950 (RJ 1950, 387), 2 de febrero de 1954 (RJ 1954, 322), 7 de enero de 1959 (RJ 1959, 428) y 16 de octubre de 1978 (RJ 1978, 3076).
20. RJ 1978, 3076.
21. RJ 1985, 6444.
22. Cfr. SSTS de 11 de marzo de 1964 (RJ 1964, 1367) y 21 de noviembre de 1970 (RJ 1970, 4826).

siguientes requisitos: 1) Que se gestione un negocio ajeno. 2) Que quien gestiona no esté obligado a desplegar la actividad desarrollada. 3) Que el gestor actúe con la intención de que las consecuencias de la gestión recayese sobre el tercero. 4) Que la gestión haya sido negligente. 5) Que de la negligencia deriven en relación causa a efecto daños y perjuicios para el propietario del negocio gestionado».

El Código civil agrava la responsabilidad del gestor, haciéndole responder del caso fortuito, en dos supuestos: cuando acometa operaciones arriesgadas que el dueño del negocio no tuviese costumbre de hacer, o cuando hubiese pospuesto el interés de éste al suyo propio (art. 1891 CC). A juicio de NÚÑEZ LAGOS, la expresión «operaciones arriesgadas» comprende las operaciones de suerte o azar, las de especulación y las de carácter insólito según la clase asunto gestionado; mientras que la postergación de los intereses del *dominus* pone de manifiesto un *animus depraedandi* por parte del gestor, es decir, un *animus* sobrevenido, el cual se revelará a través de actos o decisiones llevados a cabo en su beneficio y con perjuicio para los intereses del *dominus*.

Como dice PUIG BRUTAU, los supuestos del artículo 1891 del CC están justificados porque el daño lo sufre el dueño del negocio por los actos de un gestor que no ha elegido; pues, por la misma razón, en el mandato el mandatario sólo responde del dolo y de la culpa (art. 1726 CC).

Según el artículo V.-2:101(1) del DCFR, «mientras dure la gestión, el gestor deberá: (a) actuar con diligencia razonable; (b) actuar de una manera que coincida o sea razonable suponer que coincide con la voluntad del dueño del negocio, salvo si se da el supuesto previsto en el Artículo 1:102 del presente Libro (Cumplimiento de deberes ajenos); e (c) informar al dueño del negocio sobre la gestión y solicitarle su consentimiento para actuaciones posteriores, en tanto que sea posible y razonable». El apartado 2 del este artículo V.-2:101 señala que «la gestión no podrá ser interrumpida sin una causa justificada».

En cuanto a la reparación del daño causado por el incumplimiento de un deber, el artículo V.-2:101(1) del DCFR señala que «el gestor será responsable de la reparación de los daños causados al dueño del negocio que sean consecuencia del incumplimiento de un deber previsto en el presente Capítulo si el daño resultase de un riesgo que el gestor creó, aumentó o mantuvo intencionadamente». En todo caso, el gestor puede exonerarse total o parcialmente de su responsabilidad en la medida en que sea justo y razonable, teniendo en cuenta, entre otras cosas, los motivos que le llevaron a actuar.***

d) *Responsabilidad en caso de delegación*

El artículo 1890, párrafo 1.º, del CC dice que «si el gestor delegare en otra persona todos o algunos de los deberes de su cargo, responderá de los actos del delegado, sin perjuicio de la obligación directa de éste para con el propietario del negocio». ¿Quiere esto decir que, si el dueño del negocio ejercita la acción directa contra el delegado, el gestor delegante se libera de responsabilidad? En opinión de GULLÓN, la concesión de la acción directa al dueño del negocio significa que el delegado responde lo mismo que el delegante, es decir, que ambos son gestores frente a aquél, por lo que su responsabilidad es solidaria. Sin embargo, en las relaciones internas entre gestor-delegante y delegado, éste responderá por incumplimiento defectuoso del encargo recibido.

e) Responsabilidad de los gestores cuando son varios

Cuando los gestores fueren dos o más, la regla es clara. Según el artículo 1890, párrafo 2.º, del CC, la responsabilidad es solidaria. La diferencia entre este caso y el anterior, según GULLÓN, no radica más que en el hecho de que el delegado se incorpora a la gestión una vez comenzada.

Pero la responsabilidad será solidaria cuando los varios gestores hubieren actuado en común, «pues si la pluralidad de gestores o su intervención en la gestión no fuese simultánea, sino sucesiva e independiente, por haberse sucedido éstos separada y aisladamente, entonces cada uno responderá de sus propios actos y de su peculiar gestión, llevada a cabo por sí o sus delegados» (MANRESA).

3.2. *Obligaciones del dueño del negocio*

Según el artículo 1892 del CC, «la ratificación de la gestión por parte del dueño del negocio produce los efectos del mandato expreso». Es decir, como la ratificación opera retroactivamente, la gestión de negocios ajenos se convierte en mandato y, por consiguiente, el dueño del negocio tendrá las obligaciones propias del mandante (arts. 1727 a 1730 CC). Sin embargo, opina NÚÑEZ LAGOS que el artículo 1892 del CC, histórica y dogmáticamente, se refiere a la ratificación en sentido técnico, a la ratificación frente a terceros, la cual no afecta a la relación interna entre el dueño del negocio y el gestor, sino a la relación del primero con los terceros que contrataron con el gestor. Ahora bien, como dicen DÍEZ-PICAZO y GULLÓN, «si la ratificación fuera parcial o quedara condicionada o el principal formulara reservas o introdujera nuevos elementos, el tercero tiene derecho a considerar la declaración, no como una ratificación, sino como una nueva oferta que el es libre de aceptar o no». En consecuencia, al negocio ajeno que ha sido objeto de gestión le sería de aplicación el régimen de responsabilidad establecido en los artículos 1888 y ss. del CC.

Si no hay ratificación, el dueño del negocio sólo resulta obligado a consecuencia de la gestión en los dos casos siguientes:

1.º Cuando el dueño del negocio se aproveche de las ventajas de la gestión (art. 1893, párr. 1.º, CC). El simple tenor literal, en principio, parece exigir el efectivo aprovechamiento de las ventajas o resultados favorables de la gestión, es decir, para que resulte obligado el dueño del negocio deben producirse ventajas para el mismo. Sin embargo, consideramos más correcto interpretar la palabra «ventaja» en su sentido general, distinto del de provecho o enriquecimiento (NÚÑEZ LAGOS), y atender a la utilidad inicial, aunque acontecimientos posteriores puedan hacerla desaparecer.

2.º Cuando, aun sin obtener provecho o ventaja alguna, la gestión hubiera tenido por objeto evitar algún perjuicio inminente y manifiesto (art. 1893, párr. 2.º, CC); porque, como dice MANRESA, tanto vale verse librado de una pérdida inminente y conocida que le amenazara, como obtener un provecho nuevo, cierto y seguro.

En ambos casos, las obligaciones del dueño del negocio son las siguientes: frente a terceros será responsable de las obligaciones contraídas en su interés, y frente al gestor de los gastos necesarios y útiles que hubiese hecho, así como de los perjuicios que hubiese sufrido en el desempeño de su cargo (art. 1893, párr. 1.º, CC). Obsérvese que el artículo 1893 del CC establece la obligación del dueño del negocio respecto de los terceros con quienes hubiese contratado el gestor, lo cual no quiere decir que dichos terceros tengan acción para exigir responsabilidad al gestor[23].

¿Tiene el gestor derecho a cobrar honorarios? CASTÁN, siguiendo el criterio de GARCÍA GOYENA, se pronuncia por la negativa, salvo que medie ratificación expresa y, además, se refiera la gestión a servicios comprendidos dentro de la profesión del gestor. Sin embargo, consideramos más lógica y justa la respuesta afirmativa, por aplicación analógica de lo dispuesto en el artículo 1711 del CC. Pues, como dice LACRUZ, «la solución opuesta presenta un doble inconveniente. De una parte, elimina un valioso estímulo al profesional para emprender una gestión útil (pensemos en la persona inanimada en la calle y el médico que la atiende). De otra, establece una distinción injustificada entre dos casos prácticamente semejantes: el del profesional que acude llamado por el gestor, y el de quien siendo profesional gestiona él mismo. Concretamente, si al enfermo en la calle lo atiende un transeúnte no médico, y llama al médico que pasa entonces por allí, éste tiene derecho a cobrar sus honorarios en virtud de la gestión representativa asumida por el transeúnte en un caso de urgencia: dicho transeúnte ha contraído una obligación gestionando útilmente asuntos del enfermo. En cambio, si el médico atiende directamente al enfermo, tal obligación, siendo la gestión gratuita, podría reclamarse, a lo más, mediante las reglas del enriquecimiento injusto, de bien difícil apreciación, pues el demandado opondrá igualmente la gratuidad».

V. GESTIONES ESPECIALES

El artículo 1894 del CC se refiere a dos casos especiales de gestión de negocios ajenos: al suministro de alimentos y a los gastos funerarios.

1. Suministro de alimentos

Según el artículo 1894 del CC, «cuando sin conocimiento del obligado a prestar alimentos los diese un extraño, éste tendrá derecho a reclamarlos de aquél, a no constar que los dio por oficio de piedad y sin ánimo de reclamarlos». En este precepto se contiene una presunción *iuris tantum*, la de que los alimentos se dieron con el propósito de exigir su posterior reembolso al legalmente obligado a prestarlos. Por consiguiente, incumbe al demandado la prueba de la existencia de esa falta de ánimo de reclamar. Dice la STS de 25 de septiembre de 1968 que el supuesto que este artículo establece es ajeno al caso de hospedaje y estancias facilitadas por un ascendiente a su descendiente[24].

No ofrece duda que el artículo 1894, párrafo 1.º, del CC se refiere a la deuda alimenticia entre parientes (arts. 142-153 CC); por consiguiente, el extraño podrá reclamar al dueño del negocio lo que hubiese dado únicamente hasta el importe por el que éste estuviese obligado, pues por la diferencia (si la hubiere) sólo tendrá acción contra el alimentista.

La exigencia de que la prestación de alimentos se haya hecho «sin conocimiento del obligado» tiene difícil justificación, pues parece liberar de un deber legal por el

---

23. Cfr. STS de 9 de febrero de 1957 (RJ 1957, 701).
24. RJ 1968, 3959.

hecho de haberlo cumplido otro. Obsérvese que el artículo 1158, párrafo 2.º, del CC permite al que paga por otro reclamar del deudor lo que hubiese pagado «a no haberlo hecho contra su expresa voluntad», y, en cambio, el artículo 1894, párrafo 1.º, del CC sólo permite la reclamación cuando el extraño ha pagado «sin conocimiento del obligado». Como dicen algunos autores (LACRUZ, PUIG BRUTAU), la diferencia es absurda y la norma hubiese debido expresar lo contrario: incluso contra la prohibición del obligado a dar alimentos, debería poder recuperarlos el que los prestó en su lugar.

2. Gastos funerarios

Conforme al artículo 1894, párrafo 2.º, del CC, «los gastos funerarios proporcionados a la calidad de la persona y a los usos de la localidad deberán ser satisfechos, aunque el difunto no hubiese dejado bienes, por aquellos que en vida habrían tenido la obligación de alimentarle». La «calidad de la persona» viene determinada por su situación patrimonial y social.

En este precepto se indican los patrimonios de los que se puede obtener el reintegro de los gastos funerarios: en primer lugar, de los bienes hereditarios y de los herederos que hayan aceptado la herencia sin beneficio de inventario; y, en segundo término, en defecto de los anteriores, de las personas que habrían estado obligadas a prestar alimentos al difunto. Por regla general, serán unas mismas personas los herederos y los obligados a prestar alimentos, pero si esto no ocurre deberá tenerse en cuenta esta prestación. También respecto de estos gastos rige la presunción de que han sido realizados con intención de reclamarlos, ya que si se hubieren efectuado por espíritu de liberalidad o por oficio de piedad, no procedería la reclamación.

Según NÚÑEZ LAGOS, todos los gastos, desde mortaja hasta el funeral o exequias, están comprendidos en la expresión «gastos funerarios»; advirtiendo que, en caso de duda, la costumbre del lugar puede ayudar a perfilar mejor el concepto.

> Este mismo autor señala, con lenguaje hoy trasnochado, cómo «en la época actual (…) la lucrativa industria de pompas fúnebres tiene tipificado el macabro negocio en diversas categorías o clases (…)», indicando, además, que «el gestor que se atenga a una de dichas categorías está dentro de los usos de la localidad».

Entre los gastos funerarios se incluyen no sólo los de entierro y funeral, sino también aquellos que se relacionen directa y necesariamente con ellos y que pueden revestir cierta importancia, como, por ejemplo, los de traslado del cadáver cuando ello sea procedente, esquelas, misas, etc.

VI. EL COBRO DE LO INDEBIDO

1. Concepto y requisitos

El Código civil español, a diferencia del francés y del italiano de 1865, utiliza la terminología de las Partidas y habla de cobro en lugar de pago de lo indebido; lo que, en opinión de NÚÑEZ LAGOS, tiene su significado, cual es que el centro de gravedad se halla en el _accipiens_ y en la causa para retener (_solutio retentio_).

Conforme el artículo 1895 del CC, hay *cobro de lo indebido* «cuando se recibe alguna cosa que no había derecho a cobrar, y que por error ha sido indebidamente entregada», en cuyo caso surge la obligación de restituirla.

Según la STS de 20 de julio de 1998, la aplicación del artículo 1895 del CC «sólo procede cuando se establece una relación entre quien percibe lo que no tenía derecho a recibir y el que paga por error, con lo que surge la obligación de restituir lo indebidamente abonado, que supone deuda inexistente y concurrencia de acreditado error en quien hizo el pago, verificado con intención de extinguir la deuda»[25].

Los *requisitos* para que proceda la repetición de lo indebidamente cobrado son los siguientes[26]:

1.º *Pago efectivo* hecho con la intención de extinguir la deuda (*animo solvendi*) o, en general, de cumplir un deber jurídico. Este pago deberá entenderse en el sentido expresado en el artículo 1157 del CC; es decir, comprenderá tanto la entrega de una cosa como la realización de la prestación en que la obligación consistía. Según SANTOS BRIZ, por analogía, cabe también la acción de repetición de lo indebido cuando la obligación consista en un *facere*, que por error se crea objeto de la obligación; entonces, la restitución procederá por su valor.

2.º *Inexistencia de obligación* entre el que paga y el que cobra. Por consiguiente, falta de causa en el pago, que puede ser indebido subjetivamente (*ex persona*), cuando existiendo el vínculo relacione a personas distintas de la que da y recibe el pago, u objetivamente (*ex re*), cuando falta la relación de obligaciones entre *solvens* y *accipiens* bien porque jamás haya existido la obligación (cosa que nunca se debió, según expresa el artículo 1901 del CC), porque aún no haya llegado a constituirse (obligación sujeta a una condición que todavía no se ha cumplido), porque habiendo existido la deuda esté pagada o extinguida (cosa que ya estaba pagada, como dice el mismo artículo 1901 del CC), o porque se haya entregado mayor cantidad de la debida.

3.º *Error* por parte del que hizo el pago, habiendo declarado el Tribunal Supremo en su STS de 7 de julio de 1950 que el artículo 1895 del CC no distingue entre el error de derecho y el de hecho[27]. La STS de 26 de marzo de 1986 advierte que «el error puede haber surgido del mismo que lo entrega (la cantidad o cosa indebida) con perjuicio de su patrimonio o de sus dependientes, que fueron los que materializaron físicamente tal entrega»[28].

En palabras de la STS de 11 de diciembre de 2000, «ya desde el senadoconsulto macedoniano era esencial la prueba del error a cargo del demandante, para que se diese a su favor la "condictio indebiti", que había de fundarse en una adquisición sin causa»[29].

El que alega error en el pago y pretende su restitución deberá probarlo, pero dicha prueba se facilita mediante las siguientes reglas:

---

25. RJ 1998, 846.
26. Cfr. STSS de 21 de noviembre de 1957 (RJ 1957, 3632), 10 de junio y 26 de diciembre de 1995 (RJ 1995, 4914 y 9207), 31 de mayo de 2006 (RJ 2006, 3323), 6 y 13 de marzo de 2007 (RJ 2007, 1533 y 692) y 30 de julio de 2010 (RJ 2010, 6948).
27. RJ 1950, 1237. Cfr. STS de 24 de abril de 1976 (RJ 1976, 1925).
28. RJ 1986, 1472.
29. RJ 2000, 9889. Cfr. STS de 30 de septiembre de 1987 (RJ 1987, 6456).

a) Según el artículo 1900 del CC, «la prueba del pago incumbe al que pretende haberlo hecho. También corre a su cargo la del error con que lo realizó, a menos que el demandado negare haber recibido la cosa que se le reclame. En este caso, justificada por el demandante la entrega, queda relevado de toda otra prueba. Esto no limita el derecho del demandado para acreditar que le era debido lo que se supone que recibió.

b) A tenor del artículo 1901, párrafo 1.º, del CC, «se presume que hubo error en el pago cuando se entregó cosa que nunca se debió o que ya estaba pagada». Esta declaración, como dice MANRESA, tiene su fundamento jurídico en la consideración derivada de lo que sucede en el orden natural de las cosas, según la cual quien da lo que no debe no puede presumirse que lo dona, mientras no conste de una manera segura y eficaz que lo hizo por mera liberalidad. Pero, como esta presunción es simplemente *iuris tantum* y admite prueba en contrario, el artículo 1901 del CC añade que «aquél a quien se pida la devolución puede probar que la entrega se hizo a título de liberalidad o por otra causa justa». En esta expresión final, «o por otra causa justa», se intenta ver, por algunos autores, el reconocimiento legal de las obligaciones naturales.

El Tribunal Supremo no aplica la presunción cuando entre las partes existen relaciones negociales que pueden justificar el pago, pues en este caso exige probar no sólo la entrega, sino también la falta de causa, causa que puede estar constituida precisamente por la reiteradas relaciones negociales. Así, la STS de 30 de septiembre de 1987 dice que «ya desde la época del senadoconsulto Macedoniano, recogido en las Partidas y, más tarde, en el vigente Código civil, era esencial la prueba del error a cargo del demandante para que se diera a su favor la *condictio indebiti,* que había de fundarse en una adquisición sin causa, supuesto contrario al probado en la instancia de esta litis, pues el error del que paga es necesario para el éxito de la pretensión de restitución, error que no se probó ni en cuanto a los hechos ni de derecho, por lo que no puede en el caso debatido entrar en juego la presunción *iuris tantum* que sienta en el artículo 1901, inciso primero, del CC, ya que el demandante, si bien ha probado la entrega, no ha probado la falta de causa, causa constituida por las reiteradas relaciones negociales que derivan de los autos, según la apreciación, no combatida eficazmente en el recurso, de la Sala *a quo*»[30].

En el caso de que no haya habido error en el pago, la mayoría de los autores excluye la repetición[31]; sin embargo, esta solución no parece correcta, pues, como advierte NÚÑEZ LAGOS, de acuerdo con el artículo 1901 del CC, corresponde al *accipiens* probar que la entrega se había realizado a título de liberalidad y, además, el ánimo de liberalidad no se presume nunca (art. 1289 CC).

2. La acción de restitución

Se trata de una acción personal, «principalmente restitutoria, subsidiariamente sustitutoria y eventual y complementariamente indemnizatoria» (BALLARÍN HERNÁNDEZ).

---

30. RJ 1987, 6456. Cfr. también SSTS de 10 de junio y 26 de diciembre de 1995 (RJ 1995, 4914 y 9207).
31. Cfr. STS de 24 de abril de 1976 (RJ 1976, 1925).

Está *legitimado activamente* para su ejercicio el *solvens*, al cual deberá restituir el *accipiens* en todo caso, pues, como dice la STS de 4 de marzo de 1936, el efecto del cobro de lo indebido es «producir en el que cobró la obligación de restituir lo cobrado, y correlativamente el derecho en el que pagó de exigir esa restitución, surgiendo así a favor de este último, por virtud de la relación o vínculo que entre ambos se crea, una acción otorgada sólo al que pagó, hasta el punto que esta Sala, en su jurisprudencia, ha establecido que la obligación restitutoria es absoluta y sin limitación alguna y deberá hacerse al mismo que entregó la cosa o cantidad dada en pago, aunque ésta pertenezca a otra persona distinta, sin que ni aun sea bastante a eximir de dicha obligación la devolución hecha al verdadero y legítimo dueño»[32].

Lo que quiere decir que el *accipiens* no puede negarse a restituir bajo pretexto de que el *solvens* no es el dueño de la cosa, pero no que no deba restituir al verdadero propietario que ejercita la acción reivindicatoria, al que no podrá oponer su deber de restitución frente a quien se la entregó.

Está *legitimado pasivamente* aquel que ha recibido el pago. En este sentido, la STS de 10 de abril de 1995, respecto de una transferencia efectuada por el banco cumpliendo la orden de su cliente, declara que la restitución incumbe a quien recibió su importe y no al banco, que lo transfirió siguiendo la orden del cliente[33].

Si el pago se hizo a varias personas, la obligación de restitución de los varios deudores (*accipientes indebiti*) será solidaria[34]. Sin embargo, la STS de 4 de abril de 1988 dice que no procede la solidaridad cuando consta de manera clara las cantidades determinadas que cada uno de ellos recibió[35].

No habiéndose señalado término especial para la acción de restitución de lo cobrado indebidamente, prescribirá a los cinco años, de acuerdo con lo establecido en el artículo 1964 del CC.

3. Excepción a la obligación de restitución

Conforme al artículo 1899 del CC, «queda exento de la obligación de restituir el que, creyendo de buena fe que se hacía el pago por cuenta de un crédito legítimo y subsistente, hubiese inutilizado el título, o dejado prescribir la acción, abandonado las prendas, o cancelado las garantías de su derecho. El que pagó, indebidamente sólo podrá dirigirse contra el verdadero deudor o los fiadores respecto de los cuales la acción estuviese viva».

Por consiguiente, la exclusión del derecho de restitución del *solvens* frente al *accipiens* requiere:

a) Existencia de un verdadero crédito entre el *accipiens* y un tercero.

b) Creencia de buena fe en el *accipiens* de que el *solvens* pagaba dicho crédito; es decir, el *accipiens* ha considerado al *solvens* como su deudor o que paga por él.

32. RJ 1936, 731.
33. RJ 1995, 3250.
34. Cfr. SSTS de 22 de diciembre de 1903 (JC 1903, II-160), 20 de mayo de 1959 (RJ 1959, 3018) y 8 de abril de 1976 (RJ 1976, 1705).
35. RJ 1988, 2650.

c) Error del *solvens*, que *se* cree deudor del *accipiens* y paga como tal.

En resumen, se trata de un falso deudor que paga a un verdadero acreedor, y éste, creyéndose pagado por quien debía y estaba obligado a hacerlo, deja prescribir el crédito, destruye las pruebas o extingue las garantías; y, precisamente, por esta dificultad o imposibilidad de dirigirse contra su verdadero deudor, se le protege, eximiéndole de restituir.

El *solvens* tiene acción contra el verdadero deudor o sus fiadores. Se trata de un caso de subrogación legal del *solvens* en la posición del *accipiens*, pero, como señalan Díez-Picazo y Gullón, «teniendo en cuenta la debilidad de un crédito que puede quedar enervado por la excepción de prescripción, o porque el deudor discuta la deuda y no haya pruebas de su existencia, o porque las garantías desaparecidas no cubren su insolvencia, se hace necesario conceder al *solvens*, que ve frustrada la finalidad de la subrogación, una acción propia contra el tercero, basada en el enriquecimiento que experimenta su patrimonio al liberarse del pasivo que representaba la deuda cobrada por el *accipiens*, quien no está legitimado ya para dirigirse contra él».

4. Efectos

El efecto del cobro de lo indebido es producir en el que cobró la obligación de restituir lo cobrado[36], pero la extensión y alcance de la restitución varía según la buena o mala fe del *accipiens*.

4.1. Caso de buena fe en el accipiens

Según el artículo 1897 del CC, el que de buena fe hubiera aceptado un pago indebido de cosa cierta y determinada, sólo responderá de las desmejoras o pérdidas de ésta y de sus accesiones, en cuanto por ellas se hubiese enriquecido. Si la hubiese enajenado, restituirá el precio o cederá la acción para hacerlo efectivo. «En cuanto al abono de mejoras y gastos hechos por el que indebidamente recibió la cosa, se estará a lo dispuesto en el título V del libro II» (art. 1898 CC).

Es decir, el *accipiens* como poseedor de buena fe no responde del deterioro o pérdida de la cosa poseída (art. 457 CC); pero sí responde de la desmejora o pérdida y de las accesiones de la cosa en cuanto por ellas se hubiese enriquecido. Y como poseedor de buena fe hace suyos los frutos percibidos (art. 451 CC). Por lo que se refiere a los gastos y mejoras, también es tratado como poseedor de buena fe, y, por consiguiente, tiene derecho al abono de los gastos necesarios y útiles, así como a retener la cosa hasta que se le satisfagan (arts. 1898 y 453 ss. CC).

4.2. Caso de mala fe en el accipiens

Según el artículo 1896 del CC, «el que acepta un pago indebido, si hubiera procedido de mala fe, deberá abonar el interés legal cuando se trate de capitales, o los frutos percibidos o debidos percibir cuando la cosa recibida los produjere. Además, responderá de los menoscabos que la cosa haya sufrido por cualquier causa, y de los perjuicios que se irrogaren al que la entregó, hasta que la recobre. No se prestará el

---

36. Cfr. STS de 4 de marzo de 1936 (RJ 1936, 731).

caso fortuito cuando hubiese podido afectar del mismo modo a las cosas hallándose en poder del que las entregó».

Los intereses deberán abonarse a contar desde el momento del cobro de lo indebido, pues, como dice GULLÓN, desde este instante sabía el *accipiens* que su cobro era indebido y, por tanto, estaba obligado a restituir. Ahora bien, si lo que se pretende evitar es que el *accipiens* se enriquezca a costa del *solvens*, no ofrece duda que hoy en día dicho resultado será difícil de conseguir, ya que el tipo de interés convencional suele ser muy superior al interés legal.

La responsabilidad por los perjuicios, de acuerdo con lo dispuesto en el artículo 1107 del CC, comprenderá la de «todos los que conocidamente se deriven de la falta de cumplimiento de la obligación», en este caso la de restituir.

En caso de pérdida de la cosa específica y determinada que se había entregado, la obligación de restitución del *accipiens* se transforma en la de entregar el equivalente. Es decir, el valor que la cosa tenía en el momento en que fue entregada. Pero, como dice GULLÓN, si desde entonces al tiempo del perecimiento alcanzó mayor valor, es éste el que debe entregarse, pues de lo contrario sufrirá un daño el *solvens* al no poderse beneficiar de él como consecuencia de no haber cumplido el *accipiens* su obligación de restitución en forma específica, y es sabido que el primero debe ser resarcido de todos los perjuicios que se le irrogaren. La indemnización de estos perjuicios adquiere especial importancia cuando lo cobrado indebidamente fue una suma de dinero, debido a la devaluación; por ello, GULLÓN entiende que dicha devaluación no debe ser soportada por el *solvens* y, por tanto, deberá recibir una suma equivalente en su poder adquisitivo a la que entregó indebidamente.

En relación con los gastos y mejoras, es considerado como poseedor de mala fe (arts. 1898 y 453 y ss. CC).

4.3. Mala fe sobrevenida

La buena fe del *accipiens* se pierde desde el momento en que existan actos que acrediten que no ignora que posee la cosa indebidamente (art. 435 CC), en cuyo caso ya no le será de aplicación lo dispuesto en el artículo 1897 del CC, sino el artículo 1896, que regula la aceptación del pago indebido con mala fe.

BIBLIOGRAFÍA

BALLARÍN HERNÁNDEZ, *El cobro de lo indebido. Perfiles institucionales y eficacia traslativa*, Madrid, 1985; CANO TELLO, «El sujeto pasivo de los gastos funerarios», RCDI, 1981, p. 67; CAÑIZARES LASO, «Tipología de la gestión de negocios ajenos sin mandato (Estudio comparado de los Derechos alemán y español)», ADC, 1995, p. 695; DE LOS MOZOS, «Pago o cobro de lo indebido», *RDP*, 1988, p. 651; GARCÍA VALDECASAS, G., «La gestión de negocio ajenos. Aportación a una teoría general», RDP, 1957, p. 619; GULLÓN, «Cobro de lo indebido», *Estudios en honor del Prof. Batlle*, Madrid, 1978, p. 367; LACRUZ BERDEJO, «La gestión de negocios sin mandato», RCDI, 1975, p. 245; íd., «El pago de lo indebido», *Libro-homenaje a Roca Sastre*, T. II, Madrid, 1976, p. 502; LÓPEZ BELTRÁN DE HEREDIA, «Gestión ventajosa o ratificación», *Libro-homenaje al Prof. Lacruz*, T. I, Barcelona, 1992, p. 497, MARCO

MOLINA, «La gestión oficiosa de negocios ajenos como fuente de obligaciones: el fundamento de las obligaciones del gestor y del "dueño" o titular del asunto gestionado» en AA VV (ed. INSTITUT DE DRET PRIVAT EUROPEU I COMPARAT DE LA UNIVERSITAT DE GIRONA), *Contractes, Responsabilitat extracontractual i altres fonts d'obligacions al Codi Civil de Cataluyna*, Girona, 2012, p. 423; MOISSET DE ESPANÉS, «Acción de repetición de lo pagado por error y sus efectos respecto a tercero», *Estudios en homenaje al Prof. De Castro*, T. II, Madrid, 1976, pg. 293; NÚÑEZ LAGOS, «Pago de lo indebido sin error», RGLJ, 1946, p. 129; ORTEGA PARDO, «Cuasi contratos atípicos», ADC, 1948, p. 408; PASQUAU LIAÑO, *La gestión de negocios ajenos*, Madrid, 1986; ROCA SASTRE/PUIG BRUTAU, «Pago de lo indebido», *Estudios de Derecho privado*, T. I, 1948, p. 476; RODRIGUEZ DEL BARCO, «El pago de lo indebido por error», RDP, 1961, p. 808; SÁNCHEZ JORDÁN, *La gestión de negocios ajenos*, Madrid, 2000; TRAVIESAS, «La gestión de negocios», RDP, 1919, p. 129; VILA RIBAS, *El pago de lo indebido y la transmisión de la propiedad por tradición en el sistema del Código civil español*, Barcelona, 1989.

Capítulo XXXII
Enriquecimiento injustificado

SUMARIO: I. INTRODUCCIÓN. II. FUNDAMENTO. III. REQUISITOS DE LA ACCIÓN DE ENRIQUECIMIENTO. IV. CASOS DE APLICACIÓN. V. CONTENIDO. VI. SUBSIDIARIEDAD Y PRESCRIPCIÓN. BIBLIOGRAFÍA.

I. INTRODUCCIÓN

Se dice que hay enriquecimiento injustificado o sin causa cuando una persona se beneficia o enriquece a costa de otra, sin que exista una causa o razón de ser que justifique dicho desplazamiento patrimonial. Por consiguiente, al no estar justificada la atribución patrimonial, la persona que recibió deberá restituir; y, por ello, se concede un remedio procesal (una acción) al empobrecido o perjudicado para que reclame la restitución.

El enriquecimiento injustificado tiene su origen en la figura romana de la *condictio*. En el Derecho romano se reconoció que existía una obligación de devolver en ciertas hipótesis, cuya característica común era el haberse producido una atribución patrimonial para una persona sin causa que lo justificase. Sin embargo, este Derecho no reconoció un principio general de que toda persona cuyo patrimonio recibiera un incremento sin causa justificada tendría que devolverlo en favor de aquella otra que se había empobrecido, y tampoco otorgó una acción general para todos los casos en que se diese dicha circunstancia, sino que ante situaciones concretas se fueron concediendo distintas acciones, a cada una de las cuales se le daba el nombre indicativo de la hipótesis a que respondía. Estas acciones eran simples modalidades de la *condictio* (acción abstracta y de derecho estricto).

Según el Derecho justinianeo se admitieron los siguientes tipos de *condictiones*: *a) Condictio indebiti*, a favor de quien, creyéndose erróneamente deudor, efectúa un pago, para que la persona que lo recibió indebidamente se lo devuelva. *b) Condictio ob causam datorum* o *causa data causa non secuta*, que se concedía para reclamar la devolución de lo que una persona hubiera recibido en virtud de una causa lícita que se esperaba y que no ha llegado a tener lugar. *c) Condictio ob turpem causam*, que se otorgaba para solicitar la devolución de lo que se había entregado por causa deshonrosa para el que recibió. *d) Condictio ob iniustam causam*, que procedía cuando el fundamento en vista del cual se dio algo no tiene validez jurídica. *e) Condictio sine causa*, para aquellos casos de enriquecimiento injustificado que no encajaban en las figuras antes mencionadas. Además de las *condictiones*, el Derecho romano disponía de la *actio in rem verso*, mediante la cual se demandaba al *pater* hasta la medida del enriquecimiento o ventaja que hubiere obtenido del negocio celebrado por el *filius*, pues, como es sabido, los hijos podían hacer al *pater* acreedor, pero no deudor. En todos estos supuestos, como antes se indicó, se producía la característica común de que nadie debe enriquecerse a costa de otro sin que haya una causa o razón que lo justifique, y esta idea es recogida por nuestras Leyes de Partidas, en donde se dice que «nadie debe enriquecerse torticeramente con daño de otro» (7.34.17).

En el Código civil francés no fue regulada la acción de enriquecimiento con fisonomía propia. En cambio, los Códigos de raíz germánica, influidos por una doctrina que estaba en todos los Tratados de Pandectas, recogen con carácter general y expreso la *condictio sine causa*, como así ocurre en el Código civil alemán y en el Código suizo de las obligaciones.

El § 812 del BGB dice que «quien, por prestación de otro, o de cualquier otra manera a costa de éste obtiene algo sin causa jurídica, está obligado frente a él a la restitución»; mientras que según el art. 62 del CO «el que, sin causa legítima, se enriquece a expensas de otro, está obligado a la restitución».

También el Código civil italiano de 1942 recoge con carácter general esta figura, aunque en este caso la acción de enriquecimiento tiene un carácter subsidiario, no siendo ejercitable cuando el perjudicado puede utilizar otra acción para conseguir la reparación del perjuicio sufrido.

A tenor del art. 2041 del Código civil italiano, «quien, sin justa causa, se ha enriquecido en perjuicio de otra persona está obligado, en los límites del enriquecimiento, a indemnizar a. esta última la correlativa disminución patrimonial». Al mencionado carácter subsidiario se refiere el artículo 2042 del Código. En el mismo sentido se expresa el Código civil portugués, que regula con bastante detalle el enriquecimiento sin causa en sus artículos 473-482.

En nuestro Código civil no se encuentra un precepto que con carácter general y expreso consagre la figura del enriquecimiento injustificado o sin causa. Ha sido la doctrina y, fundamentalmente, la jurisprudencia quienes han colmado este vacío, pues, como dice reivindicativamente la STS de 17 de mayo de 1957, el enriquecimiento es «una institución no mencionada entre los cuasicontratos que regula el Código civil, de principal elaboración de este Tribunal Supremo, con cierto arraigo en la legislación anterior»[1].

El Proyecto de Marco Común de Referencia regula con detalle el enriquecimiento sin causa en su Libro VII. Según el artículo VII.-1:101(1) del DCFR, «el que obtiene un enriquecimiento injustificado a costa de otro está obligado a restituirlo a éste». El apartado 2 de dicho artículo recalca que «esta regla sólo se aplica de conformidad con las disposiciones del presente Libro». Como fácilmente puede observarse, esta norma es de carácter general, pues abarca todas las responsabilidades derivadas de las distintas normas sobre el enriquecimiento injustificado. Como dice el comentario oficial, «a estos efectos no tiene importancia si la pretensión por enriquecimiento injustificado deriva del cumplimiento de un contrato nulo o impugnado o de alguna acción ilícita, como por ejemplo tomar o hacer uso de algo sin el consentimiento de su titular. La norma básica se aplica tanto al enriquecimiento proporcionado por el demandante como al enriquecimiento no proporcionado por

---

1. RJ 1957, 2164.

éste (pero obtenido a costa de éste). Por ello, la norma básica está redactada en términos amplios, para poder incluir todos los supuestos que los actuales ordenamientos jurídicos europeos suelen abordar mediante normas diversas y complementarias, a veces en detrimento de otras esferas del derecho». El comentario oficial indica, a continuación, que «la norma básica prevé dos partes, una de las cuales ha obtenido un enriquecimiento injustificado a costa de la otra, a cuya desventaja puede atribuirse dicho enriquecimiento. El efecto de la norma es establecer entre las partes una obligación legal, por la que el enriquecido debe restituir el enriquecimiento y la parte a cuya costa se obtiene éste tiene derecho a dicha restitución. La única conexión necesaria entre ellas es la obligación de restituir el enriquecimiento injustificado, que deriva (*ex post facto*) del hecho de que una de las partes ha obtenido un enriquecimiento injustificado a costa de la otra parte». Si bien puede existir una previa relación contractual o de otro tipo, no es necesaria ninguna relación anterior entre las partes; así como tampoco se requiere que el enriquecimiento injustificado lo haya facilitado directamente el acreedor al deudor de la pretensión. El demandante a cuya costa se ha obtenido el enriquecimiento y el enriquecido pueden ser tanto personas físicas como personas jurídicas. Por último, «los términos "persona" enriquecida o a cuya costa se obtiene el enriquecimiento (y consecuentemente el "tercero", el "representante" o el "intromisor" enriquecidos o que sufren la correspondiente desventaja) no se limitan de modo alguno a las personas que tienen plena capacidad jurídica. Entre los casos típicos de aplicación de las normas sobre enriquecimiento injustificado están aquellos que se realizan por o a menores de edad».

II. FUNDAMENTO

La doctrina y la jurisprudencia francesas han seguido diversos caminos tratando de buscar el fundamento de la pretensión de enriquecimiento: en la gestión de negocios (DEMOLOMBE), en la responsabilidad por riesgo, en la idea de equidad (RIPERT), en la idea de acto ilícito (PLANIOL), o bien se da la explicación de que es una elaboración jurisprudencial de generalización de ciertas soluciones legales (MARTY y RAYNAUD).

En el Derecho español tampoco hay acuerdo. De ahí que DÍEZ-PICAZO califique a nuestra doctrina de ambigua, y sintetice sus conclusiones indicando que «el enriquecimiento injusto o sin causa es fuente de obligaciones; esta "fuente" genera una obligación que es de reparación del perjuicio ocasionado; se reconoce como principio general del Derecho; se subraya la injusticia del enriquecimiento como fundamento».

La construcción jurisprudencial no es uniforme, pudiéndose distinguir tres hitos o momentos:

a) Una primera etapa, hasta el año 1934, en la que, como señala ÁLVAREZ CAPEROCHIPI, se estructura el enriquecimiento como un principio general en que subyace la idea de que «nadie debe enriquecerse torticeramente en perjuicio de otro», cuya aplicación queda garantizada por la «intuición de los Jueces». Se considera que el enriquecimiento debe haberse obtenido por medios ilícitos, reprobados o inmorales, exigiendo el Tribunal Supremo no sólo el empleo, sino también la prueba de dichos medios. Las palabras «causa» o «sin causa» no aparecen en ninguna sentencia anterior a esta fecha.

b) Una segunda fase, a partir de 1934, fecha en la que NÚÑEZ LAGOS publica su monografía *El enriquecimiento sin causa en el Derecho español*, en la que se va a distinguir entre acción y principio general del Derecho, caracterizándose a la primera por la ausencia de causa que justifique el enriquecimiento. La STS de 12 de enero de 1943 reconoce ambos aspectos al decir que «si bien el principio según el cual "nadie debe enriquecerse sin causa a costa de otro" está reconocido por copiosa jurisprudencia de esta Sala, que lo invocó para atender a múltiples situaciones en que la equidad exigía su aplicación, y dicha máxima, además, tiene en nuestro ordenamiento jurídico no sólo la significación de un principio general de Derecho aplicable como fuente de carácter subsidiario, sino muy acusadamente la de una institución jurídica recogida en una serie abundante de preceptos legales, siquiera sea en forma inconexa, sin verdadera y propia sistematización generalizadora (...)». Por todo ello, «no basta invocar el principio de que se trata, a modo de una regla general y abstracta, sino que es preciso demostrar y justificar en cada caso la procedencia concreta de la acción de enriquecimiento en relación con las particularidades que presente el respectivo desplazamiento patrimonial y con los elementos y requisitos que ha de reunir la acción de enriquecimiento sin causa para ser un saludable postulado de equidad y justicia, y no un motivo de grave perturbación y trastorno en la seguridad de las relaciones jurídicas». Por último, añade que, «aunque en el caso de estos autos se puede entender que concurre el elemento del enriquecimiento, ya que éste puede producirse tanto por un aumento del patrimonio como por una no disminución del mismo, no se da en cambio el requisito de la falta de causa o justificación, pues con razón la doctrina científica más autorizada viene sosteniendo que si el enriquecimiento se basa en un acto del enriquecido mismo, sólo se dará la *condictio* cuando no compitiera a éste un derecho a la ejecución de este acto(...)»[2]. También se exige el empleo de medios *reprobados* para obtener el enriquecimiento[3], y se caracteriza la acción como subsidiaria.

c) Una tercera etapa, a partir de 1955, en la que se desplaza todavía más el centro de gravedad a la idea o falta de causa, afirmándose que el principio de que «nadie puede enriquecerse en perjuicio de otro» sólo tiene fundamento cuando se trata de un «enriquecimiento sin razón», cuando «falta la causa que justifica el enriquecimiento». Pero, además, se manifiestan dos importantes novedades: se declara que la acción es independiente de la buena o mala fe en la obtención del enriquecimiento, y comienza a dudarse o negarse su carácter subsidiario[4].

El concepto de *causa* a que se hace referencia no coincide con el de causa del contrato[5]. Como dice la STS de 28 de marzo de 1990, por «causa justa» debe entenderse aquella situación jurídica que autoriza, de conformidad con el ordenamiento jurídico, al beneficiario de la atribución patrimonial para recibir ésta y conservarla, bien porque exista un negocio jurídico válido y eficaz entre las partes, bien porque haya una expresa disposición legal que autoriza dicha consecuencia[6]. Por consiguiente, ausencia de causa implica ausencia de un negocio jurídico o de una disposición legal que fundamente y regule la adquisición de un bien o provecho (ÁLVAREZ CAPEROCHIPI).

---

2. RJ 1943, 17. Cfr. SSTS de 27 de diciembre de 1943 (RJ 1943, 1324) y 9 de abril de 1947 (RJ 1947, 898).
3. Cfr. STS de 22 de marzo de 1946 (RJ 1946, 273).
4. Cfr. SSTS de 12 de abril de 1955 (RJ 1955, 1126) y 28 de enero de 1956 (RJ 1956, 669).
5. Cfr. SSTS de 12 de abril de 1955 (RJ 1955, 1126), 10 de marzo de 1956 (RJ 1956, 1910) y 27 de marzo de 1958 (RJ 1958, 1456).
6. RJ 1990, 1736.

El artículo VII.-2:101 del DCFR señala: «(1) Un enriquecimiento es injustificado salvo que: (a) el enriquecido tenga derecho a obtenerlo a costa de otro en virtud de un contrato u otro acto jurídico, una resolución judicial o una norma jurídica; o (b) la persona a cuya costa se obtiene lo haya consentido libremente y sin error. (2) Si el contrato u otro acto jurídico, la resolución judicial o la norma jurídica referidos en el apartado (1)(a) son nulos, han sido anulados o resultan ineficaces por otro motivo con efecto retroactivo, el enriquecido no tiene derecho al enriquecimiento que proceda de aquéllos. (3) No obstante, el enriquecido sólo tendrá derecho al enriquecimiento obtenido en virtud de una norma jurídica cuando el fin de ésta sea permitir que el enriquecido conserve el valor del enriquecimiento. (4) El enriquecimiento también es injustificado cuando: (a) la persona a cuya costa se obtiene lo hubiere otorgado: (i) para un fin que no se ha conseguido; o (ii) con una expectativa que no se ha cumplido; (b) el enriquecido conocía, o cabe razonablemente esperar que conocía el fin o la expectativa; y (c) el enriquecido aceptó, o cabe razonablemente suponer que aceptó que, en dichas circunstancias, debía restituirse el enriquecimiento».

III. REQUISITOS DE LA ACCIÓN DE ENRIQUECIMIENTO

Según la jurisprudencia, los _requisitos_ de la acción de enriquecimiento son los siguientes: enriquecimiento del demandado, correlativo empobrecimiento del actor, conexión entre enriquecimiento y empobrecimiento, falta de causa que justifique el enriquecimiento, e inexistencia de un precepto legal que excluya la aplicación del enriquecimiento sin causa[7].

En palabras de la STS de 15 de noviembre de 1990, «una jurisprudencia ya antigua y tradicional que tomó como base un conocido texto de Las Partidas en el que se decía que ninguno debe enriquecerse torticeramente en daño de otro (7,34,17), ha venido insistiendo en que los requisitos que debe reunir toda pretensión de enriquecimiento se concretan en la adquisición de un provecho o ventaja patrimonial por el demandado con el correlativo empobrecimiento del actor, la debida conexión entre enriquecimiento y empobrecimiento y la carencia de causa que justifique dicho enriquecimiento»[8].

A) _Enriquecimiento por parte del demandado,_ representado por la obtención de una ventaja patrimonial, que puede producirse tanto por un aumento del patrimonio (_lucrum emergens_) como por una no disminución del mismo (_damnum cesans_)[9]. El empobrecimiento no tiene por qué consistir siempre en el desprendimiento de valores patrimoniales, pues lo puede constituir la pérdida de expectativas y el abandono de la actividad en beneficio propio por la dedicación en beneficio de otro[10]. El

---

7. Cfr. SSTS de 28 de enero de 1956 (RJ 1956, 669), 26 de noviembre de 1967 (RJ 1967, 4160), 20 de noviembre de 1964 (RJ 1964, 5394), 1 y 5 de diciembre de 1980 (RJ 1980, 4732 y 4736), 22 de mayo de 1989 (RJ 1989, 3874), 19 de diciembre de 1996 (RJ 1996, 9218), 12 de julio de 2000 (RJ 2000, 6686), 17 de marzo y 17 de junio de 2003 (RJ 2003, 2594 y 4605), 15 de junio de 2004 (RJ 2004, 3847) y 18 de noviembre de 2005 (RJ 2005, 7733).
8. RJ 1990, 8712.
9. Cfr. SSTS de 12 de enero de 1943 (RJ 1943, 17), 28 de enero de 1956 (RJ 1956, 669) y 27 de septiembre de 2004 (RJ 2004, 6184).
10. Cfr. SSTS de 17 de junio de 2003 (RJ 2003, 4605), 9 de febrero de 2006 (RJ 2006, 546) y 8 de mayo y 30 de octubre de 2008 (RJ 2008, 3345 y 404).

aumento de valor del patrimonio del demandado puede deberse a un incremento del activo (al ser consecuencia de la adquisición de una cosa o de un derecho real o de crédito o de aumento de valor de las cosas o derechos como consecuencia de mejoras, edificaciones, etc.) o a una disminución del pasivo (por ej.: extinción de una deuda, liberación de una carga o gravamen, etc.). El enriquecimiento negativo se produce cuando se evita una disminución del patrimonio, es decir, se evitan unos gastos, como sucede en todos aquellos supuestos en que hay consumo de cosas pertenecientes a otro, o servicios recibidos o expensas hechas por un tercero.

El artículo VII.-3:101(1) del DCFR señala que «una persona se enriquece mediante: (a) el incremento de activos o la disminución de obligaciones; o (b) la recepción de un servicio u otra prestación análoga; o (c) el uso de activos ajenos».

B) *Empobrecimiento del actor*, representado a su vez por un daño, y que puede consistir en un daño positivo (*damnum emergens*) o en un lucro frustrado (*lucrum cesans*), del que haya sido consecuencia el enriquecimiento del demandado. Es decir, es necesario que el enriquecimiento se haya producido a costa de otro o, a la inversa, que el empobrecimiento sea consecuencia de aquél[11].

Según el artículo VII.-3:102(1) del DCFR, «una persona soporta una desventaja por: a) la disminución de activos o el incremento de obligaciones; o (b) la realización de un servicio u otra prestación análoga; o (c) el uso que otro hace de sus activos». El apartado 2 del mismo artículo añade que «para determinar si y en qué medida una persona soporta una desventaja, no deberá tenerse en cuenta el enriquecimiento que dicha persona obtenga a cambio o como consecuencia de esa desventaja».

C) *Conexión entre el enriquecimiento y el empobrecimiento*. Tiene que haber una relación de causalidad material: el beneficio que uno experimenta ha de ser consecuencia del perjuicio que el otro sufre, es decir, el enriquecimiento es causa del empobrecimiento y, por tanto, el primero es efecto del segundo. Ello da lugar a que, como dice la STS de 5 de octubre de 1985, se exija como requisito de la acción «el correlativo empobrecimiento del actor, de suerte que, aun cuando el demandado se haya enriquecido sin causa, no podrá aquél reclamar sino hasta el límite de su propio empobrecimiento», y no en cuanto al exceso[12].

Según la STS de 30 de marzo de 1988, «la noción "sin causa" es la primordial y definitiva en la teoría del enriquecimiento injusto (...), pues se pretende corregir adjudicaciones patrimoniales antijurídicas, es decir contrarias a la ley, y lo decisivo no es la relación directa entre ambos patrimonios, sino la existencia de un vínculo de conexión suficiente entre el patrimonio supuestamente enriquecido y el que ha sufrido las pérdidas»[13]. En este sentido, no es necesario que el enriquecimiento del demandado provenga directamente del empobrecimiento del actor y, por tanto, del patrimonio de éste, sino que puede provenir de otro patrimonio al cual el actor había enriquecido. Sin embargo, el Tribunal Supremo exige que el desplazamiento patrimonial sea «directo, que conexione inequívocamente los dos patrimonios, el supuestamente enriquecido de una de las partes y el empobrecido de la otra» y, en consecuencia,

---

11. Cfr. SSTS de 31 de octubre de 1951 (RJ 1951, 2364), 5 de octubre de 1985 (RJ 1985, 4840) y 27 de septiembre de 2004 (RJ 2004, 6184).
12. RJ 1985, 4840.
13. RJ 1988, 2570.

declara no haber lugar a la acción de enriquecimiento cuando el desplazamiento patrimonial se ha producido «a través de terceras personas extrañas a este desequilibrio económico»[14]. Por consiguiente, la correlación entre enriquecimiento y empobrecimiento es la medida en que uno determina el otro[15].

El artículo VII.-4:101(1) del DCFR determina que «el enriquecimiento se obtiene a costa de otro, cuando éste: (a) transmite un activo al enriquecido; (b) realiza un servicio u otra prestación análoga al enriquecido; (c) soporta que el enriquecido use un activo que le pertenece, especialmente cuando al hacerlo infrinja derechos u otros intereses jurídicamente protegidos de aquél; (d) incorpora una mejora en un activo del enriquecido; o (e) libera al enriquecido de una obligación»

D) *Falta de causa que justifique el enriquecimiento.* La acción, según la jurisprudencia, requiere para que tenga éxito la falta de causa en el desplazamiento patrimonial y consiguiente ventaja adquirida[16]. El resultado injustificado es la esencia y núcleo del principio impeditivo del enriquecimiento[17]. El enriquecimiento sin causa supone una subsidiariedad que implica la falta de causa que justifique la atribución patrimonial realizada, de modo que si tal atribución se hace «a plena voluntad y a sabiendas» por el autor, no puede luego ampararse en una falta de causa, pues ésa ha sido la voluntad del autor[18].

En palabras de la STS de 17 de junio de 2003, «la falta de causa no es otra cosa que la carencia de razón jurídica que fundamente la situación. La causa (en el sentido de "razón" o "base" suficiente) no es, desde el punto de vista jurídico, otra cosa –como sostiene un importante sector doctrinal– que un concepto-válvula para poder introducir elementos de carácter valorativo, y decidir de tal manera acerca de la justificación, o falta de la misma, en un supuesto determinado»[19].

Pero no se exige que el enriquecimiento proceda del empleo de medios reprobables[20] o mala fe, sino que es suficiente que el enriquecido haya experimentado una ganancia sin causa o sin derecho, lo que es compatible con la buena fe[21]. Y no se enriquece torticeramente el que adquiere una utilidad en virtud de un contrato legal que no ha sido invalidado[22], o en virtud de un legítimo derecho que se ejercita sin abuso[23], o en virtud de una sentencia que lo estima procedente en Derecho[24].

Por lo que se refiere a los contratos, como advierten Díez-Picazo y Gullón, «hay que subrayar que la existencia de un contrato válido excluye la acción, pero la nulidad absoluta o relativa del mismo o su resolución o rescisión posterior se gobierna por las

---

14. Cfr. STS de 22 de octubre de 1991 (RJ 1991, 8232).
15. Cfr. STS de 17 de junio de 2003 (RJ 2003, 4605).
16. Cfr. STS de 10 de diciembre de 2004 (RJ 2004, 8122).
17. Cfr. STS de 12 de julio de 2000 (RJ 2000, 6686).
18. Cfr. STS de 23 de julio de 2010 (RJ 2020, 6574).
19. RJ 2003, 4605.
20. Cfr. SSTS de 5 de julio de 1948 (RJ 1948, 1117) y 5 de enero de 1956 (RJ 1956, 653), entre otras, que sí lo exigían.
21. Cfr. SSTS de 6 de junio de 1951 (RJ 1951, 1877) y 16 de junio de 1952 (RJ 1952, 1514).
22. Cfr. SSTS de 29 de abril de 1947 (RJ 1947, 607) y 27 de marzo de 2000 (RJ 2000, 2428).
23. Cfr. SSTS de 5 de diciembre de 1953 (RJ 1954, 673), 20 de enero de 1955 (RJ 1955, 121) y 10 de junio de 1955 (RJ 1955, 2302).
24. Cfr. SSTS de 21 de mayo de 1948 (RJ 1948, 773), 10 de junio de 1955 (RJ 1955, 2302), 2 de enero de 1991 (RJ 1991, 101) y 14 de diciembre de 1994 (RJ 1994, 10111).

propias normas que el Código civil dedica a estas materias». La STS de 27 de marzo de 2000 dice que «la doctrina jurisprudencial del enriquecimiento injustificado tiene como finalidad la reparación de un empobrecimiento, no modificar cláusulas contractuales libremente convenidas»[25].

E) *Inexistencia de precepto legal que excluya la aplicación del enriquecimiento sin causa*[26]. CASTÁN cita como ejemplos de normas que excluyen la acción de enriquecimiento los supuestos en que el Código civil permite hacer suyas las mejoras útiles o de recreo al vencedor en la posesión (art. 455), al nudo propietario (art. 487) y al arrendador (art. 1573), respecto al poseedor de mala fe, al usufructuario y al arrendatario, respectivamente.

Como dice la STS de 14 de diciembre de 1994, para la aplicación de la doctrina del enriquecimiento injustificado no es necesario que exista negligencia, mala fe o un acto ilícito por parte del demandado como supuestamente enriquecido, sino que es suficiente el hecho de haber obtenido una ganancia indebida, lo que es compatible con la buena fe. Por otro lado, la existencia de dolo o mala fe por parte del demandado, que podrá dar lugar a la exigencia de otro tipo de responsabilidades, no basta, por sí sola, para dar vida a la figura del enriquecimiento sin causa, si no concurren todos los requisitos que condicionan su existencia[27].

IV. CASOS DE APLICACIÓN

Los casos de enriquecimiento sin causa en los que es de aplicación la acción son, siguiendo la enumeración de ÁLVAREZ CAPEROCHIPI, los siguientes:

a) Uso de cosa ajena sin título, como ocurre en el caso de posesión durante cierto tiempo de una finca que hay que entregar en virtud de una sentencia interdictal[28], en el de ocupación de local de negocio por traspaso ilegal que obliga al pago de la renta aunque no exista relación arrendaticia[29] o continuación en la posesión del local arrendado después de la extinción del contrato[30].

b) Consumo de cosa ajena sin título, en cuanto supone el ahorro de un gasto. Se produce en el caso de intrusión minera y aprovechamiento de materiales de una concesión ajena[31], o por destino de fondos confiados para un negocio en provecho de una sociedad propia[32].

c) Empleo sin título de una actividad profesional, por no abonar los honorarios profesionales de un abogado conforme a un contrato después de declararlo nulo[33].

---

25. RJ 2000, 2428.
26. Cfr. SSTS de 23 de marzo de 1966 (RJ 1966, 1296), 24 de enero de 1975 (RJ 1975, 95), 8 de enero de 1980 (RJ 1980, 79), 27 de septiembre de 2004 (RJ 2004, 6184) y 21 de octubre de 2005 (RJ 2005, 7707).
27. RJ 1994, 1011. Cfr. SSTS de 23 y 31 de marzo de 1992 (RJ 1992, 227 y 2315), de 30 de septiembre de 1993 (RJ 1993, 6754) y 23 de octubre de 2003 (RJ 2003, 7764).
28. Cfr. STS de 6 de junio de 1951 (RJ 1951, 1877).
29. Cfr. STS de 13 de mayo de 1965 (RJ 1965, 2593).
30. Cfr. STS de 27 de noviembre de 1992 (RJ 1992, 9595).
31. Cfr. SSTS de 12 de abril de 1955 (RJ 1955, 1126).
32. Cfr. STS de 22 de diciembre de 1962 (RJ 1962, 4966).
33. Cfr. STS de 10 de abril de 1962 (RJ 1962, 2263).

d) Incorporación de provechos a una cosa inmueble, como es el caso del demandado que, para preparar el matrimonio de su hija con el actor, consintió que éste hiciera las obras de adaptación necesarias en la casa, propiedad de su esposa, que iba a habitar el futuro matrimonio y que después no se celebra[34]; o cuando el hijo reclama el importe de las obras realizadas en la vivienda de su madre, con la que convivía[35].

e) Doble cobro por la misma prestación, cuando además de cobrar la indemnización por ruina de una casa se utilizan o se venden los materiales de la misma[36].

Como indica el citado autor, estos supuestos no implican incompatibilidad con aquellos otros que se encuentran recogidos en normas positivas y que, por lo tanto, suponen el ejercicio de una acción personal equilibradora de desvíos patrimoniales consumados y en los que no existe una causa que los legitime.

V. CONTENIDO

Como dice la STS de 25 de noviembre de 1985, «la acción de enriquecimiento tiene por ámbito el beneficio efectivamente obtenido por el deudor, sin que pueda excederlo, pero tiene también otro límite infranqueable igualmente, que es el constituido por el correlativo empobrecimiento, debiendo regirse por la cifra inferior, de suerte que, aun cuando el demandado se haya enriquecido sin causa, no podrá el actor reclamar sino hasta el límite de su propio empobrecimiento»[37].

En el caso de que no exista esta correlación entre empobrecimiento y enriquecimiento, se plantea la cuestión de determinar si ante la inexistencia de empobrecimiento cabe ejercitar la acción de enriquecimiento. ÁLVAREZ CAPEROCHIPI opina que la medida del enriquecimiento que determina la cuantía restitutoria objeto de la acción no está limitada por el correlativo empobrecimiento, a cuyo efecto sitúa el centro de gravedad de la acción únicamente en el enriquecimiento; pues considera que «sólo tomando un concepto de empobrecimiento correlativo al de enriquecimiento, por tanto (a su juicio), superfluo, y definiéndolo como el enriquecimiento que se debía haber obtenido, puede afirmarse indiscriminadamente que el empobrecimiento sea un elemento de la acción».

El momento en que se deberá valorar el enriquecimiento es el del día de la interposición de la demanda. Sin embargo, SANTOS BRIZ considera que no es este momento, sino el de ejecución de la sentencia, añadiendo que «de esta forma se obtiene que la recuperación de un valor en que consiste la acción de enriquecimiento se haga efectivamente a salvo de la disminución del valor de la moneda. Únicamente puede hacerse salvedad a este criterio cuando la restitución consista en una cosa que se conserve invariable al ser reclamada respecto de cómo se hallaba al tener lugar el desplazamiento patrimonial que se trata de reparar». Desde luego, habrá que atender a la buena o mala fe del que se ha enriquecido, aplicándose las reglas especiales contenidas en los artículos 1896 y 1897 del CC. Por consiguiente, el que se enriqueció de mala fe deberá abonar el interés legal cuando se trate, de capitales, o los frutos percibidos o debidos percibir cuando la cosa recibida los produjere.

---

34. Cfr. STS de 27 de marzo de 1958 (RJ 1958, 1456).
35. Cfr. STS de 25 de noviembre de 1985 (RJ 1985, 5898).
36. Cfr. STS de 24 de marzo de 1952 (RJ 1952, 1209).
37. RJ 1985, 5898. Cfr. STS de 5 de octubre de 1985 (RJ 1985, 4840).

VI. SUBSIDIARIEDAD Y PRESCRIPCIÓN

Es una cuestión discutida por la doctrina si la acción de enriquecimiento tiene o no carácter o naturaleza *subsidiaria*. Hay autores que piensan que la acción de enriquecimiento sólo procede cuando el actor no dispone de otro remedio para obtener la reintegración del equivalente, postura que ha sido seguida por el Tribunal Supremo al calificar la acción de subsidiaria en muchas sentencias. Así, por ejemplo, la STS de 7 de noviembre de 1947 dice que «para invocar en casación un principio general de Derecho no basta que se halle reconocido por la ley o la doctrina legal, sino que es preciso también, dado su carácter de fuente subsidiaria, conforme a lo establecido en el artículo 6 (hoy art. 1.4), que se haga necesaria su aplicación por falta de norma o costumbre aplicable al punto controvertido»[38]. Por su parte, la STS de 19 de febrero de 1999 afirma que «la acción de enriquecimiento debe entenderse subsidiaria, en el sentido de que cuando la ley conceda acciones específicas en un supuesto regulado por ella para evitarlo, son tales acciones las que se deben ejercitar, y ni su fracaso ni su falta de ejercicio legitiman para el de la acción de enriquecimiento»[39].

> Si bien la STS de 19 de mayo de 1993 declaró que «el requisito de la subsidiariedad, propio del Derecho italiano, no es unánimemente exigido ni por la doctrina ni por la jurisprudencia española, y es posible negar la existencia de dicho requisito como regla general»[40], no puede obviarse el hecho de que otras sentencias del Tribunal Supremo que también se decantaron por el criterio contrario al de la subsidiariedad a lo largo de los años noventa del siglo pasado lo hicieron como meros *obiter dicta*, que no crean ninguna jurisprudencia vinculante[41].

Pero el problema se plantea fundamentalmente cuando existen diversas pretensiones, en cuyo caso el Tribunal Supremo niega la subsidiariedad como regla general y se pronuncia a favor de la concurrencia de acciones diferentes. En este sentido, la STS de 12 de abril de 1955 señala cómo el hecho de la intrusión minera «pudiera ser determinante del ejercicio de diferentes acciones, como la interdictal para retener o recobrar la posesión, la reivindicatoria para obtener la devolución del mineral extraído o la sustitutoria del equivalente pecuniario, y la declarativa de culpa»; caso en el cual declara que «se estaría en presencia de concurrencia de acciones que no tienen orden preestablecido de preferencia y exclusión, por lo que el titular del derecho lesionado podría ejercitar la que juzgue más adecuada»; afirmando a continuación que «la acción de restitución por enriquecimiento torticero tiene sustantividad propia frente a la de indemnización de daños y perjuicios, de la que la independizan múltiples notas diferenciales que la doctrina científica ha señalado, entre las que conviene destacar, por su aplicación al caso de autos, estas dos: la acción aquiliana requiere en el provocador la concurrencia de un hecho ilícito, culposo o negligente, que no resulta afirmado en la sentencia recurrida, y la *condictio* puede surgir por el solo hecho del desplazamiento patrimonial indebido, incluso con ignorancia o de buena fe por parte del provocador, cual ocurre frecuentemente en materia de intrusiones mineras;

38. Cfr. SSTS de 12 de enero de 1943 (RJ 1943, 17), 14 de febrero de 1956 (RJ 1956, 703) y 22 de diciembre de 1962 (RJ 1962, 4966).
39. RJ 1999, 1055. Cfr. SSTS de 14 de diciembre de 1994 (RJ 1994, 1011), 28 de febrero de 2003 (RJ 2003, 7764), 9 de febrero de 2006 (RJ 2006, 546), 22 de febrero de 2007 (RJ 2007, 2233) y 7 de diciembre de 2011 (RJ 2011, 31).
40. RJ 1993, 3803.
41. Cfr. STS de 19 de febrero de 1999 (RJ 1999, 1055).

y, por otra parte, la acción de enriquecimiento supone siempre en el autor del hecho un incremento de patrimonio, que no es indispensable en el supuesto de la acción aquiliana»[42].

En este caso había prescrito la acción de daños, lo que explica por qué el Tribunal Supremo dio lugar a la acción de enriquecimiento, a la vez que advirtió que muy nutrida doctrina científica repudia la tesis de que la *condictio* funcione siempre como norma subsidiaria del Derecho. En este mismo sentido, también la STS de 5 de mayo de 1964 declaró que la acción de restitución por enriquecimiento torticero tiene sustantividad propia frente a la de indemnización de daños y perjuicios[43]. Es por todo ello que no puede predicarse la subsidiariedad como regla general, de modo que cuando la acción de enriquecimiento concurra con otras, su titular puede ejercitarlas sucesivamente o elegir entre ellas, siempre que se trate de acciones con distinto fundamento, sometidas a regímenes jurídicos diversos y con diferentes plazos de prescripción.

La acción de enriquecimiento es personal, por lo que su plazo de prescripción, al no estar específicamente señalado, será el de quince años (art. 1964 CC)[44].

BIBLIOGRAFÍA

Álvarez Caperochipi, *El enriquecimiento sin causa*, 2.ª ed., Granada, 1989; íd., «El interés, el justiprecio y el enriquecimiento injusto», RCDI, 1984, p. 1183; Arias Ramos, «En torno a la génesis del enriquecimiento sin causa», AAMN, T. II, 1950, p. 10; Badosa Coll, «Les altres fonts d'obligacions al llibre sisè, en especial, l'enriquiment injustificat» en AA VV (ed. Institut de Dret privat europeu i comparat de la Universitat de Girona), *Contractes, Responsabilitat extracontractual i altres fonts d'obligacions al Codi Civil de Cataluyna*, Girona, 2012, p. 357; Basozábal Arrúe, *Enriquecimiento injustificado por intromisión en derecho ajeno*, Madrid, 1998; Díez-Picazo, *La doctrina del enriquecimiento injustificado* (Discurso de ingreso en la Real Academia de Legislación y Jurisprudencia), Madrid, 1987; Fariña Fariña, *La restitución del enriquecimiento sin causa: un reto para el derecho español*, Cizur menor (Navarra), 2022; González Palomino, «En torno a la génesis del enriquecimiento sin causa», RGLJ, 1944, p. 430; Lacruz, «Notas sobre el enriquecimiento sin causa», RCDI, 1969, p. 569; Moisset de Espanés, «Notas sobre el enriquecimiento sin causa», RGLJ, 1980, p. 263; Núñez Lagos, *El enriquecimiento sin causa en el Derecho español*, Madrid, 1934; Roca Sastre/Puig Brutau, «El enriquecimiento sin causa», *Estudios de Derecho Privado*, T. I., Barcelona, 1948, p.485.

---

42. RJ 1955, 1126.
43. RJ 1964, 2208. Cfr. también STS de 27 de marzo de 1958 (RJ 1958, 1456).
44. Cfr. SSTS de 5 de mayo de 1964 (RJ 1964, 2208) y 24 de enero de 1975 (RJ 1975, 95).

Capítulo XXXIII
Conflictos de leyes y derecho de contratos

I. CONFLICTOS DE LEYES EN EL ESPACIO

1. Introducción

Es una evidencia que en el mundo coexisten comunidades jurídicas diferentes, provocando lo que algunos autores denominan una «incerteza constitucional» del tráfico externo desde el punto de vista de los intercambios internacionales. Esta situación genera altos costes de transacción (de naturaleza jurídica y económica) y de acceso a los mercados en detrimento del desarrollo del comercio internacional de manera que con el fin de corregir esa incerteza caben dos respuestas distintas, y, al mismo tiempo, complementarias:

De una parte, son los propios operadores y agentes económicos los que toman la iniciativa, al margen de legisladores y autoridades públicas, dotándose de sus propios mecanismos para regular sus transacciones y eventualmente resolver los litigios que pudieran surgir. Entre sus manifestaciones destaca lo que se conoce como *lex mercatoria* o conjunto de reglas, usos y prácticas que tienen arraigo en sectores concretos del tráfico internacional de bienes y servicios. Asimismo, el «arbitraje comercial internacional» es otro ejemplo del protagonismo adquirido por los particulares en el ámbito de las actividades económicas de naturaleza global, en este segundo caso para resolver los conflictos que se produzcan entre los operadores del mercado. UNIDROIT (Instituto Internacional para la Unificación del Derecho Privado) y la Cámara de Comercio Internacional, con sede en París, son, en este contexto, instituciones claves que han contribuido a moldear y desarrollar dicha *lex mercatoria.*

Por otro lado, son los Estados los protagonistas del proceso al uniformar determinadas áreas de sus ordenamientos y establecer también mecanismos de reconocimiento de las decisiones de sus autoridades. Los principales ejemplos en esta ocasión son los relativos a los títulos valores, a la compraventa internacional, y, sobre todo, a los contratos de transporte internacional, que se han visto impulsados en particular por las iniciativas desenvueltas por UNCITRAL (Comisión de la Naciones Unidas para el Derecho mercantil internacional) a lo largo de los últimos cuarenta años. Por otra parte, los Estados también se ocupan de unificar sus normas respectivas de Derecho internacional privado que resuelven los conflictos de leyes en materia de contratos. Esta última actividad, y sus resultados subsiguientes, son objeto de estudio en el presente Capítulo.

Desde la reforma del Título Preliminar del Código civil en 1974, el artículo 10.5 del CC ha sido la norma central del sistema español de Derecho internacional privado en materia de contratos, situación que sólo ha cambiado tras la ratificación y posterior publicación en nuestro país del Convenio de Roma sobre la ley aplicable a las obligaciones contractuales de 19 de junio de 1980[1], que entró en vigor para España el 1 de septiembre de 1993 de conformidad con lo dispuesto por el artículo 17 del Convenio[2]. El Convenio de Roma no formaba parte, *stricto sensu*, del Derecho comunitario, ya que había surgido por vía convencional entre los Estados de la entonces Comunidad Económica Europea con el fin de asegurar unas reglas de conflicto uniformes en el mercado interior, debiendo ser ratificado por los demás Estados que se fueron incorporando posteriormente a la Comunidad. Tras la modificación introducida en el Tratado constitutivo de la Comunidad por el Tratado de Ámsterdam, la adopción de medidas en el ámbito de la cooperación judicial en materia civil pasó a ser competencia comunitaria, mencionándose expresamente, no sólo el reconocimiento y la ejecución de resoluciones en asuntos civiles y mercantiles, incluidos lo extrajudiciales, sino también, «la compatibilidad de las normas aplicables en los Estados miembros sobre conflictos de leyes y de jurisdicción»[3]. Se permitía así a la Unión Europea transformar los Convenios sobre Derecho internacional privado, concluidos en el pasado por la propia Comunidad Europea, en normas institucionales de la propia Comunidad. Ante este panorama, que ha sido refrendado en reformas posteriores de los Tratados[4], la adopción del Reglamento (CE) núm. 864/2007 del Parlamento Europeo y del Consejo de 11 de julio de 2007 relativo a la ley aplicable a las obligaciones extracontractuales («Roma II»)[5] vino a complicar aún más la situación, pues no tenía mucho sentido que las normas sobre conflictos de leyes en materia de obligaciones no contractuales estuviesen regidas por un Reglamento comunitario y las normas sobre conflictos de leyes en materia de obligaciones contractuales lo fuesen por un Convenio internacional.

Por todo ello, no es de extrañar que en 2005 la Comisión Europea hubiera presentado una Propuesta de Reglamento sobre ley aplicable a las obligaciones contractuales, la cual poseía, en términos generales, la misma estructura y contenido que el

---

1. La versión consolidada del Convenio de Roma se publicó en DO C 334, de 30 de diciembre de 2005, p. 1.
2. El Convenio de adhesión de España y Portugal al Convenio de Roma fue firmado en Funchal el 18 de mayo de 1992.
3. Cfr. artículo 73 M del Tratado de Ámsterdam.
4. Cfr. artículo 81 TFUE (antiguo artículo 65 TCE).
5. DO L 199, de 31 de julio de 2007, p. 40.

entonces en vigor Convenio de Roma. Tras introducirse modificaciones importantes en dicha Propuesta, acabo convirtiéndose en el Reglamento (CE) núm. 593/2008 del Parlamento Europeo y del Consejo de 17 de junio de 2008 sobre la ley aplicable a las obligaciones contractuales (Roma I)[6], que entró en vigor el 24 de julio de 2008 (art. 29, párr. 1.º, Reglamento «Roma I»). Se aplica a los contratos celebrados después del 17 de diciembre de 2009 (art. 28 Reglamento «Roma I»).

Desde el punto de vista de la interpretación de las disposiciones del Reglamento «Roma I», el Convenio de Roma de 1980, el Reglamento «Roma II», el Reglamento «Bruselas I», el Reglamento «Bruselas I bis» y el propio Reglamento «Roma I» constituyen el cuerpo hermenéutico interno del Derecho internacional privado, lo que lleva a la aplicación del llamado «principio o postulado de continuidad de los conceptos». Es decir, cuando un término aparece en uno o dos más textos, debe recibir el mismo significado en todos ellos. Esto implica que las definiciones que ha ido elaborando el Tribunal de Justicia a propósito del Reglamento «Bruselas I» se entienden a los Reglamentos «Roma I» y «Roma II».

> Según el considerando 17 del Reglamento «Roma I», «por lo que se refiere a la ley aplicable a falta de elección, los conceptos de "prestación de servicios" y de "venta de mercaderías" deben interpretarse del mismo modo que al aplicar el artículo 5 del Reglamento (CE) n.º 44/2001, en cuanto la venta de mercaderías y la prestación de servicios están cubiertos por dicho Reglamento. Aunque los contratos de franquicia y de distribución son contratos de servicios, están sujetos a normas específicas».

No obstante, se trata de un mero principio de interpretación, que debe combinarse con otros criterios. En la práctica, funciona como una regla sobre la carga de la argumentación de las partes de modo que quien pretenda dar a un término un sentido distinto del desarrollado por la jurisprudencia comunitaria para otros instrumentos comunitarios deberá asumir la carga de justificar las razones de dicha divergencia (GARCIMARTÍN).

2. Competencia judicial internacional

En materia de competencia judicial internacional, el sistema español relativo a las obligaciones contractuales se basa en las disposiciones del Reglamento (CE) núm. 44/2001 del Consejo de 22 de diciembre de 2000 relativo a la competencia judicial, el reconocimiento y la ejecución de resoluciones judiciales en materia civil y mercantil (Reglamento «Bruselas I»)[7], que vino a sustituir al Convenio de Bruselas de 27 de septiembre de 1968[8], y que entró en vigor el 1 de marzo de 2002 (art. 76 Reglamento «Reglamento Bruselas I»). Sin embargo, las acciones que se ejerciten a partir del 10 de enero de 2015 se regirán por las disposiciones del Reglamento (UE) núm. 1215/2012 del Parlamento Europeo y del Consejo de 12 de diciembre de 2012

---

6.   DO L 177, de 4 de julio de 2008, p. 6.
7.   DO L 12, de 16 de enero de 2001, p. 1.
8.   Convenio relativo a la competencia judicial y a la ejecución de resoluciones judiciales en materia civil y mercantil, hecho en Bruselas el 27 de septiembre de 1968, que entró en vigor el 1 de febrero de 1973. Fue modificado para dar cabida a los nuevos Estados miembros que fueron incorporándose a las Comunidades Europeas en las sucesivas ampliaciones que tuvieron lugar entre 1973 y 1995. En concreto, para el caso de España y Portugal, se modificó por el Convenio de 26 de mayo de 1989.

relativo a la competencia judicial, el reconocimiento y la ejecución de resoluciones judiciales en materia civil y mercantil (Reglamento «Bruselas I bis)» (art. 81, párr. 2.°, Reglamento «Bruselas I bis»), que entró en vigor el 9 de enero de 2013 (art. 81, párr. 1.°, Reglamento «Bruselas I bis»).

Antes de exponer brevemente el régimen de competencia contenido en el Reglamento «Bruselas I», modificado por el Reglamento «Bruselas I bis», debe aludirse a las numerosas excepciones que afectan a dicho régimen jurídico, particularmente respecto de los contratos internacionales de naturaleza mercantil en los que se suele acudir a mecanismos extrajudiciales de solución de controversias, en particular el arbitraje comercial internacional. Pero es que, además, cuando el demandado no tenga su domicilio en un Estado parte del Reglamento «Bruselas I bis» y no exista una cláusula válida de elección de fuero de los tribunales de un Estado miembro, se aplicarán las reglas de competencia judicial internacional contenidas en la Ley orgánica del poder judicial (art. 22.3.° y 4.° LOPJ). Finalmente, las normas de competencia judicial previstas en el Reglamento «Bruselas I bis» coexisten con otras reglas específicas contenidas en otros textos convencionales, e incluso en el propio Derecho comunitario derivado.

Por otra parte, el Convenio relativo a la competencia judicial, el reconocimiento y la ejecución de resoluciones judiciales en materia civil y mercantil, hecho en Lugano, el 30 de octubre de 2007 (Convenio «Lugano II»)[9], que entró en vigor el 1 de enero de 2010[10], se aplicará cuando el demandado estuviere domiciliado en un Estado parte del mismo que no fuere miembro de la Unión Europea (Islandia, Noruega y Suiza), o cuando se otorgue competencia a los tribunales de dicho Estado contratante (art. 23 Reglamento «Bruselas I» y art. 25 Reglamento «Bruselas I bis»). Sólo prevalecerán frente al régimen jurídico establecido por los Reglamentos de Bruselas los convenios internacionales que contengan normas especiales de competencia judicial internacional, siempre que hubieran sido ratificados antes de la entrada en vigor del Reglamento «Bruselas I». En el caso español, tales convenios tienen que ver con el transporte aéreo internacional, el transporte internacional de mercancías por carretera, el transporte por ferrocarril, el transporte de pasajeros y equipajes por mar, el embargo preventivo de buques y el transporte internacional de mercancías total o parcialmente marítimo.

En principio, cuando el demandado tenga su domicilio en un Estado miembro, estará sometido, sea cual fuere su nacionalidad, a los órganos jurisdiccionales de dicho Estado (art. 2.1 Reglamento «Bruselas I» y art. 4.1 Reglamento «Bruselas I bis»). Sin embargo, este criterio general se combina con los foros especiales que tanto el Reglamento «Bruselas I» como el Reglamento «Bruselas I bis» reconocen al respecto. Las personas domiciliadas en un Estado miembro podrán ser demandadas en otro Estado miembro en materia contractual ante el tribunal del lugar en el que se hubiere cumplido o debiera cumplirse la obligación que sirve de base a la demanda. A efectos

---

9. DO L339, de 21 de diciembre de 2007, p. 3.
10. La Unión Europea lo ratificó, excluyendo a Dinamarca, el 18 de mayo de 2009. Noruega lo hizo el 1 de julio de 2009. Finalmente, Dinamarca lo ratificó el 24 de septiembre de 2009. Por consiguiente, de acuerdo con lo previsto en el artículo 69 del Convenio «Lugano II», dicho Convenio entró en vigor para todos los Estados miembros de la Unión Europea, incluyendo también a Dinamarca, y para Noruega el 1 de enero de 2010.

de la presente disposición, y salvo pacto en contrario, dicha lugar será: cuando se trate de una compraventa de mercaderías, el lugar del Estado miembro en el que, según el contrato, hubieren sido o debieren ser entregadas las mercaderías; cuando se trate de una prestación de servicios, el lugar del Estado miembro en el que, según el contrato, hubieren sido o debieren ser prestados los servicios (art. 5 Reglamento «Bruselas I» y art. 7 Reglamento «Bruselas I bis».

Los Reglamentos «Bruselas I» y «Bruselas I bis» contienen, además, foros especiales relativos a concretas obligaciones contractuales: cuando se trate de obligaciones de garantía, reconvención derivada del contrato, acción contractual acumulable con otra relativa a derechos reales inmobiliarios. (art. 6 Reglamento «Bruselas I» y art. 8 Reglamento «Bruselas I bis»); contratos de seguro (art.6 Reglamento «Bruselas I» y art. 8 Reglamento «Bruselas I bis» y art. 10 Reglamento «Bruselas I» y art. 16 Reglamento «Bruselas I bis»); contratos celebrados por los consumidores (art. 15 Reglamento «Bruselas I» y art. 17 Reglamento «Bruselas I bis» y art. 17 Reglamento «Bruselas I» y art. 19 Reglamento «Bruselas I bis»); arrendamiento de inmuebles (art. 22.1.º Reglamento «Bruselas I» y art. 24.1.º Reglamento «Bruselas I bis»); sociedades (art. 22.2.º Reglamento «Bruselas I» y art 24.2.º Reglamento «Bruselas I bis) y contrato de trabajo (arts. 18-21 Reglamento «Bruselas I» y arts. 20-23 Reglamento «Bruselas I bis»).

Tiene especial interés el foro especial en materia de litigios relativos a la explotación de sucursales, agencias o cualquier otro establecimiento, el cual permite demandar «ante el órgano jurisdiccional en que se hallen sitos» (art. 5.5.º Reglamento «Bruselas I» y art. 7.5.º Reglamento «Bruselas I bis»).

En los supuestos en que no quepa aplicar el régimen de Bruselas, o de cualquier otro texto internacional, habrá que acudir a las soluciones previstas en el artículo 22 de la LOPJ. Con carácter general, el núm. 2 del artículo 22 de la LOPJ establece con carácter general la competencia de los juzgados y tribunales españoles «cuando las partes se hayan sometido expresa o tácitamente a los Juzgados o Tribunales españoles, así como cuando el demandado tenga su domicilio en España». Además, también serán competentes los tribunales españoles en materia de *arrendamientos de inmuebles* que se hallen en España (art. 22.1.º LOPJ). Lo mismo se aplica en materia de *contratos de consumidores*, cuando el comprador tenga su domicilio en España si se trata de una venta a plazos de objetos muebles corporales o de préstamos destinados a financiar su adquisición; y en el caso de cualquier otro *contrato de prestación de servicio o relativo a bienes muebles*, cuando la celebración del contrato hubiere sido precedida por oferta personal o de publicidad realizada en España o el consumidor hubiera llevado a cabo en territorio español los actos necesarios para la celebración del contrato; en *materia de seguros*, cuando el asegurado y asegurador tengan su domicilio habitual en España; y en los litigios relativos a la *explotación de una sucursal, agencia o establecimiento mercantil*, cuando éste se encuentre en territorio español. En materia concursal se estará a lo dispuesto en su ley reguladora (art. 22.4.º LOPJ).

Por otra parte, el núm. 3 del artículo 22 de la LOPJ establece asimismo la competencia de los tribunales españoles «en materia de obligaciones contractuales, cuando éstas hayan nacido o deban cumplirse en España». Sin embargo, en los Reglamentos europeos se alude simplemente al lugar de cumplimiento de la obligación «que sirva de base a la demanda» (cfr. art. 5.1.º a) Reglamento «Bruselas I» y art. 7.1.º a)

Reglamento «Bruselas I bis», lo que plantea algunos problemas interpretativos. No parece entonces razonable intentar acomodar la norma estatal a la europea, pues aquélla ha añadido el foro de celebración del contrato (*forum celebrationis*) al de cumplimiento o ejecución (*forum executionis*).

II. DERECHO APLICABLE

1. Introducción

Tal y como se ha indicado, el Reglamento «Roma I» ha sustituido al Convenio de Roma de 1980, constituyendo ambos el régimen general de Derecho aplicable a las obligaciones contractuales en el sistema jurídico español. La sustitución del Convenio de Roma por el Reglamento «Roma I» implica que las referencias que otros instrumentos comunitarios, o normas nacionales, puedan hacer al Convenio de Roma de 1980 se entenderán hechas, a partir de su fecha de aplicación, al Reglamento «Roma I». Por otra parte, la relación del Reglamento «Roma I» con otros instrumentos comunitarios se basa en el principio de especialidad, pues el artículo 23 del Reglamento salvaguarda, con excepción del contrato de seguro, «la aplicación de disposiciones del Derecho comunitario que, en materias concretas, regulen las normas de conflicto de leyes relativas a las obligaciones contractuales».

El considerando 40 del Reglamento «Roma I» dice que «el presente Reglamento se entiende sin perjuicio de la aplicación de otros instrumentos que establezcan disposiciones destinadas a contribuir al correcto funcionamiento del mercado interior, en la medida en que no puedan aplicarse junto con la ley designada por el presente Reglamento. La aplicación de las disposiciones de ley aplicable determinadas por el presente Reglamento no debe afectar a la libertad de circulación de bienes y servicios regulada por los instrumentos comunitarios (...)».

Como indica GARCIMARTÍN, los problemas principales se plantean a propósito de las Directivas sobre protección de los consumidores, puesto que muchas de ellas contienen una regla según la cual la elección por las partes de la ley de un tercer Estado no podrá privar a los consumidores de la protección que les brinda la Directiva cuando el contrato mantenga un vínculo estrecho con el territorio de los Estados miembros.

Es el caso del artículo 6.2 de la Directiva de cláusulas abusivas.

2. Ámbito de aplicación

2.1. *Ámbito material*

El artículo 1.1 del Reglamento «Roma I», señala que el Reglamento se aplicará a las obligaciones contractuales en materia civil y mercantil en las situaciones que impliquen un conflicto de leyes. No se aplicará, en cambio, a las materias fiscales, aduaneras y administrativas (art. 1.1, párr. 2.º, Reglamento «Roma I»).

A tenor del artículo 1.2 del Reglamento «Roma I», *se excluyen* del ámbito de aplicación del Reglamento:

a) El estado civil y la capacidad de las personas físicas, sin perjuicio de lo dispuesto en el artículo 13.

La capacidad es una cuestión sujeta al estatuto personal, pues el artículo 9.1 del CC señala que «la ley personal correspondiente a las personas físicas es la determinada por su nacionalidad. Dicha ley regirá la capacidad y el estado civil (...)». No obstante, el artículo 13 del Reglamento «Roma I» dice que «en los contratos celebrados entre personas que se encuentren un mismo país, las personas físicas que gocen de capacidad de conformidad con la ley de ese país solo podrán invocar su incapacidad resultante de la ley de otro país si, en el momento de la celebración del contrato, la otra parte hubiera conocido tal incapacidad o la hubiere ignorado en virtud de negligencia por su parte». Se trata de eliminar así los costes de información desproporcionados que implicarían en los contratos entre presentes la aplicación a la capacidad de la persona física de una ley distinta a la del lugar de celebración. De esta manera, la parte que fuere a celebrar el contrato con el presunto incapaz debería asumir el coste de informarse, en primer lugar, acerca de la nacionalidad o residencia de la otra parte contratante, y, en segundo lugar, averiguar las causas de incapacidad previstas en la ley distinta de la del lugar de celebración (Fernández Rozas y Sánchez Lorenzo).

b) Las obligaciones que se deriven de relaciones familiares y de relaciones que la legislación aplicable a las mismas considere que tienen efectos comparables, incluida la obligación de alimentos.

Según el considerando 8 del Reglamento «Roma I», «las relaciones familiares deben abarcar parentesco, matrimonio, afinidad y familia colateral. La referencia en el artículo 1, apartado2, a las relaciones con efectos análogo al matrimonio y otras relaciones familiares debe interpretarse de acuerdo con la legislación del Estado miembro en que se somete el asunto al tribunal».

c) Las obligaciones que se deriven de regímenes económicos matrimoniales, de regímenes económicos resultantes de relaciones que la legislación aplicable a las mismas considere que tienen efectos comparables al matrimonio, y de testamentos y sucesiones.

Estas materias se rigen por la ley personal de las personas afectadas, y subsidiariamente por la de la residencia habitual (art. 9.1 CC, en relación con arts. 9.3 y 9.8 CC).

d) Las obligaciones que se deriven de letras de cambio, cheques y pagarés, así como de otros instrumentos negociables en la medida en que las obligaciones nacidas de estos últimos instrumentos se deriven de su carácter negociable.

La exclusión en este caso se justifica por la existencia de Convenios internacionales sobre la materia que establecen un auténtico Derecho uniforme, como son el Convenio de Ginebra sobre ley uniforme en materia de letras de cambio y pagarés a la orden de 7 de junio de 1930 y el Convenio de Ginebra sobre ley uniforme en materia de cheques de 19 de marzo de 1931. Ambos Convenios han sido incorporados a los sistemas jurídicos de muchos de los Estados miembros de la Unión Europea. En todo caso, debe advertirse que, según el considerando núm. 9 del Reglamento «Roma I», «las obligaciones derivadas de letras de cambio, cheques y pagarés, así como de otros instrumentos negociables deben cubrir asimismo los conocimientos de embarque en la medida en que las obligaciones surgidas de estos últimos instrumentos se deriven de su carácter negociable».

e) Los convenios de arbitraje y de elección del tribunal competente.

Los acuerdos de elección de foro quedan excluidos, ya que corresponde a la ley del tribunal designado por las partes (*lex fori*) decidir si se acepta o no la sumisión. De modo que lo dispuesto por la ley rectora del contrato (*lex causae*) en que se inserte la mencionada cláusula de sumisión carece de relevancia. Lo mismo sucede con los convenios de arbitraje.

f) Las cuestiones pertenecientes al Derecho de sociedades, asociaciones y otras personas jurídicas, relativas a cuestiones como la constitución, mediante registro o de otro modo, la capacidad jurídica, el funcionamiento interno y la disolución de sociedades, asociaciones y otras personas jurídicas, así como la responsabilidad personal de los socios y administradores como tales con respecto a las obligaciones de la sociedad u otras personas jurídicas.

Se excluyen todos los acuerdos internos que dan vida a las personas jurídicas, así como todos los acuerdos externos entre personas jurídicas de toda índole, debiendo aplicarse el artículo 9.11 del CC, a cuyo tenor, «la ley personal correspondiente a las personas jurídicas es la determinada por su nacionalidad, y regirá en todo lo relativo a capacidad, constitución, representación, funcionamiento, transformación, disolución y extinción. En la fusión de sociedades de distinta nacionalidad se tendrán en cuenta las respectivas leyes personales».

g) La posibilidad para un intermediario de obligar frente a terceros a la persona por cuya cuenta pretende actuar, o para un órgano de obligar a una sociedad, asociación o persona jurídica.

El Reglamento «Roma I» solo excluye de su ámbito de aplicación la representación, que implica las relaciones jurídicas que puedan existir entre el tercero y el principal dependiendo de la circunstancia de que el representante se obligue o no frente al tercero con quien contrata. En cambio, el contrato de agencia, así como los contratos celebrados entre el agente y los terceros quedarán sujetos a las reglas de Derecho aplicable del Reglamento «Roma I». Esto supone que a la representación se aplique lo dispuesto por el artículo 10.11 del CC cuando afirma que «a la representación legal se aplicará la ley reguladora de la relación jurídica de la que nacen las facultades del representante, y a la voluntaria, de no mediar sometimiento expreso, la ley del país en donde se ejerciten las facultades conferidas».

h) La constitución de *trusts*, las relaciones entre los fundadores, administradores y beneficiarios;

El *trust* es una institución típicamente anglosajona que combina elementos típicos del Derecho de obligaciones con otros más propios del Derecho de sucesiones. Existe un Convenio sobre la ley aplicable al trust y a su reconocimiento de 1 de julio de 1985, que entró en vigor el 1 de enero de 1992, y que no ha sido ratificado por España.

i) Las obligaciones que se deriven de los tratos previos a la celebración de un contrato, pues según el considerando núm. 10 del Reglamento «Roma I», «las obligaciones que se derivan de los tratos previos a la celebración de un contrato están regulados por el artículo 12 del Reglamento (CE) núm. 864/2007. Por consiguiente, dichas obligaciones deben excluirse del ámbito de aplicación del presente Reglamento».

En consecuencia, las obligaciones que se deriven de los tratos previos o preliminares a la celebración del contrato por los daños ocasionados por el comportamiento de una de las partes durante las negociaciones, actuando con mala fe o deslealtad negocial (responsabilidad precontractual o por _culpa in contrahendo_) tendrán la calificación de obligaciones extracontractuales y se regirán por las reglas contenidas en el artículo 12 del Reglamento «Roma II». Por el contrario, se incluirán en el ámbito de aplicación del Reglamento «Roma I» las obligaciones auténticamente contractuales derivadas de los contratos preliminares, o previos a contratos definitivos que en muchas ocasiones no llegan finalmente a celebrarse. Es el caso de acuerdos que fijan***

_j_) Los contratos de seguros que se derivan de operaciones realizadas por organizaciones que no sean las empresas a las que se hace referencia en el artículo 2 de la Directiva 2002/83/CE del Parlamento Europeo y del Consejo, de 5 de noviembre de 2002, sobre el seguro de vida, y que tengan como objetivo la concesión de prestaciones a favor de trabajadores por cuenta ajena o por cuenta propia que sean parte de una empresa o grupo de empresas, actividad profesional o conjunto de actividades profesionales, en caso de fallecimiento, supervivencia, cesación o reducción de actividades, enfermedad relacionada con el trabajo o accidentes laborales.

A tenor del artículo 1.3 del Reglamento «Roma I», «el presente Reglamento no se aplicará a la prueba ni al proceso, sin perjuicio del artículo 18». La ley que rija la obligación contractual en virtud del presente Reglamento se aplicará en la medida en que, en materia de obligaciones contractuales, contenga normas que establezcan presunciones legales o determinen la carga de la prueba (art. 18.1 Reglamento «Roma I»). Por consiguiente, se exceptúan de la exclusión del ámbito de aplicación del Reglamento las presunciones legales que pudieran contenerse en la ley rectora del contrato (_lex causae_). Los contratos o los actos jurídicos podrán ser acreditados por cualquier medio de prueba admitido por la ley del foro, bien por cualquiera de las leyes contempladas en el artículo 11, conforme a la cual el acto o contrato sean válidos en cuanto a la forma, siempre que tal medio de prueba pueda emplearse ante el tribunal que conozca del asunto (art. 18.2 Reglamento «Roma I»).

El Reglamento «Roma I» no extiende su ámbito de aplicación a la adquisición, transmisión o extinción de derechos reales, ni siquiera entre las partes contratantes. La transmisión de la propiedad en un contrato de compraventa, por ejemplo, se determina conforme a la ley aplicable a las cosas (_lex rei sitae_), al indicar el artículo 10.1 del CC que «la posesión, la propiedad, y los demás derechos sobre bienes inmuebles, así como su publicidad, se regirán por la ley del lugar donde se hallen. La misma ley será aplicable a los bienes muebles».

2.2. _Ámbito espacial_

El Reglamento «Roma I» tiene un ámbito de aplicación universal, lo que implica que se aplicará con independencia de que la ley designada sea o no la de un Estado parte y cualesquiera que sean los elementos objetivos y subjetivos de la relación jurídica (art. 2 Reglamento «Roma I»).

Si bien el Reino Unido no participó en la adopción del Reglamento «Roma I», por lo que en principio no le era de aplicación (considerando núm. 45 Reglamento «Roma I»), el 24 de julio de 2008 notificó formalmente a la Comisión Europea su deseo de aceptar el Reglamento y de participar en él. Como consecuencia de ello, se adoptó la Decisión de la Comisión de 22 de diciembre de 2008[11] mediante la que se estableció que el Reglamento «Roma I» también se aplicase en el Reino Unido a partir del 17 de diciembre de 2009 (art. 2 Decisión). Por el contrario, de conformidad con los artículos 1 y 2 del Protocolo sobre la posición de Dinamarca anejo al Tratado de la Unión Europea y al Tratado constitutivo de la Comunidad Europea, este país no participa en la adopción del Reglamento «Roma I» y, por tanto, no está vinculado por él ni sujeto a su aplicación (considerando 46 Reglamento «Roma I»). Sí se le aplica, por el contrario, el Convenio de Roma sobre ley aplicable a las obligaciones contractuales de 1980.

No obstante, cuando los artículos. 3.4 (libertad de elección y aplicación del Derecho comunitario imperativo) y 7 (contrato de seguro) del Reglamento «Roma I» se refieren a la vinculación del contrato con un «Estado miembro», se está haciendo referencia a todos los Estados miembros de la Unión Europea (art. 1.4 Reglamento «Roma I»).

2.3. *Ámbito temporal*

Como se ha señalado al principio, el Reglamento se aplica a los contratos celebrados a partir del 17 de diciembre de 2009 (art. 28 Reglamento «Roma I»), por lo que el Convenio de Roma de 1980 será de aplicación transitoria a los litigios surgidos respecto de contratos celebrados antes de dicha fecha.

El artículo 26 del Reglamento «Roma I», que se refiere a la lista de Convenios internacionales en que sean parte uno o más Estados miembros en el momento de la adopción del Reglamento «Roma I» y que regulen los conflictos de leyes en materia de obligaciones contractuales (art. 26.1 Reglamento «Roma I», en relación con art. 25.1 Reglamento «Roma I»), se aplica a partir del 17 de junio de 2009 (art. 29, párr. 2.º, Reglamento «Roma I»).

3. Determinación de la ley aplicable

3.1. *El principio de autonomía de la voluntad*

Según el artículo 3.1 del Reglamento «Roma I», «el contrato se regirá por la ley elegida por las partes. Esta elección deberá manifestarse expresamente o resultar de manera inequívoca de los términos del contrato o de las circunstancias del caso».

Si bien en la Propuesta de Reglamento de la Comisión se recogía expresamente que la inclusión de una cláusula de elección de foro servía como presunción de una elección tácita de ley aplicable, dicha solución fue rechazada en la versión final. La única mención que aparece en la versión final del Reglamento «Roma I» es la que aparece en el considerando núm. 12, según el cual, «un acuerdo entre las partes para conferir a uno o más órganos jurisdiccionales de un Estado miembro jurisdicción exclusiva para resolver los litigios ligados a un contrato es uno de los factores que deben tenerse en cuenta a la hora de determinar si la elección de la ley se desprende claramente de los términos del contrato». Dicho acuerdo es, simplemente, un índice o factor más a tener en cuenta por los jueces a la hora determinar si hubo una elección tácita.

---

11. DO L 10, de 15 de enero de 2009, p. 22.

Por esta elección, continúa diciendo el artículo 3.1 del Reglamento «Roma I», las partes podrán designar la ley aplicable a la totalidad o solamente a una parte del contrato (*depeçage*). Las partes podrán, en cualquier momento, convenir que el contrato se rija por una ley distinta de la que lo regía con anterioridad, bien sea en virtud de una elección anterior efectuada con arreglo al presente artículo o de otras disposiciones del presente Reglamento. Toda modificación relativa a la determinación de la ley aplicable, posterior a la celebración del contrato, no obstará a la validez formal del contrato a efectos del artículo 11 y no afectará a los derechos de terceros (art. 3.2 Reglamento «Roma I»). Cuando todos los demás elementos pertinentes de la situación estén localizados en el momento de la elección en un país distinto de aquel cuya ley se elige, la elección de las partes no impedirá la aplicación de las disposiciones de la ley de ese otro país que no puedan excluirse mediante acuerdo (art. 3.3 Reglamento «Roma I»).

Cuando todos los demás elementos pertinentes de la situación en el momento de la elección se encuentren localizados en uno o varios Estados miembros, la elección por las partes de una ley que no sea la de un Estado miembro se entenderá sin perjuicio de la aplicación de las disposiciones del Derecho comunitario, en su caso, tal como se apliquen en el Estado miembro del foro, que no puedan excluirse mediante acuerdo. Artículo 3.4 del Reglamento «Roma I». La existencia y la validez del consentimiento de las partes en cuanto a la elección de la ley aplicable se regirán por las disposiciones establecidas en los artículos 10, 11 y 13 (art. 3.5 Reglamento «Roma I»).

3.2. *Ley aplicable en defecto de elección*

El artículo 4 del Reglamento «Roma I» determina que a falta de elección realizada de conformidad con lo dispuesto en el artículo 3, y sin perjuicio de lo dispuesto en los artículos 5 a 8, que se refieren respectivamente a los contratos de transporte, de consumo y de seguro, la ley aplicable al contrato se determinará del siguiente modo:

a) El contrato de compraventa de mercaderías se regirá por la ley del país donde el vendedor tenga su residencia habitual.

> La noción de contrato de compraventa de mercaderías es la recogida en la Convención de Naciones Unidas sobre los contratos de compraventa internacional de mercaderías, hecha en Viena el 1 de abril de 1980.

b) El contrato de prestación de servicios se regirá por la ley del país donde el prestador del *servicio* tenga su residencia habitual.

> Según el considerando 7 del Reglamento «Roma I», «por lo que se refiere a la ley aplicable en defecto de elección, los conceptos de "prestación de servicios" y de "venta de mercaderías" deben interpretarse del mismo modo que al aplicar el artículo 5 del Reglamento (CE) n.º 44/2001, en cuanto la venta de mercaderías y la prestación de servicios están cubiertos por dicho Reglamento».

c) El contrato que tenga por objeto un derecho real inmobiliario o el arrendamiento de un bien inmueble se regirá por la ley del país donde esté sito el bien inmueble.

d) No obstante lo dispuesto en la letra *c*), el arrendamiento de un bien inmueble celebrado con fines de uso personal temporal para un período máximo de seis meses consecutivos se regirá por la ley del país donde el propietario tenga su residencia habitual, siempre que el arrendatario sea una persona física y tenga su residencia habitual en ese mismo país.

e) El contrato de franquicia se regirá por la ley del país donde el franquiciado tenga su residencia habitual.

f) El contrato de distribución se regirá por la ley del país donde el distribuidor tenga su residencia habitual.

g) El contrato de venta de bienes mediante subasta se regirá por la ley del país donde tenga lugar la subasta, si dicho lugar puede determinarse.

h) El contrato celebrado en un sistema multilateral que reúna o permita reunir, según normas no discrecionales y regidas por una única ley, los diversos intereses de compra y de venta sobre instrumentos financieros de múltiples terceros, tal como estipula el artículo 4, apartado 1, punto 17, de la Directiva 2004/39/CE, se regirá por dicha ley.

Según el artículo 4.2 del Reglamento «Roma I», «cuando el contrato no esté cubierto por el apartado 1 o cuando los elementos del contrato correspondan a más de una de las letras a) a h) del apartado 1, el contrato se regirá por la ley del país donde tenga su residencia habitual la parte que deba realizar la prestación característica del contrato». El concepto de prestación característica tiene que ver con la obligación del contrato que define o caracteriza el concreto tipo contractual de que se trate. Por consiguiente, la prestación característica de la compraventa es la entrega de la cosa, del contrato de obra la realización de la misma, del depósito la guarda o custodia del bien, etc.

> No siempre resulta fácil poder determinar cuál es la prestación característica de un contrato, sobre todo cuando concurran varias prestaciones y sean ambas equivalentes. En tal caso, como dice el artículo 4.4 del Reglamento «Roma I», «el contrato se regirá por la ley del país con el que presente los vínculos más estrechos».

El concepto de residencia habitual lo define el artículo 19 de Reglamento «Roma I», el cual distingue entre personas jurídicas y personas físicas. En el caso de las personas jurídicas, (sociedad, asociación o persona jurídica, dice el Reglamento) la residencia habitual «será el lugar de su administración central», que no tiene por qué corresponder necesariamente ni con el establecimiento principal, ni con el domicilio que fijen los estatutos (art. 19.1, párr. 1.º, Reglamento «Roma I»). No obstante, cuando el contrato se celebre en el curso de las operaciones de una sucursal, agencia o cualquier otro establecimiento, o si según el contrato, la prestación debe ser realizada por tal sucursal, agencia o establecimiento, se considerará residencia habitual el lugar en el que dicha sucursal, agencia u otro establecimiento esté situado (art. 19.2 Reglamento «Roma I»). El Reglamento «Roma I» solo contiene reglas sobre la residencia habitual de las personas físicas que ostenten la condición de profesionales, al afirmar que «la residencia habitual de una persona física que esté ejerciendo su actividad profesional será el lugar del establecimiento principal de dicha persona» (art. 19.1, párr. 2.º, Reglamento «Roma I»).

Tanto en el supuesto de las personas jurídicas como en la hipótesis de las personas físicas, la residencia habitual será la determinada en el momento de la celebración del contrato (art. 19.3 Reglamento «Roma I»). Esta solución permite evitar que mediante traslados del domicilio una de las partes pueda modificar de forma unilateral la ley que rige el contrato.

El artículo 4.3 del Reglamento «Roma I» señala que «si del conjunto de circunstancias se desprende claramente que el contrato presenta vínculos manifiestamente más estrechos con otro país distinto del indicado en los apartados 1 o 2, se aplicará la ley de este otro país».

3.3. Leyes de policía

El artículo 9.2 del Reglamento «Roma I» determina que las disposiciones del Reglamento «no restringirán la aplicación de las leyes de policía de la ley del foro». Según el apartado 1 del artículo 9, «una ley de policía es una disposición cuya observancia un país considera esencial para la salvaguardia de sus intereses públicos, tales como su organización política, social o económica, hasta el punto de exigir su aplicación a toda situación comprendida dentro de su ámbito de aplicación, cualquiera que fuese la ley aplicable al contrato según el presente Reglamento».

> El considerando 37 del Reglamento «Roma I» indica que «consideraciones de interés público justifican, en circunstancias excepcionales, el recurso por los tribunales de los Estados miembros a excepciones basadas en el orden público y en leyes de policía. El concepto de "leyes de policía" debe distinguirse de la expresión "disposiciones que no puedan excluirse mediante acuerdo" y debe interpretarse de manera más restrictiva».

También podrá darse efecto a las leyes de policía del país en que las obligaciones derivadas del contrato tienen que ejecutarse o han sido ejecutadas en la medida en que dichas leyes de policía hagan la ejecución del contrato ilegal. Para decidir si debe darse efecto a estas disposiciones imperativas, se tendrá en cuenta su naturaleza y su objeto, así como las consecuencias que se derivarían de su aplicación o de su inaplicación (art. 9.3 Reglamento «Roma I»).

III. OBLIGACIONES ESPECÍFICAS

1. Contratos de transporte

A diferencia del Convenio de Roma, el Reglamento «Roma I» se remite a un solo precepto para regular la ley aplicable a todos los contratos de transporte, si bien distingue entre contrato de transporte de mercancías y contratos de transporte de personas.

En cuanto a los _contratos de transporte de mercancías,_ el artículo 5.1 del Reglamento «Roma I» determina que se aplicará la ley elegida por las partes y, en su defecto, la ley del país donde el transportista tenga su residencia habitual, siempre y cuando coincida con el lugar de recepción por el transportista de las mercancías, o con el lugar de entrega, o con la residencia habitual del remitente. Si no se cumplen tales requisitos, se aplicará la ley del lugar de entrega de las mercancías que hubiere sido acordado por las partes. En todo caso, según el artículo 5.3 del Reglamento «Roma I», si del conjunto de circunstancias se desprende que el contrato, a falta de elección de la ley, presenta vínculos manifiestamente más estrechos con un país distinto del indicado en el apartado ya mencionado, se aplicará la ley de ese otro país.

El considerando 22 del Reglamento «Roma I» señala que «por lo que se refiere a la interpretación de los contratos transporte de mercancías, no se pretende ninguna modificación sustantiva con respecto al artículo 4, apartado 4, frase tercera, del Convenio de Roma. Por lo tanto, se considerarán como contratos de transporte de mercancías los contratos de fletamento para un solo trayecto u otros contratos cuyo objeto principal sea el de realizar un transporte de mercancías. A los efectos del presente Reglamento, el término "remitente" debe referirse a cualquier persona que haya concluido un contrato de transporte con el transportista y el término "transportista" debe referirse a la parte del contrato que se compromete a llevar a cabo el transporte de mercancías, independientemente de que realice él mismo o no el transporte».

Respecto de los *contratos de transporte de personas*, el artículo 5.2 del Reglamento «Roma I» ha introducido una regla que no existía en el Convenio de Roma. Como indica GARCIMARTÍN, se trata de ponderar dos intereses en ocasiones contrapuestos: el interés del transportista, que desea planificar por adelantado sus operaciones con el fin de poder asegurar una misma ley como aplicable a todos los contratos, y el interés de los pasajeros en no quedar sometidos a leyes imprevisibles que manifiestamente no guarden relación con el contrato. De esta manera, en primer lugar se aplicará la ley elegida por las partes, pero teniendo en cuenta que la ley elegida tiene que coincidir a) o bien con la ley del país de residencia habitual del pasajero, b) o bien con la ley del país de residencia habitual del transportista (en muchos casos la residencia habitual del transportista coincidirá con el lugar de adquisición del billete *ex* artículo 19.2 del Reglamento «Roma I»), c) o bien con la ley del país donde el transportista tenga su administración central (lo que le permite sujetar todos los transportes que lleva a cabo a escala mundial a una única ley, aunque lo billetes se hayan adquirido a través de una sucursal local), d) o bien con la ley donde se encuentre el lugar de origen (o de partida), e) o bien con la ley del lugar de destino.

En defecto de elección de la ley aplicable, o cuando ésta no cumple las condiciones precedentes, el contrato se regirá por la ley del país donde el pasajero tenga su residencia habitual si coincide con el país de origen del viaje o de destino. Si no se cumplen estos requisitos, se aplicará la ley del país donde el transportista tenga su residencia habitual. Por último, del mismo modo que en el caso del transporte de mercancías, si del conjunto de circunstancias se desprende que el contrato, a falta de elección de la ley, presenta vínculos manifiestamente más estrechos con un país distinto del indicado en el apartado 2 del artículo 5 del Reglamento «Roma I», se aplicará la ley de ese otro país.

A diferencia del Convenio de Roma, la nueva regla no permite elegir leyes que no mantengan una vinculación real con el contrato de transporte, como la ley del pabellón o la del domicilio social del transportista (GARCIMARTÍN).

2. Contratos de consumo

2.1. *Ámbito de aplicación material*

El Reglamento «Roma I» sólo se aplica a los contratos celebrados entre un profesional y un consumidor. A diferencia del artículo 5 del Convenio de Roma sobre la ley aplicable a las obligaciones contractuales, que sólo se aplicaba a los contratos de compraventa de mercaderías y de prestación de servicios financieros, el artículo 6 del Reglamento «Roma I» extiende su ámbito a cualquier contrato celebrado entre una persona física para un uso que pueda considerarse ajeno a su actividad profesional o comercial, el consumidor, y un profesional que actúe en ejercicio de su actividad.

Según el artículo 6.4 del Reglamento «Roma I», _quedan excluidos_ del ámbito del artículo 6 los siguientes:

_a_) Los contratos de prestación de servicios, cuando los servicios deban prestarse al consumidor, exclusivamente, en un país distinto de aquel en que el mismo tenga su residencia habitual.

_b_) Los contratos de transporte distintos de los contratos relativos a un viaje combinado con arreglo a la definición de la Directiva 90/314/CEE del Consejo, de 13 de junio de 1990, relativa a los viajes combinados, las vacaciones combinadas y los circuitos combinados. Esta exclusión resulta coherente con el hecho de que, como ya se ha indicado, el artículo 5 del Reglamento «Roma I» contiene reglas especiales para estos contratos.

_c_) Los contratos que tengan por objeto un derecho real inmobiliario o contratos de arrendamiento de un bien inmueble distintos de los contratos relativos al derecho de utilización de inmuebles en régimen de tiempo compartido con arreglos a la definición de la Directiva 94/47/CE.

_d_) Los derechos y obligaciones que constituyan un instrumento financiero y derechos y obligaciones que constituyan los términos y condiciones que regulan la emisión, la oferta de venta al público o las ofertas públicas de adquisición de valores negociables, y la suscripción y el reembolso de participaciones en organismos de inversión colectiva, siempre y cuando no constituyan la prestación de un servicio financiero.

Según el considerando 30 del Reglamento «Roma I», «a efectos del presente Reglamento, se entenderá por instrumentos financieros y por valores negociables aquellos instrumentos mencionados en el artículo 4 de la Directiva 2004/39/CE». Dicha Directiva, relativa a los mercados de instrumentos financieros, será sustituida por la Directiva 2014/65/UE de 15 de mayo de 2014[12], que deberá transponerse en los ordenamientos de los Estados miembros a más tardar el 3 de julio de 2016. Las disposiciones resultantes se aplicarán a partir del 3 de enero de 2017.

_e_) Los contratos celebrados dentro de un sistema que entre en el ámbito de aplicación del artículo 4, apartado 1, letra h).

2.2. _Ámbito de aplicación territorial_

El Reglamento «Roma I» sólo protege al llamado «consumidor pasivo o sedentario», esto es al que consume en el mercado donde tiene su residencia habitual, presumiéndose que es la otra parte contratante (el empresario o profesional) la que acude a dicho mercado a través de

El artículo 6.1 del Reglamento «Roma I» determina que «el contrato celebrado por una persona física para un uso que pueda considerarse ajeno a su actividad comercial o profesional ("el consumidor") con otra persona ("el profesional")·que

---

12. DO L 173, 12 de junio de 2014, pg. 349.

actúe en ejercicio de su actividad comercial o profesional, se regirá por la ley del país en que el consumidor tenga su residencia habitual, siempre que el profesional: a) ejerza sus actividades comerciales o profesionales en el país donde el consumidor tenga su residencia habitual, o b) por cualquier medio dirija estas actividades a ese país o a distintos países, incluido ese país, y el contrato estuviera comprendido en el ámbito de dichas actividades».

El considerando 24 del Reglamento «Roma I» señala que «tratándose más concretamente de contratos de consumo, la norma de conflicto de leyes debe permitir reducir los gastos para la resolución de los litigios que son, a menudo de escasa cuantía, y tener en cuenta la evolución de las técnicas de comercialización a distancia. La coherencia con el Reglamento (CE) n.° 44/2001 exige, por una parte, que se haga referencia a la "actividad dirigida" como condición para aplicar la norma protectora del consumidor y, por otra parte, que este concepto sea objeto de una interpretación armoniosa en el Reglamento (CE) n.° 44/2001 y en el presente Reglamento, precisándose que una declaración conjunta del Consejo y la Comisión relativa al artículo 15 del Reglamento (CE) n.° 44/2001 especifica que apara que el artículo 15, apartado 1, letra c), sea aplicable, "no basta que una empresa dirija sus actividades hacia el Estado miembro del domicilio del consumidor, o hacia varios Estados miembros entre los que se encuentre este último, sino que además debe haberse celebrado un contrato en el marco de tales actividades". Esta declaración recuerda también que "el mero hecho de que un sitio Internet sea accesible no basta para que el artículo 15 resulte aplicable, aunque se dé el hecho de que dicho sitio invite a la celebración de contratos a distancia y que se haya celebrado efectivamente uno de estos contratos a distancia, por el medio que fuere. A este respecto, la lengua o la divisa utilizada por un sitio Internet no constituye un elemento pertinente"».

2.3.   Determinación de la ley aplicable

Si se dan las circunstancias materiales y territoriales a que hace mención el artículo 6.1 del Reglamento «Roma I», la ley que rige el contrato es la del país en que el consumidor tenga su residencia habitual.

Según el artículo 19.2 del Reglamento «Roma I», «cuando el contrato se celebre en el curso de las operaciones de una sucursal, agencia o cualquier otro establecimiento, o si según el contrato, la prestación debe ser realizada por tal sucursal, agencia o establecimiento, se considerará residencia habitual el lugar en el que dicha sucursal, agencia u otro establecimiento esté situado». El apartado 3 del artículo 19 del Reglamento «Roma I» añade que «la residencia habitual será la determinada en el momento de la celebración del contrato».

2.4.   Laguna de regulación

La idea de que el artículo 6 del Reglamento «Roma I» solo proteja al consumidor pasivo tiene lógica, porque un consumidor español que se desplace al extranjero, adquiriendo allí un bien o contratando un servicio, no puede razonablemente pretender que su contrato quede sujeto a la legislación española de consumo. Sin embargo, en virtud del juego del artículo 6.3 del Reglamento «Roma I» en relación con los artículos 3 y 4 del mismo texto legal podría suceder que la ley aplicable al contrato celebrado no fuese tampoco la del país al que se desplazó el consumidor español, sino que se hubiera designado como ley aplicable la de cualquier país del mundo.

En el caso de los consumidores activos intracomunitarios el problema se resuelve a través de las Directivas en materia de consumo que contienen una regla según la cual la elección por las partes de la ley de un tercer Estado no podrá privar a los consumidores de la protección que les brinda la Directiva cuando el contrato tenga un vínculo estrecho con el territorio de los Estados miembros.

3. Contratos de seguro

De conformidad con lo dispuesto por el artículo 7 del Reglamento «Roma I»:

a) Los contratos de reaseguro y los contratos de seguro cuyo objeto sean riesgos localizados en un tercer Estado no miembro quedan sometidos al régimen general del Reglamento «Roma I», rigiéndose en consecuencia por la ley elegida por las partes (art 7.1 Reglamento «Roma I»).

b) Los contratos de seguro que cubran grandes riesgos (en el sentido de la Directiva 73/239/CEE), al margen de que tales riesgos se localicen o no en un Estado miembro, se regirán por la ley elegida por las partes de conformidad con el artículo 3 del presente Reglamento (art. 7.2, párr. 1.º, Reglamento «Roma I»). Pero, en defecto de dicha elección, los contratos se regirán por la ley del país en el que el asegurador tenga su residencia habitual. Si del conjunto de circunstancias se desprende que tales contratos presentan vínculos manifiestamente más estrechos con otro país, se aplicará la ley de ese otro país (art. 7.2, párr. 2.º, Reglamento «Roma I»).

> Los «grandes riesgos» son los mencionados en la Directiva 73/239/CEE del Consejo, de 24 de julio de 1973, sobre coordinación de las disposiciones legales, reglamentarias y administrativas relativas al acceso a la actividad del seguro directo distinto del seguro de vida, y a su ejercicio[13]. Esta Directiva ha sido modificada en último lugar por la Directiva 2006/101/CE del Consejo de 20 de noviembre de 2006[14].

c) Los demás contratos de seguro cuyo objeto sean riesgos localizados en un Estado miembro quedan sujetos a la ley escogida por las partes, pero con ciertas limitaciones. Las partes solo podrán elegir, de conformidad con el artículo 3, las siguientes leyes: a) la ley del Estado miembro en que se localice el riesgo en el momento de la celebración del contrato; b) la ley del país donde el tomador seguro tenga su residencia habitual; c) en el caso de un seguro de vida, la ley del Estado miembro del que sea nacional el tomador del seguro; d) por lo que respecta a los contratos de seguro que cubran riesgos limitados a siniestros que ocurran en un Estado miembro distinto del Estado miembro en que se sitúe el riesgo, la ley de dicho Estado miembro; e) cuando el tomador de un contrato de seguro cubierto por el presente apartado ejerza una actividad comercial o industrial o una profesión liberal y el contrato de seguro cubra dos o más riesgos que estén relacionados con dichas actividades y estén situados en Estados miembros diferentes, la ley de cualquiera de los Estados miembros en cuestión o la ley del país en el que el tomador del seguro tenga su residencia habitual. En los supuestos previstos en las letras a), b) o e), si los Estados miembros a los que dichos apartados se refieren conceden mayor libertad de elección en cuanto a la ley aplicable al contrato de seguro, las partes podrán hacer uso de tal libertad. En la medida en que la ley aplicable no haya sido elegida por las partes de conformidad con el presente apartado, el

---

13. DO L 228, de 16 de agosto de 1973, p. 3
14. DO L363, de 20 de diciembre de 2006, p. 238.

contrato se regirá por la ley del Estado miembro en el que se localice el riesgo en el momento de la celebración del contrato (art. 7.3 Reglamento «Roma I»).

La localización de los distintos tipos de riesgos no se establece en el Reglamento «Roma I», sino que se concreta en las correspondientes Directivas sobre la materia.

Según el artículo 7.6 del Reglamento «Roma I», «a los efectos del presente artículo, el país en el que se localice el riego se determinará de conformidad con el artículo 2, letra d), de la segunda Directiva 88/357/CEE del Consejo, de 22 de junio de 1988, sobre coordinación de las disposiciones legales, reglamentarias y administrativas relativas al seguro directo, distinto del seguro de vida, por la que se establecen las disposiciones destinadas a facilitar el ejercicio efectivo de la libre prestación de servicios, y en el caso de un seguro de vida, el país en el que se localice el riesgo será el país del compromiso en el sentido del artículo 1, apartado 1, letra g), de la Directiva 2002/83/CE».

En materia de contratos de seguros que cubran riesgos para los que un Estado miembro imponga la obligación de suscribir un seguro (seguro obligatorio), el Reglamento «Roma I» contiene una regla de naturaleza material y otra de naturaleza conflictual. De acuerdo con la regla de naturaleza material, cuando un Estado miembro imponga la obligación de suscribir un seguro para llevar a cabo ciertas actividades «el contrato de seguro solo cumplirá dicha obligación si es conforme a las disposiciones específicas relativas a dicho seguro previstas por el Estado miembro que impone la obligación. Cuando, en caso de seguro obligatorio, exista una contradicción entre la ley del Estado miembro en el que se localice el riesgo y la del Estado miembro que imponga la obligación de suscribir un seguro, prevalecerá esta última (artículo 7.4, a) Reglamento «Roma I»). De acuerdo con la regla de naturaleza conflictual, el Estado miembro que impone el seguro obligatorio podrá establecer que el contrato de seguro se rija por su ley nacional (cfr. art. 7.4, b) Reglamento «Roma I»).

Cuando el contrato cubra riesgos situados en más de un Estado miembro, el contrato se considerará constituido por diversos contratos, cada uno de los cuales se refiere únicamente a un Estado miembro (art. 7.5 Reglamento «Roma I»). En esta hipótesis, se establece un principio de separabilidad, ya que para la determinación de la ley aplicable el contrato se considerará constituido por distintos contratos, cada uno de ellos referido al Estado de localización respectiva del riesgo (GARCIMARTÍN).

El considerando 33 del Reglamento «Roma I» señala que «cuando un contrato de seguro que no cubre un gran riesgo cubra varios riesgos de los que uno como mínimo está situado en un Estado miembro y uno como mínimo está situado en un tercer país, las disposiciones especiales del presente Reglamento relativas a los contratos de seguro únicamente deben aplicarse al riesgo o riesgos en el Estado miembro o en los Estados miembros de que se trata».

4. Contratos individuales de trabajo

4.1. *Principio de mayor favorabilidad*

El artículo 8.1 del Reglamento «Roma I» comienza diciendo que «el contrato individual de trabajo se regirá por la ley que elijan las partes de conformidad con el artículo 3», añadiendo a continuación que «no obstante, dicha elección no podrá tener por resultado el privar al trabajador de la protección que le aseguren las disposiciones que no pueden excluirse mediante acuerdo en virtud de la ley que, a falta de elección, habrían sido aplicables en virtud de los apartados 2, 3 y 4 del presente artículo». Aparece así formulado el denominado «principio de mayor favorabilidad», el cual implica que la autonomía de la voluntad sólo actúa a favor del trabajador. Si las normas materiales de la ley elegida por las partes son más favorables al trabajador que las de la ley aplicable en defecto de elección, se aplicarán aquéllas; de lo contrario, se aplicarán estas últimas. El motivo que justifica esta solución reside en la posición de dominio del empresario sobre el trabajador a la hora de negociar su relación contractual, estableciéndose por tanto un régimen imperativo mínimo que sólo puede ser modificado por el contrato a favor del trabajador (GARCIMARTÍN).

> En palabras del considerando 35 del Reglamento «Roma I», «los trabajadores no deben verse privados de la protección que les proporcionen disposiciones que no puedan excluirse mediante acuerdo o que solo puedan excluirse en su beneficio».

4.2. Determinación de la ley aplicable en defecto de elección

Según el artículo 8.2 del Reglamento «Roma I», «en la medida que la ley aplicable al contrato individual de trabajo no haya sido elegida por las partes, el contrato se regirá por la ley del país en el cual o, en su defecto, a partir del cual el trabajador, en ejecución del contrato, realice su trabajo habitualmente. No se considerará que cambia el país de realización habitual del trabajo cuando el trabajador realice con carácter temporal su trabajo en otro país».

> Según el considerando 36 del Reglamento «Roma I», «por lo que respecta a los contratos individuales de trabajo, la realización del trabajo en otro país se considera temporal cuando se supone que el trabajador va a reanudar su trabajo en el país de origen tras realizar su tarea en el extranjero. La celebración de un nuevo contrato de trabajo con el empleador original o con un empleador que pertenezca al mismo grupo de empresas que el empleador originario no debe excluir que se considere que el trabajador realiza su trabajo en otro país de manera temporal». El concepto de desplazamiento temporal abarca el supuesto en que el trabajador inicia temporalmente su trabajo en el extranjero y posteriormente se traslada de manera definitiva a otro país***.

No obstante, cuando no pueda determinarse, en virtud del apartado 2, la ley aplicable, el contrato se regirá por la ley del país donde esté situado el establecimiento a través del cual haya sido contratado el trabajador (art 8.3 Reglamento «Roma I»).

Si del conjunto de circunstancias se desprende que el contrato presenta vínculos más estrechos con un país distinto del indicado en los apartados 2 o 3, se aplicará la ley de ese otro país (art. 8.4 Reglamento «Roma I»).

IV. ÁMBITO DE LA LEY APLICABLE

La ley aplicable al contrato (_lex contractus_) rige la propia formación del contrato, su existencia y validez.

La validez sustancial del contrato, tanto referida a los vicios del consentimiento (error, dolo...) como a otros criterios de validez sustancial (ilicitud del objeto, ilicitud o inexistencia de causa, etc.) se determinará conforme a la ley aplicable al contrato, y, en consecuencia, también su nulidad, al tenor de lo dispuesto por el artículo 121.e) del Reglamento «Roma I».

En segundo lugar, la ley aplicable al contrato rige el contenido del contrato, esto es, las obligaciones que corresponden a cada parte, el régimen jurídico de los elementos accidentales, los efectos del contrato y su interpretación (art. 12.1.a) Reglamento «Roma I»).

En tercer lugar, la ley aplicable al contrato regirá el cumplimiento de las obligaciones que surjan de dicho contrato, así como las consecuencias del incumplimiento total o parcial del contrato (art. 12.1.b) y c) Reglamento «Roma I»).

> Según el artículo 12.1 del Reglamento «Roma I», «la ley aplicable al contrato en virtud del presente Reglamento regirá en particular: (...) b) el cumplimiento de las obligaciones que genere; c) dentro de los límites de los poderes conferidos al tribunal por su Derecho procesal, las consecuencias de un incumplimiento total o parcial de estas obligaciones, incluida la evaluación del daño en la medida en que la gobiernen normas jurídicas».

Según el artículo 12.1 del Reglamento «Roma I», «la ley aplicable al contrato en virtud del presente Reglamento regirá en particular: (...) d) los diversos modos de extinción de las obligaciones, así como la prescripción y la caducidad basadas en la expiración de un plazo; e) las consecuencias de la nulidad de un contrato». El apartado 2 del artículo 12 del Reglamento «Roma I» añade que «en lo que se refiere a las modalidades del cumplimiento y a las medidas que se deben tomar en caso de cumplimiento defectuoso, se tendrá en cuenta la ley del país donde tenga lugar el cumplimiento».

La *forma del contrato* cuenta con una regulación propia en el artículo 11 del Reglamento «Roma I», que desplaza a la establecida en el artículo 11 del CC y asimismo a la del artículo 9 del Convenio de Roma. Según el artículo 11.1 del Reglamento «Roma I», «un contrato celebrado entre personas, o sus representantes, que se encuentren en el mismo país en el momento de su celebración será válido en cuanto a la forma si reúne los requisitos de forma de la ley que lo rija en cuanto al fondo en virtud del presente Reglamento, o de la ley del país donde se haya celebrado».

V. CESIÓN, SUBROGACIÓN Y RESPONSABILIDAD MÚLTIPLE

1. Sustitución de la posición acreedora: cesión y subrogación convencional

Las relaciones entre el cedente y el cesionario, o entre el subrogante y el subrogado de un derecho contra otra persona ("el deudor") se regirán por la ley que, en virtud del presente Reglamento, se aplique al contrato que les ligue (art. 14.1 Reglamento «Roma I»).

La ley que rija le crédito objeto de cesión o subrogación determinará su transmisibilidad, las relaciones entre el cesionario o subrogado y el deudor, las condiciones de oponibilidad de la cesión o subrogación al deudor y el carácter liberatorio de la prestación hecha por el deudor (art. 14.2 Reglamento «Roma I»).

El concepto de cesión en el presente artículo incluye las transferencias plenas de derechos, las trasferencias de derechos a título de garantía, así como las prendas u otros derechos de garantía sobre los derechos (art. 14.3 Reglamento «Roma I»).

Según el considerando 38 del Reglamento «Roma I», «en el contexto de una cesión de créditos voluntaria, el término "relaciones" debe aclarar que el artículo 14, apartado 1, se aplica también a los aspectos jurídico-reales de una cesión de crédito entre cedente y cesionario en aquellos ordenamientos jurídicos en que dichos aspectos se tratan separadamente de los aspectos relativos al Derecho de obligaciones. No obstante, el término "relaciones" no debe entenderse como referido a cualquier relación entre cedente y cesionario que pueda existir. En particular, no debe abarcar cuestiones preliminares relativas a una cesión de créditos voluntaria o a una subrogación convencional. El término debe limitarse estrictamente a aquellos aspectos directamente pertinentes a la cesión de créditos voluntaria o a la subrogación convencional de que se trate».

2. Subrogación legal

A tenor del artículo 15 del Reglamento «I», «cuando, en virtud de una obligación contractual, una persona ("el acreedor") tenga derechos frente a otra persona ("el deudor"), y un tercero esté obligado a satisfacer al acreedor o haya, de hecho, satisfecho al acreedor en ejecución de esa obligación, la ley aplicable a esta obligación del tercero determinará si, y en qué medida, este puede ejercer los derechos que el acreedor tenía frente al deudor en virtud de la ley que rige su relación».

3. Responsabilidad múltiple

El artículo 16 del Reglamento «Roma I» señala que «cuando un acreedor tenga un derecho de reclamación contra varios deudores responsables respecto de la misma reclamación, y uno de los deudores ya haya satisfecho la reclamación total o parcialmente, el derecho de ese deudor a reclamar resarcimiento a los otros deudores se regirá por la ley aplicable a la obligación que tenga dicho deudor respecto del acreedor. Los demás deudores podrán invocar las excepciones que tuvieran contra el acreedor en la medida en que lo permita la ley que rija sus obligaciones frente al acreedor».

4. Compensación

El artículo 17 del Reglamento «Roma I» indica que «cuando el derecho a la compensación no se base en el acuerdo entre las partes, la compensación se regirá por la ley aplicable al crédito contra el cual se alega el derecho a la compensación».

VI. CLÁUSULAS GENERALES

Según el artículo 21 del Reglamento «Roma I», «solo podrá excluirse la aplicación de una disposición de la ley de cualquier país designada por el presente Reglamento si esta aplicación es manifiestamente incompatible con el orden público del foro».

En el caso de Estados plurilegislativos, el artículo 22.1 del Reglamento «Roma I» dice que «cuando un Estado se componga de varias unidades territoriales cada una de las cuales tenga sus propias normas jurídicas en materia de obligaciones contractuales, cada unidad territorial se considerará como un país a efectos de la determinación de la ley aplicable en virtud del presente Reglamento». El apartado 2 de dicho artículo 22 añade que «un Estado miembro en el que las distintas unidades territoriales tengan sus propias normas jurídicas en materia de obligaciones contractuales no estará obligado a aplicar el presente Reglamento a los conflictos de leyes que afecten únicamente a dichas unidades territoriales».

La exclusión del reenvío se recoge en el artículo 20 del Reglamento «Roma I», que señala que «cuando el presente Reglamento establezca la aplicación de la ley de un país, se entenderá por tal las normas jurídicas materiales en vigor en ese país, con exclusión de las normas de Derecho internacional privado, salvo que el presente Reglamento disponga otra cosa».

BIBLIOGRAFÍA

AGUILAR GRIEDER, «Alcance de los controvertidos artículos 3 y 4 del Reglamento (CE) núm. 593/2008: perspectiva *de lege lata* y propuestas *de lege ferenda*», CDT, 2014, p. 45; CALVO CARAVACA, «El Reglamento Roma I sobre la Ley aplicable a las obligaciones contractuales: cuestiones escogidas», CDT, 2009, p. 52; DE MIGUEL ASENSIO, «La evolución del Derecho internacional privado comunitario en el Tratado de Ámsterdam», REDI, 1998, p. 373; GARCÍA RUBIO, *Introducción al Derecho civil, Barcelona,* 2002; GARCIMARTÍN ALFÉREZ, «El Reglamento "Roma I" sobre ley aplicable a las obligaciones contractuales: ¿Cuánto ha cambiado el Convenio de Roma de 1980?», La Ley Digital, 2008; QUIÑONES ESCÁMEZ, «Ley aplicable a los contratos internacionales en la Propuesta de Reglamento "Roma I" de 15.12.2005», InDret, 3/2006.

Capítulo XXXIV

La responsabilidad por actos propios (I). La acción u omisión

I. INTRODUCCIÓN

La responsabilidad de la persona por los resultados dañosos producidos por su propia conducta se encuentra sancionada en el artículo 1902 del CC, a cuyo tenor, «el que por acción u omisión causa daño a otro, interviniendo culpa o negligencia, está obligado a reparar el daño causado». Al desarrollar y aplicar este precepto, doctrina y jurisprudencia convienen en que la acción de reclamación de resarcimiento de daños por culpa extracontractual exige la concurrencia de los siguientes requisitos:

1.º Una acción u omisión antijurídica o ilícita.

2.º Una lesión o daño. Es decir, que la acción u omisión debe haber producido un daño que hace surgir la obligación de resarcir.

3.º Una relación de causa a efecto (nexo causal) entre el comportamiento (acción u omisión) y el daño producido.

4.º La imputación. Mientras que la responsabilidad subjetiva exige la concurrencia de la culpa del agente, esto es, un comportamiento imprudente o negligente por su parte, la responsabilidad objetiva se puede imputar al margen de la culpa.

Estos requisitos, han sido puestos de relieve de forma reiterada por la jurisprudencia. De hecho, según la STS de 7 de junio de 2002, «es doctrina reiterada de esta Sala, que por su notoriedad exime de la cita particularizada de las resoluciones en que se manifiesta, la de que la exigencia de responsabilidad por culpa, tanto contractual como extracontractual, requiere la existencia de una acción u omisión imputable al agente, que tal acción u omisión se caracterice como culposa o negligente, la existencia de un daño y que entre éste y la acción u omisión culposa o negligente exista un nexo causal».

Los dos primeros requisitos (la acción u omisión causante y el resultado dañoso) son elementos de carácter fáctico y, por tanto, constitutivos de cuestiones de hecho, sujetos a la libre apreciación del tribunal de instancia; lo que implica que solo podrán acceder a la casación por la vía del error de derecho en la valoración de la prueba con cita de las normas reguladoras de esa actividad judicial que se consideren infringidas[1]. En cambio, los otros dos (la relación de causalidad entre la conducta humana y el resultado producido la valoración de la conducta del agente) son factores jurídicos y, por ello, tienen la consideración casacional de cuestiones de derecho en cuanto implican la calificación de una conducta como culpable o negligente y la determinación de la suficiencia o insuficiencia del elemento causal productor del daño a indemnizar, cuyo examen puede hacerse en casación[2]. No obstante, conviene indicar que, según la STS de 12 de noviembre de 1991, «la determinación del nexo causal entre la acción (obras ejecutadas) y el resultado (daños en el edificio), aunque perteneciente al ámbito de la *quaestio iuris*, es un juicio de valor que está reservado a los tribunales y que hay que respetar en casación, en tanto no se demuestre que el juzgador de instancia ha seguido, al establecer dicho nexo o relación, una vía o camino erróneo, no razonable o contrario a las reglas de la sana lógica o buen criterio»[3]. Por tanto, esta sentencia, como otras más recientes[4], pone de relieve la divergencia que existe sobre esta cuestión en nuestra jurisprudencia al considerar en ocasiones el Tribunal Supremo la apreciación de la relación de causalidad como una cuestión de hecho, solo revisable en casación de forma muy limitada. No obstante, la admisión de la distinción entre causalidad material y causalidad jurídica, que se abordará más adelante, ha permitido elaborar una doctrina jurisprudencial más coherente para solucionar el problema del acceso a la casación de la determinación de la relación de causalidad.

Según el artículo 1:101, párrafo 1.º, de los PETL, «la persona a quien se pueda imputar jurídicamente el daño sufrido por otra está obligada a repararlo».

Por su parte, el artículo VI.-1:101(1) del DCFR señala que «quien sufre un daño jurídicamente relevante tiene derecho a obtener reparación de la persona que lo haya causado forma intencionada o negligente, o a quien le sea subjetivamente imputable por cualquier otro motivo».

II. LA ACCIÓN U OMISIÓN

El presupuesto originario de la responsabilidad civil es un comportamiento o actividad que ocasiona un daño. Este comportamiento humano puede consistir tanto en una acción como en una omisión.

Así como el concepto o idea de acción no plantea problemas, éstos surgen cuando se trata de determinar cuáles son las omisiones que dan lugar a responsabilidad civil. Algunos autores (WEILL) distinguen entre omisiones relacionadas con la actividad que el sujeto desarrolla y omisiones «simples», en las que el presunto responsable no llevaba a cabo una actividad propia. En cuanto a estas últimas, consideran que solo

---

1.   RJ 2002, 5216.
2.   Cfr. SSTS de 6 de marzo de 1989 (RJ 1989, 1996), 27 de octubre y 26 de noviembre de 1990 (RJ 1990, 8053 y 9047) y 7 de junio de 2002 (RJ 2002, 5216).
3.   RJ 1991, 8237.
4.   STS de 5 de octubre de 2006 (RJ 2006, 8703) y las que cita.

hay obligación de reparar el daño cuando se omitió un deber legal o se produjo una abstención con intención de causar daño, siendo los demás casos dudosos. Pues bien, respecto a estos supuestos dudosos, como dice DE ÁNGEL YAGÜEZ, no cabe otra cosa que la apelación a la idea de «conducta normalmente exigible», criterio de valoración apto para enjuiciar cualquier tipo de omisión y concluir sobre su reprochabilidad o irreprochabilidad jurídica.

1. Antijuridicidad

1.1. Concepto

El comportamiento o actividad que genera la obligación de indemnizar debe ser antijurídico (o ilícito).

La antijuricidad o ilicitud se produce no sólo en caso de violación de un deber legal específico, sino también en la infracción del principio general de derecho de no causar daño a otro (_alterum non laedere_), pues, como dice la STS de 23 de diciembre de 1952, la «teoría de que solo puede estimarse como ilícito para caracterizar la culpa el acto u omisión contrario a una disposición legal es completamente errónea, nacida de confundir el elemento objetivo y externo de la violación de una ley con el subjetivo y personal del agente de haber obrado con descuido o negligencia de evitar un mal, que es el esencial en el concepto de la culpa extracontractual o aquiliana desde su origen en Derecho romano, en el que no se atendía a que violase o no disposición legal positiva, sino que la relacionaba con la diligencia de un buen padre de familia o de una persona más o menos precavida según los grados que admitía, pero siempre en atención a ese elemento interno y personal en relación con las circunstancias que cada caso requería, con lo que se violaría no un derecho positivo, sino un derecho abstracto, como el de la vida o la propiedad; y en el mismo concepto pasó a nuestra Leyes de Partidas, en la séptima de las cuales sigue esa doctrina en su título 33, al definir la culpa aquiliana, y en el título 15 al citar en sus leyes 10 y 11 actos ilícitos como originarios de culpa extracontractual, y la desenvolvió en el mismo sentido su comentarista GREGORIO LÓPEZ; y si bien no hace expresa alusión a este extremo concreto el artículo 1902 del CC, es sin duda alguna el que informa tal institución en este Cuerpo legal, porque así lo dispone en su artículo 1104, que, aunque está dictado para los casos de culpa contractual, es aplicable a todo género de obligaciones según declara la sentencia de 14 de diciembre de 1894, y desenvuelve el mismo principio la jurisprudencia al sentar en las sentencias de 2 de marzo de 1904 y 24 de febrero de 1928, con abstracción de que haya o no violación de precepto legal, que la obligación que establece el artículo 1902 alcanza al dueño de una cosa que por omitir los medios conducentes a la corrección de los vicios de que adolezca o por no emplear los procedimientos adecuados para evitar sus consecuencias, da lugar a que se produzcan los daños, llegando a reconocer en la sentencia de 23 de febrero de 1950 que un acto, lícito en sí, da lugar a que se preste la culpa si no se realizó con la prudencia que las circunstancias del caso requerían»[5].

En esta misma línea, puede también mencionarse la STS de 24 de febrero de 1993, que indica que la responsabilidad que establece el art. 1902 del CC «viene

---

5.   RJ 1952, 2673.

condicionada por la exigencia de que el acto dañoso sea antijurídico por vulneración de la norma, aun la más genérica (*alterum non laedere*), protectora del bien agraviado, y culpable, por omisión de la diligencia exigible, que comprende no sólo las prevenciones y cuidados reglamentarios, sino todos los que la prudencia imponga para prevenir el evento»[6].

Esta postura, que podría denominarse «tradicional», ha sido criticada por aquellos autores que consideran que no es necesario recurrir al requisito de la antijuridicidad para atribuir al causante de un daño la obligación de repararlo. Como el sistema español de responsabilidad extracontractual no es un sistema típico, sino de cláusula general, todo daño debe ser objeto de indemnización salvo que el interés lesionado no sea digno de tutela. Con este planteamiento, la indemnización se justifica no porque se haya actuado de forma antijurídica, sino porque el daño se imputa a la conducta del agente sobre la base de la culpa (PANTALEÓN). En este mismo sentido, IZQUIERDO considera que si en nuestro Código civil no existe ninguna alusión a la antijuridicidad quizás sea porque se ha pretendido encajar ese requisito en el de la culpa, pues el artículo 1902 del CC no dice que haya de intervenir la antijuridicidad, pero sí, en cambio, la culpa o negligencia.

La STS de 17 de junio de 1997 declara, *obiter dictum*, que la tendencia a la objetivación de la responsabilidad civil lleva a una atenuación de la antijuridicidad, «que alguna doctrina moderna rechaza como elemento constitutivo».

De hecho, el artículo 1:101 (2) de los PETL se limita a exigir que el daño causado a una persona se pueda imputar «a la persona a) cuya conducta culposa lo haya causado; o b) cuya actividad anormalmente peligrosa lo haya causado; o c) cuyo auxiliar lo haya causado en el ejercicio de sus funciones». Por daño se entiende el perjuicio material o inmaterial «a un interés jurídicamente protegido» (art. 2:101 PETL), detallándose a continuación los intereses protegidos (art. 2:102 PETL).

La noción de «daño resarcible» del artículo 2:101 de los PETL implica que no todo perjuicio sufrido por otra persona puede ser compensado a través del Derecho de daños, pues el establecimiento de una obligación de compensar el daño requiere una intromisión en un interés jurídicamente protegido. Sin embargo, la idea que subyace en el énfasis en el «interés jurídicamente protegido» es importante para la comprensión del concepto fundamental de las Principios de Derecho europeo de la responsabilidad civil. El subrayar la noción de intromisión en un interés protegido es uno de los aspectos del concepto que el Grupo Europeo de Derecho de Daños ha denominado en sus discusiones como «antijuridicidad». De hecho, es posible rastrear en la mayoría de los ordenamientos tomados en cuenta alguna definición de antijuridicidad (lo cual no significa necesariamente que aparezca bajo ese nombre), que puede ser considerada como un fundamento de la responsabilidad por daños (KOZIOL).

1.2. *Causas de justificación*

No obstante, en determinados supuestos el comportamiento de la persona, a pesar de causar daño, se encuentra justificado por el ordenamiento, y no puede, por tanto, ser calificado de antijurídico. Así ocurre en los casos siguientes:

---

6.   RJ 1993, 1251.

A) Caso fortuito y fuerza mayor

El agente quedará exento de responsabilidad cuando el daño se hubiera debido a un acontecimiento que no se pudo prever o que, previsto, fuera inevitable (art. 1105 CC). En ambos casos, caso fortuito y fuerza mayor, hacen referencia en materia contractual a la circunstancia de que el incumplimiento se produce por una causa totalmente ajena a la voluntad del deudor, que él no puede evitar. Esta materia se estudia con más detalle en el Capítulo 37, a propósito de las interferencias en la relación de causalidad.

B) Ejercicio del propio derecho

Conforme al axioma _neminem laedit, qui suo iure utitur,_ cuando se obra en ejercicio del propio derecho no se responde del perjuicio ocasionado, excepto cuando dicho ejercicio fuere abusivo (art. 7.2 CC). Sin embargo, la STS de 20 de julio de 1995 aprecia concurso de culpas por no haber actuado con la debida diligencia. En esta resolución el Tribunal Supremo reconoce que «nadie puede impedir al propietario de un camino privado que lo cierre cuando lo crea oportuno, pero también pondera que «tal acceso estaba abierto durante las veinticuatro horas del día y durante seis día a la semana (excepto el domingo)», por lo que afirma que al cerrarlo debió tomar las precauciones necesarias para evitar daños a los vecinos que normalmente utilizaban dicha vía, es decir, debió «prever lo previsible para evitar el accidente»[7].

Respecto del ejercicio de acciones judiciales, la STS de 13 de octubre de 1992 dice que «toda persona, natural o jurídica, debe tener abierta la vía judicial para lograr la defensa de sus derechos, pero no es menor cierto que ha de ser cuidadosa en su ejercicio para no lesionar el derecho de otras»; y añade que «las demandas infundadas (que no es lo mismo que sostener una interpretación errada de preceptos legales) y las impugnaciones y recursos dentro del procedimiento con el objetivo de retrasarlo, son conductas que caen de lleno en el artículo 1902 del CC, y autorizan al que sufra daños por actuaciones judiciales para pedir su resarcimiento»[8]. Pero también declara que «hay que investigar con cuidado la actividad procesal desarrollada para tacharlas de abusivas, maliciosas o negligentes, pues de lo contrario se produciría una indefensión de hecho si todo pleito perdido lo supusiese automáticamente»[9].

> Según el artículo VI.-5:201 del DCFR, «concurre una causa de exoneración de la responsabilidad si el daño jurídicamente relevante se causa en el ejercicio de facultades reconocidas por la ley».

C) Consentimiento de la víctima

Cuando el daño se causa con consentimiento de la víctima, existe causa justificativa para no responder, de acuerdo con la vieja máxima _volenti non fit injuria._ Sin embargo, para que este consentimiento sea eficaz se requiere que la persona causante del daño haya podido disponer del bien lesionado, es decir, que no haya una prohibición legal, así como que el comportamiento no sea contrario a las buenas costumbres, por ejemplo, los llamados «derechos de la personalidad».

---

7. RJ 1995, 5717.
8. RJ 1992, 7550.
9. Cfr. STS de 21 de marzo de 1996 (RJ 1996, 2231).

D)   Legítima defensa

Siempre que concurran los requisitos establecidos en el artículo 20, núm. 4, del CP, la legítima defensa determina la exención de responsabilidad penal, y también de la responsabilidad civil. Así se deprende de una interpretación *a contrario sensu* del artículo 118 del CP, que no incluye este supuesto en los casos de responsabilidad civil cuando hay exención de responsabilidad criminal e inimputabilidad. La jurisprudencia tiene declarado que no existe antijuridicidad en la hipótesis de conductas lícitas, justificadas por el derecho a defenderse racionalmente ante una agresión ilegítima, excluyéndose la indemnización.

Sin embargo, esto debe matizarse, porque, como dice la STS de 28 junio 1996, «la extinción de la acción penal no lleva consigo la de la civil, a no ser que la extinción proceda de haberse declarado por sentencia firme que no existió el hecho de que la civil hubiera podido nacer». Esto último fue lo que se declaró en la sentencia. Se trataba de un guardia de seguridad de una empresa absuelto en vía penal del delito de asesinato por considerarlo autor de un delito de homicidio justificado por la legítima defensa, lo que permitió declarar lícita su conducta, que le autorizaba «a defenderse racionalmente de la agresión de que fue objeto»[10]. En definitiva, en la legítima defensa existe el daño, pero la razón por la que se produce ese daño legitima la conducta del agente y excluye la indemnización en la vía penal.

E)   Estado de necesidad

El estado de necesidad produce una exención de la responsabilidad penal (art. 20, núm. 5, CP), que no excluye la civil, ya que según el artículo 118.1.3.ª del CP «serán responsables civiles directos las personas en cuyo favor se haya precavido el mal en proporción al perjuicio que se les haya evitado». Por tanto, el responsable no será el causante del daño, sino el que se benefició del mismo, es decir, aquél «en cuyo favor se haya precavido el mal». Como dice Díez-Picazo, se trataría de un supuesto de prevención de un enriquecimiento injusto. más que de un caso de responsabilidad.

2.   Culpabilidad

2.1.   *El dolo*

A tenor de lo dispuesto en el artículo 1902 del CC, no es suficiente que el comportamiento (acción u omisión) cause un daño, sino que además es necesario que en aquél haya intervenido culpa o negligencia. En este punto, el artículo 1902 del CC adolece de imprecisión terminológica, pues en la expresión «culpa o negligencia» hay que entender comprendido el dolo. Es decir, la acción u omisión puede ser intencional o con previsión de causar el resultado dañoso (dolo), o bien producto de la imprudencia o negligencia (culpa), por no haber empleado la diligencia exigible y que hubiera evitado un resultado no querido.

Incluso resulta posible distinguir la forma de culpa consciente, que se da cuando, aun reconociendo que la propia conducta puede conducir a cierto resultado dañoso, el agente tiene la esperanza de que en las circunstancias dadas aquél no se ha de

---

10.   RJ 1996, 4905.

producir; y la de culpa inconsciente, en la cual no se reconoce la posibilidad del resultado, por ignorar el agente que tiene lugar el supuesto de hecho legal, pudiendo haber evitado la infracción mediante la diligencia exigible en el tráfico, bastando en ambas hipótesis que el resultado haya sido previsto como posible o que haya tenido que ser previsto[11]. Esta previsibilidad del resultado es el presupuesto lógico y psicológico de la evitabilidad del mismo, cuyo aspecto objetivo radica en la diligencia que pueda esperarse de toda persona en atención a los efectos de sus actos u omisiones, y el subjetivo en la posibilidad dada a un sujeto determinado de prever las circunstancias en la situación del caso concreto, habiendo de determinarse en principio la diligencia exigible según la clase de actividad de que se trate, y de la que puede y debe esperarse de persona normalmente razonable y sensata; por ejemplo, en una operación médica, la diligencia que en ella suele poner un facultativo, y al conducir un vehículo de motor, el orden y la presencia de ánimo de un conductor corriente[12].

El artículo VI.-3:101 del DCFR señala que «una persona ocasiona un daño jurídicamente relevante de forma dolosa cuando: (a) pretende causar un daño del mismo tipo que el que ha ocasionado; o (b) provoca este daño mediante una conducta voluntaria y sabiendo, con total o casi total certeza, que causará ese daño u otro del mismo tipo».

2.2. La culpa o negligencia

En opinión de DÍEZ-PICAZO, dentro del concepto de culpa el Tribunal Supremo ha aceptado dos tipos de conductas. De una parte, aquellas en las que hay negligencia según una conducta antijurídica y aquellas otras en las que, partiéndose de una actuación diligente y lícita, la culpa se establece en virtud de un resultado socialmente dañoso que impone la desaprobación de la acción o de la conducta por ser socialmente reprobable.

En este contexto, la STS de 9 octubre de 2000 dice que «el artículo 1902 del Código civil ha sufrido una evolución jurisprudencial acorde con la realidad social siempre cambiante (artículo 3.1 del CC) que, manteniendo un fondo de reproche culpabilístico, desplaza cada vez más la prueba de la culpa a la prueba del nexo causal, ya que se subsume en la causa del daño la existencia de la culpa; en las dos últimas décadas esta Sala ha mantenido que la persona que causa el daño, lo hace por dolo o por culpa, pues de no haber una y otra, no había causado –nexo causa– el daño y, asimismo, ha tomado consideración, cada vez más, de la omisión como causa del daño y se ha referido reiteradamente a la negligencia omisiva»[13]. Por su parte, la STS de 29 de junio 2001, después de recordar los requisitos establecidos en el artículo 1902 del CC, señala que «el tan discutible elemento de la culpabilidad existe en el texto del artículo 1902 del CC y en la realidad, pero lo que ha ido evolucionando es su prueba y se tiende a estimarla inmersa en el primero, la acción u omisión, en el sentido de que si ésta, con nexo causal, produce un daño, necesariamente la culpa se halla en la acción u omisión pues, a no ser que medie dolo, no se habría producido el daño de no haber culpa; es decir, se da un desplazamiento de la culpa al nexo causal»[14].

---

11. Cfr. STS de 9 de abril de 1963 (RJ 1963, 1964).
12. Cfr. STS de 9 de abril de 1963 (RJ 1963, 1964).
13. RJ 2000, 9184.
14. RJ 2001, 1470.

A) Concepto y diligencia exigible

Según la teoría tradicional, la culpa consistía en la omisión de la diligencia debida, que había de ser apreciada de acuerdo con los distintos grados de culpa. Pero esta teoría no puede seguirse en la responsabilidad extracontractual, pues el artículo 1089 del CC se refiere a «cualquier género de culpa o negligencia», lo que nos obliga a buscar un modelo que sirva al juzgador para decidir si hubo o no culpa. Parece lógico acudir al patrón de la responsabilidad contractual al que alude incidentalmente el artículo 1903 del CC. Así, el artículo 1104, párrafo 1.º, del CC señala que «la culpa o negligencia consiste en la omisión de aquella diligencia que exija la naturaleza de la obligación, y corresponda a las circunstancias de las personas, del tiempo y del lugar». Cuando la obligación no exprese la diligencia que haya de prestarse en su cumplimiento, añade el párrafo 2.º del mismo artículo, «se exigirá la que correspondería a un buen padre de familia». Este «buen padre de familia» corresponde a la imagen del hombre prudente, que, sin embargo, puede sufrir alteraciones en determinados supuestos. Principalmente, cuando existan circunstancias que exijan una diligencia superior que no pueda limitarse a la del hombre medio. Por eso se afirma que la culpa extracontractual no consiste en la omisión de normas inexcusables o aconsejadas por la más vulgar experiencia, sino en el actuar no ajustado a la diligencia exigible según las circunstancias del caso concreto, de las personas, del tiempo y del lugar[15]. Naturalmente, esto no impide que el juez considere que este hombre medio deba poner un especial cuidado en su proceder, pues no cabe desconocer que se responde de cualquier género de culpa.

> El artículo 4:101 de los PETL dice que «una persona responde con base en la culpa por la violación intencional o negligente del estándar de conducta exigible». El término «culpa» se emplea aquí con un carácter omnicomprensivo, abarcando tanto la conducta dolosa como negligente. Según el artículo VI.-3:102 del DCFR, «una persona ocasiona un daño jurídicamente relevante por culpa cuando su conducta: (a) no alcanza el nivel de diligencia establecido por una disposición legal dirigida a proteger a la víctima del daño causado; o (b) de cualquier otro modo no alcanza el nivel de diligencia exigible a una persona razonablemente diligente en las circunstancias del caso».

Por tanto, habrá que tener en cuenta las circunstancias personales del causante del daño, que se refiere, sobre todo, a la profesión que ejerce, por la especial pericia que puede tener frente al «buen padre de familia». En realidad, como señala ROCA TRÍAS, más que una diligencia especial, se trata de adaptar esa diligencia al sector de tráfico, esfera técnica o profesional en que se ocasiona el daño. Esto supone que el buen padre de familia se convierte en el «buen médico», «buen empresario», «buen arquitecto», etc. En consecuencia, al profesional se le exige la diligencia del sector profesional a que pertenezca.

> Por ejemplo, cuando se trata de la responsabilidad sanitaria, que se caracteriza por la condición profesional del agente, se exige un deber de diligencia superior al común o al del buen padre de familia. Como dice la STS de 5 de diciembre de 2006, este mayor grado de diligencia es correlativo a la formación y preparación de quien ejerce la profesión médica, al tiempo que se justifica por el destinatario de la

---

15. Cfr. SSTS de 24 de septiembre de 2002 (RJ 2002, 7950), 26 de marzo de 2004 (RJ 2004, 1952), 14 de julio de 2006 (RJ 2006, 4965) y 5 de enero de 2010 (RJ 2010, 6).

actividad, el ser humano, y por su objeto y finalidad, la preservación de la salud, el tratamiento y la prevención de la enfermedad y del dolor; pues la prestación asistencial presenta ante todo un marcado carácter técnico, se trata de una actividad regulada por las reglas de la *lex artis ad hoc*[16].

El artículo 3:201 de los PETL señala que la previsibilidad del daño es la de «una persona razonable en el momento de producirse la actividad considerando, en especial, la cercanía en el tiempo y en el espacio entre la actividad dañosa y su consecuencia, o la magnitud del daño en relación con las consecuencias normales de tal actividad».

En cuanto al estándar de conducta exigible, según el artículo 4:102(1) de los PETL, «es el de una persona razonable que se halle en las mismas circunstancias y depende, en particular, de la naturaleza y el valor del interés protegido de que se trate, de la peligrosidad de la actividad, de la pericia exigible a la persona que la lleva a cabo, de la previsibilidad del daño, de la relación de proximidad o de especial confianza entre las personas implicadas, así como de la disponibilidad y del coste de las medidas de precaución y de los métodos alternativos». Este estándar, matiza el artículo 4:102(2) de los PETL, «puede adaptarse cuando debido a la edad, a la discapacidad física o psíquica o a circunstancias extraordinarias no sea exigible que la persona de que se trate lo cumpla».

B) Prueba de la culpa

Una de las características de la culpa extracontractual es su régimen probatorio, pues la víctima o perjudicado por el acto dañoso no solo tiene que probar que éste se produjo, sino además la culpa del agente. Este criterio es consecuencia de la aplicación, en defecto de norma específica, del principio consignado en el artículo 1214 del CC, hoy derogado y que se corresponde con lo dispuesto por el artículo 217.3 y 4 de la LEC.

Durante mucho tiempo, la jurisprudencia exigió rigurosamente al perjudicado la prueba de la culpa del agente. Sin embargo, con el aumento de los riesgos y accidentes, empezó a corregir este subjetivismo, admitiendo como prueba la mera verosimilitud o probabilidad de la culpa y terminando por invertir la carga de la prueba al presumir la culpa del agente[17]. Para justificarlo, la STS de 16 de diciembre de 1988 declara: «*a*) Que la doctrina de la Sala 1.ª no ha objetivado en su exégesis del artículo 1902 del CC su criterio subjetivista y sí, únicamente, para su más adecuada aplicación a las circunstancias y exigencias del actual momento histórico, ha procurado corregir el excesivo subjetivismo con que venido siendo aplicado. *b*) Que dicha corrección, bien se opere a través de la aplicación del principio del *riesgo*, bien de su equivalente de *inversión de la carga de la prueba*, nunca elimina en dicha interpretación los aspectos no radical sino relativamente subjetivistas con que fue redactado por los legisladores de 1889; razón por la cual, si bien en aquellos casos en que aun cumpliéndose los requisitos reglamentarios la prueba practicada pone de relieve la existencia de descuidos, negligencias o abandonos en el curso de la actividad, labor o servicio en que

---

16. RJ 2007, 232.
17. Cfr. SSTS de 30 de junio de 1959 (RJ 1959, 2944), 9 de marzo de 1984 (RJ 1984, 1207) y 13 de mayo de 1985 (RJ 1985, 2272), entre otras. Cfr. STS de 16 de diciembre de 1988 (RJ 1988, 9469).

cuyo desarrollo se produce el evento dañoso indemnizable, la persona física o social correspondiente deberá responder de ellos al amparo bien del artículo 1902 o bien del 1903 del CC»[18].

También la doctrina ha tratado de razonar este criterio jurisprudencial. Así, por ejemplo, Lacruz argumenta que «la doctrina de la inversión de la carga de la prueba de la culpa tiene a su favor dos razones concluyentes: una, que el causante de un daño es un obligado (a respetar la integridad de la persona y el patrimonio ajenos), de modo que, infringiendo su deber, cosa que resulta *ex re ipsa* del hecho del daño causado, es él quien tiene que justificar el incumplimiento; y otra, que si el artículo 1903 obliga a responder por actos ajenos, es decir, a personas distintas del agente, presumiéndolas culpables *in vigilando* o *in eligendo* a partir de la mera realización del hecho dañoso, con mayor razón se habrá de presumir la culpa de quien responde por actos propios». Sin embargo, en nuestra opinión, el juzgador se aparta arbitrariamente de la norma jurídica aplicable (art. 1902 y art. 217.3 y 4 LEC). Otra cosa es que lo pueda o quiera justificar por razones de equidad y seguridad, pues, como dice Pantaleón, la inversión de la carga de la prueba «es una directiva política del Derecho, contraria al sentido común (...), fundada en un claro juicio de valor (...) distinto al del legislador de 1889».

A tenor del artículo 4:201, párrafo 1.º, de los PETL, «puede invertirse la carga de la prueba a la luz de la gravedad del peligro que la actividad en cuestión comporta». La gravedad del peligro se determina de acuerdo con la gravedad del daño que en tales casos pueda producirse así como con la probabilidad de que tal daño llegue a suceder efectivamente (cfr. art. 4:201, párr. 2.º, PETL). En cuanto a las empresas, el artículo 4:202, párrafo 1.º, de los PETL señala que «la persona que se dedica de modo permanente a una actividad empresarial con fines económicos o profesionales y que emplea auxiliares o equipamiento técnico es responsable de todo daño causado por un defecto de tal empresa o de lo que en ella se produzca, a no ser que pruebe que ha cumplido con el estándar de conducta exigible». El término «defecto» significa, según el párrafo 2.º del mismo artículo, «toda desviación con respecto a los estándares que son razonablemente exigibles a la empresa o a sus productos o servicios».

Si bien en determinados supuestos, y de forma muy reiterada, ya se ha indicado que la jurisprudencia ha invertido la carga de la prueba de la culpa, eso ha ocurrido con más frecuencia en aquellos casos en que el agente generó un riesgo del que, presumiblemente, se dedujo un daño en el demandante. De hecho, el artículo 217.6 de la LEC señala que el tribunal «deberá tener presente la disponibilidad y facilidad probatoria» de cada una de las partes del litigio, recogiendo lo que ya venía estableciendo la jurisprudencia.

3. Imputabilidad

3.1. *Menores de edad*

Desde el punto de vista de la responsabilidad civil, el menor de edad puede ser imputable si tiene la madurez de juicio suficiente, esto es, si es capaz de entender y querer las consecuencias de sus actos. En esta hipótesis, podrá responder civilmente

---

18.   RJ 1988, 9469.

de los daños causados por su actuación, porque no existe una responsabilidad civil solidaria con sus padres.

La STS de 8 marzo 2002 declaró que un menor de edad, de diecisiete años, era responsable solidario junto con sus padres por los daños causados jugando con una pelota en un parque público, pues «la resolución recurrida fundamenta la condena en un criterio de imputación subjetiva, pues declara acreditada la negligencia de M. M. Q. en el desarrollo de una actividad susceptible de crear el riesgo de daño para las personas según quienes intervengan y formas o modos de actuar. Y en orden a justificar la falta de diligencia razona que, para determinar la que es exigible, ha de atenderse no sólo a las circunstancias de las personas, del tiempo y lugar, sino también al sector del tráfico o de la vida social en que la misma se proyecta, y valora las circunstancias personales del agente (de diecisiete años, siete meses y veintidós días de edad) y factores psicológicos (capacidad tanto volitiva como intelectual suficiente para comprender la trascendencia de sus actos y los posibles riesgos y resultados de los mismos); por lo que colige que era previsible y evitable el resultado dañoso, de ahí la calificación de la conducta como culposa. Este Tribunal comparte plenamente la apreciación de la resolución recurrida. El juego con una pelota no es de por sí susceptible de generar un especial riesgo de ilícitos extracontractuales, pero tampoco es tan inocuo como para que éstos no puedan surgir cuando, como ocurre en el caso, se dan determinadas circunstancias que justifican la apreciación de culpa extracontractual. En tales circunstancias resulta incuestionable que era previsible la posibilidad de dañar, como ocurrió, a terceros no intervinientes, y fácilmente evitable de haberse ajustado la diligencia a las reglas de atención y cuidado exigibles»[19].

Si el menor era realmente incapaz, por carecer del grado de madurez necesario para entender y querer las consecuencias de sus actos, sería entonces un inimputable civil, debiendo responder sus padres o tutores frente a terceros del daño causado en virtud del artículo 1903 del CC.

El artículo VI.-3:103 (1) del DCFR señala que un menor de dieciocho años únicamente responderá por un daño jurídicamente relevante según lo dispuesto en el subapartado (b) del artículo 3:102 (Culpa) del Libro VI, en la medida en que no haya actuado con la diligencia exigible a una persona razonable de su misma edad y en las mismas circunstancias del caso.

3.2. *Personas con discapacidad*

La persona que sufre una discapacidad puede ser civilmente imputable, si es capaz de entender y querer las consecuencias de sus actos, y por tanto responderá civilmente frente a la víctima de acuerdo con lo dispuesto en el artículo 1902 CC. Si es civilmente inimputable, y es persona con capacidad modificada judicialmente, responderá su tutor, de acuerdo con el artículo 1903 CC.

3.3. *Personas jurídicas*

El ordenamiento atribuye a las personas jurídicas responsabilidad directa por aquellos actos u omisiones realizados a través de sus órganos de dirección, puesto

---

19.   RJ 2002, 1912.

que el artículo 38 del CC señala que pueden contraer todo tipo de obligaciones, sin excluir la derivada de la responsabilidad extracontractual. El principio general es que se puede imputar a las personas jurídicas la obligación de indemnizar cuando en el desarrollo de sus actividades hayan producido daños a terceros. Por consiguiente, la persona jurídica puede ser causante de daños a terceros en el sentido del artículo 1902 del CC, así como responder por los daños causados por sus dependientes y empleados en virtud del artículo 1903 del CC[20].

En muchas ocasiones, es la ley la que determina la responsabilidad de la persona jurídica. Así, por ejemplo:

En materia de *asociaciones*, el artículo 15.1 de la LOA dice que «las asociaciones inscritas responden de sus obligaciones con todos sus bienes presentes y futuros». Entre esas obligaciones debe incluirse la obligación de indemnizar que se origina por responsabilidad civil. Cuando una asociación es condenada al pago de una indemnización, el patrimonio que responde es el patrimonio propio de la asociación, no extendiéndose la responsabilidad al patrimonio particular de los asociados que la componen.

En el ámbito *mercantil*, los socios colectivos sean o no gestores, responden con su propio patrimonio de las deudas de la sociedad de forma solidaria, personal, ilimitada y subsidiariamente (art. 127 CCom). En cambio, la responsabilidad estará limitada al patrimonio de la sociedad en la sociedad anónima y en la sociedad de responsabilidad limitada.

No obstante, la atribución de responsabilidad civil a la persona jurídica no significa que sus cargos queden necesariamente indemnes, pues responderán personalmente cuando hayan causado perjuicios por culpa o negligencia a la persona jurídica que gestionan o a terceros. El artículo 15.4 de la LOA impone la obligación de indemnizar a los miembros o titulares de los órganos de gobierno y representación de las asociaciones «por los actos y omisiones realizados en el ejercicio de sus funciones, y por los acuerdos que hubiesen votado, frente a terceros, a la asociación y a los asociados». Cuando la responsabilidad no pueda ser imputada a uno de ellos individualmente, será solidaria entre todos ellos «a menos que puedan acreditar que no han participado en su aprobación y ejecución o que expresamente se opusieron a ellas» (art. 15.5 LOA). Por su parte, en materia de fundaciones, el artículo 17 de la LF establece la responsabilidad solidaria de los patronos de una fundación por «los daños y perjuicios que causen por actos contrarios a la ley o a los estatutos o por los realizados sin la diligencia con la que deben desempeñar el cargo».

Además de la responsabilidad de la persona jurídica frente a terceros, existe también la responsabilidad de los socios frente a la propia persona jurídica. A propósito de la sociedad civil, el artículo 1686 del CC impone al socio la obligación de responder frente a la sociedad de los daños y perjuicios que ésta haya sufrido por su culpa. De igual modo, el artículo 11.2 de la LSP establece la responsabilidad de la sociedad profesional y de los profesionales derivada de los actos profesionales propiamente dichos, indicando que «responderán solidariamente la sociedad y los profesionales, socios o no, que hayan actuado, siéndoles de aplicación las reglas generales sobre la responsabilidad contractual o extracontractual que correspondan.».

---

20. Cfr. SSTS de 25 de noviembre de 2003 (RJ 2003, 8355) y 29 de marzo de 2007 (RJ 2007, 1759).

En lo que se refiere a la responsabilidad de los administradores de sociedades mercantiles, hay que estar a lo dispuesto en el Texto Refundido de la Ley de Sociedades de Capital.

BIBLIOGRAFÍA

Cossío, _El dolo en el Derecho civil,_ Madrid, 1955; íd., «La causalidad en la responsabilidad civil», ADC, 1966, p. 527; De Castro, «La indemnización por causa de muerte», _ADC,_ 1956, p. 449; Fernández Martín-Granizo, «¿Responsabilidad objetiva u obligación legal de indemnizar?», ADC, 1965, p. 663; García Gil, _La responsabilidad extracontractual en la jurisprudencia,_ Madrid, 1997; León Alonso, _La categoría de las obligaciones «in solidum»,_ Sevilla, 1978; Martín Ballestero, «La responsabilidad objetiva como garantía patrimonial», _RDP,_ 1966, p. 117; O'Callaghan, «Los presupuestos de la obligación nacida del acto ilícito: la objetivación de la llamada responsabilidad extracontractual», AC, 1987-1, p. 1; Pantaleón, «Causalidad e imputación objetiva: criterios de imputación», _Centenario del Código civil,_ t. II, Madrid, 1991, p. 1561; Rogel Vide, _La responsabilidad civil extracontractual en el Derecho español,_ Madrid, 1977; Sancho Rebullida, «La mancomunidad como regla general en las obligaciones civiles con pluralidad de sujetos», _Estudios en honor del Prof. Castán Tobeñas,_ t. III, Pamplona, 1969, p. 565; Soto Nieto, _La responsabilidad civil derivada del ilícito culpa (vinculaciones solidarias),_ Madrid, 1982; íd., «La llamada compensación de culpas», RDP, 1968, p. 409; Tapia Fernández/Cabanillas Múgica, _La concurrencia de responsabilidad contractual y extracontractual. Tratamiento sustantivo y penal,_ Madrid, 1992.

Capítulo XXXV

La responsabilidad por actos propios (II). El daño y su reparación

SUMARIO: I. EL DAÑO: CONCEPTO, REQUISITOS Y CLASES. 1. *Concepto.* 2. *Requisitos.* 3. *Clases.* 3.1. Por su naturaleza. A) Daño patrimonial. B) Daño no patrimonial. 3.2. Por su duración. 4. *El daño moral.* 5. *La prueba del daño.* II. LA OBLIGACIÓN DE REPARAR EL DAÑO. 1. *Características de la obligación de reparar.* 2. *Formas de reparación de daño.* 2.1. La restitución del bien. 2.2. El resarcimiento en forma específica. 2.3. La indemnización de daños y perjuicios. BIBLIOGRAFÍA.

I. EL DAÑO: CONCEPTO, REQUISITOS Y CLASES

1. Concepto

Como ya se ha indicado, el daño es un requisito o presupuesto imprescindible de la responsabilidad civil. Sin daño no hay responsabilidad, pues la responsabilidad se mide por el daño producido. A pesar de su importancia, no existe ninguna definición de daño en nuestro ordenamiento. Pero no esto no quiere decir que no pueda rastrearse su existencia, como sucede en el caso del artículo 1902 del CC, que pone el énfasis en la obligación de reparar los daños causados, y asimismo en el artículo 110 del CP, que incluye la reparación del daño y la indemnización de los perjuicios materiales y morales en el objeto de la responsabilidad derivada del delito.

El concepto jurídico de daño que habitualmente se utiliza en Derecho español aparece con una generalidad que lo hace difícilmente aprehensible, hasta el punto de ser calificado como «concepto jurídico indeterminado» (LUNA SERRANO). Sin embargo, como resulta imprescindible partir de una noción previa del daño, por imperfecta que pueda resultar, con el fin de abordar la naturaleza y problemática de su estudio, se puede utilizar la definición que aparece en las Siete Partidas, a cuyo tenor, «daño es empeoramiento o menoscabo, o destruimiento que home recibe en si mesmo, o en sus cosas por culpa de otro» (7.15.1). Para LARENZ, «daño es el menoscabo que a consecuencia de un acaecimiento o evento determinado sufre una persona ya en sus bienes vitales o naturales, ya en su propiedad o en su patrimonio». Es decir, el daño consiste en el perjuicio o detrimento que sufre el perjudicado en su persona, en su patrimonio o en ambos.

A diferencia del Derecho español, que no utiliza la categoría del «interés jurídicamente protegido» y la consiguiente determinación de ese interés, el artículo 2:101 de los PETL señala que «el daño requiere un perjuicio material o inmaterial a un interés jurídicamente protegido». El alcance de la protección de ese interés depende de su naturaleza, de manera que «su protección será más amplia cuanto mayor sea su valor, la precisión de su definición y su obviedad» (art. 2:102 PETL).

2. Requisitos

Los requisitos del daño son los siguientes:

a) Debe ser un daño real, actual y verdadero, ya que nuestro ordenamiento no reconoce los posibles daños futuros ni tampoco los hipotéticos.

b) La existencia del daño, así como su alcance, deberán ser probados por quien lo alega si quiere obtener la correspondiente indemnización[1].

c) Debe ser evaluable económicamente o susceptible de reparación, lo cual no impide que puedan ser objeto de indemnización los daños no patrimoniales.

d) Debe ser atribuible a una conducta humana.

e) Deben concurrir los requisitos generales de responsabilidad.

3. Clases

3.1. Por su naturaleza

Los daños se dividen en patrimoniales y no patrimoniales, entre los que se incluye el daño moral. El artículo 110, núm. 3.º, del CP, a propósito del objeto de la responsabilidad civil derivada del delito, se refiere a la indemnización de «perjuicios materiales y morales».

A) Daño patrimonial

El daño material o patrimonial consiste en el menoscabo o detrimento sufrido por el perjudicado en su patrimonio. El daño patrimonial comprende tanto la pérdida sufrida (*daño emergente*) como la ganancia que se haya dejado de obtener (*lucro cesante*), por aplicación analógica de lo dispuesto en el artículo 1106 del CC. A este efecto, la STS de 28 de abril de 1992 dice que en la responsabilidad civil extracontractual rige el principio de indemnidad, «que exige el restablecimiento del patrimonio del perjudicado al estado que tendría antes de producirse el daño»[2]. Sin embargo, este criterio no puede ni debe ser aplicado a ultranza, de modo objetivo, sino en función de las propias circunstancias del caso concreto, conjugadas con el propio interés del perjudicado. Como dice PANTALEÓN, «la determinación del daño patrimonial requiere tener en cuenta las circunstancias específicas del concreto dañado y examinar su, también concreto, interés en la existencia o integridad de la cosa destruida o deteriorada, o en la realización de la actividad impedida, o en la omisión de la actividad que resulta impuesta por la conducta del dañante».

---

1.   Cfr. STS de 21 de febrero de 2003 (RJ 2003, 2134).
2.   RJ 1992, 4466. Cfr. STS de 14 de julio de 2003 (RJ 2003, 4629).

En cualquier caso, los tribunales no conceden indemnizaciones de lucros que no se hayan demostrado fehacientemente y sobre los que exista una probabilidad rayana en la certeza de que se habrían generado en el futuro de no haberse producido el evento dañoso. Se excluyen, por tanto, las meras expectativas de ganancias.

B) Daño no patrimonial

Algunos autores han propuesto con acierto distinguir en esta categoría entre el daño no patrimonial no personal, como sería el daño causado a la persona jurídica, y el daño no patrimonial personal, que incluiría de un lado el daño corporal y de otro el daño moral.

El daño corporal consiste en toda lesión que afecta a la integridad física o psíquica de una persona, de forma temporal o permanente, e incluye el fallecimiento.

El daño moral es el que experimenta una persona y que no afecta a su patrimonio, ni a sus ingresos, ni puede cuantificarse económicamente con referencia a un valor de mercado (MARTÍN CASALS/SOLÉ). Con esta definición negativa, el daño moral se contrapone absolutamente al daño patrimonial en la misma línea que sigue el artículo 113 del CP cuando contrapone los perjuicios materiales y morales a la hora de determinar quiénes pueden ser los sujetos de la correspondiente indemnización.

3.2. Por su duración

De acuerdo con este criterio se distingue entre daños permanentes y daños continuados. Los primeros son aquellos que continúan manifestándose después del cese de la causa que los generó. Los segundos son aquellos daños que, si bien surgen ante un accidente o evento concreto, no se establecen completamente desde el inicio, sino que van apareciendo con el tiempo. En este último caso, según la jurisprudencia, el plazo de prescripción se cuenta a partir del momento en que se hayan estabilizado las secuelas o se hayan manifestado plenamente los daños.

4. El daño moral

El daño moral es el sufrimiento o perturbación de carácter psicofísico en el ámbito de la persona (DÍEZ-PICAZO). Este autor ha criticado lo que él considera un proceso de trivialización y deformación de este tipo de daño por parte de la jurisprudencia.

La STS de 6 de diciembre de 1912 ha sido la primera decisión judicial que admitió la responsabilidad por daños morales producidos en ese caso en el honor de una mujer como consecuencia de la publicación de una noticia falsa en un periódico, declarando que se había producido «una total y absoluta expoliación de la dignidad personal, familiar y social de la joven ofendida, violentamente despojada de todos sus títulos de pudor y honestidad que la hacían acreedora á la estimación pública por presentarla de modo evidente y escandaloso culpable de fuga del hogar paterno y de amancebamiento sacrílego consumado»[3]. Se consideran incluidas en la noción de daño moral, según la STS de 22 de febrero de 2001, «categorías anidadas en la esfera del intimismo de la persona, y que, por ontología, no es posible emerjan al

---

3.   RJ 1912, 5627.

exterior, aunque sea factible que, habida cuenta la ocurrencia de los hechos (en definitiva, la conducta ilícita del autor responsable) se puede captar la esencia de dicho daño moral, incluso, por el seguimiento empírico de las reacciones, voliciones, sentimientos o instintos que cualquier persona puede padecer al haber sido víctima de una conducta transgresora fundamento posterior de su reclamación por daños morales»[4]. Esta sentencia distingue: a) los sufrimientos, dolores psíquicos o físicos que haya padecido la víctima del acto ilícito y b) las frustraciones, quebrantos o ruptura de los sentimientos ente las personas allegadas, cuando se vena privadas temporal o definitivamente de la persona directamente dañada por el acto ilícito.

Según la STS de 27 de julio de 2006, «deben ser calificados como daños morales, cualesquiera que sean los derechos o bienes sobre los que directamente recaiga la acción dañosa, aquellos que no son susceptibles de ser evaluados patrimonialmente por consistir en un menoscabo cuya sustancia puede recaer no sólo en el ámbito moral, sino también en el ámbito psicofísico de la persona y consisten, paradigmáticamente, en los sufrimientos, padecimientos o menoscabos experimentados que no tienen directa o secuencialmente una traducción económica, incluyendo los que tienen su causa en el incumplimiento contractual, sí como los que afectan a la parte social del patrimonio moral de la persona incidiendo en la esfera de su honor, reputación y consideración». Y añade que «los daños producidos en el ámbito del patrimonio moral pueden ser de naturaleza patrimonial (llamados a veces daños patrimoniales indirectos o daños morales impropios) y no sólo moral». También ha declarado esta sentencia que «no es inexacto calificar como daño moral el que tiene relación con la imposibilidad del ejercicio de los derechos fundamentales, integrados en el ámbito de la personalidad, como es el derecho a la tutela judicial efectiva»[5].

En cuanto al reconocimiento de *daños morales ocasionados a una persona jurídica*, debe mencionarse la STS de 31 de marzo de 1930, que condenó a una entidad mercantil a indemnizar a una sociedad anónima por los «daños morales y materiales causados» ocasionados por la publicación de cierto anuncio en el que se desacreditaba y ridiculizaba una fórmula comercial utilizada por la empresa demandante[6]. Posteriormente, la STS de 4 de junio de 1962, aunque denegó la indemnización solicitada por la sociedad demandante, también reconoció la existencia de un daño moral[7].

La STS de 20 de febrero de 2002 ha indicado que el daño moral es el infringido a la dignidad y a la estima moral y cabe en las personas jurídicas[8].

Acerca de esta cuestión, es importante reseñar la evolución del Tribunal Constitucional. La STC de 8 de junio de 1988 declaró que «el honor es un valor referible a personas individualmente consideradas, lo cual hace inadecuado hablar del honor de las instituciones públicas o de clases determinadas del Estado, respecto de las cuales es más correcto, desde el punto de vista constitucional, emplear los términos de dignidad, prestigio y autoridad moral, que son valores que merecen la protección penal que les dispense el legislador, pero que no son exactamente

---

4. RJ 2001, 2242.
5. RJ 2006, 6548.
6. RJ 1930, 816.
7. RJ 1962, 2666.
8. RJ 2002, 3501.

identificables con el honor, consagrado en la Constitución como derecho fundamental»[9]. Sin embargo, la STC de 11 de noviembre de 1991 extiende la protección del derecho al honor a un amplio colectivo, concretamente a los integrantes del pueblo judío que sufrieron los horrores del nacional-socialismo, y dice que «lo anterior no ha de entenderse en sentido tan radical que tan sólo admita la existencia de lesión del derecho al honor constitucionalmente reconocido cuando se trate de ataques dirigidos a persona o personas concretas e identificadas», añadiendo que «también es posible apreciar lesión del citado derecho fundamental en los que aun tratándose de ataques referidos a un determinado colectivo de personas más o menos amplio, los mismos trascienden a sus miembros o componentes siempre y cuando éstos sean identificables, como individuos dentro de la colectividad»[10]. Finalmente, la STC de 26 de septiembre de 1995, más rotundamente, afirma que «el significado del derecho al honor no puede ni debe excluir de su ámbito de protección a las personas jurídicas»; y declara que, «a través de los fines para los que cada persona jurídico privada ha sido creada, puede establecerse un ámbito de protección de su propia identidad y en dos sentidos distintos: tanto para proteger su identidad cuando desarrolla sus fines, como para proteger las condiciones de ejercicio de su identidad, bajo las que recaería el derecho al honor»[11].

En todo caso, la categoría del daño moral no pretende una reparación completa de los perjuicios causados, sino solo proporcionar a la víctima una satisfacción razonable con relación al dolor sufrido.

5. La prueba del daño

Se aplica la regla general contenida en el artículo 217.2 de la LEC.

El artículo 2:105 de los PETL dice que «el daño debe probarse con los criterios procesales ordinarios. El tribunal podrá estimar la cuantía del daño cuando la prueba de su importe exacto resulte demasiado difícil o costosa». Al margen de que este precepto pretende, en primer lugar, dejar claro que la cuestión de la prueba en su conjunto se halla por completo fuera del ámbito de los Principios de Derecho europeo de la responsabilidad civil, además pretende formular una norma uniforme para el supuesto en que la prueba estricta del alcance del daño sea demasiado difícil o costosa y se tenga la certeza de que se ha sufrido algún daño. En este caso, los tribunales están facultados para estimar la cuantía del daño.

II. LA OBLIGACIÓN DE REPARAR EL DAÑO

El principio fundamental que rige en materia de la responsabilidad extracontractual reconoce que la víctima de un daño debe quedar indemne sus consecuencias. Por tanto, del perjuicio causado nace una obligación jurídica de indemnizar, tal como se establece en los arts. 1089 y 1093 CC. La misma obligación se reconoce en el artículo 109 del CP.

---

9.   RTC 1988, 107.
10. RTC 1991, 214.
11. RTC 1995, 13 9. Cfr. SSTS de 14 de diciembre de 1994 (RJ 1994, 10110) y 20 de febrero de 2002 (RJ 2002, 3501).

1. Características de la obligación de reparar

La obligación de reparar el daño consiste en una deuda que tiene las siguientes características: *a)* es una deuda de valor; b) no es personalísima; *c)* es solidaria; *d)* es renunciable y *e)* es ilíquida.

a) Deuda de valor

Como ya se ha indicado, la doctrina distingue entre *deudas de dinero* y *deudas de valor*, según que el dinero intervenga en la obligación como medio de intercambio de bienes y servicios (por ejemplo, el precio en la compraventa), o como medida de valor de aquellos (por ejemplo, arts. 360, 564, 1106, 1478 CC). En este segundo caso, no se debe el valor del dinero, sino el valor de la cosa o servicio. Pues bien, la jurisprudencia ha construido la obligación de reparar el daño como una deuda de valor, especialmente cuando se trata de indemnizar los daños a causados a las personas. Se trata así de intentar evitar el doble perjuicio que supone el propio daño, de una parte, y la devaluación monetaria cuando quien está obligado a indemnizar tarda mucho en hacer efectivo el pago, de otra. Así lo declara la STS 2.ª de 20 de enero de 1976[12], y lo reiteran las SSTS de 20 de diciembre de 2006[13], de 26 de septiembre de 2007[14] y de 24 de octubre de 2008[15]. El Tribunal Supremo ha declarado que la fijación de la cuantía de la indemnización de daños y perjuicios «no ha de situarse ni en la fecha indicada al tiempo de ejercicio de la acción, ni en la de causación de aquellos, sino en el día en que recaiga la condena definitiva a la reparación o, en su caso, a la posterior en que se liquide su importe en el período de ejecución de sentencia»[16].

> Un caso concreto de la consideración de la indemnización como deuda de valor aparece en las SSTS de 17 de abril de 2007 a propósito de un accidente ocasionado con motivo de la circulación de vehículos a motor[17]. Esta doctrina ha sido reiterada por las SSTS de 17 de diciembre de 2010[18], 26 de octubre de 2011[19] y 30 abril de 2012[20]. En palabras de la STS de 25 de noviembre de 2015, «los daños sufridos en un accidente de circulación quedan fijados de acuerdo con el régimen legal vigente el momento de la producción del hecho que ocasiona el daño, y deben ser económicamente valorados, a efectos de determinar el importe de la indemnización procedente, al momento en que se produce el alta definitiva del perjudicado, lo que en caso de fallecimiento próximo de la víctima lleva a considerar que el importe de la indemnización ha de fijarse en relación con la fecha del accidente»[21].

b) Obligación no personalísima

La regla general es que la obligación surgida de la producción de un daño no es personalísima. Por tanto, el crédito que surge como efecto directo del daño puede

---

12. RJ 1976, 155.
13. RJ 2007, 439.
14. RJ, 2007, 5447.
15. RJ 2008, 5793.
16. Cfr. SSTS de 21 de enero de 1978 (JC 1978, I-20) y 29 de junio de 1978 (RJ 1978, 2455), y 5 de julio de 1983 (RJ 1983, 4068).
17. RJ 2007, 3360 y RJ 2007, 3359.
18. RJ, 2011, 11.
19. RJ, 2012, 1124.
20. RJ 2012, 5274.
21. RJ 2015, 5323.

transmitirse _inter vivos_ y por causa de muerte, pudiendo ejercitarse por los acreedores del perjudicado a través de la acción subrogatoria (art. 1111 CC).

La doctrina considera personalísima la obligación de indemnizar el daño moral. No obstante, esta característica solo se predica del acreedor, no del deudor; ya que la deuda forma parte del pasivo de su patrimonio y se transmite a sus herederos la obligación de reparar el daño.

_c_) Obligación solidaria

Cuando intervienen varios autores en la producción del daño o cuando el daño resulta producido por un grupo de personas cuya participación no es posible determinar, la obligación de reparar tiene la característica de solidaria. La solidaridad favorece las reclamaciones de la víctima, pues de esta manera no tiene que demandar a cada uno de los posibles autores y demostrar la parte que a cada uno de ellos corresponde en la producción del daño.

El artículo 9:101(1) de los PETL señala que «la responsabilidad es solidaria si todo el daño sufrido por la víctima o una parte diferenciada del mismo es imputable a dos o más personas», sin perjuicio del reparto interno entre los causantes y de la acción de regreso de aquel que haya pagado el importe total de la indemnización (art. 9:102 PETL). Según el artículo VI.-6:105 DCFR, «cuando varias personas sean responsables por el mismo daño jurídicamente relevante, su responsabilidad tendrá el carácter de solidaria».

La jurisprudencia ha considerado como solidaria, en lo que denomina «solidaridad impropia», la obligación del asegurador de indemnizar por los hechos producidos por el asegurado de acuerdo con el contrato de seguro de responsabilidad civil. En palabras de la STS de 17 marzo 2006, «la solidaridad impropia se produce cuando acciones plurales concurren a un resultado dañoso, con contribución causal eficiente, sin que sea posible discernir el concreto grado de incidencia de cada una de ellas. Tal situación de responsabilidad «in solidum» puede originarse de distintos modos, pero no cabe aplicar la interrupción de la prescripción extintiva «ex» artículo 1974, entendida con alguno de los agentes, a los otros, cuando no ha habido una actuación conjunta o común, o no hay una comunidad de intereses entre ellos, sino que operaban con absoluta independencia y sin ninguna relación entre sí»[22].

_d_) Obligación renunciable

Resulta una obviedad que, una vez que se ha producido un daño y en consecuencia ha surgido la obligación de indemnizarlo, eso no obsta para que el perjudicado pueda, si lo estima conveniente, renunciar a la reparación a que tendría derecho. Esa renuncia, que podría ser expresa o tácita, debe realizarse en todo caso de forma clara y derivada de hechos concluyentes. Por otra parte, la disponibilidad para negociar la cuantía de una indemnización, de forma previa o coetánea a un proceso judicial, no implica en absoluto la renuncia por parte del demandante a instar el ejercicio de las acciones que le correspondan, ni tampoco supone un reconocimiento de responsabilidad por parte del demandado.

Como señala la STS de 9 de diciembre de 2010, en un caso de responsabilidad por productos defectuosos (posibles efectos tóxicos de prótesis mamarias), «la

---

22. RJ 2006, 5637.

responsabilidad por los hechos que hayan causado daños y perjuicios a terceras personas nace de los hechos realizados y no de manifestaciones o de ofertas para conseguir acuerdos extrajudiciales para evitar un proceso o en el proceso para poner fin al mismo. Si el hecho lesivo genera responsabilidad en su autor con arreglo a las normas jurídicas, tal responsabilidad ha de ser declarada judicialmente a instancia del perjudicado y, en caso contrario, no procede declararla. Las ofertas tendentes a eliminar controversias no suponen una declaración de reconocimiento de responsabilidad por los hechos ejecutados, como tampoco supone admitir que un producto es peligroso por el acto de retirarlo del mercado cuando las autoridades sanitarias expongan que hay riesgos potenciales para las destinatarias y usuarias»[23].

También debe matizarse la respuesta cuando una persona sufra ciertas lesiones por las que obtenga una determinada indemnización sin necesidad de reclamarla judicialmente, y después aparezcan daños sobrevenidos. Este fue el caso de la STS de 23 de noviembre de 2007 en que la víctima de un accidente de circulación que le causó lesiones graves y secuelas, y la compañía aseguradora del vehículo causante del accidente le ofreció una cantidad como indemnización de daños y perjuicios, que el lesionado aceptó. Más tarde, apareció derivada del accidente una secuela que le llevó a ser declarado inválido permanente total, derivado del accidente, y a ser acreditado en la condición de minusválido con grado de minusvalía del treinta y cuatro por ciento. El perjudicado renunció a su derecho a percibir indemnización por los daños que había sufrido, pero no pudo hacerlo por los daños que todavía no habían aparecido. No había entrado en su disponibilidad lo que todavía no existía, esto es, el daño no aparecido. La renuncia que el perjudicado había realizado, como dejación del derecho subjetivo, no alcanzó ni podía alcanzar, el derecho subjetivo a percibir indemnización por los daños futuros, que en ese momento no se podían conocer. En definitiva, el perjudicado renunció a lo que no existía, ya que [Insert Equation Here] no pudo renunciar a un derecho subjetivo que no había nacido a la vida jurídica, ni podía conocer que se produciría más tarde»[24].

e) Obligación ilíquida

La obligación de indemnizar consiste, inicialmente, en una deuda ilíquida. La fijación de la cuantía económica en que pueda consistir requiere, primero, determinar qué daños se han producido efectivamente y, a continuación, valorar esos daños.

2. Formas de reparación de daño

2.1. *La restitución del bien*

Consiste en devolver el bien que salió del patrimonio de la víctima. Si bien este medio de reparación no tiene mucha relevancia en el ámbito de la responsabilidad civil, se aplica, siempre que sea posible, en la reparación de los delitos contra el patrimonio.

Según el artículo 111.1 del CP, «deberá restituirse, siempre que sea posible, el mismo bien, con abono de los deterioros y menoscabos que el juez o tribunal determinen. La restitución tendrá lugar aunque el bien se halle en poder de tercero y

---

23. RJ 2010.1408.
24. RJ 2008, 25. Cfr. STS de 23 de febrero de 1995 (RJ, 1702).

éste lo haya adquirido legalmente y de buena fe, dejando a salvo su derecho de repetición contra quien corresponda y, en su caso, el de ser indemnizado por el responsable civil del delito».

2.2. El resarcimiento en forma específica

Consiste en eliminar la causa que provoca el daño y en reponer al perjudicado en la situación anterior al perjuicio. Esta es la finalidad primaria de la obligación de resarcir y es la forma de reparación es la prevista en el artículo 110 del CP, que establece que la responsabilidad civil derivada de delito o falta comprenderá «1..° La restitución. 2..° La reparación del daño». Se trata de reponer la situación al estado en que se encontraba antes que se hubiese producido el daño; una de las maneras más sencillas es la que contempla el artículo 110 del CP con la denominación de «restitución», que aparece también incluida en la obligación genérica de «reparar el daño causado» del art. 1902 CC.

2.3. La indemnización de daños y perjuicios

Cuando no sea posible la reparación *in natura* del perjuicio causado, el dañado tiene derecho a obtener el equivalente pecuniario. Esta es la indemnización propiamente dicha y sirve para reparar cualquier tipo de intereses lesionados.

Aunque normalmente la reparación pecuniaria consistirá en la entrega de una cantidad de dinero en forma de capital, puede también consistir en una renta.

A tenor del artículo 10:101 de los PETL, «la indemnización es un pago en dinero para compensar a la víctima, es decir, para reestablecerla, en la medida en que el dinero pueda hacerlo, en la posición que hubiera tenido si el ilícito por el que reclama no se hubiera producido. La indemnización también contribuye a la finalidad de prevenir el daño». Esta indemnización, dice el artículo 10:102 de los PETL, «se otorga mediante suma lazada o renta periódica según resulte apropiado en atención, de modo especial, a los intereses de la víctima». Al determinar la cuantía de la indemnización, deben tenerse en cuenta los beneficios que el dañado ha obtenido mediante el evento dañoso, a menos que ello sea incompatible con la finalidad del beneficio (cfr. art. 10:103 PETL). Por otra parte, el artículo 10:104 de los PETL reconoce que «en lugar de la indemnización, el dañado puede reclamar la reparación en forma específica en la medida en que ésta sea posible y no excesivamente gravosa para la otra parte».

BIBLIOGRAFÍA

ÁLVAREZ VIGARAY, «La responsabilidad por daño moral», ADC, 1966, p. 81; DE CASTRO, «La indemnización por causa de muerte», ADC, 1956, p. 449; SANCHO REBULLIDA, «La mancomunidad como regla general en las obligaciones civiles con pluralidad de sujetos», *Estudios en honor del Prof. Castán Tobeñas*, t. III, Pamplona, 1969, p. 565; SANTOS BRIZ, «La llamada compensación de culpas», RDP, 1968, p. 409; VICENTE DOMINGO, *Los daños corporales: tipología y valoración*, Barcelona, 1994.

Capítulo XXXVI
Responsabilidad por actos propios (III). La relación de causalidad

SUMARIO: I. INTRODUCCIÓN. II. LA CAUSALIDAD MATERIAL. III. LA CAUSALIDAD JURÍDICA: LA IMPUTACIÓN OBJETIVA. 1. *Planteamiento.* 2. *El criterio del Tribunal Supremo.* IV. INTERFERENCIAS EN LA RELACIÓN DE CAUSALIDAD. 1. *Caso fortuito y fuerza mayor.* 2. *Intervención de un tercero.* 3. *Culpa de la víctima y concurrencia de culpas.* 4. *Asunción del riesgo por parte de la víctima.* V. LA PRUEBA DEL NEXO DE CAUSALIDAD. VI. PLURALIDAD DE RESPONSABLES. 1. *Daño causado por miembro indeterminado de un grupo.* 2. *Coautoría.* 3. *Pluralidad de responsables propiamente dicha.* BIBLIOGRAFÍA.

I. INTRODUCCIÓN

Otro de los requisitos de la responsabilidad civil extracontractual es la existencia de una relación de causa a efecto entre el comportamiento (acción u omisión) y el daño. Esto quiere decir que no existirá responsabilidad cuando el daño no tenga nada que ver con la conducta del agente, aunque su actuación sea negligente. Según la STS de 20 de octubre de 2006, causa es «el conjunto de condiciones empíricas antecedentes que proporciona la explicación, conforme con las Leyes de la experiencia científica, de que el resultado haya sucedido»[1]. Así, reiterada jurisprudencia declara que entre el hecho culposo y el daño a indemnizar ha de mediar la relación de causa a efecto, denominada relación de causalidad[2], la cual debe resultar de una certeza probatoria y no de meras conjeturas, deducciones o probabilidades[3]. Este requisito de la causalidad debe existir tanto en la responsabilidad por culpa o negligencia como en la responsabilidad objetiva.

Establecer la relación de causalidad puede resultar difícil, pues, por regla general, cualquier suceso (daño) es el efecto de una concatenación de acontecimientos, es decir, de una pluralidad de causas, en cuyo caso habrá que averiguar cuál de ellas es la que debe considerarse relevante.

---

1. RJ 2006, 8928.
2. Cfr. SSTS de 20 de diciembre de 1966 (RJ 1967, 7) y 16 de junio de 1971 (RJ 1971, 3248).
3. Cfr. STS de 20 de febrero de 2003 (RJ 2003, 1174).

II. LA CAUSALIDAD MATERIAL

La causalidad material se determina de acuerdo con las leyes naturales, de manera que sería suficiente que una persona hubiera intervenido en alguno de los acontecimientos que dieron lugar al resultado dañoso para que se le pudiera imputar la responsabilidad. Esta postura implica que todos los acontecimientos serían equivalentes y, en consecuencia, todas las personas involucradas deberían responder del daño, el cual no habría tenido lugar sin su intervención. Se introduce así la denominada teoría de la equivalencia de las condiciones o de la *conditio sine qua non*, que parte de la idea de que no cabe distinguir entre los diferentes acontecimientos. Basta que la culpa de una persona haya sido uno de los antecedentes del daño para que se pueda imputar la responsabilidad.

> Según el artículo 3:101 de los PETL, «una actividad o conducta es causa del daño de la víctima si, de haber faltado tal actividad, el daño no se hubiera producido». Como dice su comentario oficial, esta regla puede ser muy útil, «por ejemplo en el caso de la participación en manifestaciones violentas».

Según la STS de 5 de abril de 2019, «se dice que existe causalidad material o física cuando a través de una reconstrucción ideal de los acontecimientos se llega a la conclusión lógica de que de no haber mediado el hecho ilícito del demandado el daño no habría tenido lugar. Esta causalidad material ha de ser empíricamente verificable, habiendo destacado a la hora de abordarla la teoría de la equivalencia de las condiciones. Para ésta sería causa toda condición que ha producido el resultado; de forma que éste no se hubiese desencadenado si la condición no se hubiese dado. La teoría de la equivalencia de las condiciones es suficiente para revelar la existencia de la primera secuencia causal, esto es, para determinar la causalidad material o física»[4]. Es este un criterio aceptado por la jurisprudencia, como también se desprende de la STS de 10 de junio de 2008, que afirma que «la valoración del nexo de causalidad exige ponderar que el resultado dañoso sea una consecuencia natural, adecuada y suficiente, valorada conforme a las circunstancias que el buen sentido impone en cada caso y que permite eliminar todas aquellas hipótesis lejanas o muy lejanas al nexo causal so pena de conducir a un resultado incomprensible o absurdo, ajeno al principio de culpa»[5].

Sin embargo, esta tesis conduce al exceso de hacer responsable a la persona de todas las consecuencias de sus actos, por remotas y desproporcionadas que pudieran parecer. Por eso resulta necesario discriminar o seleccionar de entre las múltiples causas que pudieran existir en la producción del daño a indemnizar.

III. LA CAUSALIDAD JURÍDICA: LA IMPUTACIÓN OBJETIVA

1. Planteamiento

La STS de 5 de abril de 2019 señala que «la causalidad jurídica sirve para evitar que el sujeto negligente responda de cualquier consecuencia remota, improbable o indirecta que pudiera derivarse de su conducta»[6]. Por ello se predica como

---

4.   RJ 2019, 2487. Cfr. STS de 17 de mayo de 2007 (RJ 2007, 3542).
5.   RJ 2008, 4246.
6.   RJ 2019, 2487.

ineludible discriminar o seleccionar de entre las múltiples causas. Cuando se lleva a cabo tal valoración se traspasa el campo de la causalidad física al de la jurídica, a fin de delimitar qué daños producidos en el curso causal han de ser puestos a cargo del agente. Para conseguir esa delimitación se ha acudido a la teoría de la causalidad adecuada y a la teoría de la imputación objetiva. Esta última intenta superar la anterior.

Con la teoría de la imputación objetiva, dice la STS de 16 de febrero de 2009, «no se busca si uno de los elementos de la relación es la causa del resultado, sino si la conducta que se pretende sea la causa, es suficientemente relevante para la producción del daño que se reclama, de acuerdo con el criterio de la "adecuación"»[7].

En esta misma línea, el artículo 3:201 de los PETL dice que «si una actividad es causa en el sentido de la Sección I de este Capítulo (relativo a la relación de causalidad), la cuestión de si puede ser imputada a una persona y en qué medida depende de factores como los siguientes: a) la previsibilidad del daño para una persona razonable en el momento de producirse la actividad considerando, en especial, la cercanía en el tiempo y en el espacio entre la actividad dañosa y su consecuencia, o la magnitud del daño en relación con las consecuencias normales de tal actividad; b) la naturaleza y valor del interés protegido; c) el fundamento de la responsabilidad; d) el alcance de los riesgos ordinarios de la vida; y e) el fin de protección de la norma que ha sido violada».

2. El criterio del Tribunal Supremo

Nuestra jurisprudencia ha seguido habitualmente un criterio realista, considerando suficiente que los tribunales de justicia, en la resolución de los problemas concretos, encaminen su actuación hacia una valoración de las condiciones o circunstancias que el buen sentido señala en cada caso como índices de responsabilidad, dentro del infinito encadenamiento de causas y efectos[8]. En este sentido, la jurisprudencia señala que hay que partir de la singularidad de cada caso y del juego combinado de cuantos factores pueden ligar la ilicitud de la conducta con el resultado producido. Pero el mismo Tribunal Supremo reduce el margen de discrecionalidad al matizar que «no cabe en el terreno jurídico estimar como no eficiente la causa que, de modo indubitado, prepare, condicione o complete la acción de la causa última, actuando tales concausas, respectivamente, como mediata o inmediatamente originadoras del evento dañoso que, por su acción conjunta, se produjo»[9].

A veces, el Tribunal Supremo ha optado por aplicar la teoría del acontecimiento más próximo, como sucedió en un caso en que una persona que quería suicidarse compró cianuro en un establecimiento abierto al público. Según la STS de 16 de octubre de 2007, «las circunstancias del caso revelan que no hay regla normativa alguna –específica o genérica– de imputación objetiva que permita establecer la denominada

---

7.   RJ 2009, 1491.
8.   Cfr. SSTS de 21 de enero de 1933 (RJ 1933, 1445), 15 de abril de 1964 (RJ 1964, 1889) y 30 de diciembre de 1981 (RJ 1981, 5357).
9.   Cfr. SSTS de 18 de octubre de 1979 (RJ 1979, 3394) y 4 de junio de 1980 (RJ 1980, 2399).

causalidad jurídica, pues la mera expendición de la sustancia (causalidad física) opera como un elemento remoto, abundando en la exclusión de aquélla los criterios de la prohibición de regreso, riesgo general de la vida, imprevisibilidad racional y causalidad adecuada»[10].

En otras ocasiones, parece haberse decantado por la denominada *teoría de la causalidad adecuada*, lo que implica que cuando concurran diversos acontecimientos en la producción del resultado dañoso solo se atribuirá relevancia jurídica a aquél que pueda considerarse la causa que «normalmente» debería haber producido el daño. Como dice PANTALEÓN, el criterio de la «adecuación» significa «que no cabe imputar objetivamente un concreto evento dañoso a la conducta causante del mismo, cuando la producción de dicho evento habría sido descartada, como extraordinariamente improbable, por un observador experimentado que, contando además, en su caso, con los especiales conocimientos del dañante, hubiese considerado la cuestión *ex ante*, en el momento en que el dañante se dispuso a realizar la conducta que desembocó en el evento dañoso de cuya imputación se trata».

En todo caso, la jurisprudencia más reciente aplica el criterio de la imputación objetiva con el fin de excluir la existencia del nexo de causalidad, al margen de que hubiera existido una conducta culposa o negligente por parte del agente. Esta postura se basa en la utilización de los siguientes criterios:

a) El del ámbito de protección de la norma[11].

b) El criterio de la prohibición de regreso[12].

c) El criterio de la causalidad adecuada o eficiente, que se manifiesta en relación a las circunstancias que rodean al agente (la falta de proximidad al resultado dañoso de la conducta del agente, la intervención de terceros, la ausencia de incremento del riesgo por parte del agente) y, como contrapartida, la asunción del riesgo por parte del perjudicado, el consentimiento de la causa del daño por parte de la víctima, el deber de asumir los riesgos generales de la vida y la relevancia de la intervención de la propia víctima (cuando le corresponde el control de la situación o el deber de mitigar el daño).

La. STS de 24 febrero 2017 ha ampliado las reglas para que pueda acudirse a la imputación objetiva en los siguientes términos: «en la actualidad la Sala Primera del Tribunal Supremo acude a la teoría de la imputación objetiva; que en todo caso sirve para excluir la responsabilidad, y que tiene como pautas o reglas: a) Los riesgos generales de la vida: La vida tiene riesgos propios e inherentes, que son aceptados por todos. Es decir, las "desgracias" sí existen. b) La prohibición de regreso: Encontrada una causa próxima; no debe irse más allá, más atrás, buscando causas remotas. c) La provocación: Quien provocó la situación. Sin descartar que sea el propio perjudicado porque asumiese un riesgo no justificado. d) El fin de protección de la norma, e) El incremento del riesgo, o la conducta alternativa correcta. Si el daño se habría producido igual, aunque se adoptase otra conducta. f) Competencia de la víctima (hechos o

---

10. RJ 2007, 7102.
11. Cfr. STS de 27 de febrero de 2007 (RJ 2007, 694).
12. Cfr. STS de 14 de febrero de 2006 (RJ 2006, 884).

situaciones que estaban en el dominio de la víctima). g) Y, en todo caso, y como cláusula cierre, la probabilidad; lo que permite excluir la responsabilidad en los supuestos de eventos altamente improbables, imprevisibles, y que a la postre nos recuerdan el caso fortuito (SSTS de 20 de mayo de 2011, 14 de marzo de 2011, 9 de febrero de 2011 y 25 de noviembre de 2010».

IV. INTERFERENCIAS EN LA RELACIÓN DE CAUSALIDAD

Cuando en el daño ocasionado por el comportamiento de una persona interfieran determinados hechos o acontecimientos extraños o ajenos, no se podrá atribuir el daño a la acción u omisión del agente o a ella solamente.

1. Caso fortuito y fuerza mayor

Como se ha indicado ya en la materia propia de la teoría de la obligación, el Código civil no determina qué es caso fortuito y fuerza mayor, limitándose a indicar que queda extinguida la obligación, si la cosa perece o la prestación se hace imposible sin culpa del deudor (arts. 1182 y 1183 CC), y advirtiendo que «nadie responderá de aquellos sucesos que no hubieran podido preverse o que, previstos, fueran inevitables» (art. 1105 CC). En ambos casos se hace referencia a que el acontecimiento se produce por una causa totalmente ajena a la voluntad del deudor, que no puede evitar. Es decir, tanto la fuerza mayor como el caso fortuito son dos expresiones que, desde un punto de vista jurídico, se relacionan con la idea de que el incumplimiento del contrato depende de una causa extraña a la voluntad del obligado, o sea, de un accidente que por su intensidad y fuerza excesiva queda fuera del curso ordinario y regular de la naturaleza y no puede ser imputable al deudor[13]. Estas dos nociones, caso fortuito y fuerza mayor, se estudian también en materia de responsabilidad civil extracontractual.

Por *caso fortuito* se entiende aquel acontecimiento imprevisible o inevitable que, sin culpa del deudor, imposibilita el cumplimiento de la obligación. Por *fuerza mayor* se entiende todo acontecimiento que, además de imprevisible, es inevitable, como dice la STS de 16 de noviembre de 2006 en un caso de accidente ferroviario con el resultado de atropello de una persona[14].

> El artículo 7:102(1) de los PETL reconoce la exoneración total o parcial de la responsabilidad objetiva si el daño fue causado «por una imprevisible e irresistible a) fuerza de la naturaleza (fuerza mayor)».

Ahora bien, lo cierto es que en nuestro ordenamiento no hay base legal suficiente para sostener esta distinción, pues el Código civil los considera por regla general como sinónimos. Y, cuando en algún precepto se señalan diferencias, es simplemente para distinguir entre aquellos acontecimientos que son de mayor gravedad y los que raramente se producen, por lo que se califican de extraordinarios o de fuerza mayor. Por todo ello, la STS de 16 de junio de 1982 pone de relieve que la interpretación jurisprudencial del artículo 1105 del CC establece que la fuerza mayor y el caso

---

13. Cfr. SSTS de 20 de junio de 1916 (JC, III-38) y 12 de marzo de 1956 (RJ 1956, 1511).
14. RJ 2006, 7787.

fortuito, diferentes doctrinalmente, pero uniformes en la legislación positiva, exigen un acontecimiento no dependiente del deudor, no previsible, o al menos inevitable, que imposibilite a aquél para cumplir total o exactamente la obligación. Esto explica que tanto la doctrina como la jurisprudencia consideran de aplicación a la responsabilidad civil extracontractual el artículo 1105 del CC, sin que haya lugar a distinguir entre los conceptos de caso fortuito y fuerza mayor, a no ser que el propio legislador aluda a uno de ellos solamente[15]. En todo caso, como señala YZQUIERDO, parece que el legislador, salvo contadas excepciones, regula de manera uniforme los conceptos de caso fortuito y de fuerza mayor, si bien lo hace con muy escasa propiedad terminológica.

En este contexto, el artículo 1209 de la PMDOC prescinde de la terminología tradicional de caso fortuito y de fuerza mayor para referirse simplemente al incumplimiento causado por un acontecimiento ajeno al deudor y fuera de su control. No obstante, la prueba del caso fortuito o fuerza mayor resulta ineludible para excluir la responsabilidad por inexistencia de conducta causante del daño.

Lo mismo puede decirse del artículo VI.– 5:302 del DCFR, a cuyo tenor, «concurre causa de exoneración de responsabilidad si el daño jurídicamente relevante ha sido causado por un acontecimiento extraordinario que no podía evitarse mediante ninguna medida razonable y que no pueda considerarse como un riesgo propio del demandado».

La previsibilidad del daño constituye un requisito esencial para el nacimiento de la responsabilidad por culpa extracontractual, de modo que en los supuestos en que exista imprevisibilidad cesará la obligación de responder por aplicación del artículo 1105 del CC. Como señala la STS de 15 de julio de 2002, entrará entonces en juego el mecanismo del caso fortuito, por el que se entiende todo suceso imposible de prever o que previsto sea inevitable, y, por tanto, realizado sin culpa alguna del agente, de manera que el vínculo de causalidad se produce entre el acontecimiento y el daño, sin que en él intervenga como factor apreciable la actividad dolosa o culposa del agente[16]. Por todo ello, conviene precisar que la *previsibilidad*, que es una idea muy amplia y de límites imprecisos, hay que entenderla en su aplicación legal y práctica como excluyente de los sucesos insólitos y extraordinarios, que, aunque no imposibles físicamente y previsibles en teoría, no son de los que puede calcular una conducta prudente, atenta a las eventualidades que el curso de la vida permita prever; y en cuanto a la *imposibilidad de evitar* los sucesos previstos, si bien no excusa de prestar la diligencia necesaria para vencer las dificultades que se presenten, no exige la llamada prestación exorbitante, es decir, aquella que exigiría vencer dificultades que pueden ser equiparadas a la imposibilidad[17].

Esto quiere decir que el agente no responde cuando entre el hecho inicial y el daño se interfieren otros acontecimientos imprevisibles o imposibles de evitar, sin cuya intervención el resultado dañoso no se hubiera producido. Por consiguiente, cuando intervenga caso fortuito o fuerza mayor, habrá que averiguar si el resultado dañoso se hubiera producido sin el comportamiento reprochable del agente. Son ilustrativas, en este sentido, las SSTS de 22 de febrero de 1946, 30 de enero de 1951

---

15. Cfr. STS de 17 de noviembre de 1989 (RJ 1989, 7889).
16. RJ 2002, 5911.
17. Cfr. STS de 9 de noviembre de 1949 (RJ 1949, 1245).

y 17 de mayo de 1983[18], en las que se declara la exención de responsabilidad. En la *primera* de ellas se trataba de unos obreros que, trabajando en domingo (contra lo dispuesto en las normas laborales), fallecieron a consecuencia de la explosión de un polvorín cercano a la fábrica. La *segunda* se refería al dueño de un camión que transportaba en la caja del mismo a varias personas (contra lo dispuesto en el Código de la circulación), las cuales resultaron muertas al precipitarse el camión por un barranco a consecuencia de la rotura de los frenos. No ofrece duda que el trabajo en domingo no es la causa de la explosión del polvorín, como tampoco viajar en la caja de un camión lo es de la rotura de los frenos. La *tercera* se ocupaba del incendio de un almacén producido por la caída de un cable de alta tensión, debido al fortísimo viento de 148 km/h, y estimó que «la causa del siniestro obedeció a un evento de entidad y naturaleza inevitable, a una fuerza superior a todo control y previsión, extraordinaria y catastrófica, más allá incluso de una previsión rigurosa y exigente, como la que marcaba el Reglamento de líneas aéreas eléctrica de alta tensión, que preveía como extraordinario un viento de velocidad de 120 km/h respecto a las medidas de seguridad y que habían sido cumplidas».

También podría ocurrir que el caso fortuito o la fuerza mayor no excluyan la responsabilidad, sino que concurra agravando el daño que hubiera producido la conducta del agente por sí sola. En este caso, se deberá moderar la cuantía de la indemnización, pues únicamente se debe responder en la medida en que el daño sea atribuible al acto culposo. Sin embargo, en muchas ocasiones, resultará difícil separar el daño producido por la conducta culposa y la posterior agravación del daño operada por el caso fortuito o fuerza mayor. Esto implica que, si el daño se hubiera causado en parte por la conducta del agente y en parte por caso fortuito, el agente deberá reparar la parte del daño que le corresponda por su participación. En cualquier caso, a él le corresponde la carga de probar la inevitabilidad e imprevisibilidad de los daños[19].

2. Intervención de un tercero

La intervención de un tercero constituye una interferencia en la relación de causalidad que puede exonerar de responsabilidad al agente inicial del daño. La exoneración solo se producirá cuando la conducta del tercero no haya venido predeterminada o condicionada por la del agente material del daño o cuando no haya sido un mero instrumento suyo (Yzquierdo). Este autor menciona la STS 2.ª de 30 de marzo de 1971 en que dos camiones colisionaron por culpa de uno de ellos, que transportaba pintura y diluyentes. La carga se derramó por el pavimento y el conductor de un turismo vino a resbalar y colisionar con otro camión, causándole daños. Se declaró que el culpable originario era el conductor del camión que ocasionó la primera colisión, lo que le obligaba a responder del resultado producido al tercero por aplicación del artículo 104 del CP de 1973 (hoy art. 113 CP).

En estos casos, cuando la conducta dolosa de un tercero produce una desviación del curso de los acontecimientos, debe aplicarse el criterio de la *prohibición de regreso*, que impide retroceder en el curso causal. En palabras de la STS de 11 de marzo de

---

18. RJ 1946, 253, RJ 1951, 90, y RJ 1983, 2840.
19. STS de 31 de mayo de 2006 (RJ 2006, 3497).

1988, a propósito de la interrupción del nexo causal por la intervención de un tercero, «es unánimemente aceptado que, en los supuestos en que la intervención es dolosa o intencionada y no viene determinada por la del agente inicial, es decir, se opera de manera libre, se producirá una auténtica interrupción del nexo, determinativa de una irresponsabilidad de este último»[20].

3. Culpa de la víctima y concurrencia de culpas

Cuando el comportamiento (acción u omisión) culposo de la propia víctima es la única causa del daño, no existe responsabilidad del agente, aunque éste haya sido el causante material del daño[21]. Sin embargo, la STS de 8 de noviembre de 1995 declara que «a los niños de cuatro años nunca se les puede declarar culpables de sus propios daños, y no lo ha hecho esta Sala», agregando que «sí se han tenido en cuenta, en ocasiones, las conductas de menores ya capaces de discernir»[22]. Por otra parte, la jurisprudencia ha declarado que «la situación de *culpa exclusiva* se produce no solamente cuando la culpa de la víctima es total o el único fundamento del resultado, sino también cuando dándose una circunstancia concurrente existe una gran desproporción o la actuación de la víctima es de tal gravedad que anula o absorbe aquélla, *a contrario sensu*»[23]. En definitiva, la culpa exclusiva de la víctima rompe el nexo causal y produce la exoneración de la responsabilidad del demandado por el resultado dañoso. Sin embargo, es al demandado a quien corresponde la carga de probar la existencia de la cupa exclusiva de la víctima.

Pueden mencionarse los casos siguientes, resueltos por nuestra jurisprudencia. La muerte por ahogamiento en la piscina de una comunidad de propietarios de un hombre de cuarenta años, usuario habitual y conocedor de la piscina, que no sabía nadar, al pasar a la zona más profunda debidamente señalizada (STS de 6 de junio de 2007)[24]. La explosión en una vivienda por el uso indebido por parte de una ama de casa de un insecticida fumigante, que sin embargo incluía de forma adecuada sus características de manejo (STS de 21 de noviembre de 2008)[25]. Y la muerte de la usuaria de un vehículo que muere arrollada por otro vehículo cuando, en la oscuridad de la noche, se baja de él y atraviesa la calzada de una autopista para hacer sus necesidades fisiológicas en la mediana (STS de 22 de febrero de 2010)[26].

En cambio, cuando hay concurrencia de la culpa de la víctima con la del agente causante material del daño no se excluye la relación de causalidad, sino que se produce la llamada *compensación de culpas,* que se traduce en una disminución del alcance o cuantía de la obligación de reparar. Es decir, el agente causante del daño responde en menor medida que si no hubiere habido culpa de la víctima[27]. La indemnización

---

20. RJ 1988, 1961. Cfr. STS de 16 de noviembre de 1983 (RJ 1983, 6116).
21. Cfr. SSTS de 17 de octubre de 1974 (RJ 1974, 3895), 12 de abril de 1975 (RJ 1975, 1516), 27 de mayo de 1982 (RJ 1982, 2603), 21 de junio de 1996 (RJ 1996, 6712) y 13 de febrero de 1997 (RJ 1997, 701).
22. RJ 1995, 8636.
23. Cfr. STS de 24 de enero de 2003 (RJ 2003, 612) y las que cita.
24. RJ 2007, 3422.
25. RJ 2008, 144.
26. RJ 2010, 1290.
27. Cfr. SSTS de 30 de marzo de 1974 (RJ 1974, 1211) y 2 de febrero de 1976 (RJ 1976, 311).

incluso podría no existir si la víctima contribuyó con su imprudencia a la producción del daño[28].

El artículo 145 del TRLGDCU señala que la responsabilidad por daños causados por productos defectuosos «podrá reducirse o suprimirse en función de las circunstancias del caso, si el daño causado fuera debido conjuntamente a un defecto del producto y a culpa del perjudicado o de una persona de la que éste deba responder civilmente».

En materia de vehículos a motor, el artículo 1.2, párrafo 1.º, de la LRCSCVM indica que «sin perjuicio de que pueda existir culpa exclusiva de acuerdo con el apartado 1, cuando la víctima capaz de culpa civil sólo contribuya a la producción del daño se reducirán todas las indemnizaciones, incluidas las relativas a los gastos en que se haya incurrido en los supuestos de muerte, secuelas y lesiones temporales, en atención a la culpa concurrente hasta un máximo del setenta y cinco por ciento. Se entiende que existe dicha contribución si la víctima, por falta de uso o por uso inadecuado de cinturones, casco u otros elementos protectores, incumple la normativa de seguridad y provoca la agravación del daño».

También el artículo 8:101, párrafo 1.º, de los PETL tiene en cuenta la conducta o actividad concurrente de la víctima, al afirmar que «puede excluirse o reducirse la responsabilidad en la medida en que se considere justo en atención a la culpa concurrente de la víctima y a cualesquiera otras circunstancias que serían relevantes para establecer o reducir la responsabilidad de la víctima si fuera la causante del daño».

La doctrina y la jurisprudencia entienden que el fundamento de la compensación de culpas descansa en el artículo 1103 del CC, a tenor del cual los tribunales tienen una facultad moderadora de la responsabilidad derivada de negligencia[29]. En cambio, DE ÁNGEL YAGÜEZ considera muy dudosa la cita de ese precepto, pues, además de no contemplar el supuesto de dolo, supone una valoración de la intensidad de la culpa que no se adapta a las características de la responsabilidad extracontractual. Por eso concluye que decisión moderadora de la responsabilidad hay que situarla en el terreno del juicio de equidad.

Por tanto, la concurrencia de culpas implica ponderar la contribución de la víctima en la producción del daño y la consiguiente moderación de la responsabilidad. Esto supone distinguir las siguientes hipótesis:

1.ª– *Absorción de la culpa del agente por la de la víctima*, al haber existido culpa exclusiva de la víctima. En la STS de 6 de septiembre de 2005 se dilucidó la responsabilidad por la muerte de un niño de cuatro años ahogado en una alberca de riego a nivel del suelo, parcialmente llena y sin valla protectora en una finca no cercada, declarándose la culpa exclusiva de la víctima y de los padres que omitieron la debida vigilancia sobre el menor[30]. En la STS de 7 de junio de 2006 se trataba de un accidente en un espectáculo taurino en que la víctima sufrió lesiones

---

28. SSTS de 6 de junio de 2007 (RJ 2007, 3322). 23 de febrero de 2010 (RJ 2010, 1293) y 24 de abril de 2014 (RJ 2014, 2642).
29. Cfr. SSTS de 20 de abril de 1993 (RJ 1993, 3103), 24 de noviembre de 1995 (RJ 1995, 6362), 29 de septiembre de 2005 (RJ 2005, 7155), y las que éstas citan.
30. RJ 2005, 6745.

por la embestida de un novillo. El Tribunal Supremo señaló que «el control de la situación correspondía a la víctima y es a ella en última instancia a la que debe imputarse el resultado dañoso, cuando en circunstancias normales, es decir, hasta donde alcanza la previsión de quien organiza la fiesta, decide por su propia voluntad bajar a la plaza con una muleta y tomar parte activa en la lidia, sin adoptar las medidas o precauciones necesarias para evitar ser embestido por el animal»[31]. Por último, en el caso del fallecimiento de un bombero en labores de extinción de un incendio, la STS de 18 de marzo de 2014 reconoció la culpa exclusiva de la víctima al considerar que el riesgo que esta persona crea se traslada a su propio ámbito de responsabilidad. De manera que la víctima «controla y asume esta fuente de peligro en el ejercicio ordinario de su profesión, con lo que el curso causal se establece entre el ejercicio profesional de este riesgo voluntariamente asumido y el daño producido por el fuego, con la consiguiente obligación de soportar las consecuencias de su actuación»[32].

2.ª– *Absorción de la culpa de la víctima por la del agente.* En este caso, la culpa de la víctima no es de suficiente entidad como para hacer desaparecer la culpa del agente del daño, que tiene una gravedad superior a la de la propia víctima. Puede mencionarse la STS de 12 de diciembre de 2008, que resolvió el caso de un peatón que circulaba por el interior de la zona de circulación contraria a la del vehículo causante del atropello. La sentencia manifestó que «no es de aplicación la exención de responsabilidad del conductor o la concurrencia de culpas prevista en el artículo 1 de la LRCSVM, al menos cuando, contribuyendo a la producción del resultado dos conductas, la del conductor del vehículo de motor y la de la víctima ajena a la circulación de estos vehículos, la conducta del conductor es de tal entidad cuantitativa y cualitativa que se constituye en causa determinante de la colisión, aun cuando exista una contribución causal de la víctima de escasa entidad o desproporcionada en relación con la del conductor del vehículo de motor»[33].

3.ª– *Ponderación de la responsabilidad por concurrir culpas de la misma o de parecida entidad.* En la STS de 14 de febrero de 2000 se trataba de la caída de una menor al arrojarse desde una ventana del colegio situado en la séptima planta del edificio. Aunque la caída de la niña fue un acto voluntario y consciente de la víctima, esa acción pudo haberse evitado si el colegio hubiera adoptado las medidas de precaución posibles y socialmente adecuadas. Por tanto, el Tribunal Supremo declaró que «no hubo culpa exclusiva de la niña, que determinara la ruptura del nexo causal, sino una conjunción de causas, ambas relevantes para la efectividad del hecho, sin que ninguna de ellas esté provista de eficacia suficiente para anular a la otra»; pues no puede exigirse a los menores el mismo grado de madurez en su actuar que a una persona adulta, de donde resulta que no se excluye por completo la responsabilidad del colegio, ni se estima como única causa eficiente del evento la conducta de la niña[34].

---

31. RJ 2006, 8204.
32. ECLI:ES:TS:2014:981.
33. RJ 2009, 527. Cfr. SSTS de 18 de enero de 1936 (RJ 1936, 243 bis), 6 de octubre de 1981 (RJ 1981, 3585) y 18 de marzo de 1982 (RJ 1982, 1384).
34. RJ 2000, 675. Cfr. SSTS de 13 de junio de 2006 (RJ 2006, 3129) y 18 de julio de 2006 (RJ 2006, 4952).

4.ª– *Deber de la víctima de contribuir a la disminución del daño.* Conectado con el tema de la concurrencia de culpa del perjudicado se encuentra el de determinar si existe un deber de la víctima de contribuir según las circunstancias a reducir o evitar que aumente el daño. Tanto la doctrina como la jurisprudencia entienden que es deber del perjudicado hacer todo lo necesario para su curación, sometiéndose a tratamiento médico y a las indicaciones facultativas pertinentes, pues, como dice SANTOS BRIZ, si no se somete a ellas agrava arbitrariamente la responsabilidad del deudor, y esta conducta debe tenerse en cuenta para reducir la indemnización correspondiente.

El caso más discutido es el de la obligación del lesionado a someterse a una intervención quirúrgica, respecto del cual doctrina y jurisprudencia opinan que efectivamente es obligación del perjudicado, siempre que la intervención no implique excesivo riesgo o peligro y ofrezca una perspectiva segura de curación o mejoría. En este sentido, la STS de 1 de febrero de 1991 rechaza el argumento de la necesidad de someterse a una intervención quirúrgica que disminuiría las secuelas disfuncionales que padece el actor, argumentando que, dado el padecimiento cardíaco del mismo, sería inhumano y jurídicamente inaceptable su imposición, aparte de que el resultado de la operación es impredecible como todos los avatares y episodios médico-quirúrgicos que, como es obvio, no responden a coordenadas concretas y fijas[35].

Esta regla ha sido aceptada en materia de accidentes de tráfico por el artículo 1.2, párrafo 3.°, de la LRCSCVM, que indica que reglas relativas a la concurrencia de culpa se aplicarán también si la víctima incumple su deber de mitigar el daño; añadiendo que «la víctima incumple este deber si deja de llevar a cabo una conducta generalmente exigible que, sin comportar riesgo alguno para su salud o integridad física, habría evitado la agravación del daño producido y, en especial, si abandona de modo injustificado el proceso curativo».

5.ª *Culpa concurrente que produce daños recíprocos.* El criterio jurisprudencial consiste en atribuir a cada uno los daños propios. La STS de 23 de febrero de 1996 dilucidó la culpa por el fallecimiento en una colonia de verano de una menor afectada por dolencia crónica e irreversible. El tribunal cuantificó la influencia en el curso causal de los hechos de la conducta de los padres en un noventa por ciento, «ya que fácilmente pudieron haber evitado el riesgo que para la salud de su hija suponía asistir a la colonia por los ejercicios físicos que había de realizar de cuyas circunstancias no dieron información alguna a los responsables de la colonia, a quienes ocultaron la enfermedad padecida por su hija». Y eso que ellos «eran sabedores de que una actividad física desmesurada estaba desaconsejada para su hija»[36].

En la STS de 27 de mayo de 2019 se trataba de una colisión recíproca entre dos vehículos, en la que no se pudo determinar el grado de culpa de cada conductor. Según el tribunal, «cuando, como en el presente caso, ninguno de los conductores logre probar su falta de culpa o negligencia en la causación del daño al otro vehículo cabrían en principio tres posibles soluciones: (i) que cada conductor indemnice íntegramente los daños del otro vehículo; (ii) que las culpas se neutralicen y entonces ninguno deba indemnizar

---

35. RJ 1991, 696.
36. RJ 1996, 1587.

los daños del otro vehículo; y (iii) que cada uno asuma la indemnización de los daños del otro vehículo en un 50 por ciento. Pues bien, esta sala considera que la tercera solución es la más coherente con la efectividad de la cobertura de los daños en los bienes por el seguro obligatorio de vehículos de motor, pues cualquiera de las otras dos o bien podría privar por completo de indemnización, injustificadamente, al propietario del vehículo cuyo conductor no hubiera sido causante de la colisión pero no hubiese logrado probar su falta de culpa, o bien podría dar lugar a que se indemnice por completo al propietario del vehículo cuyo conductor hubiera sido el causante de la colisión pero sin que exista prueba al respecto. Sobre este punto conviene tener presente la posibilidad de que uno de los conductores haya sido el causante del daño, pero no se pueda probar, posibilidad que se da en el presente caso al ser lo más probable que fuese uno de los conductores quien no respetó la fase roja del semáforo de la calle por la que circulaba»[37].

La STS de 20 de julio de 2006, ha declarado que la prueba de la concurrencia de culpas es una cuestión de hecho no revisable en casación, «por no estar sujeta a reglas, sino al prudente arbitrio de los juzgadores de instancia», que podrán apreciarla sin que lo pida el demandado[38].

4. Asunción del riesgo por parte de la víctima

En muchas ocasiones, la víctima asume de forma consciente el riesgo de actividades tales como intervenciones quirúrgicas o deportes denominados «de riesgo». En estos supuestos se plantea el problema de determinar cuál es el nivel de responsabilidad, ya que la doctrina considera que quien consiente en realizar una actividad que comporta un riesgo debe asumir los normales de esa actividad, pero no los que puedan exceder de dicho nivel. Esto sucedió en el caso resuelto por la STS de 17 de octubre de 2001 a propósito del fallecimiento de una persona que practicaba «rafting», declarando que se trataba de una actividad voluntaria, «cuyo peligro era conocido por el solicitante, y el accidente se produjo dentro del ámbito del riesgo asumido y aceptado. Hubo asunción de riesgo, y no concurrió por parte de los demandados ningún incremento o agravación del riesgo asumido»[39].

Por tanto, no es que la asunción voluntaria de riesgo elimine totalmente la obligación de cuidado que incumbe al prestador del servicio, sino que «quien asume un riesgo acepta el específico peligro conexo a la actividad. Con todo, conviene tener presente que la voluntad de la víctima no reside en la aceptación del daño, sino del peligro, que se asume a riesgo propio»(BARROS). Se incluyen en esta materia, con carácter general, los daños producidos en la práctica deportiva[40].

V. LA PRUEBA DEL NEXO DE CAUSALIDAD

La prueba del nexo de causalidad tiene por objeto acreditar que la acción u omisión del agente fue la causa del daño sufrido por el perjudicado. Es decir, que

---

37. RJ 2019, 2146.
38. RJ 2006, 4739. Cfr. SSTS de 9 de febrero de 1990 (RJ 1990, 671), 23 de febrero de 1996 (RJ 1996, 1587), 3 de marzo de 1998 (RJ 1998, 1044), 17 de septiembre de 1998 (RJ 1998, 6544) y 15 de diciembre de 1999 (RJ 1999, 9200).
39. RJ 2001, 8639.
40. Cfr. SSTS de 9 de marzo de 2006 (RJ 2006, 3494) y 9 de abril de 2010 (RJ 2020, 3530).

el daño es consecuencia directa de la actuación enjuiciada, sin que ninguna otra circunstancia lo haya producido con independencia de esa actuación. Desde un punto de vista procesal, la prueba del nexo de causalidad corresponde al demandante al margen de que la responsabilidad se rija por el criterio de la culpa o por criterios de la responsabilidad objetiva o por riesgo. En consecuencia, la víctima o perjudicado debe probar siempre la relación de causalidad entre la acción u omisión y el resultado dañoso y, si no lo consigue, su pretensión será rechazada por falta de prueba[41].

> Sin embargo, aunque la determinación del nexo causal no puede fundarse en conjeturas o posibilidades, la STS de 30 de noviembre de 2001 señala que «no siempre es requisito la absoluta certeza, por ser suficiente (en casos singulares) un juicio de probabilidad cualificada»[42].

En este sentido, la STS de 6 de noviembre de 2001 afirma que «es preciso que se pruebe la existencia del nexo causal, correspondiendo la carga de la prueba al perjudicado que ejercita la acción», indicando a continuación que «es de señalar que no basta la causalidad física, sino que es preciso que conste una acción u omisión atribuible al que se pretende responsable (o por quién se debe responder) determinante –en exclusiva, o en unión de otras causas; con certeza, o en un juicio de probabilidad cualificada, según las circunstancias concurrentes (entre ellas la identidad el riesgo)– del resultado dañoso»[43].

Un problema diferente es si la prueba de la causalidad tiene acceso a la casación. La jurisprudencia del Tribunal Supremo aparece dividida a propósito de este tema entre resoluciones que consideran que la apreciación de la relación de causalidad es una cuestión de derecho y no de hecho, y aquellas otras, exponentes de una jurisprudencia más tradicional, que declaran que esa tare corresponde al juez de instancia, «cuya apreciación sólo puede ser atacada en casación si es arbitraria o contraria a un criterio de legalidad o buen sentido»[44]. De acuerdo con el criterio tradicional, la STS de 5 de octubre de 2006 afirma que «la determinación del nexo causal entre la acción u omisión y el resultado dañoso, aunque perteneciente al ámbito de la *quaestio iuris* y, por tanto, revisable en casación a través del medio impugnatorio aquí utilizado, es un juicio de valor que está reservado a los Tribunales de instancia y que hay que respetar en casación en tanto no se demuestre que los mismos han seguido, al negar la existencia de dicho nexo o relación, una vía o camino erróneo, no razonable o contrario a las reglas de la sana lógica o buen criterio»[45]

Por el contrario, con el fin de matizar ciertas afirmaciones a propósito de la problemática de la prueba de la causalidad, la STS de 20 de octubre de 2006 distingue entre la causalidad fáctica y la causalidad jurídica. Mientras que la primera, por su carácter fáctico, no tiene acceso a la casación, la segunda, que consiste en determinar «si el evento dañoso causalmente ligado a la conducta del responsable puede ser puesto a su cargo, y en concreto si lo puede ser totalmente», plantea una cuestión de

---

41. STS de 2 de marzo de 2022 (RJ 2022, 1168).
42. RJ 2001, 9919.
43. RJ 2001, 237.
44. STS de 7 de junio de 2002 (RJ 2002, 4981).
45. RJ 2006, 8703.

Derecho, que puede llegar a la casación mediante la denuncia de infracción del artículo 1902 del CC, como un problema de imputación objetiva (SSTS de 30 de abril de 1998[46], 2 de marzo de 2001[47], 22 de julio de 2003[48]), «que se habrá de decidir en base a alguno de los tópicos que vienen utilizando doctrina y jurisprudencia, en defecto de criterios legalmente establecidos, para determinar si un concreto daño puede ser justamente, de modo total o parcial, puesto a cargo de quien se encuentra en relación de causalidad con el evento generador»[49]. En el mismo sentido se pronuncia la SSTS de 30 de noviembre de 2011[50].

Por tanto, la imputación objetiva en que consiste la causalidad jurídica tiene acceso a la casación, ya que, como dice la STS de 18 de marzo de 2014 «comporta un juicio que, más allá de la mera constatación física de la relación de causalidad, obliga a valorar con criterios extraídos del ordenamiento jurídico la posibilidad de imputar al agente el daño causado apreciando la proximidad con la conducta realizada, el ámbito de protección de la norma infringida, el riesgo general de la vida, provocación, prohibición de regreso, incremento del riesgo, consentimiento de la víctima y asunción del propio riesgo, y de la confianza[51]. Este criterio ha sido reiterado por la STS de 24 de febrero de 2017[52]. Ahora bien, la técnica de la denominada imputación objetiva no evita la prueba de la relación de causalidad por parte del perjudicado, pues, en palabras de la STS de 19 de noviembre de 2008, le resulta ineludible esa prueba, «sea cual sea el criterio de imputación que se siga»[53].

VI. PLURALIDAD DE RESPONSABLES

En ocasiones, la autoría del hecho causante del daño no puede atribuirse a una única persona. Esta situación, que regula el artículo 116.2 del CP, no es objeto de atención por el Código civil.

1. Daño causado por miembro indeterminado de un grupo

A veces, puede suceder que no sea posible imputar el daño a un sujeto determinado, aunque se sabe con certeza que ha sido efectivamente producido por uno de los miembros de un grupo concreto de personas. No consta, por tanto, quién ha sido el auténtico autor del daño. Se habla en estos casos de la culpa anónima o causalidad difusa.

En opinión de DE ÁNGEL, «cuando un grupo de personas desarrolla, de forma espontánea o concretamente, una actividad y como consecuencia de ello se causa daño a un tercero, todos los componentes del colectivo quedan responsables del mal causado si no puede acreditarse quién fue el autor directo». Se suele

---

46. RJ 1998, 2602.
47. RJ 2001, 2589.
48. RJ 2003, 5852.
49. RJ 2006, 8928.
50. RJ 2011, 3518.
51. ECLI:ES:TS:2014:981.
52. RJ 2017, 826.
53. RJ 2008, 6931.

mencionar la STS de 8 febrero de 1983, que resolvió un caso en que varios menores estaban jugando con objetos punzantes, con la mala fortuna que uno de los niños hirió a otro, causándole una pérdida visual irreversible. La sentencia atribuyó la responsabilidad al grupo al que pertenecía el autor desconocido de los hechos, considerando que los padres debían responder solidariamente, «solidaridad que ha declarado esta Sala en casos en que participando varias personas en la causación de daños a terceros no es posible deslindar la actuación de cada una de ellas en el evento dañoso»[54].

Evidentemente, en los supuestos de la denominada culpa anónima, la responsabilidad por daños compete a todos solidariamente, a menos que cada uno de ellos pueda exonerarse probando la inexistencia de un vínculo de causalidad o de una imputación objetiva en relación con él (DÍEZ-PICAZO).

En nuestra legislación existen ejemplos de cómo se debe responder, cuando no se puede identificar al causante del daño:

a) En materia de caza, el artículo 33.5 de la LC que establece la responsabilidad solidaria cuando afirma que «en la caza con armas, si no consta el autor del daño causado, responderán solidariamente todos los miembros de la partida de caza».

b) En materia de responsabilidad por daños causados a los consumidores, el artículo 132 del TRLGDCU señala que «las personas responsables del mismo daño por aplicación de este libro lo serán solidariamente ante los perjudicados».

Por tanto, cuando el daño se haya producido por un acontecimiento unitario, en unas circunstancias iguales para varios posibles autores, hay que concluir que los miembros del grupo son responsables del daño, a no ser que se pruebe que uno de ellos fue el autor directo (DE ÁNGEL).

2. Coautoría

La coautoría se diferencia del supuesto anterior en el hecho de que, en este caso, existen diversas personas, perfectamente identificadas, que contribuyen simultánea o sucesivamente a la producción de un mismo resultado dañoso.

Si el daño es consecuencia de la comisión de un delito por una pluralidad de autores, el artículo 116.2, párrafo 1.º, del CP declara su responsabilidad conjunta, debiendo señalarse la cuota de responsabilidad de cada uno de ellos, según la índole de su participación. Los cómplices también serán responsables de los daños que sean consecuencia de su actuación como tales cómplices, aunque con responsabilidad subsidiaria con respecto de los autores (art. 116.2, párr. 2.º, CP).

El artículo 3:102 de los PETL indica que «en caso de una pluralidad de actividades, si cada una de ellas hubiera causado el daño por sí sola al mismo tiempo, se considerará que cada actividad es causa del daño de la víctima».

Tanto en los casos en que se haga efectiva la responsabilidad solidaria como la subsidiaria, quedará a salvo la repetición del que hubiere pagado contra los demás por las cuotas correspondientes a cada uno (art. 116.2, párr. 3.º, CP)..

---

54. RJ 1983, 867.

3. Pluralidad de responsables propiamente dicha

En el caso de que varias personas hayan sido las causantes del daño, habrá que determinar cómo o en qué medida responderá cada una de ellas frente a la víctima: ¿mancomunada o solidariamente?

Algunos autores opinan que la regla de la «no solidaridad» resulta de aplicación a todo tipo de obligaciones, cualquiera que sea su origen; y, por tanto, cuando sean varias las personas causantes del daño, la indemnización deberá repartiese entre ellas. Sin embargo, la opinión mayoritaria se inclina por la regla de la solidaridad y aduce en su favor las razones siguientes: 1.ª) Que en el artículo 107 del CP derogado se consigna la responsabilidad solidaria de los varios autores, cómplices o encubridores de un delito o falta[55]. 2.ª) Que la regla de la «no solidaridad», a que se refieren los artículos 1137 y 1138 del CC., afecta a las obligaciones que tienen su origen en el convenio, pero no a las derivadas del acto ilícito. 3.ª) Porque de lo contrario el perjudicado podría no ver satisfecho por entero su interés en el resarcimiento en el caso de que alguno de los obligados resultara insolvente; y, además, si se estimare que existen tantas obligaciones de reparar distintas como personas responsables, sobre el perjudicado recaería la carga muy onerosa de demostrar la parte de daño que a cada uno le es atribuible para condenarle a la reparación (GULLÓN).

La jurisprudencia reiteradamente se ha pronunciado a favor de la solidaridad respecto de las obligaciones derivadas del acto ilícito cuando son varios los autores[56]. Sin embargo, debe tenerse en cuenta que el Tribunal Supremo también ha declarado que «cuando se especifica el grado de participación que en la producción de un daño tienen sus causantes, si éstos son varios, entonces no juega la solidaridad, sino la responsabilidad mancomunada de cada responsable, cada uno por su parte»[57].

Según el artículo 9:101, párrafo 1.º, de los PETL, «la responsabilidad es solidaria si todo el daño sufrido por la víctima o una parte diferenciada del mismo es imputable a dos o más personas. La responsabilidad será solidaria si: *a*) una persona participa a sabiendas en la actuación ilícita de otros que causa daño a la víctima, o la instiga o estimula; *b*) el comportamiento o actividad independiente de una persona causa daño a la víctima y el mismo daño s también imputable a otra persona; c) una persona es responsable por el daño causado por un auxiliar en circunstancias tales que también el auxiliar es responsable». En estos casos, cuando varias personas se hallan sujetas a responsabilidad solidaria, el párrafo 2.º del mismo precepto determina que «la víctima puede reclamar toda la indemnización de una o varias de ellas, con tal que no obtenga mayor indemnización que la correspondiente al importe total del daño sufrido». Por otra parte, según el artículo 9:101, párrafo 3.º, de los PETL, «se considera que un daño es el mismo daño a los efectos del apartado 1, *b*) anterior si no existe una base razonable para imputar sólo una parte del mismo a cada una de las personas responsables ante la víctima. A tal efecto, la persona que afirma que el daño no es el mismo soporta la carga de la prueba. Su

---

55. Este precepto encuentra su correspondencia en el artículo 116 del vigente CP, si bien este último lo limita a los autores y cómplices.
56. Cfr. SSTS de 20 de mayo de 1968 (RJ 1968, 2827), 15 de octubre de 1976 (RJ 1976, 4188), 6 de noviembre de 1980 (RJ 1980, 4203), 17 de junio de 1989 (RJ 1989, 4696), 30 de noviembre de 1995 (RJ 1995, 8722) y 31 de enero de 1997 (RJ 1997, 254).
57. Cfr. SSTS de 3 de abril de 1987 (RJ 1987, 2485) y 21 de febrero de 1994 (RJ 1994, 1108).

tal base razonable existe, la responsabilidad es parciaria, es decir, cada persona responde ante la víctima sólo por la parte del daño que le es imputable».

BIBLIOGRAFÍA

Álvarez Olalla, *Pluralidad de responsables del daño extracontractual*, Cizur Menor (Navarra), 2015; Cossío, «La causalidad en la responsabilidad civil», ADC, 1966, p. 527; Cuevillas Matozzi, *La relación de causalidad en la órbita del Derecho de daños*, Valencia, 2000; Pantaleón, «Causalidad e imputación objetiva: criterios de imputación», *Centenario del Código civil*, t. II, Madrid, 1991, p. 1561; Sancho Rebullida, «La mancomunidad como regla general en las obligaciones civiles con pluralidad de sujetos», *Estudios en honor del Prof. Castán Tobeñas*, t. III, Pamplona, 1969, p. 565; Soto Nieto, «La llamada compensación de culpas», RDP, 1968, p. 409.

SUMARIO: I. INTRODUCCIÓN. 1. *Concepto y fundamento.* 2. *Características de la responsabilidad por actos ajenos.* II. LA RESPONSABILIDAD DE LOS PADRES Y TUTORES. 1. *Concepto y fundamento.* 2. *Presupuestos.* 3. *Sujetos responsables.* 4. *La acción de regreso.* III. LA RESPONSABILIDAD DEL EMPRESARIO. 1. *Concepto y fundamento.* 2. *Presupuestos.* 3. *Sujetos responsables.* 4. *La acción de regreso.* IV. LA RESPONSABILIDAD DE LOS TITULARES DE CENTROS DOCENTES. 1. *Concepto y fundamento.* 2. *Presupuestos.* 3. *La acción de regreso.* BIBLIOGRAFÍA.

I. INTRODUCCIÓN

1. Concepto y fundamento

La obligación de reparar el daño causado a otro por acción culposa o negligente, dice el artículo 1903, párrafo 1.º, del CC, «es exigible, no solo por los actos u omisiones propios, sino por los de aquellas personas de quienes se debe responder». Dicho artículo, después de referirse a diversas aplicaciones concretas de la responsabilidad por actos ajenos, añade en su último párrafo que «la responsabilidad de que trata artículo cesará cuando las personas en él mencionadas prueben que emplearon toda la diligencia de un buen padre de familia para prevenir el daño». De ahí que, por regla general, la doctrina establezca el fundamento de la responsabilidad por hechos de personas ajenas en uno de estos dos motivos: la culpa *in vigilando* (falta de vigilancia o control sobre las personas de cuya conducta se debe responder) o la culpa *in eligendo* (falta de acierto en la elección de las personas de cuya conducta se debe responder). Es decir, el fundamento de esta responsabilidad por hecho ajeno descansa en una falta propia de quien responde.

Por otra parte, la particularidad de la responsabilidad por actos ajenos consiste en la presunción de culpa de las personas que deben responder, estableciéndose un sistema de inversión de carga de la prueba. De esta manera, no es la víctima quien debe probar que hubo culpa *in vigilando* o culpa *in eligendo*, sino que corresponde al responsable por el hecho (u omisión) ajeno demostrar que no incurrió en culpa porque actuó con la diligencia de un buen padre de familia para evitar el daño. En este sentido, la jurisprudencia ha declarado que, a pesar de tratarse de una responsabilidad por hecho ajeno, no es una responsabilidad subsidiaria, sino directa, «ya que se establece por incumplimiento de los deberes que imponen las relaciones de convivencia social, de vigilar a las personas y a las cosas que están bajo la dependencia de determinadas personas, y de emplear la debida cautela en la elección de servidores y en la vigilancia de sus actos»[1].

Aunque en principio el Tribunal Supremo se pronunció por el carácter excepcional y taxativo de los supuestos de responsabilidad contemplados en el artículo 1903 del CC[2], más tarde ha admitido la extensión de la responsabilidad por hecho ajeno a supuestos distintos, pero en los que existe una relación de jerarquía o subordinación entre las personas. En este sentido, la STS de 23 de febrero de 1976 afirma que «se pueden entender incluidos en el artículo 1903 otros supuestos en los que exista o se genere alguna relación jurídica distinta de las que el precepto contempla *ad exemplum*, como puede ser la del comodato, originado por la cesión gratuita y temporal que el propietario de un automóvil asegurado hace a otra persona a la que le ligan lazos familiares o cuasifamiliares o de gran afecto, cuya relación crea deberes recíprocos»[3]. Asimismo, la STS de 4 de enero de 1982 dice que, «cuando se trata de contratos entre empresas no determinantes de relaciones de subordinación entre ellas, falta toda razón esencial para aplicar el artículo 1.903 (...), a menos que el comitente se hubiera reservado la injerencia o participación en los trabajos o parte de ellos, sometiéndolos a su vigilancia o dirección»[4].

2. Características de la responsabilidad por actos ajenos

1.ª Es una responsabilidad directa. La responsabilidad directa del sujeto mencionado en el artículo 1903 del CC permite que el perjudicado lo pueda demandar directamente, sin necesidad de demandar también, de forma previa o conjunta, al autor material del daño. En definitiva, se tipifica una culpa distinta de la que ha producido el daño y por esta razón no puede calificarse como subsidiaria la obligación de resarcir que se deriva de la culpa del responsable.

2.ª No admite una aplicación analógica. El artículo 1903 del CC tipifica unos supuestos de culpa, basados en la especial relación de jerarquía o dependencia entre los sujetos mencionados, de donde deriva la necesidad de responder frente al perjudicado. Aunque existen sentencias del Tribunal Supremo que han declarado que dicho precepto no contiene una enumeración cerrada o exhaustiva de supuestos, sino solo enunciativa[5], se descarta en la mayor parte de los casos la aplicación analógica del artículo 1903 del CC por no existir relación de subordinación. Por ejemplo, no se aplica a la relación que surge entre el comitente y el contratista, ya que el contrato de obra no genera una relación de dependencia[6].

En cambio, lo que sí resulta posible es una interpretación extensiva, pues, como señala la STS de 8 de mayo de 1990, «la complejidad de la vida moderna enseña que se viene creando manifestaciones nuevas en el ámbito social, a las que la doctrina civilista denomina "compromisos sociales", que se caracterizan porque de ellos

---

1. Cfr. SSTS de 16 de abril de 1963 (RJ 1963, 1970) y 15 de febrero de 1975 (RJ 1975, 566).
2. Cfr. STS de 30 de abril de 1969 (RJ 1969, 2411).
3. RJ 1976, 880.
4. RJ 1982, 178.
5. Cfr. SSTS de 1 de junio de 1994 (RJ 1994, 4570) y 16 enero de 2003 (RJ 2003, 6).
6. RJ 2016, 235.

pueden derivar relaciones contractuales y extracontractuales más o menos típicas»[7]. En este caso, se trataba de un accidente de circulación en que el automóvil causante del siniestro lo conducía habitualmente una persona distinta de la persona titular del coche. De hecho, la sentencia mencionada consideró que la relación entre ambas había dado lugar a la formalización «de una relación de carácter cuasinegocial».

3.ª Existe una concurrencia entre la regulación del Código civil y la contenida en el Código penal, cuando la obligación de responder deriva de un daño ocasionado con la comisión de un delito. Esta concurrencia, que se manifiesta en la normativa relativa a la responsabilidad de padres y tutores y en la responsabilidad de los empresarios, plantea problemas de interpretación y también de determinación de la jurisdicción competente a los efectos de la presentación de las correspondientes reclamaciones de indemnización.

II. LA RESPONSABILIDAD DE LOS PADRES Y TUTORES

Es necesario destacar que se trata de una responsabilidad civil que deriva de los actos cometidos por menores de edad sometidos a patria potestad o a tutela, que se rige por las normas contenidas en el artículo 1903 del CC. Cuando se trate de personas con discapacidad, el artículo 299 del CC señala que ellos responderán «por los daños causados a otros, de acuerdo con el Capítulo II del Título XVI del Libro Cuarto, sin perjuicio de lo establecido en materia de responsabilidad extracontractual respecto a otros posibles responsables». Si el acto cometido constituye un delito, la responsabilidad civil se regulará conforme a lo dispuesto en el Código penal y en la Ley Orgánica de responsabilidad penal de los menores.

1. Concepto y fundamento

El fundamento de esta responsabilidad se encuentra en la culpa _in vigilando_ o _in educando_, que se presume mientras los padres no demuestren haber empleado toda la diligencia de un buen padre de familia para evitar el daño.

> En este sentido, el Tribunal Supremo dice que «es doctrina de la Sala primera la de que la responsabilidad declarada en el artículo 1903, aunque sigue a un precepto que se basa en la responsabilidad por culpa o negligencia, no menciona tal dato de culpabilidad y por ello se ha sostenido que contempla una responsabilidad por riesgo o cuasiobjetiva, justificándose por la trasgresión del deber de vigilancia que a los padres incumbe sobre los hijos sometidos a su potestad con presunción de culpa en quien la ostenta y la inserción de ese matiz objetivo, que pasa a obedecer a criterios de riesgo en no menor proporción que los subjetivos de culpabilidad, sin que sea permitido ampararse en que la conducta del menor, debido a su escasa edad y falta de madurez, no puede calificarse culposa, pues la responsabilidad dimana de culpa propia del guardador por omisión del deber de vigilancia»[8]. Por ello, no debe extrañar que los Tribunales, al interpretar y aplicar estos preceptos, rechacen como causa de exoneración de responsabilidad la ausencia justificada de los padres o la propia inevitabilidad del hecho. Así, por ejemplo, la STS de 29 de diciembre de 1962 declara que no puede servir de disculpa la alegación (del padre)

---

7. RJ 1990, 3690.
8. Cfr. SSTS de 30 de junio de 1995 (RJ 1995, 5272), 16 de mayo de 2000 (RJ 2000, 3930) y 8 de marzo de 2006 (RJ 2006, 1076), y las que éstas citan.

de que los dejó solos porque tenía que trabajar para atender al sustento de la familia, porque esto ocurre actualmente a todos los padres; y añade que, «si se estimase esta tesis, se llegaría a la total irresponsabilidad civil de los hechos realizados por menores de edad»[9]. A su vez, la STS de 22 de abril de 1983 declaró que constituye grave imprudencia dejar al alcance de unos menores irresponsables una escopeta de aire comprimido, «sin que pueda servir de disculpa la alegación de que los dejó solos porque tenía que trabajar»[10].

La razón para imponer a los padres y tutores la obligación de indemnizar los daños causados por los menores sometidos a la patria potestad o por los menores no emancipados en situación desamparo o no sujetos a patria potestad se justifica en las obligaciones que tanto la patria potestad como la tutela les imponen. Así, el artículo 154 del CC establece que la patria potestad incluye la obligación de los progenitores de velar por los hijos, tenerlos en su compañía, educarlos y procurarles una formación integral. Por su parte, el artículo 228 del CC establece que el tutor está obligado a «velar por el tutelado» y, en particular, «a educar al menor y procurarle una formación integral».

En la actualidad, esta responsabilidad ha sido objeto de fuete crítica por considerar que ni los padres pueden vigilar constantemente a sus hijos, sobre todo cuando son adolescentes, ni tampoco evitar que se comporten de modo distinto a como les han enseñado (Díez Picazo, Gullón, Rogel, Pantaleón). De hecho, la Exposición de Motivos de la Ley Orgánica de Protección Jurídica del Menor postula una amplia autonomía y libertad en favor de los menores que no se corresponde en absoluto con un deber de vigilancia constante. En consecuencia, no hay más remedio que afirmar que la finalidad que se pretende en esta materia es intentar evitar que se produzca una irresponsabilidad civil de los hechos realizados por los menores de edad, estableciendo el resarcimiento del daño a cargo del patrimonio más solvente. Si no existieran padres, fueran insolventes o hubiesen sido declarados exentos de responsabilidad, el menor causante del daño responderá con su propio patrimonio.

Como señala Roca Trías, la jurisprudencia considera que los padres o el tutor deben responder por haber omitido o incumplido su deber de vigilancia que se tradujo en la producción de un daño. En este sentido, la STS de 11 de marzo de 2000 ha llegado a calificar esta responsabilidad como de «semi-riesgo» en un caso de lesiones y secuelas sufridas por un menor en el ojo al dispararle otro con un tiragomas fabricado por él[11].En palabras de la STS de 11 de marzo de 8 de marzo de 2006, la creación del riesgo se produce por la transgresión del deber de vigilancia que a los padres incumbe sobre los hijos sometidos a su potestad, sin que ellos puedan escudarse en la mayor o menor falta de capacidad de los menores[12].

2. Presupuestos

1.º Que el hijo se encuentre bajo la guarda del padre/madre. Ambos progenitores responden conjuntamente cuando el menor está bajo su control, aunque no exista un

---

9. RJ 1962, 5141.
10. RJ 1983, 2118. Cfr. también SSTS de 22 de septiembre de 1992 (RJ 1992, 7014), 24 de mayo de 1996 (RJ 1996, 3915) y 28 de julio de 1997 (RJ 1997, 5810).
11. RJ 2000, 1520.
12. RJ 2006, 1076.

contacto físico. Cuando los padres estén separados, no parece que deba exonerarse de responsabilidad al progenitor con quien los hijos no convivan habitualmente (art. 154 CC).

2.º Cuando se trate del tutor, debe existir convivencia con el tutelado autor del daño, pues el artículo 1903, párrafo 3.º, del CC exige la convivencia del causante del daño con el tutor para que éste responda. Esto debe interpretarse de forma amplia y en el caso en que existan varios tutores, la responsabilidad deberá compartirse entre ellos.

3. Sujetos responsables

Son responsables los progenitores, sean matrimoniales, no matrimoniales o adoptivos. Los padres responden conjuntamente por mitad y de forma solidaria frente a terceros. El tutor responde hasta la extinción de la tutela o la remoción del cargo por alguna de las causas previstas por la ley; no es causa de exoneración de responsabilidad el abandono del pupilo.

El propio menor también podrá ser responsable, si es civilmente imputable. En este caso, algunos autores defienden la postura de que el menor responderá solidariamente junto con sus padres.

4. La acción de regreso

A pesar de que muchos autores rechazan la posibilidad de admitir la acción de regreso de padres y tutores contra el causante del daño que sea plenamente imputable civilmente, al no contemplar esa posibilidad el artículo 1904 del CC, otros se manifiestan a favor en la hipótesis de que el hijo pueda ser considerado responsable directo por haber actuado de forma culpable y ser plenamente consciente de las consecuencias de su acto. Así, el progenitor responsable frente a la víctima, que hubiera satisfecho la correspondiente indemnización, podría repetir frente al hijo causante del daño. Aunque en la mayoría de los casos los padres no tendrán ningún interés en ejercitar esa acción de repetición por la falta de solvencia patrimonial del hijo, quizás podrían tenerlo en algún caso muy excepcional. Por ejemplo, cuando se trate de padres con escasos recursos económicos de un hijo que, por haber recibido una herencia cuantiosa, puede pagar la indemnización holgadamente (ROCA TRÍAS).

III. LA RESPONSABILIDAD DEL EMPRESARIO

1. Concepto y fundamento

La responsabilidad del empresario por los hechos de sus empleados está establecida en el art. 1903, párrafo 5.º, del CC, cuando afirma que son igualmente responsables «los dueños o directores de un establecimiento o empresa respecto de los perjuicios causados por sus dependientes en el servicio de los ramos en que los tuvieran empleados, o con ocasión de sus funciones».

> Según el artículo 6:102(1) de los PETL, «una persona responde por el daño causado por sus auxiliares en el ejercicio de sus funciones siempre que éstos hayan violado el estándar de conducta exigible».

La responsabilidad del empresario es directa, porque, como indica la STS de 30 de julio de 2008, «se establece por incumplimiento de los deberes que imponen las relaciones de convivencia social de vigilar a las personas y a las cosas que están bajo la dependencia de determinadas personas y de emplear la debida cautela en la elección de los servidores y en la vigilancia de sus actos»[13]. Esta característica explica que no es necesario demandar al autor del daño determinante de la indemnización[14]. No obstante, el Tribunal Supremo también admite demandar conjuntamente al empresario y a su dependiente, condenando a ambos al resarcimiento del daño con carácter solidario[15].

El fundamento de la obligación de resarcir derivada de este tipo de responsabilidad se ha basado tradicionalmente en el principio de la culpa *in eligendo*, a la que se añade la denominada *culpa in vigilando*. Así lo ha declarado nuestra jurisprudencia, si bien con la tendencia a reconocer un matiz objetivista. De hecho, la STS de 29 de marzo de 1996 afirma que la doctrina jurisprudencial configura la responsabilidad del empresario como *cuasi-objetiva*[16]. Se trata, en palabras de la STS de 3 de octubre de 1961, de exigir una vigorosa prueba de la diligencia desplegada por el empresario «para desvirtuar su presunción de culpabilidad»[17], quedando exonerado de responsabilidad solo en el caso de que no existiese relación de dependencia o el empleado se hubiere extralimitado en sus funciones[18].

Por consiguiente, la situación puede resumirse de la forma siguiente. Si bien el Tribunal Supremo ha venido exigiendo el elemento de la culpa o negligencia como factor de imputación del empresario que debe quedar necesariamente probado en cuanto presupuesto o requisito necesario de su obligación de indemnizar[19], numerosas sentencias tienden a objetivar la responsabilidad civil del empresario al aproximarla a una responsabilidad fundada casi sin más en el riesgo[20]. Sin embargo, esta «aproximación» no llega a ser completa, porque, como indica la STS de 17 de julio de 2003, «riesgo hay en todas las actividades de la vida», justificando en el caso que enjuiciaba la inversión de la carga de la prueba en contra del empresario por su mayor facilidad probatoria para demostrar que el accidente objeto de indemnización obedeció a causas fuera de su control[21]. En otras decisiones el Tribunal Supremo rechaza el riesgo como fuente única de la responsabilidad civil por culpa extracontractual, razonando que es doctrina jurisprudencial la negación de la absoluta objetivación de la responsabilidad civil, basándose en el artículo 1902 del CC, y puntualizando que el riesgo tiene que excluirse como base del resarcimiento cuando de riesgos normales

---

13. RJ 2008, 4640.
14. Cfr. SSTS de 16 de noviembre de 1967 (RJ 1967, 4159), 30 de diciembre de 1981 (RJ 1981, 5357), 25 de enero de 1985 (RJ 1985, 199) y 16 de mayo de 2003 (RJ 2003, 4756).
15. Cfr. SSTS de 14 de febrero de 1964 (RJ 1964, 749) y 3 de mayo de 1967 (RJ 1967, 2227).
16. RJ 1996, 2203. Cfr. STS de 18 de julio de 2006 (RJ 2006, 5345).
17. RJ 1961, 3276. Cfr. SSTS de 25 de octubre de 1966 (RJ 1966, 4728) y 3 de mayo de 1967 (RJ 1967, 2227).
18. Cfr. SSTS de 22 de junio de 1989 (RJ 1989, 4776), 29 de marzo de 1996 (RJ 1996, 2203) y 7 de abril de 1997 (RJ 1997, 2742).
19. Cfr. STS de 18 de noviembre de 1998 (RJ 998, 9692).
20. Cfr. SSTS de 17 de octubre de 2001 (RJ 2001, 8642), 22 de abril y 1 de octubre de 2003 (RJ 2003, 3545 y 6206).
21. RJ 2003, 6575.

o razonablemente previsibles se trate[22]. Esta línea jurisprudencial se completa con la que exige una prueba rigurosa del nexo causal al enjuiciar la responsabilidad civil del empresario[23].

A pesar de lo expuesto, debe advertirse que no todos los daños que se produzcan en el seno de la empresa o en actividades por ella organizadas le serán imputables.

> El artículo 4:202(1) de los PETL dice que «la persona que se dedica de modo permanente a una actividad empresarial con fines económicos o profesionales y que emplea auxiliares o equipamiento técnico es responsable de todo daño causado por un defecto de tal empresa, a no ser que pruebe que ha cumplido con el estándar de conducta exigible».

2. Presupuestos

Según la STS de 18 mayo 2006, para que se produzca la responsabilidad del artículo 1903, párrafo 5.º, del CC debe existir «una relación de dependencia o subordinación entre el causante material del daño y el empresario demandado, una actuación culposa del dependiente o empleado y un resultado lesivo producido en el curso de la actividad del responsable»[24].

Por consiguiente, se requiere:

1.º Una relación de dependencia entre el empresario responsable y el causante del daño. Aunque en ocasiones el Tribunal Supremo haya exigido que exista una relación mercantil o industrial entre el dueño o director de la empresa y el dependiente causante del daño[25], la relación no tiene por qué tener un carácter jurídico determinado, ni tampoco exigirse que se encuadre en un contrato de naturaleza laboral. En todo caso, la jurisprudencia exige que exista una relación jerárquica o de dependencia, más o menos intensa según las circunstancias concretas, entre el ejecutor causante del daño y la empresa o entidad a quien se exige responsabilidad[26]. Es decir, se entiende que existe esa relación cuando el agente realiza cualquier trabajo o tarea según instrucciones, órdenes o control del principal o bien con su autorización, beneplácito o voluntad[27]. Como dice la STS de 7 de diciembre de 2006, este concepto de dependencia requiere una interpretación amplia, en la que suele ser decisiva la apreciación de un elemento del control, vigilancia y dirección de las labores encargadas[28].

En consecuencia, cuando se trata de contratos entre empresas no determinantes de relaciones de subordinación, entre ellas falta toda razón para aplicar el artículo 1903, párrafo 5.º, del CC; puesto que, por lo general, no puede decirse que quien encarga una obra a una empresa autónoma en su organización y medios, y con asunción de riesgos inherentes al cometido que desempeña, deba responder por los daños

---

22. Cfr. SSTS de 31 de marzo de 2003 (RJ 2003, 2837).
23. Cfr. SSTS de 9 de julio de 2003 (2003, 4618) y 31 de diciembre de 2003 (RJ 2004, 367).
24. RJ 2367.
25. Cfr. SSTS de 26 de noviembre de 1990 (RJ 1990, 9047) y 16 de abril de 1991 (RJ 1991, 2697).
26. Cfr. SSTS de 21 de septiembre de 1987 (RJ 1987, 6188) y 30 de octubre de 1991 (RJ 1991, 7246).
27. Cfr. SSTS de 8 de abril de 1996 (RJ 1996, 2988) y 19 de abril de 1999 (RJ 1999, 2588).
28. Cfr. STS de 7 de de diciembre de 2006 (RJ 2007, 377).

ocasionados por los empleados de ésta, a menos que el comitente se hubiese reservado participación en los trabajos o parte de ellos, sometiéndolos a su vigilancia o dirección[29].

A tenor del artículo 6:102(2), «el contratista independiente no se considera auxiliar a los efectos de este artículo».

2.º Un daño causado por el dependiente, cuando actúa en el desempeño de obligaciones o servicios[30].

Para determinar cuándo el empleado está actuando en el servicio de la actividad para la que estuviera empleado o con ocasión de sus funciones, el Tribunal Supremo utiliza un criterio de interpretación amplio, teniendo en cuenta criterios de tiempo y de lugar, la utilización de medios empleados y la actuación en interés del empresario. Como pone de relieve ROCA TRÍAS, esto incluye no solo las funciones típicas derivadas del puesto que se ocupa en la concreta empresa responsable, sino también todas aquellas que se desarrollen en el marco de la actividad encomendada y que se encuentren vinculadas racionalmente con esa actividad. Por eso, además de los daños derivados de la puesta en práctica de la actividad principal, también se responde por aquellos producidos en el desempeño de actividades accesorias relacionadas con la principal.

Se ha excluido la responsabilidad del empresario por daños cometidos por sus empleados fuera de las horas de servicio, o cuando falta alguna conexión con las actividades y funciones encomendadas. Este último es el caso resuelto por la STS de 10 de octubre de 2007, que exoneró de responsabilidad al empresario (club de baloncesto) por las lesiones causadas por un jugador profesional de baloncesto al portero del hotel que le comunicó que no podía abandonarlo por quedar una cantidad pendiente de pago[31]

3.º La actuación (por acción u omisión) culposa del dependiente[32].

Aunque el artículo 1903 del CC no lo dice expresamente, la jurisprudencia exige que se acredite la culpa o negligencia del dependiente (culpa *in operando*), que constituye elsoporte fáctico y legal necesario para dar lugar, en segundo grado, a la responsabilidad del empresario[33].

La responsabilidad solo cesará cuando se pruebe que se empleó «toda la diligencia de un buen padre de familia para prevenir el daño» (art. 1903 *in fine* CC).

3. Sujetos responsables

Es responsable el empresario (persona física o jurídica) con responsabilidad directa, porque no es necesario demandar al empleado causante del daño, de forma

---

29. Cfr. STS de 20 de diciembre de 1996 (RJ 1996, 9197) y 29 de septiembre de 2000 (RJ 2000, 7534) y las que éstas citan.
30. Cfr. STS de 26 de febrero de 1996 (RJ 1996, 1595).
31. RJ 2007, 6813.
32. Cfr. SSTS de 5 de julio de 1979 (RJ 1979, 2931), 25 de octubre de 1980 (RJ 1980, 3638), 4 de enero de 1982 (RJ 1982, 178), 30 de noviembre de 1985 (RJ 1985, 5918) y 20 de diciembre de 1996 (RJ 1996, 9197).
33. Cfr. SSTS de 13 de mayo de 2005 (RJ 2005, 3996), 16 de octubre de 2007 (RJ 2007, 102) y 23 de junio de 2010 (RJ 2010, 4904).

previa o conjunta. Por tanto, el empresario demandado no podrá oponer la excepción de litisconsorcio pasivo necesario. Sin embargo, podría interponer una acción independiente contra el empleado en virtud del artículo 1902 del CC.

4. La acción de regreso

Según el artículo 1904, párrafo 1.º, del CC, «el que paga el daño causado por sus dependientes, podrá repetir de éstos lo que hubiese satisfecho».

El sistema de inversión de la carga de la prueba, en cuya virtud la responsabilidad del empresario cesaría si pudiera probar, al amparo del artículo 1903 *in fine* del CC, que empleó «toda la diligencia de un buen padre de familia para prevenir el daño», quiebra al autorizarle el artículo 1904, párrafo 1.º, del CC para repetir de sus dependientes lo que hubiese satisfecho. Como advierten DÍEZ-PICAZO y GULLÓN, la incongruencia de la norma es manifiesta; pues, si el empresario es responsable de su falta, no debería repetir nada o, a lo sumo, solo aquello que excediese de lo que debería compartir con el dependiente o empleado causante del daño por dolo o negligencia. Pero es que el empresario no responde por culpa propia, sino que lo hace en garantía de los hechos de sus empleados (responsabilidad vicaria) como consecuencia de su propia actividad empresarial. De esta manera, suple la insolvencia del empleado que causó el daño, facilitando la reclamación de la víctima y asumiendo en consecuencia el daño dentro del riesgo de la empresa. Con este planteamiento, es posible repetir contra el empleado causante del daño por la totalidad de la indemnización pagada, lo que permite explicar de forma coherente lo establecido por el artículo 1904 del CC (ROCA TRÍAS).

> Esta fue la solución adoptada por la STS de 26 octubre de 2002 en un caso de condena de dos empleados por delito de imprudencia, en que el empresario había sido condenado como responsable civil subsidiario. El empresario ejerció la acción de regreso, que fue admitida por el Tribunal Supremo[34].

IV. LA RESPONSABILIDAD DE LOS TITULARES DE CENTROS DOCENTES

1. Concepto y fundamento

El artículo 1903, párrafo 5.º, del CC, señala que «las personas o entidades que sean titulares de un centro docente de enseñanza no superior responderán por los daños y perjuicios que causen sus alumnos menores de edad durante los períodos de tiempo en que los mismos se hallen bajo el control o vigilancia del profesorado del centro, desarrollando actividades escolares o extraescolares y complementarias»[35]. Su contenido procede de la reforma introducida por la Ley 1/1991, de 7 de enero, de modificación de los Códigos civil y penal en materia de responsabilidad civil del profesorado, que dio nueva redacción al entonces párrafo 6.º del artículo 1903 del CC, que pasó a ser el 5.º por la supresión, realizada por la misma ley, del párrafo relativo a la responsabilidad civil del Estado.

La expresión «bajo el control y vigilancia del profesorado» exige una interpretación amplia, lo que implica que el término «profesorado» no se limita a aquellas

---

34. RJ 2002, 9183.
35. Cfr. STS de 10 de diciembre de 1996 (RJ 1996, 8975) y las que cita.

personas que tengan una titulación oficial en materia de enseñanza, o que participen exclusivamente en las actividades docentes. Al contrario, deben considerarse incluidos todos los empleados del centro que, enseñen o no, tengan un deber de tutoría, guarda, control o vigilancia en las actividades que se desarrollen en el centro (por ejemplo, un monitor con funciones de vigilancia durante el recreo, la comida o el transporte). En cambio, se considerará excluido el personal administrativo, de limpieza, cocina, etc.

Se trata de «centros docentes de enseñanza no superior», lo que excluye de su ámbito de aplicación todos aquellos centros que imparten enseñanzas universitarias, así como también enseñanzas artísticas, de formación profesional, de artes plásticas y diseño y deportivas de grado superior, tal y como las define el artículo 3.5 de la Ley Orgánica 2/2006, de 3 de mayo, de Educación, modificada por la Ley Orgánica 3/2020, de 29 de diciembre. Por el contrario, deben incluirse en el ámbito de aplicación del artículo 1903, párr. 5.º, del CC todos los centros, privados y concertados, de educación primaria y secundaria a que se refieren los apartados 3 y 4 del artículo 3 de la Ley Orgánica 2/2006, así como también otros centros de enseñanza no superior que impartan las denominadas enseñanzas «de régimen especial» (academias de idiomas, enseñanza artística, deportiva) del apartado 6 del artículo 3 de la Ley Orgánica 2/2006. También deberán incluirse guarderías, campamentos, etc. (PEÑA LÓPEZ).

Aunque el preámbulo de la Ley 1/1991, de 7 de enero, pueda hacer pensar otra cosa, se trata de una responsabilidad cuyo fundamento es la culpa *in vigilando*. Durante el período escolar, la responsabilidad de los padres se traslada al titular del centro por una especie de delegación de la obligación de guarda y custodia. Como dice la STS de 4 de junio de 1999, las funciones de guarda y custodia sobre los alumnos «sólo se transfieren a los profesores o cuidadores del Centro desde el momento de la entrada en el mismo de los alumnos hasta su salida de él finalizada la jornada escolar»[36].

Por consiguiente, el titular del centro no responde cuando el daño se produzca en circunstancias distintas a las de la actividad escolar o extraescolar y complementaria. En este caso, cuando el daño sea imputable a culpa directa del alumno, y su origen no pueda atribuirse al desarrollo de una actividad escolar, la responsabilidad corresponderá al alumno o a sus padres o guardadores en virtud de lo dispuesto por el artículo 1903, párr. 1.º, del CC.

2. Presupuestos

Para que proceda este tipo de responsabilidad se requiere:

1..º Que el causante del daño sea menor de edad. Esta responsabilidad afecta a los titulares de centros de enseñanza primaria y enseñanza media, pero no de la superior al ser sus alumnos mayores de edad. En este último caso, responderán de conformidad con el artículo 1902 del CC.

2..º Que el daño sea ocasionado durante el desarrollo de una actividad escolar o extraescolar. Por tanto, cuando hubieran cesado las actividades escolares regladas, continuará existiendo responsabilidad por aquellas que haya organizado el centro.

---

36. RJ 1999, 4286.

En este período el centro tiene un deber de vigilancia y control de los alumnos, con independencia de que estén físicamente en el centro escolar o no (excursiones, visitas, etc.). También se incluyen las actividades complementarias, como el transporte escolar o el servicio de comedor.

3..° Daños propios y daños causados a terceros. Los daños a que se refiere el artículo. 1903, párrafo 5.°, del CC son aquellos que se han ocasionado a terceros, que pueden ser alumnos del centro, personal del mismo e incluso personas ajenas.

También se incluyen también los daños que el alumno se cause a sí mismo.

3. La acción de regreso

La acción de regreso del titular del centro sólo es posible en el caso de que el daño haya sido causado por los maestros o profesores, cuando hayan actuado con dolo o culpa graves en el ejercicio de sus funciones, de acuerdo con el artículo 1904, párrafo 2.°, del CC. Por el contrario, la ley no prevé la posibilidad de repetir contra los padres del alumno causante del daño.

Cuando los profesores fueran varios y no hubiera posibilidad de individualizar el daño causado por cada uno, el titular del centro podrá dirigirse contra todos, que responderán con carácter solidario. El plazo de prescripción de esta acción de repetición o regreso es el de cinco años del artículo 1964.2 del CC.

BIBLIOGRAFÍA

BARCELÓ DOMENECH, *Responsabilidad extracontractual del empresario por actividades de sus dependientes*, Madrid, 1995 DÍAZ ALABART, «La responsabilidad por los actos ilícitos dañosos de los sometidos a la patria potestad o tutela», ADC, 1987, p. 795; GÓMEZ CALLE, *La responsabilidad civil de los padres*, Madrid, 1992; íd., «Responsabilidad civil extracontractual, reforma de los Códigos civil y penal en materia de responsabilidad civil del profesorado», ADC, 1991, p. 269; LEÓN GONZÁLEZ, «La responsabilidad civil por los hechos dañosos del sometido a patria potestad», *Estudios en honor del Prof. Castán Tobeñas*, t. VI, Pamplona, 1969, p. 267; LÓPEZ BELTRÁN DE HEREDIA, *La responsabilidad civil de los padres por los hechos de sus hijos*, Madrid, 1988; RUBIO, *La responsabilidad del empresario*, Madrid, 1971; ZELAYA ETCHEGARAY, *La responsabilidad civil del empresario por los daños causados por su dependiente*, Pamplona, 1995.

Capítulo XXXVIII

La responsabilidad por daños causados por animales y cosas

SUMARIO: I. DAÑOS CAUSADOS POR ANIMALES. 1. *Introducción*. 2. *Daños causados por las piezas de caza*. 3. *Daños causados por animales fieros*. II. DAÑOS CAUSADOS POR LAS COSAS. 1. *La responsabilidad del propietario*. 1.1. Introducción. 1.2. La responsabilidad por los daños causados por la caída de edificios. 1.3. La responsabilidad por explosiones e inmisiones. 1.4. La responsabilidad por la caída de árboles. 2. *La responsabilidad de los técnicos por defectos de la construcción*. 3. *La responsabilidad por cosas que se arrojan o se caen*. BIBLIOGRAFÍA.

I. DAÑOS CAUSADOS POR ANIMALES

1. Introducción

Según el artículo 1905 del CC, «el poseedor de un animal, o el que se sirve de él, es responsable de los perjuicios que causare, aunque se le escape o extravíe», añadiendo a continuación que «solo cesará esta responsabilidad en el caso de que el daño proviniere de fuerza mayor o de culpa del que lo hubiese sufrido». Estas circunstancias deben ser probadas por quien las alegue en su descargo[1].

Como dice la STS de 15 de marzo de 1982, la norma citada proclama claramente la responsabilidad, con alcance objetivo o por riesgo, del dueño (o poseedor) de los animales (o del que se sirve de ellos) sin más causa de exoneración que la fuerza mayor[2] o la culpa de la víctima, cuya existencia deberá ser probada. Sin embargo, debe matizarse lo anterior, indicando que no se considera la personal participación en los hechos del propietario (o poseedor), lo que obliga a estimarlo responsable solo por el solo hecho de poseer o servirse del ganado, cualquiera que sea la persona que lo conduzca en el instante de producirse los hechos dañosos, e incluso aunque en ese momento nadie lo maneje[3]. Como señala la STS de 28 de enero de 1986, «la responsabilidad viene anudada a la posesión del semoviente y no por modo necesario a su

---

1. RJ 1956, 1114.
2. La STS de 28 de enero de 1986 (RJ 1986, 336) señala que la exoneración «significa exclusión del caso fortuito». Cfr. STS de 15 de marzo de 1982 (RJ 1982, 1379).
3. Cfr. SSTS de 23 de febrero de 1956 (RJ 1956, 1114), 14 de mayo de 1963 (RJ 1963, 2699), 31 de diciembre de 1992 (RJ 1992, 10662), 10 de julio de 1995 (RJ 1995, 5556), 21 de noviembre de 1998 (RJ 1998, 8751) y 29 de mayo de 2003 (RJ 2003, 5216).

propiedad, de donde se sigue que basta la explotación en el propio beneficio para que surja esa obligación de resarcir»[4].

Más recientemente, la jurisprudencia ha declarado que el artículo 1905 del CC se refiere a una responsabilidad no culpabilistica, «en línea de proximidad a la apreciabilidad objetiva, por lo que se trata de efectiva responsabilidad por el riesgo que supone la posesión de animales, es decir, que se trata de responsabilidad inherente a tal situación personal»[5]. En palabras de la STS de 20 diciembre 2007, «la jurisprudencia ha destacado el carácter objetivo de esta responsabilidad, basada en el riesgo consustancial a la tenencia o a la utilización en propio provecho de los animales, la cual exige tan solo una casualidad material, estableciendo la presunción de culpabilidad del poseedor del animal o de quien se sirve del mismo por su mera tenencia o utilización, con la única exoneración de los casos de fuerza mayor o de culpa del perjudicado»[6]. De todo ello se desprende que cuando la culpa no es exclusiva de la víctima parece lógico admitir la aplicación de la doctrina de la concurrencia de culpas y la posibilidad de moderación de la responsabilidad.

De conformidad con el tenor literal del artículo 1905 del CC, la persona que posee o utiliza un animal es aquella que de hecho lo tiene bajo su poder, sea o no su dueño o propietario. Se excluye así la responsabilidad del propietario, que solo responderá si tiene el cuidado directo del animal, pues la responsabilidad deriva de la tenencia o riesgo y no de la culpa del poseedor.

La STS de 16 de octubre de 1998 se ocupa del caso de caída de un caballo alquilado para su monta, y argumenta que «el que se sirve del animal no es el jinete, sino el propietario que alquila el caballo, que además de recibir un beneficio económico por tal servicio, no deja en ningún momento de ser el poseedor del animal». La citada sentencia habla de «extraño pleito (desde el punto de vista jurídico)», y declara que «se trata del alquiler de un caballo para la práctica de la equitación y no de un supuesto de daño ocasionado a un tercero por un animal sin que medie relación jurídica alguna entre aquél y el propietario o quien se sirve del mismo». No se sirve del animal, en el sentido del artículo 1905 del CC, quien lo arrienda, sino el que lo alquila, poseedor real y efectivo[7].

Para que el poseedor del animal pueda quedar exonerado de la responsabilidad, debe probar que concurrió fuerza mayor o culpa de la víctima[8]. Cuando existan varios poseedores, la responsabilidad frente a la víctima es solidaria; pero, si se puede identificar quién ostentaba la posesión en el momento de producirse el daño, cada uno deberá responder de los daños causados por sus propios animales.

El artículo 1905 del CC no distingue según la clase de animales de que se trate, domésticos o no, por lo que deben entenderse comprendidos en su ámbito de aplicación todos los que puedan ser objeto de posesión, sean fieros o domésticos. En cualquier caso, el animal, *por impulso propio*, tiene que ser el causante del daño o perjuicio (ataque, empujón, etc.). Sin embargo, la STS de 10 de febrero de 1959 no considera

---

4. RJ 1983, 336.
5. Cfr. SSTS de 21 de noviembre de 1998 (RJ 1998, 8751) y 12 julio de 2007 (RJ 2007, 5592).
6. RJ 2007, 9054. Cfr. SSTS de 12 de abril de 200 (RJ 200, 2972) y 29 de mayo de 2003 (RJ 2003, 5216).
7. RJ 1998, 8070. Cfr. STS de 24 de noviembre de 2004 (RJ 2004, 7248).
8. STS de 12 de julio de 2007 (RJ 2007, 5592).

necesario que el daño tuviera que haber sido producido inmediatamente por el animal, por lo que condena al propietario de una vaca, que había muerto de hidrofobia, a indemnizar a la persona que había cargado con ella por los daños que le produjo la vacunación antirrábica a la que hubo de someterse por precaución. En esa sentencia se declara, que dada la redacción del artículo 1905 del CC, puede deducirse que cuando los hechos sucesivos están tan íntimamente ligados entre sí que cada uno de ellos sea consecuencia tan lógica y natural del anterior que sin su concurrencia no se hubiera producido racionalmente, persiste el nexo causal; a diferencia de cuando esa concatenación de hechos aparece rota por interferencia de actos no directamente derivados del anterior, en cuyo caso desaparece la relación de causalidad[9].

Este criterio no parece muy correcto, pues el tenor literal del artículo 1905 del CC expresa con bastante claridad que contempla al animal como ser vivo y, por consiguiente, en el presente caso, la responsabilidad del dueño o propietario del animal debería resultar de la aplicación del artículo 1902 del CC, es decir, por culpa o negligencia.

2. Daños causados por las piezas de caza

Según el artículo 1906 del CC, «el propietario de una heredad de caza responderá del daño causado por ésta en las fincas vecinas, cuando no haya hecho lo necesario para impedir su multiplicación o cuando haya dificultado la acción de los dueños de dichas fincas para perseguirla». Se trata de una responsabilidad por culpa o negligencia del dueño de la finca. Según la STS de 14 de julio de 1982, en el precepto legal se sanciona un "un deber de indemnizar fundado en la existencia de pasividad o actitud negativa por parte del dueño del predio o, en su caso, del titular del derecho de caza, que comporta negligencia e incumplimiento de una carga de vecindad"[10].

Por otra parte, la legislación de caza sanciona otro tipo de responsabilidad, en este caso objetiva, respecto de los daños causados por la caza procedente de aprovechamientos cinegéticos «en terrenos acotados». Concretamente, el artículo 33.1 de la LC dice que «los titulares de aprovechamientos cinegéticos, definidos en el artículo de esta Ley, serán responsables de los daños originados por las piezas de caza procedentes de los terrenos acotados. Subsidiariamente, serán responsables los propietarios de los terrenos». La exacción de esta responsabilidad «se ajustará a las prescripciones de la legislación civil ordinaria» (art. 33.2 LC). Ante esta dualidad de supuestos y, por tanto, de criterios, se debe entender que el sistema de responsabilidad objetiva que impone la Ley de caza es de aplicación a los aprovechamientos cinegéticos especiales. En cambio, respecto de los daños producidos por la caza procedente de los terrenos de aprovechamiento cinegético común (en los que la caza es libre) continúa vigente lo preceptuado en el artículo 1906 del CC (Díez-Picazo y Gullón). En un principio, el Tribunal Supremo consideró que los artículos 1902 y 1906 del CC debían ser completados con el artículo 33 de la LC y el artículo 35 del RLC.[11]. Sin embargo, posteriormente, la STS de 27 de mayo de 1985 consideró derogado el artículo 1906 del CC, afirmando que la remisión del artículo 33 de la LC a la «legislación civil

---

9.   RJ 1959, 1483.
10. RJ 1982, 4235.
11. Cfr. SSTS de 14 de julio de 1982 (RJ 1982, 4235) y 17 de mayo de 1983 (RJ 1983, 2843).

ordinaria» no es al sistema de la responsabilidad por culpa, sino «al modo, forma y procedimiento» y que el término «exacción», que significa acción y efecto de exigir, «no puede confundirse con las causas, razones o fundamentos sustantivos, en que se basa la exigencia»[12].

Otra cuestión es la que se refiere a los daños ocasionados por animales que provienen de cotos de caza, que se estudia a propósito de los accidentes de carretera producidos por animales que han abandonado su hábitat natural. Este es el caso resuelto por la STS de 22 de diciembre de 2006, en el que automóvil del demandante colisionó con dos jabalíes integrantes de una manada que cruzaban la calzada desde los terrenos sometidos a régimen cinegético especial. Como consecuencia del contacto con los animales, el vehículo ocupó la mitad de la vía destinada al sentido opuesto, chocando con otro automóvil y sufriendo los demandantes lesiones de consideración. La sentencia declaró que la responsabilidad establecida por el artículo 33 de la LC solo se cumple cuando los animales proceden de un terreno acotado en el que viven habitualmente, de modo que en el supuestos descrito no había surgido ningún tipo de responsabilidad, ya que «para declarar la responsabilidad del titular del aprovechamiento no basta con una previa estancia ocasional o accidental de la especie de que se trate en el terreno acotado, puesto que, en otro caso, no estaría justificado distinguir la responsabilidad del titular de un aprovechamiento cinegético especial de la de quien lo es de terrenos destinados a fines distintos». Por tanto, se requiere «una cierta conexión entre la presencia del animal y el aprovechamiento»[13].

En palabras de la STS de 23 de julio de 2007, «para determinar la procedencia de los animales causantes del accidente, no basta simplemente su presencia más o menos circunstancial en una finca concreta, ya que como afirma la sentencia citada (STS de 22 de diciembre de 2006) "se hace precisa una cierta conexión entre la presencia del animal y el aprovechamiento". La atribución por parte del legislador de una naturaleza objetiva a la obligación de responder no invierte la carga de la prueba, sino que únicamente excluye la necesidad de que se pruebe la culpa del autor del daño y deben probarse todos los otros extremos exigidos por la norma para que pueda imputarse la responsabilidad en base a la misma y por tanto, el actor debe probar la procedencia de la caza, cosa que no ha sucedido en el caso origen de este recurso, en que las pruebas aportadas han llevado a la Audiencia a no considerar probado que los jabalíes tuviesen su hábitat en el coto demandado, lo que de acuerdo con la normativa vigente, exonera a los titulares del mismo de responsabilidad»[14].

3. Daños causados por animales fieros

La regla general aplicable a este tipo de animales es la contenida en el artículo 1905 del CC, que se configura como un supuesto de responsabilidad objetiva.

En la STS de 12 julio 2007 se trataba de daños causados por un perro fiero. Una persona que acudió a una vivienda para reparar un electrodoméstico se adentró en la finca que tenía que atravesar, siendo atacado por el perro de la casa, que le causó graves lesiones que determinaron que hubiera de sufrir amputación del

---

12. RJ 1985, 2815.
13. RJ 2007, 608.
14. RJ 2007, 4699.

tercio medio de la pierna lesionada[15]. La STS de 20 diciembre 2007 resolvió un caso de daños causados por un tigre enjaulado. Esos daños consistieron en la pérdida del brazo izquierdo tras ser seccionado por un tigre de Bengala, cuando la víctima, que no tenía a su cargo el animal ni había recibido instrucción alguna para su cuidado, traspasó la barrera de seguridad con el fin de introducir en la jaula-remolque un recipiente con agua[16].

La legislación especial aplicable a esta materia es la constituida por la Ley 50/1999, de 23 de diciembre, sobre régimen jurídico de la tenencia de animales potencialmente peligrosos, que ha sido desarrollada por RD 287/2002, de 22 de marzo.

Según el artículo 2.1 de la LTAPP, son animales potencialmente peligrosos «todos los que, perteneciendo a la fauna salvaje, siendo utilizados como animales domésticos, o de compañía, con independencia de su agresividad, pertenecen a especies o razas que tengan capacidad de causar la muerte o lesiones a las personas o a otros animales y daños a las cosas». Además, también tendrán la calificación de potencialmente peligrosos, los animales domésticos o de compañía que reglamentariamente se determinen, en particular, los pertenecientes a la especie canina, incluidos dentro de una tipología racial que, por su carácter agresivo, tamaño o potencia de mandíbula tengan capacidad de causar la muerte o lesiones a las personas o a otros animales y daños a las cosas (art. 2.2 LTAPP).

El artículo 3.1 de la LTAPP obliga al propietario de uno de estos animales a obtener una licencia administrativa para su tenencia, cuyo incumplimiento dará lugar a una infracción administrativa muy grave de acuerdo con lo dispuesto por el artículo el artículo 13.1, letra b), de la LTAPP. El otorgamiento de la licencia requiere, entre otros requisitos, que el solicitante acredite «haber formalizado un seguro de responsabilidad civil por daños a terceros que puedan ser causados por sus animales, por la cuantía mínima que reglamentariamente se determine».

Por otra parte, el artículo 5 de la LTAPP impone a los propietarios, criadores o tenedores de los animales a que se refiere la Ley la obligación de identificarlos y registrarlos en la forma y mediante el procedimiento que reglamentariamente se determina. En el caso de animales de la especie canina la identificación, con la debida garantía, es obligatoria sin excepciones. En relación con ello, en cada municipio u órgano competente existirá un Registro de Animales Potencialmente Peligrosos clasificado por especies, en el que necesariamente habrán de constar, al menos, los datos personales del tenedor, las características del animal que hagan posible su identificación y el lugar habitual de residencia del mismo, especificando si está destinado a convivir con los seres humanos o si por el contrario tiene finalidades distintas como la guarda, protección u otra que se indique (art. 6.1 LTAPP). Incumbe al titular de la licencia la obligación de solicitar la inscripción en el Registro, dentro de los quince días siguientes a la fecha en que haya obtenido la correspondiente licencia de la Administración competente (art. 6.2 LTAPP).

El artículo 9.1 de la LTAPP impone a los propietarios, criadores o tenedores la obligación de mantener a los animales que se hallen bajo su custodia en adecuadas condiciones higiénico-sanitarias y con los cuidados y atenciones necesarios de acuerdo con

---

15. RJ 2007, 5592.
16. RJ 2007, 9054.

las necesidades fisiológicas y características propias de la especie o raza del animal. Cuando se trate de animales potencialmente peligrosos, los propietarios, criadores o tenedores deberán cumplir todas las normas de seguridad ciudadana, establecidas en la legislación vigente, «de manera que garanticen la óptima convivencia de estos animales con los seres humanos y se eviten molestias a la población» (art. 9.2 LTAPP).

La responsabilidad de naturaleza administrativa que genera el incumplimiento de las disposiciones de la ley podrá dar lugar a la imposición de sanciones administrativas. No obstante, esa responsabilidad se entiende sin perjuicio de la que resulte exigible en las vías penal y civil (art. 13.9 LTAPP).

II. DAÑOS CAUSADOS POR LAS COSAS

La relación de casos de daños causados por las cosas inanimadas, contenida en los artículos 1907 a 1910 del CC, no es *demostrationis causa* (MANRESA), sino taxativa, por lo que no cabe la aplicación analógica de dichos preceptos, si bien nada impide que pueda exigirse la responsabilidad con base en el artículo 1902 del CC.

1. La responsabilidad del propietario

El Código civil obliga al propietario a responder en una serie de supuestos respecto de los cuales se discute si se impone una responsabilidad subjetiva con inversión de la carga de la prueba, o bien una responsabilidad objetiva.

1.1. *Introducción*

Nuestra legislación atribuye al propietario la obligación de responder por los daños causados por ostentar esa condición de propietario sobre la base de la presunción de culpa que consiste en no haber realizado las reparaciones necesarias en la cosa que produjo el daño (art. 1907 CC) o por su falta de diligencia (art. 1908 CC). Se impone de esta manera una sanción al incumplimiento de las obligaciones legalmente establecidas en los artículos 389 y 390 CC. De hecho, como dice el artículo 391 del CC, «en los casos de los dos artículos anteriores, si el edificio o árbol se cayere, se estará a lo dispuesto en los artículos 1907 y 1908». En consecuencia, la ley impone al propietario la obligación de hacer que sus cosas sean seguras y que no ocasionen daños a los terceros que se pongan en contacto con ellas. Por tanto, en virtud de la función social de la propiedad a que se refiere el artículo 33 de la CE, las leyes imponen al propietario la carga de garantizar esta seguridad y en el caso de que la cosa haya producido unos daños, obligan a resarcirlos (ROCA TRÍAS).

Las disposiciones que incluyen la responsabilidad del propietario o, en su caso, de quien haya de ser declarado responsable por su relación con la cosa que ha ocasionado el daño, le obligan a probar su diligencia si quiere exonerarse de la responsabilidad que se le imputa. De hecho, la STS de 30 junio 1992 ha declarado que en ese caso «no le basta probar que se hicieran reparaciones sino que éstas han de ser las "necesarias" (...), debiendo advertirse también que la carga de la prueba de que el propietario ha realizado las reparaciones necesarias a éste corresponde en virtud de la inversión de la misma derivada de la situación de riesgo, pues ha de partirse de la presunción, implícita en el artículo 1907, de que el mal estado de un edificio o parte de él es imputable a su propietario»[17].

La doctrina no se pone de acuerdo sobre la naturaleza de este tipo de responsabilidad, considerando que en ocasiones se trata de una responsabilidad por culpa presunta (arts. 1906, 1907, 1908, núms. 1.º y 4.º, y 1909 CC), y en otros casos existe responsabilidad objetiva (arts. 1905, 1908, núms. 2.º y 3.º, y 1910 CC). También hay quien considera que la responsabilidad es claramente objetiva incluso que en estas disposiciones se aplica el principio anglosajón de *res ipsa loquitur*, en cuya virtud, el mismo daño acredita la concurrencia de un supuesto de hecho que por sí solo demuestra la actividad del dueño y que puede desvirtuarse mediante la demostración de que éste no tuvo ninguna culpa en su producción (PUIG BRUTAU). Por su parte, la jurisprudencia ha calificado de forma diferente la responsabilidad impuesta en el artículo 1907 del CC y la establecida en el artículo 1908 del CC. Respecto de la responsabilidad del propietario de edificios, contenida en el artículo 1907 del CC, la citada STS de 30 junio 1992 dice que debe calificarse objetivamente, pero a continuación plantea el principio de inversión de la carga de la prueba, que no es compatible con la objetividad[18]. Por el contrario, las SSTS de 7 octubre de 1991[19] y de 9 de marzo de 1998[20] consideran que la responsabilidad del artículo 1907 del CC es de «índole predominantemente subjetiva»[21]. En cambio, en los supuestos recogidos en el artículo 1908 del CC el Tribunal Supremo se ha decantado por atribuir carácter objetivo a este tipo de responsabilidad, como consecuencia del riesgo creado[22].

Como indica ROCA TRÍAS, cuando el propietario responde no lo hace en tanto que propietario, sino porque ha incumplido los deberes que se le imponen por ostentar esa condición en virtud de la ya mencionada función social de la propiedad.

1.2. *La responsabilidad por los daños causados por la caída de edificios*

El artículo 1907 del CC dispone que «el propietario de un edificio es responsable de los daños que resulten de la ruina de todo o parte de él, si ésta sobreviniera por falta de las reparaciones necesarias». Conviene recordar que, según el artículo 389 del CC, «si un edificio, pared, columna o cualquiera otra construcción amenazase ruina, el propietario estará obligado a su demolición, o a ejecutar las obras necesarias para evitar su caída. Si no lo verificara el propietario de la obra ruinosa, la Autoridad podrá hacerla demoler a costa del mismo». Además, el artículo 391 del CC dice que, en el caso de que se cayese el edificio que amenazaba ruina, «se estará a lo que dispone el artículo 1907». Por consiguiente, en el artículo 1907 del CC se contiene la presunción de que la ruina del edificio, pared, columna o cualquier otra construcción es debida a la omisión de las reparaciones necesarias, por lo que no exime de responsabilidad el hecho de que la falta de esas reparaciones obedezca a una causa justificada. Si no concurre causa de fuerza mayor, el hecho del hundimiento del edificio acreditará «por

---

17. RJ 1992, 6550.
18. RJ 1992, 6550.
19. RJ 1991, 689.
20. RJ 1998, 1269.
21. Cfr. SSTS de 29 octubre 1999 (RJ 1999, 7628) y 24 mayo de 2004 (RJ 2004, 4033).
22. Cfr. SSTS de 24 de mayo de 1993 (RJ 11993, 3727), 7 de abril de 1997 (RJ 1997, 2743) y 17 de marzo de 1998 (RJ 1998, 1122).

sí mismo» que no se efectuaron las reparaciones necesarias o que no se realizaron de manera adecuada.

La palabra «edificio», utilizada en el artículo 1907 del CC, debe interpretarse en un sentido amplio, según lo establecido en el artículo 389 del CC, pues la jurisprudencia incluye, entre otros supuestos, la caída de cornisas (STS 30 junio 1992)[23], el derribo de una pared medianera (STS 29 octubre 1999)[24], o la caída de la pared de una zanja (STS de 15 julio 2000)[25].

Se trata de una responsabilidad de carácter subjetivo o por culpa, por falta de las «reparaciones necesarias» a que viene obligado el propietario. La STS de 5 de julio de 1977 dice que se requiere la culpa, «todo lo leve que se quiera, pero suficiente para atraer la responsabilidad»[26]. Este precepto no es aplicable cuando la ruina no se produjo por falta de las reparaciones necesarias, sino por defectos de la construcción[27], ni tampoco cuando tal caída o ruina sea debida a la intervención o interferencia de un tercero que con su extraña conducta la produzca[28].

Si bien el propietario es el obligado a reparar el edificio, esté o no arrendado (art. 1554.2 CC), la responsabilidad se extiende también a quienes deben efectuar las reparaciones necesarias en virtud del título por el que se ostentan la posesión del inmueble. Por ejemplo, el usufructuario es el obligado a hacer las reparaciones necesarias para la conservación del edificio en virtud del artículo 500 del CC, siendo responsable de la ruina que se produzca por no haberlas llevado a cabo. Sin embargo, como pone de relieve PUIG BRUTAU, «si la ruina sobreviene en un edificio de reciente adquisición, la omisión de las "reparaciones necesarias" puede ser imputable al propietario-vendedor; si el adquirente no dispuso del tiempo racionalmente necesario para realizarías».

1.3. *La responsabilidad por explosiones e inmisiones*

Este tipo de daños tiene cabida en la regulación de las relaciones de vecindad y constituyen las denominadas inmisiones. Como pone de relieve ROCA TRÍAS, la utilización de la técnica de las inmisiones ha permitido proteger el derecho de propiedad del tercero por una doble vía: por una parte, imponiendo obligaciones a quienes produzcan inmisiones que perjudiquen las propiedades vecinas, siendo en este punto un procedimiento protector de la propiedad; por otra, estableciendo un sistema de protección de terceros, independiente de la propiedad, mediante el que se impone la responsabilidad al propietario emisor, a quien se atribuye la correspondiente obligación de indemnizar en los casos previstos en el artículo 1908 del CC[29].

En el Código civil español no existe una norma general que regule las inmisiones. El artículo 590 del CC se refiere a ellas al prohibir la construcción cerca de una pared

---

23. RJ 1992, 6550.
24. RJ 1999, 7628.
25. RJ 2000, 6885.
26. RJ 1977, 3260.
27. Cfr. STS de 29 de marzo de 1983 (RJ 1983, 1652).
28. Cfr. STS de 29 de septiembre de 2000 (RJ 2000, 7534) y las que cita.
29. Cfr. SSTS de SSTS de 19 de febrero y 26 de noviembre de 2010 (RJ 2010, 1287 y RJ 2011, 1317).

ajena sin guardar las distancias establecidas en los reglamentos, «de pozos, cloacas, acueductos, hornos, fraguas, chimeneas, establos, depósitos de materias corrosivas, artefactos que se muevan por vapor, o fábricas que por sí mismas o por sus productos sean peligrosas o nocivas». Esta disposición ha sido utilizada por la jurisprudencia con la finalidad descrita, pues, como señala la STS de 26 noviembre 2010, «el artículo 590 del CC sirve de marco para proteger el medioambiente en las relaciones de vecindad, ya que constituye el núcleo que permitió con posterioridad el desarrollo de la teoría de las inmisiones; se trata de un precepto genérico, que resulta efectivo porque la técnica utilizada en el mismo, la remisión a la legislación administrativa, facilita su adaptación a las necesidades de cada momento. Al no establecer directamente sanciones, sino únicamente los supuestos de hecho de la prohibición de lesión ambiental a las propiedades vecinas, debe completarse con lo dispuesto en el art. 1908 CC»[30].

> Se considera inmisión «una invasión de la finca vecina que se produce por medio de la penetración de sustancias molestas, como pueden ser, por ejemplo, ruidos, vibraciones, humos, gases, olores, polvo, calor, cenizas, nocivas para las actividades que se desarrollan en el predio vecino y perjudiciales para la salud de las personas o peligrosas por razón de los riesgos que comportan» (PUIG FERRIOL).

La inmisión es una lesión del derecho de propiedad, que se incardina en la regulación de las relaciones de vecindad. Por consiguiente, no se trata de un remedio de carácter general, sino específico, cuya finalidad consiste en proporcionar a un determinado propietario un sistema de protección frente a las actividades molestas, nocivas o peligrosas producidas por los propietarios vecinos. En este contexto, la STS de 31 de mayo de 2007 admitió la contaminación acústica[31], la STS de 12 de junio de 2008 condenó por emanaciones tóxicas de flúor[32], la STS de 19 de febrero de 2010 también calificó como inmisión la existencia de un transformador de energía eléctrica en los bajos de un edificio[33], la STS de 26 de noviembre de 2010 calificó como inmisiones los ruidos, luces y polvo emitidos por una cementera instalada con posterioridad a la edificación de las viviendas afectadas[34] y la STS de 12 de enero de 2011 consideró inmisión la existencia de ruidos y vibraciones en viviendas situadas en zona no residencial contigua a zona industrial[35]. Los medios de defensa de este tipo de injerencias son la acción negatoria y la indemnización de daños y perjuicios, que pueden ejercitarse conjuntamente. El Código civil no contempla otro sistema de protección que la indemnización por daños y perjuicios *ex* artículo 1902 del CC, que debe completarse con lo dispuesto por el artículo 1908 del CC, lo que hace que se exija la prueba del daño para poder obtener el resarcimiento.

Según el artículo 1908 del CC, igualmente responderán los propietarios de los daños causados:

1.º *Por la explosión de máquinas que no hubiesen sido cuidadas con la debida diligencia, y la inflamación de sustancias explosivas que no estuviesen colocadas en lugar seguro y adecuado.*

---

30. RJ 2011, 1317.
31. RJ 3431.
32. RJ 2008, 4690.
33. RJ 2010, 1287.
34. RJ 2011, 1317.
35. RJ 2011, 305.

Se trata de un caso de responsabilidad por culpa. Pero, como indica ROGEL, «una vez que la explosión o la inflamación se haya producido, existirá una presunción de la pretendida negligencia, siendo virtualmente imposible la prueba de la diligencia, dado que la destrucción de la maquina hace desaparecer el objeto mismo causante del daño». En este supuesto la responsabilidad puede corresponder a persona distinta del propietario, al ingeniero, arquitecto o constructor que haya realizado la instalación de la máquina, es decir, sería de aplicación el artículo 1909 del CC.

2.º *Por los humos excesivos que sean nocivos a las personas o a las propiedades.*

En este precepto se configura un supuesto de responsabilidad de claro matiz objetivo, por razón del riesgo creado[36]. Debe completarse con las disposiciones de la Ley de Responsabilidad Medioambiental.

El Tribunal Supremo no exonera de responsabilidad por el hecho de que el demandado hubiese dado cumplimiento a las normas de carácter reglamentario. Así, la STS de 24 de mayo de 1993 declara que, «aunque cuantitativamente los humos y gases expedidos por las fábricas de las entidades recurrentes hayan respetado los niveles de contaminación reglamentariamente establecidos, lo cierto es que cualitativamente fueron nocivos y causaron daños a terceras personas totalmente ajenas a la referida explotación industrial, lo que evidencia que tales medidas fueron insuficientes para evitar los daños a terceros»[37]. También admite que el perjudicado pueda «reaccionar contra la causación del deterioro instando la cesación de la actividad lesiva mediante el uso de los remedios que detengan su desarrollo y para que se adopten medidas de prevención que razonablemente impidan ulteriores lesiones patrimoniales»[38]. Pero, como advierte ROCA JUAN, la adopción de las precauciones se dispone en estos casos «a fin de excluir la persistencia de un daño causado ya; para evitar que se siga produciendo, lo que deja en pie el tema de la adopción de medidas que eviten la de otro modo inevitable producción (y no reproducción) de los efectos dañosos».

El Código civil no contiene un precepto que prohíba expresamente los ruidos excesivos, por lo que algunos autores consideran que, por razón de analogía, sería de aplicación lo dispuesto en este precepto. Sin embargo, este caso habría que encuadrarlo en el marco del artículo 1902 del CC. Sobre esta cuestión, igual que respecto de vibraciones o de emisiones de polvo, suelen alegarse conjuntamente el artículo 1902 y el artículo 1908 del CC, y el Tribunal Supremo no tiene inconveniente en discurrir sobre los mismos, como si ambos correspondieran a un mismo principio en orden a la exigencia de responsabilidad.

4.º *Por las emanaciones de cloacas o depósitos de materias infectantes, construidos sin las precauciones adecuadas al lugar en que estuviesen*

Este supuesto establece una responsabilidad por culpa, ya que basa la responsabilidad en la «falta de precauciones» Sin embargo, el Tribunal Supremo afirma que

---

36. Cfr. SSTS de 12 de diciembre de 1980 (RJ 1980, 4747), 24 de mayo de 1993 (RJ 1993, 3727) y 7 de abril de 1997 (RJ 1997, 2743).
37. RJ 1993, 3727. Cfr. STS de 7 de abril de 1997 (RJ 1997, 2743).
38. Cfr. SSTS de 12 de diciembre de 1980 (RJ 1980, 4747) y 17 de marzo de 1981 (RJ 1981, 1009) y las que ésta cita.

la responsabilidad por daños producidos por emanaciones tóxicas está sometida al artículo 1908, y declara que este precepto consagra una responsabilidad objetiva, aunque también es cierto que no desecha la posibilidad de aplicación del artículo 1902 del CC[39].

También puede ser de aplicación el artículo 1909 del CC, por corresponder la responsabilidad al ingeniero, constructor o técnico que haya llevado a cabo la instalación del depósito.

Las medidas reglamentarias y preventivas vienen impuestas por normas administrativas, cuya observancia no exime de la responsabilidad civil si se demuestra.

1.4. *La responsabilidad por la caída de árboles*

El artículo 1908.3.º del CC impone al propietario la responsabilidad por los daños causados «por la caída de árboles situados en sitios de tránsito, cuando no sea ocasionada por fuerza mayor». Se trata de la sanción al incumplimiento de la obligación que impone el artículo 390 del CC al propietario de arrancar y retirar el árbol corpulento que amenazare caerse «de modo que pueda causar perjuicios a una finca ajena o a los transeúntes por una vía pública o particular».

Es una responsabilidad puramente objetiva de la que solamente podrá exonerarse el propietario acreditando la concurrencia de fuerza mayor. Así lo afirma, rotundamente, la STS de 17 de marzo de 1998 al indicar que «el artículo 1908.3.º tiene sentido específico, por cuanto se refiere al propietario y a un evento determinado ("caída de árboles colocados en sitios de tránsito"), pero, además, el supuesto normativo no exige directamente la culpa del propietario, por lo que se diferencia del supuesto anterior (art. 1902 CC). Y esta diferencia, no carece de interés dado que, pese a las doctrinas sobre la inversión de la carga de la prueba, riesgos aportados, etc., que tienden a una aproximación de la culpa extracontractual con la responsabilidad objetiva, en aquélla no puede faltar el reproche culpabilístico, mientras que la responsabilidad que deriva del artículo 1908.3.º se considera, junto con otros casos, como ejemplos dentro del Código Civil de responsabilidad objetiva»[40].

2. La responsabilidad de los técnicos por defectos de la construcción

Según el artículo 1909 del CC, «si el daño de que tratan los dos artículos anteriores resultare por defecto de construcción, el tercero que lo sufra solo podrá repetir contra el arquitecto, o, en su caso, contra el constructor dentro del tiempo legal». Se impone así a los arquitectos y los constructores la obligación de indemnizar los daños que la ruina de los edificios en que ellos hubieran intervenido cause solamente a terceras personas. A la relación entre comitente y contratista se aplicarán las responsabilidades derivadas del incumplimiento del contrato de obra, de acuerdo con lo dispuesto en el Código civil y en la Ley 38/1999, de 5 noviembre, de Ordenación de la Edificación.

---

39. Cfr. SSTS de 16 de enero de 1989 (RJ 1989, 101), 24 de mayo de 1993 (RJ 1993, 3727) y 7 de abril de 1997 (RJ 1997, 2743).
40. RJ 1998, 1122.

El problema que plantea este artículo 1909 del CC se refiere al plazo de prescripción de la acción del tercero contra los técnicos de la construcción. Como dicho precepto dice que el tercero que sufra el daño puede reclamar «dentro del tiempo legal», se suscita la duda de si se trata de un plazo de prescripción de la acción o de un plazo de garantía. A continuación, surge la pregunta de cuál debe considerarse como «plazo legal». La opinión unánime es que no se trata de un plazo de prescripción de la acción que el perjudicado tiene contra los técnicos y el constructor, sino que constituye una referencia al tiempo en que debe aparecer el defecto causante del daño para que pueda ser imputado a los técnicos y no al propietario. Por tanto, habrá que atenerse a lo dispuesto en la Ley de ordenación de la edificación.

El artículo 17.1 de la LOE establece que las personas físicas o jurídicas que intervienen en el proceso de la edificación responderán frente a los propietarios y los terceros adquirentes de los edificios de los daños materiales ocasionados en el edificio dentro de los plazos siguientes, contados desde la fecha de recepción de la obra, sin reservas o desde la subsanación de éstas:

a) Durante *diez años*, de los daños causados en el edificio por vicios o defectos que afecten a la cimentación, los soportes, las vigas, los forjados, los muros de carga u otros elementos estructurales, y que comprometan directamente la resistencia mecánica y la estabilidad del edificio.

b) Durante *tres años*, de los daños materiales causados en el edificio por vicios o defectos de los elementos constructivos o de las instalaciones que ocasionen el incumplimiento de los requisitos de habitabilidad del apartado 1, letra c), del artículo 3.

c) Dentro del plazo de *un año*, también responderá el constructor de los daños materiales por vicios o defectos de ejecución que afecten a elementos de terminación o acabado de las obras.

Las acciones para exigir la responsabilidad prevista en el artículo anterior por daños materiales dimanantes de los vicios o defectos prescribirán en el plazo de dos años a contar desde que se produzcan dichos daños, sin perjuicio de las acciones que puedan subsistir para exigir responsabilidades por incumplimiento contractual (art. 18.1 LOE).

3. La responsabilidad por cosas que se arrojan o se caen

El artículo 1910 del CC señala que «el cabeza de familia que habita una casa o parte de ella es responsable de los daños causados por las cosas que se arrojaren o cayeren de la misma». Por cabeza de familia, según la STS de 20 de abril de 1993, hay que considerar «al que, por cualquier título, habita una vivienda, como personaje principal de la misma, en unión de las personas que con él conviven, formando un grupo familiar o de otra índole»[41]. Esta misma sentencia declara que la responsabilidad está limitada al que por cualquier título habita la vivienda como principal o cabeza de familia; es decir, no alcanza al propietario arrendador que no habita, al cual solo se le podría exigir responsabilidad con base en el artículo 1902[42]. El precepto

---

41. RJ 1993, 3103.
42. Cfr. STS de 20 de abril de 1993 (RJ 1993, 3103).

legal no hay que interpretarlo restringido a la vivienda o piso que habita una persona o familia, sino que deben entenderse comprendidos los locales o viviendas dedicados a oficina, despacho profesional, etc.

La expresiones «se arrojaren o cayeren» no constituyen un *numerus clausus*, razón por la cual pueden ser objeto de interpretación extensiva en cuanto a los supuestos que, originados dentro del límite ambiental en él determinado, pueden causar daño o perjuicio, tanto a los convecinos, copropietarios, etc., por razón en tales casos de aplicación y observancia del principio de salvaguarda de las relaciones de vecindad, como a quienes, con ocasión de deambular por las inmediaciones del inmueble, reciban daño o sufran perjuicio por las cosas que se arrojasen o cayesen del piso, vivienda o local; y deben incluirse tanto las cosas sólidas como las líquidas, que de una forma u otra caigan de la vivienda[43].

Se trata, dice la STS de 12 de abril de 1984, de una muestra «de la denominada responsabilidad objetiva o por riesgo, aun cuando constituya en realidad una obligación legal de indemnizar (art. 1090 CC), razón por la cual es evidente que el hecho de mediar o no culpa por la parte de la recurrente no impide su deber de resarcir a quien sufrió el daño, sin perjuicio de su derecho a repetir contra quien pudiere haber sido el causante directo del mismo»[44]. Se trataba de un caso de filtraciones de agua e inundación causados en un local de negocio por haber dejado un grifo abierto la arrendataria del piso superior. Sin embargo, esta jurisprudencia requiere una importante matización: como dice PANTALEÓN, no hay inconveniente en admitir que la responsabilidad del artículo 1910 es objetiva, con tal que dicha calificación se entienda en el sentido de que la misma no requiere una culpa propia del cabeza de familia; pero no cabe admitir la afirmación de que este precepto consagra una responsabilidad desvinculada de toda idea de culpa. Por ello, añade este autor que el precepto legal «presupone al menos una acción u omisión objetivamente negligente, bien del cabeza de familia, bien (y esta es la única objetividad de la responsabilidad que nos ocupa) de cualquier otra persona que conviva o esté transitoriamente en la vivienda». El Tribunal Supremo ha extendido esta responsabilidad a otros supuestos, como la inundación de un piso inferior por la rotura de una tubería en una clínica instalada en un piso superior[45] o en el caso del lanzamiento de un objeto en el interior de una discoteca, causando graves lesiones a un cliente[46].

Por supuesto, el «cabeza de familia» tendrá acción de repetición contra la persona causante directa del daño[47], si demuestra la inexistencia del deber de control y vigilancia.

BIBLIOGRAFÍA

AA VV, *Comentarios a la Ley de Ordenación de la Edificación*, 3.ª ed., Cizur Menor (Navarra), 2011; COLINA GAREA, *La responsabilidad de los dueños, poseedores y usuarios de animales*, Madrid, 2014; ESTRUCH, *La responsabilidad en la construcción. Regímenes*

---

43. Cfr. SSTS de 20 de abril y 26 de junio de 1993 (RJ 1993, 3103 y 5383).
44. RJ 1984, 1958.
45. SSTS de 26 junio de 1993 (RJ 1993, 5383) y 27 de marzo de 1998 (RJ 1998, 2052).
46. STS de 21 mayo de 2001 (RJ 2001, 6464).
47. Cfr. STS de 12 de abril de 1984 (RJ 1984, 1958).

jurídicos y jurisprudencia, 4.ª ed., Cizur Menor (Navarra), 2011; Fernández Martín-Granizo, «La deuda legal indemnizatoria en la vigente Ley de caza», ADC, 1973, p. 755; Gallego Domínguez, *Responsabilidad extracontractual por daños causados por animales*, Barcelona, 2005; Martínez Pereda, *Sanciones y responsabilidades en materia de caza*, Madrid, 1972.

Capítulo XXXIX
Tipos especiales de responsabilidad

SUMARIO: I. INTRODUCCIÓN. II. RESPONSABILIDAD POR ACCIDENTES DE CIR-CULACIÓN DE VEHÍCULOS A MOTOR. 1. *Introducción*. 2. *Sujetos responsables*. 3. *Régimen de responsabilidad*. 3.1. Daños corporales y daños materiales. 3.2. Reclamación de la indemnización. 3.3. El Consorcio de Compensación de Seguros. 3.4. El Sistema de valoración de daños y perjuicios («Baremo»). III. RESPONSABILIDAD POR DAÑOS EN LA NAVEGACIÓN AÉREA. 1. *Introducción*. 2. *Clases de daños*. 2.1. Daños sufridos por los viajeros. 2.2. Daños causados a las cosas transportadas. 2.3. Daños causados a terceras personas o a cosas en la superficie terrestre. 3. *El carácter tasado de las indemnizaciones*. IV. RESPONSABILIDAD POR ACCIDENTES NUCLEARES. V. RESPONSABILIDAD POR DAÑOS EN EL EJERCICIO DE LA CAZA. VI. LA RESPONSABILIDAD PATRIMONIAL DE LAS ADMINISTRACIONES PÚBLICAS. 1. *Introducción*. 2. *El principio general de responsabilidad y su concreción*. 3. *Presupuestos*. 3.1. Lesión del particular en cualquiera de sus bienes y derechos. 3.2. Que la lesión se haya producido por el funcionamiento normal o anormal de las administraciones públicas. 3.3. La relación de causalidad. BIBLIOGRAFÍA.

I. INTRODUCCIÓN

Según la STS de 14 de mayo de 1963, «es una aspiración en la evolución del Derecho moderno que el hombre responda de todo daño, incluso del no culpable, que sobrevenga a consecuencia de su actuar o de las cosas que le pertenecen o están bajo su guarda»[1]. Esta postura sirve de muestra de que la tradicional explicación del fundamento de la responsabilidad extracontractual, expresada con la frase «no hay responsabilidad sin culpa», se completa en la actualidad con el principio en virtud del cual «ningún daño derivado de un riesgo previsible debe quedar sin indemnización». Este último postulado ha dado lugar a que doctrina y jurisprudencia hayan defendido y aceptado, como dice la STS de 22 de diciembre de 1986, soluciones cuasiobjetivas, por no decir objetivas, «demandadas, por el incremento de actividades peligrosas, consiguiente al desarrollo de la técnica, y el principio de que ha de ponerse a cargo de quien obtiene el provecho la indemnización del quebranto sufrido por tercero, a modo de contrapartida del lucro obtenido por la actividad peligrosa; doctrina que impide aplicar el sistema subjetivista de la culpa por operarse un desplazamiento de la prueba que impone al creador del riesgo la demostración de su diligencia o de la

---

1. RJ 1963, 2699. Cfr. también SSTS de 30 de octubre de 1963 (RJ 1963, 4280) y 14 de marzo de 1968 (RJ 1968, 1737).

existencia de caso fortuito o de fuerza mayor»[2]. En esta línea, la STS de 12 de mayo de 1997 declaró que «la inversión de la carga de la prueba y la teoría del riesgo limitan, aunque no en su totalidad, el dato de culpa necesario para exigir una responsabilidad extracontractual»; y, a continuación, añade que «para la aplicabilidad de dicha teoría del riesgo a los daños producidos por una conducta humana, es preciso que los mismos sean producidos en una actividad peligrosa, y es entonces cuando, a través de una objetivización del elemento culpabilístico, surge la exigencia de responsabilidad, aún en el curso de conductas inicialmente lícitas»[3].

En el plano legislativo, el primer paso en esta tendencia lo dio la Ley de accidentes de trabajo de 30 de enero de 1900 y, más tarde, el Texto Refundido de accidentes de trabajo en la industria de 4 de julio de 1932, estableciendo la responsabilidad del empresario con independencia de su culpa, y con el único límite de que el accidente se hubiera producido por fuerza mayor extraña al trabajo. Paulatinamente, de forma paralela al aumento del maquinismo y de los accidentes en determinados sectores de la actividad económica, se han ido promulgando leyes especiales que imponen en muchos ámbitos la responsabilidad objetiva, como es el caso de los accidentes causados por el uso y circulación de vehículos a motor, en la navegación aérea, en las actividades de explotación de la energía nuclear o en la responsabilidad por los daños causados por productos defectuoso, entre otros.

Según el artículo 5:101(1) de los PETL, «la persona que lleva a cabo una actividad anormalmente peligrosa responde objetivamente por el daño característico del riesgo que tal actividad comporta y que resulta de ella». El artículo 5:101(2) de los PETL añade que «una actividad es anormalmente peligrosa si: *a*) crea un riesgo previsible y significativo de daño incluso aunque se emplee todo el cuidado debido en su ejercicio y *b*) no es una actividad que sea objeto de uso común». El riesgo de daño puede ser significativo en atención a su gravedad o a su probabilidad (art. 5:101(3) PETL).

II. RESPONSABILIDAD POR ACCIDENTES DE CIRCULACIÓN DE VEHÍCULOS A MOTOR

1. Introducción

Es un lugar común aludir al incremento exponencial del riesgo que implica el uso y circulación de vehículos a motor con el consiguiente aumento de los accidentes de todo tipo que de ello se derivan. De esos accidentes pueden ser víctimas terceras personas ajenas a la conducción, así como también los mismos conductores que manejan los vehículos. El criterio de favorecer la indemnización explica que la responsabilidad en este campo se haya desviado de la regla tradicional de la responsabilidad por culpa para aproximarse a criterios de responsabilidad por riesgo o incluso de responsabilidad objetiva con causas tasadas de exoneración.

Esta materia está regulada por el RDLeg. 8/2004, de 29 de octubre, por el que se aprueba el Texto Refundido de la Ley sobre Responsabilidad Civil y Seguro en la Circulación y Vehículos a Motor. Este texto, reformado por la Ley 35/2006, de 28 de

---

2.   RJ 1990, 3690. Cfr. STS de 20 de diciembre de 1982 (RJ 1982, 7698).
3.   RJ 1997, 3833.

noviembre, la Ley 21/2007, de 11 de julio y la Ley 18/2009, de 23 de noviembre, ha sido desarrollado por el RD 1507/2008, de 12 de septiembre, por el que se aprueba el Reglamento del Seguro Obligatorio de Responsabilidad Civil en la Circulación de Vehículos a Motor. La reforma más reciente del Texto Refundido ha tenido lugar por la Ley 35/2015, de 22 de septiembre, de reforma del sistema para la valoración de los daños y perjuicios causados a las personas en accidentes de circulación, que ha modificado algunos de sus artículos.

2. Sujetos responsables

Según el artículo 1.1, párrafo 1.º, del TRLRCSCVM, «el conductor de vehículos a motor es responsable, en virtud del riesgo creado por la conducción de estos, de los daños causados a las personas o en los bienes con motivo de la circulación».

El artículo 2.1, párrafo 1.º, del TRLRCSCVM señala que «todo propietario de vehículos a motor que tenga su estacionamiento habitual en España estará obligado a suscribir y mantener en vigor un contrato de seguro por cada vehículo de que sea titular, que cubra, hasta la cuantía de los límites del aseguramiento obligatorio, la responsabilidad civil a que se refiere el artículo 1». Se impone así al propietario del vehículo la obligación de concertar un seguro de daños a terceros (seguro obligatorio), de la que solo quedará relevado «cuando el seguro sea concertado por cualquier persona que tenga interés en el aseguramiento, quien deberá expresar el concepto en que contrata».

Se entiende que el vehículo tiene su estacionamiento habitual en España: a) Cuando tiene matrícula española, independientemente de si dicha matrícula es definitiva o temporal. b) Cuando se trate de un tipo de vehículo para el que no exista matrícula, pero lleve placa de seguro o signo distintivo análogo a la matrícula y España sea el Estado donde se ha expedido esta placa o signo. c) Cuando se trate de un tipo de vehículo para el que no exista matrícula, placa de seguro o signo distintivo y España sea el Estado del domicilio del usuario. d) A efectos de la liquidación del siniestro, en el caso de accidentes ocasionados en territorio español por vehículos sin matrícula o con una matrícula que no corresponda o haya dejado de corresponder al vehículo. Reglamentariamente se determinará cuando se entiende que una matrícula no corresponde o ha dejado de corresponder al vehículo. e) Cuando se trate de un vehículo importado desde otro Estado miembro del Espacio Económico Europeo, durante un período máximo de 30 días, a contar desde que el comprador aceptó la entrega del vehículo, aunque éste no ostente matrícula española. A tal efecto dichos vehículos podrán ser asegurados temporalmente mediante un seguro de frontera (art. 2.1, párrafo 2.º, TRLRCSCVM).

Por consiguiente, cuando el conductor del vehículo que causó los daños sea también su propietario, parece evidente que la víctima podrá demandarlo como tal propietario y titular del seguro obligatorio.

Pueden darse las siguientes posibilidades de no coincidencia entre el conductor y el propietario del vehículo:

a) *Conductor autorizado por el propietario*, existiendo una relación de dependencia entre ambos. La relación de dependencia puede tener su origen en algunos de los supuestos a que se refiere el artículo 1903 del CC (padres, tutor, curador, empresario).

El artículo 120, núm. 5, del CP, declara responsables civiles subsidiarios a «las personas naturales o jurídicas titulares de vehículos susceptibles de crear riesgos para terceros, por los delitos cometidos en la utilización de aquellos por sus dependientes o representantes o personas autorizadas». La autorización para la conducción podrá ser expresa o tácita.

En estos casos, el propietario del vehículo no ha causado materialmente el daño, pero aun así se establece una responsabilidad por el hecho de la propiedad de una máquina capaz de crear riesgos. Como indica NAVARRO MICHEL, la razón por la que se obliga al propietario a asegurar el vehículo tiene su base en la función social de resarcimiento que se encomienda al seguro, al garantizar que los daños causados con motivo de los accidentes de circulación puedan resarcirse efectivamente a las víctimas y a sus causahabientes. Existe, pues, una responsabilidad del conductor que ha provocado el accidente y una responsabilidad del propietario asegurado, cuando no sea el conductor, que puede ser igualmente demandado.

b) Conductor autorizado, sin que exista una relación de dependencia con el propietario. Esta situación puede existir en todos aquellos casos en que el propietario presta su coche por razones de amistad, benevolencia o vecindad. Al no poder aplicarse lo dispuesto por el artículo 1903 del CC, se plantea la dificultad de cómo vincular al propietario por el daño causado por el conductor.

La STS de 23 de febrero de 1976 declaró que «se pueden entender incluidos en el artículo 1903 otros supuestos en los que exista o se genere alguna relación jurídica distinta de las que el precepto contempla "ad exemplum", como pueden ser las de comodato, originado por la cesión gratuita y temporal que el propietario de un vehículo asegurado hace a otra persona a la que ligan lazos familiares o cuasifamiliares, cuya relación crea deberes recíprocos»[4]. En este caso, el coche lo conducía el novio de su propietaria. En un supuesto en que en la misma persona, distinta del propietario, era la conductora habitual del vehículo, la STS de 8 de mayo de 1990 reconoció «la concurrencia de cierta relación de dependencia a los efectos previstos en el artículo 1903 del CC, pues la circunstancia del parentesco que mediaba entre ellos, el de primos, no explica suficiente y satisfactoriamente semejante habitualidad en la conducción; además, la complejidad de la vida moderna enseña que se viene creando manifestaciones nuevas en el ámbito social, a las que la doctrina civilista denomina "compromisos sociales", que se caracterizan porque de ellos pueden derivar relaciones contractuales y extracontractuales más o menos típicas, dando lugar a la formalización de una relación de carácter cuasinegocial, entre las que cabe incluir la existente entre la persona titular de un vehículo y la que está autorizada habitualmente para utilizarlo y conducirlo»[5].

c) Conductor no autorizado. La conducción de un vehículo sin la autorización expresa o tácita del propietario no conlleva, sin más, la exoneración de responsabilidad de ese propietario o de la entidad que aseguró su vehículo. Obviamente, la víctima tendrá más interés en demandar a la compañía de seguros que al propietario del vehículo. Pueden incluirse aquí los ejemplos del joven que coge sin permiso las llaves del coche de alguno de sus progenitores o del mecánico del taller que, sin estar autorizado, usa

4.   RJ 1976, 880.
5.   RJ 1990, 3690.

el vehículo depositado para dar una vuelta. En estos casos, el asegurador no podrá oponer frente al perjudicado la falta de autorización expresa o tácita del propietario del vehículo a favor del conductor que causó el accidente, ni tampoco el uso ilegítimo del mismo, con el fin de excluir su responsabilidad (art. 6, párr. 2.°, TRLRCSCVM). Solo en el caso de robo del coche nada podrá reclamarse ni a su propietario ni a la compañía de seguros. En esta hipótesis, sin embargo, la víctima podrá obtener una indemnización del Consorcio de Compensación de Seguros al amparo de lo dispuesto por el artículo 11.1, letra c), del TRLRCSCVM.

3. Régimen de responsabilidad

3.1. *Daños corporales y daños materiales*

El régimen de responsabilidad distinto, según se trate de daños corporales o de daños materiales:

a) Respecto de los *daños corporales* o daños a las personas, se impone una responsabilidad objetiva, al margen de la culpa. Por consiguiente, para que surja la obligación de indemnizar, es suficiente con que se produzca un daño por un vehículo de motor con motivo de la circulación. El conductor solo quedará exonerado cuando pruebe que los daños fueron debidos a la culpa exclusiva del perjudicado o a fuerza mayor extraña a la conducción o al funcionamiento del vehículo (art. 1.1, párr. 2.°, TRLRCSCVM).

Sin perjuicio de que pueda existir culpa exclusiva de acuerdo con el apartado 1, cuando la víctima capaz de culpa civil solo contribuya a la producción del daño se reducirán todas las indemnizaciones, incluidas las relativas a los gastos en que se haya incurrido en los supuestos de muerte, secuelas y lesiones temporales, en atención a la culpa concurrente hasta un máximo del setenta y cinco por ciento. Se entiende que existe dicha contribución si la víctima, por falta de uso o por uso inadecuado de cinturones, casco u otros elementos protectores, incumple la normativa de seguridad y provoca la agravación del daño (art. 1.2, párr. 1.°, TRLRCSCVM).

La fuerza mayor que exonera de responsabilidad es la «extraña a la conducción o al funcionamiento del vehículo». En este sentido, no se considerarán casos de fuerza mayor los defectos del vehículo ni la rotura o fallo de alguna de sus piezas o mecanismos (art. 1.1, párr. 2.°, TRLRCSCVM).

La STS de 8 de febrero de 1992 consideró que «era fuerza mayor ajena a la conducción o al funcionamiento del vehículo» la colisión de un automóvil con una caballería desbocada que venía por la carretera en dirección opuesta[6].

b) En cambio, por lo que se refiere a los *daños materiales*, el sistema de responsabilidad es el contenido en los artículos 1902 y siguientes del CC o en los artículos 109 y ss. del CP, si los daños derivan de un ilícito penal (art. 1.1, párr. 3.°, TRLRCSCVM). Esto implica que se aplica la regla general de la responsabilidad subjetiva, de manera que el perjudicado que pretenda reclamar una indemnización deberá probar la negligencia del conductor.

---

6. RJ 1992, 1198.

3.2. Reclamación de la indemnización

El perjudicado o sus herederos tendrán acción directa para exigir al asegurador la satisfacción de los daños sufridos en su persona y en sus bienes, que prescribirá por el transcurso de un año (art. 7.1, párr. 2.º TRLRCSCVM). No obstante, con carácter previo a la interposición de la demanda judicial, deberán comunicar el siniestro al asegurador, solicitando la indemnización que corresponda.

Esta reclamación extrajudicial contendrá la identificación y los datos relevantes de quien o quienes reclamen, una declaración sobre las circunstancias del hecho, la identificación del vehículo y del conductor que hubiesen intervenido en su producción de ser conocidas, así como cuanta información médica asistencial o pericial o de cualquier otro tipo tengan en su poder que permita la cuantificación del daño (art. 7.1, párr. 3.º, TRLRCSCVM). Esta reclamación interrumpirá el cómputo del plazo de prescripción desde el momento en que se presente al asegurador obligado a satisfacer el importe de los daños sufridos al perjudicado. La interrupción se prolongará hasta la notificación fehaciente al perjudicado de la oferta o respuesta motivada definitiva (art. 7.1, párr. 4.º, del TRLRCSCVM).

En el plazo de tres meses desde la recepción de la reclamación del perjudicado, el asegurador deberá presentar una oferta motivada de indemnización si entendiera acreditada la responsabilidad y cuantificado el daño. En caso contrario, o si la reclamación hubiera sido rechazada, dará una respuesta motivada (art. 7.2, párr. 1.º, TRLRCSCVM). Una vez presentada la oferta o la respuesta motivada, en caso de disconformidad, o transcurrido el plazo para su emisión, el perjudicado podrá bien acudir al procedimiento de mediación para intentar solucionar la controversia, o bien acudir a la vía jurisdiccional oportuna para la reclamación de los daños y perjuicios correspondientes (art. 7.8, párr. 1.º, TRLRCSCVM).

Tras la despenalización de las faltas, llevada a cabo por la reforma del Código Penal introducida por la Ley Orgánica 1/2015, de 30 de marzo, muchos de los supuestos de siniestralidad vial por imprudencia leve han pasado a ser ilícitos civiles. Por tanto, en los accidentes de circulación de vehículos a motor el perjudicado no interpone una denuncia penal, salvo en los casos más graves, sino una demanda. Hay que poner de relieve que durante la reclamación extrajudicial el perjudicado puede obtener un informe médico-forense, lo que ha permitido reducir la litigiosidad judicial, ya que numerosas denuncias penales se interponían con la única finalidad de obtener esa prueba (NAVARRO MICHEL).

En virtud del artículo 10 del TRLRCSCVM, el asegurador, una vez efectuado el pago de la indemnización al perjudicado, podrá repetir: a) Contra el conductor, el propietario del vehículo causante y el asegurado, si el daño causado fuera debido a la conducta dolosa de cualquiera de ellos o a la conducción bajo la influencia de bebidas alcohólicas o de drogas tóxicas, estupefacientes o sustancias psicotrópicas. b) Contra el tercero responsable de los daños. c) Contra el tomador del seguro o asegurado, por las causas previstas en la Ley 50/1980, de 8 de octubre, de Contrato de Seguro, y, conforme a lo previsto en el contrato, en el caso de conducción del vehículo por quien carezca del permiso de conducir. d) En cualquier otro supuesto en que también pudiera proceder tal repetición con arreglo a las leyes.

La acción de repetición del asegurador prescribe por el transcurso del plazo de un año, contado a partir de la fecha en que hizo el pago al perjudicado.

3.3. El Consorcio de Compensación de Seguros

El Consorcio de Compensación de Seguros es una entidad pública empresarial, adscrita al Ministerio de Economía y Hacienda, a través de la Dirección General de Seguros y Fondos de Pensiones. Está regulado por el RDLeg. 7/2004, de 29 de octubre, por el que se aprueba el Texto Refundido del Estatuto legal del Consorcio de Compensación de Seguros.

En materia de accidentes de tráfico, el Consorcio de Compensación de Seguros indemnizará, dentro del límite cuantitativo del aseguramiento obligatorio, el importe de los daños causados por un vehículo que no haya sido identificado, que no esté asegurado o que haya sido robado. También lo hará en el caso de que la entidad española aseguradora del vehículo con establecimiento habitual en España hubiera sido declarada judicialmente en concurso.

3.4. El Sistema de valoración de daños y perjuicios («Baremo»)

Es un lugar común afirmar que la valoración de los daños corporales es uno de los problemas más complejos del Derecho de daños. Su cuantificación es competencia de los tribunales de instancia, reservada a su prudente arbitrio, y la ausencia de criterios claros en esta materia llevó a una situación de enorme disparidad en las indemnizaciones que los jueces reconocían por hechos esencialmente idénticos. Esa situación justificó la necesidad de introducir cierta uniformidad al respecto, que se intentó por primera vez a través de la Orden de 5 de marzo de 1991, que solo tenía carácter meramente orientativo.

La Ley 30/1995, de 8 de noviembre, de Ordenación y Supervisión de los Seguros Privados, que modificó la Ley de Uso y Circulación de los Vehículos a motor, que en adelante pasó a denominarse Ley de Responsabilidad Civil y Seguro en la Circulación de Vehículos a Motor, incorporó un sistema de valoración de los daños y perjuicios derivados de los accidentes causados a las personas en los accidentes de circulación en lo que se refiere al seguro obligatorio de automóviles, introduciendo un sistema de baremos que recogía un sistema legal de delimitación cuantitativa del importe de las indemnizaciones exigibles. Consistía en unas tablas que permitían calcular la indemnización debida en los casos de muerte, incapacidades permanentes o lesiones temporales, incluyendo los daños morales. Tenía en cuenta determinadas circunstancias, como la edad de la víctima, la gravedad de las lesiones y sus consecuencias, las circunstancias económicas, incluidas las que afectan a la capacidad de trabajo, la pérdida de ingresos de la víctima, las circunstancias personales y familiares, etc. Se trataba así de establecer una valoración lo más objetiva posible del daño, pero ajustada a la vez a las condiciones de quien lo había sufrido

Este sistema fue objeto de duras críticas e incluso dio lugar a una muy discutible interpretación del Tribunal Supremo acerca del mismo. Así, la STS de 26 de marzo de 1997 declaró que la utilización de un baremo, en lugar de basar la cuantificación de la indemnización en el resultado de las pruebas, implicaba una mutación de las bases que pueden acceder a la casación, añadiendo que «con ello se conculca directamente uno de los preceptos cardinales de nuestro ordenamiento jurídico, el artículo 1902 del Código Civil, que ordena expresamente "reparar el daño causado" por culpa o negligencia. Y no cabe duda de que no se cumple este precepto cuando la vinculación obligatoria a un baremo sustituye "la reparación del daño causado" por una indemnización, apriorísticamente fijada y que, a menudo, no coincide con la realidad del daño. Por lo que, en cuantos supuestos suceda esto, la aplicación forzosa y forzada del baremo resultará contraria, no sólo el tenor literal del artículo 1902 del Código Civil, sino también la reiterada y ancestral doctrina jurisprudencial que, desde siempre, viene interpretando este importante principio regulador de la indemnización del daño causado por culpa o negligencia, en que se funda la responsabilidad extracontractual (..)»; e incluso que su imposición forzosa vulnera también «el derecho a la vida y a la integridad física, que recoge el artículo 15 de la Constitución»[7].

Sin embargo, la STC de 29 de junio de 2000 ha declarado que el «sistema de baremo» es vinculante y, por tanto, los jueces y tribunales habrán de determinar con arreglo al mismo las indemnizaciones que en concepto de responsabilidad civil deban satisfacerse para reparar los daños personales producidos en el ámbito de la circulación de vehículos de motor, bien se trate de casos de responsabilidad por riesgo como de culpa o negligencia del conductor, y tanto en los procesos civiles como en los penales[8].

En la actualidad, el sistema de valoración de los daños personales causados en los accidentes de circulación está regulado en los artículos 32-143 del TRLRCSCVM, tras la modificación introducida por la Ley 35/2015, de 22 de septiembre, de reforma del sistema para la valoración de los daños y perjuicios causados a las personas en accidentes de circulación. Es un sistema vinculante para la valoración de los daños ocasionados por hechos de la circulación, ya que «no pueden fijarse indemnizaciones por conceptos o importes distintos de los previstos en él» (art. 33.5 LRCSCVM). El baremo actual contempla indemnizaciones por muerte, secuelas (permanentes) y lesiones temporales. Y cada una de estas categorías permite reclamar por los perjuicios personales básicos, los personales particulares y los patrimoniales.

III. RESPONSABILIDAD POR DAÑOS EN LA NAVEGACIÓN AÉREA

1. Introducción

Respecto a los daños causados a los pasajeros y a sus equipajes en el transporte aéreo, el Reglamento (CE) núm. 889/2002 del Parlamento Europeo y del Consejo de 13 de mayo de 2002 por el que se modifica el Reglamento (CE) núm. 2027/97 del Consejo sobre la responsabilidad de las compañías aéreas en caso de accidente se remite a todas las disposiciones del Convenio de Montreal sobre la unificación de ciertas reglas sobre transporte aéreo internacional de 28 de mayo de mayo de 1999, el cual fue adoptado por la Unión Europea el 5 de abril de 2001.

La Ley 48/1960, de 21 de julio, de Navegación Aérea, introdujo en su momento, para el tráfico interno, el sistema de indemnizaciones existente entonces para el tráfico internacional en virtud de Convenios ratificados por España. Debe entenderse que siguen en vigor los preceptos de la Ley relativos a los daños en las mercancías, así como los daños que se causen a las personas o a las cosas que se encuentren en al

---

7.   RJ 1997, 1864.
8.   RTC 2000, 181.

superficie terrestre por acción de la aeronave, en vuelo o en tierra, o por cuanto de ella se desprenda o se arroje (art. 119 LNA).

2. Clases de daños

Los daños pueden referirse a los viajeros (y a su equipaje), a las cosas transportadas (carga) y a terceras personas en la superficie terrestre.

2.1. *Daños sufridos por los viajeros*

El artículo 17.1 del Convenio de Montreal señala que «el transportista es responsable del daño causado en caso de muerte o de lesión corporal de un pasajero por la sola razón de que el accidente que causó la muerte o lesión se haya producido a bordo de la aeronave o durante cualquiera de las operaciones de embarque o desembarque».

El artículo 17.2 del Convenio de Montreal establece la responsabilidad del transportista por el daño causado en caso de destrucción, pérdida o avería del equipaje facturado por la sola razón de que el hecho que causó la destrucción, pérdida o avería se haya producido a bordo de la aeronave o durante cualquier período en que el equipaje facturado se hallase bajo la custodia del transportista. Sin embargo, el transportista no será responsable en la medida en que el daño se deba a la naturaleza, a un defecto o a un vicio propios del equipaje. En el caso de equipaje no facturado, incluyendo los objetos personales, el transportista solo responderá si el daño se debe a su culpa o a la de sus dependientes o agentes.

Si el transportista admite la pérdida del equipaje facturado, o si el equipaje facturado no ha llegado a la expiración de los veintiún días siguientes a la fecha en que debería haber llegado, el pasajero podrá hacer valer contra el transportista los derechos que surgen del contrato de transporte (art. 17.3 Convenio de Montreal).

A menos que se indique otra cosa, el término «equipaje» significa tanto el equipaje facturado como el equipaje no facturado (art. 17.3 Convenio de Montreal).

2.2. *Daños causados a las cosas transportadas*

Según el artículo 18.1 del Convenio de Montreal, «el transportista es responsable del daño causado en caso de destrucción o pérdida o avería de la carga, por la sola razón de que el hecho que causó el daño se haya producido durante el transporte aéreo».

2.3. *Daños causados a terceras personas o a cosas en la superficie terrestre*

El artículo 119 de la LNA determina que son indemnizables los daños que se causen a las personas o a las cosas que se encuentren en la superficie terrestre por acción de la aeronave, en vuelo o en tierra, o por cuanto de ella se desprenda o arroje.

En este caso, las indemnizaciones debidas por aeronave y accidente tendrán las limitaciones siguientes:

1.ª Para aeronaves de hasta 500 kilogramos de peso bruto, 220.000 derechos especiales de giro.

2.ª Para aeronaves de peso bruto mayor de 500 kilogramos y hasta 1.000 kilogramos, 660.000 derechos especiales de giro.

3.ª 660.000 derechos especiales de giro, más 520 derechos especiales de giro por kilogramo que exceda de los 1.000, para aeronaves que pesen más de 1.000 y no excedan de 6.000 kilogramos.

4.ª 3.260.000 derechos especiales de giro, más 330 derechos especiales de giro por kilogramo que exceda de los 6.000, para aeronaves que pesen más de 6.000 y no excedan de 20.000 kilogramos.

5.ª 7.880.000 derechos especiales de giro, más 190 derechos especiales de giro por kilogramo que exceda de 20.000, para aeronaves que pesen más de 20.000 y no excedan de 50.000 kilogramos.

6.ª 13.580.000 derechos especiales de giro, más 130 derechos especiales de giro por kilogramo que exceda de los 50.000, para aeronaves que pesen más de 50.000 kilogramos. Se entiende como peso de la aeronave, a los efectos de este artículo, el máximo autorizado para el despegue en el certificado de aeronavegabilidad de la aeronave de que se trate.

Las indemnizaciones por muerte o lesiones de personas se ajustarán a lo dispuesto en el artículo 1 de este Real Decreto, incrementadas en un 20 por 100. Si fuesen varios los perjudicados y la suma global de los daños causados excediera de los límites antes citados, se reducirá proporcionalmente la cantidad que haya de percibir cada uno. No obstante, las indemnizaciones debidas por daños a las personas gozarán de preferencia para el cobro con respecto a cualquier otra exigible por el siniestro, si el responsable no alcanza a cubrirlas todas.

En materia de daños causados a las personas o a las cosas en la superficie por *aeronaves extranjeras* se aplica lo dispuesto en el *Convenio de Roma de 7 de octubre de 1952*, ratificado por España mediante Instrumento de 24 de enero de 1957. Su artículo 1 dice que «la persona que sufra daños en la superficie tiene derecho a la reparación en las condiciones fijadas en este Convenio con sólo probar que los daños provienen de una aeronave en vuelo o de una persona o de una cosa caída de la misma. Sin embargo, no habrá lugar a la reparación si los daños no son consecuencia directa del acontecimiento que los ha originado, o si se deben al mero hecho del paso de la aeronave a través del espacio aéreo de conformidad con los reglamentos de tránsito aplicables.» A fin de garantizar la percepción de la indemnización de estos daños, el artículo 90 de la LNA dispone que «ninguna aeronave extranjera será autorizada para volar sobre territorio español sin tener garantizadas suficientemente las responsabilidades que pueda contraer por el sobrevuelo o por los contratos de transporte, con sujeción a la ley española».

3. El carácter tasado de las indemnizaciones

En los *daños sufridos por los viajeros*, el transportista no podrá excluir ni limitar su responsabilidad respecto al daño «que no exceda de 100.000 derechos especiales de giro por pasajero» (art. 21. Convenio de Montreal).

Se considerará que las sumas expresadas en derechos especiales de giro mencionadas en el presente Convenio se refieren al derecho especial de giro definido por el Fondo Monetario Internacional. La conversión de las sumas en las monedas nacionales, en el caso de procedimientos judiciales, se hará conforme al valor de dichas monedas en derechos especiales de giro en la fecha de la sentencia. El valor, en derechos especiales de giro, de la moneda nacional de un Estado Parte que sea miembro del Fondo Monetario Internacional se calculará conforme al método de valoración aplicado por el Fondo Monetario Internacional para sus operaciones y transacciones, vigente en la fecha de la sentencia. El valor, en derechos especiales de giro, de la moneda nacional de un Estado Parte que no sea miembro del Fondo Monetario Internacional se calculará de la forma determinada por dicho Estado (art. 23.1 Convenio Montreal).

En el _transporte de equipaje_, la responsabilidad del transportista en caso de destrucción, pérdida, avería o retraso se limita a 1000 derechos especiales de giro por pasajero a menos que el pasajero haya hecho al transportista, al entregarle el equipaje facturado, una declaración especial del valor de la entrega de éste en el lugar de destino, y haya pagado una suma suplementaria, si hay lugar a ello. En este caso, el transportista estará obligado a pagar una suma que no excederá del importe de la suma declarada, a menos que pruebe que este importe es superior al valor real de la entrega en el lugar de destino para el pasajero (art. 22.2 Convenio de Montreal).

En el _transporte de carga_, la responsabilidad del transportista en caso de destrucción, pérdida, avería o retraso se limita a una suma de 17 derechos especiales de giro por kilogramo, a menos que el expedidor haya hecho al transportista, al entregarle el bulto, una declaración especial del valor de la entrega de éste en el lugar de destino, y haya pagado una suma suplementaria, si hay lugar a ello. En este caso, el transportista estará obligado a pagar una suma que no excederá del importe de la suma declarada, a menos que pruebe que este importe es superior al valor real de la entrega en el lugar de destino para el expedidor (art. 22.3 Convenio de Montreal). En caso de destrucción, pérdida, avería o retraso de una parte de la carga o de cualquier objeto que ella contenga, para determinar la suma que constituye el límite de responsabilidad del transportista solamente se tendrá en cuenta el peso total del bulto o de los bultos afectados. Sin embargo, cuando la destrucción, pérdida, avería o retraso de una parte de la carga o de un objeto que ella contiene afecte al valor de otros bultos comprendidos en la misma carta de porte aéreo, o en el mismo recibo o, si no se hubiera expedido ninguno de estos documentos, en la misma constancia conservada por los otros medios mencionados en el párrafo 2 del artículo 4, para determinar el límite de responsabilidad también se tendrá en cuenta el peso total de tales bultos (art. 22.4 Convenio de Montreal).

IV. RESPONSABILIDAD POR ACCIDENTES NUCLEARES

Esta materia se regula por la Ley 25/1964, de 29 de abril, de Energía Nuclear, que tiene su razón de ser en el Convenio de París sobre la responsabilidad civil en materia de energía nuclear de 29 de julio de 1964 y el Convenio de Bruselas de 31 de enero de 1963, complementario del anterior. Ambos Convenios fueron modificados por los protocolos de 12 de febrero de 2004 que extienden el concepto de daño nuclear, aumentando las cuantías indemnizatorias, extienden el ámbito geográfico y el período de reclamación. España ratificó estos protocolos el 18 de noviembre de 2005, y aprobó la Ley 12/2011, de 27 de mayo, sobre Responsabilidad Civil por Daños

Nucleares o producidos por Materiales Radiactivos. Sin embargo, esta ley aún no ha entrado en vigor: mientras no lo hagan los protocolos de 2014 como consecuencia de la remisión que hace la disposición derogatoria de la ley estatal a las normas internacionales. Por tanto, como el capítulo dedicado a la responsabilidad civil derivada de accidentes nucleares de la Ley de Energía Nuclear no ha podido ser derogado por la Ley 12/2011, sigue en vigor.

El principio fundamental es la responsabilidad objetiva del explotador por los daños producidos como consecuencia de un accidente en una instalación nuclear, con independencia de la causa, dentro de los límites y condiciones previstas.

El artículo 45 de la LEN señala que «el explotador de una instalación nuclear o de una instalación radiactiva deberá establecer una garantía financiera para la cobertura de la responsabilidad civil derivada de los accidentes nucleares que involucren sustancias nucleares, así como de los accidentes que produzcan la emisión de radiaciones ionizantes que involucren materiales radiactivos que no sean sustancias nucleares, en las condiciones que se determinen por la normativa específica en materia de responsabilidad civil por daños nucleares».

Según el artículo 4 de la LRCDN, «la responsabilidad del explotador de una instalación nuclear por todos los daños nucleares causados como consecuencia de cada accidente nuclear será la siguiente:

a) Para los daños causados en los Estados que sean Contratantes tanto del Convenio de París como del Convenio de Bruselas, 1.200 millones de euros.

b) Para los daños causados en los Estados Contratantes del Convenio de París que no sean Parte del Convenio de Bruselas o en aquellos que no tengan instalaciones nucleares en su territorio, 700 millones de euros.

c) Para los daños causados en los Estados a los que se refieren los apartados 1.b y 1.d) del artículo 2 de esta ley, la cuantía de 700 millones de euros se reducirá en la medida en que esos Estados no concedan beneficios recíprocos de una cuantía equivalente».

Todo explotador de una instalación nuclear deberá establecer una garantía financiera para hacer frente a la responsabilidad civil por los daños que pudieran producirse como consecuencia de un accidente nuclear por una cuantía igual a la responsabilidad que se le atribuye legalmente (art. 12.1 LRCDN).

El explotador de una instalación nuclear responderá frente a los perjudicados: a) En el caso de daños a las personas, durante un plazo de treinta años, a contar desde el accidente nuclear. b) En el caso de cualquier otro daño nuclear, durante un plazo de diez años, a contar desde el accidente nuclear (art. 15.1 LRCDN). La acción para exigir una indemnización por daños causados por un accidente nuclear prescribirá a los tres años a contar desde el momento en que el perjudicado tuvo conocimiento del daño nuclear y del explotador responsable, o bien desde el momento en que debió razonablemente tener conocimiento de ello, sin que puedan superarse los plazos establecidos en el apartado anterior (art. 15.2 LRCDN). Quienes hayan formulado una acción de indemnización dentro de los plazos legales establecidos podrán hacer una reclamación complementaria en el caso de que el daño se agrave pasados dichos plazos, y siempre que no se haya dictado sentencia definitiva por el órgano jurisdiccional competente (art. 15.3 LRCDN).

V. RESPONSABILIDAD POR DAÑOS EN EL EJERCICIO DE LA CAZA

Esta materia está regulada por la Ley 1/970, de 4 de abril, de Caza y por el Reglamento de Ejecución de la Ley de Caza, aprobado por el Decreto 576/1971, de 25 de marzo.

El artículo 33.5 de la LC determina que «todo cazador estará obligado a indemnizar los daños que causare con motivo del ejercicio de la caza, excepto cuando el hecho fuera debido únicamente a culpa o negligencia del perjudicado o a fuerza mayor. En la caza con armas, si no consta el autor del daño causado a las personas, responderán solidariamente todos los miembros de la partida de caza». El artículo 35.6, letra a), del RLC añade que «no se considerarán como casos de fuerza mayor los defectos, roturas o fallos de las armas de caza y sus mecanismos o de sus municiones». Además, «se considerarán únicamente como miembros de la partida de caza aquellos cazadores que hayan practicado el ejercicio de la misma en la ocasión y lugar en que el daño haya sido producido y que hubieren utilizado armas de la clase que originó el daño» (art. 35.6, letra b), RLC)..

Con el fin de garantizar la indemnización que en cada caso proceda, el artículo 52.1 de la LC dice que «todo cazador con armas deberá concertar un contrato de seguro que cubra la obligación de indemnizar los daños a las personas, establecidas en el número 5 del artículo 33 de esta Ley. La obligación de indemnizar estará limitada por la cuantía que reglamentariamente señale el Gobierno para las prestaciones del Seguro Obligatorio, sin perjuicio de las indemnizaciones que, por encima de dicho límite o para los daños a las cosas puedan derivarse de la aplicación de los Código Penal y Civil». Este seguro está regulado por el Reglamento del Seguro de Responsabilidad Civil del Cazador, de suscripción obligatoria, de 21 de enero de 1994.

VI. LA RESPONSABILIDAD PATRIMONIAL DE LAS ADMINISTRACIONES PÚBLICAS

1. Introducción

El origen de la regulación de la responsabilidad patrimonial de las administraciones públicas tiene su antecedente más remoto en el artículo 121 de la Ley de Expropiación Forzosa de 16 diciembre 1954, que indicaba que «dará también lugar a indemnización con arreglo al mismo procedimiento toda lesión que los particulares sufran en los bienes y derechos a que esta Ley se refiere, siempre que aquélla sea consecuencia del funcionamiento normal o anormal de los servicios públicos». Esta norma fue reiterada por el artículo 32.1 del Texto Refundido de la Ley de Régimen Jurídico de la Administración del Estado de 26 julio 1957 al señalar que «los particulares tendrán derecho a ser indemnizados por el Estado de toda lesión que sufran en cualquiera de sus bienes y derechos, salvo en los casos de fuerza mayor, siempre que aquella lesión sea consecuencia del funcionamiento normal o anormal de los servicios públicos o de la adopción de medidas no fiscalizables en vía contenciosa». De esta manera, se introdujo en España el sistema de responsabilidad objetiva y directa de la

Administración pública y se derogaba la aplicación del antiguo régimen jurídico del artículo 1903 del CC basado en la responsabilidad por hecho de tercero.

El artículo 106.2 de la CE señala que «los particulares, en los términos establecidos por la ley, tendrán derecho a ser indemnizados por toda lesión que sufran en cualquiera de sus bienes y derechos, salvo en los casos de fuerza mayor, siempre que aquella lesión sea consecuencia del funcionamiento de los servicios públicos». La Constitución de 1978 reconoce así el principio de la responsabilidad de la administración pública frente a los particulares, la cual tiene naturaleza objetiva. Desarrollado este principio por la Ley 30/1992, de 26 de noviembre, de Régimen Jurídico de las Administraciones Públicas y del Procedimiento Administrativo Común, en la actualidad la normativa aplicable a esta materia es la contenida en la Ley 40/2015, de 1 de octubre, de Régimen Jurídico del Sector Público. Como ha declarado la STC de 17 de octubre de 2018, «en este punto, hemos de partir de que el tenor del artículo 106.2 de la CE supone la recepción constitucional del sistema de responsabilidad de la administración previamente vigente en España, cuyo carácter objetivo venía siendo ampliamente aceptado por la doctrina y la jurisprudencia (…). Así pues, el régimen constitucional de responsabilidad de las administraciones públicas se rige por criterios objetivos, que implican la necesidad, no sólo de examinar la relación de causalidad, sino también la de formular un juicio de imputación del daño que permita conectar suficientemente el perjuicio producido con la actividad desarrollada por el agente del mismo, en este caso por una administración pública»[9].

En este contexto, la STS 3.ª de 25 de mayo de 2016[10] resume las características propias de la responsabilidad de las administraciones públicas, de la forma siguiente:

a) Es un sistema general y único, lo que implica que se extiende a todas las actividades desarrolladas por cualquiera de las administraciones públicas (estatal, autonómica, local e institucional). Así se desprende del hecho de que el artículo 149.1.18.ª de la CE atribuye al Estado la competencia exclusiva sobre «el sistema de responsabilidad de todas las Administraciones Públicas».

Según el artículo 35 de la LRJSP, «cuando las Administraciones Públicas actúen, directamente o a través de una entidad de derecho privado, en relaciones de esta naturaleza, su responsabilidad se exigirá de conformidad con lo previsto en los artículos 32 y siguientes, incluso cuando concurra con sujetos de derecho privado o la responsabilidad se exija directamente a la entidad de derecho privado a través de la cual actúe la Administración o a la entidad que cubra su responsabilidad».

b) Es un sistema de responsabilidad directa, Los particulares no tienen que demandar a quien haya producido el daño con su acción u omisión, sino que deben dirigirse directamente contra la administración pública. Así lo indica el artículo 36.1 de la LRJSP, a cuyo tenor, «para hacer efectiva la responsabilidad patrimonial a que se refiere esta Ley, los particulares exigirán directamente a la Administración Pública correspondiente las indemnizaciones por los daños y perjuicios causados por las autoridades y personal a su servicio». Lo mismo sucede cuando las administraciones públicas actúen en relaciones de derecho privado (art. 35 de la LRJSP).

---

9.   STC 2018, 112.
10. RJ 2016, 2275.

Esto se entiende sin perjuicio de la responsabilidad subsidiaria del Estado por los daños causados por delitos cometidos por las autoridades, agentes, contratados y funcionarios en el ejercicio de sus cargos (art. 121 CP).

c) *Es una responsabilidad objetiva*, esto es, con independencia de la culpa en que pudiera haber incurrido el funcionario o contratado que provocó la lesión al particular.

d) *Da derecho a una reparación integral*, de conformidad con lo dispuesto por los artículos 32 y 34 de la LRJSP.

2. El principio general de responsabilidad y su concreción

El artículo 32.1 de la LRJSP contiene los criterios de la responsabilidad al afirmar que «los particulares tendrán derecho a ser indemnizados por las Administraciones Públicas correspondientes, de toda lesión que sufran en cualquiera de sus bienes y derechos, siempre que la lesión sea consecuencia del funcionamiento normal o anormal de los servicios públicos salvo en los casos de fuerza mayor o de daños que el particular tenga el deber jurídico de soportar de acuerdo con la Ley».

A continuación, el artículo 32 de la LRJSP concreta el principio general de responsabilidad de las administraciones públicas, especificando las siguientes causas, que no tienen carácter de *numerus clausus*:

1.ª La responsabilidad del Estado legislador tendrá lugar respecto de toda lesión que sufran los particulares «en sus bienes y derechos como consecuencia de la aplicación de actos legislativos de naturaleza no expropiatoria de derechos que no tengan el deber jurídico de soportar cuando así se establezca en los propios actos legislativos y en los términos que en ellos se especifiquen» (art. 32.3, párr. 1.º, LRJSP).

2.ª Los daños que deriven de la aplicación de una ley declarada inconstitucional y de la aplicación de una norma declarada contraria al Derecho de la Unión Europea (art. 32.3, párr. 2.º, 4-6 LRJSP).

3.ª La responsabilidad del Estado por el funcionamiento de la administración de justicia, que se regirá por lo dispuesto en la Ley Orgánica 6/1985, de 1 de julio, del Poder Judicial (art. 32.7 LRJSP).

3. Presupuestos

3.1. *Lesión del particular en cualquiera de sus bienes y derechos*

Según el artículo 32.2 de la LRJSP, «en todo caso, el daño alegado habrá de ser efectivo, evaluable económicamente e individualizado con relación a una persona o grupo de personas». A lo que añade el artículo 34.1 de la LRJSP que solo serán indemnizables las lesiones producidas al particular provenientes de daños que «no tenga el deber jurídico de soportar de acuerdo con la Ley».

En el ámbito propio de la responsabilidad de las administraciones públicas el concepto de lesión patrimonial que puede sufrir un particular como consecuencia de la acción u omisión de la administración, a que alude el artículo 32.1 de la LRJSP, se convierte en el eje central del sistema de responsabilidad. Como ponen de relieve GARCÍA DE ENTERRÍA y FERNÁNDEZ, el concepto jurídico de lesión difiere sustancialmente del concepto vulgar de perjuicio. Si bien en un sentido puramente económico o material se entiende por perjuicio un detrimento o pérdida patrimonial cualquiera, la lesión a la que se refiere la Constitución y nuestra legislación administrativa es otra cosa. Para que exista lesión en sentido propio no basta que exista un perjuicio material o pérdida patrimonial, sino que es absolutamente necesario que ese perjuicio patrimonial sea antijurídico.

Por tanto, la lesión del particular en cualquiera de sus bienes y derechos debe cumplir los siguientes requisitos:

a) Antijuridicidad. La antijuridicidad constituye el fundamento del surgimiento de la obligación de reparar la lesión. Sin embargo, debe advertirse que la antijuridicidad susceptible de convertir el simple perjuicio material en una lesión propiamente dicha no deriva del hecho de que la conducta del autor del perjuicio sea contraria a Derecho, pues no se trata de una antijuridicidad de carácter subjetivo. Un perjuicio se hace antijurídico y se convierte en lesión resarcible siempre y solo cuando la persona que lo sufre no tiene el deber jurídico de soportarlo «de acuerdo con las leyes» (arts. 32.1 y 34.1 LRJSP). De hecho, cuando existe el deber jurídico de soportar el daño, desaparece la obligación de indemnizar[11].

Como señala la STS de 18 de abril de 2007, es doctrina jurisprudencial consolidada que la responsabilidad de las administraciones públicas «es objetiva o de resultado, de manera que lo relevante no es el proceder antijurídico de la Administración, sino la antijuridicidad del resultado o lesión»[12]. Como ejemplo de los daños que el ciudadano debe soportar pueden mencionarse los denominados «daños del progreso», previstos en el artículo 34.1 de la LRJSP, a cuyo tenor, «no serán indemnizables los daños que se deriven de hechos o circunstancias que no se hubiesen podido prever o evitar según el estado de conocimientos de la ciencia o de la técnica existentes en el momento de producción de aquéllos».

La STS 3.ª de 9 octubre 2018, en el litigio relativo al cambio del régimen retributivo de la energía fotovoltaica, dice que «si no se ha lesionado la confianza legítima y la seguridad jurídica, fácilmente se comprenderá que la conclusión es el que el daño no tendrá esa caracterización como antijurídico. En definitiva, este cambio en el régimen retributivo que alumbra el Real Decreto Ley 9/2013, y que proyecta sus efectos hacia el futuro, no ha ocasionado un daño que los interesados no tengan obligación de soportar. Dicho de otro modo, la falta de lesión de los principios de seguridad jurídica y de confianza legítima, determina la ausencia de uno de los presupuestos básicos de la responsabilidad patrimonial»[13].

b) El daño debe ser *efectivo.* Por tanto, debe haberse causado un perjuicio en la persona o una pérdida en el patrimonio del administrado. Su prueba corresponde al demandante. Este planteamiento plantea la cuestión de si pueden considerarse

---

11. Cfr. STS 3.ª de 18 de abril de 1995 (RJ 1995, 3710) y las que cita.
12. RJ 2007, 3684.
13. RJ 2018, 4427.

incluidos los daños que han sido consecuencia de la frustración de expectativas, como podría ser el caso de la pérdida de clientela. La jurisprudencia exige que se hubiera producido un auténtico quebranto patrimonial y no solo perjuicios hipotéticos[14].

c) El daño debe ser *evaluable económicamente*, es decir, cuantificable y valorable en dinero. Se incluye toda clase de daños: materiales, corporales, muerte, daños psíquicos que sean susceptibles de ser evaluables económicamente e incluso el daño moral[15].

d) El daño tiene que poder ser *individualizado* «con relación a una persona o grupo de personas». Esto implica que se excluye el que pueda afectar a la generalidad de los ciudadanos.

3.2. Que la lesión se haya producido por el funcionamiento normal o anormal de las administraciones públicas

El daño que haya causado la lesión al particular debe ser consecuencia de la actividad de la Administración (art. 32.1 LRJSP). Se distingue entre los criterios subjetivo y objetivo de la imputación del daño:

a) El *criterio subjetivo* se refiere al autor del daño e implica que debe haber sido producido por un funcionario público o por cualquier persona que desempeñe funciones públicas, aunque no ostente la condición de funcionario, como sería el caso del personal laboral al servicio de la administración. Así se desprende de lo dispuesto por el artículo 36.1 de la LRJSP, cuando afirma que se podrán exigir directamente a la administración pública las indemnizaciones por los daños y perjuicios causados «por las autoridades y personal a su servicio». Esta responsabilidad es independiente de la responsabilidad civil y penal de los funcionarios, que se rige por sus propias normas (art. 37 LRJSP y art. 404 y ss. CP). Se excluye el daño producido por la actividad privada del funcionario o agente de la administración, que deberá ser asumido directamente por él.

En materia de *contratos públicos*, el artículo 196.1 de la LCSP determina que «será obligación del contratista indemnizar todos los daños y perjuicios que se causen a terceros como consecuencia de las operaciones que requiera la ejecución del contrato». Cuando tales daños y perjuicios hayan sido ocasionados como consecuencia inmediata y directa de una orden de la Administración, será esta responsable dentro de los límites señalados en las leyes. También será la Administración responsable de los daños que se causen a terceros como consecuencia de los vicios del proyecto en el contrato de obras, sin perjuicio de la posibilidad de repetir contra el redactor del proyecto de acuerdo con lo establecido en el artículo 315, o en el contrato de suministro de fabricación (art. 196.2 LCSP). En los casos de *concesiones administrativas*, el artículo 258, letra e), de la LCSP indica que es una obligación general del concesionario «indemnizar los daños que se ocasionen a terceros por causa de la ejecución de las obras o de su explotación, cuando le sean imputables de acuerdo con el artículo 196 de la presente Ley». Por consiguiente, la responsabilidad por los daños causados a terceros que se deriven de la ejecución del contrato se imputará al contratista o, en su

---

14. Cfr. STS 3.ª de 25 enero de 2011 (RJ 2011, 223).
15. Cfr, STS 3.ª de 17 mayo de 2016 (RJ 2016, 2605).

caso, al concesionario, salvo que se hubieran ocasionado como consecuencia de una orden inmediata y directa de la administración o de los vicios del proyecto elaborado por ella misma, en cuyo caso responderá directamente la administración sin perjuicio de su derecho a repetir contra quien corresponda (art. 32.9 LRJSP).

Cuando sean varias las administraciones públicas responsables, por haberse originado el daño en la gestión de fórmulas conjuntas de actuación entre ellas, el artículo 33.1 de la LRJSP dice que las administraciones intervinientes responderán frente al particular, en todo caso, de forma solidaria. En otros supuestos de concurrencia de varias administraciones en la producción del daño, la responsabilidad se fijará para cada administración atendiendo a los criterios de competencia, interés público tutelado e intensidad de la intervención (art. 33.2 LRJSP).

b) El criterio objetivo de la imputación del daño a la administración pública implica aclarar cuál es el significado de la expresión «funcionamiento normal o anormal de los servicios públicos», a que alude expresamente el artículo 32.1 de la LRJSP. El concepto estricto de servicio público supone definirlo como una actividad de prestación dirigida a proporcionar utilidad a los particulares, que viene impuesta por razones de interés público (JORDANA DE POZAS). Por funcionamiento anormal debe entenderse que abarca todos los casos en que el causante del daño actuó con culpa o dolo, o de forma ilegal, tanto si eso tuvo lugar por acción como por omisión. Por su parte, el funcionamiento normal supone una actuación de la administración capaz de crear un riesgo superior al general de la vida.

Cuando se trate de la imputación de daños derivados de la anulación de actos administrativos, el artículo 32.1, párrafo 2.º, de la LRJSP dice que esa anulación, en vía administrativa o por el orden jurisdiccional contencioso administrativo «no presupone, por sí misma, derecho a la indemnización». De hecho, en los casos de anulación de actos administrativos y posterior reclamación de una indemnización la jurisprudencia considera que, al tratarse de anular un acto dictado en virtud de una potestad discrecional, el particular vendrá obligado a soportar el daño siempre que el actuar de la administración «se mantuviese en unos márgenes de apreciación no solo razonados sino razonables»[16].

3.3. *La relación de causalidad*

El daño sufrido por los particulares debe ser consecuencia directa de la actividad de la administración, es decir, debe existir un nexo causal entre esa actividad y el resultado dañoso[17]. La prueba de la concurrencia de nexo causal corresponde siempre al reclamante, pues es «es imprescindible que exista nexo causal entre el funcionamiento normal o anormal del servicio público y el resultado lesivo o el daño producido»[18].

Cuando el daño se hubiera producido por una omisión, la STS 3.ª de 10 de noviembre de 2009 ha declarado que no es suficiente una pura conexión lógica para

---

16. Cfr. STS 3.ª de 28 de junio de 1999 (RJ 199, 7143).
17. Cfr. SSTS 3..ª de 9 de enero de 1987 (RJ 1987, 426), 11 de julio de 1995 (RJ 1995, 5632), 10 de enero de 1996 (2248), 14 de marzo de 1998 (RJ 1998, 3248), 6 de abril y 24 de mayo 1999 (RJ 3451 y 7256).
18. Cfr. SSTS 3..ª de 23 de febrero de 2011 (RJ 2011, 1540) y 25 de enero de 2018 (RJ 2018.138).

establecer la relación de causalidad. Si así fuera, toda lesión acaecida sin que la administración hubiera hecho nada por evitarla sería imputable a ella. Por el contrario, solo se le puede reprochar no haber intervenido si, dadas las circunstancias del caso concreto, estaba obligada a hacerlo. Lo que lleva a la conclusión de que «en el supuesto de comportamiento omisivo, no basta que la intervención de la Administración hubiera impedido la lesión (...). Es necesario que haya algún otro dato en virtud del cual quepa objetivamente imputar la lesión a dicho comportamiento omisivo de la Administración. Y ese dato que permite hacer la imputación objetiva sólo puede ser la existencia de un deber jurídico de actuar»[19].

BIBLIOGRAFÍA

Bonet Correa, _La responsabilidad en Derecho aéreo_, Madrid, 1963; Bonet Ramón/Bonet Bonet, «Responsabilidad civil nuclear», _Estudios en honor del Prof. Castán Tobeñas_, t. V, Pamplona, 1969, p. 51; Casado Iglesias, _La responsabilidad por daños a terceros en la navegación aérea_, Salamanca, 1965; Fernández Martín-Granizo, _Los daños y la responsabilidad objetiva en el Derecho positivo español_, Pamplona, 1972; íd., «La deuda legal indemnizatoria en la vigente Ley de caza», ADC, 1973, p. 755; Iglesias Redondo, «Algunas reflexiones sobre la nueva Ley sobre responsabilidad civil y seguro en la circulación de vehículos a motor», AC, 1996, p. 971; Martínez Pereda, _Sanciones y responsabilidades en materia de caza_, Madrid, 1972; Reglero Campos, _Accidentes de circulación: responsabilidad civil y seguro_, 4.ª ed., Cizur Menor (Navarra), 2018; Santos Briz, _Responsabilidad civil en los accidentes de circulación_, Madrid, 1996.

---

19. RJ 2009, 7975.

Capítulo XL

La responsabilidad por los daños causados por productos defectuosos

SUMARIO: I. LA RESPONSABILIDAD DEL PRODUCTOR. II. CONCEPTO DE PRODUCTO. 1. *Bienes muebles*. 2. *Productos agrícolas o ganaderos*. 3. *El gas y la electricidad*. III. CONCEPTO DE DEFECTO. IV. SUJETOS RESPONSABLES. V. LA CARGA DE LA PRUEBA Y LA RELACIÓN DE CAUSALIDAD. VI. CAUSAS DE EXONERACIÓN DE LA RESPONSABILIDAD. VII. CULPA DEL PERJUDICADO. VIII. DAÑOS CUBIERTOS Y LÍMITES CUANTITATIVOS. IX. LIMITACIONES EN EL TIEMPO A LA REPARACIÓN. 1. *Prescripción de la acción*. 2. *Extinción de la responsabilidad*. BIBLIOGRAFÍA.

I. LA RESPONSABILIDAD DEL PRODUCTOR

El principio general de la responsabilidad por productos defectuosos se contiene en el artículo 135 del TRLGDCU, que indica que «los productores serán responsables de los daños causados por los defectos de los productos que, respectivamente, fabriquen o importen».

> Según el artículo VI.-3:204(1) del DCFR, «el productor de un producto que presente defectos deberá responder de la causación de lesiones personales y daños consecuenciales, de los daños contemplados por el artículo 2:202 (Daños sufridos por terceros a consecuencia de las lesiones personales o la muerte de otro) y, en relación con los consumidores, de los daños resultantes de daños a las cosas (distintas al propio producto) causados por el defecto al producto».

Aunque no se diga de forma explícita que se trata de un sistema de responsabilidad «objetiva», resulta evidente que constituye un régimen jurídico que prescinde de la culpa. Así se desprende del artículo 139 del TRLGDCU, que no exige al perjudicado la prueba de la culpa del demandado en la aparición del defecto en el producto, y del artículo 140 del TRLGDCU, que permite al productor exonerarse de responsabilidad en ciertos supuestos en que demuestre toda la diligencia empleada en su actividad. Por tanto, el criterio de imputación es la elaboración o la introducción en un Estado miembro de la Unión Europea, para el caso de los importadores, de un producto defectuoso tal y como se define por nuestra legislación.

891

II. CONCEPTO DE PRODUCTO

El artículo 136 del TRLGDCU señala que, «a los efectos de este capítulo se considera producto cualquier bien mueble, aun cuando esté unido o incorporado a otro bien mueble o inmueble, así como el gas y la electricidad». Como puede observarse, se trata de una noción amplia de producto que incluye tanto los productos acabados, como los semiacabados; los de serie y los fabricados por encargo; los productos nuevos y los de ocasión; los bienes de consumo y los de producción, embalajes, recipientes y contenedores. Asimismo, deben incluirse los medicamentos de origen humano como el plasma y la sangre (PARRA LUCÁN).

La inclusión de todos los productos de naturaleza mueble, con independencia de que hayan sufrido o no algún tipo de transformación, se produjo en nuestro ordenamiento mediante la disposición adicional 12 de la Ley de medidas fiscales administrativas y del orden social de 29 de diciembre de 2000, que amplió la noción de producto, entonces incluida en la Ley de responsabilidad civil por productos defectuosos de 1994, a efectos de transponer en Derecho español la Directiva de 10 de mayo de 1999.

1. Bienes muebles

De la definición ya mencionada contenida en el artículo 136 del TRLGDCU se desprende que, si bien los bienes inmuebles quedan excluidos del ámbito de aplicación de la normativa de responsabilidad por los daños causados por productos defectuosos, no sucede lo mismo con los bienes muebles incorporados a un inmueble: por ejemplo, un ascensor (y los posibles defectos que puedan afectar a algunos de sus elementos), el equipamiento, las instalaciones de fontanería y calefacción, etc. Aunque conforme a los artículos 333-335 CC dichos bienes pudieran tener la consideración de inmuebles, en especial los llamados «inmuebles por incorporación» o «inmuebles por destino», el tenor literal del artículo 136 del TRLGDCU («aun cuando esté unido o incorporado a otro bien mueble o inmueble») no deja dudas al respecto. Los bienes muebles incorporados a un inmueble quedan, por tanto, incluidos en la noción legal de producto a efectos del correspondiente régimen de responsabilidad.

La aplicación del régimen de la responsabilidad por productos defectuosos a los bienes muebles incorporados a un inmueble implica: (i) la responsabilidad por el carácter defectuoso en el sentido de que no ofrezca la seguridad que cabría legítimamente esperar (art. 137 TRLGDCU); (ii) la responsabilidad del productor del bien mueble incorporado al inmueble (art. 138.1 TRLGDCU) y (iii) la responsabilidad del proveedor del producto si el productor no puede ser identificado (art. 138.2 TRLGDCU).

Como indica el artículo 129.2 del TRLGDCU, la responsabilidad comprende «los daños personales, incluida la muerte, y los daños materiales, siempre que éstos afecten a bienes o servicios objetivamente destinados al uso o consumo privados y en tal concepto hayan sido utilizados principalmente por el perjudicado». En cambio, no serán indemnizables los daños materiales en el propio producto defectuoso, los cuales «darán derecho al perjudicado a ser indemnizado conforme a la legislación civil y mercantil» (art. 142 TRLGDCU).

2. Productos agrícolas o ganaderos

El artículo 2 de la Directiva de 1985, en su versión original, indicaba que «a los efectos de la presente Directiva, se entiende por "producto" cualquier bien mueble, excepto las materias primas agrícolas y los productos de la caza, aun cuando está incorporado a otro bien mueble o a uno inmueble. Se entiende por "materias primas agrícolas" los productos de la tierra, la ganadería y la pesca, exceptuando aquellos productos que hayan sufrido una transformación inicial. Por "producto" se entiende también la electricidad». Es decir, que, inicialmente, el legislador comunitario permitió a los Estados miembros excluir del ámbito de aplicación de la Directiva de responsabilidad por productos defectuosos las materias primas agrícolas, esto es, los productos de la tierra, la ganadería y la pesca, y los productos de la caza, salvo que hubieran sufrido una transformación inicial. No obstante, ante la presión generada por la posible transmisión al ser humano de la denominada «enfermedad de las vacas locas» («encefalopatía espongiforme bovina» o EBB) las instituciones europeas se vieron obligadas a adoptar la Directiva de 1999, que amplió el campo de aplicación de la Directiva de responsabilidad por productos defectuosos al eliminar la posibilidad de excluir las materias primas agrícolas y los productos de la caza que no hayan sufrido ninguna transformación.

> Antes de la reforma operada por la Directiva de 1999, los Estados miembros podían considerar a los productores agrícolas responsables por los daños causados por sus productos defectuosos que no hubieran sufrido transformación inicial al amparo de lo dispuesto por el artículo 15.1 a) de la Directiva de 1985 («cada Estado miembro podrá: no obstante lo previsto en el artículo 2, disponer en su legislación que, a efectos del artículo 1 de la esta Directiva, por "producto" se entienda también las materias primas agrícolas y los productos de la caza»). En este contexto, Finlandia, Francia, Grecia, Luxemburgo y Suecia fueron los únicos Estados de la Unión que optaron por hacer efectiva esta responsabilidad, que fue ampliada por la mencionada Directiva de 1999 al modificar el artículo 2 y suprimir la letra a) del apartado 1 de la Directiva de 1985.

Aunque no resulta fácil precisar cuándo un producto agrícola o ganadero ha sufrido una transformación inicial, parece posible establecer algunas reglas generales al respecto. Habrá transformación inicial, por ejemplo, cuando se trate de productos sometidos a procesos de esterilización y conservación y posterior embotellado y embalaje: agua mineral, leche, vino, conservas vegetales. También en el caso de los productos congelados. No la habrá, en cambio, si el producto hubiera sido empaquetado a los solos efectos de marcar el precio, como sucede con frutas y verduras, pero también con la carne y el pescado frescos puestos en bandejas al alcance de los consumidores. Tampoco habrán sufrido transformación inicial las frutas o verduras sometidas a tratamientos químicos (insecticidas, fertilizantes, etc.) mientras estaban en el árbol o en la mata, ni las aves, terneros o corderos alimentados con piensos en mal estado o sometidos a tratamientos hormonales peligrosos (PARRA LUCÁN). En cualquier caso, tras la incorporación a nuestro ordenamiento de lo dispuesto por la Directiva de 1999 (mediante la Ley 14/2000, de 29 de diciembre), y en la actualidad con la redacción del artículo 136 del TRLGDCU, se podrá demandar a los productores agrícolas o ganaderos que hubieren puesto en circulación productos no sometidos a ningún tipo de transformación.

En este contexto, no puede dejar de aludirse a la implantación de un sistema de trazabilidad que obliga a los explotadores de empresas alimentarias a identificar a sus suministradores, así como a las personas a las que suministren sus productos, puesto en vigor por el Reglamento 178/2002 del Parlamento Europeo y del Consejo de 28 de enero de 2002 por el que se establecen los principios y los requisitos generales de la legislación alimentaria, se crea la Autoridad Europea de Seguridad Alimentaria y se fijan procedimientos relativos a la seguridad alimentaria[1]. Según el artículo 18.1 del Reglamento 178/2002, «en todas las etapas de la producción, la transformación y la distribución deberá asegurarse la trazabilidad de los alimentos, los piensos, los animales destinados a la producción de alimentos y de cualquier otra sustancia destinada a ser incorporada en un alimento o pienso, o con probabilidad de serlo». Se trata de asegurar la inocuidad de los alimentos tomando en consideración todos los aspectos de la cadena de producción alimentaria «y entenderla como un continuo desde la producción primaria pasando por la producción de piensos para animales, hasta la venta o el suministro de alimentos al consumidor, pues cada elemento tiene el potencial de influir en la seguridad alimentaria»[2]. Si bien es cierto que la trazabilidad no implica por sí misma seguridad, no lo es menos que resulta muy útil en la gestión de crisis alimentarias al permitir identificar de manera rápida y eficaz el origen de los problemas, facilitando las actuaciones posteriores y reduciendo al mínimo los efectos negativos que se podrían causar (TERUEL MUÑOZ).

El artículo 18.4 del Reglamento 178/2002 impone la obligación de que los alimentos o piensos estén adecuadamente etiquetados o identificados para facilitar su trazabilidad «mediante documentación o información pertinentes, de acuerdo con los requisitos pertinentes de disposiciones más específicas». Por su parte, el artículo 19 del Reglamento 178/2002 exige a los explotadores de empresas alimentarias la retirada de los alimentos que hubieren importado, producido, transformado, fabricado o distribuido si no cumplen los requisitos de seguridad; y el artículo 20 del Reglamento 178/2002 hace lo propio respecto de los explotadores de empresas de piensos si esto no cumplen los requisitos de inocuidad.

Según el artículo 21 del Reglamento 178/2002, «las disposiciones del presente capítulo se aplicarán sin perjuicio de la Directiva 85/374/CEE del Consejo, de 25 de julio de 1985, relativa a la aproximación de las disposiciones legales, reglamentarias y administrativas de los Estados miembros en materia de responsabilidad por los daños causados por productos defectuosos». Esto implica que el cumplimiento de las obligaciones previstas en el Reglamento (trazabilidad, retirada del mercado de los productos inseguros, informar a las autoridades competentes) no libera de la responsabilidad civil en que puedan incurrir las empresas que producen, transforman o distribuyen los productos alimenticios.

En los casos en que los productos agrícolas o ganaderos hubieren experimentado algún tipo de transformación antes de llegar al consumidor (envasado, conservas) la víctima que sufra el daño podrá demandar, además de al productor agrícola o ganadero, al fabricante del producto final (quien envasa o conserva), que será más fácil de identificar, pues también es sujeto responsable del daño; no pudiendo exonerarse de responsabilidad por el carácter defectuoso de la materia prima que utilice. En

---

1.   DO L 31, de 1 de febrero de 2002, p. 1.
2.   Considerando 12 del Reglamento 178/2002.

los supuestos en que el producto no hubiere sufrido ningún tipo de transformación (carne o pescado, fruta fresca) al consumidor le resultará más fácil identificar en primer lugar al proveedor, pues no es probable que conozca la identidad del productor. El proveedor responderá al amparo del artículo 138.2 del TRLGDCU, «a menos que, dentro del plazo de tres meses, indique al dañado o perjudicado la identidad del productor o de quien le hubiera suministrado o facilitado a él dicho producto».

3. El gas y la electricidad

El gas y la electricidad aparecen mencionados dos veces en la legislación sobre protección de los consumidores. Por un parte, el artículo 136 del TRLGDCU los cita al final de su definición legal de producto. Por otra, tras declarar el artículo 148, párrafo 1.º, del TRLGDCU que «se responderá de los daños originados en el correcto uso de los servicios, cuando por su propia naturaleza o por estar así reglamentariamente establecido, incluyan necesariamente la garantía de niveles determinados de eficacia o seguridad, en condiciones objetivas de determinación y supongan controles técnicos, profesionales o sistemáticos de calidad, hasta llegar en debidas condiciones al consumidor y usuario», añade que se considerarán sometidos a dicho régimen de responsabilidad los «servicios de revisión, instalación o similares de gas y electricidad».

> Del mismo modo que la Directiva de responsabilidad por productos defectuosos no mencionaba de manera expresa el gas, tampoco lo hace el artículo VI.-3:204(6) del DCFR, limitándose a señalar que «se entenderá por "producto" cualquier bien mueble, aun cuando esté incorporado a otro bien mueble o inmueble, o la electricidad».

Resulta evidente que tanto el gas o como la electricidad pueden ser objeto de contratos de transmisión, de lo que se desprende que tendrán la consideración jurídica de cosas y, en consecuencia, pueden calificarse también como productos.

En esta materia, es especialmente relevante la STS de 25 de noviembre de 2010, según la cual el Tribunal Supremo «ha utilizado dos criterios a la hora de imputar o no la responsabilidad a REPSOL en los casos de accidentes causados por explosión de bombonas de gas licuado: a) se condena a la suministradora cuando se produce un defecto en la bombona (STS de 15 de noviembre de 2007[3]), cuando se ha llevado a cabo el suministro del gas sin comprobar las instalaciones ni efectuar las oportunas revisiones (SSTS de 18 de mayo de 2005[4] y 29 de marzo de 2006[5]), o bien, cuando se ha producido la explosión por el mal funcionamiento de la bombona (STS de 29 de marzo de 2006); b) en cambio, no se admite la responsabilidad de la suministradora del gas por falta de odorización, ya que no se había probado la relación de causalidad entre este hecho y la explosión que produjo el siniestro (STS de 12 de febrero de 2009[6]), o bien por una reacción de los sistemas de seguridad de la bombona ante la proximidad de una fuente de calor por un manejo defectuoso (STS de 19 de febrero de 2009[7]). De lo que hay que deducir que la línea para la resolución de los casos de

---

3. RJ 2007, 8846.
4. RJ 2005, 5718.
5. RJ 2006, 1868.
6. RJ 2009, 1486.
7. RJ 2009, 1504.

accidentes causados por bombonas o instalaciones de gas se centra en la prueba de la relación de causalidad entre la conducta desarrollada por la suministradora del gas y el accidente, nunca el riesgo, como afirma la ya citada STS de 19 de febrero de 2009, recogiendo otras anteriores (…)»[8].

III. CONCEPTO DE DEFECTO

El artículo 137.1 del TRLGDCU señala que «se entenderá por producto defectuoso aquél que no ofrezca la seguridad que cabría legítimamente esperar, teniendo en cuenta todas las circunstancias y, especialmente, su presentación, el uso razonablemente previsible del mismo y el momento de su puesta en circulación». En todo caso, un producto es defectuoso si no ofrece la seguridad normalmente ofrecida por los demás ejemplares de la misma serie (art. 137.2 TRLGDCU). Un producto no podrá ser considerado defectuoso por el solo hecho de que tal producto se ponga posteriormente en circulación de forma más perfeccionada (art. 137.3 TRLGDCU).

Habitualmente, se suele confundir «producto defectuoso» con «producto peligroso», confusión a la que quizás ha contribuido el propio Tribunal Supremo cuando define el producto defectuoso como «inseguro»[9]. Sin embargo, si bien un producto peligroso es «inseguro», no tiene por qué ser «defectuoso», al menos si la peligrosidad no va más allá de la que cabe esperar.

> Según el artículo VI.-3:204(7) del DCFR, «un producto es defectuoso cuando no ofrece la seguridad que cabría legítimamente esperar, teniendo e n cuenta todas las circunstancias, incluidas las siguientes: (a) la presentación del producto; (b) el uso que se pueda esperar razonablemente que se le va a dar al producto; y (c) el momento en que el producto se puso en circulación. No obstante, un producto no se considerará defectuosos por el mero hecho de que posteriormente se haya puesto en circulación un producto más perfeccionado».

IV. SUJETOS RESPONSABLES

El artículo 135 del TRLGDCU establece el principio general de la responsabilidad del productor por «los daños causados por los defectos de los productos que, respectivamente, fabriquen o importen». Por consiguiente, la responsabilidad por los daños causados por productos defectuosos corresponde al productor, del que se ofrece una definición amplia en el artículo 138 del TRLGDCU. Solo en el supuesto de que no pudiera ser identificado, el suministrador resultaría entonces responsable.

> Como indica PARRA LUCÁN, este planteamiento procede directamente de la Directiva de responsabilidad por productos defectuosos por dos tipos de razones: la *primera*, consiste en que en general el productor es el causante de los defectos de los productos, de lo que se desprende que se encuentra en mejores condiciones para prevenirlos y evitarlos; la *segunda*, radica en la consideración de que resultaba preferible evitar la multiplicación de seguros de responsabilidad entre los distintos participantes en la cadena de elaboración y distribución de los productos cuando,

---

8. RJ 2011, 583.
9. Cfr. SSTS de 19 de febrero y 23 de noviembre de 2007 (RJ 2007, 1895 y 8122) y 30 de abril de 2008 (RJ 2008, 2686).

de hecho, es el productor o fabricante el que está en mejores condiciones de asumir el daño a través de su repercusión en los precios y en los seguros que contrate.

Según el artículo 138.1 del TRLGDCU, «a los efectos de este capítulo es productor, además del definido en el artículo 5, el fabricante o importador en la Unión Europea de: a) Un producto terminado. b) Cualquier elemento integrado en producto terminado. c) Una materia prima». Por su parte, el artículo 5 del TRLGDCU dispone que «sin perjuicio de lo dispuesto en el artículo 138, a efectos de los dispuesto en esta norma se considera productor al fabricante del bien o al prestador del servicio o su intermediario, o al importador del bien o servicio en el territorio de la Unión Europea, así como a cualquier persona que se presente como tal al indicar en el bien, ya sea en el envase, el envoltorio o cualquier otro elemento de protección o presentación, o servicio su nombre, marca u otro signo distintivo».

De lo expuesto se infiere que en Derecho español son considerados como productores, además de los fabricantes e importadores de la Unión Europea, los prestadores de servicios, sus intermediarios y los importadores de servicios, aunque todos ellos son ajenos al ámbito de la responsabilidad por productos. En definitiva, la interpretación conjunta de lo dispuesto por los artículos 138.1 y 5 del TRLGDCU implica que responden como productores: el fabricante de un producto terminado; el fabricante de cualquier elemento integrado en un producto terminado; el fabricante de una materia prima; quien se presenta como fabricante al indicar en el bien, ya sea en el envase, el envoltorio o cualquier otro elemento de protección o presentación, o servicio, su nombre, marca, u otro signo distintivo y, por último, quien importa a la Unión Europea un producto terminado, un elemento integrante o una materia prima.

Por tanto, será responsable cualquiera que participe en el proceso de fabricación del producto, incluso quien sólo ensambla las piezas fabricadas por otros. Si el defecto procede del carácter defectuoso de una parte componente o de una materia prima (incluyendo las materias primas agrícolas y ganaderas), el productor final no podrá liberarse de responsabilidad frente a la víctima que ha sufrido el daño, sino que ambos responderán de manera solidaria, sin perjuicio de que posteriormente pueda repetir contra el fabricante de la materia prima o de la parte integrante (PARRA LUCÁN). Así se desprende del artículo 132 del TRLGDCU, según el cual, «las personas responsables del mismo daño por aplicación de este libro lo serán solidariamente ante los perjudicados. El que hubiera respondido ante el perjudicado tendrá derecho a repetir frente a los otros responsables, según su participación en la causación del daño». No obstante, el apartado 2 del artículo 140 del TRLGDCU matiza que «el productor de una parte integrante de un producto terminado no será responsable si prueba que el defecto es imputable a la concepción del producto al que ha sido incorporado o a las instrucciones dadas por el fabricante de ese producto».

Como dice la STS de 14 de julio de 2003, «la responsabilidad que establece la Ley de consumidores y usuarios es ciertamente la obligación solidaria desde el fabricante al vendedor, y se establece precisamente esta pluralidad de responsables en protección al consumidor evitándole que tenga que dirigirse a un posible fabricante desconocido o extranjero»[10].

---

10. RJ 2003, 5837.

También responde como fabricante o productor el denominado *productor aparente*, esto es, quien sin ser realmente fabricante se presenta al público como tal, haciendo creer que él es el productor, puesto que comercializa los productos con su propia marca. Como señala PARRA LUCÁN, «lo esencial es precisamente esa apariencia de ser fabricante, de haber producido el producto: no será bastante cualquier pegatina o adhesivo indicativos de la sola participación en el proceso de distribución, o a los meros efectos de publicidad. La regla, parece, tendrá aplicación no sólo para los productos a granel, sino también en el caso de las grandes superficies comerciales o distribuidores que presentan con su propia marca una diversidad de productos que, realmente, no han sido elaborados por ellos, pero que se presentan al público únicamente con su marca («marcas blancas»)». Si la víctima dirige su reclamación de forma conjunta contra el productor aparente y el real, y el producto era defectuoso desde que salió de las manos del productor real, su responsabilidad será solidaria al amparo de lo dispuesto por el artículo 132 del TRLGDCU, al margen de las consecuencias que dicha responsabilidad pueda generar entre ellos pues «el que hubiere respondido ante el perjudicado tendrá derecho a repetir frente a los otros responsables, según su participación en la causación del daño».

En cuanto a la figura del *importador*, el artículo 5 del TRLGDCU se limita a mencionar al «importador del bien o servicio en el territorio de la Unión Europea», mientras que el artículo 138.1 del TRLGDCU sólo habla de «importador en la Unión Europea», sin más especificaciones. En cambio, de manera más completa, el artículo 4.2 de la LRP disponía que «se entiende por importador quien, en el ejercicio de su actividad empresarial, introduce un producto en la Unión Europea para su venta, arrendamiento, arrendamiento financiero o cualquier otra forma de distribución»[11]. Parece evidente que se trata del importador que introduce en el territorio de la Unión un producto defectuoso, pero si lo que hace es importar una materia prima o una parte componente que resultan defectuosas, y él las integra en su producto acabado, responderá, no como importador, sino directamente como fabricante del producto acabado defectuoso. Esto implica que el importador de un producto procedente de países terceros responderá frente a la víctima de los daños sufridos como consecuencia de los defectos de los productos que hubiere importado. Se intenta así proteger a la víctima, evitándole la carga de demandar a un fabricante instalado fuera del territorio de la Unión Europea con todo lo que eso conlleva a la hora de determinar el ámbito de la competencia judicial y los problemas posteriores de ejecución de sentencia.

Tras la entrada en vigor del Tratado de Oporto el 1 de enero de 1994, debe considerarse que el importador lo es de productos de fuera del Espacio Económico Europeo, integrado por todos los Estados miembros de la Unión Europea más Noruega, Islandia y Liechtenstein. Los dos primeros, además de su calidad de miembros del Espacio Económico Europeo, tienen acuerdos bilaterales de libre comercio con la Unión Europea. Aunque Suiza no forma parte del Espacio Económico Europeo (rechazó esa posibilidad en referéndum celebrado el 6 de diciembre de 1992), tiene también un acuerdo bilateral con la Unión Europea, que asimismo abarca Liechtenstein, junto con su condición de miembro del Espacio Económico Europeo. A pesar de que el Espacio Económico Europeo no constituye un mercado completamente «sin fronteras», ni una auténtica unión aduanera, prevé, no obstante, un librecambio de un nivel muy elevado. Hay controles fronterizos entre

---

11. Cfr. artículo 3.2 de la Directiva de responsabilidad por productos defectuosos.

los Estados del Espacio Económico Europeo y Suiza, de un lado, y los de la Unión Europea, de otro, pero se facilitan considerablemente.

En consonancia con lo dispuesto por la Directiva de responsabilidad por productos defectuosos, el artículo VI.-3:204(2) del DCFR dice que «la persona que importe un producto al Espacio Económico Europeo con el objeto de venderlo, alquilarlo, ponerlo en arrendamiento financiero o distribuirlo en el marco de su actividad empresarial responderá en los mismos términos que el productor».

Es verdad que también podrían existir razones prácticas que justifican la equiparación entre el importador y el fabricante. Por una parte, el importador tiene, habitualmente, mayores posibilidades de acceder al fabricante que la propia víctima. Por otra, así como puede suceder que el fabricante no controle la distribución hecha de su producto, el importador no sólo interviene en esa distribución, sino que además le es exigible conocer las exigencias de seguridad de los países en los que introduce dichos productos. En todo caso, conviene dejar claro que no se trata del «importador» nacional, el cual es considerado como un distribuidor más. De modo que si el producto causante del daño procede de otro Estado perteneciente a la Unión Europea el importador no será considerado como productor, no respondiendo por consiguiente de los daños causados (PARRA LUCÁN). Esto se debe a que la Unión Europea ha construido un mercado interior sin barreras aduaneras.

También es una regla general que debe excluirse la responsabilidad del distribuidor y del vendedor del producto, pues se considera que carecen de los conocimientos e incluso de la oportunidad de inspeccionar los bienes con que comercian. Ahora bien, esta regla tiene su excepción en lo dispuesto por el artículo 138.2 del TRLGDCU, a cuyo tenor, «si el productor no puede ser identificado, será considerado como tal el proveedor del producto, a menos que, dentro del plazo de tres meses, indique al dañado o perjudicado la identidad del productor o de quien le hubiera suministrado o facilitado a él dicho producto. La misma regla será de aplicación en el caso de un producto importado, si el producto no indica el nombre del importador, aun cuando se indique el nombre del fabricante». Se impone de esta manera una responsabilidad subsidiaria, al menos mientras no se identifique al productor. Por su parte, el artículo 7 del TRLGDCU define al proveedor como «el empresario que suministra o distribuye productos en el mercado, cualquiera que sea el título o contrato en virtud del cual realice dicha distribución».

De manera similar, el artículo VI.-3:204(3) del DCFR señala que «el proveedor de un producto responderá igualmente si: (a) no resulta posible identificar al productor; o (b) si, tratándose de un producto importado, el producto no indicase la identidad del importador (independientemente de que se indique el nombre del productor), a no ser que el proveedor informe al perjudicado de la identidad del productor o de la persona que le suministró el producto dentro de un plazo razonable». Siguiendo el criterio establecido por la Directiva de responsabilidad por productos defectuosos, el Borrador de Marco Común de Referencia se limita a indicar que el suministrador o proveedor informe al perjudicado de la identidad del productor con el fin de excluir su propia responsabilidad «dentro de un plazo razonable», sin fijar ninguno en concreto.

El artículo 133 del TRLGDCU añade que «la responsabilidad prevista en este libro no se reducirá cuando el daño sea causado conjuntamente por un defecto del bien o servicio y por la intervención de un tercero. No obstante, el sujeto responsable que hubiera satisfecho la indemnización podrá reclamar al tercero la parte que corresponda a su intervención en la producción del daño».

V. LA CARGA DE LA PRUEBA Y LA RELACIÓN DE CAUSALIDAD

Según el artículo 130 del TRLGDCU, «el perjudicado que pretenda obtener la reparación de los daños causados tendrá que probar el defecto, el daño y la relación de causalidad entre ambos».

VI. CAUSAS DE EXONERACIÓN DE LA RESPONSABILIDAD

Según el artículo 140.1 del TRLGDCU «el productor no será responsable si prueba:

a) Que no había puesto en circulación el producto.

b) Que, dadas las circunstancias del caso, es posible presumir que el defecto no existía en el momento en que se puso en circulación el producto.

c) Que el producto no había sido fabricado para la venta o cualquier otra forma de distribución con finalidad económica, ni fabricado, importado, suministrado o distribuido en el marco de una actividad profesional o empresarial.

d) Que el defecto se debió a que el producto fue elaborado conforme a normas imperativas existentes.

e) Que el estado de los conocimientos científicos y técnicos existentes en el momento de la puesta en circulación no permitía apreciar la existencia del defecto.

La causa de exoneración contenida en la letra *e*) es la denominada de los «riesgos de desarrollo», que son aquellos riesgos que existen en sectores en los que los avances científicos y técnicos, posteriores a la puesta en circulación en el mercado de un determinado producto, permiten descubrir en él defectos que el fabricante no podía de ninguna manera detectar. No obstante, haciendo uso de la posibilidad de excluir esta causa de exoneración que da el artículo 15.1.*b*) de la Directiva, el legislador español ha eliminado la exclusión de la responsabilidad por «riesgos de desarrollo» en el caso de los medicamentos, alimentos y productos alimenticios. Si bien es cierto que el artículo 141.1 de la LPAC dice que «no serán indemnizables los daños que se deriven de hechos o circunstancias que no se hubiesen podido prever o evitar, según el estado de los conocimiento de la ciencia o de la técnica existentes en el momento de producción de aquellos, todo ello sin perjuicio de las prestaciones asistenciales o económicas que las leyes puedan establecer para estos casos», no lo es menos que la sentencia *Veedfald*[12] afirma que «el hecho de que los productos fabricados para una prestación médica concreta que no es pagada directamente por el paciente, sino que se financia con cargo a los fondos públicos alimentados por los contribuyentes, no puede privar a la fabricación de estos productos su carácter económico y

---

12. STJCE de 10 de mayo de 2001, *Veedfald*, C-203/99, EU:C:2001:258.

profesional»[13]. Por consiguiente, parece que el régimen de responsabilidad instaurado por la Directiva se aplicará a las administraciones públicas (PARRA LUCÁN).

El artículo VI.-3:204(4) del DCFR señala que «de acuerdo con el presente Artículo, no responderá del daño causado quien pruebe: (a) que no puso el producto en circulación; (b) que es probable que el defecto que causó el daño no existiera en el momento en que puso el producto en circulación; (c) que no fabricó el producto para venderlo o distribuirlo con fines económicos ni en el ámbito de su actividad empresarial; (d) que el defecto se debe a que el producto se ajusta a reglamentaciones imperativas dictadas por los poderes públicos; (e) que el estado de los conocimientos científicos y técnicos en el momento en que el producto fue puesto en circulación no permitía descubrir la existencia del defecto; o (f) que, en el caso del fabricante de una pieza o componente, el defecto sea imputable a: (i) el diseño del producto al que se ha incorporado o (ii) a las instrucciones dadas por el fabricante del producto».

VII. CULPA DEL PERJUDICADO

El artículo 145 del TRLGDCU señala que «la responsabilidad prevista en este capítulo podrá reducirse o suprimirse en función de las circunstancias del caso, si el daño causado fuera debido conjuntamente a un defecto del producto y a culpa del perjudicado o de una persona de que éste deba responder».

VIII. DAÑOS CUBIERTOS Y LÍMITES CUANTITATIVOS

El régimen de responsabilidad comprende los daños personales, así como algunos daños materiales. Los daños indemnizables abarcan la muerte del perjudicado, las lesiones corporales y los daños materiales distintos del propio producto. Los daños morales resultan excluidos del régimen de productos defectuosos por el artículo 128 del TRLGDCU.

En relación con los daños materiales, se incluyen siempre que la cosa que ha producido el daño sea un bien objetivamente destinado al uso o consumo privado y que en tal concepto haya sido utilizado principalmente por el perjudicado (art. 129.1 TRLGDCU). Se excluyen, sin embargo, los daños causados al propio producto (art. 142 TRLGDCU) y los daños causados a cosas destinadas a un uso profesional, porque la ley exige que el producto se destine a un uso privado.

Por otra parte, se establecen unos límites económicos de responsabilidad global del productor. Según el artículo 141.b) del TRLGDCU la responsabilidad global del productor «por muerte y lesiones personales causadas por productos idénticos que presenten el mismo defecto» se limita a 63.106.270,96 euros. En el caso de que el producto defectuoso haya producido daños materiales a cosas destinadas objetivamente al uso o consumo privado, se establece una franquicia de 500 euros (art. 141.a) TRLGDCU).

Los daños excluidos del ámbito de protección de este régimen jurídico (daños morales, daños en el producto defectuoso mismo y daños causados a cosas destinadas

13. Sentencia *Veedfald*, apartado 21.

a uso profesional) podrán ser reclamados mediante el ejercicio de otras acciones, sean contractuales o extracontractuales (art. 128 TRLGDCU).

IX. LIMITACIONES EN EL TIEMPO A LA REPARACIÓN

1. Prescripción de la acción

Según el artículo 143.1 del TRLGDCU, «la acción de reparación de los daños y perjuicios previstos en este capítulo prescribirá a los tres años, a contar desde la fecha en que el perjudicado sufrió el perjuicio, ya sea por defecto del producto o por el daño que dicho defecto le ocasionó, siempre que se conozca al responsable de dicho perjuicio. La acción del que hubiese satisfecho la indemnización todos los demás responsables del daño prescribirá al año, a contar desde el día del pago de la indemnización». El apartado 2 del mismo artículo añade que «la interrupción de la prescripción se rige por lo establecido en el Código Civil».

2. Extinción de la responsabilidad

Según el artículo 144 del TRLGDCU, «los derechos reconocidos al perjudicado en este capítulo se extinguirán transcurridos diez años, a contar desde la fecha en que se hubiera puesto en circulación el producto concreto causante del daño, a menos que, durante ese período, se hubiese iniciado la correspondiente reclamación judicial».

BIBLIOGRAFÍA

MARÍN LÓPEZ, J.J., *Daños por productos: estado de la cuestión*, Madrid, 2001; MARTÍN CASALS/SOLÉ FELIU, «La responsabilidad por productos defectuosos: un intento de armonización a través de Directivas» en AA VV (coord. CÁMARA LAPUENTE), *Derecho privado europeo*, Madrid, 2003, p. 921; PARRA LUCÁN, «Responsabilidad civil por productos defectuosos» en AA VV, *Tratado responsabilidad civil*, Cizur Menor, (Navarra), p. 557; SALVADOR CODERCH/GÓMEZ POMAR, *Tratado de responsabilidad del fabricante*, Cizur Menor (Navarra), 2008; SOLÉ FELIU, *El concepto de defecto del producto en la responsabilidad civil el fabricante*, Valencia, 1997.

Capítulo XLI

Conflictos de leyes y responsabilidad civil extracontractual

I. DERECHO APLICABLE

1. Introducción

El Reglamento (CE) núm. 864/2007 del Parlamento Europeo y del Consejo de 11 de julio de 2007 relativo a la ley aplicable a las obligaciones extracontractuales («Roma II»)[1] constituye el régimen general sobre la ley aplicable a las obligaciones extracontractuales. Entró en vigor el 20 de agosto de 2007, aplicándose a las obligaciones extracontractuales en materia civil y mercantil que comporten un conflicto de leyes que se produzcan después del 11 de enero de 2009 (art. 32 Reglamento «Roma II»).

2. Ámbito de aplicación

2.1. Ámbito material

Como ya se ha indicado al principio, el artículo 1.1 del Reglamento «Roma II» dice que «el presente Reglamento se aplicará a las obligaciones extracontractuales en materia civil y mercantil, en las situaciones que comportan un conflicto de leyes. No se aplicará, en particular, a las materias fiscales, aduaneras y administrativas ni a

---

1.   DO L 199, de 31 de julio de 2007, p. 40.

los casos en que el Estado incurra en responsabilidad por acciones u omisiones en el ejercicio de su autoridad (*acta iure imperii*)».

Según el artículo 1.2 del Reglamento «Roma II», *se excluyen* de su ámbito de aplicación: a) las obligaciones extracontractuales que se deriven de relaciones familiares y de relaciones que la legislación aplicable a las mismas considere que tiene efectos comparables, incluida la obligación de alimentos; b) las obligaciones extracontractuales que se deriven de regímenes económicos matrimoniales, de regímenes económicos resultantes de relaciones que la legislación aplicable a las mismas considere que tienen efectos comparables al matrimonio, y de testamentos y sucesiones; c) las obligaciones extracontractuales que se deriven de letras de cambio, cheques y pagarés, así como de otros instrumentos negociables en la medida en que las obligaciones nacidas de estos últimos instrumentos se deriven de su carácter negociable; d) las obligaciones extracontractuales que se deriven del Derecho de sociedades, asociaciones y otras personas jurídicas, relativas a cuestiones como la constitución mediante registro o de otro modo, la capacidad jurídica, el funcionamiento interno y la disolución de sociedades, asociaciones y otras personas jurídicas, de la responsabilidad personal de los socios y de los administradores como tales con respecto a las obligaciones de la sociedad u otras personas jurídicas y de la responsabilidad personal de los auditores frente a una sociedad o sus socios en el control legal de los documentos contables; e) las obligaciones extracontractuales que se deriven de las relaciones entre los fundadores, administradores y beneficiarios de un *trust* creado de manera voluntaria; f) las obligaciones extracontractuales que se deriven de un daño nuclear; g) las obligaciones extracontractuales que se deriven de la violación de la intimidad o de los derechos relacionados con la personalidad; en particular, la difamación.

2.2. *Ámbito espacial*

El Reglamento «Roma II» tiene un ámbito de aplicación universal, lo que implica que se aplicará con independencia del domicilio de las partes o del lugar donde haya ocurrido el hecho dañoso (art. 3 Reglamento «Roma II»). De acuerdo con el artículo 3 del Protocolo sobre la posición del Reino Unido y de Irlanda anejo al Tratado de la Unión Europea y al Tratado constitutivo de la Comunidad Europea, el Reglamento es aplicable también en el Reino Unido e Irlanda (considerando 39 Reglamento «Roma II»). En cambio, de conformidad con los artículos 1 y 2 del Protocolo sobre la posición de Dinamarca anejo a los citados Tratados, este país no participa en su adopción y, por tanto, no está vinculado por el Reglamento ni sujeto a su aplicación (considerando núm. 40 Reglamento «Roma II»). De hecho, el artículo 1.4 del Reglamento «Roma II» especifica que a los efectos del presente Reglamento «se entenderá por "Estado miembro" todos los Estados miembros excepto Dinamarca».

> Esto implica que la ley designada por cualquiera de las normas de conflicto que contiene el Reglamento «Roma II» se aplicará, aunque dicha ley no sea la de un Estado miembro. Esta misma solución se aplica al hecho de que alguna de las partes implicadas en la controversia no sea nacional o residente habitual en un Estado miembro.

2.3. *Ámbito temporal*

El Reglamento se aplica a las obligaciones extracontractuales en materia civil y mercantil que se produzcan a partir del 11 de enero de 2009 (art. 32 Reglamento «Roma II»). El artículo 32 del Reglamento «Roma II» no fija propiamente una fecha de entrada en vigor del Reglamento, sino la fecha de aplicación del mismo, como afirma la sentencia *Homawoo*[2]. Lo que implica que «a falta de una disposición específica que fije una fecha para la entrada en vigor del Reglamento, esta fecha debe determinarse con arreglo a la regla general formulada en el artículo 297 del TFUE, apartado 1, párrafo 3.º Como el Reglamento se publicó en el Diario Oficial de la Unión Europea el 31 de julio de 2007, entró en vigor veinte días después de su publicación, es decir, el 20 de agosto de 2007»[3].

El Reglamento «Roma II» no impide la aplicación de Convenios sobre responsabilidad extracontractual ratificados por los Estados miembros antes de la entrada en vigor del Reglamento (art. 28.1 Reglamento «Roma I»), si bien «por lo que respecta a las relaciones entre Estados miembros, el presente Reglamento, en la medida en que afecte a las materias reguladas por el mismo, primará frente a los convenios celebrados exclusivamente entre dos o más Estados miembros» (art. 28.2 Reglamento «Roma II»).

El considerando 36 del Reglamento «Roma II» indica que «el respeto de los compromisos internacionales contraídos por los Estados miembros implica que el presente Reglamento se entiende sin perjuicio de los convenios internacionales de los que son parte uno o varios Estados miembros en el momento de la adopción del presente Reglamento. Con el fin de garantizar una mayor accesibilidad de las normas vigentes sobre eta materia, la Comisión debe publicar, basándose en la información transmitida por los Estados miembros, la lista de los convenios pertinentes en el Diario Oficial de la Unión Europea».

II. DETERMINACIÓN DE LA LEY APLICABLE

1. Regla general

Si las partes no han elegido la ley aplicable y no se aplican las reglas especiales por razón de la materia, la ley aplicable será la del país donde se produce el daño o *lex loci delicti comissi*, a menos que la persona cuya responsabilidad se alega y el perjudicado tengan su residencia en el mismo país en el momento en que se produzca el daño, en cuyo caso se aplicará la ley de dicho país (art. 4.2 Reglamento «Roma II»).

2. Elección de la ley aplicable

El artículo 14.1 del Reglamento «Roma II» dice que «las partes podrá convenir someter la obligación extracontractual a la ley que elijan: a) mediante un acuerdo posterior al hecho generador del daño, o bien b) cuando todas las partes desarrollen una actividad comercial, también mediante un acuerdo negociado libremente antes del hecho generador del daño. La elección deberá manifestarse expresamente o resultar de manera inequívoca de las circunstancias del caso y no perjudicará los derechos de terceros».

3. Leyes de policía

Cualquiera que sea la ley aplicable a la obligación extracontractual, las disposiciones del Reglamento «Roma II» no afectarán a la aplicación de las disposiciones de la ley

---

2. Sentencia TJUE de 17 de noviembre de 2011, *Homawoo*, C-412/10, EU:C:2011:747.
3. Sentencia *Homawoo*, apartado 30.

del foro en aquellas situaciones en que tengan carácter imperativo (art. 16 Reglamento «Roma II»). Según la sentencia *Arblade*[4], las leyes de policía son aquellas «disposiciones nacionales cuya observancia se ha considerado crucial para la salvaguardia de la organización política, social o económica del Estado miembro de que se trate, hasta el punto de hacerlas obligatorias para toda persona que se encuentre en el territorio nacional de ese Estado miembro o con respecto a toda relación jurídica localizada en él»[5].

Por su parte, el artículo 26 del Reglamento «Roma II» señala que «sólo podrá excluirse la aplicación de una disposición de la ley designada por el presente Reglamento si esta aplicación es manifiestamente incompatible con el orden público del foro».

> En palabras del considerando 32 del Reglamento «Roma II», «consideraciones de interés público justifican, en circunstancias excepcionales, el recurso por los tribunales de los Estados miembros a excepciones basadas en el orden público y en leyes de policía. En particular, la aplicación de una disposición de la ley designada por el presente Reglamento que condujera a la asignación de daños e intereses ejemplares o punitivos de naturaleza excesiva, puede, según las circunstancias del caso y el ordenamiento jurídico del Estado miembro del órgano jurisdiccional competente, considerarse contraria al orden público del foro».

Aunque no se prevé la aplicación de las normas imperativas de terceros Estados, si la ley aplicable no coincide con la ley del Estado donde tuvo lugar la conducta generadora del daño, resulta imprescindible tomar en consideración las disposiciones de dicho Estado como un hecho relevante que podría determinar la existencia o el agravamiento de la responsabilidad. Este sería el caso de la infracción de las normas de seguridad vigentes en el Estado en que desarrolló su actividad el autor del daño (normas de circulación vial, de fabricación, producción o comercialización). Por ello, el artículo 17 del Reglamento «Roma II» indica que «para valorar el comportamiento de la persona cuya responsabilidad se alega, habrán de tenerse en cuenta, como una cuestión de hecho y en la medida en que sea procedente, las normas de seguridad y comportamiento vigentes en el lugar y el momento del hecho que da lugar a la responsabilidad».

> Según el considerando 34 del Reglamento «Roma II», «para obtener un equilibrio razonable entre las partes deben tenerse en cuenta, en la medida de lo posible, las normas de seguridad y comportamiento vigentes en el país en el cual el acto perjudicial se produjo, incluso cuando la obligación extracontractual esté regulada por la ley de otro país. Los términos "normas de seguridad y comportamiento" deben interpretarse como referidos a todas las normas relacionadas de algún modo con la seguridad y el comportamiento, incluso, por ejemplo, las de seguridad vial en caso de accidente».

III.   MODALIDADES

1.   Accidentes de circulación por carretera

1.1.   *Reglamento «Roma II»*

El Reglamento «Roma II» no contiene normas de conflicto específicas para estos supuestos, siendo por tanto de aplicación las reglas generales.

---

4.   *Sentencia TJCE de 23 de noviembre de 1999* (Jean-Claude Arblade, Arblade & Fils, SARL/ Bernard Leloup, Serge Leloup, Sofrage SARL, C– 369/96 y C-376/96, *Rec. I*, p. 8457).

5.   Sentencia *Arblade*, apartado 30.

1.2. Convenio de La Haya sobre ley aplicable en materia de accidentes de circulación por carretera

Las normas de conflicto en materia de accidentes de circulación por carretera aplicables en España están contenidas en el Convenio sobre la ley aplicable en materia de accidentes de circulación por carretera, hecho en La Haya el 4 de mayo de 1971[6], en vigor para España desde el 21 de noviembre de 1987. Es un Convenio *erga omnes* o universal, ya que, como dice su artículo 11, su aplicación «se hará con independencia de cualquier condición de reciprocidad. El Convenio se aplicará incluso cuando la legislación aplicable no sea la de un Estado miembro». Por tanto, desplaza dentro de su ámbito de aplicación material al artículo 10.9 del CC.

El Convenio de La Haya de 1971 es de aplicación preferente sobre el Reglamento «Roma II», ya que como indica el artículo 28.1 del Reglamento «Roma II» «el presente Reglamento no afectará a la aplicación de los convenios internacionales en que sean parte uno o más Estados miembros en el momento de la adopción del presente Reglamento y que regulen los conflictos de leyes en materia de obligaciones extracontractuales».

Se entiende por *accidente de circulación por carretera* todo accidente en que intervengan uno o más vehículos, automotores o no, y que esté ligado a la circulación por la vía pública, en un espacio abierto al público o en un espacio no público, ero abierto a un determinado número de personas con derecho de acceso al mismo (art. 1).

La *regla general* que establece el Convenio es la aplicación de la ley interna del Estado en cuyo territorio haya ocurrido el accidente o *lex loci delicti commissi* (art. 3). No obstante, esta conexión no será efectiva en ciertos supuestos en que el accidente presente una mayor vinculación con otro ordenamiento jurídico (art. 4):

a) Cuando en el accidente intervenga *un solo vehículo*, matriculado en un Estado distinto de aquél en cuyo territorio haya ocurrido el accidente, la ley interna del Estado en que el vehículo esté matriculado (ley del lugar de matriculación del vehículo), será aplicable para determinar la responsabilidad: respecto del conductor, el poseedor, el propietario o cualquier otra persona que tenga un derecho sobre el vehículo, independientemente de su lugar de residencia habitual; respecto de una víctima que viajaba como pasajero, si tenía su residencia habitual en un Estado distinto de aquél en cuyo territorio haya ocurrido el accidente; y respecto de una víctima que se encontraba en el lugar del accidente fuera del vehículo, si tenía su residencia habitual en el Estado en que dicho vehículo estuviere matriculado. En caso de ser varias las víctimas, la ley aplicable se determinará por separado con respecto a cada una de ellas.

b) Cuando estuvieren implicados *varios vehículos* en el accidente, también se aplicará la ley interna del Estado en que los vehículos estén matriculados si todos ellos estuvieren matriculados en el mismo Estado.

c) Cuando estuvieren implicadas en el accidente *una o más personas* que se encontraren dentro del o de los vehículos en el lugar del accidente la aplicación de la ley interna del Estado en que el vehículo o vehículos estuvieren matriculados sólo será de aplicación si todas esas personas tuvieren su residencia habitual en el Estado en el

---

6.   BOE núm. 264 de 4 de noviembre de 1987, p. 32950.

cual el o los vehículos estuvieren matriculados. Lo mismo procederá, incluso cuando esas personas fueren también víctimas del accidente.

Fuera de los supuestos que se acaban de exponer, la regla general será, obviamente, la aplicación de la ley del Estado en cuyo territorio haya ocurrido el accidente; por ejemplo, en el caso de un accidente entre dos o más vehículos matriculados en distintos Estados.

En el caso de los *vehículos no matriculados* o de los *matriculados en varios Estados*, la ley interna del Estado donde estén habitualmente estacionados sustituirá a la del Estado de matrícula. La misma regla se aplicará cuando ni el propietario, ni el poseedor, ni el conductor del vehículo tuvieren, en el momento de ocurrir el accidente, su residencia habitual en el Estado donde estuviere matriculado el vehículo (art. 6).

La ley aplicable en virtud de los artículos 3 y 4 a la responsabilidad con respecto al pasajero regirá también la responsabilidad por los daños producidos en los bienes transportados por el vehículo que pertenezcan al pasajero o hayan sido confiados a su cuidado. La ley aplicable en virtud de los artículos 3 y 4 a la responsabilidad con respecto al propietario del vehículo regirá la responsabilidad por los daños producidos en bienes transportados por el vehículo que sean distintos de los previstos en el párrafo precedente. A diferencia de lo indicado en los supuestos anteriores, la ley aplicable a la responsabilidad por los daños producidos en los bienes que se encontraren fuera del vehículo o de los vehículos será la ley del Estado en cuyo territorio hubiere ocurrido el accidente (*lex loci delicti commissi*). Sin embargo, la responsabilidad por los daños en los efectos personales de la víctima que se encontrare fuera del vehículo o de los vehículos se regirá por la ley interna del Estado en el cual el vehículo o los vehículos estén matriculados, cuando dicha ley sea aplicable a la responsabilidad con respecto a la víctima en virtud del artículo 4 (art. 5).

El *ámbito de aplicación* de la ley determinada por el Convenio es muy amplio, pues regirá especialmente para determinar: 1. las condiciones y el alcance de la responsabilidad. 2. las causas de exoneración, así como toda limitación y distribución de responsabilidad. 3. la existencia y la índole de los daños indemnizables. 4. Las modalidades y la cuantía de la indemnización. 5. la transmisibilidad del derecho a indemnización. 6. las personas que tengan derecho a indemnización por daños que hayan sufrido personalmente. 7. la responsabilidad del comitente por causa de su encargado. 8. las prescripciones y caducidades por expiración de un plazo, con inclusión del comienzo, la interrupción y la suspensión de los plazos (art. 8).

En cualquier caso, es preciso poner de relieve que, cualquiera que sea la ley aplicable, para determinar la responsabilidad se deberán tener en cuenta las normas sobre circulación y seguridad que estuvieren en vigor en el lugar y momento del accidente (art. 7). Esta precisión es particularmente importante en aquellos casos en que proceda aplicar la ley de matriculación del vehículo, pues la infracción de las normas de circulación (velocidad máxima permitida, señalización, luces, reglas de preferencia, taras y pesos máximos, etc.) debe considerarse lógicamente referida a las vigentes en el lugar del accidente; lo que implica que sólo un incumplimiento de tales normas deberá ser considerado como causante de la existencia o de la agravación de la responsabilidad prevista por la ley aplicable (FERNÁNDEZ ROZAS/SÁNCHEZ LORENZO).

Por lo que se refiere a la cuestión de *reclamar por los daños producidos contra el asegurador*, las personas perjudicadas tendrán derecho a actuar directamente contra el asegurador del responsable, si ese derecho les es reconocido por la ley aplicable conforme a lo dispuesto en los artículos 3, 4 o 5. Si la ley del Estado en que estuviere matriculado el vehículo, aplicable conforme a los artículos 4 o 5, no reconociera este derecho, podría no obstante ser ejercitado siempre que estuviere admitido por la ley interna del Estado en cuyo territorio hubiere ocurrido el accidente. Si ninguna de estas leyes reconociera este derecho, podría ejercitarse caso de estar admitido por la ley del contrato de seguro (art. 9).

El Convenio *no será de aplicación*: 1. a la responsabilidad de fabricantes, vendedores y reparadores de vehículos; 2. a la responsabilidad del propietario de la vía de circulación o de cualquier otra persona encargada de asegurar el mantenimiento de la vía o la seguridad de los usuarios; 3. a las responsabilidades por acciones de terceros, excepto la responsabilidad del propietario del vehículo o la del comitente; 4. a las reclamaciones entre personas responsables; 5. a las reclamaciones y subrogaciones relativas a compañías de seguros; 6. a las acciones y reclamaciones ejercitadas por o contra los Organismos de la Seguridad Social, de seguros sociales o instituciones análogas y los fondos públicos de garantía automovilística, así como a los casos de exclusión de responsabilidad previstos por las normas que regulen estos Organismos (art. 2).

2. Daños causados por productos defectuosos

Resulta evidente que la responsabilidad por los daños causados por productos defectuosos posee una especial vinculación con la protección del consumidor, si bien su régimen jurídico va aún más allá. No en vano tiene por finalidad indemnizar a toda víctima que sufra un daño al margen de que no posea la condición de consumidor en cuanto adquirente del producto que causó ese daño. En cualquier caso, todo ello implica que las normas de Derecho aplicable tratan de equilibrar el principio de indemnización a favor de la persona que sufre el daño con un principio elemental de previsibilidad desde el punto de vista del fabricante. Se trata de cohonestar, en definitiva, intereses contrapuestos. A saber, la indemnización que deba satisfacerse por el daño causado por un producto defectuoso de un lado, la cautela necesaria que el fabricante del producto debe tener para prever todas las contingencias posibles de otro.

2.1. Reglamento «Roma II»

El artículo 5 del Reglamento «Roma II» contiene un régimen específico sobre la ley aplicable a los daños causados por productos defectuosos que sólo resultará de aplicación en aquellos supuestos en que no lo sea el Convenio de La Haya de 1973.

> Según el considerando núm. 20 del Reglamento «Roma II», «en cuanto a la responsabilidad por productos defectuosos la norma de conflicto de leyes debe responder a los objetivos que son el justo reparto de los riesgos inherentes a una sociedad moderna caracterizada por un alto grado de tecnicidad, la protección de la salud de los consumidores, el incentivo a la innovación, la garantía de una competencia no falseada y la simplificación de los intercambios comerciales. La

creación de un sistema de cascada de factores conexos, combinada con una cláusula de previsibilidad, constituye una solución equilibrada habida cuenta de estos objetivos».

Al margen de que se permite la elección de la ley aplicable al amparo de la regla general del artículo 4 del Reglamento «Roma II», la ley aplicable a los daños causados por productos defectuosos será, en primer lugar, la ley de la residencia habitual común de la persona cuya responsabilidad se alega y de la persona perjudicada (art. 4.2 Reglamento «Roma II»). En caso de no darse dicha conexión, se aplicará la ley del país en el cual la persona perjudicada tuviera su residencia habitual en el momento de producirse el daño, si el producto se comercializó en dicho país (art. 5.1.a) Reglamento «Roma II»); en su defecto, será de aplicación la ley del país en el que se adquirió el producto, si el producto se comercializó en dicho país (art. 5.1.b) Reglamento «Roma II»); por último, se aplicará la ley del país en que se produjo el daño, si el producto se comercializó en dicho país (art. 5.1.c) Reglamento «Roma II»). No obstante, si el responsable del daño no podía prever razonablemente la comercialización del producto o de un producto del mismo tipo en el país cuya ley sea aplicable con arreglo a las tres hipótesis planteadas, la ley aplicable será la del país en el que tenga su residencia habitual dicho responsable (art. 5.1 inciso último, Reglamento «Roma II»).

La «cláusula de comercialización» a que se refiere el artículo 5.1, inciso último, del Reglamento «Roma II» tiene la finalidad de que el fabricante pueda medir de forma adecuada los riesgos en los que incurre comercializando sus productos en uno u otro país.

En todo caso, el artículo 5.2 del Reglamento «Roma II» contiene una cláusula de excepción al señalar que «si del conjunto de circunstancias se desprende que el hecho dañoso presenta vínculos manifiestamente más estrechos con otro país distinto del indicado en el apartado 1, se aplicará la ley de este otro país. Un vínculo manifiestamente más estrecho con otro país podría estar basado en una relación preexistente entre las partes, como por ejemplo un contrato, que esté estrechamente vinculada con el hecho dañoso en cuestión». Este supuesto en que exista una relación jurídica directa entre las partes, y en concreto de naturaleza contractual, excluye la aplicación del Convenio de La Haya de 1973.

2.2. *Convenio de La Haya sobre ley aplicable a la responsabilidad por productos*

En materia de responsabilidad por daños causados por productos defectuosos tampoco resulta de aplicación en España el Reglamento «Roma II», de manera que deberán tenerse en cuenta las reglas contenidas en el Convenio sobre la ley aplicable a la responsabilidad por productos, hecho en La Haya 2 de octubre de 1973[7], en vigor para España desde el 1 de febrero de 1989. También es un Convenio *erga omnes* o universal, ya que su aplicación se hará con independencia de cualquier condición de reciprocidad, aplicándose cuando la legislación aplicable no sea la de un Estado contratante (art. 11). Por tanto, desplaza dentro de su ámbito de aplicación material al artículo 10.9 del CC.

De igual modo que sucede en materia de accidentes de circulación por carretera a propósito del Convenio de 1971, el artículo 28.1 del Reglamento «Roma II»

---

7.   BOE núm. 21 de 25 de enero de 1989, p. 2054.

es la norma que justifica la preeminencia del Convenio de La Haya de 1973 sobre el Reglamento «Roma II», salvo, obviamente, en lo que respecta a las relaciones entre Estados miembros (cfr. art. 28.2 Reglamento «Roma II»).

A efectos del Convenio, el artículo 2 dice que: a) la palabra «producto» comprenderá los productos naturales y los productos industriales, bien sean en bruto o manufacturados, muebles o inmuebles; b) la palabra «daño» comprenderá cualquier daño a las personas o bienes, así como la pérdida económica, lo que permite incluir el daño emergente y el lucro cesante; sin embargo, se excluirán el daño al producto en sí y la consiguiente pérdida económica a menos que vayan unidos a otros daños; c) la palabra «persona» expresará tanto las personas jurídicas como las personas físicas. En cualquier caso, la responsabilidad que se regula en el Convenio no es solo la que tiene su origen en los vicios o efectos del producto, sino que incluye también «los derivados de la descripción inexacta del producto o la falta de indicación adecuada de sus cualidades, características o modo de empleo» (cfr. art.1). Lo cual resulta coherente con las tendencias que al respecto se manifiestan en el moderno Derecho de obligaciones.

El ámbito de aplicación personal es amplio, pues el Convenio se aplica a la responsabilidad de los fabricantes de productos acabados o de componentes, de los productores de productos naturales, de los proveedores de productos y de las personas, entre las que se incluyen los reparadores y almacenistas, que participen en la cadena comercial de preparación y distribución de un producto, incluidos sus agentes o empleados (art. 3). Este planteamiento es coherente con el hecho de que en la sociedad moderna se multiplican los riesgos que los productos pueden tener para sus adquirentes como consecuencia de la intervención de muchas personas a lo largo de la cadena de distribución comercial, desde el fabricante hasta el adquirente final. El Convenio no rige, en cambio, las relaciones directas que puedan existir entre el adquirente de un producto y la persona responsable que le hubiere transmitido dicho producto, ya que en tal caso serán de aplicación las disposiciones contenidas en el Reglamento «Roma II».

La *regla general* que establece el Convenio es la aplicación de la ley del Estado en cuyo territorio se haya producido el daño (*lex loci delicti commissi*), siempre que dicho Estado sea también: a) el Estado de residencia habitual de la persona directamente perjudicada, o b) el Estado en el que se encuentre el establecimiento principal de la persona a quien se le imputa la responsabilidad, o c) el Estado en cuyo territorio el producto ha sido adquirido por la persona directamente perjudicada (art. 4). Como excepción a la regla general, se aplicará la ley del Estado de residencia habitual de la persona directamente perjudicada «en el caso de que dicho Estado sea también: a) el Estado en el que se encuentra el establecimiento principal de la persona a quien se le imputa la responsabilidad, o b) el Estado en cuyo territorio hubiese sido adquirido el producto por la persona directamente perjudicada» (art. 5). Si el supuesto de hecho no encaja en ninguna de las conexiones previstas en los artículos 4 y 5, se aplicará la ley del Estado en donde se halle el establecimiento principal de la persona a quien se le imputa la responsabilidad, a menos que el demandante base su reclamación en la ley del Estado en cuyo territorio se hubiere producido el daño (art. 6).

En todo caso, no será aplicable la legislación del Estado en cuyo territorio se hubiere producido el daño ni la legislación del Estado de residencia habitual de la persona directamente perjudicada, previstas en los artículos 4, 5 y 6, si la persona a quien se le imputa la responsabilidad demuestra que no pudo razonablemente prever que el producto o sus propios productos del mismo tipo habrían de comercializarse en el Estado de que se trate (art. 7). Esta «cláusula de comercialización», a que se refiere el artículo 7 del Convenio, implica que en tales supuestos se aplicará la ley de la residencia habitual de fabricante.

> La prohibición en EE.UU. de comercializar determinados fármacos destinados a combatir los efectos del síndrome de inmunodeficiencia adquirida (SIDA) a finales de los años ochenta y principios de los noventa del siglo pasado, constituye un buen ejemplo de por qué se ha introducido la «cláusula de comercialización» en el sistema del Convenio. Como la síntesis y distribución de dichos fármacos estaba permitida en México, muchos particulares y asociaciones privadas se desplazaban a localidades mexicanas limítrofes de EE.UU. con el fin de adquirir tales productos y distribuirlos después entre enfermos residentes o con nacionalidad norteamericana de los EE.UU. La utilización de esos fármacos era susceptible de producir daños imprevistos, lo que en teoría podía propiciar la aplicación de las leyes norteamericanas frente a los fabricantes y distribuidores establecidos en México conforme a las disposiciones del Convenio. Sin embargo, esos fabricantes y distribuidores no se beneficiaban de la comercialización de sus productos en EE.UU., debiendo, en cambio, asumir los costes derivados de las leyes norteamericanas sobre indemnizaciones por daños a la salud. Es por eso que la «cláusula de comercialización» repercute los costes y riesgos en la víctima, al establecer la aplicación de la ley mexicana como ley del fabricante o distribuidor responsable. Son las víctimas, en definitiva, al desplazarse a México o al adquirir tales productos provenientes de México sin una importación en regla, las que deben asumir el coste y el riesgo jurídico de la aplicación de la ley mexicana (FERNÁNDEZ ROZAS/SÁNCHEZ LORENZO).

Apropósito de dicha cláusula, se ha planteado la cuestión de los productos que se comercializan en un Estado incorporado a un espacio económico donde las mercancías circulan libremente, como es el caso de la Unión Europea. ¿La previsibilidad de comercialización en un Estado miembro de la Unión implica entonces, necesariamente, la previsibilidad de comercialización en el resto del territorio comunitario? Obviamente, le respuesta debe circunscribirse a las mercancías que no estén sometidas a restricciones, pero aun así existen posturas contrapuestas. Mientras algunos autores consideran que la cláusula de previsibilidad de comercialización no debe extenderse a los demás Estados de un espacio integrado, otros opinan que los beneficios económicos resultantes de la libre circulación de mercancías justifican que se repercutan los eventuales costes jurídicos de semejante situación en el fabricante o en el distribuidor. En definitiva, la comercialización en un Estado miembro de la Unión Europea de un producto que no esté sujeto a restricciones supone una previsión razonable de comercialización en los demás Estados de la Unión Europea.

La ley aplicable determinará en especial lo siguiente: 1. los requisitos y la extensión de la responsabilidad; 2. las causas de exención, así como cualquier limitación o partición de responsabilidad; 3. la índole de los daños que puedan dar lugar a indemnización; 4. las modalidades y alcance de la indemnización. 5. la transmisibilidad del derecho a indemnización; 6. las personas con derecho a indemnización por el daño que hayan personalmente sufrido; 7. la responsabilidad principal por hechos de sus empleados; 8. la carga de prueba, en la medida en que las normas de la legislación aplicable al respecto pertenezcan al derecho de responsabilidad; 9. Las normas de prescripción y caducidad, fundamentadas en la expiración de un plazo, comprendido en el inicio, la interrupción y la suspensión de los plazos. (art. 8).

El artículo 9 del Convenio determina que, al margen de la aplicación de lo dispuesto en los artículos 4, 5 y 6, podrán tomarse en consideración las normas de seguridad vigentes en el Estado en cuyo territorio se hubiere introducido el producto en el mercado. Si bien el cumplimiento de las exigencias técnicas existentes en el Estado de comercialización de un producto es un requisito necesario para determinar el alcance de la responsabilidad, el artículo 7 del Convenio facilita que puedan coincidir la ley aplicable y la ley del Estado de comercialización.

3. Protección del mercado

3.1. Competencia desleal y actos que restrinjan la libre competencia

El artículo 6.1 del Reglamento «Roma II» dice que «la ley aplicable a una obligación extracontractual que se derive de un acto de competencia desleal será la ley del país en el que el mercado resulte o pueda resultar afectado». Se trata de una norma especial para las obligaciones extracontractuales derivadas de actos de competencia desleal dirigidos al mercado que pretende proteger a los competidores, a los consumidores y al público en general, «así como garantizar el buen funcionamiento de la economía de mercado» en palabras del considerando núm. 21 del Reglamento «Roma II».

Cuando un acto de competencia desleal afecte exclusivamente a los intereses de un competidor en particular, el artículo 6.2 del Reglamento «Roma II» señala que «se aplicará el artículo 4», esto es, la regla prevista para los supuesto generales: la ley de la residencia habitual común de las partes (art. 4.2 Convenio «Roma II») y, en caso de no existir esa conexión, la ley del país donde se produce el daño (art. 4.1 Reglamento «Roma II». Excepto en todos aquellos supuestos que presenten vínculos manifiestamente más estrechos con otro país, en cuyo caso se aplicará su ordenamiento (art. 4.3 Convenio «Roma II»). Esta última es la que se denomina «cláusula de escape».

La norma de conflicto para las obligaciones extracontractuales que se deriven de las restricciones de la competencia es la ley del país «en el que el mercado resulte o pueda resultar afectado» (art. 6.3.a) Reglamento «Roma II»).

> Según el considerando núm. 23 del Reglamento «Roma II», «a los efectos del presente Reglamento, el concepto de restricción de la competencia debe cubrir las prohibiciones de acuerdos entre empresas, las decisiones adoptadas por asociaciones de empresas y las prácticas concertadas que tengan por objeto o efecto evitar, restringir o distorsionar la competencia dentro de un Estado miembro o dentro del mercado interior. También incluye las prohibiciones relativas a l abuso de posición dominante dentro de un Estado miembro o dentro del mercado interior, cuando dichos acuerdos, decisiones, prácticas concertadas o abusos estén prohibidos por los artículos 81 y 82 del Tratado CE o por la legislación de un Estado miembro». No se aplica, sin embargo, a las sanciones administrativas[8].

Cuando el mercado resulte o pueda resultar afectado en más de un país, el artículo 6.3.b) del Reglamento «Roma II» indica que «la persona que reclama la

---

8.   Los artículos 81 y 82 del TCE se corresponden a los actuales artículos 101 y 102 del TFUE.

indemnización por el daño y que presenta una demanda ante el tribunal del domicilio del demandado puede optar por basar su demanda en le legislación del foro, siempre que el mercado de dicho Estado miembro figure entre los que se ven afectados de manera directa y sustancial por la restricción de la competencia de la que se deriva la obligación extracontractual en que se basa la demanda; cuando el demandante, de acuerdo con las normas aplicables en materia de competencia judicial, presente una demanda contra más de un demandado ante ese tribunal, podrá optar por basar su demanda en la legislación del foro únicamente si la restricción de la competencia en que se basa la demanda presentada contra cada uno de los demandados afecta también de manera directa y esencial al mercado del Estado miembro de ese tribunal».

En cualquier caso, de conformidad con lo dispuesto por el artículo 6.4 del Reglamento «Roma II», el juego de la autonomía de la voluntad en el ámbito de la competencia desleal y de los actos que restrinjan la libre competencia está expresamente prohibido al no permitirse la elección por las partes de la ley aplicable.

3.2. *Infracción de los derechos de propiedad intelectual o industrial*

Según el **artículo 8.1 del Reglamento «Roma II»**, «la ley aplicable a la obligación extracontractual que se derive de una infracción de un derecho de propiedad intelectual será la del país para cuyo territorio se reclama la protección». Fiel al principio de territorialidad, dicho precepto consagra la aplicación de la *lex loci protectionis* que se reconoce universalmente[9].

El considerando núm. 26 del Reglamento «II» determina que «a efectos del presente Reglamento, la expresión "derechos de propiedad intelectual" debe ser interpretada como referencia a, por ejemplo, los derechos de autor, los derechos afines, el derecho sui generis de la protección de bases de datos y los derechos de propiedad industrial».

El artículo 8.2 del Reglamento «Roma II» dice que «en caso de una obligación extracontractual que se derive de una infracción de un derecho de propiedad intelectual comunitario de carácter unitario, la ley aplicable será la ley del país en el que se haya cometido la infracción para toda cuestión que no esté regulada por el respectivo instrumento comunitario». Tales derechos de propiedad intelectual comunitarios de carácter unitario son la marca comunitaria y los dibujos o modelos comunitarios.

De acuerdo con el artículo 8.3 del Reglamento «Roma II», de igual modo que sucede en materia de libre competencia y de actos que restrinjan la libre competencia, no resulta posible excluir la aplicación de la ley del país para cuyo territorio se reclama la protección en virtud del principio de libertad de elección del artículo 14 del Reglamento «Roma II», que está expresamente prohibido.

3.3. *Acción de conflicto colectivo*

A tenor del artículo 9 del Reglamento «Roma II», «sin perjuicio de lo dispuesto en el artículo 4, apartado 2, la ley aplicable a una obligación extracontractual respecto de la responsabilidad de una persona en calidad de trabajador o de empresario o de las organizaciones que representen sus intereses profesionales por los daños causados

---

9.   Cfr. considerando 26 del Reglamento «Roma II».

por una acción de conflicto colectivo futura o realizada, será la ley del país en el que se haya emprendido la acción o vaya a emprenderse». No existe un concepto autónomo de conflicto colectivo en el Derecho europeo más allá de las nociones de huelga o cierre patronal (*lock-out*), que se rigen por las normas internas de cada Estado miembro[10], lo que explica que su calificación dependerá de la ley del foro. Es por eso que el mencionado artículo 9 del Reglamento «Roma II» prevé la aplicación de la ley del país en que se haya emprendido o vaya a emprenderse la acción. En este supuesto, no sólo es posible la elección de la ley aplicable entre la persona perjudicada y el trabajador, empresario u organización representativa presuntamente responsables (cfr. art. 14 Reglamento «Roma II»), sino también la aplicación de la ley de la residencia habitual común cuando exista (art. 4.2 Reglamento «Roma II»).

4. Daños medioambientales

El artículo 7 del Reglamento «Roma II» señala que «la ley aplicable a la obligación extracontractual que se derive de un daño medioambiental o de un daño sufrido por personas o bienes como consecuencia de dicho daño, será la ley determinada en virtud del artículo 4, apartado 1, a menos que la persona que reclama el resarcimiento de los daños elija basar sus pretensiones en la ley del país en el cual se produjo el hecho generador del daño».

De acuerdo con lo dispuesto por el considerando 24 del Reglamento «Roma II», «por "daño medioambiental" debe entenderse el cambio adverso de un recurso natural, como el agua, el suelo o el aire, el perjuicio a una función que desempeña ese recurso natural en beneficio de otro recurso natural o del público, o un perjuicio a la variabilidad entre los organismos vivos».

Por consiguiente, la persona que reclame el resarcimiento podrá elegir entre la ley del país donde se produce el daño (art. 4.1 Reglamento «Roma II») y la ley del país en el cual se produjo el hecho generador del daño (art. 7 Reglamento «Roma II»).

En palabras del considerando 25 del Reglamento «Roma II», «en cuanto a los daños medioambientales, el artículo 174 del Tratado, que contempla un elevado nivel de protección, basado en los principios de cautela y acción preventiva, en el principio de corrección en la fuente misma y en el principio de quien contamina paga, justifica plenamente el recurso al principio de favorecer a la víctima. La cuestión de cuándo la persona que reclama el resarcimiento de los daños podrá elegir el Derecho aplicable debe determinarse de conformidad con la legislación del Estado miembro en que se somete el asunto al órgano jurisdiccional»[11].

5. Enriquecimiento injustificado o sin causa

El artículo 10.1 del Reglamento «Roma II» dice que «cuando una obligación extracontractual que se derive de un enriquecimiento injusto, incluido el pago de sumas indebidamente percibidas, concierna a una relación existente entre las partes, como por ejemplo la derivada de un contrato o un hecho dañoso, estrechamente vinculada

---

10. Cfr. considerando 27 del Reglamento «Roma II».
11. El artículo 174 TCE se corresponde con el actual artículo 191 TFUE.

a ese enriquecimiento injusto, la ley aplicable será la ley que regule dicha relación». Se trata de la *lex causae* o ley aplicable a la relación jurídica preexistente.

El apartado 2 del artículo 10 del Reglamento «Roma I» añade que «cuando la ley aplicable no pueda ser determinada sobre la base del apartado 1 y las partes tengan su residencia habitual en el mismo país en el momento en que se produce el hecho que da lugar al enriquecimiento injusto, se aplicará la ley de dicho país»». Se trata de una conexión escasamente justificada en materia de cuasicontratos, pero que puede aceptarse en razón de las legítimas expectativas de ambas partes y en la propia flexibilidad que introduce en su aplicación la cláusula de excepción final, para el caso de que no se considere adecuada (FERNÁNDEZ ROZAS/SÁNCHEZ LORENZO).

Cuando la ley aplicable no pueda ser determinada sobre la base de los apartados 1 o 2, será aplicable la ley del país en que se produjo el enriquecimiento injusto (art. 10.3 Reglamento «Roma II»). Si del conjunto de circunstancias se desprende que la obligación extracontractual que se derive de un enriquecimiento injusto presenta vínculos manifiestamente más estrechos con otro país distinto del indicado en los apartados 1, 2 y 3, se aplicará la ley de este otro país (art. 10.4 Reglamento «Roma II»). La «cláusula de escape» permite dotar a la regulación del enriquecimiento injustificado de la necesaria flexibilidad.

> Aunque el artículo 10.9, párrafo 3.º, del CC dice que «en el enriquecimiento sin causa se aplicará la ley en virtud de la cual se produjo la transferencia del valor patrimonial a favor del enriquecido», dicha regla ha sido sustituida por el artículo 10 del Reglamento «Roma II».

6. Gestión de negocios ajenos

Según el artículo 11.1 del Reglamento «Roma II», «cuando una obligación extracontractual que se derive de un acto realizado sin la debida autorización en relación con los negocios de otra persona concierna a una relación existente entre las partes, como por ejemplo la derivada de un contrato o un hecho dañoso, estrechamente vinculada con esa obligación extracontractual, la ley aplicable será la ley que regule dicha relación».

De igual modo que en el caso del enriquecimiento injustificado, cuando la ley aplicable no pueda ser determinada sobre la base del apartado 1 y las partes tengan su residencia habitual en el mismo país en el momento en que se produce el hecho generador del daño, se aplicará la ley de dicho país (art. 11.2 Reglamento «Roma II»). Cuando la ley aplicable no pueda ser determinada sobre la base de los apartados 1 o 2, será aplicable la del país en que se haya realizado el acto (art. 11.3 Reglamento «Roma II»). Esto último parece congruente con el carácter legal de la obligación derivada, además de conseguir una necesaria unidad de la ley aplicable al coincidir habitualmente con el lugar donde se encuentra el patrimonio, el mercado afectado y donde se producen los eventuales daños o ventajas.

Si del conjunto de las circunstancias se desprende que la obligación extracontractual que se derive de un acto realizado sin la debida autorización en relación con los negocios de otra persona presenta vínculos manifiestamente más estrechos con otro país distinto del indicado en los apartados 1, 2 y 3, se aplicará la ley de este otro país (art. 11.4 Reglamento «Roma II»). De nuevo, la cláusula de excepción o «de escape».

La regla contenida en el artículo 10.9, párrafo 2.º, del CC, a cuyo tenor «la gestión de negocios se regulará por la ley del lugar donde el gestor realice la principal actividad», no resulta de aplicación al ser desplazada por la del artículo 11 del Reglamento «Roma II».

7. Tratos preliminares o *culpa in contrahendo*

Según el artículo 12.1 del Reglamento «Roma II», «la ley aplicable a una obligación extracontractual que se derive de los tratos previos a la celebración de un contrato, con independencia de que el contrato llegue o no a celebrarse realmente, será la ley aplicable al contrato o la que se habría aplicado a al contrato si este se hubiera celebrado». Como recalca el considerando núm. 30 del Reglamento «Roma II», «la *culpa in contrahendo* a efectos del presente Reglamento es un concepto autónomo y no debe interpretarse necesariamente dentro del sentido de la legislación nacional. Debe incluir la violación del deber de información y la ruptura de los tratos contractuales». La norma contenida en el artículo 12 del Reglamento «Roma II» tiene un ámbito de aplicación restringido, lo que explica que el citado considerando 30 continúe diciendo que dicho artículo «cubre únicamente las obligaciones extracontractuales con vínculo directo con los tratos previos a la celebración de un contrato. Esto quiere decir que si durante las negociaciones de un contrato una persona sufriera una lesión personal, se aplicaría el artículo 4 o cualquier otra disposición pertinente del Reglamento». En todo caso, la hipotética ley que hubiese regido el contrato «de haberse celebrado» se determinará conforme a lo dispuesto en el Reglamento «Roma I».

A tenor del apartado 2 del artículo 12 del Reglamento «Roma II», «cuando la ley aplicable no pueda determinarse mediante el apartado 1, la ley aplicable será: a) la ley del país en el que se haya producido el daño, independientemente del país en el que se haya producido el hecho generador del daño e independientemente del país o países en los que se hayan producido las consecuencias indirectas del hecho en cuestión, o b) cuando las partes tengan su residencia habitual en el mismo país en el momento en el que se produjo el hecho generador del daño, la ley de ese país, o c) si del conjunto de las circunstancias se desprende que la obligación extracontractual que se derive de los tartos previos a la celebración de un contrato presenta vínculos manifiestamente más estrechos con otro país distinto del indicado en las letras a) y b), se aplicará la ley de este otro país».

IV. ÁMBITO DE LA LEY APLICABLE

1. Cuestiones reguladas por la ley aplicable designada por la norma de conflicto del Reglamento «Roma II»

El artículo 15 del Reglamento «Roma II» señala que la ley designada como ley aplicable a la obligación extracontractual regula, en particular: a) el fundamento y el alcance de la responsabilidad, incluida la determinación de las personas que puedan considerarse responsables por sus propios actos; b) las causas de exoneración, así como toda limitación y reparto de la responsabilidad; c) la existencia, la naturaleza y la evaluación de los daños o la indemnización solicitada; d) dentro de los límites de los poderes conferidos al tribunal por el Derecho procesal, las medidas que puede adoptar un tribunal para garantizar la prevención, el cese y la reparación del daño; e) la transmisibilidad, incluida por herencia, del derecho a reclamar por daños o a solicitar indemnización; f) las personas que tienen derecho a la reparación del daño sufrido personalmente; g) la responsabilidad por actos de terceros; h) el modo de extinción de las obligaciones, así como las normas de prescripción y caducidad, incluidas las relativas al inicio, interrupción y suspensión de los plazos de prescripción y caducidad.

Además, según el considerando 12 del Reglamento «Roma II», «la ley aplicable debe regular también la cuestión de la capacidad e incurrir en responsabilidad por un hecho dañoso».

2. Acción directa contra el asegurador del responsable

Según el artículo 18 del Reglamento «Roma II», «la persona perjudicada podrá actuar directamente contra el asegurador de la persona responsable para reclamarle resarcimiento si así lo dispone la ley aplicable a la obligación extracontractual o la ley aplicable al contrato de seguro».

3. Subrogación

El artículo19 del Reglamento «Roma II» señala que «cuando en virtud de una obligación extracontractual, una persona ("el acreedor") tenga derechos respecto a otra persona ("el deudor") y un tercero esté obligado a satisfacer al acreedor o haya, de hecho, satisfecho al acreedor en ejecución de esa obligación, la ley aplicable a esta obligación del tercero determinará si, y en qué medida, este puede ejercer los derechos que el acreedor tenía contra el deudor según la ley que rige sus relaciones».

BIBLIOGRAFÍA

ARENAS GARCÍA, «La regulación de la responsabilidad precontractual en el Reglamento Roma II», *InDret*, 4/2008; DE MIGUEL ASENSIO, «La *lex loci protectionis* tras el Reglamento "Roma II"», *AEDIPr*, 2007, p. 375; íd., «El régimen comunitario relativo a la ley aplicable a las obligaciones extracontractuales», *RES*, 2009, p. 695; SEUBA TORREBLANCA, «Derecho de daños y Derecho internacional privado: algunas cuestiones sobre la legislación aplicable y la Propuesta de Reglamento "Roma II"», *InDret*, 1/2005.

Thomson Reuters Proview
Guía de uso

¡ENHORABUENA!

ACABAS DE ADQUIRIR UNA OBRA QUE **INCLUYE LA VERSIÓN ELECTRÓNICA.**
APROVÉCHATE DE TODAS LAS FUNCIONALIDADES.

ACCESO INTERACTIVO A LOS MEJORES LIBROS JURÍDICOS
DESDE IPHONE, IPAD, ANDROID Y
DESDE EL NAVEGADOR DE INTERNET

FUNCIONALIDADES DE UN LIBRO ELECTRÓNICO EN **PROVIEW**

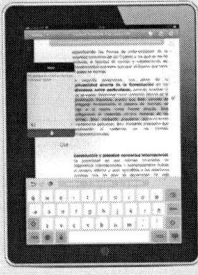

SELECCIONA Y DESTACA TEXTOS
Haces anotaciones y escoges los colores para organizar tus notas y subrayados.

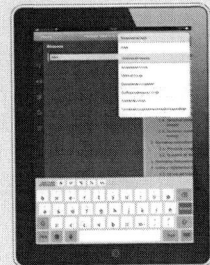

USA EL TESAURO PARA ENCONTRAR INFORMACIÓN
Al comenzar a escribir un término, aparecerán las distintas coincidencias del índice del Tesauro relacionadas con el término buscado.

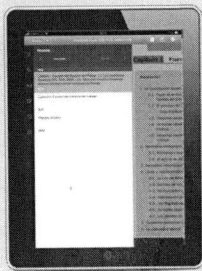

HISTÓRICO DE NAVEGACIÓN
Vuelve a las páginas por las que ya has navegado.

ORDENAR
Ordena tu biblioteca por: Título (orden alfabético), tipo (libros y revistas), editorial, jurisdicción o área del Derecho.

CONFIGURACIÓN Y PREFERENCIAS
Escoge la apariencia de tus libros y revistas en ProView cambiando la fuente del texto, el tamaño de los caracteres, el espaciado entre líneas o la relación de colores.

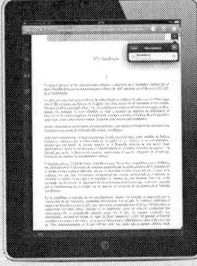

MARCADORES DE PÁGINA
Crea un marcador de página en el libro tocando en el icono de Marcador de página situado en el extremo superior derecho de la página.

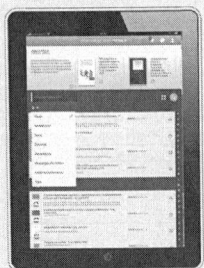

BÚSQUEDA EN LA BIBLIOTECA
Busca en todos tus libros y obtén resultados con los libros y revistas donde los términos fueron encontrados y las veces que aparecen en cada obra.

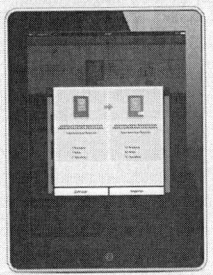

IMPORTACIÓN DE ANOTACIONES A UNA NUEVA EDICIÓN
Transfiere todas sus anotaciones y marcadores de manera automática a través de esta funcionalidad.

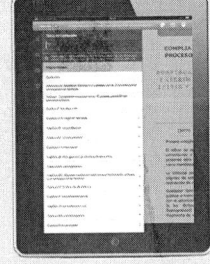

SUMARIO NAVEGABLE
Sumario con accesos directos al contenido.

INFORMACIÓN IMPORTANTE: Si has recibido previamente un correo electrónico con el asunto **"Proview – Confirmación de Acceso",** para acceder a Thomson Reuters Proview™ deberás seguir los pasos que en él se detallan.

Estimado/a cliente/a,

Para acceder a la versión electrónica de este libro, por favor, accede a **http://onepass.aranzadi.es**

Tras acceder a la página citada, introduce tu dirección de correo electrónico (*) y el código que encontrarás en el interior de la cubierta del libro. A continuación pulsa enviar.

Si te has registrado anteriormente en **"One Pass"** (**), en la siguiente pantalla se te pedirá que introduzcas el NIF asociado al correo electrónico. Finalmente, te aparecerá un mensaje de confirmación y recibirás un correo electrónico confirmando la disponibilidad de la obra en tu biblioteca.

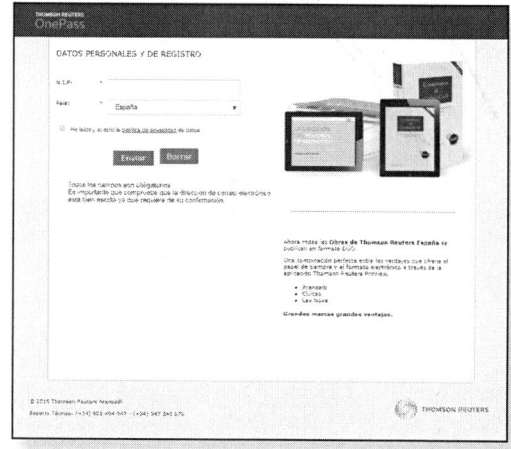

Si es la primera vez que te registras en **"One Pass"** (**), deberás cumplimentar los datos que aparecen en la siguiente imagen para completar el registro y poder acceder a tu libro electrónico.

- Los campos **"Nombre de usuario"** y **"Contraseña"** son los datos que utilizarás para acceder a las obras que tienes disponibles en **Thomson Reuters Proview™** una vez descargada la aplicación, explicado al final de esta hoja.

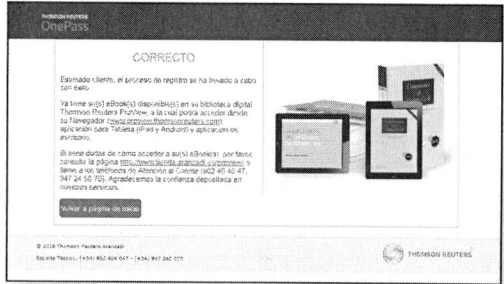

Cómo acceder a **Thomson Reuters Proview™:**
- **iPhone e iPad:** Accede a AppStore y busca la aplicación **"ProView"** y descárgatela en tu dispositivo.
- **Android:** accede a Google Play y busca la aplicación **"ProView"** y descárgatela en tu dispositivo.
- **Navegador:** accede a **www.proview.thomsonreuters.com**

Servicio de Atención al Cliente
Ante cualquier incidencia en el proceso de registro de la obra no dudes en ponerte en contacto con nuestro Servicio de Atención al Cliente. Para ello accede a nuestro Portal Corporativo en la siguiente dirección **www.thomsonreuters.es** y una vez allí en el apartado del **Centro de Atención al Cliente** selecciona la opción de **Acceso** a Soporte para no Suscriptores (compra de Publicaciones).

(*) Si ya te has registrado en **Proview™** o cualquier otro producto de Thomson Reuters (a través de One Pass), deberás introducir el mismo correo electrónico que utilizaste la primera vez.
(**) **One Pass:** Sistema de clave común para acceder a Thomson Reuters Proview™ o cualquier otro producto de Thomson Reuters.